LAROUSSE DU SCRABBLE®

Dictionnaire des jeux de lettres

Pour établir
le texte de cet ouvrage,
l'auteur a utilisé
un ordinateur de la série 60 **Cii Honeywell Bull**

LAROUSSE
DU SCRABBLE®

Dictionnaire des jeux de lettres

Michel Pialat

LIBRAIRIE LAROUSSE, 17, rue du Montparnasse, Paris VIe

ISBN 2-03-029309-1

SOMMAIRE

« A force de secouer les mots comme des noix dans un sac, on amène entre eux d'étranges rencontres, des façons nouvelles et baroques de s'accrocher. »

Jules Lemaitre (les Contemporains)

PROPOS D'UN SCRABBLEUR

Pour l'*Encyclopédie* de Diderot, l'anagramme est *la transposition des lettres d'un nom, d'où il résulte un sens avantageux ou désavantageux à la personne à qui appartient ce nom.* Historiquement, donc, la recherche de l'anagramme procède de la même démarche divinatoire que l'astrologie : il s'agit de déterminer l'avenir ou la personnalité d'un individu non pas à partir de la position des astres à sa naissance, mais grâce aux combinaisons qu'offrent les lettres de son nom. En fait, les quelques réussites observées dans ce domaine sont celles des prophètes du lendemain : ainsi de *Frère Jacques Clément*, meurtrier de Henri III, on a extrapolé *C'est l'enfer qui m'a créé* (en confondant le J avec le I) ; de *Napoléon empereur des Français*, on arrive à *Un pape serf a sacré le noir démon ;* enfin, la *Révolution française* se transpose en *Un véto corse la finira.* Si le lecteur du *Larousse du Scrabble* trouve hermétiques les anagrammes de son nom (M. Pialat lui-même, dont le nom est rangé dans le groupe des mots de 6 lettres à AAILPT, est-il inspiré par LAPAIT ou APLATI ?), il pourra toujours s'en servir comme *nom de plume*, comme on dit en anglais.

La vogue que connaissent actuellement en France les jeux de lettres n'a rien à voir avec le goût des sciences occultes de nos aïeux. Quand le joueur de *Scrabble*, quand le candidat au jeu *Des chiffres et des lettres* se concentre sur des lettres tirées dans le désordre, il n'essaie pas de transcender une apparence, il cherche à se dépasser lui-même. Quelle joie lorsque ses efforts réconcilient des éléments qui semblaient antagonistes ! Il devient un dieu organisateur par qui le chaos s'ordonne.

Certains joueurs de jeu de lettres, possédant un don combinatoire exceptionnel, trouvent en quelques secondes la ou les solutions au problème que pose un tirage donné. Aux joueurs moins doués, le présent ouvrage sera d'un précieux secours.

Jouant au *Scrabble* ou suivant en spectateur actif *Des chiffres et des lettres*, ils sauront instantanément si les réponses proposées sont perfectibles. Le *Larousse du Scrabble* peut même accomplir dans un tournoi de *Scrabble* ce dont est incapable un ordinateur dans le domaine des échecs : trouver à chaque coup la solution optimale.

Le dernier-né des Larousse va devenir le vade-mecum de l'arbitre, qui pourra — s'il en a le loisir et le désir — signaler aux joueurs un coup supérieur à ceux qu'ils ont trouvés et il sera à même de trancher les coups litigieux. Aux championnats du monde francophone 1977, un certain flottement s'est produit lorsqu'un scrabbleur a joué IOULERA. Le présent ouvrage aurait tout de suite éclairé la lanterne de l'arbitre : au tirage A E I L O R U correspondent trois mots dont IOULERA suivi d'un astérisque qui renvoie à un glossaire ; or, celui-ci nous apprend que IOULER, verbe intransitif que l'on trouve à l'entrée JODLER du *Petit Larousse illustré*, est en majuscules mais non en caractères gras, donc à proscrire dans les compétitions de *Scrabble*. De même, dans une émission récente du jeu *Des chiffres et des lettres*, un candidat a proposé ÉCLOSANT, mot contesté par son adversaire. Le même glossaire nous indique que cette forme est donnée comme inusitée par le *P. L. I.*, mais qu'elle est citée par *le Nouveau Bescherelle, le Bon Usage* de Grévisse et le *Dictionnaire des verbes français* de Larousse : elle est donc tout à fait acceptable.

Le *Larousse du Scrabble* sera désormais le livre de chevet du scrabbleur de compétition comme de l'amateur éclairé. A chaque page, des espacements indiquent les combinaisons correspondant à plusieurs mots différents. Il est amusant d'apprendre que MUSCADIN est l'anagramme de SCANDIUM ; il peut être capital de savoir que THÉBAINS est l'anagramme d'ABSINTHE, si, comme dans un tournoi récent, on peut placer un de ces deux mots sur la grille mais pas l'autre. Faisons cependant une réserve : cet ouvrage est si captivant qu'après l'avoir refermé le lecteur risque de ne pas trouver le sommeil...

Michel Charlemagne

Champion du monde francophone 1975.

AVERTISSEMENT DE L'AUTEUR

Ce dictionnaire est destiné à tous les amateurs de jeux de lettres autant qu'à ceux de jeux de mots.

Il s'adresse d'abord aux joueurs de *Scrabble* et à ceux *Des chiffres et des lettres,* jeux qui connaissent aujourd'hui un engouement extraordinaire, puisque plusieurs millions de Français sont atteints de « scrabblite » et plusieurs millions de téléspectateurs regardent chaque soir, sur Antenne 2, le plus populaire des jeux télévisés. Posséder un riche vocabulaire est déjà louable en soi ; mais savoir que POLYÈDRE est l'anagramme de DÉPLOYER ou qu'AZULEJOS est celle de JALOUSEZ peut vous permettre de faire la différence au cours d'une partie... voire de la gagner.

Il sera utile aussi :
— aux cruciverbistes, pour qui aucun ouvrage de travail de ce genre n'existait à ce jour : en quelques secondes, ils pourront trouver la ou les anagrammes du mot qu'ils recherchent ;

— aux candidats du *Qui dit mieux - Jeux de 20 heures,* sur FR 3 — qui, partant d'une syllabe de deux lettres, doivent aboutir au mot le plus long possible, par adjonction successive d'une lettre : ils auront là le « dernier mot » (tout au moins jusqu'à huit lettres !) ;

— aux amateurs de casse-tête, puzzles et jeux de lettres de toutes sortes utilisés de plus en plus par les mass media... ;

— à tous ceux qui aiment disséquer les mots, jongler avec des lettres, s'exercer à cette gymnastique de l'esprit qui consiste à transposer les lettres d'un mot pour en voir jaillir un nouveau. Quel plaisir procure cette recherche ! Et quelle joie de savoir que, grâce au *Larousse du Scrabble* (qui se veut exhaustif), aucune solution ne vous a échappé !

Comment utiliser ce dictionnaire ?

Les mots sont classés par longueur de 2, 3, 4, 5, 6, 7 et 8 lettres, et disposés en double colonne :
— à gauche, en caractères gras, les lettres données, rangées par ordre alphabétique ;
— à droite, le mot formé par ces lettres (ou ses anagrammes).

Certaines combinaisons de lettres donnent plusieurs anagrammes (avec AEINRST, on peut former 16 mots différents !). La présence de blancs dans la colonne de gauche montre tout de suite qu'un mot a plusieurs anagrammes. Une flèche (→) placée au pied du dernier mot de la colonne indique que la suite des anagrammes se trouve dans la colonne ou sur la page suivante. Enfin, lorsque les lettres tirées forment plusieurs anagrammes, celles-ci sont classées par ordre alphabétique (ARISENT, ENTRAIS, INSÉRÂT, RATINES, etc.).

Exemples : soit le tirage des 8 lettres suivantes : G. A. E. U. M. R. N. I. Leur classement donne : **AEGIMNRU ;** on peut former GÉRANIUM, MANGUIER, MERINGUA, RAMINGUE, donc quatre anagrammes.

Que contient ce dictionnaire ?

Ce dictionnaire recense près de 80 000 mots de 2 à 8 lettres. 2 lettres : 67 ; 3 lettres : 427 ; 4 lettres : 1 761 ; 5 lettres : 5 573 ; 6 lettres : 12 960 ; 7 lettres : 23 376 ; 8 lettres : 34 443.

Les mots ont été relevés dans la partie langue du *Petit Larousse illustré (P. L. I.)*, édition 1973 et suivantes. Ce sont ceux qui y figurent en entrées (à l'exclusion des mots composés) : les noms communs au singulier et au pluriel ; les adjectifs au masculin, féminin, singulier et pluriel ; les pronoms ; les adverbes, prépositions, conjonctions et interjections ; mais aussi les verbes conjugués à tous les modes et temps simples, pourvu qu'ils soient utilisables en tout purisme.

Ces conjugaisons multiplient considérablement le nombre des mots existants : le *P. L. I.* compte 71 000 articles, alors que le *Larousse du Scrabble* totalise près de 80 000 mots de 2 à 8 lettres, noms propres exclus !

A la fin du dictionnaire, un glossaire (pages roses) reprend les mots signalés d'un astérisque, pour lesquels un commentaire est nécessaire lorsque les définitions du *P. L. I.* peuvent être sujettes à controverse. La plupart de ces 704 mots constituent, en fait, des « cas litigieux ».

Afin d'utiliser au mieux les ressources de ce dictionnaire, le lecteur aura avantage à se reporter aux règles générales concernant le *Scrabble* et le jeu *Des chiffres et des lettres,* qui sont indiquées ci-après.

SCRABBLE

Il existe un règlement officiel de la F. F. Sc[1] auquel se réfèrent les scrabbleurs lors de rencontres nationales et internationales, où le jeu se pratique en système « duplicate ».

Sont admis :
— les mots simples et les mots composés s'écrivant comme des mots simples (tels ENTRESOL, ENTRAIDER, LEQUEL...), même s'ils sont suivis d'un mot entre parenthèses (ACCROIRE, CATIMINI, GIORNO, JAVEL, TITUS, les verbes pronominaux...), pour autant que ces mots aient une entrée dans les colonnes de la partie langue du *P. L. I.* des années 1973 et suivantes ;
— le mot SCRABBLE, nom masculin invariable (en hommage à l'inventeur du jeu), ainsi que les mots CHI'ISME et CHI'ITE (qui, malgré leur présentation typographique, sont des mots simples) et ARTEL' (qui doit être considéré comme un mot simple).

Sont exclus :
— les mots composés dont les éléments constitutifs sont reliés par un trait d'union, une apostrophe, une virgule, ou non joints (NORD-EST ; M'AS-TU-VU ; POP'ART ; HI, HI, HI ; DON JUAN) ;
— les mots dont les lettres sont séparées par un blanc ou par un point (A B C, D. D. T., L. S. D., O. K., S. O. S., W.-C...) ;
— les préfixes (EX, IN, DÉCI, HYPO, PRO...) et les suffixes ;
— les symboles, même si ceux-ci sont écrits entièrement en majuscules (CV) ;
— les abréviations commerciales (CAF, CIF, FOB...).

---

1. Fédération française de Scrabble : 8, rue Henri-Barbusse - 94800 VILLEJUIF.

Genre et nombre des mots
— Tous les féminins mentionnés par le *P. L. I.* sont valables (même ceux qui sont indiqués en fin d'article, comme COPINE, PONETTE, TYPOTE, UNETELLE...).

— Tous les pluriels admis par le *P. L. I.* sont valables (même ceux qui sont indiqués en fin d'article ou dans la définition du mot comme GOÏM ou GOYIM, LADIES, PFENNIGE, WATTMEN...).

A ce sujet, le règlement précise la marche à suivre pour des cas particuliers, qu'il serait trop long d'étudier ici, mais qui sont signalés par un astérisque et expliqués dans les pages roses (tels AVAUX*, CAMAÏEUS*-CAMAÏEUX*, ÉMAILS*...).

— Est également admis le singulier des noms collectifs désignant : des embranchements, classes, ordres, familles et leurs sous-groupes des règnes animal, minéral, végétal (AGRUME, BUXACÉE, REPTILE...) ; des corps chimiques et des matières organiques (ASE, CHLORELLE, OLÉFINE, PROTIDE...) ; des membres d'une association humaine (LOLLARD, MARRANE, SERVITE, YANKEE...). Il en est de même au singulier, lorsqu'il est mentionné dans la définition desdits noms (ATOUR, BROUSSAILLE, COMICE, DÉLICE, GILDE, LITANIE...).

Formes verbales
— Les verbes admis par le dictionnaire de référence, c'est-à-dire le *P. L. I.,* suivent les conjugaisons du *Nouveau Bescherelle, l'Art de conjuguer,* dans son édition la plus récente.

— Cet ouvrage détermine les formes de conjugaison par référence à 82 « verbes types » ; sont donc autorisées les seules formes verbales expressément données et découlant implicitement de « etc. » ou « ... », mais sont exclues celles portées en caractères italiques.

— Il est nécessaire de tenir compte de toutes les remarques d'usage faites dans *le Nouveau Bescherelle*, car toute contradiction entre elles joue en faveur des concurrents ; sont seulement admises les formes verbales autorisées par ces remarques ; si l'emploi de certaines formes est limité (guère, peu, pratiquement, ne ... que, rarement usité), il ne faut retenir aucune des possibilités de conjugaison qu'elles sous-entendent, l'interprétation devant se faire dans le sens le plus restrictif (c'est ainsi que ESTER n'est admis qu'à l'infinitif, que BRAIRE ne se conjugue qu'aux 3es personnes de certains temps, que FRIRE ne se conjugue pas au futur et au conditionnel, etc.).

— Si le verbe n'est pas mentionné dans *le Nouveau Bescherelle*, il sera admis aux formes de conjugaison indiquées par le *P. L. I.* ou, à défaut, par *le Nouveau Bescherelle*, pour des verbes de même conjugaison (ainsi ABOULER se conjugue comme BOULER, BAYER comme PAYER, BRUIR et CALMIR comme FINIR, RAIRE comme TRAIRE, etc.).

— L'espèce des verbes — transitif, transitif indirect, intransitif, pronominal ou impersonnel — est déterminée indifféremment par le *P. L. I.* ou par *le Nouveau Bescherelle*, mais seul ce dernier détermine si un verbe est défectif.

— Les litiges qui surgiraient encore, après consultation du *Nouveau Bescherelle*, doivent être résolus par référence au *Bon Usage* de M. Grévisse, étant entendu que toute contradiction jouera en faveur des concurrents.

Comme pour les noms communs, il y a aussi pour les verbes des cas d'espèce, qui sont repris avec astérisque dans le *Larousse du Scrabble* (ESTA*, ESTAI*, ESTAS*... ; OINS*, OIGNE*...).

DES CHIFFRES ET DES LETTRES

Sont seuls admis, à tous les genres, au singulier et au pluriel, tous les mots simples ou composés figurant dans un dictionnaire d'usage courant (il s'agit du *Petit Larousse en couleurs*) dans son édition la plus récente, à l'exception toutefois des mots d'une lettre, des interjections, des préfixes, des abréviations, des sigles, des symboles chimiques et des formes verbales autres que celles de l'infinitif et du participe passé (masculin, féminin, singulier ou pluriel).

En outre, ne sont pas admises les locutions latines et étrangères, même usuelles, pas plus que les noms propres de lieu ou de personne.

Comme on peut le constater, ce règlement est bien plus succinct que celui du *Scrabble*. Il peut donc arriver que des points litigieux apparaissent, à propos des participes de verbes en particulier... Souhaitons que le présent ouvrage réussisse à en éclaircir quelques-uns !

Différences entre ces deux jeux

Le temps. Au *Scrabble* de compétition, le joueur dispose de 3 minutes de réflexion par coup, tandis que, pour *Des chiffres et des lettres* il n'a que 45 secondes.

Le matériel. Le *Scrabble* se joue avec 7 lettres, tandis que pour *Des chiffres et des lettres* le tirage est de 8 lettres.

C'est la raison essentielle qui nous a fait limiter la longueur des mots à 8 lettres, d'autant plus qu'au *Scrabble*, il est fréquent de « scrabbler » sur une lettre d'appui (7 + 1 = 8 lettres), alors qu'il est rarissime de former des mots de 9 lettres et plus (sur deux lettres d'appui et plus).

La finalité. Au jeu *Des chiffres et des lettres*, il s'agit de trouver le mot le plus long possible. Au *Scrabble*, on cherche le mot qui rapporte le plus de points. « Scrabbler » (poser en une seule fois les 7 lettres du chevalet) vaut 50 points de bonification.

Le vocabulaire. Au *Scrabble*, on peut conjuguer à tous les modes et à tous les temps ;
les interjections sont autorisées (PEUCHÈRE !) ;
les mots composés sont refusés.

Au jeu *Des chiffres et des lettres*, les verbes sont seulement autorisés à l'infinitif et aux participes présent et passé ;
les interjections sont interdites ;
les mots composés sont admis.

Des signes orthographiques

On s'aperçoit que, dans la colonne de droite (mots existants), il n'y a aucun signe orthographique : accents (aigu, grave, circonflexe), tréma, inflexion, tilde, cédille, lettre barrée, lettre surmontée d'un tiret, lettres accolées, etc.

Pourquoi ? Parce que les lettres qui sont tirées de la « boîte à malice » — de même que les lettres inscrites dans la grille de mots croisés — ne présentent aucun de ces signes, et que l'ordinateur, en opérant le tri des mots, n'en a pas tenu compte. C'est donc au lecteur-joueur de faire, pour les formes verbales essentiellement, l'effort d'imagination et de réflexion afin d'annoncer, au jeu *Des chiffres et des lettres :*

UNITÉS et non pas UNÎTES (vous unîtes)
BALAYÉ et non pas BALAYE
TABÈS et non TABES.

Pour les verbes en -ELER ou -ETER, il ne pourra pas annoncer :
CISÈLE (il), mais CISELÉ (participe passé)
CORSÈTE (il), mais CORSETÉ.

Pour les verbes en -OYER et -UYER, les mots NETTOYÉ ou ESSUYÉ sont forcément des participes passés (puisque les verbes en -OYER et -UYER transforment le Y en I devant un E muet).

Au *Scrabble*, en revanche, on pourra lire indifféremment :
RÊVERA ou RÉVÉRA,
DÉFERAI ou DÉFÉRAI,
SERIEZ ou SÉRIEZ.

Le mot TOLÉRA est forcément le passé simple du verbe TOLÉRER et non pas un hypothétique verbe TOLER au futur.

Les formes verbales de la 3e personne du singulier du subjonctif imparfait et des 1re et 2e personnes du pluriel du passé simple prennent un accent circonflexe sur la voyelle du suffixe verbal ; le substantif formé des mêmes lettres ne porte pas cet accent ; ainsi :
un MAJORAT (afin qu'il MAJORÂT), ASSIGNAT, POSTULAT...
des VIDAMES (nous VIDÂMES), DICTAMES...
des TOMATES (vous TOMÂTES), SUCRATES...

De même, il faudra savoir lire :
CIGUË, COÏT, EXIGUË, NOËL
CHŒUR, CŒUR, ÉCŒURER
CÆCAL, NÆVUS (pluriel NÆVI), TÆNIA
FÖHN (= FŒHN), FÜHRER
ØRE, ZŁOTY, RĀJA (= RAJAH ou RADJAH)
CAÑON, SERTÃO.

Utilisant les cédilles, il faudra annoncer, au jeu *Des chiffres et des lettres*, TRACAS et non TRAÇAS, alors qu'au *Scrabble* REÇURENT (passé simple de RECEVOIR) sera égal à RÉCURENT (indicatif présent de RÉCURER) ; au contraire, DÉÇURENT (passé simple de DÉCEVOIR) ne peut pas se lire DÉCURENT (le verbe DÉCURER n'existant pas).

Enfin, il peut arriver qu'un mot ait la même écriture en tant que nom et en tant que verbe conjugué, tels :
DATIONS, MEULERONS, CULERONS...
BARDA(S), PARIA(S), BANDERA(S)...
BÂTISSE, CREVASSE, JAUNISSE...

Et attention aux verbes intransitifs, invariables au participe passé, qui peuvent être interprétés, avec le suffixe -ÉE, comme des noms, tels :
FUSÉE, MUSÉE, CHEMINÉE...

Si donc vous avez quelque difficulté à la lecture d'un mot, trouvez quelle peut être sa qualité (nom, verbe, adjectif, participe passé, singulier ou pluriel, etc.) et, si un doute subsiste dans votre esprit, n'hésitez pas à vous plonger dans votre *P. L. I.,* qui suit l'évolution de la langue d'aujourd'hui et restera l'ouvrage de chevet complémentaire du *Larousse du Scrabble.*

... Après quoi, vous deviendrez, sans nul doute, un « champion chez soi » et, pourquoi pas, un GYMNASTE du SYNTAGME ?

MOTS DE 2 LETTRES

AC	CA
AD	DA
AF	FA
AH	AH
	HA
AI	AI
AK	KA
AL	LA
AM	MA
AN	AN
	NA
AR	RA
AS	AS
	SA
AT	TA
AU	AU
AV	VA
AY	AY
BU	BU
CE	CE
CI	CI
CO	OC
DE	DE
DO	DO
DU	DU
EH	EH
	HE
EJ	JE
EL	LE
EM	ME
EN	EN
	NE
ER	RE
ES	ES →
	SE
ET	ET
	TE
EU	EU
FI	FI
	IF
GO	GO
HO	HO
	OH
IL	IL
	LI
IM	MI
IN	NI
IP	PI
IR	RI
IS	SI
IX	XI
LU	LU
MU	MU
NO	NO
	ON
NU	NU
	UN
OR	OR
OS	OS
OU	OU
PU	PU
RU	RU
SU	SU
	US
TU	TU
	UT
UV	VU

MOTS DE 3 LETTRES

AAG	AGA
AAN	ANA
AAR	ARA
AAX	AXA
ABC	ABC*
	BAC
	CAB
ABE	BEA
ABH	BAH
ABI	BAI
ABL	BAL
ABN	BAN
ABO	BOA
ABR	BAR
ABS	BAS
ABT	BAT
ABU	BAU
ACF	CAF*
ACL	CAL
	LAC
ACP	CAP
ACR	ARC
	CAR
ACS	CAS
	SAC
ACT	TAC
ADI	DIA
ADL	LAD
ADM	DAM
ADN	DAN
ADR	RAD
AEG	AGE
AEI	AIE
AEL	ALE
AEM	AME
AEN	ANE
AER	ARE
	REA
AES	ASE*
AET	ETA
AEU	EAU
AEV	AVE
AEX	AXE
AFI	FIA
AFL	FLA
AFN	FAN
AFP	PAF
AFR	FAR
AFT	FAT
	TAF*
AGG	GAG
AGI	AGI
	GAI
AGL	GAL
AGZ	GAZ
AHI	HAI
AHN	HAN
AHU	HUA
AIL	AIL
	LAI →

	LIA
AIM	AMI
	MAI
AIN	NIA
AIP	API
AIR	AIR
	IRA
	RAI
	RIA
AIS	AIS
AIT	AIT
AIV	VIA
AJN	JAN
AJR	JAR
AJS	JAS
AKS	KAS
AKY	YAK
ALM	MAL
ALP	PAL
ALS	LAS
ALV	VAL
AMS	MAS
AMT	MAT
AMU	MUA
ANP	PAN
ANS	ANS
ANT	TAN
ANV	VAN
AOS	OSA
AOT	OTA
APR	PAR
APS	PAS
APT	PAT
APU	PUA*
ARS	ARS
	RAS
ART	ART
	RAT
ARU	RUA
ARV	VAR
ARY	RAY*
ARZ	RAZ
ASS	SAS
AST	TAS
ASU	SUA
	USA
ASV	VAS
ASY	AYS
ATU	TAU
	TUA
AUV	VAU
AUX	AUX
BCE	BEC
BCO	COB
BEE	BEE
BEL	BEL
	BLE
BEN	BEN
BER	BER
BEU	BUE
BEY	BEY
BFO	BOF
	FOB*
BGO	BOG
BIN	IBN
BIO	OBI
BIS	BIS
BIT	BIT
BJO	JOB
BLO	BOL
	LOB
BNO	BON
BOP	BOP
BOR	ROB
BOT	BOT
BOX	BOX
BOY	BOY
BRU	BRU
BSU	BUS
BTU	BUT
	TUB
CDU	DUC
CEL	CLE
CEM	MEC
CEP	CEP
	PEC
CES	CES
	SEC
CET	CET
CEU	ECU
CFI	CIF*
	FIC
CFO	FOC
CHI	HIC
CHU	CHU
CII	ICI
CIL	CIL
CIO	COI
CIP	PIC
CIR	CRI
CIS	SIC
CIT	TIC
CLO	COL
CLU	CUL
CNO	CON
	ONC
COQ	COQ
COR	COR
	ROC
COS	SOC
COT	TOC
COU	COU
CRU	CRU
CSU	SUC
DEI	IDE
DEO	ODE
DES	DES
DEU	DUE
DEY	DEY
DIK	KID
DIN	NID
DIS	DIS
DIT	DIT
DIX	DIX
DLO	DOL
DMO	DOM
DNO	DON
DOS	DOS
DOT	DOT
DOU	DUO
DOY	YOD
DRU	DRU
	DUR
DRY	DRY
DSU	DUS
	SUD
DTU	DUT
EEF	FEE
EEN	NEE
EER	ERE
	REE
EET	ETE
	TEE
EEU	EUE
EEZ	ZEE
EFI	FIE
EFN	NEF
EFR	FER
EFU	FEU
EFZ	FEZ
EGL	GEL
EGO	EGO
EGR	ERG →
	GRE
	REG
EGU	GUE
EHI	HIE
EHM	HEM
EHO	OHE
EHP	HEP
EHT	THE
EHU	EUH
	HEU
	HUE
EIL	ILE
	LEI
	LIE
EIM	MIE
EIN	NIE
EIO	OIE
EIP	EPI
	PIE
EIR	IRE
	RIE
EIV	IVE
	VIE
EJT	JET
EJU	JEU
EKT	TEK
ELO	OLE
ELS	LES
	SEL
ELT	LET
	TEL
ELU	ELU
	LEU
	LUE
ELV	LEV
ELZ	LEZ
EMR	MER
EMS	MES
EMT	MET
EMU	EMU
	MUE
EMY	MYE
ENO	EON
ENS	NES
	SEN
ENT	NET
ENU	NUE
	UNE
ENY	YEN
ENZ	NEZ
	ZEN

EOP	OPE
EOR	ORE
EOS	OSE
EOT	OTE
EOV	OVE
EOZ	ZOE
EPR	PRE
EPS	SEP
EPT	PET
EPU	PEU
	PUE
EQU	QUE
ERS	ERS
ERT	TER
ERU	RUE
	URE
ERV	VER
ESS	SES
EST	EST
	SET
	TES
ESU	EUS
	SUE
	USE
ETT	TET
ETU	EUT
	TUE
ETV	VET
ETX	TEX
EUV	VUE
EUX	EUX
FIK	KIF
FIL	FIL
FIN	FIN
FIO	FOI
FIP	PIF
FIS	FIS
	IFS
FIT	FIT
	TIF
FIU	FUI

FIV	VIF
FLO	FOL
	LOF
FOR	FOR
FOU	FOU
	OUF
FOX	FOX
FRU	FUR
FSU	FUS
FTU	FUT
	TUF
GIN	GIN
GIO	GOI
GIS	GIS
GIT	GIT
GIU	GUI
GIZ	ZIG
GLU	GLU
GNO	GON
GOS	GOS
GOY	GOY
HIK	KHI
HIP	PHI
HMO	OHM
HMU	HUM
HOP	HOP
HOR	RHO
HOU	HOU
IKR	KIR
IKS	SKI
IKT	KIT
ILM	MIL
ILN	LIN
ILO	LOI
	OIL
ILP	PLI
ILS	ILS
	LIS
	SIL
ILT	LIT
ILU	LUI

ILV	VIL
IMO	MOI
IMR	MIR
IMS	MIS
IMT	MIT
INO	ION
INP	PIN
INT	TIN
INU	NUI
	UNI
INV	VIN
IOR	ROI
IOS	SOI
IOT	TOI
IOU	OUI
IPS	PIS
	PSI
IPU	PIU
IQU	QUI
IRS	RIS
IRT	RIT
	TIR
	TRI
IRZ	RIZ
ISS	SIS
ISV	VIS
ISX	SIX
ITV	VIT
JSU	JUS
LMO	MOL
LNU	NUL
LOS	SOL
LOT	LOT
LOV	VOL
LPU	PLU
LSU	LUS
LSY	LYS
LTU	LUT
LUX	LUX
MNO	MON
	NOM

MOT	MOT
MOU	MOU
MRU	MUR
MSU	MUS
MTU	MUT
NNO	NON
NOS	NOS
	SON
NOT	ONT
	TON
NSU	NUS
	UNS
OOZ	ZOO
OPP	POP
OPT	POT
	TOP
OPU	POU
ORS	ORS
ORT	ROT
OST	OST
	SOT
OSU	SOU
OSV	VOS
OTT	TOT
OTU	OUT
PRU	PUR
PST	PST
PSU	PUS
PTU	PUT
PUY	PUY
RSU	RUS
	SUR
RTU	RUT
RUZ	RUZ
SSU	SUS
STU	SUT
	TUS
SUV	VUS
TTU	TUT
TUZ	ZUT

MOTS DE 4 LETTRES

AABB	BABA
AABS	BASA
AABT	ABAT
	BATA
AABV	BAVA
AABY	BAYA
AACC	CACA
AACL	CALA
	LACA
AACN	CANA
AACS	CASA
AACV	CAVA
AADD	DADA
AADF	FADA
AADI	AIDA
AADM	DAMA
AADR	RADA
AADT	DATA
AAEL	ALEA
AAER	AERA
AAFL	ALFA
AAFN	FANA
AAGG	GAGA
AAGH	AGHA
AAGL	GALA
AAGR	GARA
AAGS	AGAS
	SAGA
AAGT	GATA
AAGV	GAVA
AAGZ	GAZA
AAHL	HALA
AAHN	AHAN
AAHT	HATA
AAIM	AIMA
AAIR	ARIA
	RAIA
AAIX	AXAI
AAJN	NAJA
AAJR	RAJA
AAJS	JASA
AAJV	JAVA
AAKR	ARAK
AAKW	KAWA
AALL	ALLA
AALM	LAMA
AALN	ANAL
AALP	LAPA
AALR	RALA
AALS	SALA
AALV	AVAL
	LAVA
AALY	LAYA
AAMN	AMAN
	MANA
AAMP	PAMA
AAMR	ARMA
	RAMA
AAMS	AMAS
AAMT	MATA
AAMY	MAYA
AANN	NANA
AANP	PANA
AANR	ANAR
AANS	SANA
AAPP	PAPA
AAPR	PARA
	RAPA
AAPS	SAPA
AAPT	TAPA
AAPV	PAVA
AAPY	PAYA
AARS	ARAS
	RASA
AART	RATA
	TARA
AARU	AURA
AARV	VARA
AARY	RAYA
AASX	AXAS
AATT	TATA
AATX	AXAT
	TAXA
ABBE	ABBE
ABBY	BABY
ABCN	BANC
ABCS	BACS
	CABS
ABCU	CUBA
	UBAC
ABDR	BARD
ABDU	BAUD
ABEE	ABEE
ABEI	BAIE
	BEAI
ABEL	ABLE
	BELA
ABER	ABER
ABES	BASE
	BEAS
ABET	BATE
	BEAT
	BETA
	EBAT
ABEU	AUBE
	BEAU
ABEV	BAVE
ABEY	BAYE
ABGN	BANG
ABGO	GOBA
ABHT	BATH
ABIL	BAIL
	BILA
ABIN	BAIN
	BINA
	NABI
ABIR	ABRI
	BRAI
ABIS	BAIS
	BISA
	ISBA
ABIT	BATI
ABLO	LOBA
ABLS	BALS
ABNR	BARN
	BRAN
ABNS	BANS
ABNU	BUNA
ABOR	BORA
	ROBA
ABOS	BOAS
ABOT	ABOT
ABOX	BOXA
ABRS	BARS
	BRAS
ABST	BATS
ABSU	ABUS
ABTU	BUTA
	TUBA
ABUX	BAUX
ACCL	CLAC
ACCO	COCA
ACCR	CRAC
ACCU	ACCU
ACDE	CADE
	CEDA
	DACE
	DECA
ACDI	CADI
	CAID
ACDO	CODA
ACEF	CAFE
	FACE
ACEG	CAGE
ACEH	ACHE
ACEK	CAKE
ACEL	CALE
	CELA
	LACE
ACEM	ACME
	CAME
ACEN	ACNE
	CANE
ACEP	CAPE
ACER	ACRE
	AREC
	CREA
	RACE
ACES	CASE
ACET	ACTE
ACEV	AVEC
	CAVE
ACFL	FLAC
ACFR	FRAC
ACHH	CHAH
ACHI	CHAI
	CHIA
ACHO	HOCA
ACHR	CHAR
ACHS	CASH →

	CHAS
ACHT	CHAT
ACIL	LAIC
ACIM	MICA
ACIN	INCA
ACIP	PICA
ACIR	CARI
	CIRA
	CRIA
ACIS	SCIA
ACIT	CATI
	CITA
ACJK	JACK
ACKL	LACK
ACKP	PACK
ACKY	YACK
ACLN	CLAN
ACLO	CALO
	COLA
ACLS	CALS
	LACS
ACLT	TALC
ACLU	ACUL*
	CULA
ACMO	COMA
ACMP	CAMP
ACMR	MARC
ACNR	CRAN
ACNT	CANT
ACOR	OCRA
ACOT	COTA
ACPR	PARC
ACPS	CAPS
ACRS	ARCS
	CARS
ACRT	TRAC
ACRU	CURA
ACRV	VRAC
ACRY	CARY
ACSS	SACS
ACST	TACS
ACSU	SUCA
ACTT	TACT
ACUV	CUVA
ADDR	DARD
ADEE	AEDE
ADEF	FADE
ADEG	GADE*
ADEI	AIDE
ADEJ	DEJA
	JADE
ADEL	DELA
ADEM	DAME
ADEN	ADNE
ADER	RADE
ADET	DATE
ADFO	FADO
ADFR	FARD
ADGO	GODA
ADGR	DRAG
ADIK	KADI
ADIL	LAID
ADIM	DAIM
ADIN	DINA
ADIR	DIRA
	RAID
	RIDA
ADIS	DAIS
ADIV	DIVA
	VIDA
ADLR	LARD
ADLS	LADS
ADLU	DUAL
ADLY	LADY
ADNO	DONA
ADNR	NARD
ADNS	DANS
ADOP	DOPA
ADOR	DORA
	RODA
ADOS	ADOS
	DOSA
	SODA
ADOT	DOTA
ADOU	DOUA
ADPR	DRAP
ADPU	DUPA
ADRS	RADS
ADRT	TARD
ADRU	ARDU
	DURA
ADRY	YARD
ADTU	TAUD
AEEG	AGEE
AEEN	ANEE
AEER	AERE
AEEX	AXEE
AEFL	FEAL
	FELA
AEFM	FAME
AEFN	FANE
AEFR	FERA
AEFT	FETA
AEGG	GAGE
AEGI	GAIE
	GEAI
AEGL	EGAL
	GALE
	GELA
AEGM	MAGE
AEGN	ANGE
	GENA
	NAGE
AEGP	PAGE
AEGR	GARE
	GERA
	GREA
	RAGE
AEGS	AGES
	SAGE
AEGT	GATE
AEGU	AUGE
AEGV	GAVE
AEGZ	GAZE
AEHI	HAIE
AEHL	HALE
	HELA
AEHS	HASE
AEHT	HATE
AEHV	HAVE
AEIL	AILE
	LAIE
AEIM	AIME
	AMIE
	EMIA
	MAIE
AEIN	AINE
AEIP	EPIA
	PAIE
AEIR	AIRE
	RAIE
	REAI
AEIS	AIES
	AISE
	SAIE
AEIT	ETAI
	TAIE
AEJL	JALE
AEJN	JEAN
AEJS	JASE
AEJT	JETA
AEKS	SAKE
AELL	ALLE
AELM	ALEM
	LAME
	MALE
	MELA
AELN	ANEL
	ELAN
AELP	ALPE
	LAPE
	PALE
	PELA
AELR	LARE
	RALE
	REAL
AELS	ALES
	LESA
	SALE
AELT	ETAL
	TAEL
	TALE
AELV	LAVE
	LEVA
	VELA
AELY	LAYE
AEMN	AMEN
	MENA
AEMP	PAME
AEMR	AMER
	ARME
	MARE
	RAME
AEMS	AMES
	SEMA
AEMT	MATE
	MEAT
	META
AENP	PANE
	PEAN
AENS	ANES
	ANSE
AENT	ANTE
	ENTA
AENU	AUNE
AENV	AVEN
AEPP	PAPE
AEPR	APRE
	EPAR
	PARE
	RAPE
AEPS	ASPE
	PESA
	SAPE

AEPT	APTE
	PATE
	PETA
	TAPE
AEPU	PEAU
AEPV	PAVE
AEPX	APEX
AEPY	PAYE
AERR	ERRA
	RARE
AERS	ARES
	RASE
	REAS
	SERA
AERT	ATRE
	RATE
	REAT
	TARE
AERV	RAVE
	REVA
AERX	AXER
AERY	EYRA
	RAYE
AESS	ASES
AEST	ESTA*
AESU	SEAU
AESV	AVES*
	VASE
AESX	AXES
	SAXE
AETT	ETAT
	TATE
	TETA
AETU	ETAU
AETX	TAXE
AETZ	ZETA
AEUV	AVEU
	VEAU
AEUX	EAUX
AEVX	VEXA
AEVZ	AVEZ
AEXZ	AXEZ
AEYZ	AYEZ
AFII	FIAI
AFIL	FILA
AFIM	FAIM
AFIN	NAIF
AFIP	PIAF
AFIR	FRAI
AFIS	FAIS
	FIAS
AFIT	FAIT
	FIAT
AFIX	FAIX
	FIXA
AFLN	FLAN
AFLO	LOFA
AFLT	FLAT
AFMU	FUMA
AFNO	FAON
AFNS	FANS
AFOR	FARO
	FORA
AFOS	SOFA
AFRS	FARS
AFRT	FART
AFST	FATS
	TAFS*
AFSU	FUSA
	SAUF
AFTU	FAUT
AFUX	FAUX
AGGN	GANG
AGGS	GAGS
AGIN	GAIN
AGIO	AGIO
AGIP	PAGI
AGIR	AGIR
AGIS	AGIS
	GAIS
AGIT	AGIT
	GITA
AGIU	AIGU
AGIV	VAGI
AGLO	GOAL
AGLS	GALS
	GLAS
AGMR	GRAM
AGNR	RANG
AGNS	SANG
AGNT	GANT
AGOY	YOGA
AGRS	GARS
	GRAS
AGRU	GAUR
	GRAU
AGRY	GRAY
AHHS	SHAH
AHIK	HAIK
AHIR	HAIR
AHIS	HAIS
AHIT	HAIT →
	THAI
AHIU	HUAI
AHKL	LAKH
AHKN	KHAN
AHLL	HALL
AHLO	HALO
	HOLA
AHMT	MATH
AHMU	HUMA
AHOR	HARO
AHOU	HOUA
AHRS	RASH
AHRT	HART
AHST	HAST
AHSU	HUAS
AHTU	HAUT
	HUAT
AIIL	LIAI
AIIN	NIAI
AIIR	IRAI
AIIX	IXIA
AIJS	JAIS
AIKK	KAKI
AIKL	KALI
AIKM	KAMI
	MAKI
AIKR	RAKI
AIKS	SAKI
	SKIA
AILM	LIMA
	MAIL
AILO	ALOI
AILP	PALI
	PILA
	PLIA
AILR	LIRA
	RAIL
AILS	AILS
	LAIS
	LIAS
	SALI
	SIAL
AILT	LAIT
	LIAT
	LITA
AIMM	IMAM
	MIMA
AIMN	IMAN
	MAIN
	MINA
AIMR	MARI →
	MIRA
	RIMA
AIMS	AMIS
	MAIS
	MISA
	SIMA
AIMT	MATI
	MITA
AIMU	AMUI
	MUAI
AIMX	MIXA
AINN	NAIN
AINP	PAIN
	PIAN
AINR	RANI
AINS	ANIS
	NAIS
	NIAS
	SAIN
AINT	NAIT
	NIAT
	TAIN
AINV	VAIN
	VINA
AINZ	NAZI
	ZAIN
	ZANI
AIOS	OSAI
AIOT	IOTA
	OTAI
AIPP	PIPA
AIPR	PAIR
	PARI
	PRIA
	RIPA
AIPS	APIS
	PAIS
AIPT	PAIT
	PATI
	TAPI
AIPU	PUAI*
AIPX	PAIX
AIQU	QUAI
	QUIA
AIRR	RIRA
AIRS	AIRS
	IRAS
	RAIS
	RIAS
	SARI
AIRT	RAIT →

	TARI
	TIRA
	TRIA
AIRU	RUAI
AIRV	RAVI
	RIVA
	VAIR
	VIRA
	VRAI
AISS	SAIS
AIST	ASTI
	SAIT
	SATI
	TAIS
AISU	SUAI
	USAI
AISV	AVIS
	VAIS
	VISA
AISX	AXIS
AISY	AISY
AITT	TAIT
AITU	TUAI
AITX	TAXI
AJNS	JANS
AJOS	SOJA
AJOT	JOTA
AJOU	JOUA
AJRS	JARS
AJRU	JURA
AJTU	JUTA
AJZZ	JAZZ
AKKR	KRAK
AKLO	KOLA
AKMO	AMOK
	MOKA
AKNO	KAON
AKNT	TANK
AKRS	KSAR
AKRT	KART
AKSV	KVAS*
AKSW	KWAS*
AKSY	YAKS
ALLO	ALLO
ALMT	MALT
ALNP	PLAN
ALNU	ALUN
ALNV	VLAN
ALOR	ORAL
ALOT	ALTO
ALOU	LOUA
ALOV	LOVA
	VOLA
ALPS	LAPS
	PALS
ALPT	PLAT
ALSV	VALS
ALTU	LUTA
ALUV	UVAL
	VALU
ALUX	AULX
	LUXA
ALWY	YAWL
AMOS	SOMA
AMOT	TOMA
AMOX	MOXA
AMPU	PUMA
AMPV	VAMP
AMRS	MARS
AMRT	TRAM
AMRU	ARUM
	MURA
AMST	MATS
AMSU	MUAS
	MUSA
AMTU	MUAT
	MUTA
AMUX	MAUX
ANNO	ANON
ANOP	PAON
ANOR	ORNA
ANOS	NAOS
ANOT	NOTA
	TAON
ANOU	NOUA
ANOV	NOVA
ANOY	NOYA
ANOZ	ZONA
ANPS	PANS
ANPU	PUNA
ANRZ	RANZ
ANSS	SANS
ANST	TANS
ANSU	ANUS
ANSV	VANS
ANTT	TANT
ANUU	UNAU
AOPR	PRAO
AOPS	POSA
AOPT	OPTA
	TOPA
AORT	ROTA →
	TARO
AORU	ROUA
AOSS	OSAS
AOST	OSAT
	OTAS
AOSY	SOYA
AOTT	OTAT
AOTU	AOUT
	AUTO
	TOUA
AOTV	VOTA
AOTY	OYAT
AOUV	VOUA
APRS	PARS
APRT	PART
	RAPT
APRU	PARU
APST	PATS
APSU	PUAS*
	UPAS
APSW	SWAP
APSY	PAYS
APTU	PUAT*
ARST	ARTS
	RATS
	STAR
	TSAR
ARSU	RUAS
	RUSA
	SAUR
ARSV	VARS
ARSY	RAYS*
ARTU	RUAT
ARTZ	TZAR
ARUZ	AZUR
ASSU	SUAS
	USAS
ASTU	SAUT
	SUAT
	TUAS
	USAT
ATTU	TUAT
ATTW	WATT
ATUV	VAUT
ATUX	TAUX
AUVX	VAUX
BBEE	BEBE
BBII	BIBI
BBLU	BULB
BBOO	BOBO
BCES	BECS
BCEU	CUBE
BCKO	BOCK
BCLO	BLOC
BCLU	CLUB
BCOR	BROC
BCOS	COBS
BCOU	BOUC
BCSU	BUSC
BDEI	BIDE
BDEL	BLED
BDNO	BOND
BDOR	BORD
BEEL	BELE
BEEN	BENE
BEER	BEER
BEES	BEES
BEET	BETE
BEEU	BUEE
BEEZ	BEEZ
BEFI	BIEF
BEFR	BREF
BEGI	BIGE
BEGO	GOBE
BEGU	BEGU
BEIL	BILE
BEIN	BENI
	BIEN
	BINE
BEIO	OBEI
BEIR	BRIE
BEIS	BISE
BEJU	JUBE
BELO	LOBE
BELS	BELS
	BLES
BELT	BLET
BELU	BLEU
BEMU	EMBU
BEOR	BORE
	ORBE
	ROBE
BEOT	BOTE
BEOU	BOUE
BEOX	BOXE
BERS	BERS
BERU	BURE
BESU	BUES
	BUSE
BESY	BEYS
BETU	BUTE
	TUBE

BEUZ	ZEBU
BGOS	BOGS
BIIS	IBIS
BILL	BILL
BIMU	IMBU
BINO	BONI
BINR	BRIN
BIOR	BRIO
BIOS	BOIS
	OBIS
BIOT	BOIT
	OBIT
BIRS	BRIS
BIRU	BRUI
BIST	BITS
BISU	BUIS
	SUBI
BJOS	JOBS
BLOS	BOLS
	LOBS
BMOO	BOOM
BMOU	BOUM
BNOS	BONS
	SNOB
BNRU	BRUN
BOPS	BOPS
BORS	ROBS
BORT	BORT
BORU	BROU
BOST	BOTS
BOSU	BOUS
	OBUS
BOSY	BOYS
BOTU	BOUT
BRRR	BRRR
BRSU	BRUS
BRTU	BRUT
BSTU	BUTS
	TUBS
CCEI	CECI
CCHI	CHIC
CCHO	CHOC
CCIL	CLIC
CCIR	CRIC
CCOO	COCO
CCOR	CROC
CCOU	COCU
CDEE	CEDE
CDEI	DECI*
CDEO	CODE
CDEU	DECU →
	DUCE
CDKO	DOCK
CDNO	DONC
CDOU	COUD
CDSU	DUCS
CEEH	ECHE
CEEL	CELE
CEEN	CENE
CEEP	CEPE
CEER	CREE
CEFH	CHEF
CEFL	CLEF
CEFR	CERF
CEGR	GREC
CEHI	CHIE
CEHO	ECHO
CEHR	CHER
CEHU	CHUE*
	ECHU
CEHZ	CHEZ
CEIL	CIEL
	LICE
CEIM	CIME
CEIN	CINE
CEIR	CIRE
	CRIE
CEIS	SCIE
CEIT	CITE
CEIV	CIVE
	VICE
CEKN	NECK
CEKO	COKE
CEKT	TECK
CELS	CLES
CELU	CULE
CEMS	MECS
CEMY	CYME
CENO	CONE
	NOCE
	ONCE
CENS	CENS
CENT	CENT
CEOR	CORE
	OCRE
CEOT	COTE
	ECOT
	ETOC
CEPS	CEPS
	PECS
CEPU	PUCE
CERS	CERS
CERT	CRET
CERU	CRUE
	CURE
	ECRU
	RECU
CESS	SECS
CESU	ECUS
	SUCE
CEUV	CUVE
	VECU
CEUX	CEUX
CFIL	FLIC
CFIR	FRIC
CFIS	FICS
	FISC
CFLO	FLOC
CFOR	FROC
CFOS	FOCS
CHLO	LOCH
CHOU	CHOU
CHSU	CHUS*
CHTU	CHUT
CILN	CLIN
CILP	CLIP
CILS	CILS
CINO	COIN
CINQ	CINQ
CINR	CRIN
CINZ	ZINC
CIOS	COIS
CIOT	COIT
	COTI
CIPS	PICS
	SPIC
CIRS	CRIS
CIRU	CUIR
CIST	TICS
CISU	CUIS
CITU	CUIT
	CUTI
CJNO	JONC
CKOR	ROCK
CLOP	PLOC
CLOS	CLOS
	COLS
CLOT	CLOT
	COLT
CLOU	CLOU
CLSU	CULS
CMOO	MOCO*
CMSU	MUSC
CNOS	CONS
CNOY	CYON
COPR	PORC
COPU	COUP
COQS	COQS
CORS	CORS
	ROCS
CORT	TROC
CORU	COUR
COSS	SOCS
COST	TOCS
COSU	COUS
COSY	COSY
COTU	COUT
CRSU	CRUS
CRTU	CRUT
	TRUC
	TURC
CSSU	SUCS
CSTU	STUC
DDOO	DODO
DDOU	DODU
DEEI	IDEE
DEEM	DEME
	MEDE
DEEN	EDEN
DEFI	DEFI
DEFN	FEND
DEGO	DOGE
	GODE
DEIL	LIED
DEIM	DEMI
	DIME
	IDEM
DEIN	DENI
	DINE
	INDE
DEIO	IODE
DEIP	PIED
DEIR	DIRE
	RIDE
DEIS	DISE
	IDES
	SIED
DEIT	DITE
	EDIT
DEIU	DIEU
DEIV	VIDE
DEKY	DYKE
DELU	DUEL
DELV	VELD

DEMO	DOME
	MODE
DENO	ONDE
DENP	PEND
DENR	REND
DENT	DENT
	TEND
DENU	DUNE
DENV	VEND
DENY	DYNE
DENZ	ZEND
DEOP	DOPE
DEOR	DORE
	RODE
DEOS	DOSE
	ODES
	SODE
DEOT	DOTE
DEOU	DOUE
	OUED
DEPR	PERD
DEPU	DUPE
DERU	DRUE
	DURE
	RUDE
DESU	DUES
DESY	DEYS
DEUX	DEUX
DFNO	FOND
DGNO	GOND
DGOR	GORD
DIIM	MIDI
DIKS	KIDS
DIMU	MUID
DINS	NIDS
DINU	INDU
DIOS	DOIS
DIOT	DITO
	DOIT
DIST	DITS
DITU	DUIT
DJOU	JUDO
DLOR	LORD
DLOS	DOLS
	LODS
DMOR	MORD
DMOS	DOMS
DMOU	DOUM
	MOUD
DNOP	POND
DNOR	NORD →
	ROND
DNOS	DONS
DNOT	DONT
	TOND
DOOR	ORDO
DORS	DORS
DORT	DORT
	TORD
DOST	DOTS
DOSU	DUOS
DOSY	YODS
DOUX	DOUX
DRSU	DRUS
	DURS
EEEP	EPEE
EEFI	FIEE
EEFL	ELFE
	FELE
EEFS	FEES
EEFT	FETE
EEFU	FEUE
EEFV	FEVE
EEGL	GELE
	LEGE
EEGN	GENE
EEGR	GERE
	GREE
EEHL	HELE
EEHR	HERE
EEHU	HUEE
EEIL	LIEE
EEIM	EMIE
EEIN	NIEE
EEIP	EPIE
EEIS	SIEE
EEJP	JEEP
EEJT	EJET
	JETE
EELL	ELLE
EELM	MELE
EELP	PELE
EELR	REEL
EELS	LESE
EELT	TELE
EELU	ELUE
EELV	LEVE
	VELE
EELZ	ZELE
EEMM	MEME
EEMN	MENE
EEMR	MERE
EEMS	SEME
EEMT	EMET
EEMU	EMEU
	EMUE
	MUEE
EENP	NEPE
	PENE
EENR	RENE
EENS	NEES
	SENE
EENT	ENTE
EENU	NUEE
EENV	NEVE
EEOR	OREE
EEOS	OSEE
EEOT	OTEE
EEOV	EVOE
EEPR	PERE
EEPS	PESE
EEPT	PETE
EEPU	PUEE
EERR	ERRE
	REER
EERS	ERES
	ERSE
	REES
EERT	ETRE
EERU	RUEE
	UREE
EERV	REVE
EERZ	REEZ
EESS	ESSE
EEST	ESTE
	ETES
	TEES
EESU	EUES
	SUEE
	USEE
EESV	SEVE
EESX	SEXE
EESZ	ZEES
EETT	TETE
EETU	TUEE
EETV	VETE
EEUV	UVEE
EEVX	VEXE
EFFI	FIEF
EFGI	FIGE
EFIK	KIEF
EFIL	FIEL
	FILE
EFIN	FINE
	NIFE
EFIO	FOIE
EFIR	FIER
EFIS	FIES
EFIU	FUIE
EFIX	FIXE
EFIZ	FIEZ
EFLO	LOFE
EFLS	SELF
EFLT	FLET
EFLU	FUEL
EFMU	FUME
EFNR	NERF
EFNS	NEFS
EFNU	NEUF
EFOR	FORE
EFOU	OEUF
EFOX	FOXE
EFRS	FERS
	SERF
EFRT	FRET
EFRU	FERU
EFSU	FEUS
	FUSE
EFTU	FETU
	FUTE
EFUV	VEUF
EFUX	FEUX
EGIL	LIGE
EGIM	GEMI
	MEGI
EGIN	IGNE
EGIP	PIGE
EGIR	REGI
EGIT	GITE
	TIGE
EGIU	IGUE
EGJU	JUGE
EGLO	LOGE
EGLS	GELS
	LEGS
EGLU	LUGE
EGMU	MUGE
EGNS	GENS
EGNT	GENT
EGOR	OGRE
	ORGE
EGOS	EGOS*
EGOT	TOGE
EGOY	GOYE

EGRS	ERGS
	GRES
	REGS
EGRU	GRUE
	URGE
EGSU	GUES
EGTU	GUET
EHIL	HILE
EHIN	HEIN
EHIR	HIER
EHIS	HIES
EHMO	HOME
EHMU	HUME
EHNU	HUNE
EHOT	HOTE
EHOU	HOUE
EHPU	PEUH
EHRU	HEUR
	HUER
	HURE
EHST	THES
EHSU	HUES
EHUZ	HUEZ
EIJO	JOIE
EIKP	KEPI
EIKS	SKIE
EILM	LIME
	MIEL
	MILE
EILN	LIEN
EILO	OEIL
EILP	PILE
	PLIE
EILR	LIER
	LIRE
EILS	ELIS
	ILES
	LIES
	LISE
EILT	ELIT
	LITE
EILU	IULE
	LIEU
EILV	VILE
EILX	EXIL
EILZ	LIEZ
EIMM	MIME
EIMN	MIEN
	MINE
EIMO	EMOI
	MOIE
EIMR	EMIR
	MIRE
	RIME
EIMS	EMIS
	MIES
	MISE
EIMT	EMIT
	ITEM
	MITE
EIMX	MIXE
EINN	INNE
EINO	NOIE
EINR	NIER
	REIN
	RIEN
EINS	NIES
	SEIN
	SIEN
EINT	TIEN
EINU	UNIE
EINV	ENVI
	VINE
EINZ	NIEZ
EIOS	OIES
	SOIE
EIOU	OUIE
EIOV	VOIE
EIPP	PIPE
EIPR	PERI
	PIRE
	PRIE
	RIPE
EIPS	EPIS
	PIES
	PISE
EIPT	PITE
EIPU	PIEU
EIRR	RIRE
EIRS	IRES
	REIS
	RIES
	SIRE
EIRT	RITE
	TIRE
	TRIE
EIRV	IVRE
	RIVE
	VIRE
EIRX	RIXE
EIRZ	IREZ
	RIEZ
EISS	SISE
EIST	SITE
EISU	SUIE
EISV	IVES
	SEVI
	VIES
	VISE
EITU	ETUI
EITV	VITE
EITX	EXIT
EIVV	VIVE
EJNU	JEUN
EJOU	JOUE
EJPU	JUPE
EJRU	JURE
EJST	JETS
EJTU	JUTE
EJUX	JEUX
EKOR	KORE
EKST	TEKS
ELLT	TELL
ELMO	MELO
	MOLE
ELMR	MERL
ELMU	MULE
ELNO	NOEL
ELNT	LENT
ELNU	LUNE
ELOP	POLE
ELOR	ORLE
	ROLE
ELOS	SOLE
ELOT	LOTE
	TOLE
ELOU	LOUE
ELOV	LOVE
	VELO
	VOLE
ELOY	YOLE
ELQU	QUEL
ELRU	LEUR
	RELU
ELRY	LYRE
ELSS	SELS
ELST	LEST
	TELS
ELSU	ELUS
	LUES
	SEUL
ELTU	ELUT
	LUTE
ELUV	ULVE
	VELU
ELUX	LUXE
EMMO	MOME
EMNO	NOME
EMNS	MENS
EMNT	MENT
EMNU	MENU
EMOR	MORE
	ORME
EMOT	OMET
	TOME
EMOU	MOUE
EMOY	MOYE
EMRS	MERS
EMRU	MUER
	MURE
EMSS	MESS
EMST	METS
EMSU	EMUS
	MEUS
	MUES
	MUSE
EMSY	MYES
EMTU	EMUT
	MEUT
	MUET
	MUTE
EMUZ	MUEZ
ENNO	NEON
	NONE
ENOP	PEON
ENOR	ORNE
ENOS	EONS
ENOT	NOTE
ENOU	NOUE
ENOV	NOVE
ENOY	NOYE
ENOZ	ONZE
	ZONE
ENPU	PNEU
ENRU	URNE
ENSS	SENS
ENST	NETS
	SENT
ENSU	NUES
	UNES
ENSZ	ZENS
ENTU	TENU
	TUNE
ENTV	VENT

ENUV	VENU
EOPP	POPE
EOPR	PORE
EOPS	OPES
	PESO
	POSE
EOPT	OPTE
	POTE
	TOPE
EORS	EROS
	ORES
	OSER
	ROSE
	SORE
EORT	OTER
	ROTE
	TORE
EORU	ROUE
EORZ	ZERO
EOSS	OSES
EOST	OTES
EOSU	SOUE
EOSV	OVES
EOSZ	OSEZ
	ZOES
EOTU	TOUE
EOTV	VETO
	VOTE
EOTZ	OTEZ
EOUV	VOEU
	VOUE
EPPU	PUPE
EPRS	PERS
	PRES
	REPS
EPRT	PRET
EPRU	PEUR
	PUER
	PURE
	REPU
EPSS	SEPS
EPST	PETS
	SEPT
EPSU	PUES
EPTU	PEUT
EPTY	TYPE
EPUX	PEUX
EPUZ	PUEZ
ERRU	RUER
ERSS	SERS
ERST	RETS →
	SERT
	TRES
ERSU	RUES
	RUSE
	SUER
	SURE
	URES
	USER
ERSV	VERS
ERTU	TUER
ERTV	VERT
ERUV	REVU
ERUZ	RUEZ
ESST	SETS
ESSU	SUES
	USES
ESTT	TEST
	TETS
ESTU	TUES
ESTV	VETS
ESTZ	ZEST
ESUV	VUES
ESUZ	SUEZ
	USEZ
ESXY	SEXY
ETTU	TETU
ETUV	VETU
	VEUT
ETUZ	TUEZ
EUVX	VEUX
EUXY	YEUX
FGLO	GOLF
FHNO	FOHN
FIIN	FINI
FIJU	JUIF
FIKS	KIFS
FILM	FILM
FILS	FILS
FINO	FION
	FOIN
FINS	FINS
FIOS	FOIS
	SOIF
FIOU	FOUI
FIPS	PIFS
FIRS	FRIS
FIRT	FRIT
	RIFT
FIRU	FUIR
FIST	TIFS
FISU	FUIS →
	SUFI
	SUIF
FISV	VIFS
FITU	FUIT
FKLO	FOLK
FLOS	FOLS*
	LOFS
FLOT	FLOT
FLOU	FLOU
FLUX	FLUX
FNOT	FONT
FOPR	PROF
FOPU	POUF
FORS	FORS
FORT	FORT
FORU	FOUR
	ROUF
FOSU	FOUS
FOTU	FOUT
FRSU	SURF
FRTU	TURF
FSTU	FUTS
	TUFS
GGNO	GONG
GGOO	GOGO
GGOR	GROG
GHIW	WHIG
GHTU	THUG
GILR	GIRL
	GRIL
GILU	GLUI
GIMO	GOIM
GIMU	MUGI
GINO	OING
GINR	RING
GINS	GINS
GIOY	YOGI
GIRS	GRIS
GIRU	RUGI
GISU	GUIS
GISZ	ZIGS
GJOU	JOUG
GLNO	LONG
GLSU	GLUS
GMOU	GOUM
GNNO	GNON
GNOS	GONS
GNOU	GNOU
GORS	GROS
GORU	GRUO
GOTU	GOUT
GRUU	GURU
HIKS	SIKH
HIOR	HOIR
HISU	HUIS
HITU	HUIT
HKLO	KHOL
HLTU	LUTH
HMOS	OHMS
HMRU	RHUM
HMTY	THYM
HNOT	THON
HOPT	PHOT
HOPU	HOUP
	POUH
HOPY	HYPO*
HORS	HORS
HOSW	SHOW
HOTU	HOTU
HOUX	HOUX
HRSU	RUSH
IIKW	KIWI
IIMM	MIMI
IIPP	PIPI
IIRS	IRIS
IITT	TITI
IIZZ	ZIZI
IJLO	JOLI
IJNU	JUIN
IJOU	JOUI
IKLO	KILO
IKLT	KILT
IKRS	KIRS
IKSS	SKIS
IKST	KITS
ILMO	OLIM
ILMS	MILS
ILNO	LION
	LOIN
ILNS	LINS
ILOP	POIL
	POLI
ILOR	LOIR
	LORI
ILOS	LOIS
	SILO
	SOLI
ILOT	ILOT
	LOTI
ILOV	VIOL
ILPS	PLIS
	SLIP

ILSS	SILS
ILST	LITS
ILSU	LUIS
ILSV	VILS
ILTT	TILT
ILTU	LUIT
IMNU	MUNI
IMOS	MOIS
	OMIS
IMOT	OMIT
IMOV	VOMI
IMRS	MIRS
IMRU	MURI
IMSS	MISS
IMSU	SIUM
INOP	PION
INOR	NOIR
	ORIN
INOS	IONS
	OINS*
	SOIN
INOT	OINT
INOV	OVIN
	OVNI
INOX	NOIX
INPS	PINS
	SPIN
INPU	PUNI
INRU	UNIR
INST	TINS
INSU	INSU
	NUIS
	UNIS
INSV	VINS
INTT	TINT
INTU	NUIT
	UNIT
INTV	VINT
IOPP	PIPO
IOPS	POIS
IOPX	POIX
IOQU	QUOI
IORS	ROIS
	ROSI
	SOIR
IORT	ROTI
	TRIO
IORU	OUIR
	ROUI
IORV	VOIR
IOSS	SOIS
IOST	SOIT
IOSU	OUIS
IOSV	VOIS
IOTT	TOIT
IOTU	ITOU
IOTV	VOIT
IOVX	VOIX
IPRS	PRIS
IPRT	PRIT
IPRX	PRIX
IPSU	PUIS
IPTU	TUPI
IRST	TIRS
	TRIS
IRSU	SURI
ISSU	ISSU
	SUIS
ISTU	SUIT
ISTZ	ZIST
JORU	JOUR
JRUY	JURY
KOSU	SOUK
LLPU	PULL
LMOS	MOLS*
LNSU	NULS
LNXY	LYNX
LOOP	POLO →
	POOL
LOOS	SOLO
LOOT	LOTO
LOPT	PLOT
LOPU	LOUP
LORS	LORS
LOSS	SOLS
LOST	LOTS
LOSU	SOUL
LOSV	VOLS
LOSW	SLOW
LOTU	TOLU
LOTV	VOLT
LPSU	PLUS
LPTU	PLUT
LSTU	LUTS
MNOS	NOMS
MNOT	MONT
MNOU	MUON
MOOT	MOTO
MOOZ	ZOOM
MORS	MORS
MORT	MORT
MOST	MOTS
MOSU	MOUS
MOTU	MOUT
MRSU	MURS
NOOS	SONO
NOPT	PONT
NOSS	SONS
NOST	SONT
	TONS
NOSU	NOUS
NOTV	VONT
NOXY	ONYX
OOPT	TOPO
OOSZ	ZOOS
OOTT	TOTO
OPPS	POPS
OPRT	PORT
	TROP
OPRU	POUR
	PROU
OPST	POTS
	SPOT
	STOP
	TOPS
OPSU	OPUS
OPTY	TYPO
OPUX	POUX
ORSS	SORS
ORST	ROTS
	SORT
	TORS
ORSU	OURS
ORTT	TORT
	TROT
ORTU	TOUR
	TROU
ORTY	TORY
ORUX	ROUX
OSST	OSTS
	SOTS
OSSU	SOUS
OSTU	OUST
	TOUS
OSUV	VOUS
OTTU	TOUT
OTUX	TOUX
PRSU	PURS
PSUY	PUYS
RSSU	SURS
RSTU	RUTS
RSUU	URUS
TTUU	TUTU

MOTS DE 5 LETTRES

AAABC	ABACA
AAACG	AGACA
AAAHN	AHANA
AAALV	AVALA
AAARS	ARASA
AABBN	NABAB
AABBR	BARBA
AABBS	BABAS
AABCH	BACHA
AABCL	BACLA
	CABLA
AABCN	CABAN
AABCR	CABRA
AABCS	CABAS
AABCT	TABAC
AABDG	BAGAD
AABDN	BANDA
AABDR	BARDA
	BRADA
AABDU	DAUBA
AABER	ARABE
AABFR	BAFRA
AABGL	GALBA
AABGU	BAGUA
AABIL	BALAI
AABIM	ABIMA
AABIS	BAISA
	BASAI
AABIT	BATAI
AABIV	BAVAI
AABIY	BAYAI
AABJL	JABLA
AABLL	BALLA
AABLM	AMBLA
	BLAMA
AABLN	BANAL
AABLS	BALSA
	BASAL
	BLASA
	SABLA
AABLT	TABLA
AABMR	AMBRA
	BRAMA
AABMS	SAMBA
AABNR	RABAN
AABNT	BANAT
AABOY	ABOYA
AABRR	BARRA
AABRS	BRASA
	SABRA
AABRT	RABAT
AABRV	BRAVA
AABRZ	BAZAR
AABSS	BASAS
AABST	ABATS
	BASAT
	BATAS
AABSU	ABUSA
AABSV	BAVAS
AABSY	BAYAS
AABTT	BATAT
AABTV	BAVAT
AABTY	BAYAT
AACCH	CACHA
AACCO	CACAO
AACCS	CACAS
AACCT	TACCA
AACDR	CADRA
	CARDA
AACEG	AGACE
AACEL	ECALA
AACEP	CAPEA
AACFH	FACHA
AACGH	GACHA
AACGI	GAIAC
AACGL	GLACA
AACGN	CAGNA
AACHH	HACHA
AACHL	LACHA
AACHM	HAMAC
	MACHA
AACHP	PACHA
AACHT	ACHAT
	TACHA
AACIL	CALAI
	LACAI
AACIN	CANAI
AACIR	CARIA
AACIS	CASAI
AACIV	CAVAI
AACLM	CALMA
	CLAMA
	MACLA
AACLN	CANAL
	LANCA
AACLO	CALAO
AACLP	PLACA
AACLR	RACLA
AACLS	CALAS
	LACAS
AACLT	CALAT
	LACAT
AACMP	CAMPA
AACNN	CANNA
AACNR	ANCRA
	CRANA
	NACRA
AACNS	CANAS
AACNT	CANAT
	TANCA
AACOT	ATOCA
AACPT	CAPTA
AACQU	CAQUA
AACRR	CARRA
AACRS	SACRA
AACRT	CARAT
	TRACA
AACSS	CASAS
	CASSA
AACST	CASAT
AACSU	CAUSA
	SAUCA
AACSV	CAVAS
AACTV	CAVAT
AADDR	DARDA
AADDS	DADAS
AADEG	ADAGE
AADEV	EVADA
AADFR	FARAD
	FARDA
AADFS	FADAS
AADGR	GARDA
AADHR	HARDA
AADII	AIDAI
AADIM	DAMAI

AADIR RADAI
RADIA
AADIS AIDAS
AADIT AIDAT
DATAI
AADLL DALLA
AADLR LARDA
AADLU ADULA
AADMN DAMAN
DAMNA
MANDA
AADMS DAMAS
AADMT DAMAT
AADNP PANDA
AADNS DANSA
AADNV VANDA
AADOR ADORA
AADPR DRAPA
AADRR RADAR
AADRS RADAS
AADRT RADAT
TARDA
AADRY DRAYA
AADST DATAS
AADTT DATAT
AAEGG GAGEA
AAEGL EGALA
AAEGN NAGEA
AAEGP AGAPE
AAEGR AGREA
EGARA
RAGEA
AAEGT AGATE
AAEGV AGAVE
AAEGY EGAYA
AAEHN AHANE
AAEIR AERAI
AAELN ANALE
AAELS ALEAS
ALESA
AAELT ETALA
AAELV AVALE
AAEMN AMENA
EMANA
AAEMT ETAMA
AAENP PAEAN
AAEPT EPATA
AAERS AERAS
ARASE
AAERT AERAT
AAERV AVARE →
AVERA
AAERX AXERA
AAESV EVASA
AAETY ETAYA
AAFFG GAFFA
AAFIM MAFIA
AAFIN FANAI
AAFIT TAFIA
AAFLN FANAL
FLANA
AAFLR RAFLA
AAFLS ALFAS
AAFLT FATAL
AAFNS FANAS
AAFNT FANAT
AAFRS FRASA*
AAFRT FARTA
AAFRY FRAYA
AAFTU FAUTA
AAGGN GAGNA
GANGA
AAGGS GAGAS
AAGHS AGHAS
AAGIM AGAMI
AAGIN GAINA
AAGIR AGIRA
GARAI
AAGIS SAIGA
AAGIT AGITA
GATAI
TAIGA
AAGIV GAVAI
AAGIZ GAZAI
AAGLN GLANA
LAGAN
AAGLS GALAS
AAGLT TAGAL
AAGLU GAULA
AAGLV VALGA
AAGLY GAYAL
AAGMM GAMMA
MAGMA
AAGMY GAMAY
AAGNS GANSA
AAGNT AGNAT
GANTA
AAGOR AGORA
AAGRS ARGAS
GARAS
AAGRT GARAT
AAGRU ARGUA →
RAGUA
AAGRV GRAVA
AAGSS SAGAS
AAGST GATAS
AAGSV GAVAS
AAGSZ GAZAS
AAGTT GATAT
AAGTV GAVAT
AAGTZ GAZAT
AAGUV VAGUA
AAHIL HALAI
AAHIR HAIRA
AAHIT HATAI
AAHJR RAJAH
AAHLP ALPHA
AAHLS HALAS
AAHLT HALAT
AAHLV HALVA
AAHNP HANAP
AAHNS AHANS
AAHNT HANTA
AAHPP HAPPA
AAHPX HAPAX
AAHRS HARAS
AAHST HATAS
AAHTT HATAT
AAIIM AIMAI
AAIJS JASAI
AAILL AILLA
ALLAI
ALLIA
AAILN LAINA
AAILP LAPAI
AAILR RALAI
AAILS ALIAS
SALAI
AAILT ALITA
AAILV LAVAI
AAILX AXIAL
AAILY LAYAI
AAIMN ANIMA
MANIA
AAIMP PAMAI
AAIMR ARMAI
MARIA
RAMAI
AAIMS AIMAS
AAIMT AIMAT
AMATI
MATAI
AAIMZ ZAMIA

AAINP	PANAI
AAINR	RAINA
AAINS	NAIAS
AAINV	AVINA
AAIPR	PARAI
	PARIA
	RAPAI
AAIPS	SAPAI
AAIPT	TAPAI
AAIPV	PAVAI
AAIPY	PAYAI
AAIRR	RAIRA
AAIRS	ARIAS
	ARISA
	RAIAS
	RASAI
AAIRT	RATAI
	TAIRA
	TARAI
AAIRU	AURAI
AAIRV	VARIA
AAIRY	RAYAI
	RAYIA
AAISS	ASSAI
AAISV	AVAIS
	AVISA
AAISX	AXAIS
AAITT	TATAI
AAITV	AVAIT
AAITX	AXAIT
	TAXAI
AAIVV	AVIVA
AAJLP	JALAP
AAJNS	NAJAS
AAJPP	JAPPA
AAJPS	JASPA
AAJRS	RAJAS
AAJSS	JASAS
AAJST	JASAT
AAJSV	JAVAS
AAKKY	KAYAK
AAKLO	KOALA
AAKMR	KARMA
AAKNP	PANKA
AAKPP	KAPPA
AAKPR	PARKA
AAKRS	ARAKS
AAKSW	KAWAS
AALLS	ALLAS
AALLT	ALLAT
	TALLA

AALMP	LAMPA
	PALMA
AALMS	LAMAS
	SMALA
AALMT	MALTA
AALNN	ANNAL
AALNP	PALAN
	PLANA
AALNS	NASAL
AALNT	NATAL
AALNV	NAVAL
AALPP	PALPA
	PAPAL
AALPR	PARLA
AALPS	LAPAS
AALPT	APLAT
	LAPAT
AALPX	ALPAX
AALQU	LAQUA
AALRS	RALAS
AALRT	RALAT
AALSS	LASSA
	SALAS
AALST	ATLAS
	SALAT
AALSU	SALUA
AALSV	AVALS
	LAVAS
	VALSA
AALSY	LAYAS
AALTT	LATTA
AALTV	LAVAT
AALTY	LAYAT
AAMMN	AMMAN
	MAMAN
AAMNR	MARNA
AAMNS	AMANS
	MANAS
AAMNT	AMANT
AAMPP	PAMPA
AAMPR	RAMPA
AAMPS	PAMAS
AAMPT	PAMAT
AAMPU	PAUMA
AAMRR	MARRA
AAMRS	ARMAS
	RAMAS
AAMRT	ARMAT
	RAMAT
	TRAMA
AAMRU	AMURA

AAMSS	MASSA
AAMST	MATAS
AAMSU	AMUSA
AAMSY	MAYAS
AAMTT	MATAT
AANNN	NANAN
AANNO	ANONA
AANNS	NANAS
AANNT	ANTAN
	TANNA
AANNV	VANNA
AANPP	NAPPA
AANPS	PANAS
	PANSA
AANPT	PANAT
AANPX	PANAX
AANRR	NARRA
AANRS	ANARS
AANRV	NAVRA
	VARAN
AANSS	SANAS
AANSU	SAUNA
AANTT	NATTA
AANTU	AUTAN
AANTV	AVANT
	VANTA
AANTX	AXANT
AANTY	AYANT
AANUX	ANAUX
AAOTU	OUATA
AAOUV	AVOUA
AAPPS	APPAS
	PAPAS
AAPPT	APPAT
AAPRS	PARAS
	RAPAS
AAPRT	PARAT
	PATAR
	RAPAT
AAPRU	APURA
AAPSS	PASSA
	SAPAS
AAPST	SAPAT
	TAPAS
AAPSU	PAUSA
AAPSV	PAVAS
AAPSY	PAYAS
AAPTT	TAPAT
AAPTV	PAVAT
AAPTY	PAYAT
AAQRU	ARQUA

AAQSU	SAQUA
AAQTU	TAQUA
AAQUV	VAQUA
AARSS	RASAS
AARST	RASAT
	RATAS
	TARAS
AARSU	AURAS
	SAURA
AARSY	RAYAS
AARTT	RATAT
	TARAT
AARTY	RAYAT
AARUZ	AZURA
AASSS	SASSA
AASST	TASSA
AASTT	TATAS
AASTU	SAUTA
AASTX	TAXAS
AASUV	SAUVA
AATTT	TATAT
AATTX	TAXAT
AAUVX	AVAUX*
ABBER	BARBE
ABBES	ABBES
ABBIL	BABIL
ABBIR	RABBI
ABBMO	BOMBA
ABBRU	BARBU
ABCEH	BACHE
	BECHA
ABCEL	BACLE
	CABLE
ABCEO	COBEA
ABCER	BERCA
	CABRE
	CRABE
ABCES	ABCES
ABCHI	BICHA
ABCHU	BUCHA
ABCIR	CABRI
ABCIU	CUBAI
ABCLN	BLANC
ABCLO	BOCAL
ABCLU	BACUL
ABCNO	BACON
	BANCO
ABCNS	BANCS
ABCOR	COBRA
ABCOT	CABOT
ABCSU	CABUS
	CUBAS
	UBACS
ABCTU	CUBAT
ABDEG	BADGE
ABDEN	BANDE
ABDER	BARDE
	BRADE
ABDET	DEBAT
ABDEU	DAUBE
ABDIN	BADIN
ABDIR	BRIDA
ABDOR	ABORD
	BORDA
	BRODA
ABDOU	BOUDA
ABDRS	BARDS
ABDSU	BAUDS
ABEER	BEERA
ABEES	ABEES
	BASEE
ABEET	BATEE
	BEATE
ABEFL	FABLE
ABEFR	BAFRE
ABEGI	GABIE
ABEGL	BELGA
	GABLE
	GALBE
ABEGN	BAGNE
ABEGR	BARGE
	GERBA
ABEGU	BAGUE
	BAUGE
ABEHI	EBAHI
ABEIL	BAILE
	BELAI
	LABIE
ABEIM	ABIME
	AMIBE
	IAMBE
ABEIO	ABOIE
ABEIR	BRAIE
ABEIS	BAIES
	BAISE
	BEAIS
ABEIT	ABETI
	BATIE
	BEAIT
ABEJL	JABLE
ABEJM	JAMBE
ABEKR	BREAK
ABELL	BALLE
	LABEL
ABELM	AMBLE
	BLAME
	MELBA
ABELR	BRELA
	LABRE
	RABLE
ABELS	ABLES
	BELAS
	BLASE
	BLESA
	SABLE
ABELT	BALTE
	BELAT
	TABLE
ABEMR	AMBRE
	BRAME
ABEMT	EMBAT
ABEMU	BAUME
	EMBUA
ABENN	BANNE
ABENR	BERNA
ABENT	BEANT
ABEOR	AROBE
	OBERA
ABEOY	ABOYE
ABERR	ARBRE
	BARRE
ABERS	ABERS
	BASER
	BRASE
	SABRE
ABERT	BATER
	REBAT
	TRABE
ABERV	BAVER
	BRAVE
ABERY	BARYE
	BAYER
ABERZ	ZABRE
	ZEBRA
ABESS	BASES
	BASSE
	BESAS
ABEST	BASTE
	BATES
	BEATS
	BETAS
	EBATS
	TABES

ABESU	ABUSE
	AUBES
ABESV	BAVES
ABESY	BAYES
ABESZ	BASEZ
ABETT	BATTE
ABETZ	BATEZ
ABEUX	BEAUX
ABEVZ	BAVEZ
ABEYZ	BAYEZ
ABFFI	BIFFA
ABGIL	BIGLA
ABGIO	GOBAI
ABGNS	BANGS
ABGOS	GOBAS
ABGOT	GOBAT
ABGOU	BAGOU
ABHIT	HABIT
ABHST	BATHS*
ABHTU	BAHUT
ABIIL	ALIBI
	BILAI
ABIIN	BINAI
ABIIS	BIAIS
	BISAI
ABIIT	TIBIA
ABIKT	BATIK
ABILN	BILAN
ABILO	ABOLI
	LOBAI
ABILR	BARIL
	BLAIR
ABILS	BILAS
ABILT	BILAT
ABIMN	NIMBA
ABIMR	BRIMA
ABINN	BANNI
ABINS	BAINS
	BASIN
	BINAS
	NABIS
ABINT	BINAT
ABINU	AUBIN
ABIOR	BOIAR
	BOIRA
	ROBAI
ABIOS	ABOIS
	BOISA
ABIOT	BOITA
ABIOV	OBVIA
ABIOX	BOXAI
ABIRR	BARRI
ABIRS	ABRIS
	BRAIS
	BRISA
	SABIR
ABIRT	BATIR
	BRAIT
ABIRV	VIBRA
ABISS	BISAS
	BISSA
	ISBAS
ABIST	BATIS
	BISAT
ABITT	BATIT
ABITU	BUTAI
	TUBAI
ABJNO	BANJO
ABJOT	JABOT
ABLMU	ALBUM
ABLOS	LOBAS
ABLOT	LOBAT
	OBLAT
ABLOU	BOULA
ABLPS	BLAPS
ABLRU	BRULA
ABLTU	BLUTA
ABMNO	AMBON
ABMOR	OMBRA
ABMOT	TOMBA
ABMRU	BRUMA
	RUMBA
ABNOR	BARON
	BORNA
ABNOS	SNOBA
ABNOT	BATON
	NABOT
ABNOU	NOUBA
ABNRS	BARNS
	BRANS
ABNRU	RUBAN
ABNSU	BUNAS
ABORS	BORAS
	ROBAS
ABORT	RABOT
	ROBAT
	TABOR
ABORV	BRAVO
ABORX	BORAX
ABORY	BROYA
ABOSS	BOSSA
ABOST	ABOTS →
	SABOT
ABOSX	BOXAS
ABOTT	BOTTA
ABOTU	ABOUT
	BOUTA
	TABOU
ABOTX	BOXAT
ABOUY	BOYAU
ABSTU	BUTAS
	TUBAS
ABTTU	BATTU
	BUTAT
	BUTTA
	TUBAT
ACCDE	DECCA
ACCDU	CADUC
ACCEH	CACHE
ACCES	ACCES
ACCHO	COACH
	COCHA
ACCHT	CATCH
ACCKR	CRACK
ACCOS	COCAS
ACCOU	COUAC
ACCRS	CRACS*
ACCRU	ACCRU
ACCSU	ACCUS
ACCSY	CYCAS
ACCUY	YUCCA
ACDEI	ACIDE
	CEDAI
ACDEN	DECAN
ACDER	CADRE
	CARDE
ACDES	CADES
	CEDAS
	DACES
ACDET	CADET
	CEDAT
ACDHU	CHAUD
ACDIN	CANDI
ACDIO	CODAI
ACDIS	ASDIC
	CADIS
	CAIDS
ACDIT	DICTA
ACDLU	DUCAL
ACDOR	CORDA
ACDOS	CODAS
ACDOT	CODAT
ACDOU	COUDA

ACDTU DUCAT
ACEEG CAGEE
ACEEJ JACEE
ACEEL CALEE
ECALE
LACEE
ACEEM CAMEE
ACEEP CAPEE
ACEER ACERE
RACEE
ACEES CASEE
ACEET ACTEE
ACEEV CAVEE
ACEFH FACHE
ACEFL FECAL
ACEFR CAFRE
FARCE
ACEFS CAFES
FACES
FASCE
ACEGH GACHE
ACEGL GLACE
ACEGN CAGNE
ECANG
ACEGR GARCE
GERCA
GRACE
ACEGS CAGES
ACEGT CAGET
ACEHH HACHE
ACEHI AICHE
ACEHL CHALE
LACHE
LECHA
ACEHM MACHE
MECHA
ACEHN ANCHE
ACEHP CHAPE
PECHA
ACEHR ARCHE
ACEHS ACHES
SACHE
SECHA
ACEHT TACHE
ACEHV VACHE
ACEIL CELAI
CLAIE
ACEIM ECIMA
ACEIP EPICA
IPECA
ACEIR ACIER →

CARIE
CRAIE
CREAI
ECRIA
ACEIT CATIE
ACEIU CAIEU
ACEJT CAJET
ACEKS CAKES
ACELL CELLA
ACELM CALME
CLAME
MACLE
ACELN LANCE
ACELP PLACE
ACELR CALER
LACER
RACLE
ACELS CALES
CELAS
LACES
ACELT CELAT
ECLAT
LACET
LACTE
ACELU ECULA
ACELZ CALEZ
LACEZ
ACEMP CAMPE
ACEMR CARME
CREMA
MACRE
ACEMS ACMES
CAMES
ACEMU ECUMA
ACENN CANNE
ENCAN
ACENO CANOE
OCEAN
ACENR ANCRE
CANER
CARNE
CERNA
CRANE
CRENA
ECRAN
ENCRA
NACRE
RANCE
ACENS ACNES
CANES
CEANS →

ENCAS
ACENT TANCE
ACENZ CANEZ
ACEOP ECOPA
ACEOR ACORE
ACEPR CAPRE
CARPE
CREPA
PERCA
ACEPS CAPES
ACEPT CAPTE
PACTE
ACEPU EPUCA
ACEQU CAQUE
ACERR CARRE
RACER
ACERS ACRES
ARECS
CASER
CESAR
CRASE
CREAS
RACES
SACRE
SCARE
SERAC
ACERT CARET
CARTE
CERAT
CREAT
ECART
RECTA
TERCA
TRACE
ACERU ECURA
ACERV CAVER
CRAVE
CREVA
ACERX CAREX
ACESS CASES
CASSE
CESSA
ACEST ACTES
CASTE
ACESU CAUSE
SAUCE
SCEAU
ACESV CAVES
ACESZ CASEZ
ACETT TACET
ACETV CAVET

ACETX	EXACT
ACEUY	CAYEU
ACEVZ	CAVEZ
ACFHI	FICHA
ACFIN	CANIF
ACFIR	FARCI
ACFIT	ACTIF
ACFLN	FLANC
ACFLO	FOCAL
ACFNO	FACON
	FONCA
ACFNR	FRANC
ACFOR	FORCA
ACFRS	FRACS
ACGIL	GICLA
ACGNO	COGNA
ACGOR	CARGO
ACGOT	CAGOT
ACHHO	HOCHA
ACHHS	CHAHS
	HASCH
ACHHU	HUCHA
ACHII	CHIAI
ACHIL	LICHA
ACHIN	CHINA
	NICHA
ACHIP	CHIPA
ACHIR	CHAIR
	RACHI
ACHIS	CHAIS
	CHIAS
ACHIT	CHIAT
ACHJU	JUCHA
ACHKR	KRACH
ACHMO	CHOMA
ACHMP	CHAMP
ACHMT	MATCH
ACHNR	RANCH
ACHNT	CHANT
ACHOP	CHOPA
	POCHA
ACHOR	ROCHA
ACHOS	CHAOS
	HOCAS
ACHOT	CAHOT
ACHOY	CHOYA
ACHRS	CHARS
	CRASH
ACHRU	RUCHA
ACHST	CHATS
ACHTU	CHAUT →
	CHUTA
ACHTY	YACHT
ACHUX	CHAUX
ACIIN	ACINI
ACIIR	CIRAI
	CRIAI
ACIIS	SCIAI
ACIIT	CITAI
ACIIV	VICIA
ACILL	CILLA
ACILM	CALMI
ACILN	CALIN
ACILR	CLAIR
ACILS	LACIS
	LAICS
ACILU	CULAI
ACILV	CLIVA
ACIMS	MACIS
	MICAS
ACIMT	AMICT
ACINN	CANIN
ACINP	PINCA
ACINR	CAIRN
	RANCI
	RINCA
ACINS	INCAS
ACINV	VAINC
ACIOP	COPIA
ACIOR	OCRAI
ACIOT	COATI
	COTAI
ACIPS	ASPIC
	PICAS
	SPICA
ACIRS	CARIS
	CIRAS
	CRIAS
ACIRT	CATIR
	CIRAT
	CRIAT
ACIRU	CUIRA
	CURAI
ACIRV	CARVI
ACISS	SCIAS
ACIST	CATIS
	CITAS
	SCIAT
ACISU	SUCAI
ACITT	CATIT
	CITAT
ACITU	CUITA
ACIUV	CUVAI
ACJKS	JACKS
ACJNO	AJONC
ACJNU	CAJUN
ACJOU	CAJOU
ACKLS	LACKS
ACKNS	SNACK
ACKPS	PACKS
ACKSY	YACKS
ACLLO	COLLA
	LOCAL
ACLMP	CLAMP
ACLNS	CLANS
ACLOP	COPAL
ACLOR	CLORA
ACLOS	CALOS
	COLAS
ACLOT	CALOT
ACLOU	CLOUA
	COULA
ACLOV	VOCAL
ACLOX	COXAL
ACLOZ	COLZA
ACLPS	SCALP
ACLRW	CRAWL
ACLST	TALCS
ACLSU	ACULS*
	CULAS
ACLTU	CULAT
ACMMO	COMMA
ACMNO	MACON
ACMOS	COMAS
ACMPS	CAMPS
ACMRS	MARCS
ACMSU	CAMUS
	SUMAC
ACNNO	CANON
ACNOP	CAPON
	PONCA
ACNOR	ARCON
	CORNA
ACNOT	CANOT
	CONTA
	TACON
	TOCAN
ACNRS	CRANS
ACNST	CANTS
ACNTU	CANUT
ACNUU	AUCUN
ACOPR	COPRA
ACOPT	CAPOT

ACOPU	COUPA
ACORS	CORSA
	OCRAS
	OSCAR
ACORT	OCRAT
ACOSS	COSSA
ACOST	COTAS
ACOTT	COTAT
	TACOT
ACOTU	COUTA
ACOUV	COUVA
ACOUY	COYAU
ACPRS	PARCS
ACRST	TRACS
ACRSU	CURAS
	SUCRA
ACRSY	CARYS
ACRTT	TRACT
ACRTU	CURAT
ACSSU	SUCAS
ACSTT	TACTS
ACSTU	SUCAT
ACSUV	CUVAS
ACTUV	CUVAT
ADDEI	DEDIA
ADDER	DARDE
ADDEY	DYADE
ADDNY	DANDY
ADDPY	PADDY
ADDRS	DARDS
ADEEI	AIDEE
ADEEM	DAMEE
ADEEN	ADNEE
ADEER	RADEE
ADEES	AEDES
ADEET	DATEE
ADEEV	EVADE
ADEFI	DEFIA
ADEFR	FARDE
ADEFS	FADES
ADEGR	EGARD
	GARDE
	GRADE
ADEGS	GADES
ADEGT	DEGAT
ADEGU	DAGUE
	GAUDE
ADEHR	HARDE
ADEIL	DELAI
	DELIA
	ELIDA →
	IDEAL
	LAIDE
ADEIM	AMIDE
	MEDIA
ADEIN	DAINE
	DENIA
	DIANE
ADEIP	APIDE*
ADEIR	AIDER
	ARIDE
	DRAIE
	RADIE
	RAIDE
ADEIS	AIDES
	DIESA
ADEIT	EDITA
ADEIU	ADIEU
ADEIV	AVIDE
	DEVIA
	EVIDA
ADEIZ	AIDEZ
ADEJR	JARDE
ADEJS	JADES
ADELL	DALLE
ADELN	LANDE
ADELR	LADRE
	LARDE
ADELT	DELTA
ADELU	ADULE
	DUALE
	ELUDA
ADEMN	DAMNE
	MANDE
ADEMR	DAMER
	DRAME
	MADRE
ADEMS	DAMES
ADEMT	ADMET
ADEMZ	DAMEZ
ADENO	ANODE
ADENP	EPAND
ADENR	DARNE
	REDAN
ADENS	ADNES
	DANSE
	SEDAN
ADENT	ADENT
ADEOP	APODE
ADEOR	ADORE
	ERODA
ADEPR	DRAPE
ADERR	RADER
ADERS	DARSE
	RADES
	SARDE
ADERT	ADRET
	DATER
	TARDE
ADERU	ARDUE
	RUADE
ADERV	DEVRA
ADERY	DRAYE
ADERZ	RADEZ
ADEST	DATES
	STADE
ADETT	DATTE
ADETZ	DATEZ
ADFFI	DIFFA
ADFIT	DATIF
ADFNO	FONDA
ADFOS	FADOS
ADFRS	FARDS
ADGIO	GODAI
ADGIU	GUIDA
ADGLN	GLAND
ADGNR	GRAND
ADGOS	GODAS
ADGOT	GODAT
ADGRS	DRAGS
ADHIM	MAHDI
ADHIR	DAHIR
	HARDI
ADIIN	DINAI
ADIIR	DIRAI
	RAIDI
	RIDAI
ADIIV	VIDAI
ADIJS	JADIS
ADIKS	KADIS
ADILN	ALDIN
	LADIN
ADILO	IODLA
ADILP	PLAID
ADILR	LAIRD
	LIARD
ADILS	LAIDS
ADILU	DILUA
ADIMR	MARDI
ADIMS	ADMIS
	DAIMS
ADIMT	ADMIT
ADINN	ANDIN

ADINR	DINAR
	DRAIN
	NADIR
	RADIN
ADINS	DINAS
ADINT	DINAT
ADINV	DIVAN
ADIOP	DOPAI
ADIOR	DORAI
	RADIO
	RODAI
ADIOS	DOSAI
ADIOT	DOTAI
ADIOU	DOUAI
ADIPR	PARDI
ADIPU	DUPAI
ADIRS	DIRAS
	ISARD
	RADIS
	RAIDS
	RIDAS
ADIRT	RIDAT
ADIRU	DURAI
ADIRV	DRIVA
ADISV	DIVAS
	VIDAS
ADITU	AUDIT
ADITV	VIDAT
ADJLO	JODLA
ADJSU	JUDAS
ADKOV	VODKA
ADLLO	ALDOL
ADLMO	MODAL
ADLNO	NODAL
ADLOS	SOLDA
ADLOT	DALOT
	DOTAL
ADLRS	LARDS
ADLSU	DUALS*
ADMNO	MONDA
ADMOU	DOUMA
ADNNO	DONNA
ADNOR	RADON
ADNOS	DONAS
	SONDA
ADNOX	DONAX
ADNQU	QUAND
ADNRS	NARDS
ADNST	STAND
ADOPS	DOPAS
ADOPT	DOPAT
ADOPU	PADOU
ADORS	DORAS
	RODAS
ADORT	DORAT
	RODAT
ADORU	DOUAR
ADOSS	DOSAS
	SODAS
ADOST	DOSAT
	DOTAS
ADOSU	DOUAS
	SOUDA
ADOTT	DOTAT
ADOTU	DOUAT
	DOUTA
ADOXY	OXYDA
ADPRS	DRAPS
ADPSU	DUPAS
ADPTU	DUPAT
ADRSU	ARDUS
	DURAS
ADRSY	YARDS
ADRTU	DURAT
ADSTU	TAUDS
ADUUX	DUAUX*
AEEER	AEREE
AEEFL	FEALE
AEEFM	FAMEE
AEEFN	FANEE
AEEGG	GAGEE
AEEGI	EGAIE
AEEGL	EGALE
AEEGN	NAGEE
AEEGP	PEAGE
AEEGR	AGREE
	EGARE
	GAREE
AEEGS	AGEES
AEEGT	ETAGE
	GATEE
AEEGU	AUGEE
AEEGV	GAVEE
AEEGY	EGAYE
AEEGZ	GAZEE
AEEHL	HALEE
AEEHT	ATHEE
	HATEE
AEEHV	HEVEA
AEEIL	AILEE
AEEIM	AIMEE
AEEIN	AINEE
AEEIR	AIREE
AEEIS	AISEE
AEEIT	ETAIE
AEEKN	AKENE
AEELL	ALLEE
AEELM	ALMEE
	LAMEE
AEELN	ALENE
AEELP	EPELA
	LAPEE
	PALEE
AEELR	REALE
AEELS	ALESE
	SALEE
AEELT	ATELE
	ETALE
	TALEE
AEELV	ELAVE
	ELEVA
	LAVEE
AEELY	LAYEE
AEELZ	ALEZE*
AEEMN	AMENE
	EMANE
AEEMP	PAMEE
AEEMR	AMERE
	ARMEE
	MAREE
	RAMEE
AEEMT	ETAME
	MATEE
AEENN	ANNEE
AEENP	APNEE
	PANEE
AEENR	ARENE
AEENS	ANEES
	ANSEE
AEENU	AUNEE
AEEPR	PAREE
	RAPEE
AEEPS	SAPEE
AEEPT	EPATE
	ETAPE
	PATEE
	TAPEE
AEEPV	EPAVE
	PAVEE
AEEPY	PAYEE
AEERR	AERER
	REERA
AEERS	AERES →

	RASEE
AEERT	ARETE
	RATEE
	TAREE
AEERV	AVERE
AEERY	RAYEE
AEERZ	AEREZ
AEESV	EVASE
AEESX	AXEES
AEETT	ETETA
	TATEE
AEETX	EXEAT
	TAXEE
AEETY	ETAYE
AEFFG	GAFFE
AEFGI	FIGEA
AEFGN	FAGNE
	FANGE
AEFIL	FELAI
AEFIM	MEFIA
AEFIN	FAINE
AEFIR	FAIRE
	FERAI
	FIERA
	FRAIE
AEFIT	FAITE
	FETAI
AEFKR	FREAK
AEFLN	ENFLA
	FLANE
AEFLR	FERLA
	RAFLE
AEFLS	FELAS
AEFLT	FELAT
AEFLU	FEULA
	FLEAU
AEFMR	FERMA
AEFMS	FAMES
AEFNR	FANER
AEFNS	FANES
AEFNU	FAUNE
AEFNZ	FANEZ
AEFRR	FERRA
AEFRS	FERAS
	FRASE*
	SAFRE
AEFRT	FARTE
	FRETA
AEFRY	FRAYE
AEFSS	FASSE
	FESSA
AEFST	FASTE
	FETAS
AEFTT	FETAT
AEFTU	FAUTE
AEFUV	FAUVE
AEFUX	FEAUX
AEGGN	GAGNE
AEGGR	GAGER
AEGGS	GAGES
AEGGZ	GAGEZ
AEGIL	AGILE
	AIGLE
	ALGIE
	GELAI
	LIAGE
AEGIM	IGAME
	IMAGE
	MAGIE
AEGIN	GAINE
	GENAI
AEGIP	PIGEA
AEGIR	AIGRE
	GERAI
	GREAI
	REAGI
AEGIS	GAIES
	GEAIS
AEGIT	AGITE
AEGIU	AIGUE
AEGIZ	GAIZE
AEGJU	JAUGE
	JUGEA
AEGLL	GALLE
	LEGAL
AEGLN	AGNEL
	ANGLE
	GLANE
	LANGE
AEGLO	LOGEA
AEGLP	PAGEL
	PLAGE
AEGLR	GRELA
	LARGE
	REGAL
	REGLA
AEGLS	GALES
	GELAS
AEGLT	GALET
	GELAT
	LEGAT
AEGLU	ALGUE →
	GAULE
	LEGUA
	LUGEA
AEGMM	GAMME
	GEMMA
AEGMN	MANGE
AEGMO	OMEGA
AEGMR	GERMA
	MARGE
AEGMS	MAGES
AEGMT	GAMET
AEGNP	PAGNE
AEGNR	GRENA
	NAGER
	RANGE
	REGNA
AEGNS	ANGES
	GANSE
	GENAS
	NAGES
AEGNT	AGENT
	ETANG
	GANTE
	GEANT
	GENAT
AEGNU	NUAGE
AEGNZ	NAGEZ
AEGOR	ORAGE
AEGOT	OTAGE
AEGPR	PAGRE
AEGPS	PAGES
AEGPU	GAUPE
AEGRR	GARER
	RAGER
AEGRS	AGRES
	GARES
	GERAS
	GREAS
	RAGES
AEGRT	GATER
	GERAT
	GREAT
	TARGE
AEGRU	ARGUE
	RAGUE
	URGEA
AEGRV	GAVER
	GRAVE
	GREVA
AEGRZ	GAREZ
	GAZER →

	RAGEZ
AEGSS	SAGES
AEGST	GATES
	STAGE
AEGSU	AUGES
	SAUGE
	SUAGE
	USAGE
AEGSV	GAVES
AEGSZ	GAZES
AEGTU	AUGET
AEGTZ	GATEZ
AEGUV	VAGUE
AEGUX	EGAUX
AEGVZ	GAVEZ
AEGZZ	GAZEZ
AEHIL	HELAI
AEHIN	HAINE
AEHIR	HAIRE
AEHIS	HAIES
AEHIT	THAIE
AEHLL	HALLE
AEHLP	ALEPH
AEHLR	HALER
	HARLE
AEHLS	HALES
	HELAS
AEHLT	HALTE
	HELAT
AEHLZ	HALEZ
AEHMP	HAMPE
AEHMR	HAREM
AEHNS	HANSE
AEHNT	ANETH
	HANTE
AEHPP	HAPPE
AEHPR	HARPE
	PHARE
AEHPS	PHASE
AEHPT	APHTE
AEHRS	HERSA
AEHRT	HARET
	HATER
AEHRU	HUERA
AEHRV	HAVRE
AEHSS	HASES
AEHST	HASTE
	HATES
AEHSV	HAVES
AEHTT	THETA
AEHTU	HAUTE

AEHTZ	HATEZ
AEIIM	EMIAI
AEIIP	EPIAI
AEIJT	JETAI
AEILL	AILLE
	ALLIE
AEILM	ELIMA
	EMAIL
	LAMIE
	MELAI
	MELIA
AEILN	ENLIA
	LAINE
	LIANE
AEILP	EPILA
	LAPIE
	PALIE
	PELAI
	PLAIE
AEILR	ELIRA
	LIERA
	RELIA
AEILS	AILES
	ALISE
	ASILE
	LAIES
	LESAI
	SALIE
AEILT	ALITE
	LAITE
AEILU	AIEUL
AEILV	LEVAI
	VELAI
AEILX	AXILE
	EXILA
AEILZ	ALIZE
	LAIZE
AEIMN	AMINE
	ANIME
	MANIE
	MENAI
AEIMR	AIMER
	MAIRE
	MARIE
	RAMIE
AEIMS	AIMES
	AMIES
	EMIAS
	MAIES
	SEMAI
AEIMT	EMIAT →

	MATIE
AEIMU	AMUIE
AEIMZ	AIMEZ
AEINN	NAINE
AEINP	EPINA
	PAIEN
	PEINA
AEINR	ANIER
	ARIEN
	NIERA
	RAINE
	RENIA
AEINS	AINES
	SAINE
	SANIE
AEINT	AIENT
	ENTAI
	ETAIN
	TENIA
AEINV	AVINE
	ENVIA
	NAEVI
	NAIVE
	VAINE
	VEINA
AEINZ	NAZIE*
AEIPP	PEPIA
AEIPR	EPAIR
	PAIRE
	PARIE
AEIPS	EPAIS
	EPIAS
	PAIES
	PESAI
	SEPIA
AEIPT	EPIAT
	PETAI
	PIETA
	TAPIE
AEIPV	PAVIE
AEIPX	EXPIA
AEIRR	ERRAI
	RAIRE
AEIRS	AIRES
	ARISE
	RAIES
	REAIS
	SERAI
	SERIA
	SIERA
AEIRT	ETIRA →

	REAIT
	TAIRE
	TARIE
	TIARE
	TRAIE
AEIRV	RAVIE
	REVAI
	VARIE
	VRAIE
AEISS	AISES
	ESSAI
	SAIES
AEIST	ESTAI*
	ETAIS
	TAIES
	TAISE
AEISV	AVISE
AEITT	ETAIT
	TETAI
AEITV	EVITA
AEIUX	AIEUX
AEIVV	AVIVE
AEIVX	VEXAI
AEIVZ	AVIEZ
AEIXZ	AXIEZ
AEJLS	JALES
AEJLT	TJALE
AEJLV	JAVEL
AEJNS	JEANS
AEJNT	JANTE
AEJNU	JAUNE
	JEUNA
AEJPP	JAPPE
AEJPS	JASPE
AEJRR	JARRE
AEJRS	JASER
AEJSS	JASES
AEJST	JETAS
AEJSZ	JASEZ
AEJTT	JATTE
	JETAT
AEJTY	JAYET
AEKNP	PEKAN
AEKSS	SAKES
AEKST	STEAK
AEKSU	UKASE
AELLM	MALLE
AELLP	PALLE
AELLR	ALLER
AELLS	ALLES
	SALLE →
	SELLA
AELLT	LETAL
	TALLE
AELLU	ALLEU
AELLZ	ALLEZ
AELMP	AMPLE
	LAMPE
	PALME
AELMR	LARME
	MAERL
AELMS	LAMES
	MALES
	MELAS
AELMT	MALTE
	MELAT
	METAL
AELMU	MEULA
	ULEMA
AELMY	AMYLE
AELNP	NAPEL
	PANEL
	PENAL
	PLANE
AELNR	RENAL
AELNS	ANELS
	ELANS
AELNU	AULNE
AELNV	VENAL
AELOP	OPALE
AELOR	ORALE
AELOS	ALOES
	ALOSE
AELOV	OVALE
AELPP	APPEL
	PALPE
AELPR	LAPER
	PARLE
	PERLA
AELPS	ALPES
	ASPLE
	LAPES
	PALES
	PELAS
	SALEP
AELPT	PALET
	PELAT
	PELTA
	PLATE
AELPZ	LAPEZ
AELQU	LAQUE
AELRR	RALER
AELRS	LARES
	LASER
	RALES
	SALER
AELRT	ARTEL
	RATEL
AELRU	LAURE
AELRV	LARVE
	LAVER
	VELAR
AELRY	ARYLE
	LAYER
AELRZ	RALEZ
AELSS	LASSE
	LESAS
	SALES
AELST	ETALS
	LESAT
	LESTA
	TAELS
	TALES
	TESLA
AELSU	SALUE
	SAULE
AELSV	LAVES
	LEVAS
	SALVE
	SLAVE
	VALSE
	VELAS
AELSY	LAYES
AELSZ	SALEZ
AELTT	LATTE
AELTU	AUTEL
	TAULE
AELTV	LEVAT
	VALET
	VELAT
AELTX	LATEX
AELTY	ALYTE
AELUV	UVALE
	VALUE
AELVV	VALVE
AELVZ	LAVEZ
	VALEZ
AELYZ	LAYEZ
AEMMO	AMOME
AEMNN	MANNE
AEMNP	EMPAN
AEMNR	MARNE
AEMNS	MANES →

	MANSE
	MENAS
AEMNT	MANTE
	MENAT
AEMOR	AROME
AEMOT	ATOME
AEMPR	PAMER
	RAMPE
AEMPS	PAMES
AEMPU	PAUME
AEMPZ	PAMEZ
AEMRR	ARMER
	MARRE
	RAMER
AEMRS	AMERS
	ARMES
	MARES
	MASER
	RAMES
AEMRT	ARMET
	MARTE
	MATER
	METRA
	TRAME
	TREMA
AEMRU	AMURE
	MAURE
	MUERA
	REMUA
AEMRZ	ARMEZ
	RAMEZ
AEMSS	MASSE
	SEMAS
AEMST	MATES
	MEATS
	METAS
	SEMAT
AEMSU	AMUSE
AEMTT	MATTE
AEMTZ	MATEZ
AEMUV	MAUVE
AEMUX	EMAUX
AEMYZ	AZYME
AENNP	PANNE
AENNT	NEANT
	TANNE
AENNV	VANNE
AENOT	ATONE
AENOU	ENOUA
AENOV	NOVAE
AENOX	AXONE
AENPP	NAPPE
AENPR	PANER
AENPS	PANES
	PANSE
	PEANS
	PENSA
AENPT	PANTE
AENPZ	PANEZ
AENRR	NARRE
AENRT	ANTRE
	ENTRA
	REANT
	RENTA
AENRU	URANE
AENRV	NAVRE
AENRY	ARYEN
AENSS	ANSES
	NASSE
AENST	ANTES
	ENTAS
	SANTE
	SEANT
	SENAT
AENSU	AUNES
	SAUNE
AENSV	AVENS
	SANVE
AENTT	ENTAT
	ETANT
	NATTE
	TANTE
	TENTA
AENTV	AVENT
	NAVET
	VANTE
	VENTA
AENTX	AXENT
	TEXAN
AENUV	AVENU
AEOPR	OPERA
	PAREO
AEORS	OSERA
AEORT	AORTE
	OTERA
	TOREA
AEOTU	AOUTE
	OUATE
AEOTZ	AZOTE
AEOUV	AVOUE
AEPPS	PAPES
AEPQU	PAQUE
AEPRR	PARER
	RAPER
AEPRS	APRES
	ASPRE
	EPARS
	ESPAR
	PARES
	PARSE
	RAPES
	REPAS
	SAPER
AEPRT	PARTE
	PATER
	PATRE
	PRETA
	TAPER
AEPRU	APURE
	EPURA
	PARUE
	PREAU
	PUERA
AEPRV	PAVER
AEPRY	APYRE
	PAYER
AEPRZ	PAREZ
	RAPEZ
AEPSS	ASPES
	PASSE
	PESAS
	SAPES
AEPST	APTES
	PATES
	PESAT
	PESTA
	PETAS
	TAPES
AEPSU	PAUSE
AEPSV	PAVES
AEPSY	PAYES
	PAYSE
AEPSZ	SAPEZ
AEPTT	PATTE
	PETAT
AEPTU	TAUPE
AEPTZ	TAPEZ
AEPUX	PEAUX
AEPVZ	PAVEZ
AEPYZ	PAYEZ
AEQRU	ARQUE
AEQSU	ASQUE
	SAQUE

AEQTU	QUETA
	TAQUE
AEQUV	VAQUE
AERRS	ERRAS
	RARES
	RASER
	SERRA
AERRT	ARRET
	ERRAT
	RATER
	TARER
	TERRA
AERRU	RUERA
AERRV	VERRA
AERRY	RAYER
AERSS	RASES
	SERAS
AERST	ASTER
	ASTRE
	ATRES
	RATES
	RESTA
	STERA
	TARES
	TARSE
	TERSA
AERSU	SAURE
	SUERA
	USERA
AERSV	AVERS
	RAVES
	REVAS
	SEVRA
	VERSA
AERSY	EYRAS
	RAYES
AERSZ	RASEZ
AERTT	TARET
	TARTE
	TATER
AERTU	AUTRE
	TAURE
	TUERA
	URATE
AERTV	REVAT
AERTX	EXTRA
	TAXER
AERTZ	RATEZ
	TAREZ
AERUX	REAUX
AERUZ	AUREZ →
	AZURE
AERVV	VARVE
AERYZ	RAYEZ
AESSS	SASSE
AESST	ESTAS*
	STASE
	TASSE
AESSV	VASES
	VESSA
AESSX	SAXES
AESSZ	ASSEZ
AESTT	ESTAT*
	ETATS
	TATES
	TESTA
	TETAS
AESTU	SAUTE
AESTV	VASTE
AESTX	TAXES
AESTZ	ZESTA
AESUV	SAUVE
	SUAVE
AESUX	SEAUX
AESVX	VEXAS
AESVZ	SAVEZ
AETTT	TETAT
AETTZ	TATEZ
AETUV	ETUVA
AETUX	ETAUX
AETVX	VEXAT
AETXZ	TAXEZ
AEUVX	AVEUX
	VEAUX
AFFLU	LUFFA
AFFST	STAFF
AFFTU	AFFUT
AFGIL	GIFLA
AFGLO	OFLAG
AFGOT	FAGOT
AFHIT	HATIF
AFHLS	FLASH
AFHRW	WHARF
AFIIL	FILAI
AFIIS	FIAIS
AFIIT	FIAIT
AFIIX	FIXAI
AFIKR	FAKIR
AFILM	FILMA
AFILN	FINAL
AFILO	LOFAI
AFILP	FLAPI →
	PILAF
AFILR	FLAIR
AFILS	FILAS
AFILT	FILAT
AFIMS	FAIMS
AFIMU	FUMAI
AFINR	INFRA
AFINS	NAIFS
AFINT	FIANT
	NATIF
AFIOR	FOIRA
	FORAI
AFIPR	FRIPA
AFIPS	PIAFS
AFIRR	FRIRA*
AFIRS	FRAIS
	FRISA
AFIRT	TARIF
AFIRU	FUIRA
AFIST	FAITS
AFISU	FUSAI
AFISX	FIXAS
AFITX	FIXAT
AFKRT	KRAFT
AFLLU	FALLU
AFLNS	FLANS
AFLNU	FALUN
AFLOR	FROLA
AFLOS	LOFAS
AFLOT	FALOT
	LOFAT
AFLOU	FLOUA
	FOULA
AFLST	FLATS
AFLTU	FLUTA
AFMOR	FORMA
AFMSU	FUMAS
AFMTU	FATUM
	FUMAT
AFNNO	FANON
AFNOS	FAONS
AFORS	FAROS
	FORAS
AFORT	FORAT
AFOSS	SOFAS
AFOTY	FAYOT
AFRST	FARTS
AFSSU	FUSAS
	SAUFS
AFSTU	FUSAT
AFSUV	FAVUS

AGGNS	GANGS
AGHMO	OGHAM
AGIIR	AIGRI
AGIIT	GITAI
AGILP	GLAPI
AGILT	GLATI
AGILU	LIGUA
AGIMN	GAMIN
AGIMO	IMAGO
AGIMR	GRIMA
AGIMS	SIGMA
AGINO	AGONI
AGINR	GARNI
	GRAIN
AGINS	GAINS
	SIGNA
AGINT	GITAN
AGINV	VAGIN
AGIOS	AGIOS
AGIPU	GUIPA
AGIRS	GRISA
AGIRV	GIVRA
	GRAVI
	VAGIR
AGIST	GITAS
AGISU	AIGUS
AGISV	VAGIS
AGITT	GITAT
AGITV	VAGIT
AGJLU	JUGAL
AGKOP	GOPAK
AGLLO	ALGOL
	GALLO
AGLNO	GALON
	LAGON
AGLNS	SLANG
AGLOP	GALOP
AGLOR	LARGO
AGLOS	GLOSA
	GOALS
AGLUU	GLUAU
AGLUZ	GUZLA
AGMMO	GOMMA
AGMOT	MAGOT
AGMRS	GRAMS
AGNNO	ANGON
AGNOR	ARGON
	ROGNA
AGNOT	TANGO
AGNOU	GUANO
AGNOW	WAGON
AGNOZ	GAZON
AGNRS	RANGS
AGNSS	SANGS
AGNST	GANTS
AGORT	ARGOT
	RAGOT
AGORU	GAROU
	GOURA
AGOSU	SAGOU
AGOSY	YOGAS
AGOTU	GOUTA
AGOUV	VOGUA
AGPSU	PAGUS
AGRSU	ARGUS
	GAURS
AGRSY	GRAYS
AGRUU	GRUAU
AGRUX	GRAUX
AGSSU	GAUSS
AHHSS	SHAHS
AHHUU	HUHAU
AHIKR	HARKI
AHIKS	HAIKS
AHIKU	HAIKU
AHILU	HUILA
AHIMU	HUMAI
AHIOU	HOUAI
AHIPS	SPAHI
AHIRT	TRAHI
AHIRU	AHURI
AHISS	HISSA
AHIST	THAIS
AHISU	HUAIS
AHITU	HUAIT
AHKLS	LAKHS
AHKNS	KHANS
AHKOP	HOPAK
AHKOS	SHAKO
AHLLS	HALLS
AHLNU	UHLAN
AHLOS	HALOS
AHLRU	HURLA
AHMSS	SMASH
AHMSU	HUMAS
AHMTU	HUMAT
AHNOY	HAYON
AHNTU	HUANT
AHOPU	POUAH
AHOSU	HOUAS
AHOTU	HOUAT
AHOUY	HOYAU
AHPST	SPATH
AHRSS	RASHS
AHRST	HARTS
AHRSU	SURAH
AHSST	HASTS
AHSTU	HAUTS
AHTUY	THUYA
AIIKS	SKIAI
AIILM	LIMAI
AIILO	AIOLI
AIILP	PILAI
	PLIAI
AIILR	LIRAI
AIILS	LIAIS
AIILT	LIAIT
	LITAI
AIILV	AVILI
AIIMM	MIMAI
AIIMN	MINAI
AIIMR	MIRAI
	RIMAI
AIIMS	MISAI
AIIMT	IMITA
	MITAI
AIIMX	MIXAI
AIINS	AINSI
	NIAIS
AIINT	NIAIT
AIINV	VINAI
AIIPP	PIPAI
AIIPR	PRIAI
	RIPAI
AIIRR	RIRAI
AIIRS	IRAIS
	IRISA
	RIAIS
AIIRT	IRAIT
	RIAIT
	TIRAI
	TRIAI
AIIRV	RIVAI
	VIRAI
AIISS	SAISI
AIISV	VISAI
AIISX	IXIAS
AIJNU	JAUNI
AIJOU	JOUAI
AIJRU	JURAI
AIJTU	JUTAI
AIKKS	KAKIS
AIKLS	KALIS

AIKMS KAMIS
MAKIS
AIKOP OKAPI
AIKOT TOKAI
AIKRS RAKIS
AIKSS SAKIS
SKIAS
AIKST SKIAT
AILLP PILLA
AILLS LILAS
AILLT TILLA
AILLV VILLA
AILMN LIMAN
MALIN
MILAN
AILMP AMPLI
AILMR MARLI
AILMS ISLAM
LIMAS
MAILS
AILMT LIMAT
TAMIL
AILNP ALPIN
LAPIN
PLAIN
AILNS SALIN
AILNT LATIN
LIANT
AILNU ALUNI
AILNV ALVIN
NIVAL
AILOP APIOL
AILOS ALIOS
ALOIS
ISOLA
AILOU IOULA*
LOUAI
AILOV LOVAI
VIOLA
VOILA
VOLAI
AILPR PALIR
AILPS LAPIS
LAPSI
PALIS
PILAS
PLAIS
PLIAS
AILPT PALIT
PILAT
PLAIT →
PLIAT
AILPU PILAU
AILPW PILAW
AILRS LIRAS
RAILS
SALIR
AILRU LUIRA
RUILA
AILRV AVRIL
LIVRA
RIVAL
VIRAL
AILSS LISSA
SALIS
SIALS*
SISAL
AILST LAITS
LITAS
SALIT
AILSU LAIUS
AILSV LAVIS
AILTT LITAT
AILTU LUTAI
AILTV VITAL
AILUX LUXAI
AILZZ LAZZI
AIMMS IMAMS
MIMAS
AIMMT MIMAT
AIMNR MARIN
AIMNS IMANS
MAINS
MINAS
AIMNT MAINT
MATIN
MINAT
AIMNZ NIZAM
AIMOR MOIRA
AIMOS MOISA
AIMOT TOMAI
AIMOU MIAOU
AIMPR PARMI
PRIMA
AIMPS SAMPI
AIMRR MARRI
AIMRS MARIS
MIRAS
RIMAS
AIMRT MATIR
MIRAT
RIMAT →
TRIMA
AIMRU AMUIR
MURAI
AIMSS MISAS
SIMAS
AIMST MATIS
MISAT
MITAS
SAMIT
TAMIS
AIMSU AMUIS
MUAIS
MUSAI
AIMSX MIXAS
AIMTT MATIT
MITAT
AIMTU AMUIT
MUAIT
MUTAI
AIMTX MIXAT
AINNO ANION
AINNS NAINS
NINAS
AINNT NANTI
NIANT
TANIN
AINNZ ZANNI
AINOP APION
OPINA
PIANO
AINOR NORIA
ORNAI
AINOT NOTAI
AINOU NOUAI
AINOV AVION
NOVAI
AINOY NOYAI
AINPP NIPPA
AINPR RAPIN
AINPS PAINS
PIANS
PISAN
SAPIN
AINPT PATIN
PINTA
TAPIN
AINRS ARSIN
RANIS
AINRT RIANT
TARIN
TRAIN

AINRU	NUIRA
	RUINA
	UNIRA
	URINA
AINRV	INVAR
	RAVIN
AINSS	SAINS
AINST	SAINT
	SATIN
	TAINS
AINSU	USINA
AINSV	VAINS
	VINAS
AINSZ	NAZIS
	ZAINS
AINTT	TINTA
	TITAN
AINTV	VINAT
AINZZ	ZANZI
AIOPR	PAROI
AIOPS	POSAI
AIOPT	OPTAI
	PATIO
	TOPAI
AIORT	RATIO
	ROTAI
AIORU	ROUAI
AIORV	AVOIR
AIOSS	OASIS
	OSAIS
AIOST	OSAIT
	OTAIS
	TOISA
AIOSU	OUAIS
AIOSV	AVISO
AIOTT	OTAIT
AIOTU	TOUAI
AIOTV	VOTAI
AIOUV	VOUAI
AIPPS	PIPAS
AIPPT	PIPAT
AIPPU	APPUI
AIPQU	PIQUA
AIPRS	PAIRS
	PARIS
	PARSI
	PRIAS
	PRISA
	RIPAS
AIPRT	PARTI
	PATIR →
	PRIAT
	RIPAT
	TAPIR
AIPRV	PRIVA
AIPSS	PISSA
AIPST	PATIS
	PISTA
	TAPIS
AIPSU	PUAIS
	PUISA
AIPTT	PATIT
	TAPIT
AIPTU	PUAIT
AIPZZ	PIZZA
AIQSU	QUAIS
	QUASI
AIQTU	TIQUA
AIRRS	RIRAS
AIRRT	TARIR
AIRRV	RAVIR
AIRSS	SARIS
AIRST	STRIA
	TARIS
	TIRAS
	TRAIS
	TRIAS
AIRSU	RUAIS
	RUSAI
AIRSV	RAVIS
	RIVAS
	VAIRS
	VIRAS
	VRAIS
AIRTT	TARIT
	TIRAT
	TITRA
	TRAIT
	TRIAT
AIRTU	RUAIT
AIRTV	RAVIT
	RIVAT
	VIRAT
	VITRA
AIRVV	VIVRA
AISSS	ASSIS
AISST	ASSIT
	ASTIS
	SATIS
	TISSA
AISSU	AUSSI
	SUAIS →
	USAIS
AISSV	VISAS
	VISSA
AISSY	AISYS
AISTU	SITUA
	SUAIT
	TUAIS
	USAIT
AISTV	VISAT
AISTX	TAXIS
AITTU	TUAIT
AITVV	VIVAT
AJLNO	JALON
AJLOU	JOUAL
AJMOR	MAJOR
AJNOP	JAPON
AJORU	AJOUR
AJOSS	SOJAS
AJOST	JOTAS
AJOSU	JOUAS
	SAJOU
AJOTU	AJOUT
	JOUAT
	JOUTA
AJOUY	JOYAU
AJRSU	JURAS
AJRTU	JURAT
AJSTU	JUTAS
AJTTU	JUTAT
AKKOP	KAPOK
AKKRS	KRAKS
AKLOP	POLKA
AKLOS	KOLAS
AKMOS	AMOKS
	MOKAS
AKNOS	KAONS
AKNOT	TONKA
AKNST	TANKS
AKOPP	KOPPA
AKOTY	TOKAY
AKQRU	QUARK
AKRST	KARTS
AKSTU	STUKA
ALLMU	MULLA
ALLOS	SALOL
ALLOT	ATOLL
ALLOY	LOYAL
ALLUU	ULULA
ALMOR	MORAL
ALMOU	MOULA
ALMPU	PLUMA

ALMRU	MURAL
ALMST	MALTS
	SMALT
ALMSU	MALUS
ALNOP	LAPON
	NOPAL
ALNOR	LORAN
ALNOS	SALON
ALNOT	TALON
	TONAL
ALNOY	LAYON
ALNOZ	ZONAL
ALNPS	PLANS
ALNPT	PLANT
ALNSU	ALUNS
ALOPR	POLAR
ALOPT	PALOT
ALOPU	LOUPA
ALOPY	PLOYA
ALORS	ALORS
ALORU	LOURA
	OURLA
	ROULA
ALORY	ROYAL
ALOSS	LASSO
ALOST	ALTOS
ALOSU	LOUAS
	SAOUL
	SOULA
ALOSV	LOVAS
	VOLAS
ALOTT	LOTTA*
	TOTAL
ALOTU	LOUAT
ALOTV	LOVAT
	VOLAT
	VOLTA
ALOUV	LOUVA
ALPST	PLATS
ALPSU	PALUS
ALRRU	RURAL
ALRTU	ULTRA
ALSTU	LUTAS
	SALUT
	TALUS
ALSTY	STYLA
ALSUV	VALUS
ALSUX	LUXAS
ALSWY	YAWLS
ALTTU	LUTAT
	LUTTA

ALTUV	VALUT
ALTUX	LUXAT
AMMNO	NOMMA
AMMOP	POMMA
AMMOS	SOMMA
AMNOR	ARMON
	ROMAN
AMNOS	MOSAN
AMNOT	AMONT
	MATON
	MONTA
AMNTU	MUANT
AMOPP	POMPA
AMOQU	MOQUA
AMORU	AMOUR
AMOSS	SOMAS
AMOST	TOMAS
AMOSX	MOXAS
AMOTT	MOTTA
	TOMAT
AMOTU	MATOU
AMPRT	TRAMP
AMPSU	PUMAS
AMPSV	VAMPS
AMRST	SMART
	TRAMS
AMRSU	ARUMS
	MURAS
AMRTU	MURAT
AMSSU	MUSAS
AMSTU	MUSAT
	MUTAS
AMTTU	MUTAT
ANNOS	ANONS
	SONNA
ANNOT	TONNA
ANNSU	SUNNA
ANOPR	PRONA
ANOPS	PAONS
ANOPT	PONTA
	TAPON
ANORS	ORNAS
	SONAR
ANORT	ORANT
	ORNAT
	RATON
	TRONA
ANORU	ROUAN
ANORY	RAYON
ANOST	NOTAS
	OSANT →

	TAONS
ANOSU	NOUAS
ANOSV	AVONS
	NOVAS
	SAVON
ANOSX	AXONS
	SAXON
ANOSY	AYONS
	NOYAS
	SAYON
ANOSZ	ZONAS
ANOTT	NOTAT
	OTANT
ANOTU	NOUAT
ANOTV	NOVAT
ANOTY	NOYAT
ANOUY	NOYAU
ANPSU	PANSU
	PUNAS
ANPTU	PUANT
ANQTU	QUANT*
ANRTU	RUANT
ANRTY	TYRAN
ANSTU	SUANT
	USANT
ANSUU	UNAUS
ANTTU	TUANT
AOPQU	POQUA
AOPRS	PAROS
	PRAOS
AOPRT	PORTA
AOPSS	POSAS
	PSOAS
AOPST	OPTAS
	POSAT
	POSTA
	TOPAS
AOPSU	SOUPA
AOPTT	OPTAT
	TOPAT
AOPTV	PAVOT
AOQRU	ROQUA
AOQTU	QUOTA
	TOQUA
AORSS	ROSSA
	SAROS
AORST	ROSAT
	ROTAS
	TAROS
AORSU	ROUAS
AORTT	ROTAT →

	TAROT
AORTU	ATOUR
	OUTRA
	RAOUT
	ROUAT
	ROUTA
	TROUA
AORUV	OUVRA
AORUX	ORAUX
AOSSY	SOYAS
AOSTT	TOAST
AOSTU	AOUTS*
	AUTOS
	TOUAS
AOSTV	VOTAS
AOSTY	OYATS
AOSUV	VOUAS
AOTTU	ATOUT
	TATOU
	TOUAT
AOTTV	VOTAT
AOTUV	VOUAT
	VOUTA
AOUZZ	ZAZOU
APRST	PARTS
	RAPTS
	SPART
	SPRAT
APRSU	PARUS
	SUPRA
APRTU	PARUT
	TRAPU
APSSW	SWAPS
APSTU	STUPA
APTTU	PATTU
AQRTU	QUART
ARSST	STARS
	STRAS
	TSARS
ARSSU	RUSAS
	SAURS
ARSTU	RUSAT
	SUTRA
ARSTZ	TZARS
ARSUV	VARUS
ARSUZ	AZURS
ASSTU	SAUTS
ASTTW	WATTS
ATUUY	TUYAU
AUUVX	UVAUX
BBEES	BEBES

BBEIL	BIBLE
BBEIR	BIRBE
BBELU	BULBE
BBEMO	BOMBE
BBHOY	HOBBY
BBIIS	BIBIS
BBLOY	LOBBY
BBLSU	BULBS
BBNOU	BUBON
BBOOS	BOBOS
BCEEH	BECHE
BCEER	BERCE
	REBEC
BCEEU	CUBEE
BCEHI	BICHE
BCEHO	BOCHE
BCEHU	BUCHE
BCEIL	CIBLE
BCEMO	COMBE
BCEOT	BECOT
BCERU	CUBER
BCESU	CUBES
BCEUZ	CUBEZ
BCIKR	BRICK
BCIOT	BICOT
BCKOS	BOCKS
BCLOO	COBOL
BCLOS	BLOCS
BCLSU	CLUBS
BCORS	BROCS
BCOSU	BOUCS
BCSSU	BUSCS
BDEET	DEBET
BDEIR	BRIDE
BDEIS	BIDES
BDEIT	BIDET
	DEBIT
BDELS	BLEDS
BDENO	BEDON
	BONDE
BDEOR	BORDE
	BRODE
BDEOU	BOUDE
BDERY	DERBY
BDETU	DEBUT
BDINO	BIDON
	BONDI
BDLNO	BLOND
BDNOS	BONDS
BDORS	BORDS
BEEEN	EBENE

BEEGI	BEIGE
BEEGL	BELGE
	GLEBE
BEEGO	GOBEE
BEEGR	BERGE
	GERBE
	GREBE
BEEGU	BEGUE
BEEHR	HERBE
BEEIL	BILEE
BEEIN	BENIE
	BINEE
BEEIO	OBEIE*
BEEIR	BIERE
	IBERE
BEEIS	BISEE
BEEIZ	BEIEZ
BEELL	BELLE
	LEBEL
BEELM	BLEME
BEELO	BOLEE
	LOBEE
BEELP	PLEBE
BEELR	BELER
	BRELE
BEELS	BELES
	BLESE
BEELT	BETEL
BEELU	BLEUE
BEELY	YEBLE
BEELZ	BELEZ
BEEMR	BERME
	BREME
BEEMU	EMBUE
BEENN	BENNE
BEENR	BERNE
BEENT	BEENT
	BENET
BEEOR	BOREE
	OBERE
	ROBEE
BEEOS	OBESE
BEEOT	BOETE
BEEOU	BOUEE
BEEOX	BOXEE
BEERS	SERBE
BEERT	BERET
BEERV	BREVE
	VERBE
BEERW	WEBER
BEERZ	ZEBRE

BEEST	BESET
	BETES
BEESU	BUEES
BEETT	BETTE
BEETU	BUTEE
	TUBEE
BEEUV	BEVUE
	BUVEE
BEFFI	BIFFE
BEFIR	FIBRE
BEFIS	BIEFS
BEFOU	BOEUF
BEFRS	BREFS
BEGIL	BIGLE
BEGIO	BOGIE
	GOBIE
BEGIR	BIGRE
BEGIS	BIGES
BEGIT	GIBET
BEGIU	BIGUE
BEGLO	GLOBE
BEGLU	BUGLE
	BULGE
BEGMU	BEGUM
BEGOR	GOBER
BEGOS	GOBES
BEGOU	BOGUE
	BOUGE
BEGOZ	GOBEZ
BEGSU	BEGUS
BEHRU	HERBU
BEIIL	BILIE
BEILL	BILLE
BEILM	BLEMI
	LIMBE
BEILP	PIBLE
BEILR	BILER
	LIBER
	LIBRE
BEILS	BILES
BEILU	BLEUI
	LUBIE
BEILZ	BILEZ
BEIMN	NIMBE
BEIMR	BRIME
BEIMU	IMBUE
BEINN	BENIN
BEINR	BENIR
	BINER
BEINS	BENIS
	BIENS →
	BINES
BEINT	BENIT
BEINZ	BINEZ
BEIOR	BOIRE
	BROIE
	OBEIR
	OBIER
BEIOS	BOISE
	OBEIS
BEIOT	BOITE
	OBEIT
BEIOV	BOIVE
	OBVIE
BEIQU	BIQUE
BEIRS	BISER
	BRIES
	BRISE
	SBIRE
BEIRU	BRUIE
	BUIRE
BEIRV	VIBRE
BEIRZ	BRIZE
BEISS	BISES
	BISSE
BEIST	BISET
BEISU	SUBIE
BEISZ	BISEZ
BEITT	BITTE
BEJOT	OBJET
BEJSU	JUBES
BEKUZ	UZBEK
BELLU	BULLE
BELMO	BEMOL
	OMBLE
BELNO	BELON
	NOBLE
BELOO	OBOLE
BELOR	LOBER
BELOS	LOBES
BELOT	BOLET
BELOU	BOULE
BELOZ	LOBEZ
BELRU	BRULE
BELRY	BERYL
BELST	BLETS
BELSU	BLEUS
	BLUES
BELTU	BLUET
	BLUTE
BEMOR	BROME
	OMBRE
BEMOT	TOMBE
BEMRU	BRUME
BEMSU	BUMES
	EMBUS
	SEBUM
BENNO	BONNE
BENOR	BORNE
BENOS	BEONS
	SNOBE
BENOT	BETON
	BONTE
BENOZ	BONZE
BENRU	BRUNE
BEOOR	OROBE
BEOPR	PROBE
BEORR	ROBER
	ROBRE
BEORS	BORES
	ORBES
	ROBES
	SOBRE
	SORBE
BEORT	REBOT
BEORX	BOXER
BEORY	BROYE
BEORZ	ROBEZ
BEOSS	BOSSE
BEOST	BOTES
BEOSU	BOUES
	BOUSE
BEOSX	BOXES
BEOTT	BOTTE
BEOTU	BOUTE
BEOXZ	BOXEZ
BERSU	BURES
	REBUS
BERTU	BRUTE
	BUTER
	REBUT
	TUBER
BESSU	BUSES
	BUSSE
BESTU	BUSTE
	BUTES
	TUBES
BESUZ	ZEBUS
BETTU	BUTTE
BETUZ	BUTEZ
	TUBEZ
BEUVZ	BUVEZ
BFFLU	BLUFF

BFIOU	BOUIF
BGIOR	BIGOR
BGIOT	BIGOT
BGISU	GIBUS
BGORU	BOURG
	BURGO
BGRUY	RUGBY
BHIOU	HIBOU
BHMRU	RHUMB
BIJOU	BIJOU
BILLS	BILLS
BILOU	OUBLI
BIMSU	IMBUS
BINOR	BORIN
	ROBIN
BINOS	BISON
	BONIS
BINOV	BOVIN
BINRS	BRINS
BINRU	BRUNI
	BURIN
BINTU	BUTIN
BIORS	BRIOS
BIOST	OBITS
BIPSU	PUBIS
BIRRU	BRUIR
BIRSU	BRUIS
	RUBIS
	SUBIR
BIRTU	BRUIT
	TRIBU
BISSU	SUBIS
BISTU	SUBIT
BITUZ	BIZUT
BJMOU	JUMBO
BKOOR	BROOK
BLMOO	BLOOM
BLMOP	PLOMB
BMOOS	BOOMS
BNOOS	BOSON
BNORU	BURON
BNOSS	SNOBS
BNOSU	BONUS
BNRSU	BRUNS
BOORT	ROBOT
BORST	BORTS
BORSU	BROUS
BORTU	BROUT
	BUTOR
BOSSU	BOSSU
BOSTU	BOUTS →

	OBTUS
BRSTU	BRUTS
BRUUU	URUBU
CCEEH	ECHEC
CCEER	CERCE
CCEHO	COCHE
CCELR	CLERC
CCELY	CYCLE
CCEOU	COCUE
CCHIS	CHICS*
CCHOO	HOCCO
CCHOS	CHOCS
CCIKL	CLICK
CCIOS	OCCIS
CCIOU	COUIC
CCIRS	CRICS
CCNOO	COCON
CCNOU	CONCU
CCOOS	COCOS
CCORS	CROCS
CCOSU	COCUS
CDEEE	CEDEE
CDEEH	DECHE
CDEEO	CODEE
CDEER	CEDER
	CEDRE
CDEES	CEDES
	DECES
CDEEU	DECUE
CDEEZ	CEDEZ
CDEHU	DECHU
	DUCHE
CDEIR	CIDRE
CDEIT	DICTE
CDELO	DELCO
	DOLCE
CDEMO	MEDOC
CDEOR	CODER
	CORDE
	CREDO
	DECOR
CDEOS	CODES
CDEOT	DOCTE
CDEOU	COUDE
	DOUCE
CDEOX	CODEX
CDEOZ	CODEZ
CDERU	DECRU
CDESU	DECUS
	DUCES
CDETU	DECUT

CDIIN	INDIC
CDILO	DOLIC
CDIOU	DOUCI
CDIRU	DURCI
CDKOS	DOCKS
CDLOO	CLODO
CDOSU	COUDS
CEEEL	CELEE
CEEEP	CEPEE
CEEER	CREEE
CEEFS	FECES
CEEGR	GERCE
CEEHI	CHIEE
CEEHL	LECHE
CEEHM	MECHE
CEEHN	CHENE
CEEHP	PECHE
CEEHR	CHERE
	RECHE
CEEHS	ECHES
	ESCHE
	SECHE
CEEHU	ECHUE
CEEIM	ECIME
CEEIN	NIECE
CEEIP	EPICE
	PIECE
CEEIR	CIREE
	CRIEE
	ECRIE
CEEIS	SCIEE
CEEIT	CITEE
CEEJT	EJECT
CEELL	CELLE
CEELO	ECOLE
CEELR	CELER
	RECEL
CEELS	CELES
CEELT	CELTE
CEELU	CULEE
	ECULE
CEELY	LYCEE
CEELZ	CELEZ
CEEMR	CREME
CEEMU	ECUME
CEENP	PENCE
CEENR	CERNE
	CRENE
	ENCRE
CEENS	CENES
	CENSE →

	SCENE
CEEOP	ECOPE
CEEOR	OCREE
CEEOT	COTEE
CEEPR	CREPE
	PERCE
CEEPS	CEPES
CEEPU	EPUCE
CEERR	CREER
CEERS	CREES
CEERT	CRETE
	TERCE
CEERU	CUREE
	ECRUE
	ECURE
	RECUE
CEERV	CREVE
CEERZ	CREEZ
CEESS	CESSE
CEEST	CESTE
	SECTE
CEESU	SUCEE
CEESV	VESCE
CEESX	EXCES
CEETT	CETTE
CEEUV	CUVEE
	VECUE
CEFHI	FICHE
CEFHS	CHEFS
CEFIR	RECIF
CEFLS	CLEFS
CEFNO	FONCE
CEFOR	FORCE
CEFRS	CERFS
CEGIL	GICLE
CEGIU	CIGUE
CEGKO	GECKO
CEGNO	COGNE
	CONGE
CEGNY	CYGNE
CEGRS	GRECS
CEHHO	HOCHE
CEHHU	HUCHE
CEHIL	LICHE
CEHIM	MICHE
CEHIN	CHIEN
	CHINE
	NICHE
CEHIO	CHOIE
CEHIP	CHIPE
CEHIR	CHERI →
	CHIER
	RICHE
CEHIS	CHIES
CEHIZ	CHIEZ
CEHJU	JUCHE
CEHKO	CHOKE
CEHKT	KETCH
CEHLO	LOCHE
CEHLY	CHYLE
CEHMO	CHOME
	MOCHE
CEHMY	CHYME
CEHNU	CHENU
CEHOP	CHOPE
	POCHE
CEHOR	ROCHE
CEHOS	CHOSE
	ECHOS
CEHOU	COHUE
	OUCHE
CEHOY	CHOYE
CEHRS	CHERS
CEHRU	RUCHE
CEHSU	CHUES*
	ECHUS
CEHTU	CHUTE
	ECHUT
CEIIL	CILIE
CEIIV	VICIE
CEILL	CILLE
CEILS	CIELS
	LICES
	SICLE
CEILU	CELUI
CEILV	CLIVE
CEIMN	MINCE
CEIMR	CRIME
	MERCI
CEIMS	CIMES
CEINO	ICONE
CEINP	PINCE
CEINR	ECRIN
	RINCE
CEINS	CEINS
	CINES
CEINT	CEINT
CEIOP	COPIE
CEIOR	CROIE
CEIOT	COITE
	COTIE
CEIPP	CIPPE
CEIPR	CREPI
CEIRR	CIRER
	CIRRE
	CRIER
CEIRS	CIRES
	CIRSE
	CRIES
	CRISE
	ECRIS
	SCIER
CEIRT	CITER
	ECRIT
	RECIT
CEIRU	CUIRE
	CURIE
CEIRZ	CIREZ
	CRIEZ
CEISS	SCIES
CEIST	CISTE
	CITES
CEISU	CUISE
CEISV	CIVES
	VICES
CEISZ	SCIEZ
CEITU	CUITE
CEITV	CIVET
CEITZ	CITEZ
CEIUX	CIEUX
	ICEUX
CEKNS	NECKS
CEKOS	COKES
CEKST	TECKS
CELLO	COLLE
CELNO	CLONE
	LECON
	ONCLE
CELOR	CLORE
CELOS	CLOSE
	ECLOS
	SOCLE
CELOT	ECLOT
CELOU	CLOUE
	COULE
CELRU	CRUEL
	CULER
	LUCRE
	RECUL
CELSU	CLUSE
	CULES
CELTU	CULTE
CELUX	EXCLU

CELUZ	CULEZ
CEMMO	COMME
CEMOR	CORME
CEMOT	COMTE
CEMSY	CYMES
CENNO	CONNE
	NONCE
CENOP	PONCE
CENOR	CORNE
	ENCOR*
	RONCE
CENOS	CONES
	NOCES
	ONCES
CENOT	CONTE
CENOU	OUNCE
CENST	CENTS
CEOPT	COPTE
CEOPU	COUPE
	POUCE
CEOQU	COQUE
CEORR	OCRER
CEORS	CORES
	CORSE
	OCRES
	SCORE
CEORT	COTER
	COTRE
	RECTO
CEORU	COEUR
	COURE
	ECROU
CEORZ	OCREZ
CEOSS	COSSE
CEOST	COTES
	ECOTS
	ESCOT
	ESTOC
	ETOCS
CEOSU	COUSE
CEOTT	COTTE
CEOTU	COUTE
CEOTZ	COTEZ
CEOUV	COUVE
CEPRU	CREPU
	PERCU
CEPSU	PUCES
CERRU	CURER
	RECRU
CERST	CRETS
CERSU	CRUES →
	CURES
	ECRUS
	RECUS
	SUCER
	SUCRE
CERTU	RECUT
CERUV	CUVER
CERUX	CREUX
CERUZ	CUREZ
CESSU	SUCES
CESUV	CUVES
	VECUS
CESUZ	SUCEZ
CETUV	VECUT
CEUVZ	CUVEZ
CFHIU	FICHU
CFILS	FLICS
CFINO	NOCIF
CFIOR	FORCI
CFIRS	FRICS
CFISS	FISCS
CFORS	FROCS
CFSUU	FUCUS
CGINO	COING
CHIIR	RICHI
CHIOR	CHOIR
	ICHOR
CHIOS	CHOIS
CHIOT	CHIOT
	CHOIT
CHIOX	CHOIX
CHIPS	CHIPS
CHIVY	VICHY
CHLNU	LUNCH
CHLOO	LOOCH
CHLOS	LOCHS
CHNPU	PUNCH
CHOST	SOTCH
CHOTT	CHOTT
CHOUX	CHOUX
CIILV	CIVIL
CIINR	RICIN
CIIOV	VOICI
CIKRT	TRICK
CIKST	STICK
CILLO	LICOL
CILNO	COLIN
	NICOL
CILNS	CLINS
CILOS	COLIS
CILOU	LICOU →
	OCULI
CILPS	CLIPS
CIMNU	CUMIN
CIMOR	MICRO
CINOR	CIRON
CINOS	COINS
	SCION
CINRS	CRINS
CINSZ	ZINCS
CIOPT	PICOT
CIORS	CROIS
CIORT	COTIR
	CROIT
CIORX	CROIX
CIOST	COITS
	COTIS
CIOSU	SOUCI
CIOTT	COTIT
CIOUV	COUVI
CIPSS	SPICS
CIRSS	CRISS
CIRSU	CUIRS
CISTU	CUITS
	CUTIS
	ICTUS
CJKOO	JOCKO
CJNOS	JONCS
CKORS	ROCKS
CKOST	STOCK
CKRTU	TRUCK
CLLSU	SCULL
CLMUU	CUMUL
CLNOO	COLON
CLNOW	CLOWN
CLOPU	CLOUP
	PLOUC
CLOST	COLTS
CLOSU	CLOUS
CLOTU	CULOT
CMOOS	MOCOS*
CMORU	MUCOR
CMSSU	MUSCS
CMSUU	MUCUS
CNNOU	CONNU
CNOOR	CORON
CNOOT	COTON
CNORT	TRONC
CNORU	CORNU
CNOSS	SCONS*
CNOSU	SUCON
CNOSY	CYONS

COOPS	SCOOP
COORS	CORSO
COORU	ROCOU
COPRS	CORPS
	PORCS
COPRU	CROUP
COPSU	COUPS
CORRU	CRUOR
CORST	TROCS
CORSU	COURS
CORTU	COURT
	TURCO
CORUU	COURU
COSSU	COSSU
COSSY	COSYS
COSTU	COUTS
	SCOUT
COSUU	COUSU
CRRUY	CURRY
CRSTU	TRUCS
	TURCS
CSSTU	STUCS
DDEEI	DEDIE
DDEIN	DINDE
DDEIO	DIODE
DDEIS	DEDIS
DDEIT	DEDIT
DDEOU	DODUE
DDIOU	DUODI
DDOOS	DODOS
DDOSU	DODUS
DEEFI	DEFIE
DEEFN	FENDE
DEEFT	DEFET
DEEGI	EGIDE
DEEGL	DEGEL
DEEGO	GEODE
DEEGR	DEGRE
	DREGE
DEEGU	GUEDE
DEEIL	DELIE
	EDILE
	ELIDE
DEEIM	DEMIE
DEEIN	DENIE
	DIENE
DEEIO	IODEE
DEEIR	EIDER
	RIDEE
DEEIS	DIESE
	IDEES →
	SEIDE
DEEIT	DEITE
	DIETE
	EDITE
	TIEDE
DEEIV	DEVIE
	EVIDE
	VIDEE
DEELU	ELUDE
	LEUDE
DEEMR	DERME
	MERDE
DEEMS	DEMES
	MEDES
DEEMT	DEMET
DEENO	ONDEE
DEENP	PENDE
DEENR	RENDE
DEENS	DENSE
	EDENS
DEENT	DENTE
	ETEND
	TENDE
DEENU	DENUE
DEENV	VENDE
DEENZ	ZENDE
DEEOP	DOPEE
	EPODE
DEEOR	DOREE
	ERODE
	RODEE
DEEOS	DOSEE
	SODEE
DEEOT	DOTEE
DEEOU	DOUEE
DEEOX	EXODE
DEEPR	PERDE
DEEPU	DUPEE
DEERU	DUREE
DEESU	SUEDE
DEETT	DETTE
DEETU	ETUDE
DEETV	DEVET
DEETW	TWEED
DEEVZ	DEVEZ
DEFIS	DEFIS
DEFIT	DEFIT
DEFNO	FONDE
DEFNS	FENDS
DEFNU	FENDU
DEGIL	GILDE
DEGIN	DIGNE
DEGIU	DIGUE
	GUIDE
DEGMO	DOGME
DEGOR	GODER
DEGOS	DOGES
	GODES
DEGOT	GODET
DEGOU	DOGUE
DEGOZ	GODEZ
DEHNY	HYDNE
DEHOP	EPHOD
DEHOR	HORDE
DEHRY	HYDRE
DEIIT	TIEDI
DEIJU	JEUDI
DEILO	IDOLE
	IODLE
DEILT	DELIT
	TILDE
DEILU	DEUIL
	DILUE
	DULIE
DEIMS	DEMIS
	DIMES
	MEDIS
DEIMT	DEMIT
	MEDIT
DEINR	DINER
DEINS	DENIS
	DINES
	INDES
DEINU	INDUE
DEINV	DEVIN
DEINX	INDEX
DEINZ	DINEZ
DEIOR	ROIDE
DEIOS	IODES
	OSIDE
DEIOV	DOIVE
	VIDEO
DEIOX	IXODE
DEIPS	PIEDS
DEIPT	DEPIT
DEIRR	RIDER
DEIRS	DESIR
	DIRES
	REDIS
	RIDES
DEIRT	REDIT
DEIRV	DRIVE →

	VERDI
	VIDER
DEIRZ	DIREZ
	RIDEZ
DEISS	DISES
	DISSE
DEIST	DITES
	EDITS
DEISU	SUIDE*
DEISV	DEVIS
	VIDES
DEITU	DUITE
DEIUX	DIEUX
DEIVZ	VIDEZ
DEJLO	JODLE
DEKNO	KENDO
DEKRU	KURDE
DEKSY	DYKES
DELNO	LODEN
DELOR	DROLE
DELOS	SOLDE
DELOT	DELOT
DELPU	DEPLU
DELSU	DUELS
DELSV	VELDS
DEMNO	DEMON
	MONDE
DEMOR	DORME
	MORDE
DEMOS	DOMES
	MODES
DEMOU	EMOUD
DEMPU	PEDUM
DEMSU	DUMES
	SEDUM
DENNO	DONNE
DENOO	ODEON
DENOP	PONDE
DENOR	RONDE
DENOS	ENDOS
	ONDES
	SONDE
DENOT	TONDE
DENOU	NOEUD
DENOV	DEVON
DENOY	DOYEN
DENPR	PREND
DENPS	PENDS
DENPU	PENDU
DENRS	RENDS
DENRU	RENDU
DENRY	DERNY
DENST	DENTS
	TENDS
DENSU	DUNES
DENSV	VENDS
DENSY	DYNES
DENSZ	ZENDS
DENTU	TENDU
DENUV	VENDU
DEOOR	RODEO
DEOPR	DOPER
DEOPS	DOPES
DEOPT	DEPOT
DEOPZ	DOPEZ
DEORR	DORER
	ORDRE
	RODER
DEORS	DORES
	DOSER
	RODES
DEORT	DOTER
	TORDE
DEORU	DOUER
	ODEUR
DEORZ	DOREZ
	RODEZ
DEOSS	DOSES
	DOSSE
	SODES
DEOST	DOTES
DEOSU	DOUES
	OUEDS
	SOUDE
DEOSZ	DOSEZ
DEOTU	DOUTE
DEOTV	DEVOT
DEOTZ	DOTEZ
DEOUV	DOUVE
DEOUZ	DOUEZ
	DOUZE
DEOXY	OXYDE
DEPRS	PERDS
DEPRU	DRUPE
	DUPER
	PERDU
	PRUDE
DEPSU	DUPES
DEPUZ	DUPEZ
DERRU	DURER
DERSU	DRUES
	DURES →
	RUDES
DERUZ	DUREZ
DESSU	DUSSE
DESTU	DUTES
DETUV	DUVET
DFIOR	FROID
DFJOR	FJORD
DFNOS	FONDS
DFNOU	FONDU
DGINO	DIGON
	DINGO
DGIOT	DOIGT
DGNOS	GONDS
DGORS	GORDS
DGORU	GOURD
DHIIN	HINDI
DHORU	HOURD
DIIMS	MIDIS
DIINR	INDRI
DIINV	DIVIN
DIIOR	ROIDI
DIIOT	IDIOT
DIIRT	TRIDI
DIJNN	DJINN
DILLR	DRILL
DILNU	LUNDI
DIMOR	DORMI
DIMSU	MUIDS
DINNO	ONDIN
DINOR	NORDI
DINSU	INDUS
DIOPS	POIDS
DIORS	DORIS
DIORT	DROIT
DIORU	OURDI
DIOST	DOITS
DIRTU	DURIT
DISTU	DUITS
DJOSU	JUDOS
DLLOY	LLOYD
DLORS	LORDS
DLORU	LOURD
DMORS	MORDS
DMORU	MORDU
DMOSU	DOUMS
	MOUDS
DNOOR	RONDO
DNOPS	PONDS
DNOPU	PONDU
	POUND
DNORS	RONDS

DNORU	ROUND
DNOST	TONDS
DNOTU	TONDU
DOORS	ORDOS
DOORU	DOURO
DORST	TORDS
DORSU	SOURD
DORTU	TORDU
	TOURD
EEEFL	FELEE
EEEFT	FETEE
EEEGL	GELEE
EEEGN	EGEEN
	GENEE
EEEGR	GEREE
	GREEE
EEEHL	HELEE
EEEIM	EMIEE
EEEIP	EPIEE
EEEJT	JETEE
EEELM	MELEE
EEELP	EPELE
	PELEE
EEELS	LESEE
EEELV	ELEVE
	LEVEE
EEELZ	ZELEE
EEEMN	MENEE
EEEMS	SEMEE
EEENT	ENTEE
EEEPS	EPEES
	PESEE
EEERV	REVEE
EEETT	ETETE
	TETEE
EEEVX	VEXEE
EEFFT	EFFET
EEFGI	FIGEE
EEFIL	FILEE
EEFIM	MEFIE
EEFIR	FERIE
	FIERE
EEFIS	FIEES
EEFIX	FIXEE
EEFLL	FELLE
EEFLN	ENFLE
	NEFLE
EEFLR	FELER
	FERLE
	FRELE
EEFLS	ELFES →
	FELES
EEFLU	FEULE
EEFLZ	FELEZ
EEFMM	FEMME
EEFMR	FERME
EEFMU	FUMEE
EEFNO	FOENE
EEFNR	ENFER
	FRENE
EEFNT	FENTE
EEFNU	ENFEU
EEFOR	FOREE
EEFOU	FOUEE
EEFOX	FOXEE
EEFRR	FERRE
	FRERE
EEFRT	FERTE
	FETER
	FRETE
EEFRU	FERUE
EEFRZ	FEREZ
EEFSS	FESSE
EEFST	FETES
EEFSU	FEUES
	FUSEE
EEFSV	FEVES
EEFTU	FUTEE
EEFTZ	FETEZ
EEGGR	GREGE
EEGIL	LIEGE
EEGIM	MEGIE
EEGIN	GENIE
	IGNEE
	NEIGE
EEGIP	EPIGE
	PIEGE
	PIGEE
EEGIR	ERIGE
	REGIE
EEGIS	SIEGE
EEGIT	GITEE*
EEGIX	EXIGE
EEGJU	JUGEE
EEGLO	ELOGE
	GEOLE
	LOGEE
EEGLR	GELER
	GRELE
	LEGER
	REGEL
	REGLE
EEGLS	GELES
	LEGES
EEGLU	LEGUE
EEGLZ	GELEZ
EEGMM	GEMME
EEGMR	GERME
EEGNR	GENER
	GENRE
	GRENE
	NEGRE
	REGNE
EEGNS	GENES
EEGNT	GENET
EEGNV	VENGE
EEGNZ	GENEZ
EEGPR	PEGRE
EEGPU	GUEPE
EEGRR	GERER
	GREER
EEGRS	GERES
	GREES
	SERGE
EEGRU	GUERE
EEGRV	GREVE
	VERGE
EEGRZ	GEREZ
	GREEZ
EEGSS	GESSE
EEGST	GESTE
EEGTU	GUETE
EEHLR	HELER
EEHLS	HELES
EEHLZ	HELEZ
EEHMT	THEME
EEHMU	HUMEE
EEHNN	HENNE
EEHNY	HYENE
EEHOU	HOUEE
EEHOV	EVOHE
EEHPR	HERPE
EEHRS	HERES
	HERSE
EEHRT	ETHER
	HETRE
EEHRU	HEURE
EEHST	THESE
EEHSU	HUEES
EEILM	ELIME
	LIMEE
EEILN	ENLIE
EEILP	EPILE →

	PILEE
	PLIEE
EEILR	ELIRE
	RELIE
EEILS	ELEIS
	ELISE
	LIEES
EEILT	ELITE
	LITEE
EEILU	LIEUE
EEILV	EVEIL
	VELIE
	VIELE
EEILX	EXILE
EEIMM	MIMEE
EEIMN	MINEE
EEIMR	EMERI
	EMIER
	MIREE
	RIMEE
EEIMS	EMIES
	EMISE
	MISEE
	SEIME
	SEMIE*
EEIMT	MITEE
EEIMX	MIXEE
EEIMZ	EMIEZ
EEINN	INNEE
EEINP	EPINE
	PEINE
EEINR	ERINE
	REINE
	RENIE
EEINS	NIEES
	SEINE
EEINV	ENVIE
	VEINE
	VINEE
EEIPP	PEPIE
	PIPEE
EEIPR	EPIER
	PRIEE
	RIPEE
EEIPS	EPIES
EEIPT	EPITE
	PIETE
EEIPU	EPIEU
EEIPX	EXPIE
EEIPZ	EPIEZ
	PIEZE
EEIRS	RISEE
	SERIE
EEIRT	ETIER
	ETIRE
	TIREE
	TRIEE
EEIRV	EVIER
	RIVEE
	VIREE
EEIRZ	REIEZ
EEISV	VISEE
EEISZ	SEIZE
EEITV	EVITE
EEITZ	ETIEZ
EEJNU	ENJEU
	JEUNE
EEJOU	JOUEE
EEJPS	JEEPS
EEJRT	JETER
	REJET
EEJRU	JUREE
EEJRZ	JEREZ
EEJST	EJETS
	JETES
EEJTT	JETTE
EEJTZ	JETEZ
EELLP	PELLE
EELLS	ELLES
	SELLE
EELLT	TELLE
EELMM	LEMME
EELMO	MELOE
EELMR	MELER
	MERLE
EELMS	MELES
EELMU	EMULE
	MEULE
EELMZ	MELEZ
EELNT	LENTE
EELNU	LUNEE
EELOP	POELE
EELOT	ETOLE
	TOLEE
EELOU	LOUEE
EELOV	LOVEE
	VOLEE
EELPR	LEPRE
	PELER
	PERLE
	PRELE
EELPS	PELES
EELPT	PELTE
EELPZ	PELEZ
EELRS	LESER
	REELS
EELRU	REELU
	RELUE
EELRV	LEVER
	LEVRE
	VELER
EELSS	LESES
EELST	LESTE
	STELE
	TELES
EELSU	ELUES
	SEULE
EELSV	LEVES
	VELES
EELSZ	LESEZ
	ZELES
EELTT	LETTE
EELTU	LUTEE
EELTV	VELET
	VELTE
EELTX	TELEX
EELUV	VELUE
	VEULE
EELUX	LUXEE
EELVZ	LEVEZ
	VELEZ
EEMMS	MEMES
EEMNR	MENER
EEMNS	MENES
	MENSE
EEMNT	MENTE
EEMNU	MENUE
	NEUME
EEMNZ	MENEZ
EEMOP	POEME
EEMOR	MOERE
EEMOT	METEO*
	TOMEE
EEMPT	TEMPE
EEMRS	MERES
	SEMER
EEMRT	METRE
	REMET
	TERME
EEMRU	MEURE
	MUREE
	REMUE
EEMSS	MESSE →

	SEMES
EEMST	EMETS
	TMESE
EEMSU	EMEUS
	EMUES
	EUMES
	MUEES
	MUSEE
EEMSZ	SEMEZ
EEMTT	METTE
EEMTU	EMEUT
	MEUTE
	MUTEE
EEMUV	MEUVE
EENNP	PENNE
EENNR	RENNE
EENNS	SENNE
EENOR	ORNEE
EENOT	NOTEE
EENOU	ENOUE
	NOUEE
EENOV	NOVEE
EENOY	NOYEE
EENOZ	OZENE
	ZONEE
EENPS	NEPES
	PENES
	PENSE
EENPT	PENTE
EENRS	RENES
EENRT	ENTER
	ENTRE
	REENT
	RENTE
	TERNE
EENRV	VERNE
EENSS	SENES
	SENSE
EENST	ENTES
	SENTE
EENSU	NUEES
	USNEE
EENSV	NEVES
EENTT	NETTE
	TENTE
EENTU	TENUE
EENTV	EVENT
	VENTE
EENTZ	ENTEZ
	TENEZ
EENUV	NEUVE →

	NEVEU
	VENUE
EENVZ	VENEZ
EEOPR	OPERE
EEOPS	POSEE
EEOPT	POETE
	POTEE
EEORS	OREES
	ROSEE
EEORT	TOREE
EEORU	ROUEE
EEOSS	OSEES
EEOST	OTEES
EEOTU	TOUEE
EEOTV	VOTEE
EEOUV	VOUEE
EEPRR	PERRE
EEPRS	PERES
	PERSE
	PESER
	SERPE
EEPRT	PERTE
	PETER
	PETRE
	PRETE
EEPRU	EPURE
	PUREE
	REPUE
EEPSS	PESES
EEPST	PESTE
	PETES
EEPSU	PUEES
EEPSZ	PESEZ
EEPTZ	PETEZ
EEQTU	QUETE
EEQUU	QUEUE
EERRR	ERRER
EERRS	ERRES
	SERRE
EERRT	TERRE
EERRV	REVER
	VERRE
EERRZ	ERREZ
EERSS	ERSES
EERST	ESTER
	ETRES
	RESTE
	SERTE
	STERE
	TERSE
EERSU	RUEES →

	RUSEE
	UREES
EERSV	REVES
	SERVE
	SEVRE
	VERSE
EERSX	XERES
EERSZ	SEREZ
EERTT	TETER
EERTV	REVET
	TREVE
	VERTE
EERUV	REVUE
EERVV	VERVE
EERVX	VEXER
EERVZ	REVEZ
EESSS	ESSES
EESST	ESTES
EESSU	EUSSE
	SUEES
	USEES
EESSV	SEVES
	VESSE
EESSX	SEXES
EESTT	TESTE
	TETES
EESTU	EUTES
	TUEES
EESTV	VESTE
	VETES
EESTX	SEXTE
EESTZ	ESTEZ*
	ZESTE
EESUV	UVEES
EESUX	SEXUE
EESUY	YEUSE
EESVX	VEXES
EETTT	TETTE
EETTU	TETUE
EETTX	TEXTE
EETTZ	TETEZ
EETUV	ETUVE
	VETUE
EETVZ	VETEZ
EEUVV	VEUVE
EEVXZ	VEXEZ
EFFIR	FIFRE
EFFIS	FIEFS
EFFOR	OFFRE
EFGIL	GELIF
	GIFLE

EFGIR	FIGER
	GRIEF
EFGIS	FIGES
EFGIU	FIGUE
EFGIZ	FIGEZ
EFGLO	GOLFE
EFGOR	FORGE
EFGOU	FOUGE
EFGUU	FUGUE
EFHNO	FOEHN
EFIIN	FINIE
EFIIZ	FIIEZ
EFIKS	KIEFS
EFILL	FILLE
EFILM	FILME
EFILN	FELIN
	FENIL
	FLEIN
EFILO	FIOLE
	FOLIE
EFILR	FILER
	RIFLE
EFILS	FIELS
	FILES
EFILT	FILET
EFILZ	FILEZ
EFIMR	FIRME
	FREMI
	FRIME
EFIMS	FIMES
EFINN	ENFIN
EFINR	FREIN
EFINS	FEINS
	FINES
	NIFES
EFINT	FEINT
	FIENT
EFINU	ENFUI
EFIOR	FOIRE
EFIOS	FOIES
EFIOU	FOUIE
EFIPR	FRIPE
EFIRR	FERIR
	FRIRE
EFIRS	FIERS
	FRISE
	REFIS
EFIRT	FRITE
	REFIT
	RETIF
EFIRU	FURIE
EFIRV	REVIF
EFIRX	FIXER
EFISS	FISSE
EFIST	FITES
EFISU	FUIES
EFISX	FIXES
EFITU	FUITE
EFIXZ	FIXEZ
EFLLO	FOLLE
EFLMU	MUFLE
EFLNO	FELON
EFLOR	FLORE
	FROLE
	LOFER
EFLOS	LOFES
EFLOU	FLOUE
	FOULE
EFLOZ	LOFEZ
EFLRU	FLEUR
EFLSS	SELFS
EFLST	FLETS
EFLSU	FUELS
EFLTU	FLUET
	FLUTE
EFMOR	FORME
EFMRU	FEMUR
	FUMER
EFMSU	FUMES
EFMTU	FUMET
EFMUZ	FUMEZ
EFNOR	FREON
EFNOT	FONTE
EFNRS	NERFS
EFNSU	NEUFS
EFORR	FERRO*
	FORER
EFORS	FORES
EFORT	FORET
	FORTE
EFORU	FUERO
EFORY	FOYER
EFORZ	FOREZ
EFOSS	FOSSE
EFOSU	OEUFS
EFOSX	FOXES
EFOTU	FOUET
	FOUTE
EFRSS	SERFS
EFRST	FRETS
EFRSU	FERUS
	FUSER →
	REFUS
EFRTU	FURET
EFRUX	FREUX
EFSSU	FESSU
	FUSES
	FUSSE
EFSTU	FETUS
	FUTES
EFSUV	VEUFS
EFSUZ	FUSEZ
EFUYZ	FUYEZ
EGGIU	GIGUE
EGGOR	GORGE
EGGOU	GOUGE
EGGRU	GRUGE
EGIIL	LIGIE
EGIIR	GIRIE
EGIIV	VIGIE
EGILL	GILLE
EGILN	LIGNE
	LINGE
EGILS	LIGES
	SIGLE
EGILT	GILET
EGILU	LIGUE
EGIMR	GEMIR
	GRIME
	MEGIR
EGIMS	GEMIS
	MEGIS
EGIMT	GEMIT
	MEGIT
EGINN	ENGIN
EGINO	OIGNE*
EGINP	PIGNE
EGINS	GEINS
	IGNES
	SEING
	SIGNE
	SINGE
EGINT	GEINT
EGINV	VIGNE
EGIOR	GROIE
	ORGIE
EGIOV	OGIVE
EGIPR	PIGER
EGIPS	PIGES
EGIPU	GUIPE
EGIPZ	PIGEZ
EGIRR	REGIR
EGIRS	GESIR →

	GRISE
	REGIS
EGIRT	GITER
	REGIT
	TIGRE
EGIRU	GUERI
EGIRV	GIVRE
	GRIVE
EGIST	GITES
	TIGES
EGISU	GUISE
	IGUES
EGISZ	GISEZ
EGITZ	GITEZ
EGIUX	EXIGU
EGIUZ	ZIGUE
EGJRU	JUGER
EGJSU	JUGES
EGJUZ	JUGEZ
EGLMO	GLOME
EGLMU	GLUME
EGLNO	GNOLE
	LONGE
	ONGLE
EGLOR	GROLE
	LOGER
EGLOS	GLOSE
	LOGES
EGLOU	GOULE
EGLOZ	LOGEZ
EGLRU	LUGER
EGLSU	LUGES
EGLUZ	LUGEZ
EGMMO	GOMME
EGMNO	GNOME
EGMOT	MEGOT
EGMRU	GRUME
EGMSU	MUGES
EGNOP	PONGE
EGNOR	ROGNE
	RONGE
EGNOS	GNOSE
	SONGE
EGNOU	GENOU
EGNRU	GRENU
EGNST	GENTS
EGNSU	NEGUS
EGORS	OGRES
	ORGES
EGORT	ERGOT
	GORET
EGORU	GOURE
	ORGUE
	ROGUE
	ROUGE
EGOSS	GOSSE
EGOST	TOGES
EGOTU	EGOUT
	GOUET
	GOUTE
EGOUV	VOGUE
	VOUGE
EGPRU	PURGE
EGPSY	GYPSE
EGRRU	REGUR
	URGER
EGRSU	GRUES
	URGES*
EGRUZ	URGEZ*
EGSTU	GUETS
EGUUX	GUEUX
EHHPY	HYPHE
EHILO	HELIO
EHILS	HILES
EHILU	HUILE
EHILX	HELIX
EHINN	HENNI
EHIRS	HIERS*
EHIRV	HIVER
EHISS	HISSE
EHIUZ	HUIEZ
EHKMR	KHMER
EHLOT	HOTEL
EHLOU	HOULE
EHLRU	HURLE
EHMMO	HOMME
EHMNY	HYMEN
	HYMNE
EHMOS	HOMES
EHMRU	HUMER
	RHUME
EHMSU	HUMES
EHMTY	MYTHE
EHMUZ	HUMEZ
EHNOP	PHONE
EHNOR	HERON
EHNOT	HONTE
EHNPY	HYPNE
EHNRY	HENRY
EHNSU	HUNES
EHNTU	HUENT
	THUNE
EHORS	HEROS
EHORU	HOUER
EHOST	HOTES
EHOSU	HOUES
EHOTT	HOTTE
EHOUZ	HOUEZ
EHPPU	HUPPE
EHPSX	SPHEX
EHPSY	PHYSE
EHRSU	HEURS
	HURES
EHRTU	HEURT
EHRTZ	HERTZ
EHTTU	HUTTE
EIIJM	MEIJI
EIILN	ILIEN
EIILV	VIEIL
EIILZ	LIIEZ
EIIMP	IMPIE
EIIMT	IMITE
EIINZ	NIIEZ
EIIPT	PITIE
EIIRS	IRISE
EIIRZ	IRIEZ
	RIIEZ
EIJLO	JOLIE
EIJOS	JOIES
EIJUV	JUIVE
EIKNP	PEKIN
EIKPS	KEPIS
EIKRS	SKIER
EIKRY	KYRIE
EIKSS	SKIES
EIKSZ	SKIEZ
EILLM	MILLE
EILLN	NILLE
EILLO	OILLE
EILLP	PILLE
EILLT	TILLE
EILLV	VILLE
EILMP	EMPLI
EILMR	LIMER
EILMS	LIMES
	MIELS
	MILES
EILMZ	LIMEZ
EILNO	ILEON
EILNP	PLEIN
EILNR	LINER
EILNS	LIENS
EILNT	LIENT

EILNU INULE
EILNV VELIN
EILOP PLOIE
POLIE
EILOS ISOLE
OEILS
EILOT ILOTE
LOTIE
TOILE
EILOU IOULE*
EILOV OLIVE
VIOLE
VOILE
EILPP LIPPE
EILPR PERIL
PILER
PLIER
REPLI
EILPS PILES
PLIES
EILPT PILET
EILPU PLUIE
EILPZ PILEZ
PLIEZ
EILRS LIRES
RELIS
EILRT LITER
LITRE
RELIT
EILRU LIEUR
LIURE
LUIRE
RELUI
RUILE
EILRV LIVRE
EILRZ LIREZ
EILSS LISES
LISSE
EILST LISTE
LITES
EILSU ILEUS
IULES
LIEUS
LUISE
SEUIL
EILSV VILES
EILSX EXILS
SILEX
EILSZ LISEZ
EILTU TUILE
UTILE
EILTZ LITEZ
EILUX LIEUX
EIMMO MOMIE
EIMMR MIMER
EIMMS MIMES
EIMMZ MIMEZ
EIMNN MENIN
EIMNO MOINE
EIMNR MINER
EIMNS MIENS
MINES
EIMNT MENTI
MINET
EIMNU MUNIE
EIMNZ MINEZ
EIMOR MOIRE
EIMOS EMOIS
MOIES
MOISE
OMISE
EIMOT MOITE
EIMOV VOMIE
EIMPR IMPER
PRIME
EIMRR MIRER
RIMER
EIMRS EMIRS
MIRES
MISER
REMIS
RIMES
EIMRT MITER
MITRE
REMIT
TRIME
EIMRU MURIE
EIMRX MIXER
EIMRZ MIREZ
REMIZ
RIMEZ
EIMSS MISES
MISSE
SEMIS
EIMST ITEMS
METIS
MITES
EIMSV VIMES
EIMSX MIXES
EIMSZ MISEZ
EIMTX MIXTE
EIMTZ MITEZ
EIMUX MIEUX
EIMUZ MUIEZ
EIMXZ MIXEZ
EINNN NENNI
EINNP PINNE
EINNS INNES
EINNT NIENT
EINNU ENNUI
EINNV VENIN
EINOP OPINE
EINOR IRONE
NOIRE
EINOS NOIES
NOISE
SONIE
EINOT OINTE
TONIE
EINOV ENVOI
OVINE
EINPP NIPPE
PEPIN
EINPS PEINS
PENIS
EINPT PEINT
PINTE
EINPU PUINE
PUNIE
EINQU EQUIN
NIQUE
QUINE
EINRS REINS
RIENS
SERIN
EINRT INTER
NITRE
RIENT
TENIR
TERNI
EINRU NUIRE
REUNI
RUINE
URINE
EINRV NERVI
VENIR
VERIN
VERNI
VINER
EINSS SEINS
SIENS
EINST SENTI
TEINS →

	TIENS
EINSU	NUISE
	UNIES
	USINE
EINSV	VIENS
	VINES
EINTT	TEINT
	TETIN
	TIENT
	TINTE
EINTU	UNITE
EINTV	VIENT
EINVZ	VINEZ
EIOPR	POIRE
	PROIE
EIOPS	POISE
EIORS	OSIER
	SEOIR
EIORT	ORTIE
	ROTIE
EIORU	ROUIE
EIORV	VOIRE
EIOSS	SOIES
	SOSIE
EIOST	SOTIE
	TOISE
EIOSU	OUIES
EIOSV	VOIES
EIOSZ	OSIEZ
EIOTT	OTITE
EIOTZ	OTIEZ
EIPPR	PIPER
EIPPS	PIPES
EIPPZ	PIPEZ
EIPQU	PIQUE
EIPRR	PERIR
	PRIER
	RIPER
EIPRS	EPRIS
	PERIS
	PIRES
	PRIES
	PRISE
	RIPES
	SPIRE
EIPRT	EPRIT
	PERIT
	PETRI
	PITRE
	REPIT
	TRIPE
EIPRV	PRIVE
EIPRZ	PRIEZ
	RIPEZ
EIPSS	PISES
	PISSE
EIPST	PISTE
	PITES
	STIPE
EIPSU	PUISE
EIPTT	PETIT
EIPUX	PIEUX
EIPUZ	PUIEZ
EIQTU	QUIET
	TIQUE
EIRRS	RIRES
EIRRT	TERRI
	TIRER
	TRIER
EIRRU	RIEUR
EIRRV	RIVER
	VIRER
EIRRZ	RIREZ
EIRSS	RISSE
	SIRES
EIRST	RITES
	SERTI
	STRIE
	TIERS
	TIRES
	TRIES
EIRSU	SIEUR
EIRSV	IVRES
	REVIS
	RIVES
	SERVI
	SEVIR
	VIRES
	VISER
EIRSX	RIXES
	SIREX
EIRTT	TIRET
	TITRE
EIRTU	TRUIE
EIRTV	REVIT
	RIVET
	VETIR
	VITRE
EIRTZ	TIREZ
	TRIEZ
EIRUZ	RUIEZ
EIRVV	VIVRE
EIRVZ	RIVEZ
	VIREZ
EISSS	SISES
EISST	SITES
	TISSE
EISSU	ISSUE
	SUIES
EISSV	SEVIS
	VISES
	VISSE
EISTU	ETUIS
	SITUE
	SUITE
	USITE
EISTV	SEVIT
	VETIS
	VITES
EISTX	SIXTE
EISUV	SUIVE
EISUZ	SUIEZ
	USIEZ
EISVV	VIVES
EISVZ	VISEZ
EITTU	TUTIE
EITTV	VETIT
EITUZ	TUIEZ
EIUVX	VIEUX
EIVVZ	VIVEZ
EJKOR	JOKER
EJLMU	JUMEL
EJLOP	POLJE
EJLOU	JOULE
EJLPU	JULEP
EJNNY	JENNY
EJNOT	JETON
EJNTU	JUNTE
EJORU	JOUER
EJOSU	JOUES
EJOTU	JOUET
	JOUTE
EJOUZ	JOUEZ
EJPSU	JUPES
EJRRU	JURER
EJRSU	JURES
EJRTU	JUTER
EJRUZ	JUREZ
EJSSU	JESUS
EJSTU	JUSTE
	JUTES
	SUJET
EJTUZ	JUTEZ

EKOPR POKER
EKORS KORES
EKSTY KYSTE
ELLMO MOLLE
ELLNU NULLE
ELLOT TOLLE
ELLST TELLS
ELLTU TULLE
ELLUU ULULE
ELMNO MELON
MONEL
ELMNU LUMEN
ELMOS MELOS
MOLES
ELMOT MOTEL
ELMOU MOULE
OLEUM
ELMPU PLUME
ELNGY MERLS
ELMRU MERLU
ELMSU LUMES
MULES
ELMTU MULET
ELMUV VELUM
ELNOS NOELS
SELON
SOLEN
ELNOT LENTO
ELNOV ENVOL
ELNST LENTS
ELNSU LUNES
ELNTU UNTEL
ELOPS POLES
ELOPU LOUPE
POULE
ELOPY PLOYE
ELOQU LOQUE
ELORS ORLES
ROLES
ELORT LEROT
ELORU LOUER
LOURE
OURLE
ROULE
ELORV LOVER
VOLER
ELORY LOYER
ELOSS LOESS
SOLES
ELOST LOTES
TOLES
ELOSU LOUES
SOULE
ELOSV LOVES
VELOS
VOLES
ELOSY YOLES
ELOTT LOTTE
TOLET
ELOTV VELOT
VOLET
VOLTE
ELOUV LOUVE
OVULE
ELOUZ LOUEZ
ELOVV VOLVE
ELOVZ LOVEZ
VOLEZ
ELPPU PULPE
ELPRU PLEUR
ELPTU PLEUT
ELQSU QUELS
ELRSU LEURS
RELUS
ELRSY LYRES
ELRTU LUTER
RELUT
ELRUU LUEUR
ELRUX LUXER
ELSST LESTS
ELSSU LUSSE
SEULS
ELSTU LUTES
ELSTY STYLE
ELSUU USUEL
ELSUV ULVES
VELUS
ELSUX LUXES
ELSVY SYLVE
ELTTU LUTTE
ELTUZ LUTEZ
ELUUV UVULE
ELUVV VULVE
ELUXZ LUXEZ
EMMNO NOMME
EMMOP POMME
EMMOS MOMES
SOMME
EMMOT TOMME
EMMOY MYOME
EMMSU MUMES
EMNOR MORNE →
NORME
RENOM
EMNOS MESON
NOMES
EMNOT MONTE
EMNOY MOYEN
EMNRU RUMEN
EMNSU MENUS
EMNTU MUENT
EMOPP POMPE
EMOPR ROMPE
EMOPT TEMPO
EMOPY MYOPE
EMOQU MOQUE
EMORS MORES
MORSE
ORMES
EMORT METRO
MORTE
TOMER
EMORU MEROU
MORUE
EMORV MORVE
VOMER
EMOST OMETS
TOMES
EMOSU MOUES
EMOSY MOYES
EMOTT MOTET
MOTTE
TOTEM
EMOTZ TOMEZ
EMOUY MOYEU
EMPST TEMPS
EMPSU PUMES
EMRRU MURER
EMRSU MEURS
MURES
MUSER
SERUM
EMRTU MEURT
MURET
MUTER
EMRTY MYRTE
EMRUX MUREX
RUMEX
EMRUZ MUREZ
EMSSU MUSES
MUSSE
SUMES
EMSTU MUETS →

	MUTES
	TUMES
EMSUZ	MUSEZ
EMTUZ	MUTEZ
ENNNO	NONNE
ENNOP	PENON
ENNOS	NEONS
	NONES
	SONNE
ENNOT	TENON
	TONNE
ENNOX	XENON
ENNPY	PENNY
ENOOZ	OZONE
ENOPP	PEPON
ENOPR	PRONE
ENOPS	PEONS
	PESON
ENOPT	PETON
	PONTE
ENOPY	PONEY
ENORR	ORNER
ENORS	ORNES
	REONS
ENORT	ETRON
	NOTER
	NOTRE
	TENOR
	TRONE
ENORU	NOUER
ENORV	NOVER
ENORY	NOYER
ENORZ	ORNEZ
ENOST	NOTES
	OSENT
	SETON
ENOSU	NOUES
ENOSV	NOVES
ENOSY	NOYES
ENOSZ	ZONES
ENOTT	OTENT
	TETON
	TONTE
ENOTZ	NOTEZ
ENOUZ	NOUEZ
ENOVZ	NOVEZ
ENOYZ	NOYEZ
ENPRU	PRUNE
ENPSU	PNEUS
ENPTU	PETUN
	PUENT

ENQUU	NUQUE
ENRSU	NURSE
	RUNES
	URNES
ENRTU	RUENT
	TUNER
	TURNE
ENSTU	SUENT
	TENUS
	TUNES
	USENT
ENSTV	VENTS
ENSUV	VENUS
ENTTU	TUENT
EOPPS	POPES
EOPPU	POUPE
EOPQU	POQUE
EOPRS	PORES
	POSER
	PROSE
	REPOS
	SPORE
EOPRT	OPTER
	PEROT
	PORTE
	PROTE
	TOPER
	TROPE
EOPRU	PROUE
EOPSS	PESOS
	POSES
	SPEOS
EOPST	OPTES
	POSTE
	POTES
	PTOSE
	TOPES
EOPSU	SOUPE
EOPSZ	POSEZ
EOPTZ	OPTEZ
	TOPEZ
EOPUX	EPOUX
EOQRU	ORQUE
	ROQUE
EOQTU	TOQUE
EORRT	RETRO
	ROTER
EORRU	ROUER
EORSS	ESSOR
	ROSES
	ROSSE →

	SORES
EORST	ROTES
	SORTE
	STORE
	TORES
	TORSE
EORSU	OURSE
	ROUES
	SOEUR
EORSV	VERSO
EORSY	SOYER
EORSZ	ZEROS
EORTU	OUTRE
	ROUET
	ROUTE
	TOUER
	TROUE
EORTV	ORVET
	TORVE
	VOTER
	VOTRE
EORTZ	ROTEZ
EORUV	OUVRE
	VOUER
EORUZ	ROUEZ
EORVY	VOYER
EOSSU	SOUES
EOSTT	SOTTE
EOSTU	OUEST
	OUSTE
	SOUTE
	TOUES
EOSTV	VOTES
EOSTX	SEXTO
EOSUV	VESOU
	VOUES
EOSYZ	SOYEZ
EOTTU	TOUTE
EOTUV	VOUTE
EOTUZ	TOUEZ
EOTVZ	VOTEZ
EOUVX	VOEUX
EOUVZ	VOUEZ
EOVYZ	VOYEZ
EPPSU	PUPES
EPRST	PRETS
EPRSU	PEURS
	PURES
	REPUS
	SUPER
EPRTU	REPUT

EPRUV	PREVU
EPRUX	PREUX
EPRXY	PYREX
EPSSU	PUSSE
EPSTU	PUTES
EPSTY	TYPES
EQTUU	TUQUE
EQUUX	QUEUX
ERRSU	RUSER
ERSSU	RUSES
	RUSSE
	SURES
ERSTU	SURET
ERSTV	VERTS
ERSUU	SUEUR
	USURE
ERSUV	REVUS
ERSUX	XERUS
ERSUZ	RUSEZ
ERTUV	VERTU
ESSSU	SUSSE
ESSTT	TESTS
ESSTU	SUTES
	TUSSE
ESSXY	SEXYS
ESTTU	TETUS
	TUTES
ESTUV	VETUS
ESTXY	XYSTE
FFIKS	SKIFF
FFISU	SUFFI
FGIOR	FRIGO
FGLOS	GOLFS
FHIST	SHIFT
FHLSU	FLUSH
FHNOS	FOHNS
FIILN	FILIN
FIINR	FINIR
FIINS	FINIS
FIINT	FINIT
FIIOS	OISIF
FIJSU	JUIFS
FILMS	FILMS
FILNO	FILON
FILNT	FLINT
FILOO	FOLIO
FILOU	FILOU
FILRT	FLIRT
FILSU	FUSIL
FIMOT	MOTIF
FIMTU	MUFTI
FINOS	FIONS
	FOINS
FINSU	INFUS
FIORU	FOUIR
FIOSS	SOIFS
FIOSU	FOUIS
	SOUFI
FIOTU	FOUIT
FIOTV	VOTIF
FIRST	FRITS
	RIFTS
FIRTU	FRUIT
FIRTZ	FRITZ
FISSU	SUFIS
	SUIFS
FKLOS	FOLKS
FLOPU	PLOUF
FLORU	FLUOR
FLOST	FLOTS
FLOSU	FLOUS
FMORU	FORUM
FNORT	FRONT
FNOST	FONTS
FOPRS	PROFS
FOPSU	POUFS
FORST	FORTS
FORSU	FOURS
	ROUFS
FOTUU	FOUTU
FRSSU	SURFS
FRSTU	TURFS
FRTUU	FUTUR
GGIOT	GIGOT
GGLOU	GOGLU
GGNOS	GONGS
GGOOS	GOGOS
GGORS	GROGS
GHISW	WHIGS
GHSTU	THUGS
GILOO	IGLOO
GILOS	LOGIS
GILOT	LIGOT
GILRS	GIRLS
	GRILS
GILSU	GLUIS
GIMOY	GOYIM
GIMRU	MUGIR
GIMSU	MUGIS
GIMTU	MUGIT
GINOP	POING
GINOR	GIRON →
	GROIN
GINOS	OINGS
GINRS	RINGS
GINRY	GYRIN
GINSW	SWING
GINTV	VINGT
GIORT	GRIOT
GIORU	ROUGI
GIOSY	YOGIS
GIRRU	RUGIR
GIRSU	RUGIS
	SURGI
GIRTU	RUGIT
GJOSU	JOUGS
GLNOS	LONGS
GLOOS	LOGOS
GLOUU	GOULU
GLOUV	VULGO
GMOOR	GROOM
GMOSU	GOUMS
GNNOS	GNONS
GNOOT	GOTON
GNOSU	GNOUS
GOPRU	GROUP
GORSU	GRUOS
GOSTU	GOUTS
GPPUY	GUPPY
GRSUU	GURUS
HIIRS	RISHI
HIKSS	SIKHS
HILOT	THIOL
HINNO	HONNI
HIOPX	XIPHO
HIORS	HOIRS
HIORU	HOURI
HIOST	ITHOS
HISTW	WHIST
HKLOO	KOHOL
HKLOS	KHOLS
HLOPX	PHLOX
HLSTU	LUTHS
HMRSU	RHUMS
HMSTY	THYMS
HMSUU	HUMUS
HNOOP	PHONO
HNORU	HURON
HNOST	THONS
HNOSU	HUONS
HNSTU	SHUNT
HOOPT	PHOTO
HOOST	SHOOT

HOPST	PHOTS
HORST	HORST
	SHORT
HOSSW	SHOWS
HOSTU	HOTUS
HRSSU	RUSHS
IIKSW	KIWIS
IILNO	ILION
IILRV	VIRIL
IIMMS	MIMIS
IIMOS	MOISI
IIMOT	MOITI
IINOU	INOUI
IIORT	TORII
IIPPS	PIPIS
IIPPT	PIPIT
IIRVZ	VIZIR
IISTT	TITIS
IISUV	SUIVI
IISZZ	ZIZIS
IJLOS	JOLIS
IJNOS	JOINS
IJNOT	JOINT
IJNSU	JUINS*
IJORU	JOUIR
IJOSU	JOUIS
IJOTU	JOUIT
IKLLR	KRILL
IKLNS	LINKS
IKLOS	KILOS
IKLST	KILTS
ILLMO	MOLLI
ILMNO	LIMON
ILMPU	PILUM
ILNNO	LINON
ILNOP	LOPIN
	PILON
	PLION
ILNOS	LIONS
	SOLIN
ILNPU	LUPIN
ILNTU	LUTIN
ILOOP	POLIO
ILOPR	POLIR
ILOPS	POILS
	POLIS
ILOPT	PILOT
	POLIT
ILOPU	PILOU
	POILU
ILORS	LOIRS →
	LORIS
ILORT	LOTIR
	TORIL
ILOSS	SILOS
ILOST	ILOTS
	LOTIS
ILOSU	LOUIS
ILOSV	VIOLS
	VOLIS
ILOTT	LOTIT
ILOTU	OUTIL
ILPPU	LIPPU
ILPSS	SLIPS
IMNOS	MOINS
IMNOT	MINOT
	TIMON
IMNRU	MUNIR
IMNSU	MUNIS
IMNTU	MUNIT
	MUTIN
IMOOR	MORIO
IMOPR	PRIMO
IMOPT	IMPOT
IMOPU	OPIUM
IMORU	ROUMI
IMORV	VOMIR
IMOSV	VOMIS
IMOTV	VOMIT
IMPRU	IMPUR
IMRRU	MURIR
IMRSU	MURIS
IMRTU	MURIT
IMSSU	SIUMS
INNOS	NIONS
	SINON
INNOU	UNION
INOOS	OISON
INOPR	ORPIN
INOPS	PIONS
INOPT	PINOT
	PITON
	POINT
	POTIN
INORS	IRONS
	NOIRS
	ORINS
	RIONS
INORT	IRONT
	ROTIN
INOSS	SOINS
INOST	OINTS →
	TISON
INOSV	OVINS
	OVNIS*
	VISON
INPRU	PUNIR
	PURIN
	RUPIN
INPSS	SPINS
INPSU	PUNIS
	SUPIN
INPTU	PUNIT
INRSU	SURIN
INSSU	SINUS
INSTU	NUITS
	SUINT
IOPPS	PIPOS
IOPQU	QUIPO
IOPRS	SIROP
IOPTV	PIVOT
IORRS	ROSIR
IORRT	ROTIR
IORRU	ROUIR
IORSS	ROSIS
	SOIRS
IORST	ROSIT
	ROTIS
	SORTI
	TRIOS
	TROIS
IORSU	ROUIS
	SOURI
IORTT	ROTIT
IORTU	ROUIT
IOSTT	SITOT
	TOITS
IPQUU	QUIPU
IPSTT	PSITT
IPSTU	PUITS
	TUPIS
IRRSU	SURIR
IRSSU	SURIS
IRSTU	SURIT
IRSUV	VIRUS
ISSSU	ISSUS
ISSTU	TISSU
ISTTU	TITUS
ISTTW	TWIST
ITTTU	TUTTI
JNOPU	JUPON
JNORU	JURON
JORSU	JOURS

JRSUY	JURYS
KLSUY	SULKY
KNOSS	SKONS*
KNOTU	KNOUT
KNSSU	SKUNS*
KORSU	KSOUR
KOSSU	SOUKS
LLORT	TROLL
LLOXY	XYLOL
LLPSU	PULLS
LMNOU	MULON
LMOOT	MOLTO
LMOTU	MOULT
	MULOT
LMOUU	MOULU
LNNOY	NYLON
LNOOR	ORLON
LNORU	LURON
LOOPR	PROLO
LOOPS	POLOS
	POOLS
	SLOOP
LOOSS	SOLOS
LOOST	LOTOS
LOPST	PLOTS
LOPSU	LOUPS
	POULS
LORRY	LORRY
LORUZ	RUOLZ
LOSSU	SOULS
LOSSW	SLOWS
LOSTU	LOTUS
	TOLUS
LOSTV	VOLTS
LOSTY	STYLO
LOTYZ	ZLOTY
LOUUV	VOULU
LPSUU	LUPUS
MMOTY	TOMMY
MNOST	MONTS
MNOSU	MUONS
MOOST	MOTOS
MOOSZ	ZOOMS
MOPRS	ROMPS
MOPRT	ROMPT
MOPRU	PROMU
	ROMPU
MORST	MORTS
MOSTU	MOTUS
	MOUTS
NOORT	TORON
NOOSS	OSONS
	SONOS
NOOST	OTONS
NOOTT	TOTON
NOPST	PONTS
NOPSU	PUONS
NORSU	RUONS
NOSSU	SUONS
	USONS
NOSTU	TONUS
	TUONS
OOPRT	PORTO
OOPST	TOPOS
OORRT	ROTOR
OOSTT	TOTOS
OOUVY	VOYOU
OPRST	PORTS
	SPORT
OPRTU	PUROT
OPSST	SPOTS
	STOPS
OPSTY	TYPOS
ORSST	SORTS
ORSSU	SUROS
ORSTT	TORTS
	TROTS
ORSTU	TOURS
	TROUS
ORTTU	TORTU
OSTTU	STOUT
RSTTU	TRUST
STTUU	TUTUS

MOTS DE 6 LETTRES

AAABCC	CACABA
AAABCL	CABALA
AAABCS	ABACAS
AAABDL	BALADA
AAABKR	BARAKA
AAABLT	BALATA
AAABLY	BALAYA
AAABNS	BASANA
AAABRS	ABRASA
AAACCI	ACACIA
AAACDN	CANADA
AAACGI	AGACAI
AAACGS	AGACAS
AAACGT	AGACAT
AAACLV	CAVALA
AAACNR	CANARA
AAADHM	HAMADA
AAADMR	ARMADA
AAADPR	PARADA
AAADPT	ADAPTA
AAAFFL	AFFALA
AAAFFM	AFFAMA
AAAFGR	AGRAFA
AAAFPR	PARAFA
AAAGLM	MALAGA
AAAGLP	ALPAGA
AAAGPY	PAGAYA
AAAHIN	AHANAI
AAAHNS	AHANAS
AAAHNT	AHANAT
AAAILV	AVALAI
AAAIPS	APAISA
AAAIRS	ARASAI
AAAIRV	AVARIA
AAAJNV	NAVAJA
AAALMR	ALARMA
AAALMX	MALAXA
AAALRV	RAVALA
AAALSV	AVALAS
AAALTV	AVALAT
AAAMNP	PANAMA
AAAMRR	AMARRA
AAAMSS	AMASSA
AAANNS	ANANAS
AAANPV	PAVANA
AAAPPT	APPATA
AAARSS	ARASAS
AAARST	ARASAT
AAARTV	AVATAR
AABBBO	BAOBAB
AABBER	EBARBA
AABBEY	ABBAYE
AABBIR	BARBAI
AABBNN	BANBAN
AABBNS	NABABS
AABBRS	BARBAS
AABBRT	BARBAT
AABBST	SABBAT
AABCCE	CACABE
AABCEL	CABALE
AABCEN	CABANE
AABCER	CARABE
AABCHI	BACHAI
AABCHL	CHABLA
AABCHN	BANCHA
AABCHS	BACHAS
	CASBAH
AABCHT	BACHAT
AABCII	CABIAI
AABCIL	BACLAI
	CABLAI
AABCIR	CABRAI
AABCIT	ACABIT
AABCLN	BANCAL
AABCLS	BACLAS
	CABLAS
AABCLT	BACLAT
	CABLAT
AABCMR	CAMBRA
AABCNS	CABANS
AABCOT	CABOTA
AABCRS	CABRAS
AABCRT	CABRAT
AABCST	TABACS
AABCUU	AUCUBA
AABDDU	BADAUD
AABDEL	BALADE
AABDET	DEBATA
AABDEU	AUBADE
AABDGS	BAGADS
AABDIN	BADINA
	BANDAI
AABDIR	BARDAI
	BRADAI
AABDIU	DAUBAI
AABDLM	LAMBDA
AABDNO	ABONDA
AABDNS	BANDAS
AABDNT	BANDAT
AABDOR	ABORDA
AABDOU	ADOUBA
AABDRS	BARDAS
	BRADAS
AABDRT	BARDAT
	BATARD
	BRADAT
	TABARD
AABDRV	BAVARD
AABDSU	DAUBAS
AABDTU	DAUBAT
AABEGG	BAGAGE
AABEGR	GABARE
AABEGY	BEGAYA
AABEIL	BALAIE
AABEIR	BAIERA*
AABELN	BALANE
	BANALE
AABELR	ARABLE
AABELS	BASALE
AABELT	ETABLA
AABELY	BALAYE
AABENN	BANANE
AABENR	RABANE
AABENS	BASANE
AABEQU	ABAQUE
AABERS	ABRASE
	ARABES
	BASERA
	EBRASA
AABERT	BARETA
	BATERA
AABERV	BAVERA
AABERY	BAYERA
AABETT	ABATTE
AABETU	BATEAU

AABFIR	BAFRAI
AABFLM	FLAMBA
AABFLU	FABULA
AABFOU	BAFOUA
AABFRS	BAFRAS
AABFRT	BAFRAT
AABGIL	GALBAI
AABGIN	BAIGNA
AABGIU	BAGUAI
AABGLS	GALBAS
AABGLT	GALBAT
AABGLU	BLAGUA
AABGRT	GRABAT
AABGSU	BAGUAS
AABGTU	BAGUAT
AABHIT	HABITA
AABHNU	HAUBAN
AABIIM	ABIMAI
AABIIS	BAISAI
	BIAISA
AABIJL	JABLAI
AABILL	BAILLA
	BALLAI
	LABIAL
AABILM	AMBLAI
	BLAMAI
AABILR	BLAIRA
AABILS	BALAIS
	BALISA
	BLASAI
	SABLAI
AABILT	TABLAI
AABIMR	AMBRAI
	BAIRAM
	BRAMAI
AABIMS	ABIMAS
AABIMT	ABIMAT
AABINN	BANIAN
AABINU	AUBAIN
AABIOY	ABOYAI
AABIRR	BARRAI
	BRAIRA
AABIRS	BRAISA
	BRASAI
	RABAIS
	SABRAI
AABIRT	ABRITA
	BATIRA
AABIRV	BRAVAI
AABISS	BAISAS
	BAISSA →
	BASAIS
AABIST	ABATIS
	BAISAT
	BASAIT
	BATAIS
AABISU	ABUSAI
AABISV	BAVAIS
AABISY	BAYAIS
AABITT	BATAIT
AABITV	BAVAIT
AABITY	BAYAIT
AABJLS	JABLAS
AABJLT	JABLAT
AABJOT	JABOTA
AABJRU	ABJURA
AABLLS	BALLAS
AABLLT	BALLAT
AABLMS	AMBLAS
	BLAMAS
AABLMT	AMBLAT
	BLAMAT
AABLNR	BRANLA
AABLNS	BANALS
AABLNZ	BALZAN
AABLOU	ABOULA
AABLOV	LAVABO
AABLSS	BALSAS
	BLASAS
	SABLAS
AABLST	BLASAT
	SABLAT
	TABLAS
AABLTT	TABLAT
AABMNR	BARMAN
AABMRR	MARBRA
AABMRS	AMBRAS
	BRAMAS
AABMRT	AMBRAT
	BRAMAT
AABMRY	BAYRAM
AABMSS	SAMBAS
AABNNO	ABONNA
AABNQU	BANQUA
AABNRS	RABANS
AABNRT	TRABAN
AABNST	BANATS
	BASANT
AABNTT	BATANT
AABNTV	BAVANT
AABNTY	BAYANT
AABNUX	BANAUX
AABORR	ARBORA
AABORT	RABOTA
AABOST	SABOTA
AABOSY	ABOYAS
AABOTU	ABOUTA
AABOTY	ABOYAT
AABQRU	BRAQUA
AABRRS	BARRAS
AABRRT	BARRAT
AABRSS	BRASAS
	BRASSA
	SABRAS
AABRST	BRASAT
	RABATS
	SABRAT
AABRSV	BRAVAS
AABRSZ	BAZARS
AABRTT	BATTRA
AABRTV	BRAVAT
AABSSU	ABUSAS
AABSTU	ABUSAT
AABSUX	BASAUX
AABTTU	ABATTU
AACCDE	ACCEDA
AACCEL	CAECAL
AACCHI	CACHAI
AACCHL	CHACAL
AACCHR	CRACHA
AACCHS	CACHAS
AACCHT	CACHAT
AACCLO	ACCOLA
AACCLU	ACCULA
AACCNN	CANCAN
AACCNR	CARCAN
AACCOR	CARACO
AACCOS	CACAOS
AACCOT	ACCOTA
AACCOU	ACCOUA
AACCST	TACCAS
AACCSU	ACCUSA
AACDEF	FACADE
AACDEL	ALCADE
	DECALA
	DELACA
AACDEP	DECAPA
AACDER	ARCADE
AACDEU	AUDACE
	CADEAU
AACDEV	DECAVA
AACDFR	CAFARD
AACDIR	CADRAI →

CARDAI
CARDIA
AACDLU CAUDAL
AACDMR CAMARD
AACDNR CADRAN
CANARD
CARDAN
AACDNS SCANDA
AACDRS CADRAS
CARDAS
AACDRT CADRAT
CARDAT
AACDTU TACAUD
AACEEG AGACEE
AACEER ARACEE*
AACEFF EFFACA
AACEFR CARAFE
AACEGL CALAGE
LACAGE
AACEGN AGENCA
AACEGP PACAGE
AACEGR AGACER
RACAGE
AACEGS AGACES
SAGACE
AACEGZ AGACEZ
AACEHP APACHE
AACEHT ACHETA
AACEHV ACHEVA
AACEIL ECALAI
AACEIM EMACIA
AACEIP CAPEAI
AACEIR ACIERA
AACELN ALCANE
ELANCA
ENLACA
AACELP CAPELA
PALACE
AACELR CALERA
LACERA
RECALA
AACELS ECALAS
SALACE
AACELT ACETAL
ECALAT
ECLATA
AACELU ACAULE
AACELV CAVALE
AACEMN MENACA
AACEMR CAMERA
MACERA
AACENP CANAPE
AACENR ARCANE
CANERA
CARENA
AACENV AVANCE
ENCAVA
AACEPR RAPACE
AACEPS CAPEAS
AACEPT CAPEAT
AACEPY CAPEYA
AACERS CASERA
ECRASA
AACERT CARATE
ECARTA
AACERU ARCEAU
AACERV CAVERA
AACEUV CAVEAU
EVACUA
AACEUX EXAUCA
AACEVX EXCAVA
AACFHI FACHAI
AACFHS FACHAS
AACFHT FACHAT
AACFHU FAUCHA
AACFIL FACIAL
AACFIN FIANCA
AACFIS FASCIA
AACFLO AFOCAL
AACFLT CALFAT
AACFRS FRACAS
AACGHI GACHAI
AACGHS GACHAS
AACGHT GACHAT
AACGIL GLACAI
AACGIR AGARIC
GRACIA
AACGIS GAIACS
AACGLS GLACAS
AACGLT GLACAT
AACGNS CAGNAS
AACGRU CARGUA
AACHHI HACHAI
AACHHN HANCHA
AACHHS HACHAS
AACHHT HACHAT
AACHIL CHIALA
LACHAI
AACHIM MACHAI
AACHIN CHAINA
AACHIT CHATIA
TACHAI
AACHIV AVACHI
AACHLR ARCHAL
AACHLS LACHAS
AACHLT LACHAT
AACHLU CHAULA
AACHMO AMOCHA
AACHMR CHARMA
MARCHA
AACHMS HAMACS
MACHAS
AACHMT MACHAT
AACHMU CHAUMA
AACHNT CHANTA
AACHOT CAHOTA
AACHPS PACHAS
AACHRT CHATRA
RACHAT
AACHSS CHASSA
AACHST ACHATS
TACHAS
AACHTT TACHAT
AACIIR CARIAI
AACILL ALCALI
CAILLA
AACILM AMICAL
CALMAI
CAMAIL
CLAMAI
MACLAI
AACILN CALINA
LANCAI
AACILP APICAL
PLACAI
AACILR RACIAL
RACLAI
AACILS CALAIS
LACAIS
AACILT CALAIT
LACAIT
AACIMN CAIMAN
AACIMP CAMPAI
AACINN CANNAI
AACINR ANCRAI
ARNICA
CANARI
CRANAI
NACRAI
RACINA
RICANA
AACINS CANAIS
AACINT CANAIT →

	TANCAI
AACIPT	CAPTAI
AACIQU	CAQUAI
AACIRR	CARRAI
AACIRS	CARIAS
	SACRAI
AACIRT	CARIAT
	CATIRA
	TRACAI
AACIRV	CAVIAR
AACISS	CASAIS
	CASSAI
AACIST	CASAIT
AACISU	CAUSAI
	SAUCAI
AACISV	CAVAIS
AACITV	ACTIVA
	CAVAIT
AACIVY	VAICYA
AACJLO	CAJOLA
AACJOU	ACAJOU
AACLMR	CALMAR
AACLMS	CALMAS
	CLAMAS
	MACLAS
AACLMT	CALMAT
	CLAMAT
	MACLAT
AACLMU	MACULA
AACLNS	LANCAS
AACLNT	CALANT
	CANTAL
	LACANT
	LANCAT
AACLNU	CANULA
AACLOR	RACOLA
AACLOS	CALAOS
AACLPP	CLAPPA
AACLPS	PASCAL
	PLACAS
	SCALPA
AACLPT	CAPTAL
	PLACAT
AACLQU	CALQUA
	CLAQUA
AACLRS	LASCAR
	RACLAS
	SARCLA
AACLRT	RACLAT
AACLSS	CLASSA
AACLSU	CAUSAL
AACMOR	AMORCA
AACMPS	CAMPAS
AACMPT	CAMPAT
AACNNS	CANNAS
AACNNT	CANANT
	CANNAT
AACNNU	NUANCA
AACNOT	CANOTA
AACNRS	ANCRAS
	CRANAS
	NACRAS
AACNRT	ANCRAT
	CRANAT
	CRANTA
	NACRAT
AACNST	CASANT
	TANCAS
AACNTT	TANCAT
AACNTV	CAVANT
	VACANT
AACNUX	CANAUX
AACOPT	CAPOTA
AACORS	CASOAR
AACOSS	COASSA
AACOST	ATOCAS
AACOTV	AVOCAT
AACPQU	PACQUA
AACPST	CAPTAS
AACPTT	CAPTAT
AACQRU	CRAQUA
AACQSU	CAQUAS
	SACQUA
AACQTU	CAQUAT
AACRRS	CARRAS
AACRRT	CARRAT
AACRSS	SACRAS
AACRST	CARATS
	CASTRA
	SACRAT
	TRACAS
AACRSU	ACARUS
AACRTT	TRACAT
AACSSS	CASSAS
AACSST	CASSAT
AACSSU	CAUSAS
	SAUCAS
AACSTU	CAUSAT
	SAUCAT
AADDER	DERADA
AADDIR	DARDAI
AADDIS	DADAIS
AADDRS	DARDAS
AADDRT	DARDAT
AADEGM	DAMAGE
AADEGN	AGENDA
AADEGS	ADAGES
AADEGT	DATAGE
AADEGZ	DEGAZA
AADEHL	DEHALA
AADEHR	ADHERA
AADEIN	NAIADE
AADEIR	AIDERA
AADEIU	AIDEAU
AADEIV	EVADAI
AADELM	MALADE
AADELP	PEDALA
AADELS	SALADE
AADELT	DETALA
AADELV	DELAVA
	DEVALA
AADELY	DELAYA
AADEMM	MADAME
AADEMN	AMANDE
	AMENDA
	MANADE
AADEMR	DAMERA
AADEMT	DEMATA
AADENP	PANADE
AADEPR	DEPARA
	PARADE
AADEPT	ADAPTE
AADEPV	DEPAVA
AADERR	RADERA
AADERS	RASADE
AADERT	DATERA
AADERU	RADEAU
AADESV	EVADAS
AADESX	DESAXA
AADETV	EVADAT
AADETX	DETAXA
AADFFI	AFFADI
AADFIR	FARDAI
AADFRS	FARADS
	FARDAS
AADFRT	FARDAT
AADFRU	FARAUD
	FAUDRA
	FRAUDA
AADFRY	FAYARD
AADGHR	HAGARD
AADGIN	DAIGNA
AADGIO	ADAGIO

AADGIR	GARDAI
AADGLN	GLANDA
AADGRS	GARDAS
	SAGARD
AADGRT	GARDAT
AADGRU	DRAGUA
	GRADUA
AADHIL	DAHLIA
AADHIR	HARDAI
AADHJR	RADJAH
AADHRS	HARDAS
	HASARD
AADHRT	HARDAT
AADIIR	RADIAI
AADIIS	AIDAIS
AADIIT	AIDAIT
AADILL	DALLAI
AADILP	LAPIDA
	PLAIDA
AADILR	LARDAI
	RADIAL
AADILT	DILATA
AADILU	ADULAI
AADILV	VALIDA
AADIMN	DAMNAI
	MANDAI
AADIMO	AMODIA
AADIMR	ADMIRA
AADIMS	DAMAIS
AADIMT	DAMAIT
AADINN	ANDAIN
AADINR	DRAINA
	RADIAN
AADINS	DANSAI
AADINT	AIDANT
AADINV	VIANDA
AADIOR	ADORAI
AADIPR	DIAPRA
	DRAPAI
AADIRS	RADAIS
	RADIAS
AADIRT	RADAIT
	RADIAT
	TARDAI
AADIRY	DRAYAI
AADIST	DATAIS
	STADIA
AADITT	DATAIT
AADJRU	ADJURA
AADLLS	DALLAS
AADLLT	DALLAT
AADLMR	MALARD
AADLNU	LANDAU
AADLRS	LARDAS
AADLRT	LARDAT
AADLRU	RADULA
AADLSU	ADULAS
	SALAUD
AADLTU	ADULAT
AADMMR	RAMDAM
AADMNS	DAMANS
	DAMNAS
	MANDAS
AADMNT	DAMANT
	DAMNAT
	MANDAT
AADMOU	AMADOU
AADMRS	MADRAS
AADMRU	MARAUD
AADNNO	ADONNA
AADNPR	PANARD
AADNPS	PANDAS
AADNRS	NASARD
AADNRT	RADANT
AADNSS	DANSAS
AADNST	DANSAT
AADNSV	VANDAS
AADNTT	DATANT
AADOPS	POSADA
AADOPT	ADOPTA
AADORS	ADORAS
AADORT	ADORAT
	RADOTA
AADOSS	ADOSSA
AADPRS	DRAPAS
AADPRT	DRAPAT
	PATARD
AADPTU	PATAUD
AADRRS	RADARS
AADRST	TARDAS
AADRSV	VASARD
AADRSY	DRAYAS
AADRTT	TARDAT
AADRTU	DATURA
	TARAUD
AADRTY	DRAYAT
AADRUV	VAUDRA
AAEEGR	AERAGE
	AREAGE
AAEEGT	ETAGEA
AAEELV	AVALEE
AAEELZ	AZALEE
AAEERR	AERERA
AAEERS	ARASEE
AAEFFL	AFFALE
AAEFFM	AFFAME
AAEFFN	EFFANA
AAEFFR	EFFARA
AAEFGL	FAGALE*
AAEFGN	FANAGE
AAEFGR	AGRAFE
AAEFLR	ERAFLA
	RAFALE
AAEFLT	FATALE
AAEFNR	FANERA
AAEFPR	PARAFE
AAEFSY	FASEYA
AAEGGI	AIGAGE
	GAGEAI
AAEGGR	GAGERA
	GARAGE
AAEGGS	GAGEAS
AAEGGT	GAGEAT
AAEGGV	GAVAGE
AAEGGW	WAGAGE
AAEGGZ	GAZAGE
AAEGHL	HALAGE
AAEGHV	HAVAGE
AAEGIL	EGALAI
AAEGIM	IMAGEA
AAEGIN	NAGEAI
AAEGIP	PAGAIE
AAEGIR	AGREAI
	EGARAI
	RAGEAI
AAEGIS	SAGAIE
AAEGIY	EGAYAI
AAEGJL	GALEJA
AAEGJU	JAUGEA
AAEGLN	AGNELA
	LANGEA
AAEGLP	ALPAGE
AAEGLR	REGALA
AAEGLS	EGALAS
	SALAGE
	SEGALA
AAEGLT	EGALAT
	GALATE
AAEGLU	ELAGUA
AAEGLV	LAVAGE
AAEGMN	ENGAMA
	MANGEA
AAEGMR	MARGEA →

	RAMAGE
AAEGMT	MATAGE
AAEGNR	NAGERA
	RANGEA
AAEGNS	NAGEAS
AAEGNT	NAGEAT
AAEGNU	AGNEAU
	AUNAGE
AAEGPR	PARAGE
	RAPAGE
AAEGPS	AGAPES
AAEGPT	TAPAGE
AAEGPV	PAVAGE
AAEGPY	PAGAYE
AAEGRR	GARERA
	RAGERA
	RAGREA
AAEGRS	AGREAS
	EGARAS
	RAGEAS
	RASAGE
AAEGRT	AGREAT
	EGARAT
	GATERA
	RAGEAT
	RATAGE
	REGATA
	TARAGE
AAEGRV	GAVERA
	RAVAGE
AAEGRY	RAYAGE
AAEGRZ	GAZERA
AAEGSS	AGASSE
AAEGST	AGATES
AAEGSV	AGAVES
AAEGSY	EGAYAS
AAEGTU	GATEAU
AAEGTY	EGAYAT
AAEHLN	ANHELA
AAEHLR	HALERA
AAEHLT	HALETA
AAEHLX	EXHALA
AAEHMR	MEHARA
AAEHMU	HAMEAU
AAEHNR	AHANER
AAEHNS	AHANES
AAEHNV	HAVANE
AAEHNZ	AHANEZ
AAEHRT	HATERA
AAEILN	ALIENA
	ALINEA
AAEILR	ALAIRE
	LAIERA
AAEILS	ALAISE
	ALESAI
AAEILT	ETALAI
AAEILX	AXIALE
AAEIMN	AMENAI
	ANEMIA
	EMANAI
AAEIMR	AIMERA
AAEIMT	AMATIE
	ETAMAI
AAEINT	TAENIA
AAEINU	AUNAIE
AAEINV	AVANIE
AAEIPR	PAIERA
AAEIPS	APAISE
AAEIPT	EPATAI
AAEIRR	ARAIRE
	RAIERA
AAEIRS	AERAIS
AAEIRT	AERAIT
AAEIRV	AVARIE
	AVERAI
AAEIRX	AXERAI
AAEIST	ASIATE
AAEISV	EVASAI
AAEITX	ATAXIE
AAEITY	ETAYAI
AAEJLV	JAVELA
AAEJRS	JASERA
AAEKRT	KARATE
AAELLP	PAELLA
AAELMP	EMPALA
AAELMR	ALARME
AAELMX	MALAXE
AAELNN	ANNALE
	ANNELA
AAELNS	ANALES
	NASALE
AAELNT	NATALE
AAELNV	NAVALE
AAELNZ	ALEZAN
AAELPP	APPELA
	PAPALE
AAELPR	LAPERA
AAELPU	EPAULA
AAELRR	RALERA
AAELRS	RESALA
	SALERA
AAELRT	ALERTA →
	ALTERA
	RATELA
	RELATA
AAELRV	AVALER
	LAVERA
	RAVALE
	RELAVA
AAELRX	RELAXA
AAELRY	LAYERA
	RELAYA
AAELSS	ALESAS
AAELST	ALESAT
	ETALAS
AAELSV	AVALES
AAELTT	ATTELA
	ETALAT
AAELTV	TAVELA
AAELTX	EXALTA
AAELUV	EVALUA
AAELVZ	AVALEZ
AAEMNR	RAMENA
AAEMNS	AMENAS
	EMANAS
AAEMNT	AMANTE
	AMENAT
	EMANAT
	ENTAMA
AAEMPR	EMPARA
	PAMERA
AAEMPT	EMPATA
	ETAMPA
AAEMRR	AMARRE
	ARMERA
	RAMERA
	REARMA
AAEMRS	SAMARE
AAEMRT	MATERA
	RETAMA
AAEMRU	RAMEAU
AAEMSS	AMASSE
AAEMST	ETAMAS
AAEMSX	AXAMES
AAEMTT	ETAMAT
AAEMTU	AMEUTA
AAENNT	ANNATE
AAENNU	ANNEAU
AAENNX	ANNEXA
AAENNZ	ZENANA
AAENPR	PANERA
AAENPS	PAEANS
AAENPV	PAVANE

AAENRT	AERANT
AAENRY	ENRAYA
AAENSS	ASSENA
AAENST	SATANE
AAENSU	NASEAU
AAENSV	ENVASA
	SAVANE
AAEPPT	APPATE
AAEPPU	APPEAU
AAEPPY	PAPAYE
AAEPRR	PARERA
	RAPERA
	REPARA
AAEPRS	SAPERA
	SEPARA
AAEPRT	APARTE
	RETAPA
	TAPERA
AAEPRU	APEURA
AAEPRV	PAVERA
	REPAVA
AAEPRY	PAYERA
	REPAYA
AAEPST	EPATAS
AAEPTT	EPATAT
	PATATE
AAERRS	ARASER
	RASERA
AAERRT	ARRETA
	ERRATA
	RATERA
	TARARE
	TARERA
AAERRY	RAYERA
AAERSS	ARASES
AAERSV	AVARES
	AVERAS
AAERSX	AXERAS
AAERSZ	ARASEZ
AAERTT	TATERA
AAERTU	RATEAU
AAERTV	AVERAT
AAERTX	TAXERA
AAESSU	ASSEAU
AAESSV	EVASAS
AAESSX	AXASSE
AAESSY	ESSAYA
AAESTT	ASTATE
AAESTV	EVASAT
	SAVATE
AAESTX	AXATES
AAESTY	ETAYAS
AAETTY	ETAYAT
AAEYZZ	ZEZAYA
AAFFGI	GAFFAI
AAFFGS	GAFFAS
AAFFGT	GAFFAT
AAFFIL	AFFILA
AAFFIM	MAFFIA
AAFFIN	AFFINA
AAFFIP	PIAFFA
AAFFLO	AFFOLA
AAFFLU	AFFLUA
AAFFTU	AFFUTA
AAFGHN	AFGHAN
AAFGOT	FAGOTA
AAFGRU	GAUFRA
AAFILL	FAILLA
AAFILN	FLANAI
AAFILR	FLAIRA
	RAFLAI
AAFIMS	MAFIAS
AAFINR	FARINA
AAFINS	FAISAN
	FANAIS
AAFINT	FANAIT
AAFIRS	FRAISA
	FRASAI*
	SAFARI
AAFIRT	FARTAI
	TARIFA
AAFIRY	FRAYAI
AAFIST	TAFIAS
AAFITT	ATTIFA
AAFITU	FAUTAI
AAFLNS	FLANAS
AAFLNT	FLANAT
AAFLNU	FALUNA
AAFLRS	RAFLAS
AAFLRT	RAFLAT
AAFLRZ	FALZAR
AAFLST	FATALS
AAFLTT	FLATTA
AAFNNT	FANANT
AAFNRS	SAFRAN
AAFNUX	FANAUX
AAFOTY	FAYOTA
AAFPPR	FRAPPA
AAFRSS	FRASAS*
AAFRST	FARTAS
	FATRAS
	FRASAT*
AAFRSY	FRAYAS
AAFRTT	FARTAT
AAFRTY	FRAYAT
AAFSSU	FAUSSA
AAFSTU	FAUTAS
AAFTTU	FAUTAT
AAGGIN	GAGNAI
AAGGLL	GALGAL
AAGGMN	GAGMAN
AAGGNS	GAGNAS
	GANGAS
AAGGNT	GAGNAT
AAGHNR	HANGAR
AAGIIN	GAINAI
AAGIIR	AGIRAI
AAGIIT	AGITAI
AAGILN	ALIGNA
	GLANAI
AAGILP	PLAGIA
AAGILR	GLAIRA
AAGILS	GLAISA
AAGILU	GAULAI
AAGILV	GAVIAL
AAGIMN	GAMINA
AAGIMS	AGAMIS
AAGINP	PAGINA
AAGINR	GRAINA
AAGINS	GAINAS
	GANSAI
	SAIGNA
AAGINT	GAINAT
	GANTAI
AAGIOT	AGIOTA
AAGIRS	AGIRAS
	GARAIS
AAGIRT	GARAIT
AAGIRU	ARGUAI
	RAGUAI
AAGIRV	GRAVAI
	VAGIRA
AAGISS	ASSAGI
	SAIGAS
AAGIST	AGITAS
	GATAIS
	TAIGAS
AAGISV	GAVAIS
AAGISZ	GAZAIS
AAGITT	AGITAT
	GATAIT
AAGITV	GAVAIT
AAGITZ	GAZAIT

AAGIUV	VAGUAI
AAGJRU	JAGUAR
AAGLLP	PLAGAL
AAGLNR	RAGLAN
AAGLNS	GLANAS
	LAGANS
	SANGLA
AAGLNT	GALANT
	GLANAT
AAGLOP	GALOPA
AAGLRU	LARGUA
AAGLST	STALAG
	TAGALS
AAGLSU	GAULAS
AAGLSY	GAYALS
AAGLTU	GAULAT
AAGMMS	MAGMAS
AAGMNN	MAGNAN
AAGMNT	MAGNAT
AAGMRY	MAGYAR
AAGMSY	GAMAYS
AAGNOR	ANGORA
AAGNRT	GARANT
AAGNRU	NARGUA
AAGNSS	GANSAS
AAGNST	AGNATS
	GANSAT
	GANTAS
	STAGNA
AAGNTT	GANTAT
	GATANT
AAGNTU	TANGUA
AAGNTV	GAVANT
AAGNTZ	GAZANT
AAGORS	AGORAS
AAGRSU	ARGUAS
	RAGUAS
AAGRSV	GRAVAS
AAGRTT	GRATTA
AAGRTU	ARGUAT
	RAGUAT
	TARGUA
AAGRTV	GRAVAT
AAGRUU	AUGURA
AAGSSU	GAUSSA
AAGSUV	VAGUAS
AAGTUV	VAGUAT
AAHIIR	HAIRAI
AAHILN	INHALA
AAHILS	HALAIS
AAHILT	HALAIT →
	HIATAL
AAHINT	HANTAI
AAHIPP	HAPPAI
AAHIPR	RAPHIA
AAHIRS	HAIRAS
AAHIST	HATAIS
AAHITT	HATAIT
AAHJRS	RAJAHS
AAHKNT	KHANAT
AAHLMS	SMALAH
AAHLNT	HALANT
AAHLSV	HALVAS
AAHMMM	HAMMAM
AAHMRS	ASHRAM
AAHMSS	SMASHA
AAHNPS	HANAPS
AAHNPT	NAPHTA
AAHNST	HANTAS
AAHNTT	HANTAT
	HATANT
AAHPPS	HAPPAS
AAHPPT	HAPPAT
AAHPRS	PHRASA
AAHSSU	HAUSSA
AAIILL	AILLAI
	ALLIAI
AAIILN	LAINAI
AAIILT	ALITAI
AAIIMN	ANIMAI
	MANIAI
AAIIMR	MARIAI
AAIIMS	AIMAIS
AAIIMT	AIMAIT
AAIINR	AIRAIN
	RAINAI
AAIINV	AVINAI
AAIIPR	PARIAI
AAIIRR	RAIRAI
AAIIRS	ARISAI
AAIIRT	TAIRAI
AAIIRV	VARIAI
AAIISV	AVISAI
AAIIVV	AVIVAI
AAIJMS	JAMAIS
AAIJPP	JAPPAI
AAIJPS	JASPAI
AAIJSS	JASAIS
AAIJST	JASAIT
AAIKLM	MAKILA
AAIKRS	ASKARI
AAILLM	MAILLA
AAILLP	PAILLA
	PALLIA
AAILLR	RAILLA
	RALLIA
AAILLS	AILLAS
	ALLAIS
	ALLIAS
AAILLT	AILLAT
	ALLAIT
	ALLIAT
	TAILLA
	TALLAI
AAILMN	ANIMAL
	LAMINA
AAILMP	LAMPAI
	PALMAI
AAILMR	AMARIL
	AMIRAL
	MARIAL
AAILMS	MALAIS
	SALAMI
AAILMT	MALTAI
AAILMU	MIAULA
AAILNP	APLANI
	LAPINA
	PLANAI
AAILNS	LAINAS
AAILNT	LAINAT
AAILPP	PALPAI
AAILPR	PALIRA
	PARLAI
	PLAIRA
AAILPS	LAPAIS
	PALAIS
AAILPT	APLATI
	LAPAIT
AAILPU	PIAULA
AAILPZ	LAPIAZ
AAILQU	LAQUAI
AAILRS	RALAIS
	SALIRA
AAILRT	RALAIT
AAILSS	LAISSA
	LASSAI
	SALAIS
AAILST	ALITAS
	SALAIT
AAILSU	SALUAI
AAILSV	LAVAIS
	SALIVA
	VALAIS →

	VALSAI
AAILSY	LAYAIS
AAILTT	ALITAT
	LATTAI
AAILTV	LAVAIT
	VALAIT
AAILTY	LAYAIT
AAIMMT	IMAMAT
AAIMMX	MAXIMA*
AAIMNR	MARINA
	MARNAI
	RANIMA
AAIMNS	ANIMAS
	MANIAS
AAIMNT	AIMANT
	ANIMAT
	IMANAT
	MANIAT
	MATINA
AAIMPR	RAMPAI
AAIMPS	PAMAIS
AAIMPT	PAMAIT
AAIMPU	PAUMAI
AAIMRR	ARRIMA
	MARRAI
AAIMRS	ARMAIS
	MARAIS
	MARIAS
	RAMAIS
AAIMRT	AMATIR
	ARMAIT
	MARIAT
	MATIRA
	RAMAIT
	TRAMAI
AAIMRU	AMUIRA
	AMURAI
AAIMSS	MASSAI
AAIMST	AMATIS
	MATAIS
	TAMISA
AAIMSU	AMUSAI
AAIMSZ	ZAMIAS
AAIMTT	AMATIT
	MATAIT
	TATAMI
AAINNT	TANNAI
AAINNV	VANNAI
AAINPP	NAPPAI
AAINPR	PARIAN
	RAPINA

AAINPS	PANAIS
	PANSAI
AAINPT	PANAIT
	PATINA
AAINRR	NARRAI
AAINRS	RAINAS
AAINRT	NAITRA
	RAINAT
	RATINA
	TRAINA
AAINRV	NAVRAI
	RAVINA
AAINST	SATINA
	TANISA
AAINSU	SAUNAI
AAINSV	AVINAS
AAINTT	NATTAI
AAINTV	AVINAT
	VANTAI
AAIOTU	OUATAI
AAIOUV	AVOUAI
AAIOUZ	ZAOUIA
AAIPQU	APIQUA
AAIPRS	ASPIRA
	PARAIS
	PARIAS
	RAPAIS
AAIPRT	PAITRA
	PARAIT
	PARIAT
	PATIRA
	PIRATA
	RAPAIT
	RAPIAT
	TAPIRA
AAIPRU	APURAI
AAIPRY	PIRAYA
AAIPSS	PASSAI
	SAPAIS
AAIPST	SAPAIT
	TAPAIS
AAIPSU	PAUSAI
AAIPSV	PAVAIS
AAIPSY	PAYAIS
AAIPTT	TAPAIT
AAIPTU	TUPAIA
AAIPTV	PAVAIT
AAIPTY	PAYAIT
AAIQRU	ARQUAI
AAIQSU	SAQUAI
AAIQTU	TAQUAI

AAIQUV	VAQUAI
AAIRRS	ARRISA
	RAIRAS
AAIRRT	TARIRA
	TRAIRA
AAIRRV	ARRIVA
	RAVIRA
AAIRSS	ARISAS
	RASAIS
AAIRST	ARISAT
	RASAIT
	RATAIS
	TAIRAS
	TARAIS
AAIRSU	AURAIS
	SAURAI
AAIRSV	RAVISA
	VARIAS
AAIRSY	RAYAIS
	RAYIAS
AAIRTT	ATTIRA
	RATAIT
	TARAIT
	TRAITA
AAIRTU	AURAIT
AAIRTV	VARIAT
AAIRTY	RAYAIT
AAIRUZ	AZURAI
AAIRVV	RAVIVA
AAIRZZ	RAZZIA
AAISSS	SASSAI
AAISST	TASSAI
AAISSV	AVISAS
	SAVAIS
AAISTT	ATTISA
	TATAIS
AAISTU	SAUTAI
AAISTV	AVISAT
	SAVAIT
AAISTX	TAXAIS
AAISUV	SAUVAI
AAISVV	AVIVAS
AAITTT	TATAIT
AAITTU	TAIAUT
AAITTX	TAXAIT
AAITVV	AVIVAT
AAIUXX	AXIAUX
AAJLPS	JALAPS
AAJMOR	MAJORA
AAJMPY	PYJAMA
AAJNST	JASANT

AAJORU	AJOURA
AAJOTU	AJOUTA
AAJPPS	JAPPAS
AAJPPT	JAPPAT
AAJPSS	JASPAS
AAJPST	JASPAT
AAJPTU	TUPAJA
AAJRTV	JAVART
AAJSTU	AJUSTA
AAKKSY	KAYAKS
AAKLOS	KOALAS
AAKMNR	KARMAN
AAKMRS	KARMAS
AAKNOR	ANORAK
AAKNPS	PANKAS
AAKPRS	PARKAS
AALLMU	ALLUMA
AALLNT	ALLANT
AALLOU	ALLOUA
AALLST	TALLAS
AALLTT	TALLAT
AALMNO	ANOMAL
AALMNP	NAPALM
AALMOR	AMORAL
AALMPS	LAMPAS
	PALMAS
	PLASMA
AALMPT	LAMPAT
	PALMAT
AALMSS	SMALAS
AALMST	MALTAS
AALMTT	MALTAT
AALNNU	ANNULA
AALNOT	ATONAL
AALNPS	PALANS
	PLANAS
AALNPT	LAPANT
	PLANAT
	PLANTA
AALNRT	RALANT
AALNRV	NARVAL
AALNST	NATALS
	SALANT
	SANTAL
AALNSV	NAVALS
AALNTV	LAVANT
	VALANT
AALNTY	LAYANT
AALOPS	SALOPA
AALOSS	ASSOLA
AALOSU	SAOULA
AALOUY	ALOYAU
AALPPS	PALPAS
AALPPT	PALPAT
AALPQU	PLAQUA
AALPRS	PARLAS
AALPRT	PARLAT
	PLATRA
AALPST	APLATS
AALPSX	SPALAX
AALQSU	LAQUAS
AALQTU	LAQUAT
	TALQUA
AALRST	ASTRAL
AALSSS	LASSAS
AALSST	LASSAT
AALSSU	SALUAS
AALSSV	VALSAS
	VASSAL
AALSTT	LATTAS
AALSTU	SALUAT
AALSTV	VALSAT
AALTTT	LATTAT
AAMMNS	AMMANS
	MAMANS
AAMNNT	MANANT
AAMNOR	ARAMON
	RAMONA
AAMNPS	SAMPAN
AAMNPT	PAMANT
AAMNQU	MANQUA
AAMNRS	MARNAS
AAMNRT	ARMANT
	MARNAT
	RAMANT
AAMNST	AMANTS
AAMNTT	MATANT
AAMPPS	PAMPAS
AAMPRS	RAMPAS
AAMPRT	RAMPAT
AAMPSU	PAUMAS
AAMPTU	AMPUTA
	PAUMAT
AAMQRU	MARQUA
AAMQSU	MASQUA
AAMRRS	MARRAS
AAMRRT	MARRAT
AAMRST	MATRAS
	TRAMAS
AAMRSU	AMURAS
AAMRTT	TRAMAT
AAMRTU	AMURAT
AAMSSS	MASSAS
AAMSST	MASSAT
AAMSSU	AMUSAS
	ASSUMA
AAMSTU	AMUSAT
AANNNO	ANONNA
AANNNS	NANANS
AANNOS	ANONAS
AANNOT	ANNOTA
AANNPT	PANANT
AANNST	TANNAS
AANNSV	VANNAS
AANNTT	TANNAT
AANNTV	VANNAT
AANNUX	ANNAUX
AANPPS	NAPPAS
	SAPPAN
AANPPT	NAPPAT
AANPRT	PARANT
	RAPANT
	TARPAN
AANPSS	PANSAS
AANPST	PANSAT
	SAPANT
AANPSY	PAYSAN
AANPTT	TAPANT
AANPTV	PAVANT
AANPTY	PAYANT
AANQTU	QUANTA
AANRRS	NARRAS
AANRRT	NARRAT
AANRST	RASANT
AANRSV	NAVRAS
	VARANS
AANRTT	RATANT
	TARANT
	TARTAN
AANRTV	NAVRAT
AANRTY	RAYANT
AANSSU	SAUNAS
AANSTT	NATTAS
AANSTU	AUTANS
	SAUNAT
AANSTV	AVANTS
	SAVANT
	VANTAS
AANSUX	NASAUX
AANTTT	NATTAT
	TATANT
AANTTU	AUTANT
AANTTV	VANTAT

AANTTX	TAXANT
AAOPPS	APPOSA
AAOPPT	PAPOTA
AAOPST	APOSTA
AAOPTT	TAPOTA
AAORRS	ARROSA
AAORTV	AVORTA
AAOSTU	OUATAS
AAOSUV	AVOUAS
AAOTTU	AOUTAT
	OUATAT
	TATOUA
AAOTUV	AVOUAT
AAPPRU	APPARU
AAPPST	APPATS
AAPPUX	PAPAUX
AAPPUY	APPUYA
AAPQRU	PARQUA
AAPRST	PATARS
AAPRSU	APURAS
AAPRTU	APURAT
	PATURA
AAPSSS	PASSAS
AAPSST	PASSAT
AAPSSU	PAUSAS
AAPSTU	PAUSAT
AAQRSU	ARQUAS
	QUASAR
AAQRTU	ARQUAT
	TRAQUA
AAQSSU	SAQUAS
AAQSTU	SAQUAT
	TAQUAS
AAQSUV	VAQUAS
AAQTTU	TAQUAT
AAQTUV	VAQUAT
AARRSU	SARRAU
AARRTU	RATURA
AARSST	RASTAS
AARSSU	ASSURA
	SAURAS
AARSTU	SATURA
	SAURAT
AARSTV	SAVART
AARSUZ	AZURAS
AARTUV	VAUTRA
AARTUZ	AZURAT
AASSSS	SASSAS
AASSST	SASSAT
	TASSAS
AASSTT	TASSAT
AASSTU	ASSAUT
	SAUTAS
AASSUV	SAUVAS
AASTTU	SAUTAT
	STATUA
AASTUV	SAUVAT
AATTUY	TAYAUT
ABBDOR	BABORD
	BOBARD
ABBEER	BARBEE
	EBARBE
ABBEIS	BABIES
ABBEIU	EBAUBI
ABBELU	BUBALE
ABBERR	BARBER
ABBERS	BARBES
ABBERT	BARBET
ABBERU	BARBUE
ABBERZ	BARBEZ
ABBGOR	GABBRO
ABBIIM	IMBIBA
ABBILS	BABILS
ABBIMN	BAMBIN
ABBIMO	BOMBAI
ABBINO	BOBINA
ABBINR	RABBIN
ABBIRS	RABBIS
ABBKOU	KOUBBA
ABBMOS	BOMBAS
ABBMOT	BOMBAT
ABBMOU	BAMBOU
ABBNOR	BARBON
ABBRSU	BARBUS
ABCCLU	BUCCAL
ABCDER	BECARD
ABCDOR	BOCARD
ABCEEH	BACHEE
ABCEEL	BACLEE
	CABLEE
ABCEEN	BECANE
ABCEER	ACERBE
	CABREE
ABCEES	BESACE
	SEBACE
ABCEFI	BIFACE
ABCEGO	BOCAGE
ABCEGU	CUBAGE
ABCEHI	BECHAI
ABCEHL	CHABLE
ABCEHN	BANCHE
ABCEHR	BACHER
ABCEHS	BACHES
	BECHAS
ABCEHT	BECHAT
ABCEHZ	BACHEZ
ABCEIN	CABINE
ABCEIR	BERCAI
ABCEJT	ABJECT
ABCELR	BACLER
	CABLER
ABCELS	BACLES
	CABLES
ABCELZ	BACLEZ
	CABLEZ
ABCEMR	CAMBRE
	CRAMBE
ABCEOS	COBEAS
ABCEOT	BECOTA
	CABOTE
ABCEOU	ECOBUA
ABCEOY	COBAYE
ABCERR	CABRER
ABCERS	BERCAS
	CABRES
	CRABES
ABCERT	BERCAT
	CARBET
ABCERU	CUBERA
ABCERZ	CABREZ
ABCGII	CAGIBI
ABCHII	BICHAI
ABCHIS	BICHAS
ABCHIT	BICHAT
ABCHIU	BUCHAI
ABCHOR	BROCHA
ABCHOT	BACHOT
	CHABOT
ABCHOU	BOUCHA
ABCHSU	BUCHAS
ABCHTU	BUCHAT
ABCILM	LAMBIC
ABCILR	CRIBLA
ABCINU	CUBAIN
	INCUBA
ABCIRS	CABRIS
ABCISS	BISSAC
ABCISU	CUBAIS
ABCITU	CUBAIT
ABCLMO	COMBLA
ABCLNO	BALCON
ABCLNS	BLANCS
ABCLOT	CABLOT →

	CLABOT
	COBALT
ABCLOU	BOUCLA
ABCLSU	BACULS
ABCMOT	COMBAT
	TOMBAC
ABCNOS	BACONS
ABCNOU	BOUCAN
ABCNTU	CUBANT
ABCORS	COBRAS
ABCORT	CRABOT
ABCORU	COURBA
ABCOST	CABOTS
ABCOUU	BOUCAU
ABCOUX	BOCAUX
ABDEEN	BANDEE
	BEDANE
ABDEER	BARDEE
	BRADEE
ABDEET	DEBATE
ABDEEU	BEDEAU
	DAUBEE
ABDEGR	BEGARD
ABDEGS	BADGES
ABDEIL	DEBLAI
	DIABLE
ABDEIN	BADINE
	DEBINA
ABDEIS	ABSIDE
	BASIDE
ABDEIT	DEBATI
	DEBITA
ABDELO	ALBEDO
ABDENO	ABONDE
ABDENR	BANDER
	BRANDE
ABDENS	BANDES
ABDENZ	BANDEZ
ABDEOR	ABORDE
	DEROBA
ABDEOS	OBSEDA
ABDEOU	ADOUBE
ABDERR	BARDER
	BRADER
ABDERS	BARDES
	BRADES
ABDERU	DAUBER
ABDERZ	BARDEZ
	BRADEZ
ABDEST	DEBATS
ABDESU	DAUBES
ABDETU	BAUDET
	DEBUTA
ABDEUZ	DAUBEZ
ABDIIR	BRIDAI
ABDILN	BLINDA
ABDILU	BLIAUD
ABDINR	BINARD
	BRANDI
ABDINS	BADINS
ABDINT	BANDIT
ABDIOR	BORDAI
	BRODAI
ABDIOS	BADOIS
ABDIOU	BOUDAI
ABDIRR	BRIARD
ABDIRS	BARDIS
	BRIDAS
ABDIRT	BARDIT
	BRIDAT
ABDIRU	RIBAUD
ABDJOR	JOBARD
ABDLOU	DOUBLA
ABDNRY	BRANDY
ABDORS	ABORDS
	BORDAS
	BRODAS
	SABORD
ABDORT	BARDOT
	BORDAT
	BRODAT
ABDORU	BAROUD
	RADOUB
ABDORY	BOYARD
ABDOSU	BOUDAS
ABDOTU	BOUDAT
ABDRSU	BUSARD
ABDRUV	BUVARD
ABEEFR	BAFREE
ABEEGI	BEGAIE
ABEEGL	BEAGLE
	GALBEE
ABEEGR	ABREGE
ABEEGU	BAGUEE
ABEEGY	BEGAYE
ABEEHI	EBAHIE
ABEEHT	HEBETA
ABEEIL	LABIEE
ABEEIM	ABIMEE
ABEEIR	BEERAI
ABEEIS	BAISEE
ABEEIT	ABETIE
ABEEJL	JABLEE
ABEELM	BLAMEE
ABEELR	BELERA
	ERABLE
	RABLEE
ABEELS	BLASEE
	SABLEE
ABEELT	ETABLE
	TABLEE
ABEELZ	BALEZE
ABEEMR	AMBREE
	BAREME
ABEEMS	BEAMES
	EMBASE
ABEEMT	EMBETA
ABEENS	SABEEN
ABEENT	BEANTE
ABEERR	BARREE
ABEERS	BEERAS
	BRASEE
	EBRASE
	SABREE
ABEERT	BARETE
ABEERU	AUBERE
ABEERV	BRAVEE
ABEESS	BASEES
	BEASSE
ABEEST	BATEES
	BEATES
ABEESU	ABUSEE
ABEETT	BATTEE
	EBATTE
ABEETU	BEAUTE
ABEFFL	BAFFLE
ABEFIL	FAIBLE
	FIABLE
ABEFLM	FLAMBE
ABEFLS	FABLES
ABEFLU	FABULE
ABEFOU	BAFOUE
ABEFRR	BAFRER
ABEFRS	BAFRES
ABEFRZ	BAFREZ
ABEGIL	LIBAGE
ABEGIM	BIGAME
ABEGIN	BAIGNE
	BINAGE
ABEGIR	GABIER
	GERBAI
ABEGIS	GABIES
ABEGLR	GALBER →

	GLABRE
ABEGLS	BELGAS
	GABLES
	GALBES
ABEGLU	BELUGA
	BEUGLA
	BLAGUE
ABEGLZ	GALBEZ
ABEGMR	BREGMA
ABEGNO	ENGOBA
ABEGNR	GRABEN
ABEGNS	BAGNES
ABEGOR	ABROGE
	GOBERA
	ROBAGE
ABEGOU	BOUGEA
ABEGRS	BARGES
	GERBAS
ABEGRT	GERBAT
ABEGRU	BAGUER
	BRAGUE
ABEGSU	BAGUES
	BAUGES
ABEGTU	TUBAGE
ABEGUZ	BAGUEZ
ABEHIL	HABILE
ABEHIR	EBAHIR
ABEHIS	EBAHIS
ABEHIT	EBAHIT
	HABITE
ABEHIX	EXHIBA
ABEHKS	SEBKHA
ABEIIS	BIAISE
ABEILL	BAILLE
	LABILE
ABEILM	BILAME
ABEILN	NIABLE
ABEILO	ABOLIE
ABEILP	BIPALE
	PIBALE*
ABEILR	BILERA
	BLAIRE
	BRELAI
	LIBERA
ABEILS	BAILES
	BALISE
	BELAIS
	BLESAI
	LABIES
ABEILT	ALBITE
	BELAIT →

	BETAIL
	ETABLI
ABEILV	VIABLE
ABEIMN	BIMANE
ABEIMR	ABIMER
ABEIMS	ABIMES
	AMIBES
	IAMBES
ABEIMU	EMBUAI
ABEIMZ	ABIMEZ
ABEINN	BANNIE
ABEINR	BENIRA
	BERNAI
	BINERA
ABEINS	SABINE
ABEINT	BAIENT*
ABEIOR	OBEIRA
	OBERAI
ABEIOS	ABOIES
ABEIRR	BRAIRE
ABEIRS	BAISER
	BISERA
	BRAIES
	BRAISE
ABEIRT	ABETIR
	ABRITE
	REBATI
ABEIRU	AUBIER
ABEIRZ	ZEBRAI
ABEISS	BAISES
	BAISSE
ABEIST	ABETIS
	BATIES
	BETISA
ABEISU	BISEAU
ABEISZ	BAISEZ
	BASIEZ
ABEITT	ABETIT
ABEITZ	BATIEZ
ABEIUV	BIVEAU
ABEIVZ	BAVIEZ
ABEIYZ	BAYIEZ
ABEJLR	JABLER
ABEJLS	JABLES
ABEJLZ	JABLEZ
ABEJMS	JAMBES
ABEJOT	JABOTE
ABEJOU	BAJOUE
ABEJRU	ABJURE
ABEKLY	KABYLE
ABEKRS	BREAKS

ABEKST	BASKET
ABELLM	LAMBEL
ABELLR	BALLER
ABELLS	BALLES
	LABELS
ABELLT	BALLET
ABELLZ	BALLEZ
ABELMR	AMBLER
	BLAMER
ABELMS	AMBLES
	BLAMES
	SEMBLA
ABELMU	MEUBLA
ABELMZ	AMBLEZ
	BLAMEZ
ABELNR	BRANLE
	BRELAN
ABELNT	BELANT
ABELOR	BOREAL
	LOBERA
ABELOT	OBLATE
ABELOU	ABOULE
	EBOULA
ABELRR	BARREL
ABELRS	BLASER
	BRELAS
	LABRES
	RABLES
	SABLER
ABELRT	BRELAT
	TABLER
ABELRU	LABEUR
ABELRV	VERBAL
ABELRZ	BLAZER
ABELSS	BLASES
	BLESAS
	BLESSA
	SABLES
ABELST	BALTES
	BLESAT
	STABLE
	TABLES
ABELSZ	BLASEZ
	SABLEZ
ABELTT	BLATTE
ABELTU	BLEUTA
	TUABLE
ABELTZ	TABLEZ
ABEMNR	BARMEN
ABEMRR	AMBRER
	BRAMER →

	MARBRE
ABEMRS	AMBRES
	BRAMES
ABEMRZ	AMBREZ
	BRAMEZ
ABEMST	EMBATS
ABEMSU	BAUMES
	EMBUAS
ABEMTU	EMBUAT
ABENNO	ABONNE
ABENNS	BANNES
ABENOR	BORANE
	ENROBA
ABENOT	NABOTE
ABENQU	BANQUE
ABENRS	BERNAS
ABENRT	BERNAT
	BREANT
ABENRU	RUBANE
ABENST	ABSENT
	BASENT
	BEANTS
	BESANT
ABENTT	BATENT
ABENTU	BUTANE
ABENTV	BAVENT
ABENTY	BAYENT
ABEORR	ARBORE
	ARROBE
	ROBERA
ABEORS	AROBES
	OBERAS
ABEORT	BORATE
	OBERAT
	RABOTE
ABEORU	EBROUA
ABEORX	BOXERA
ABEORY	ABOYER
ABEOST	SABOTE
ABEOTU	ABOUTE
	EBOUTA
	TABOUE*
ABEOYZ	ABOYEZ
ABEQRU	BARQUE
	BRAQUE
ABEQSU	BASQUE
ABEQTU	BAQUET
ABERRR	BARRER
ABERRS	ARBRES
	BARRES
	BRASER →
	SABRER
ABERRU	BEURRA
ABERRV	BRAVER
ABERRY	BRAYER
ABERRZ	BARREZ
ABERSS	BRASES
	BRASSE
	SABRES
ABERST	REBATS
	TRABES
ABERSU	ABUSER
ABERSV	BRAVES
ABERSY	BARYES
ABERSZ	BRASEZ
	SABREZ
	ZABRES
	ZEBRAS
ABERTT	BATTRE
ABERTU	BUTERA
	REBUTA
	TUBERA
ABERTY	BARYTE
ABERTZ	ZEBRAT
ABERUU	BUREAU
ABERUV	BAVURE
ABERVZ	BRAVEZ
ABESSS	BASSES
ABESST	BASSET
	BASTES
ABESSU	ABUSES
ABESSY	ABYSSE
ABESTT	BATTES
ABESUZ	ABUSEZ
ABETTU	BATTUE
	EBATTU
ABETTZ	BATTEZ
ABEUVX	BAVEUX
ABFFII	BIFFAI
ABFFIS	BIFFAS
ABFFIT	BIFFAT
ABFFLU	BLUFFA
ABFFOU	BOUFFA
ABFIIL	FAIBLI
ABFISU	ABUSIF
ABFNOR	FORBAN
ABFORU	BAROUF
ABGIIL	BIGLAI
ABGILS	BIGLAS
ABGILT	BIGLAT
ABGIMT	GAMBIT
ABGIMU	AMBIGU
ABGINO	GABION
ABGIOS	GOBAIS
ABGIOT	GOBAIT
ABGIRU	BRIGUA
ABGLLO	GLOBAL
ABGLOU	ALBUGO
ABGNOT	GOBANT
ABGOSU	BAGOUS
ABGOTU	BAGOUT
ABGRUU	BURGAU
ABHIIN	INHIBA
ABHIMR	MIHRAB
ABHIST	HABITS
ABHSTU	BAHUTS
ABIILL	BAILLI
ABIILS	ALIBIS
	BILAIS
ABIILT	BILAIT
	TIBIAL
ABIIMN	NIMBAI
ABIIMR	BRIMAI
ABIINS	BINAIS
ABIINT	BINAIT
ABIIOR	BOIRAI
ABIIOS	BOISAI
ABIIOT	BOITAI
ABIIOV	OBVIAI
ABIIRS	BRISAI
ABIIRV	VIBRAI
ABIISS	BISAIS
	BISSAI
ABIIST	BISAIT
	TIBIAS
ABIJLU	JUBILA
ABIJRU	JABIRU
ABIKKU	KABUKI
ABIKRS	BRISKA
ABIKST	BATIKS
ABILLR	BRILLA
ABILMN	LAMBIN
ABILNO	ANOBLI
	OLIBAN
ABILNP	BIPLAN
ABILNR	LARBIN
ABILNS	BILANS
ABILNT	BILANT
ABILOR	ABOLIR
ABILOS	ABOLIS
	LOBAIS
ABILOT	ABOLIT
	LOBAIT

ABILOU	BOULAI
	OUBLIA
ABILPU	PUBLIA
ABILRS	BARILS
	BLAIRS
ABILRT	TRIBAL
ABILRU	BRULAI
ABILTU	BLUTAI
ABIMNS	NIMBAS
ABIMNT	NIMBAT
ABIMOR	OMBRAI
ABIMOT	TOMBAI
ABIMRS	BRIMAS
ABIMRT	BRIMAT
	TIMBRA
ABIMTU	BITUMA
ABINNO	ABONNI
ABINNR	BANNIR
ABINNS	BANNIS
ABINNT	BANNIT
	BINANT
ABINNV	BANVIN
ABINOR	BORAIN
	BORNAI
ABINOS	SNOBAI
ABINRU	BRUINA
	BURINA
	URBAIN
ABINSS	BASINS
	BASSIN
ABINST	BASTIN
	BISANT
ABINSU	AUBINS
ABINTU	BUTINA
ABIORS	BOIARS
	BOIRAS
	ROBAIS
ABIORT	RABIOT
	ROBAIT
ABIORV	BAVOIR
ABIORY	BROYAI
ABIORZ	BARZOI
ABIOSS	BOISAS
	BOSSAI
ABIOST	BOISAT
	BOITAS
ABIOSV	OBVIAS
ABIOSX	BOXAIS
ABIOTT	BOITAT
	BOTTAI
ABIOTU	ABOUTI →
	BOUTAI
ABIOTV	OBVIAT
ABIOTX	BOXAIT
ABIQRU	BRIQUA
ABIQSU	BISQUA
ABIRRR	BARRIR
ABIRRS	BARRIS
ABIRRT	BARRIT
ABIRRU	BRUIRA
ABIRSS	BRISAS
	SABIRS
ABIRST	BRISAT
ABIRSU	AIRBUS
	SUBIRA
ABIRSV	VIBRAS
ABIRTU	ABRUTI
	BRUITA
ABIRTV	VIBRAT
ABISSS	BISSAS
ABISST	BISSAT
ABISTT	BATTIS
ABISTU	BUTAIS
	TUBAIS
ABISUV	BUVAIS
ABITTT	BATTIT
ABITTU	BUTAIT
	BUTTAI
	TITUBA
	TUBAIT
ABITUV	BUVAIT
ABITUZ	BIZUTA
ABJMNO	JAMBON
ABJNOS	BANJOS
ABJOST	JABOTS
ABLLNO	BALLON
ABLLOT	BALLOT
ABLMOP	APLOMB
	PLOMBA
ABLMOU	MABOUL
ABLMSU	ALBUMS
ABLNOS	BLASON
	SABLON
ABLNOT	LOBANT
ABLOQU	BLOQUA
ABLORU	LABOUR
ABLOST	OBLATS
ABLOSU	ABSOLU
	BLOUSA
	BOULAS
ABLOTU	BOULAT
ABLRSU	BRULAS
ABLRTU	BRULAT
	BRUTAL
ABLSTU	BLUTAS
ABLTTU	BLUTAT
ABMNOS	AMBONS
ABMORS	OMBRAS
	SOMBRA
ABMORT	OMBRAT
ABMOST	TOMBAS
ABMOTT	TOMBAT
ABMRSU	RUMBAS
ABMRTU	BRUMAT
ABMRUY	BARYUM
ABNORS	BARONS
	BORNAS
ABNORT	BORNAT
	ROBANT
ABNORZ	BRONZA
ABNOSS	BASONS
	BASSON
	SNOBAS
ABNOST	BATONS
	NABOTS
	SNOBAT
ABNOSU	NOUBAS
ABNOSV	BAVONS
ABNOSY	BAYONS
ABNOTX	BOXANT
ABNRSU	RUBANS
ABNRTU	BRUANT
	TURBAN
ABNRUU	AUBURN
ABNTTU	BUTANT
	TUBANT
ABNTUV	BUVANT
ABORRT	BARROT
ABORRU	BOURRA
ABORSS	BROSSA
ABORST	RABOTS
	TABORS
ABORSV	BRAVOS
ABORSY	BROYAS
ABORTU	BROUTA
	OBTURA
	RUBATO
ABORTY	BROYAT
ABOSSS	BOSSAS
ABOSST	BOSSAT
	SABOTS
ABOSSU	ABSOUS
	BOSSUA

ABOSTT	BOTTAS
ABOSTU	ABOUTS
	ABSOUT
	BOUTAS
	TABOUS
ABOTTT	BOTTAT
ABOTTU	BOUTAT
ABOUXY	BOYAUX
ABPRTU	ABRUPT
ABQSUU	BUSQUA
ABSTTU	BATTUS
	BUTTAS
ABTTTU	BUTTAT
ACCCOR	ACCROC
ACCDEE	ACCEDE
ACCDES	DECCAS
ACCDOR	ACCORD
ACCDSU	CADUCS
ACCEEH	CACHEE
ACCEET	CACTEE*
	CETACE
ACCEHN	CANCHE
	CHANCE
ACCEHR	CACHER
	CRACHE
ACCEHS	CACHES
ACCEHT	CACHET
ACCEHZ	CACHEZ
ACCEIL	CALICE
ACCEIM	MICACE
ACCELN	CANCEL
ACCELO	ACCOLE
ACCELR	CARCEL
	CERCLA
ACCELU	ACCULE
ACCEMU	CAECUM
ACCENR	CANCER
	CANCRE
ACCENT	ACCENT
ACCEOR	ACCORE
	ECORCA
ACCEOT	ACCOTE
ACCEOU	ACCOUE
ACCEPU	CAPUCE
ACCERU	ACCRUE
ACCESU	ACCUSE
ACCGNO	COGNAC
ACCHIL	CLICHA
ACCHIN	CHANCI
ACCHIO	COCHAI
ACCHLO	CLOCHA
ACCHNU	CHACUN
ACCHOR	CROCHA
ACCHOS	COACHS
	COCHAS
ACCHOT	CACHOT
	COCHAT
ACCHOU	CACHOU
	COUCHA
ACCHST	CATCHS
ACCILN	CALCIN
ACCIMM	MICMAC
ACCINO	COINCA
ACCINV	VACCIN
ACCKRS	CRACKS
ACCLLU	CALCUL
ACCNOR	CORNAC
ACCOPU	OCCUPA
ACCOSU	COUACS
ACCRSU	ACCRUS
ACCRTU	ACCRUT
ACCSTU	CACTUS
ACCSUY	YUCCAS
ACDDEE	DECADE
	DECEDA
ACDDEI	CADDIE
	DECADI
	DECIDA
ACDDEO	DECODA
ACDEEL	DECALE
	DECELA
	DELACE
ACDEEP	DECAPE
	DEPECA
ACDEER	CADREE*
	CARDEE
	CEDERA
	RECEDA
ACDEEV	DECAVE
ACDEEX	EXCEDA
ACDEGO	CODAGE
ACDEHU	CHAUDE
ACDEIM	CADMIE
	DECIMA
ACDEIN	CANDIE
	CANIDE*
ACDEIR	DECRIA
	DIACRE
ACDEIS	ACIDES
	CEDAIS
ACDEIT	CEDAIT
	DECATI →
	EDICTA
ACDELS	SCALDE
ACDELU	DUCALE
ACDENR	CENDRA
	CERDAN
ACDENS	DECANS
	SCANDE
ACDENT	CEDANT
ACDEOR	CODERA
	DECORA
	ROCADE
ACDERR	CADRER
	CARDER
ACDERS	CADRES
	CARDES
ACDERT	CEDRAT
ACDERU	DECRUA
ACDERZ	CADREZ
	CARDEZ
ACDEST	CADETS
ACDEUV	DECUVA
ACDHOU	DOUCHA
ACDHSU	CHAUDS
ACDIIT	DICTAI
ACDILS	DISCAL
ACDINR	CANDIR
ACDINS	CANDIS
	SCINDA
ACDINT	CANDIT
ACDIOR	CORDAI
ACDIOS	CODAIS
ACDIOT	CODAIT
ACDIOU	ADOUCI
	COUDAI
ACDIPR	PICARD
ACDIRR	CRIARD
ACDISS	ASDICS
ACDIST	DICTAS
ACDITT	DICTAT
ACDIUV	VIADUC
ACDNOR	CARDON
ACDNOT	CODANT
ACDORS	CORDAS
ACDORT	CORDAT
	TOCARD
ACDORU	COUARD
	COUDRA
ACDOSU	COUDAS
ACDOTU	COUDAT
ACDSTU	DUCATS
ACDUUX	DUCAUX

ACEEEL	ECALEE
ACEEER	ACEREE
ACEEFF	EFFACE
ACEEFH	FACHEE
ACEEFL	FECALE
ACEEGH	GACHEE
ACEEGL	GLACEE
ACEEGN	AGENCE
	ENCAGE
ACEEGP	CEPAGE
ACEEGS	CAGEES
ACEEHH	HACHEE
ACEEHL	LACHEE
ACEEHM	EMECHA
	MACHEE
ACEEHP	CHAPEE
ACEEHS	SACHEE
ACEEHT	ACHETE
	TACHEE
ACEEHV	ACHEVE
ACEEIM	EMACIE
ACEEIP	EPICEA
ACEEIR	ACIERE
	CARIEE
ACEEJS	JACEES
ACEEJT	EJECTA
ACEELM	CALMEE
	CLAMEE
	MACLEE
ACEELN	ALCENE
	ELANCE
	ENLACE
	LANCEE
ACEELP	CAPELE
	PLACEE
ACEELR	CELERA
	ECALER
	LACERE
	RACLEE
	RECALE
	RECELA
ACEELS	CALEES
	ECALES
	ESCALE
	LACEES
ACEELT	ECLATE
	LACTEE
ACEELZ	ECALEZ
ACEEMN	MENACE
ACEEMP	CAMPEE
ACEEMR	CAREME →
	CERAME
	ECREMA
	MACERE
ACEEMS	CAMEES
ACEEMZ	ECZEMA
ACEENN	CANNEE
ACEENR	ANCREE
	CARENE
	CARNEE
	NACREE
ACEENS	SEANCE
ACEENT	CETANE
	TANCEE
	TENACE
ACEENV	ENCAVE
ACEEPR	CAPEER
	RECEPA
ACEEPS	CAPEES
	ESCAPE
	ESPACE
ACEEPT	CAPTEE
	EPACTE
ACEEPY	CAPEYE
ACEEPZ	CAPEEZ
ACEEQU	CAQUEE
ACEERR	CARREE
	CREERA
	RECREA
ACEERS	ACERES
	ECRASE
	RACEES
	SACREE
ACEERT	ACRETE
	ECARTE
	ECRETA
	TRACEE
ACEERX	EXECRA
	EXERCA
ACEESS	ASCESE
	CASEES
	CASSEE
ACEEST	ACTEES
	ASCETE
	SETACE
ACEESU	CAUSEE
	SAUCEE
ACEESV	CAVEES
ACEETX	EXACTE
ACEEUV	EVACUE
ACEEUX	EXAUCE
ACEEVX	EXCAVE
ACEFFT	AFFECT
ACEFGU	FUGACE
ACEFHL	FLACHE
	FLECHA
ACEFHR	FACHER
ACEFHS	FACHES
ACEFHU	FAUCHE
ACEFHZ	FACHEZ
ACEFIL	CALIFE
	FACILE
	FICELA
ACEFIN	FIANCE
ACEFIR	FARCIE
	FIACRE
ACEFIS	FACIES
	FASCIE
ACEFLO	FOCALE
ACEFLU	FACULE
	FECULA
	FUCALE*
ACEFOU	FOUACE
ACEFRS	CAFRES
	FARCES
ACEFRU	FAUCRE
ACEFSS	FASCES
ACEFUX	FECAUX
ACEGHN	CHANGE
ACEGHR	CHARGE
	GACHER
ACEGHS	GACHES
ACEGHU	GAUCHE
ACEGHZ	GACHEZ
ACEGIL	CIGALE
ACEGIP	PICAGE
ACEGIR	CIGARE
	CIRAGE
	GERCAI
	GRACIE
ACEGIS	SCIAGE
ACEGLR	GLACER
ACEGLS	GLACES
ACEGLZ	GLACEZ
ACEGNS	CAGNES
	ECANGS
ACEGNU	CANGUE
ACEGOT	CAGEOT
	CAGOTE
ACEGRS	GARCES
	GERCAS
	GRACES
ACEGRT	GERCAT

ACEGRU	CARGUE
	CURAGE
ACEGST	CAGETS
ACEGUV	CUVAGE
ACEHHN	HANCHE
ACEHHR	HACHER
	HERCHA
ACEHHS	HACHES
ACEHHZ	HACHEZ
ACEHIL	CHIALE
	LAICHE
	LECHAI
ACEHIM	MECHAI
ACEHIN	CHAINE
	ECHINA
ACEHIP	PECHAI
ACEHIR	CAHIER
	CHAIRE
	CHIERA
ACEHIS	AICHES
	CHAISE
	SECHAI
ACEHIT	CHATIE
ACEHLN	CHENAL
ACEHLR	LACHER
ACEHLS	CHALES
	LACHES
	LECHAS
ACEHLT	CHALET
	LECHAT
ACEHLU	CHAULE
ACEHLV	CHEVAL
ACEHLZ	LACHEZ
ACEHMN	MANCHE
ACEHMO	AMOCHE
ACEHMR	CHARME
	MACHER
	MARCHE
ACEHMS	MACHES
	MECHAS
	SACHEM
	SCHEMA
ACEHMT	MECHAT
	MECHTA
ACEHMU	CHAUME
ACEHMZ	MACHEZ
ACEHNP	PENCHA
ACEHNR	RANCHE
ACEHNS	ANCHES
ACEHNT	CHANTE
	TANCHE
ACEHOT	CAHOTE
ACEHOU	ECHOUA
ACEHPR	PERCHA
	PRECHA
ACEHPS	CHAPES
	PECHAS
ACEHPT	PECHAT
ACEHQU	CHAQUE
ACEHRR	ARCHER
ACEHRS	ARCHES
	CASHER
	ECHARS
ACEHRT	ARCHET
	CHARTE
	CHATRE
	TACHER
ACEHRV	VACHER
	VARECH
ACEHSS	CHASSE
	SACHES
	SECHAS
ACEHST	CHASTE
	SACHET
	SECHAT
	TACHES
ACEHSV	VACHES
ACEHSZ	SACHEZ
ACEHTT	CHATTE
ACEHTU	CAHUTE
ACEHTZ	TACHEZ
ACEHUV	CHAUVE
ACEIIM	ECIMAI
ACEIIP	EPICAI
ACEIIR	ECRIAI
ACEILL	CAILLE
ACEILM	LIMACE
	MALICE
ACEILN	CALINE
	LANICE
ACEILR	CALIER
	CLAIRE
	ECLAIR
ACEILS	CELAIS
	CISELA
	CLAIES
ACEILT	CELAIT
ACEILU	ECULAI
ACEILZ	CALIEZ
	LACIEZ
ACEIMN	CINEMA
	EMINCA →
	MANCIE
ACEIMR	CREMAI
ACEIMS	ECIMAS
ACEIMT	ECIMAT
ACEIMU	ECUMAI
ACEINN	ANCIEN
	CANINE
ACEINP	EPINCA
ACEINR	CERNAI
	CRENAI
	ENCRAI
	RACINE
	RICANE
ACEINT	NATICE
ACEINV	EVINCA
ACEINZ	CANIEZ
ACEIOP	ECOPAI
	OPIACE
ACEIPR	CREPAI
	PECARI
	PERCAI
ACEIPS	EPICAS
	IPECAS
ACEIPT	CAPITE
	EPICAT
ACEIPU	EPUCAI
ACEIPX	EXCIPA
ACEIPY	CIPAYE
ACEIQU	CAIQUE
ACEIRR	CARIER
	CIRERA
	CRIERA
	ECRIRA
	RECRIA
ACEIRS	ACIERS
	CARIES
	CASIER
	CRAIES
	CREAIS
	ECRIAS
	SCIERA
ACEIRT	CITERA
	CREAIT
	ECRIAT
	RECITA
	TERCAI
	TIERCA
ACEIRU	ECURAI
ACEIRV	CREVAI
	VARICE
ACEIRZ	CARIEZ

ACEISS	CAISSE
	CASSIE
	CESSAI
ACEIST	ASCITE
	CATIES
ACEISU	CISEAU
ACEISX	EXCISA
ACEISZ	CASIEZ
ACEITT	TACITE
ACEITU	ACUITE
ACEITV	ACTIVE
	CAVITE
ACEITX	EXCITA
ACEIUX	CAIEUX
ACEIVV	VIVACE
ACEIVZ	CAVIEZ
ACEJLO	CAJOLE
ACEJST	CAJETS
ACEKRT	RACKET
ACELLO	LOCALE
ACELLS	CELLAS
	SCELLA
ACELMR	CALMER
	CLAMER
	MACLER
ACELMS	CALMES
	CLAMES
	MACLES
ACELMU	MACULE
ACELMZ	CALMEZ
	CLAMEZ
	MACLEZ
ACELNR	LANCER
ACELNS	LANCES
ACELNT	CALENT
	CELANT
ACELNU	CANULE
	LACUNE
	LUCANE
ACELNY	ALCYNE
ACELNZ	LANCEZ
	ZANCLE
ACELOR	ECLORA
	ORACLE
	RACOLE
	RECOLA
ACELOU	ECOULA
ACELOV	ALCOVE
	VOCALE
ACELOX	COXALE
ACELPP	CLAPPE
ACELPR	PLACER
ACELPS	PLACES
	SCALPE
ACELPT	CLAPET
	PLACET
ACELPZ	PLACEZ
ACELQU	CALQUE
	CLAQUE
ACELRR	RACLER
ACELRS	RACLES
	SARCLE
ACELRT	CARTEL
	CLARTE
	RECTAL
ACELRU	CULERA
	LACEUR
	RECULA
	ULCERA
ACELRZ	RACLEZ
ACELSS	CLASSE
ACELST	CASTEL
	ECLATS
	LACETS
	LACTES
ACELSU	CASUEL
	CLAUSE
	ECLUSA
	ECULAS
ACELTU	ACTUEL
	ECULAT
ACELUV	CUVELA
ACEMNO	MECANO
ACEMNU	MUANCE
ACEMOR	AMORCE
ACEMPR	CAMPER
	CRAMPE
ACEMPS	CAMPES
ACEMPZ	CAMPEZ
ACEMRS	CARMES
	CREMAS
	MACRES
ACEMRT	CREMAT
ACEMSU	CAMUSE
	ECUMAS
ACEMTU	ECUMAT
ACENNO	ENONCA
ACENNR	CANNER
ACENNS	CANNES
	ENCANS
ACENNT	CANENT
ACENNU	NUANCE
ACENNZ	CANNEZ
ACENOP	CANOPE
ACENOR	ECORNA
ACENOS	CANOES
	OCEANS
ACENOT	CANOTE
	OCTANE
ACENRR	ANCRER
	CRANER
	NACRER
ACENRS	ANCRES
	CARNES
	CERNAS
	CRANES
	CRENAS
	ECRANS
	ENCRAS
	NACRES
	RANCES
ACENRT	CANTER
	CARNET
	CENTRA
	CERNAT
	CRANTE
	CREANT
	CRENAT
	ENCART
	ENCRAT
	NECTAR
	TANCER
	TANREC
ACENRZ	ANCREZ
	CRANEZ
	NACREZ
ACENST	CASENT
	SECANT
	STANCE
	TANCES
ACENSU	CANUSE
ACENTU	CUTANE
ACENTV	CAVENT
ACENTZ	TANCEZ
ACENUU	AUCUNE
ACENUV	ENCUVA
ACEOPR	PORACE
ACEOPS	ECOPAS
ACEOPT	CAPOTE
	ECOPAT
ACEOPU	COPEAU
ACEORR	OCRERA
ACEORS	ACORES →

	ROSACE
ACEORT	ATROCE
	COTERA
	CROATE
	ROTACE
ACEORU	ECROUA
ACEORV	VORACE
ACEOSS	COASSE
	ECOSSA
ACEOSU	SECOUA
ACEOTU	COTEAU
	ECOUTA
ACEOTV	OCTAVE
ACEPQU	PACQUE
ACEPRS	CAPRES
	CARPES
	CREPAS
	PARSEC
	PERCAS
ACEPRT	CAPTER
	CREPAT
	PERCAT
ACEPRU	APERCU
ACEPST	ASPECT
	CAPTES
	PACTES
ACEPSU	EPUCAS
ACEPTU	EPUCAT
ACEPTZ	CAPTEZ
ACEPUU	PUCEAU
ACEQRU	CAQUER
	CRAQUE
ACEQSU	CAQUES
	CASQUE
	SACQUE
ACEQTU	ACQUET
	CAQUET
ACEQUZ	CAQUEZ
ACERRR	CARRER
ACERRS	CARRES
	RACERS
	SACRER
ACERRT	CARTER
	TRACER
ACERRU	ARCURE
	CURARE
	CURERA
	RECURA
ACERRZ	CARREZ
ACERSS	CASSER
	CESARS →
	CRASES
	CRASSE
	RESSAC
	SACRES
	SCARES
	SERACS
ACERST	CARETS
	CARTES
	CASTRE
	CERATS
	ECARTS
	SACRET*
	TERCAS
	TRACES
ACERSU	CAUSER
	CREUSA
	ECURAS
	RECUSA
	SAUCER
	SUCERA
ACERSV	CRAVES
	CREVAS
ACERSZ	SACREZ
ACERTT	TERCAT
	TRACTE
ACERTU	ACTEUR
	CURETA
	ECURAT
	ERUCTA
ACERTV	CREVAT
ACERTZ	TRACEZ
ACERUV	CUVERA
ACESSS	CASSES
	CESSAS
ACESST	CASTES
	CESSAT
ACESSU	CAUSES
	CAUSSE
	SAUCES
ACESSZ	CASSEZ
ACESTT	TACETS
ACESTU	ASTUCE
	CUESTA
ACESTV	CAVETS
ACESTX	EXACTS
ACESUX	EXCUSA
	SCEAUX
ACESUZ	CAUSEZ
	SAUCEZ
ACEUUV	CUVEAU
ACEUXY	CAYEUX
ACFFIO	COIFFA
ACFFOR	COFFRA
ACFFOU	COUFFA
ACFHII	FICHAI
ACFHIS	FICHAS
ACFHIT	FICHAT
ACFILS	FISCAL
	LASCIF
ACFINO	CONFIA
	FONCAI
ACFINR	FARCIN
ACFINS	CANIFS
ACFIOR	FORCAI
ACFIOS	FIASCO
ACFIPT	CAPTIF
ACFIRR	FARCIR
ACFIRS	FARCIS
ACFIRT	FARCIT
	TRAFIC
ACFIST	ACTIFS
ACFLNO	FLACON
ACFLNS	FLANCS
ACFMTU	FACTUM
ACFNOR	FRANCO
	FRONCA
ACFNOS	FACONS
	FONCAS
ACFNOT	FONCAT
ACFNOU	FAUCON
ACFNRS	FRANCS
ACFORS	FORCAS
ACFORT	FORCAT
ACFOUX	FOCAUX
ACGHIS	GACHIS
ACGHIU	GAUCHI
ACGHOU	GAUCHO
ACGIIL	GICLAI
ACGILN	CINGLA
	CLIGNA
ACGILS	GICLAS
	GLACIS
ACGILT	GICLAT
ACGINO	COGNAI
	CONGAI
ACGINR	GRINCA
ACGINS	CASING
ACGIOT	COGITA
ACGLNO	GLACON
ACGNOR	GARCON
ACGNOS	COGNAS
	GASCON

ACGNOT	COGNAT
ACGORS	CARGOS
ACGOST	CAGOTS
ACGTTU	CATGUT
ACHHIO	HOCHAI
ACHHIS	HACHIS
ACHHIU	HUCHAI
ACHHOS	HOCHAS
ACHHOT	HOCHAT
ACHHSS	HASCHS
ACHHSU	HUCHAS
ACHHTU	CHAHUT
	HUCHAT
ACHIIL	LICHAI
ACHIIN	CHINAI
	NICHAI
ACHIIP	CHIPAI
ACHIIS	CHIAIS
ACHIIT	CHIAIT
ACHIJU	JUCHAI
ACHILS	LICHAS
ACHILT	CHALIT
	LICHAT
ACHIMN	MACHIN
ACHIMO	CHOMAI
ACHIMP	CHAMPI
ACHINS	CHINAS
	NICHAS
ACHINT	CHIANT
	CHINAT
	NICHAT
ACHIOP	CHOPAI
	PIOCHA
	POCHAI
ACHIOR	CHOIRA*
	ROCHAI
ACHIOY	CHOYAI
ACHIPS	CHIPAS
ACHIPT	CHIPAT
ACHIQU	CHIQUA
ACHIRS	CHAIRS
	RACHIS
ACHIRT	TRICHA
ACHIRU	RUCHAI
ACHITU	CHUTAI
ACHJNO	JONCHA
ACHJSU	JUCHAS
ACHJTU	JUCHAT
ACHKOS	SCHAKO
ACHKRS	KRACHS
ACHLNY	LYNCHA
ACHLOR	CHORAL
ACHLOU	LOUCHA
ACHLTU	CHALUT
ACHMOR	CHROMA
ACHMOS	CHOMAS
ACHMOT	CHOMAT
ACHMOU	MOUCHA
ACHMPS	CHAMPS
ACHMST	MATCHS
ACHNOP	CHAPON
ACHNOR	RANCHO
ACHNOT	CHATON
ACHNOU	CHOUAN
ACHNRU	CHARNU
ACHNST	CHANTS
ACHOPP	CHOPPA
ACHOPR	COPRAH
ACHOPS	CHOPAS
	POCHAS
ACHOPT	CHOPAT
	PACHTO
	POCHAT
ACHOPU	COPAHU
ACHOQU	CHOQUA
ACHORS	ROCHAS
ACHORT	ROCHAT
	TORCHA
ACHOST	CAHOTS
ACHOSY	CHOYAS
ACHOTU	TOUCHA
ACHOTY	CHOYAT
ACHRSS	CRASHS
ACHRSU	RUCHAS
ACHRTU	RUCHAT
ACHSTU	CHUTAS
ACHSTY	YACHTS
ACHTTU	CHUTAT
ACIIIV	VICIAI
ACIILL	CILLAI
ACIILT	LICITA
ACIILV	CLIVAI
ACIIMN	AMINCI
ACIINP	PINCAI
ACIINR	RINCAI
ACIINS	INCISA
ACIINT	INCITA
ACIIOP	COPIAI
ACIIRS	CIRAIS
	CRIAIS
ACIIRT	CIRAIT
	CRIAIT
ACIIRU	CUIRAI
ACIISS	SCIAIS
ACIIST	CITAIS
	SCIAIT
ACIISV	VICIAS
ACIITT	CITAIT
ACIITU	CUITAI
ACIITV	VICIAT
ACILLO	COLLAI
ACILLS	CILLAS
ACILLT	CILLAT
	TILLAC
ACILMR	CALMIR
ACILMS	CALMIS
ACILMT	CALMIT
	CLIMAT
ACILMX	CLIMAX
ACILNO	ONCIAL
ACILNR	CARLIN
	LARCIN
ACILNS	CALINS
ACILNT	TINCAL
ACILOP	PICOLA
ACILOR	CLORAI
	CORAIL
ACILOS	SOCIAL
ACILOU	CLOUAI
	COULAI
ACILRS	CLAIRS
ACILRU	CURIAL
ACILSS	CLISSA
ACILSU	CULAIS
ACILSV	CLIVAS
ACILTU	CULAIT
ACILTV	CLIVAT
ACIMNO	CAMION
	MANIOC
ACIMNR	CARMIN
ACIMPT	IMPACT
ACIMST	AMICTS
	MASTIC
ACINNS	CANINS
ACINOP	COPAIN
	COPINA
	PIONCA
	PONCAI
ACINOR	CORNAI
	RANCIO
ACINOS	CASINO
ACINOT	ACONIT
	ACTION →

	CATION
	CONTAI
ACINOU	COUINA
ACINOV	CONVIA
ACINPR	CAPRIN
ACINPS	PINCAS
ACINPT	PINCAT
ACINRR	RANCIR
ACINRS	CAIRNS
	CRAINS
	RANCIS
	RINCAS
ACINRT	CINTRA
	CIRANT
	CRAINT
	CRIANT
	RANCIT
	RINCAT
ACINST	CATINS
	SCIANT
ACINSU	ACINUS
ACINSV	VAINCS
ACINTT	CITANT
	INTACT
ACINUV	VAINCU
ACIOPR	PICARO*
	PICORA
ACIOPS	COPIAS
ACIOPT	COPIAT
	PICOTA
ACIOPU	COUPAI
ACIORR	CROIRA
ACIORS	CORSAI
	CROISA
	OCRAIS
ACIORT	COTIRA
	OCRAIT
ACIOSS	COSSAI
ACIOST	COATIS
	COTAIS
	COTISA
ACIOSU	SOUCIA
ACIOTT	COTAIT
ACIOTU	COUTAI
ACIOUV	COUVAI
ACIPRS	CRISPA
ACIPSS	ASPICS
	SPICAS
ACIQSU	ACQUIS
ACIQTU	ACQUIT
ACIRSS	CRISSA
ACIRSU	CAURIS
	CUIRAS
	CURAIS
	SUCRAI
ACIRSV	CARVIS
ACIRTU	CURAIT
ACIRUV	CUIVRA
ACISSS	CASSIS
ACISSU	SUCAIS
ACISTU	CUITAS
	SUCAIT
ACISUV	CUVAIS
ACITTU	CUITAT
ACITUV	CUVAIT
ACJNOS	AJONCS
ACJNSU	CAJUNS
ACKNSS	SNACKS
ACKOST	STOCKA
ACLLOO	ALCOOL
ACLLOS	COLLAS
ACLLOT	COLLAT
ACLMOT	COMTAL
ACLMPS	CLAMPS
ACLMSU	MUSCLA
ACLMUU	CUMULA
ACLNNO	LANCON
ACLNOS	CALONS
	LACONS
ACLNOV	VOLCAN
ACLNOY	ALCYON
	CLAYON
	LYCAON
ACLNTU	CULANT
ACLOOR	COLORA
ACLOPS	COPALS
ACLOPU	COUPLA
ACLOQU	CLOQUA
ACLORS	CLORAS
ACLORU	CROULA
ACLOST	CALOTS
	COSTAL
ACLOSU	CLOUAS
	COULAS
ACLOSZ	COLZAS
ACLOTU	CLOUAT
	CLOUTA
	COULAT
ACLOUX	LOCAUX
ACLPSS	SCALPS
ACLRRU	CRURAL
ACLRSW	CRAWLS
ACMMOS	COMMAS
ACMMOU	COMMUA
ACMNOS	MACONS
ACMOPS	CAMPOS
	COMPAS
ACMOPT	COMPTA
ACMOST	MASTOC
ACMOTT	COMTAT
ACMPSU	CAMPUS
ACMRSU	SACRUM
ACMSSU	SUMACS
ACMSTU	MUSCAT
ACMUUV	VACUUM
ACNNOR	RANCON
ACNNOS	CANONS
ACNNOT	CANTON
ACNNOY	CANYON
ACNOOR	RACOON
ACNOPS	CAPONS
	PONCAS
ACNOPT	PONCAT
ACNORS	ARCONS
	CORNAS
ACNORT	CARTON
	CONTRA
	CORNAT
	OCRANT
ACNORY	CRAYON
ACNOSS	CASONS
ACNOST	CANOTS
	CONTAS
	TACONS
	TOCANS
	TOSCAN
ACNOSV	CAVONS
ACNOTT	CONTAT
	COTANT
	OCTANT
ACNOTU	TOUCAN
ACNRTU	CURANT
ACNSTU	CANUTS
	SUCANT
ACNSUU	AUCUNS
ACNTUV	CUVANT
ACOOPT	COOPTA
ACOORU	ROCOUA
ACOOTY	COTOYA
ACOPRS	COPRAS
ACOPST	CAPOTS
ACOPSU	COUPAS
ACOPTU	COUPAT

ACOQRU	CROQUA
ACORRU	COURRA
ACORSS	CORSAS
	CROSSA
	OSCARS
ACORST	CASTOR
	CORSAT
ACORTT	CROTTA
ACORUX	CORAUX
ACORYZ	CORYZA
ACOSSS	COSSAS
ACOSST	COSSAT
ACOSTT	TACOTS
ACOSTU	COUTAS
	SUCOTA
ACOSUV	COUVAS
ACOTTU	COUTAT
ACOTUV	COUVAT
ACOUVX	VOCAUX
ACOUXX	COXAUX
ACOUXY	COYAUX
ACRSSU	SUCRAS
ACRSTT	TRACTS
ACRSTU	SCRUTA
	SUCRAT
ADDEEL	DEDALE
ADDEER	DARDEE
	DERADE
ADDEGI	GADIDE*
ADDEII	DEDIAI
ADDEIN	DEDAIN
ADDEIR	DEDIRA
	DERIDA
ADDEIS	DEDIAS
ADDEIT	DEDIAT
ADDEIV	DEVIDA
ADDEMO	DEMODA
ADDENS	DEDANS
ADDENU	DENUDA
ADDEOR	DEDORA
	DERODA
	DORADE
ADDERR	DARDER
ADDERS	DARDES
ADDERY	DRYADE
ADDERZ	DARDEZ
ADDESY	DYADES
ADDHJJ	HADJDJ
ADDINN	DANDIN
ADDLPU	PUDDLA
ADDNSY	DANDYS
ADDPSY	PADDYS
ADEEEV	EVADEE
ADEEFR	DEFERA
	FARDEE
	FEDERA
ADEEGG	DEGAGE
ADEEGL	DEGELA
ADEEGR	DERAGE
	DRAGEE
	GARDEE
	GRADEE*
ADEEGZ	DEGAZE
ADEEHL	DEHALE
ADEEHR	ADHERE
	HARDEE
ADEEIL	DELAIE
	IDEALE
ADEEIR	DERAIE
	RADIEE
ADEEIS	AIDEES
ADEEJT	DEJETA
ADEELL	DALLEE
ADEELM	DEMELA
ADEELP	PEDALE
	PELADE
ADEELR	LARDEE
	LEADER
ADEELT	DETALE
	DETELA
ADEELU	ADULEE
ADEELV	DELAVE
	DEVALE
ADEELY	DELAYE
ADEEMN	AMENDE
	DAMNEE
	DEMENA
	MANDEE
	MENADE
ADEEMR	MADERE
	MADREE
ADEEMS	DAMEES
ADEEMT	DEMATE
ADEENP	EPANDE
ADEENS	ADNEES
	DANSEE
ADEENT	EDENTA
ADEEOR	ADOREE
ADEEPR	DEPARE
	DRAPEE
ADEEPS	PESADE
ADEEPT	ADEPTE
ADEEPV	DEPAVE
ADEERS	RADEES
	RESEDA
ADEERV	EVADER
ADEERY	DRAYEE
ADEEST	DATEES
ADEESV	EVADES
ADEESX	DESAXE
ADEETX	DETAXE
ADEEVZ	EVADEZ
ADEFFI	AFFIDE
ADEFII	DEFIAI
	DEIFIA
	EDIFIA
ADEFIL	DEFILA
ADEFIS	DEFAIS
	DEFIAS
ADEFIT	DEFAIT
	DEFIAT
ADEFLO	FEODAL
ADEFNR	FENDRA
ADEFRR	FARDER
ADEFRS	FARDES
ADEFRT	FETARD
ADEFRU	FADEUR
	FRAUDE
ADEFRZ	FARDEZ
ADEFTU	DEFAUT
ADEGGT	GADGET
ADEGIL	ALGIDE
ADEGIN	DAIGNE
ADEGIR	DIGERA
	RIDAGE
ADEGIV	VIDAGE
ADEGJU	ADJUGE
ADEGLN	GLANDE
ADEGLU	DEGLUA
ADEGNO	GONADE
ADEGNR	DANGER
	GRANDE
ADEGOP	DOPAGE
	PAGODE
ADEGOR	DORAGE
	GODERA
	RODAGE
ADEGOS	DOSAGE
ADEGOT	DEGOTA
ADEGOU	GADOUE
ADEGRR	GARDER
	REGARD
ADEGRS	DEGRAS →

EGARDS
GARDES
GRADES
ADEGRU DRAGUE
GRADUE
ADEGRZ GARDEZ
ADEGST DEGATS
ADEGSU DAGUES
GAUDES
ADEGTU DAGUET
ADEHIR HARDIE
ADEHNP DAPHNE
ADEHRR HARDER
ADEHRS HARDES
ADEHRZ HARDEZ
ADEHSY HYADES
ADEIIL DELIAI
ELIDAI
ADEIIN DENIAI
ADEIIR RAIDIE
ADEIIS DIESAI
ADEIIT EDITAI
ADEIIV DEVIAI
EVIDAI
ADEIIZ AIDIEZ
ADEILN ALDINE
ADEILP DEPILA
DEPLIA
LAPIDE
PLAIDE
ADEILR DELIRA
ADEILS DELAIS
DELIAS
ELIDAS
IDEALS
LADIES
LAIDES
ADEILT DELIAT
DELITA
DETAIL
DILATE
ELIDAT
ADEILU DIAULE
ELUDAI
ADEILV VALIDE
ADEIMN DEMAIN
DEMINA
MEDIAN
MEDINA
MENDIA
ADEIMO AMODIE
ADEIMR ADMIRE
DAMIER
MEDIRA
ADEIMS ADMISE
AMIDES
MEDIAS
SAMEDI
ADEIMT MEDIAT
MEDITA
ADEIMV VIDAME
ADEIMZ DAMIEZ
ADEINN ANDINE
ADEINR DINERA
DRAINE
RANIDE*
ADEINS DAINES
DENIAS
DIANES
ADEINT AIDENT
DENIAT
ADEINV DEVINA
VIANDE
ADEINX INDEXA
ADEIOR ERODAI
ADEIOT IODATE
ADEIPR DIAPRE
PARIDE*
RAPIDE
ADEIPS APIDES
APSIDE
SAPIDE
ADEIPT DEPITA
ADEIRR RADIER
REDIRA
RIDERA
ADEIRS ARIDES
DESIRA
DRAIES
RADIES
RAIDES
RESIDA
SIDERA
ADEIRT DETIRA
TIRADE
TRIADE
ADEIRU RIDEAU
ADEIRV DAVIER
DERIVA
DEVIRA
DEVRAI
VIDERA
ADEIRZ RADIEZ
ADEISS ASSIED
DIESAS
ADEIST DIESAT
EDITAS
ADEISV AVIDES
DEVAIS
DEVIAS
DEVISA
EVIDAS
ADEITT EDITAT
ADEITU ETUDIA
ADEITV DATIVE
DEVAIT
DEVIAT
EVIDAT
ADEITZ DATIEZ
ADEIUX ADIEUX
IDEAUX
ADEJOU DEJOUA
ADEJRS JARDES
ADEJRU ADJURE
ADELLR DALLER
ADELLS DALLES
ADELLZ DALLEZ
ADELMO MODALE
MODELA
ADELNO NODALE
ADELNS LANDES
ADELNT DENTAL
ADELOR LOADER
ADELOS ALDOSE
DESOLA
ADELOT DOTALE
ADELPR PELARD
ADELRR LARDER
ADELRS LADRES
LARDES
ADELRU ADULER
ADELRZ LARDEZ
LEZARD
ADELST DELTAS
ADELSU ADULES
DUALES
ELUDAS
LAUDES
ADELTU ADULTE
DELUTA
ELUDAT
ADELUZ ADULEZ
ADEMNO EMONDA →

MADONE
MONADE
NOMADE
ADEMNR DAMNER
MANDER
ADEMNS DAMNES
DESMAN
MANDES
ADEMNT DAMENT
TANDEM
ADEMNZ DAMNEZ
MANDEZ
ADEMOR MODERA
RADOME
ADEMPR DAMPER
ADEMRS DRAMES
MADRES
ADEMRU DAMEUR
ADEMST ADMETS
ADEMSU MEDUSA
ADENNO ADONNE
ADENOR ARONDE
ADENOS ANODES
ADENOT DENOTA
DETONA
ADENOU DENOUA
DOUANE
ADENOY DENOYA
NOYADE
ADENPP APPEND
ADENPR PENDRA
REPAND
ADENPS EPANDS
ADENPT PEDANT
ADENPU EPANDU
PENAUD
ADENRR RENARD
RENDRA
ADENRS DANSER
DARNES
REDANS
SANDRE
ADENRT ARDENT
RADENT
TENDRA
ADENRU ENDURA
ADENRV VENDRA
ADENSS DANSES
SEDANS
ADENST ADENTS
ADENSZ DANSEZ
ADENTT ATTEND
DATENT
ADENTV DEVANT
ADENUV ADVENU
ADEOPR DOPERA
ADEOPS APODES
DEPOSA
ADEOPT ADOPTE
DEPOTA
ADEOPU PADOUE
ADEORR ADORER
DORERA
REDORA
RODERA
ADEORS ADORES
DOSERA
ERODAS
ADEORT DOTERA
ERODAT
RADOTE
ADEORU DOUERA
ADEORV DEVORA
ADEORZ ADOREZ
ADEOSS ADOSSE
ADEOUV DEVOUA
ADEOVY DEVOYA
ADEPRR DRAPER
PERDRA
ADEPRS DEPARS
DRAPES
ADEPRT DEPART
PETARD
ADEPRU DEPURA
DUPERA
ADEPRZ DRAPEZ
ADEPTU DEPUTA
ADEQUU EDUQUA
ADERRT DARTRE
RETARD
TARDER
ADERRU ARDEUR
DURERA
ADERRY DRAYER
ADERSS DARSES
DRESSA
SARDES
ADERST ADRETS
TARDES
ADERSU ARDUES
RUADES
ADERSV DEVRAS
ADERSY DRAYES
ADERTT TETARD
ADERTU DATEUR
ADERTZ TARDEZ
ADERYZ DRAYEZ
ADESST STADES
ADESTT DATTES
ADESUX EXSUDA
ADFFIS DIFFAS
ADFGIN FADING
ADFINO FONDAI
ADFINR FRIAND
ADFINU FINAUD
ADFIRT TARDIF
ADFIST DATIFS
ADFNOR FONDRA
FRONDA
ADFNOS FONDAS
ADFNOT FONDAT
ADFRUY FUYARD
ADGIIU GUIDAI
ADGINN GANDIN
ADGINR GRADIN
GRANDI
ADGINU GUINDA
NIGAUD
ADGIOS GODAIS
ADGIOT DOIGTA
GODAIT
ADGISU GUIDAS
ADGITU GUIDAT
ADGLNS GLANDS
ADGNOR DRAGON
GARDON
GRONDA
ADGNOT GODANT
ADGNRS GRANDS
ADGORU DROGUA
ADGRSU GRADUS
ADHHIT HADITH
ADHIMR DIRHAM
ADHIMS MAHDIS
ADHIRS DAHIRS
HARDIS
ADHMOR HOMARD
ADHMRU DURHAM
ADHNOR HADRON
ADHNOU HOUDAN
ADHORU HOURDA
ADIIKO AIKIDO
ADIILO IODLAI

ADIILU	DILUAI
ADIINS	DINAIS
ADIINT	DINAIT
ADIINZ	DIZAIN
ADIIRR	RAIDIR
ADIIRS	DIRAIS
	RAIDIS
	RIDAIS
ADIIRT	DIRAIT
	RAIDIT
	RIDAIT
ADIIRV	DRIVAI
ADIISS	DISAIS
ADIIST	DISAIT
ADIISV	DIVISA
	VIDAIS
ADIITV	VIDAIT
ADIJLO	JODLAI
ADIJNR	JARDIN
ADIKMO	MIKADO
ADIKTT	DIKTAT
ADILMY	MILADY
ADILNS	ALDINS
	LADINS
ADILOS	IODLAS
	SOLDAI
ADILOT	IODLAT
ADILPS	PLAIDS
ADILRS	LAIRDS
	LIARDS
ADILSU	DILUAS
ADILTU	DILUAT
ADIMNO	AMIDON
	DOMINA
	MONDAI
ADIMOY	DAIMYO
ADIMQU	QUIDAM
ADIMRS	MARDIS
ADIMRT	MITARD
ADIMRU	RADIUM
ADIMSU	MAUDIS
ADIMTU	MAUDIT
ADINNO	ANODIN
	DONNAI
	INONDA
ADINNS	ANDINS
ADINNT	DINANT
ADINOR	ANORDI
	OINDRA*
ADINOS	ADONIS
	AIDONS →
	DANOIS
	SONDAI
ADINOT	DATION
ADINPR	PINARD
ADINPT	PANDIT
ADINRS	DINARS
	DRAINS
	NADIRS
	RADINS
ADINRT	RIDANT
ADINRU	INDURA
ADINST	DISANT
ADINSV	DIVANS
ADINTV	ADVINT
	VIDANT
ADIOPS	DOPAIS
ADIOPT	DOPAIT
ADIORS	DORAIS
	RADIOS
	RODAIS
ADIORT	ADROIT
	DORAIT
	RODAIT
ADIOSS	DOSAIS
ADIOST	DOSAIT
	DOTAIS
ADIOSU	DOUAIS
	SOUDAI
ADIOTT	DOTAIT
ADIOTU	DOUAIT
	DOUTAI
ADIOXY	OXYDAI
ADIPSU	DUPAIS
ADIPTU	DUPAIT
ADIRRS	SIRDAR
ADIRSS	ISARDS
ADIRSU	DURAIS
	RADIUS
ADIRSV	DRIVAS
ADIRTU	DURAIT
ADIRTV	DRIVAT
ADISSU	ASSIDU
ADISTU	AUDITS
	TAUDIS
ADJKOU	JUDOKA
ADJLOS	JODLAS
ADJLOT	JODLAT
ADJNOR	JARDON
ADKOSV	VODKAS
ADLLOR	DOLLAR
ADLLOS	ALDOLS
ADLMNO	DOLMAN
ADLMOU	MODULA
ADLMRU	MULARD
ADLNOR	LARDON
ADLNOU	ONDULA
ADLORS	DORSAL
ADLOSS	SOLDAS
ADLOST	DALOTS
	SOLDAT
ADMNOR	ROMAND
ADMNOS	DAMONS
	MONDAS
ADMNOT	MONDAT
ADMNOY	DYNAMO
ADMOPT	DOMPTA
ADMORR	MORDRA
ADMORT	MOTARD
ADMORU	MOUDRA
ADMOSU	DOUMAS
ADMOUX	MODAUX
ADMRSU	MUSARD
ADNNOS	DONNAS
ADNNOT	DONNAT
ADNNOU	NANDOU
ADNOOY	ONDOYA
ADNOPR	PARDON
	PONDRA
ADNOPT	DOPANT
ADNORS	RADONS
ADNORT	DORANT
	RODANT
	TONDRA
ADNORZ	ZONARD
ADNOSS	SONDAS
ADNOST	DATONS
	DOSANT
	SONDAT
ADNOSW	SANDOW
ADNOTT	DOTANT
ADNOTU	DOUANT
ADNOUX	NODAUX
ADNPTU	DUPANT
ADNRTU	DURANT
	TRUAND
ADNSST	STANDS
ADOORT	ODORAT
ADOPRT	POTARD
ADOPRU	POUDRA
ADOPSU	PADOUS
ADORRT	TORDRA
ADORSS	DROSSA

ADORSU	DOUARS
ADORUV	VOUDRA
ADORUY	RUDOYA
ADOSSU	SOUDAS
ADOSTU	DOUTAS
	SOUDAT
ADOSXY	OXYDAS
ADOTTU	DOUTAT
ADOTUX	DOTAUX
ADOTXY	OXYDAT
ADOUUV	VAUDOU
AEEEGL	EGALEE
AEEEGR	AGREEE
	EGAREE
AEEEGT	ETAGEE
AEEEGY	EGAYEE
AEEELS	ALESEE
AEEELT	ELEATE
	ETALEE
AEEELV	ELAVEE
AEEELZ	ALEZEE*
AEEEMN	AMENEE
AEEEMT	ETAMEE
AEEEPT	EPATEE
AEEERS	AEREES
AEEERV	AVEREE
AEEESV	EVASEE
AEEETY	ETAYEE
AEEFFG	GAFFEE
AEEFFN	EFFANE
AEEFFR	EFFARE
AEEFLR	ERAFLE
	FELERA
	RAFLEE
AEEFLS	FEALES
AEEFMR	FRAMEE
AEEFMS	FAMEES
AEEFNS	FANEES
AEEFRR	REFERA
AEEFRS	FRASEE*
AEEFRT	FARTEE
	FETERA
AEEFRY	FRAYEE
AEEFSY	FASEYE
AEEGGN	ENGAGE
	GAGNEE
AEEGGR	AGREGE
AEEGGS	GAGEES
AEEGIM	IMAGEE
AEEGIN	GAINEE
	NEIGEA
AEEGIP	EPIAGE
	PIEGEA
AEEGIR	ERIGEA
AEEGIS	EGAIES
	SIEGEA
AEEGIT	AGITEE
	ETIAGE
	GAIETE
AEEGIX	EXIGEA
AEEGJL	GALEJE
AEEGJT	JETAGE
AEEGJU	JAUGEE
AEEGLL	ALLEGE
	LEGALE
AEEGLN	AGNELE
	GALENE
	GLANEE
	LANGEE
AEEGLP	PELAGE
AEEGLR	EGALER
	GALERE
	GELERA
	REGALE
	REGELA
AEEGLS	EGALES
AEEGLT	TELEGA
AEEGLU	ELAGUE
	GAULEE
AEEGLV	LEVAGE
	VELAGE
AEEGLZ	EGALEZ
AEEGMM	GAMMEE
AEEGMN	ENGAME
	MANEGE
	MANGEE
	MENAGE
AEEGMR	EMARGE
	MARGEE
AEEGMT	GAMETE
AEEGMU	GEMEAU
AEEGNN	ENGANE
AEEGNR	EGRENA
	ENRAGE
	GENERA
	RANGEE
AEEGNS	GANSEE
	NAGEES
AEEGNT	GANTEE
	GEANTE
AEEGNV	VENGEA
AEEGOP	APOGEE
AEEGPR	ARPEGE
	PEAGER*
AEEGPS	PEAGES
	PEGASE
	PESAGE
AEEGRR	AGREER
	EGARER
	GERERA
	GREERA
	RAGREE
	REGREA
AEEGRS	AGREES
	EGARES
	GAREES
AEEGRT	ETAGER
	REGATE
AEEGRU	ARGUEE
	RAGUEE*
AEEGRV	GRAVEE
AEEGRY	EGAYER
AEEGRZ	AGREEZ
	EGAREZ
AEEGST	ETAGES
	GATEES
AEEGSU	AUGEES
	USAGEE
AEEGSV	GAVEES
AEEGSY	EGAYES
AEEGSZ	GAZEES
AEEGTV	VEGETA
AEEGTZ	ETAGEZ
AEEGYZ	EGAYEZ
AEEHLN	ANHELE
AEEHLR	HELERA
AEEHLS	HALEES
AEEHLT	HALETE
AEEHLX	EXHALE
AEEHMU	HEAUME
AEEHNT	ETHANE
	HANTEE
AEEHPP	HAPPEE
AEEHST	ATHEES
	HASTEE
	HATEES
AEEHSV	HEVEAS
AEEILL	AILLEE
	ALLIEE
AEEILN	ALIENE
	LAINEE
AEEILP	EPELAI
AEEILR	RELAIE

AEEILS	AILEES
	ELAEIS
AEEILT	ALITEE
	LAITEE
AEEILU	AIEULE
AEEILV	ELEVAI
AEEILX	ALEXIE
AEEIMN	AMINEE
	ANEMIE
	ANIMEE
	MANIEE
AEEIMR	EMIERA
	MARIEE
AEEIMS	AIMEES
AEEINR	AERIEN
	ANERIE
	ANIERE
	ENRAIE
	RAINEE
AEEINS	AINEES
AEEINV	AVINEE
AEEIPR	EPIERA
	PARIEE
	REPAIE
AEEIRR	REERAI
AEEIRS	AIREES
	ARISEE*
AEEIRV	VARIEE
AEEIRZ	AERIEZ
AEEISS	AISEES
	ESSAIE
AEEIST	ETAIES
AEEISV	AVISEE
AEEITT	AETITE
	ETETAI
AEEIVV	AVIVEE
AEEIZZ	ZEZAIE
AEEJLV	JAVELE
AEEJPS	JASPEE
AEEJRT	REJETA
AEEKMR	REMAKE
AEEKNS	AKENES
AEEKNY	YANKEE*
AEELLL	ALLELE
AEELLN	ALLENE
AEELLS	ALLEES
AEELLT	LETALE
AEELLV	VALLEE
AEELMM	EMMELA
AEELMN	MELENA
AEELMP	EMPALE →
	LAMPEE
	PALMEE
AEELMR	MELERA
AEELMS	ALMEES
	LAMEES
AEELMT	MALTEE
AEELNN	ANNELE
AEELNP	PENALE
	PLANEE
AEELNR	RENALE
AEELNS	ALENES
AEELNV	ENLEVA
	VENALE
AEELOR	AREOLE
AEELOT	OLEATE
AEELPP	APPELE
	PALPEE
AEELPR	PARLEE
	PELERA
AEELPS	EPELAS
	LAPEES
	PALEES
	SEPALE
AEELPT	EPELAT
	PETALE
	PLATEE
AEELPU	EPAULE
AEELQU	LAQUEE
AEELRS	ALESER
	LESERA
	REALES
	RESALE
AEELRT	ALERTE
	ALTERE
	ETALER
	RATELE
	RELATE
AEELRU	LAUREE
AEELRV	LARVEE
	LEVERA
	RELAVE
	RELEVA
	REVELA
	VELERA
AEELRX	RELAXE
AEELRY	RELAYE
AEELSS	ALESES
	LASSEE
	SALEES
AEELST	ATELES
	ETALES →
	SALETE
	TALEES
AEELSU	SALUEE
	SAULEE
AEELSV	ELAVES
	ELEVAS
	LAVEES
	VALSEE
AEELSY	LAYEES
AEELSZ	ALESEZ
	ALEZES*
AEELTT	ATTELE
	LATTEE
AEELTV	ELEVAT
	TAVELE
AEELTX	EXALTE
AEELTZ	ETALEZ
AEELUV	EVALUE
AEEMMN	EMMENA
AEEMNR	AMENER
	EMANER
	MARNEE
	MENERA
	RAMENE
AEEMNS	AMENES
	EMANES
AEEMNT	ENTAME
AEEMNU	MENEAU
AEEMNX	EXAMEN
AEEMNZ	AMENEZ
	EMANEZ
AEEMPR	AMPERE
	EMPARE
AEEMPS	EMPESA
	PAMEES
AEEMPT	EMPATE
	ETAMPE
AEEMPU	PAUMEE
AEEMRR	MARREE
	REARME
AEEMRS	AMERES
	ARMEES
	MAREES
	RAMEES
	REAMES
	SEMERA
AEEMRT	ETAMER
	RETAME
	TRAMEE
AEEMRU	AMUREE
	MEREAU*

AEEMSS	MASSEE
	SESAME
AEEMST	ETAMES
	MATEES
AEEMSU	AMUSEE
AEEMTU	AMEUTE
AEEMTZ	ETAMEZ
AEENNR	ENRENA
AEENNS	ANNEES
AEENNT	TANNEE
AEENNV	VANNEE
AEENNX	ANNEXE
AEENPP	NAPPEE
AEENPS	APNEES
	PANEES
	PANSEE
AEENPT	NEPETA
	PATENE
AEENRR	NARREE
AEENRS	ARENES
AEENRT	AERENT
	ENTERA
AEENRV	ENERVA
	NAVREE
	VENERA
AEENRY	ENRAYE
AEENSS	ANESSE
	ANSEES
	ASSENE
AEENST	SEANTE
AEENSU	AUNEES
	NAUSEE
AEENSV	ENVASE
AEENTT	ENTETA
	NATTEE
AEENTV	EVENTA
	VANTEE
AEENTX	TEXANE
AEENUV	AVENUE
AEEOTU	AOUTEE
	OUATEE
AEEOTZ	AZOTEE
AEEOUV	AVOUEE
AEEPRR	PARERE
	REPARE
	REPERA
AEEPRS	EPARSE
	ESPERA
	PAREES
	PESERA
	RAPEES →
	SEPARE
AEEPRT	APRETE
	APTERE
	ARPETE
	EPATER
	PATERE
	PETERA
	REPETA
	RETAPE
AEEPRU	APEURE
	APUREE
AEEPRV	REPAVE
AEEPRY	REPAYE
AEEPSS	PASSEE
	SAPEES
AEEPST	EPATES
	ETAPES
	PATEES
	PESETA
	PETASE
	TAPEES
AEEPSV	EPAVES
	PAVEES
AEEPSY	PAYEES
AEEPTT	PATTEE
AEEPTU	TAUPEE
AEEPTZ	EPATEZ
AEEQRU	ARQUEE
AEEQSU	SAQUEE
AEEQTU	TAQUEE
AEERRR	ERRERA
AEERRS	REERAS
AEERRT	ARRETE
	ARTERE
	RARETE
AEERRV	AVERER
	REVERA
AEERRY	RAYERE
AEERSS	RASEES
	REASSE
AEERST	ARETES
	ESTERA*
	RATEES
	REATES
	TAREES
AEERSU	ERSEAU
	RESEAU
	SAUREE
AEERSV	AVERES
	AVERSE
	EVASER
AEERSY	RAYEES
AEERTT	TETERA
AEERTU	URAETE
AEERTV	ETRAVE
	TRAVEE
AEERTY	ETAYER
AEERUZ	AZUREE
AEERVX	VEXERA
AEERVZ	AVEREZ
AEERXZ	AXEREZ
AEESSS	SASSEE
AEESST	TASSEE
AEESSV	EVASES
AEESSY	ASSEYE
	ESSAYE
AEESTT	ETETAS
	TATEES
AEESTU	SAUTEE
AEESTX	EXTASE
	TAXEES
AEESTY	ETAYES
AEESUV	SAUVEE
AEESUX	ASEXUE
AEESVZ	EVASEZ
AEETTT	ETETAT
AEETTU	TETEAU
AEETYZ	ETAYEZ
AEEYZZ	ZEZAYE
AEFFFI	FIEFFA
AEFFGR	GAFFER
	GREFFA
AEFFGS	GAFFES
AEFFGZ	GAFFEZ
AEFFIL	AFFILE
	EFFILA
AEFFIN	AFFINE
AEFFIP	PIAFFE
AEFFIX	AFFIXE
AEFFLO	AFFOLE
AEFFLU	AFFLUE
AEFFOT	ETOFFA
AEFFRS	AFFRES
AEFFTU	AFFUTE
AEFGII	FIGEAI
AEFGIL	FILAGE
AEFGIN	FINAGE
AEFGIR	FIGERA
	GIRAFE
AEFGIS	FIGEAS
AEFGIT	FIGEAT
AEFGIX	FIXAGE

AEFGLU	FLUAGE
AEFGMU	FUMAGE
AEFGNR	FRANGE
AEFGNS	FAGNES
	FANGES
AEFGOR	FORAGE
	FORGEA
AEFGOT	FAGOTE
AEFGOU	FAGOUE
	FOUAGE
	FOUGEA
AEFGRU	GAUFRE
AEFHLL	FELLAH
AEFIIM	MEFIAI
AEFIIR	FIERAI
AEFILL	FAILLE
AEFILN	ENFILA
	ENFLAI
	FINALE
AEFILP	FLAPIE
AEFILR	FERIAL
	FERLAI
	FILERA
	FLAIRE
	REFILA
AEFILS	FELAIS
AEFILT	FELAIT
	FILETA
AEFILU	FEULAI
AEFIMN	FAMINE
	INFAME
AEFIMR	FERMAI
AEFIMS	FIAMES
	MEFIAS
AEFIMT	MEFAIT
	MEFIAT
AEFINR	FARINE
	FREINA
	INFERA
AEFINS	FAINES
AEFINT	FEINTA
	FIENTA
AEFINZ	FANIEZ
AEFIRR	FERRAI
AEFIRS	FAIRES
	FERAIS
	FIERAS
	FRAIES
	FRAISE
	REFAIS
AEFIRT	FERAIT →
	FRETAI
	REFAIT
	TARIFE
AEFIRX	FIXERA
AEFISS	FESSAI
	FIASSE
AEFIST	FAITES
	FETAIS
	FIATES
	FIESTA
AEFISV	EVASIF
AEFITT	ATTIFE
	FETAIT
AEFITU	FUTAIE
AEFKRS	FREAKS
AEFLMM	FLAMME
AEFLNR	FLANER
	RENFLA
AEFLNS	ENFLAS
	FLANES
AEFLNT	ENFLAT
	FELANT
	FLETAN
AEFLNU	FALUNE
AEFLNZ	FLANEZ
AEFLOR	LOFERA
AEFLOT	FALOTE
	FOETAL
AEFLQU	FLAQUE
AEFLRR	RAFLER
AEFLRS	FERLAS
	RAFLES
AEFLRT	FERLAT
AEFLRU	FLEURA
	REFLUA
AEFLRZ	RAFLEZ
AEFLSU	FEULAS
	FUSELA
AEFLTT	FLATTE
AEFLTU	FEULAT
	FLUATE
AEFLUX	FLEAUX
AEFMNU	ENFUMA
AEFMRS	FERMAS
AEFMRT	FERMAT
AEFMRU	FUMERA
AEFMUX	FAMEUX
AEFNNT	ENFANT
	FANENT
AEFNRU	FANEUR
	FANURE
AEFNSU	FAUNES
AEFNTT	FETANT
AEFORR	FORERA
AEFOTY	FAYOTE
AEFPPR	FRAPPE
AEFRRS	FERRAS
	FRASER*
AEFRRT	FARTER
	FERRAT
AEFRRY	FRAYER
AEFRSS	FRASES*
	SAFRES
AEFRST	FARTES
	FRETAS
AEFRSU	FUSERA
	REFUSA
AEFRSY	FRAYES
AEFRSZ	FRASEZ*
AEFRTT	FRETAT
	FRETTA
AEFRTU	FAUTER
	FEUTRA
	FURETA
	REFUTA
AEFRTZ	FARTEZ
AEFRUV	FAVEUR
AEFRYZ	FRAYEZ
AEFSSS	FASSES
	FESSAS
AEFSST	FASTES
	FESSAT
AEFSSU	FAUSSE
AEFSTU	FAUTES
AEFSUU	FUSEAU
AEFSUV	FAUVES
AEFTUU	TUFEAU
AEFTUZ	FAUTEZ
AEGGIZ	GAGIEZ
AEGGMN	GAGMEN
AEGGNR	GAGNER
	GRANGE
AEGGNS	GAGNES
AEGGNT	GAGENT
AEGGNU	GANGUE
AEGGNZ	GAGNEZ
AEGGOR	GORGEA
AEGGRU	GAGEUR
	GRUGEA
AEGHIS	GEISHA
AEGHKN	KHAGNE
AEGHMU	HUMAGE

AEGHNR HARENG
HARGNE
AEGHPR GRAPHE
AEGIIM IGAMIE
AEGIIP PIGEAI
AEGIIR AIGRIE
AEGIJU JUGEAI
AEGILM LIMAGE
MILAGE
AEGILN AIGNEL
ALGINE
ALIGNE
GENIAL
INEGAL
AEGILO LOGEAI
AEGILP PILAGE
PLAGIE
PLIAGE
AEGILR AGRILE
ARGILE
ELARGI
GLAIRE
GRELAI
REGLAI
AEGILS AGILES
AIGLES
ALGIES
GELAIS
GLAISE
LIAGES
LISAGE
AEGILT GELAIT
AEGILU LEGUAI
LUGEAI
AEGILV GLAIVE
AEGIMM GEMMAI
AEGIMN GAMINE
GEMINA
IGNAME
MINAGE
AEGIMR EMIGRA
GEMIRA
GERMAI
IMAGER
MAIGRE
MEGIRA
MIRAGE
AEGIMS AGIMES
IGAMES
IMAGES
MAGIES

AEGIMX MIXAGE
AEGIMZ IMAGEZ
AEGINN ANGINE
AEGINO AGONIE
AEGINP PAGINE
PEIGNA
AEGINR ARGIEN
GAINER
GARNIE
GRAINE
GRENAI
IGNARE
INGERA
REGAIN
REGNAI
AEGINS GAINES
GENAIS
SAIGNE
SINGEA
AEGINT GATINE
GENAIT
GITANE
AEGINU IGUANE
AEGINV VINAGE
AEGINZ GAINEZ
NAGIEZ
AEGIOT AGIOTE
AEGIPR PIGERA
RIPAGE
AEGIPS PIGEAS
AEGIPT PIGEAT
AEGIRR REAGIR
REGIRA
AEGIRS AIGRES
EGRISA
GERAIS
GREAIS
REAGIS
AEGIRT AGITER
GERAIT
GITERA
GREAIT
REAGIT
TIRAGE
TRIAGE
AEGIRU AURIGE
URGEAI*
AEGIRV GRAVIE
GREVAI
RIVAGE
VAIGRE →

VIAGER
VIRAGE
AEGIRZ AGIREZ
GARIEZ
GAZIER
RAGIEZ
AEGISS AGISSE
AEGIST AGITES
AEGISU AIGUES
SEGUIA
AEGISV VISAGE
AEGISZ GAIZES
AEGITT ATTIGE
AEGITZ AGITEZ
GATIEZ
AEGIVZ GAVIEZ
AEGIZZ GAZIEZ
AEGJLU JUGALE
AEGJRU JAUGER
JUGERA
AEGJSU JAUGES
JUGEAS
AEGJTU JUGEAT
AEGJUZ JAUGEZ
AEGLLS GALLES
AEGLMR MALGRE
AEGLMU MEUGLA
AEGLMY MYGALE
AEGLNO LONGEA
AEGLNR GLANER
LANGER
AEGLNS AGNELS
ANGLES
GLANES
LANGES
SANGLE
AEGLNT ANGLET
GELANT
AEGLNU ENGLUA
GNAULE
LAGUNE
LANGUE
AEGLNZ GLANEZ
LANGEZ
AEGLOP GALOPE
AEGLOR LOGERA
AEGLOS LOGEAS
AEGLOT LEGATO
LOGEAT
AEGLOU LOUAGE
AEGLOV VOLAGE

AEGLOZ	GAZOLE
AEGLPS	PAGELS
	PLAGES
AEGLRS	GRELAS
	LARGES
	REGALS
	REGLAS
AEGLRT	GRELAT
	REGLAT
	TERGAL
AEGLRU	GAULER
	LARGUE
	LUGERA
AEGLST	GALETS
	LEGATS
AEGLSU	ALGUES
	GAULES
	LEGUAS
	LUGEAS
AEGLTU	LEGUAT
	LUGEAT
AEGLTW	TALWEG
AEGLUU	GUEULA
AEGLUX	GALEUX
	LEGAUX
AEGLUZ	GAULEZ
AEGMMR	GRAMME
AEGMMS	GAMMES
	GEMMAS
AEGMMT	GEMMAT
AEGMNR	MANGER
AEGMNS	MANGES
AEGMNU	MANGUE
AEGMNZ	MANGEZ
AEGMRR	MARGER
AEGMRS	GERMAS
	MARGES
AEGMRT	GERMAT
AEGMRU	AGRUME*
	MURAGE
AEGMRZ	MARGEZ
AEGMST	GAMETS
AEGMUZ	ZEUGMA
AEGNNT	GENANT
	NAGENT
AEGNOR	ONAGRE
	ORANGE
	ORGANE
	RONGEA
AEGNOS	SONGEA
AEGNOU	ENGOUA →
	NOUAGE
AEGNOX	AXONGE
AEGNOZ	ZONAGE
AEGNPS	PAGNES
AEGNRR	RANGER
AEGNRS	GANSER
	GRENAS
	RANGES
	REGNAS
AEGNRT	ARGENT
	GANTER
	GARENT
	GERANT
	GREANT
	GRENAT
	RAGENT
	REGNAT
AEGNRU	NAGEUR
	NARGUE
AEGNRZ	RANGEZ
AEGNSS	GANSES
AEGNST	AGENTS
	ETANGS
	GANTES
	GEANTS
	STAGNE
AEGNSU	NUAGES
AEGNSZ	GANSEZ
AEGNTT	GATENT
AEGNTU	TANGUE
	TUNAGE
AEGNTV	GAVENT
AEGNTZ	GANTEZ
	GAZENT
AEGOPT	PAGEOT
	POTAGE
AEGOPU	GOUAPE
AEGORR	ARROGE
AEGORS	ORAGES
	ROSAGE
AEGORT	ERGOTA
	ORGEAT
	RAGOTE
AEGORU	ROUAGE
AEGOST	OTAGES
AEGOTU	TOUAGE
AEGOVY	GOYAVE
	VOYAGE
AEGPPR	GRAPPE
AEGPRS	PAGRES
AEGPRU	PAGURE →
	PURGEA
AEGPSU	GAUPES
AEGRRU	ARGUER
	RAGEUR
	RAGUER
	URGERA
AEGRRV	GRAVER
AEGRSS	GRASSE
AEGRST	TARGES
AEGRSU	ARGUES
	RAGUES
	URGEAS*
	USAGER
AEGRSV	GRAVES
	GREVAS
AEGRTT	GRATTE
AEGRTU	GUETRA
	TARGUE
	URGEAT
AEGRTV	GREVAT
AEGRUU	AUGURE
AEGRUV	VAGUER
AEGRUZ	ARGUEZ
	RAGUEZ
AEGRVZ	GRAVEZ
AEGSST	STAGES
AEGSSU	GAUSSE
	SAUGES
	SUAGES
	USAGES
AEGSTU	AGUETS
	AUGETS
AEGSUV	VAGUES
AEGTTU	GUETTA
AEGTUX	GATEUX
AEGUVZ	VAGUEZ
AEGUXZ	GAZEUX
AEHILM	HIEMAL
AEHILN	INHALE
AEHILR	HILARE
AEHILS	HELAIS
AEHILT	HELAIT
AEHILZ	HALIEZ
AEHIMR	MEHARI
AEHIMS	HAIMES
AEHINP	PHANIE
AEHINS	HAINES
AEHINV	ENVAHI
	VAHINE
AEHIPR	HARPIE
AEHIRS	HAIRES →

	HERSAI
AEHIRT	HATIER
	HERITA
	TRAHIE
AEHIRU	AHURIE
	HUERAI
AEHIRZ	HAIREZ
AEHISS	HAISSE
AEHIST	HAITES
	HESITA
	THAIES
AEHITV	HATIVE
AEHITZ	HATIEZ
AEHKRS	SHAKER
AEHLLS	HALLES
AEHLLT	THALLE
AEHLNT	HALENT
	HELANT
AEHLRS	HARLES
AEHLRT	THALER
AEHLRU	HALEUR
AEHLST	HALTES
AEHLTT	TALETH
AEHMNT	HETMAN
AEHMPS	HAMPES
	PHASME
AEHMRS	HAREMS
AEHMRU	HUMERA
AEHMSS	SMASHE
AEHMST	ASTHME
AEHMSU	HUAMES
AEHMUX	EXHUMA
AEHNNR	RHENAN
AEHNOP	APHONE
AEHNPT	NAPHTE
AEHNRT	HANTER
	THENAR
AEHNSS	HANSES
AEHNST	ANETHS
	HANTES
AEHNTT	HATENT
AEHNTZ	HANTEZ
AEHORU	HOUERA
AEHPPR	HAPPER
AEHPPS	HAPPES
AEHPPZ	HAPPEZ
AEHPRS	HARPES
	PHARES
	PHRASE
AEHPSS	PHASES
AEHPST	APHTES →

	SPATHE
AEHQTU	HAQUET
AEHRRS	ARRHES
AEHRSS	HERSAS
AEHRST	HARETS
	HERSAT
AEHRSU	HUERAS
AEHRSV	HAVRES
AEHRTU	HERAUT
	HEURTA
	HUERTA
	REHAUT
AEHRUV	HAVEUR
AEHSST	HASTES
AEHSSU	HAUSSE
	HUASSE
AEHSTU	HAUTES
	HUATES
AEIILM	ELIMAI
AEIILN	ENLIAI
AEIILP	EPILAI
AEIILR	AILIER
	ELIRAI
	LIERAI
	RELIAI
AEIILV	AVILIE
AEIILX	EXILAI
AEIIMR	MAIRIE
AEIIMS	EMIAIS
AEIIMT	AMITIE
	EMIAIT
AEIIMZ	AIMIEZ
AEIINP	EPINAI
	PEINAI
AEIINR	NIERAI
	RENIAI
AEIINS	NIAISE
AEIINV	ENVIAI
	VEINAI
AEIIPP	PEPIAI
AEIIPR	PAIRIE
AEIIPS	EPIAIS
AEIIPT	EPIAIT
	PIETAI
AEIIPX	EXPIAI
AEIIRS	SERIAI
AEIIRT	ETIRAI
AEIIRV	IVRAIE
AEIISS	SAISIE
AEIITV	EVITAI
AEIJNU	JAUNIE →

	JEUNAI
AEIJST	JETAIS
AEIJSZ	JASIEZ
AEIJTT	JETAIT
AEIKNS	KINASE
AEIKNT	KENTIA
AEIKRR	KERRIA
AEIKRS	KAISER
	SKIERA
AEIKRT	KARITE
AEILLM	MAILLE
AEILLN	LINEAL
	NIELLA
AEILLP	PAILLE
	PALLIE
AEILLR	AILLER
	ALLIER
	ARILLE
	RAILLE
	RALLIE
AEILLS	AILLES
	ALLIES
	SAILLE
	SELLAI
AEILLT	TAILLE
	TEILLA
AEILLV	VAILLE
	VEILLA
	VIELLA
AEILLZ	AILLEZ
	ALLIEZ
AEILMN	LAMINE
	MALIEN
AEILMP	EMPILA
AEILMR	LAMIER
	LIMERA
AEILMS	ELIMAS
	EMAILS*
	LAMIES
	LIAMES
	MELAIS
	MELIAS
AEILMT	ELIMAT
	MELAIT
AEILMU	MEULAI
	MIAULE
AEILNP	ALPINE
	LAPINE
	PINEAL
	PLAINE
AEILNR	LAINER

AEILNS	ENLIAS
	ENLISA
	ENSILA
	LAINES
	LESINA
	LIANES
	SALIEN
	SALINE
AEILNT	ENLIAT
	LAIENT
	LATINE
	LIANTE
AEILNU	ALUNIE*
	NIAULE
AEILNV	ALEVIN
	ALVINE
	LEVAIN
	NIVALE
	NIVELA
	VALINE
	VELANI
AEILNZ	LAINEZ
AEILOS	OISELA
AEILOT	ETIOLA
	ETOILA
AEILPR	PAIRLE
	PALIER
	PAREIL
	PERLAI
	PILERA
	PLAIRE
	PLIERA
	REPLIA
AEILPS	EPILAS
	LAPIES
	LIPASE
	PALIES
	PELAIS
	PLAIES
	PLAISE
AEILPT	EPILAT
	PELAIT
AEILPU	PIAULE
AEILPZ	LAPIEZ
AEILQU	LAIQUE
AEILRR	RELIRA
AEILRS	ELIRAS
	LIERAS
	LISERA
	RELAIS
	RELIAS →
	SERAIL
	SERIAL
AEILRT	ALITER
	ALTIER
	LATRIE
	LITERA
	RELIAT
AEILRV	RIVALE
	VIRALE
AEILRZ	RALIEZ
AEILSS	ALISES
	ASILES
	LAISSE
	LESAIS
	LIASSE
	SALIES
AEILST	ALITES
	ALTISE
	LAITES
	LESAIT
	LESTAI
	LIATES
AEILSU	AIEULS
AEILSV	LEVAIS
	SALIVE
	VALISE
	VELAIS
AEILSX	AXILES
	EXILAS
AEILSZ	ALIZES
	LAIZES
	SALIEZ
AEILTU	LAITUE
	LITEAU
AEILTV	LEVAIT
	VELAIT
	VITALE
AEILTX	EXILAT
	LAXITE
AEILTZ	ALITEZ
AEILUV	AVEULI
AEILVZ	LAVIEZ
	VALIEZ
AEILYZ	LAYIEZ
AEIMMR	MIMERA
AEIMMS	MIASME
AEIMMX	MAXIME
AEIMNO	ANOMIE
AEIMNR	ANIMER
	MANIER
	MARINE →
	MINERA
	RANIME
AEIMNS	AMINES
	ANIMES
	MANIES
	MENAIS
	NIAMES
AEIMNT	AIMENT
	EMIANT
	MAINTE
	MATINE
	MENAIT
AEIMNZ	ANIMEZ
	MANIEZ
AEIMOR	ORMAIE
AEIMOX	AXIOME
AEIMPR	EMPIRA
	PERIMA
AEIMPY	IMPAYE
AEIMPZ	PAMIEZ
AEIMRR	AMERRI
	ARRIME
	MARIER
	MARRIE
	MIRERA
	RAMIER
	RIMERA
AEIMRS	MAIRES
	MARIES
	MISERA
	RAMIES
	REMISA
AEIMRT	EMIRAT
	MAITRE
	MERITA
	METRAI
	MITERA
	TAMIER
AEIMRU	AERIUM
	MAIEUR
	MUERAI
	REMUAI
AEIMRX	MIXERA
AEIMRY	RIMAYE
AEIMRZ	ARMIEZ
	MARIEZ
	RAMIEZ
AEIMSS	ESSAIM
	SEMAIS
AEIMST	ESTIMA
	MATIES →

	SEMAIT
	TAMISE
AEIMSU	AMUIES
AEIMTT	MATITE
AEIMTZ	MATIEZ
AEINNR	NARINE
AEINNS	INSANE
	NAINES
AEINNT	NANTIE
AEINOR	NOIERA
AEINOS	OASIEN
AEINOT	ATONIE
AEINOU	ENOUAI
AEINOV	AVOINE
AEINOX	ANOXIE
AEINPR	PANIER
	RAPINE
AEINPS	EPINAS
	PAIENS
	PEINAS
	PENSAI
	PISANE
	SAPINE
AEINPT	EPIANT
	EPINAT
	INAPTE
	PAIENT
	PATINE
	PEINAT
AEINPU	PINEAU
AEINPZ	PANIEZ
AEINRR	RAINER
AEINRS	ANIERS
	ARIENS
	ARSINE
	INSERA
	NIERAS
	RAINES
	RENAIS
	RENIAS
	RESINA
	SERINA
AEINRT	ENTRAI
	NAITRE
	RAIENT
	RATINE
	RENAIT
	RENIAT
	RENTAI
	RIANTE
	TRAINE
AEINRU	ANURIE
	URANIE
AEINRV	AVENIR
	AVINER
	ENIVRA
	NAVIRE
	RAVINE
	VINERA
AEINRZ	RAINEZ
AEINSS	NAISSE
	NIASSE
	SAINES
	SANIES
AEINST	ENTAIS
	ETAINS
	NASTIE
	NIATES
	SAINTE
	SATINE
	TANISE
	TENAIS
	TENIAS
	TISANE
AEINSV	AVINES
	ENVIAS
	NAIVES
	VAINES
	VANISE
	VEINAS
	VENAIS
AEINSZ	NAZIES*
AEINTT	ENTAIT
	TEINTA
	TENAIT
	TENTAI
	TITANE
AEINTU	UNIATE
AEINTV	ENVIAT
	NATIVE
	VANITE
	VEINAT
	VENAIT
AEINUV	NIVEAU
AEINUX	AUXINE
	UNIAXE
AEINVZ	AVINEZ
AEIOPR	APORIE
	OPERAI
AEIORS	OSERAI
AEIORT	OTARIE
	OTERAI →
	TOREAI
AEIORV	OVAIRE
AEIOSS	ASSOIE
AEIOSU	OISEAU
AEIPPR	PAPIER
	PIPERA
AEIPPS	PEPIAS
AEIPPT	PEPIAT
AEIPPU	APPUIE
	PIPEAU
AEIPQU	APIQUE
	EQUIPA
AEIPRR	PARIER
	PERIRA
	PRAIRE
	PRIERA
	RIPERA
AEIPRS	ASPIRE
	EPAIRS
	PAIRES
	PARIES
	PARSIE
	REPAIS
AEIPRT	ETRIPA
	PAITRE
	PARITE
	PARTIE
	PATRIE
	PIRATE
	PRETAI
	REPAIT
AEIPRU	EPURAI
	PUERAI
AEIPRX	EXPIRA
AEIPRZ	PARIEZ
	RAPIEZ
AEIPSS	EPISSA
	PAISSE
	PESAIS
	SEPIAS
AEIPST	PESAIT
	PESTAI
	PETAIS
	PIETAS
	TAPIES
AEIPSU	EPUISA
AEIPSV	PAVIES
AEIPSX	EXPIAS
AEIPSZ	SAPIEZ
AEIPTT	PETAIT
	PIETAT

AEIPTX	EXPIAT
AEIPTZ	TAPIEZ
AEIPVZ	PAVIEZ
AEIPYZ	PAYIEZ
AEIQTU	QUETAI
AEIRRS	ARISER
	ARRISE
	ERRAIS
	SERRAI
	SIERRA
AEIRRT	ERRAIT
	RATIER
	RETIRA
	TERRAI
	TIRERA
	TRAIRE
	TRIERA
AEIRRU	AIRURE
	RUERAI
AEIRRV	ARRIVE
	RAVIER
	RIVERA
	VARIER
	VERRAI
	VIRERA
AEIRRZ	RAIREZ
AEIRSS	ARISES
	SERAIS
	SERIAS
AEIRST	ETIRAS
	RESTAI
	SATIRE
	SERAIT
	SERIAT
	STERAI
	TARIES
	TERSAI
	TIARES
	TRAIES
AEIRSU	SUAIRE
	SUERAI
	USERAI
AEIRSV	AVISER
	RAVIES
	RAVISE
	REVAIS
	REVISA
	SEVIRA
	SEVRAI
	VARIES
	VERSAI →
	VISERA
	VRAIES
AEIRSZ	ARISEZ
	RASIEZ
AEIRTT	ATTIRE
	ETIRAT
	RATITE*
	TRAITE
AEIRTU	TUERAI
AEIRTV	AVERTI
	REVAIT
	RIVETA
	VETIRA
AEIRTZ	RATIEZ
	TAIREZ
	TARIEZ
AEIRUZ	AURIEZ
AEIRVV	AVIVER
	RAVIVE
AEIRVZ	VARIEZ
AEIRYZ	RAYIEZ
AEIRZZ	RAZZIE
AEISSS	ASSISE
	ESSAIS
AEISST	ESTAIS*
	TAISES
AEISSV	AVISES
	VESSAI
AEISTT	ATTISE
	ESTAIT*
	TESTAI
	TETAIS
AEISTV	EVITAS
	VETAIS
AEISTX	EXISTA
AEISTY	SEYAIT
AEISTZ	TAISEZ
	ZESTAI
AEISVV	AVIVES
AEISVX	VEXAIS
AEISVZ	AVISEZ
	SAVIEZ
AEITTT	TETAIT
AEITTV	EVITAT
	VETAIT
AEITTZ	TATIEZ
AEITUV	ETUVAI
AEITUZ	ZIEUTA
AEITVX	VEXAIT
AEITXZ	TAXIEZ
AEIVVZ	AVIVEZ
AEJLMU	JUMELA
AEJLNO	ENJOLA
AEJLST	TJALES
AEJMOR	MAJORE
AEJMRU	MAJEUR
AEJMUU	JUMEAU
AEJNST	JANTES
	JASENT
AEJNSU	JAUNES
	JEUNAS
AEJNTT	JETANT
AEJNTU	JAUNET
	JEUNAT
AEJORU	AJOURE
	JOUERA
	REJOUA
AEJOTU	AJOUTE
AEJPPR	JAPPER
AEJPPS	JAPPES
AEJPPZ	JAPPEZ
AEJPRS	JASPER
AEJPSS	JASPES
AEJPSZ	JASPEZ
AEJRRS	JARRES
AEJRRT	JARRET
AEJRRU	JURERA
AEJRSU	JASEUR
AEJRTT	TRAJET
AEJRTU	JUTERA
AEJSTT	JATTES
AEJSTU	AJUSTE
AEJSTY	JAYETS
AEKNPS	PEKANS
AEKNRT	TANKER
AEKORS	ARKOSE
AEKOSU	OUKASE
AEKQRU	QUAKER
AEKSST	STEAKS
AEKSSU	UKASES
AELLLY	ALLYLE
AELLMS	MALLES
AELLMU	ALLUME
AELLOU	ALLOUE
AELLOY	LOYALE
AELLPS	PALLES
AELLRS	ALLERS
AELLRT	TALLER
AELLRU	ALLURE
AELLRY	RALLYE
AELLSS	SALLES
	SELLAS

AELLST	SELLAT
	STALLE
	TALLES
AELLTZ	TALLEZ
AELLUX	ALLEUX
AELMMU	MAMELU
AELMNR	MERLAN
AELMNT	MELANT
	MENTAL
AELMNU	MANUEL
AELMOR	MORALE
AELMOT	MOLETA
AELMOU	OULEMA
AELMPR	LAMPER
	PALMER
AELMPS	AMPLES
	LAMPES
	PALMES
AELMPT	MEPLAT
AELMPZ	LAMPEZ
	PALMEZ
AELMRS	LARMES
	MAERLS
AELMRT	MALTER
	MARTEL
AELMRU	MALURE
	MURALE
AELMST	MALTES
AELMSU	MEULAS
	MUSELA
	ULEMAS
AELMSY	AMYLES
AELMTU	MEULAT
	MULETA
AELMTZ	MALTEZ
AELNNU	ANNUEL
	ANNULE
AELNOP	LAPONE
AELNOR	ENROLA
AELNOT	ENTOLA
	ETALON
	TONALE
AELNOV	ENVOLA
AELNOZ	ZONALE
AELNPR	PLANER
AELNPS	NAPELS
	PANELS
	PLANES
AELNPT	LAPENT
	PELANT
	PLANTE
AELNPZ	PLANEZ
AELNRT	RALENT
AELNRV	VERNAL
AELNST	LESANT
	SALENT
AELNSU	AULNES
AELNTT	LATENT
	TALENT
AELNTV	LAVENT
	LEVANT
	VALENT
	VELANT
AELNTY	LAYENT
AELOPR	PAROLE
AELOPS	OPALES
	SALOPE
AELOPT	PELOTA
AELORS	ORALES
AELORT	TOLERA
AELORU	LOUERA
	RELOUA
AELORV	LOVERA
	ORVALE
	REVOLA
	VOLERA
AELORY	ROYALE
AELOSS	ALOSES
	ASSOLE
AELOSU	SAOULE
AELOSV	OVALES
AELOTT	TOTALE
AELOTV	VOLETA
AELOUV	EVOLUA
AELPPR	PALPER
	RAPPEL
AELPPS	APPELS
	PALPES
AELPPU	PAPULE
	PEUPLA
AELPPZ	PALPEZ
AELPQU	PLAQUE
AELPRR	PARLER
	PARLER
AELPRS	PARLES
	PERLAS
	RELAPS
AELPRT	PERLAT
	PLATRE
	PRELAT
	REPLAT
AELPRU	PALEUR →
	PLEURA
AELPRY	PYRALE
AELPRZ	PARLEZ
AELPSS	ASPLES
	SALEPS
AELPST	PALETS
	PASTEL
	PELTAS
	PLASTE
	PLATES
AELQRU	LAQUER
AELQSU	LAQUES
	SQUALE
AELQTU	TALQUE
AELQUU	AUQUEL
AELQUZ	LAQUEZ
AELRRU	LEURRA
	RALEUR
	RURALE
AELRSS	LASERS
	LASSER
AELRST	ARTELS
	RATELS
AELRSU	LAURES
	SALUER
	SALURE
AELRSV	LARVES
	SERVAL
	VALSER
	VELARS
AELRSY	ARYLES
AELRTT	LATTER
AELRTU	LUTERA
AELRTV	VARLET
AELRUV	LAVEUR
	LAVURE
	REVALU
	VALEUR
AELRUX	LUXERA
AELRUY	LAYEUR
AELSSS	LASSES
AELSST	LESTAS
	TESLAS
AELSSU	SALUES
	SAULES
AELSSV	SALVES
	SLAVES
	VALSES
AELSSY	ALYSSE
AELSSZ	LASSEZ
AELSTT	LATTES →

	LESTAT
AELSTU	AUTELS
	TAULES
AELSTV	VALETS
AELSTX	LASTEX
AELSTY	ALYTES
AELSUV	UVALES
	VALUES
AELSUZ	SALUEZ
AELSVV	VALVES
AELSVZ	VALSEZ
AELTTZ	LATTEZ
AELTUX	EXULTA
	LETAUX
AEMMOS	AMOMES
AEMMRU	EMMURA
AEMMSU	MUAMES
AEMNNS	MANNES
AEMNNT	MENANT
AEMNOR	RAMONE
	ROMANE
AEMNOS	MOSANE
AEMNOU	AUMONE
AEMNOY	YEOMAN
AEMNPS	EMPANS
AEMNPT	PAMENT
AEMNQU	MANQUE
AEMNRR	MARNER
AEMNRS	MARNES
AEMNRT	ARMENT
	RAMENT
AEMNRZ	MARNEZ
AEMNST	MANTES
	SEMANT
AEMNTT	MATENT
AEMOPT	EMPOTA
AEMORR	REMORA
AEMORS	AROMES
AEMORT	TOMERA
AEMORU	ORMEAU
AEMORV	MORAVE
AEMOSS	OSAMES
AEMOST	ATOMES
	OTAMES
AEMOTT	EMOTTA
	TOMATE
AEMPPR	PAMPRE
AEMPRR	RAMPER
AEMPRS	RAMPES
AEMPRT	TREMPA
AEMPRU	PAUMER

AEMPRZ	RAMPEZ
AEMPSS	SPASME
AEMPSU	PAUMES
	PSAUME
	PUAMES*
AEMPTU	AMPUTE
AEMPUZ	PAUMEZ
AEMQRU	MARQUE
AEMQSU	MASQUE
	SQUAME
AEMRRR	MARRER
AEMRRS	MARRES
AEMRRT	MARTRE
	TRAMER
AEMRRU	AMURER
	ARMURE
	MURERA
	RAMEUR
	RAMURE
AEMRRZ	MARREZ
AEMRSS	MASERS
	MASSER
AEMRST	ARMETS
	MARTES
	METRAS
	TRAMES
	TREMAS
AEMRSU	AMURES
	AMUSER
	MASURE
	MAURES
	MAUSER
	MESURA
	MUERAS
	MUSERA
	REMUAS
	RESUMA
	RUAMES
AEMRTT	METRAT
	METTRA
AEMRTU	MATURE
	MUTERA
	REMUAT
AEMRTZ	TRAMEZ
AEMRUX	RAMEUX
AEMRUY	MAYEUR
AEMRUZ	AMUREZ
AEMSSS	MASSES
AEMSSU	AMUSES
	ASSUME
	MASSUE →

	MESUSA
	MUASSE
	SUAMES
	USAMES
AEMSSZ	MASSEZ
AEMSTT	MATTES
AEMSTU	MUATES
	TUAMES
AEMSUU	MUSEAU
AEMSUV	MAUVES
AEMSUZ	AMUSEZ
AEMSYZ	AZYMES
	ZYMASE
AEMTUX	METAUX
AENNNO	ANNONE
	ANONNE
AENNOP	PAONNE
AENNOT	ANNOTE
	ETONNA
AENNPS	PANNES
AENNPT	PANENT
AENNRT	TANNER
AENNRV	VANNER
AENNST	NEANTS
	TANNES
AENNSV	VANNES
AENNTT	ENTANT
	TENANT
AENNTV	VENANT
AENNTZ	TANNEZ
AENNUY	ENNUYA
AENNVZ	VANNEZ
AENORR	ORNERA
AENORS	AERONS
AENORT	NOTERA
	ORANTE
AENORU	ANOURE*
	ENROUA
	NOUERA
	RENOUA
AENORV	NOVERA
	RENOVA
AENOST	ATONES
	SONATE
AENOSU	ENOUAS
AENOSX	AXONES
AENOTU	ENOUAT
AENOVY	ENVOYA
AENPPR	NAPPER
AENPPS	NAPPES
AENPPZ	NAPPEZ

AENPRS	PANSER
	PERSAN
AENPRT	ARPENT
	PARENT
	RAPENT
	TREPAN
AENPRU	PANURE
AENPRZ	PANZER
AENPSS	PANSES
	PENSAS
AENPST	PANTES
	PENSAT
	PESANT
	SAPENT
AENPSU	PANSUE
AENPSZ	PANSEZ
AENPTT	PATENT
	PETANT
	TAPENT
AENPTU	PUANTE
AENPTV	PAVENT
AENPTY	PAYENT
AENPUX	PENAUX
AENRRR	NARRER
AENRRS	NARRES
	SERRAN
AENRRT	ERRANT
	RENTRA
AENRRV	NAVRER
AENRRZ	NARREZ
AENRST	ANTRES
	ENTRAS
	ESTRAN
	RASENT
	RENTAS
	TRANSE
AENRSU	SAUNER
	URANES
AENRSV	NAVRES
AENRSY	ARYENS
AENRTT	ENTRAT
	NATTER
	RATENT
	RENTAT
	TARENT
AENRTU	NATURE
AENRTV	REVANT
	VANTER
AENRTY	RAYENT
AENRUX	RENAUX
AENRVZ	NAVREZ

AENSSS	NASSES
AENSST	SANTES
	SEANTS
	SENATS
AENSSU	SAUNES
AENSSV	SANVES
AENSTT	ESTANT*
	NATTES
	TANTES
	TENTAS
AENSTV	AVENTS
	NAVETS
	SAVENT
	VANTES
AENSTX	TEXANS
AENSTY	SEYANT
AENSUV	AVENUS
	NAEVUS
AENSUZ	SAUNEZ
AENTTT	TATENT
	TENTAT
	TETANT
AENTTU	TUANTE
AENTTV	VENTAT
	VETANT
AENTTX	TAXENT
AENTTZ	NATTEZ
AENTUV	AUVENT
AENTVX	VEXANT
AENTVZ	VANTEZ
AEOPPS	APPOSE
AEOPPT	PAPOTE
AEOPQU	OPAQUE
AEOPRR	PERORA
AEOPRS	OPERAS
	PAREOS
	POSERA
	REPOSA
AEOPRT	APOTRE
	OPERAT
	OPTERA
	TOPERA
AEOPST	APOSTE
AEOPSU	EPOUSA
AEOPSX	EXPOSA
AEOPTT	TAPOTE
AEOPTU	ETOUPA
	POTEAU
AEOPTZ	TOPAZE
AEOQUV	EVOQUA
AEORRS	ARROSE

AEORRT	ROTERA
AEORRU	AURORE
	ROUERA
AEORSS	ESSORA
	OSERAS
AEORST	AORTES
	OTERAS
	SERTAO
	TOREAS
AEORSU	ROSEAU
AEORTT	TAROTE
	TOREAT
AEORTU	OUATER
	TOUERA
AEORTV	AVORTE
	VOTERA
AEORUV	AVOUER
	OEUVRA
	VOUERA
AEOSSS	OSASSE
AEOSST	OSATES
	OTASSE
AEOSTT	OTATES
AEOSTU	AOUTES
	OUATES
AEOSTZ	AZOTES
AEOSUV	AVOUES
AEOTTU	TATOUE
AEOTUZ	OUATEZ
AEOUVZ	AVOUEZ
	ZOUAVE
AEPPRT	APPERT
	APPRET
	TRAPPE
AEPPUY	APPUYE
AEPQRU	PARQUE
AEPQSU	PAQUES
AEPQTU	PAQUET
AEPRRS	REPARS
AEPRRT	REPART
AEPRRU	APURER
	PARURE
	RAPURE
	REPARU
AEPRSS	ASPRES
	ESPARS
	PARSES
	PASSER
	PRESSA
AEPRST	PARTES
	PATRES →

PRETAS
SPARTE
TREPAS

AEPRSU APURES
AUPRES
EPURAS
PARUES
PAUSER
PUERAS
SAPEUR

AEPRSY APYRES

AEPRTT PRETAT

AEPRTU EPURAT
PATURE
TAPEUR
TRAPUE

AEPRTZ PARTEZ

AEPRUU PUREAU

AEPRUV PAUVRE
PAVEUR
VAPEUR

AEPRUX PREAUX
RAPEUX

AEPRUY PAYEUR
YPREAU

AEPRUZ APUREZ

AEPSSS PASSES

AEPSST PESTAS

AEPSSU PAUSES
PUASSE*

AEPSSY PAYSES

AEPSSZ PASSEZ

AEPSTT PATTES
PESTAT

AEPSTU PUATES*
TAUPES

AEPSUZ PAUSEZ

AEPTTU PATTUE

AEPTUX PATEUX

AEQRRU ARQUER
QUARRE

AEQRSU ARQUES
SAQUER
SQUARE

AEQRTU QUARTE
QUATER
QUATRE
TAQUER
TRAQUE

AEQRUU RAUQUE

AEQRUV VAQUER

AEQRUZ ARQUEZ

AEQSSU ASQUES
SAQUES

AEQSTU QUETAS
TAQUES

AEQSUV VAQUES
VASQUE

AEQSUZ SAQUEZ

AEQTTU QUETAT
TAQUET

AEQTUU QUEUTA

AEQTUZ TAQUEZ

AEQUUX AQUEUX

AEQUVZ VAQUEZ

AERRSS SERRAS

AERRST ARRETS
SERRAT
TERRAS

AERRSU RASEUR
RUERAS
RUSERA
SAURER

AERRSV VERRAS

AERRTT TARTRE
TERRAT

AERRTU RATURE

AERRTV VERRAT

AERRUY RAYURE

AERRUZ AZURER

AERSSS SASSER

AERSST ASTERS
ASTRES
RESTAS
STERAS
TARSES
TASSER
TERSAS
TRESSA

AERSSU ASSURE
RESSUA
RUASSE
SAURES
SUERAS
USERAS

AERSSV SEVRAS
VERSAS

AERSTT RESTAT
STERAT
STRATE
TARETS
TARTES →

TERSAT
TETRAS

AERSTU AUTRES
RUATES
SATURE
SAURET
SAUTER
SURATE
TAURES
TUERAS
URATES

AERSTV SEVRAT
VERSAT

AERSTY SATYRE
STAYER

AERSTZ ERSATZ

AERSUU SUREAU
URAEUS

AERSUV SAUVER
SAVEUR

AERSUZ AZURES
SAUREZ

AERSVV VARVES

AERTTU TATEUR

AERTUU AUTEUR

AERTUV REVAUT
VAUTRE

AERTYZ TRAYEZ

AERUVX REVAUX

AERUZZ AZUREZ

AESSSS SASSES

AESSST STASES
TASSES

AESSSU SUASSE
USASSE

AESSSV VESSAS

AESSSZ SASSEZ

AESSTT TESTAS

AESSTU SAUTES
SUATES
TUASSE
USATES

AESSTV VASTES
VESSAT

AESSTZ TASSEZ
ZESTAS

AESSUV SAUVES
SUAVES

AESSUY ESSUYA

AESTTT TESTAT

AESTTU STATUE →

	TUATES
AESTTZ	ZESTAT
AESTUV	ETUVAS
AESTUZ	SAUTEZ
AESUVX	VASEUX
AESUVZ	SAUVEZ
AETTUV	ETUVAT
AFFGIR	GRIFFA
AFFILS	SIFFLA
AFFILU	FAUFIL
AFFISU	SUIFFA
AFFITU	FAUTIF
AFFKOU	KOUFFA
AFFLMU	MAFFLU
AFFLSU	LUFFAS
AFFLUX	AFFLUX
AFFOPU	POUFFA
AFFRTU	RAFFUT
	TRUFFA
AFFSST	STAFFS
AFFSTU	AFFUTS
AFGIIL	GIFLAI
AFGILS	GIFLAS
AFGILT	GIFLAT
AFGIOR	FIGARO
AFGIRU	FIGURA
AFGLNO	GONFLA
AFGLOS	OFLAGS
AFGLRU	FRUGAL
AFGNOR	FRAGON
AFGOST	FAGOTS
AFHIST	HATIFS
AFHRSW	WHARFS
AFIILL	FAILLI
	FILIAL
AFIILM	FILMAI
AFIILS	FILAIS
AFIILT	FILAIT
AFIINR	FINIRA
	RIFAIN
AFIINU	UNIFIA
AFIIOR	FOIRAI
AFIIPR	FRIPAI
AFIIRR	FRIRAI*
AFIIRS	FRISAI
AFIIRU	FUIRAI
AFIISX	FIXAIS
AFIITX	FIXAIT
AFIKRS	FAKIRS
AFILMS	FILMAS
AFILMT	FILMAT
AFILNS	FINALS
AFILNT	FILANT
AFILNU	INFLUA
AFILOR	FOIRAL
	FROLAI
AFILOS	LOFAIS
	SOLFIA
AFILOT	LOFAIT
AFILOU	FLOUAI
	FOULAI
AFILPP	FLIPPA
AFILPS	FLAPIS
	PILAFS
AFILRS	FLAIRS
	FRASIL
AFILRT	FILTRA
	FLIRTA
AFILTU	FLUTAI
AFIMNR	FIRMAN
AFIMOR	FORMAI
AFIMRS	FRIMAS
AFIMSS	MASSIF
AFIMSU	FUMAIS
AFIMTU	FUMAIT
AFINNO	FANION
AFINNT	INFANT
AFINOR	FORAIN
AFINOU	FOUINA
AFINQU	FAQUIN
AFINRU	RUFIAN
AFINST	NATIFS
AFINSU	FUSAIN
	INFUSA
AFINTX	FIXANT
AFIORS	FOIRAS
	FORAIS
AFIORT	FOIRAT
	FORAIT
	RAFIOT
AFIORU	FOUIRA
AFIORV	FAVORI
AFIPRS	FRIPAS
	PARFIS*
AFIPRT	FRIPAT
	PARFIT*
AFIPSS	PASSIF
AFIRRS	FRIRAS*
AFIRSS	FRISAS
AFIRST	FRISAT
	TARIFS
AFIRSU	FUIRAS
AFISSU	FUSAIS
AFISTU	FUSAIT
AFISUY	FUYAIS
AFITUY	FUYAIT
AFKRST	KRAFTS
AFLLOR	FLORAL
AFLLTU	FALLUT
AFLNOR	RONFLA
AFLNOT	LOFANT
AFLNSU	FALUNS
AFLORS	FROLAS
AFLORT	FROLAT
AFLOST	FALOTS
AFLOSU	FLOUAS
	FOULAS
AFLOTT	FLOTTA
AFLOTU	FLOUAT
	FOULAT
AFLSTU	FLUTAS
AFLTTU	FLUTAT
AFMNTU	FUMANT
AFMORS	FORMAS
AFMORT	FORMAT
AFMPRU	PARFUM
AFMSTU	FATUMS
AFNNOS	FANONS
AFNNOT	FANTON
AFNORT	FORANT
AFNSTU	FUSANT
AFNTUY	FUYANT
AFORRU	FOURRA
AFORSU	SOUFRA
AFORTT	FROTTA
AFORTU	FOUTRA
AFOSTY	FAYOTS
AGGHIS	HAGGIS
AGGILO	LOGGIA
AGGINR	GRIGNA
AGGINU	GUIGNA
AGGIOT	GIGOTA
AGGIZZ	ZIGZAG
AGGNOR	GROGNA
AGHMOS	OGHAMS
AGHNOR	HONGRA
AGIILU	LIGUAI
AGIIMR	GRIMAI
	MAIGRI
AGIINR	AIGRIN
AGIINS	SIGNAI
AGIIPU	GUIPAI
AGIIRR	AIGRIR

AGIIRS	AIGRIS
	GRISAI
AGIIRT	AIGRIT
AGIIRV	GIVRAI
AGIISS	GISAIS
AGIIST	GISAIT
	GITAIS
AGIITT	GITAIT
AGILLR	GRILLA
AGILNO	AIGLON
	GALION
AGILNS	SIGNAL
AGILNU	LANGUI
AGILOR	GLORIA
	RIGOLA
AGILOS	GASOIL
	GLOSAI
AGILOT	LIGOTA
AGILOV	OGIVAL
AGILPR	GLAPIR
AGILPS	GLAPIS
AGILPT	GLAPIT
AGILRT	GLATIR
AGILSS	GLISSA
AGILST	GLATIS
AGILSU	GAULIS
	LAGUIS
	LIGUAS
AGILTT	GLATIT
AGILTU	LIGUAT
AGIMMO	GOMMAI
AGIMNS	GAMINS
AGIMOS	IMAGOS
AGIMPR	GRIMPA
AGIMRS	GRIMAS
	MARGIS
AGIMRT	GRIMAT
AGIMRU	MUGIRA
AGIMWW	WIGWAM
AGINOR	AGONIR
	AGRION
	IGNORA
	ORIGAN
	ROGNAI
AGINOS	AGONIS
	SOIGNA
AGINOT	AGONIT*
AGINRR	GARNIR
AGINRS	GARNIS
	GRAINS
AGINRT	GARNIT →
	GRANIT
	GRATIN
	INGRAT
AGINRU	RUGINA
AGINSS	SIGNAS
AGINST	GISANT
	GITANS
	SIGNAT
AGINSV	VAGINS
AGINTT	GITANT
AGINUZ	ZINGUA
AGIORU	GOURAI
AGIORV	VIRAGO
AGIOTU	AGOUTI
	GOUTAI
AGIOUV	VOGUAI
AGIPPR	GRIPPA
AGIPSU	GUIPAS
AGIPTU	GUIPAT
AGIRRU	RUGIRA
AGIRRV	GRAVIR
AGIRSS	GRISAS
AGIRST	GRATIS
	GRISAT
AGIRSV	GIVRAS
	GRAVIS
AGIRTU	TARGUI
AGIRTV	GIVRAT
	GRAVIT
AGJLNO	JONGLA
AGJLUU	JUGULA
AGJNOR	JARGON
AGJOTU	GOUJAT
AGJUUX	JUGAUX
AGKOPS	GOPAKS
AGLLNO	GALLON
AGLLOS	ALGOLS
AGLLPU	GALLUP
AGLNOR	LORGNA
AGLNOS	GALONS
	LAGONS
	SLOGAN
AGLNSS	SLANGS
AGLNTU	GLUANT
AGLOPS	GALOPS
AGLORS	LARGOS
AGLOSS	GLOSAS
AGLOST	GLOSAT
AGLSUV	VALGUS
AGLSUZ	GUZLAS
AGLUUX	GLUAUX
AGMMNU	MAGNUM
AGMMOS	GOMMAS
AGMMOT	GOMMAT
AGMORT	MARGOT
AGMOST	MAGOTS
AGMOYZ	ZYGOMA
AGNNOS	ANGONS
AGNNOT	TANGON
AGNORS	ARGONS
	GARONS
	ROGNAS
	SARONG
AGNORT	ROGNAT
	ROTANG
AGNOST	GATONS
	TANGOS
AGNOSU	GUANOS
AGNOSV	GAVONS
AGNOSW	WAGONS
AGNOSZ	GAZONS
AGNOTU	NOUGAT
AGOPRU	GROUPA
AGORRT	GARROT
AGORST	ARGOTS
	RAGOTS
AGORSU	GAROUS
	GOURAS
AGORTU	GOURAT
	RAGOUT
AGOSSU	SAGOUS
AGOSTU	GOUTAS
AGOSUV	VOGUAS
AGOSYZ	AZYGOS
AGOTTU	GOUTAT
	GOUTTA
AGOTUV	VOGUAT
AGRSTU	TRAGUS
AGRUUX	GRUAUX
AHHRRU	HURRAH
AHIILU	HUILAI
AHIISS	HISSAI
AHIKRS	HARKIS
AHIKSU	HAIKUS
AHILMT	LITHAM
AHILNY	HYALIN
AHILOR	HALOIR
AHILRU	HURLAI
AHILSU	HUILAS
AHILTU	HUILAT
AHIMNU	HUMAIN
	INHUMA

AHIMOR MOHAIR

AHIMSU HUMAIS

AHIMTU HUMAIT

AHINTU HAUTIN

AHIOSU HOUAIS

AHIOTU HOUAIT

AHIPRS SAPHIR

AHIPSS SPAHIS

AHIRRT TRAHIR

AHIRRU AHURIR

AHIRST TRAHIS

AHIRSU AHURIS

AHIRTT TRAHIT

AHIRTU AHURIT

AHISSS HISSAS

AHISST HISSAT

AHISTU HIATUS

AHKOPS HOPAKS

AHKOSS SHAKOS

AHLLMO MOLLAH

AHLLUU HULULA

AHLNOS HALONS

AHLNSU UHLANS

AHLRSU HURLAS

AHLRTU HURLAT

AHMNTU HUMANT

AHMRTY RYTHMA

AHMSSS SMASHS

AHNOOR HONORA

AHNOPR HARPON

AHNOST HATONS

AHNOSY HAYONS

AHNOTU HOUANT

AHNSTU SHUNTA

AHOOST SHOOTA

AHOPST PATHOS

AHORRT ROHART

AHORRU HOURRA

AHORTX THORAX

AHOUXY HOYAUX

AHPSST SPATHS

AHRSSU SURAHS

AHSSTU TUSSAH*

AHSTUY THUYAS

AIIIMT IMITAI

AIIINT INITIA

AIIIRS IRISAI

AIIJLL JAILLI

AIIKSS SKIAIS

AIIKST SKIAIT

AIILLL LILIAL

AIILLP PILLAI

AIILLS SAILLI

AIILLT TILLAI

AIILMS LIMAIS

AIILMT LIMAIT
LIMITA
MILITA

AIILNV VILAIN

AIILOS AIOLIS
ISOLAI

AIILOU IOULAI*

AIILOV VIOLAI
VOILAI

AIILPS PILAIS
PLIAIS

AIILPT PILAIT
PLIAIT

AIILRS LIRAIS

AIILRT LIRAIT

AIILRU LUIRAI
RUILAI

AIILRV AVILIR
LIVRAI
RAVILI

AIILSS LISAIS
LISSAI
SIALIS

AIILST LISAIT
LITAIS

AIILSV AVILIS

AIILTT LITAIT

AIILTV AVILIT

AIIMMN MINIMA

AIIMMS MIMAIS

AIIMMT MIMAIT

AIIMNS MINAIS

AIIMNT INTIMA
MINAIT

AIIMOR MOIRAI

AIIMOS MOISAI

AIIMPR IMPAIR
PRIMAI

AIIMRS MIRAIS
RIMAIS

AIIMRT MIRAIT
RIMAIT
TRIMAI

AIIMSS MISAIS

AIIMST IMITAS
MISAIT
MITAIS

AIIMSX MIXAIS

AIIMTT IMITAT
MITAIT

AIIMTX MIXAIT

AIINNZ ZINNIA

AIINOP OPINAI

AIINOS IONISA

AIINPP NIPPAI

AIINPT PINTAI

AIINRS RAISIN

AIINRU NUIRAI
RUINAI
UNIRAI
URINAI

AIINSU USINAI

AIINSV VINAIS

AIINSX SIXAIN

AIINSZ SIZAIN

AIINTT TINTAI

AIINTV INVITA
VINAIT

AIIOST TOISAI

AIIPPS PIPAIS

AIIPPT PIPAIT

AIIPQU PIQUAI

AIIPRS PRIAIS
PRISAI
RIPAIS

AIIPRT PRIAIT
RIPAIT

AIIPRV PRIVAI

AIIPSS PISSAI

AIIPST PISTAI

AIIPSU PUISAI

AIIPTW WAPITI

AIIQTU TIQUAI

AIIRRS RIRAIS

AIIRRT IRRITA
RIRAIT

AIIRSS IRISAS
SAISIR

AIIRST IRISAT
STRIAI
TIRAIS
TRIAIS

AIIRSV RIVAIS
VIRAIS

AIIRTT TIRAIT
TITRAI
TRIAIT

AIIRTV RIVAIT →

	VIRAIT
	VITRAI
AIIRVV	VIVRAI
AIISSS	SAISIS
AIISST	ISATIS
	SAISIT
	TISSAI
AIISSV	VISAIS
	VISSAI
AIISTU	SITUAI
AIISTV	VISAIT
	VISITA
AIISVV	VIVAIS
AIITVV	VIVAIT
AIJLOV	JOVIAL
AIJMNS	JASMIN
AIJMOT	MIJOTA
AIJNRU	JAUNIR
AIJNSU	JAUNIS
AIJNTU	JAUNIT
AIJORU	JOUIRA
AIJOSU	JOUAIS
AIJOTU	JOUAIT
	JOUTAI
AIJRSU	JURAIS
AIJRTU	JURAIT
AIJSTU	JUTAIS
AIJTTU	JUTAIT
AIKLNO	KAOLIN
AIKMOU	OUMIAK
AIKNNN	NANKIN
AIKNST	SKIANT
AIKOPS	OKAPIS
AIKORT	TROIKA
AIKOST	TOKAIS
AILLMO	AMOLLI
AILLMS	MILLAS
AILLOU	OUILLA
AILLPS	PILLAS
AILLPT	PILLAT
AILLRT	TRILLA
AILLRV	VRILLA
AILLST	TILLAS
AILLSV	VILLAS
AILLTT	TILLAT
AILLUU	ULULAI
AILMMO	IMMOLA
AILMNS	LIMANS
	MALINS
	MILANS
AILMNT	LIMANT
AILMOU	MOULAI
AILMPS	AMPLIS
AILMPU	PLUMAI
AILMRS	MARLIS
AILMRT	MITRAL
AILMSS	ISLAMS
	SALMIS
	SISMAL
AILMST	TAMILS
AILMSU	SIMULA
AILMSX	SMILAX
AILMTU	MUTILA
AILNOP	OPALIN
AILNOS	INSOLA
	NOLISA
AILNOT	LAITON
	TALION
AILNPR	PRALIN
AILNPS	ALPINS
	LAPINS
	PLAINS
	SPINAL
AILNPT	PILANT
	PLAINT
	PLIANT
AILNRU	ALUNIR
	URINAL
AILNSS	SALINS
AILNST	LATINS
	LIANTS
	LISANT
AILNSU	ALUNIS
AILNSV	ALVINS
AILNTT	LITANT
AILNTU	ALUNIT
	LUTINA
AILOPR	PAROLI
	POLIRA
AILOPS	APIOLS
	PALOIS
	SPOLIA
AILOPT	PILOTA
AILOPU	LOUPAI
AILOPY	PLOYAI
AILORS	SALOIR
AILORT	LOTIRA
AILORU	LOURAI
	OURLAI
	ROULAI
AILORV	LAVOIR
	VALOIR →
	VIROLA
AILOSS	ISOLAS
AILOST	ISOLAT
AILOSU	IOULAS*
	LOUAIS
	SOULAI
AILOSV	LOVAIS
	VIOLAS
	VOILAS
	VOLAIS
AILOSX	OXALIS
AILOTU	IOULAT*
	LOUAIT
AILOTV	LOVAIT
	VIOLAT
	VOILAT
	VOLAIT
	VOLTAI
AILOUV	LOUVAI
AILPRS	SPIRAL
AILPRT	TRIPLA
AILPSS	PLISSA
AILPSU	PILAUS*
AILPSW	PILAWS
AILRSU	LUIRAS
	RUILAS
AILRSV	AVRILS*
	LIVRAS
AILRTU	RUILAT
	RUTILA
AILRTV	LIVRAT
AILSSS	LISSAS
	SISALS
AILSST	LISSAT
AILSTT	LATTIS
AILSTU	LUTAIS
AILSTY	STYLAI
AILSUX	LUXAIS
AILSZZ	LAZZIS
AILTTU	LUTAIT
	LUTTAI
AILTUX	LUXAIT
AIMMNO	NOMMAI
AIMMNT	MIMANT
AIMMOP	POMMAI
AIMMOS	MIMOSA
	SOMMAI
AIMNNT	MINANT
AIMNOR	MANOIR
	MINORA
	ROMAIN

AIMNOS AIMONS
AMNIOS
MAISON

AIMNOT MONTAI

AIMNRS MARINS

AIMNRT MIRANT
RIMANT

AIMNRU MUNIRA
RUMINA

AIMNST MAINTS
MATINS
MISANT

AIMNSZ NIZAMS

AIMNTT MITANT

AIMNTU MINUTA
MUTINA

AIMNTX MIXANT

AIMOPP POMPAI

AIMOPS IMPOSA

AIMOPT OPTIMA*

AIMOQU MOQUAI

AIMORS MOIRAS

AIMORT AMORTI
MATOIR
MOIRAT

AIMORV VOMIRA

AIMOSS MOISAS

AIMOST MATOIS
MOISAT
TOMAIS

AIMOSU MIAOUS

AIMOTT MOTTAI
TOMAIT

AIMOTV MOTIVA

AIMPRS PRIMAS

AIMPRT PRIMAT

AIMPSS PASSIM
SAMPIS*

AIMPTU IMPUTA

AIMQSU MAQUIS

AIMRRS MARRIS

AIMRRU MURIRA

AIMRST TRIMAS

AIMRSU MURAIS

AIMRTT TRIMAT

AIMRTU ATRIUM
MURAIT

AIMSST SAMITS

AIMSSU MUSAIS

AIMSTU MUSAIT
MUTAIS

AIMSUV MAUVIS

AIMTTU MUTAIT

AIMTUZ AZIMUT

AINNNT TANNIN

AINNOP PIONNA

AINNOS ANIONS
SONNAI

AINNOT NATION
TONNAI

AINNOV INNOVA

AINNOZ ONZAIN

AINNPT PANTIN

AINNRT NANTIR

AINNST NANTIS
TANINS

AINNTT NANTIT

AINNTV VINANT

AINOPP PAPION

AINOPR PRONAI

AINOPS APIONS
OPINAS
PIANOS

AINOPT OPINAT
POINTA
PONTAI
POTINA

AINOQU QUINOA

AINORS NORIAS
ORNAIS
RAISON

AINORT ORNAIT
RATION
TRONAI

AINORV AVIRON
VAIRON

AINOSS SAISON

AINOST NOTAIS

AINOSU NOUAIS

AINOSV AVIONS
NOVAIS

AINOSX AXIONS

AINOSY NOYAIS

AINOTT NOTAIT

AINOTU NOUAIT

AINOTV NOVAIT

AINOTY NOYAIT

AINPPS NIPPAS

AINPPT NIPPAT
PIPANT

AINPRS RAPINS

AINPRT PRIANT →
RIPANT

AINPRU PUNIRA

AINPSS PISANS
SAPINS

AINPST PATINS
PINTAS

AINPTT PINTAT

AINPTU PUTAIN
TAUPIN

AINQSU NAQUIS

AINQTU NAQUIT
TAQUIN

AINRSS ARSINS

AINRST INSTAR*
RIANTS
TARINS
TRAINS
TRANSI

AINRSU NUIRAS
RUINAS
SAURIN
SURINA
UNIRAS
URINAS

AINRSV INVARS
RAVINS

AINRTT TIRANT
TRIANT

AINRTU RUINAT
TAURIN
URINAT

AINRTV RIVANT
VIRANT

AINSST SAINTS
SATINS

AINSSU USINAS

AINSTT TINTAS
TITANS

AINSTU SUINTA
USINAT

AINSTV VISANT

AINSZZ ZANZIS

AINTTT TINTAT

AINTUZ TAUZIN

AINTVV VIVANT

AINUVX NIVAUX

AIOORS ARIOSO

AIOPQU POQUAI

AIOPRS PAROIS

AIOPRT PORTAI

AIOPRV POIVRA

AIOPSS	POISSA
	POSAIS
AIOPST	OPTAIS
	PATIOS
	PATOIS
	POSAIT
	POSTAI
	TOPAIS
AIOPSU	SOUPAI
AIOPSV	PAVOIS
AIOPTT	OPTAIT
	TOPAIT
AIOPTV	PIVOTA
AIOQRU	ROQUAI
AIOQTU	TOQUAI
AIORRS	RASOIR
	ROSIRA
AIORRT	ROTIRA
AIORRU	ROUIRA
AIORRV	RAVOIR
AIORSS	ROSSAI
AIORST	RATIOS
	ROTAIS
	SIROTA
AIORSU	ROUAIS
AIORSV	AVOIRS
	SAVOIR
AIORTT	ROTAIT
AIORTU	OUTRAI
	ROUAIT
	ROUTAI
	TROUAI
AIORUV	OUVRAI
AIOSSS	ASSOIS
AIOSST	ASSOIT
	TOISAS
AIOSSV	AVISOS
AIOSTT	TOISAT
AIOSTU	TOUAIS
AIOSTV	VOTAIS
AIOSUV	VOUAIS
AIOSVY	VOYAIS
AIOTTU	TOUAIT
AIOTTV	VOTAIT
AIOTUV	VOUAIT
	VOUTAI
AIOTVV	VIVOTA
AIOTVY	VOYAIT
AIPPRS	APPRIS
AIPPRT	APPRIT
AIPPSU	APPUIS
AIPQSU	PIQUAS
AIPQTU	PIQUAT
AIPRRT	PARTIR
AIPRSS	PARSIS
	PRISAS
AIPRST	PARTIS
	PRISAT
	TAPIRS
AIPRSV	PARVIS
	PRIVAS
AIPRSX	PRAXIS
AIPRTT	PARTIT
AIPRTV	PRIVAT
AIPSSS	PISSAS
AIPSST	PASTIS
	PISSAT
	PISTAS
AIPSSU	PUISAS
AIPSTT	PISTAT
AIPSTU	PUISAT
AIPSZZ	PIZZAS
AIQRSU	RISQUA
AIQRTU	TRIQUA
AIQSSU	QUASIS
AIQSTU	TIQUAS
AIQTTU	QUITTA
	TIQUAT
AIRRSS	RASSIR
AIRRSU	SURIRA
AIRSSS	RASSIS
AIRSST	RASSIT
	STRIAS
	TRISSA
AIRSSU	RUSAIS
	SAURIS
AIRSTT	STRIAT
	TITRAS
	TRAITS
AIRSTU	RUSAIT
AIRSTV	VITRAS
AIRSUV	SUIVRA
AIRSVV	VIVRAS
AIRTTT	TITRAT
AIRTTV	VITRAT
AIRTTY	YTTRIA
AIRTUU	AUTRUI
AIRUVX	RIVAUX
	VIRAUX
AISSST	TISSAS
AISSSV	VISSAS
AISSTT	TISSAT
AISSTU	SITUAS
AISSTV	VISSAT
AISTTU	SITUAT
AISTVV	VIVATS
AITUVX	VITAUX
AJLNOS	JALONS
AJLOUX	JALOUX
AJMORS	MAJORS
AJNOPS	JAPONS
AJNOSS	JASONS
AJNOTU	JOUANT
AJNRTU	JURANT
AJNSTU	JUSANT
AJNTTU	JUTANT
AJORSU	AJOURS
AJORTU	RAJOUT
AJOSSU	SAJOUS
AJOSTU	AJOUTS
	JOUTAS
AJOTTU	JOUTAT
AJOTUX	JOUXTA
AJOUUX	JOUAUX*
AJOUXY	JOYAUX
AJRSTU	JURATS
AKKLOU	KOULAK
AKKOPS	KAPOKS
AKLNOX	KLAXON
AKLOPS	POLKAS
AKNOST	TONKAS
AKOSTY	OSTYAK
	TOKAYS
AKQRSU	QUARKS
AKSSTU	STUKAS
ALLMOS	SLALOM
ALLMSU	MULLAS
ALLNOS	ALLONS
	LLANOS
ALLNOV	VALLON
ALLNOW	WALLON
ALLOPU	POLLUA
ALLOSS	SALOLS
ALLOST	ATOLLS
ALLPRU	PLURAL
ALLSUU	ULULAS
ALLTUU	ULULAT
ALMNOR	NORMAL
ALMORU	MORULA
ALMOSU	MOULAS
ALMOTU	MOULAT
	TAMOUL
ALMPSU	PLUMAS

ALMPTU	PLUMAT
ALMSST	SMALTS
ALNOPR	PROLAN
ALNOPS	LAPONS
	NOPALS
ALNORR	LARRON
ALNORS	LORANS
	RALONS
ALNOSS	SALONS
ALNOST	TALONS
	TONALS
ALNOSV	LAVONS
	SLAVON
	VALONS
ALNOSY	LAYONS
ALNOTU	LOUANT
ALNOTV	LOVANT
	VOLANT
ALNPST	PLANTS
ALNRXY	LARYNX
ALNSTU	SULTAN
ALNTTU	LUTANT
ALNTUX	LUXANT
ALOPRS	POLARS
ALOPST	PALOTS
	POSTAL
ALOPSU	LOUPAS
ALOPSY	PLOYAS
ALOPTU	LOUPAT
ALOPTY	PLOYAT
ALORSU	LOURAS
	OURLAS
	ROULAS
ALORTU	LOURAT
	OURLAT
	ROULAT
ALOSSS	LASSOS
ALOSSU	SAOULS
	SOULAS
ALOSTT	LOTTAS*
ALOSTU	SOULAT
ALOSTV	VOLTAS
ALOSUV	LOUVAS
ALOTTV	VOLTAT
ALOTUV	LOUVAT
ALOTUW	OUTLAW
ALOUXY	LOYAUX
ALPRSU	PULSAR
ALPSSU	LAPSUS
ALRSTU	LUSTRA
	ULTRAS
ALSSTU	SALUTS
ALSSTY	STYLAS
ALSTTU	LUTTAS
ALSTTY	STYLAT
ALTTTU	LUTTAT
AMMNOS	NOMMAS
AMMNOT	NOMMAT
AMMOPS	POMMAS
AMMOPT	POMMAT
AMMORT	MARMOT
AMMOSS	SOMMAS
AMMOST	SOMMAT
AMNOPS	PAMONS
AMNOPT	TAMPON
AMNORR	MARRON
AMNORS	ARMONS
	RAMONS
	ROMANS
AMNORT	MONTRA
AMNOSS	MOSANS
AMNOST	AMONTS
	MATONS
	MONTAS
AMNOSU	SAUMON
AMNOTT	MONTAT
	TOMANT
AMNPTY	TYMPAN
AMNRTU	MURANT
	NATRUM
AMNSTU	MUSANT
AMNTTU	MUTANT
AMOOPY	POMOYA*
AMOPPS	POMPAS
AMOPPT	POMPAT
AMOPRR	ROMPRA
AMOPRT	TROMPA
AMOPST	SAMPOT
AMOQSU	MOQUAS
AMOQTU	MOQUAT
AMORRU	MOURRA
AMORSU	AMOURS
AMORUV	MOUVRA
AMORUX	MORAUX
AMOSSU	MOUSSA
AMOSTT	MOTTAS
AMOSTU	MATOUS
AMOTTT	MOTTAT
AMOTUZ	MAZOUT
AMPRST	TRAMPS
AMRRTY	MARTYR
AMRSST	SMARTS
AMRUUX	MURAUX
ANNOPS	PANONS
ANNOPT	PONANT
ANNORT	NATRON
	ORNANT
ANNOSS	SONNAS
ANNOST	SANTON
	SONNAT
	TONNAS
ANNOTT	NOTANT
	TONNAT
ANNOTU	NOUANT
ANNOTV	NOVANT
ANNOTY	NOYANT
ANNSSU	SUNNAS
ANOPRS	PARONS
	PRONAS
	RAPONS
ANOPRT	PATRON
	PRONAT
	TARPON
ANOPSS	SAPONS
ANOPST	PONTAS
	POSANT
	TAPONS
ANOPSV	PAVONS
ANOPSY	PAYONS
ANOPTT	OPTANT
	PONTAT
	TOPANT
ANORRV	VARRON
ANORSS	RASONS
	SONARS
ANORST	ORANTS
	RATONS
	TARONS
	TRONAS
ANORSU	AURONS
	ROUANS
ANORSY	RAYONS
ANORTT	ROTANT
	TRONAT
ANORTU	AURONT
	ROUANT
	TOURNA
ANORTY	TRAYON
ANOSSV	SAVONS
ANOSSX	SAXONS
ANOSSY	SAYONS
ANOSTT	TATONS
ANOSTX	TAXONS

ANOTTT	TANTOT
ANOTTU	TOUANT
ANOTTV	VOTANT
ANOTUV	VOUANT
ANOTVY	VOYANT
ANOUXY	NOYAUX
ANOUXZ	ZONAUX
ANPSSU	PANSUS
ANPSTU	PUANTS
ANRSTU	RUSANT
ANRSTY	TYRANS
ANSTTU	TUANTS
AOOPPS	OPPOSA
AOORRY	ARROYO
AOOTZZ	ZOZOTA
AOPPRT	APPORT
AOPPST	STOPPA
AOPQSU	POQUAS
AOPQTU	POQUAT
AOPRRU	POURRA
AOPRST	PORTAS
AOPRTT	PORTAT
AOPRUV	PROUVA
AOPSST	POSTAS
AOPSSU	POUSSA
	SOUPAS
AOPSTT	POSTAT
AOPSTU	SOUPAT
	STOUPA
AOPSTV	PAVOTS
AOQRSU	ROQUAS
AOQRTU	QUARTO
	ROQUAT
	TROQUA
AOQSTU	QUOTAS
	TOQUAS
AOQSUU	SOUQUA
AOQTTU	TOQUAT
AORRTY	ROTARY
AORSSS	ROSSAS
AORSST	ROSSAT
AORSTT	STATOR
	TAROTS
AORSTU	ATOURS
	OUTRAS
	RAOUTS
	ROUTAS
	SOUTRA
	TROUAS
AORSTX	STORAX
AORSUV	OUVRAS
AORTTT	TROTTA
AORTTU	OUTRAT
	ROUTAT
	TROUAT
AORTUU	AUTOUR
AORTUV	OUVRAT
	TROUVA
AORTUY	YAOURT
AORUXY	ROYAUX
AOSSTT	TOASTS
AOSSTU	TOUSSA
AOSTTU	ATOUTS
	TATOUS
AOSTUV	VOUTAS
AOSUZZ	ZAZOUS
AOTTUV	VOUTAT
AOTTUX	TOTAUX
AOTTUY	TUTOYA
APRSST	SPARTS
	SPRATS
APRSTU	TRAPUS
APRSUU	USURPA
APSTTU	PATTUS
AQRSTU	QUARTS
AQRTUU	TRUQUA
AQRTUZ	QUARTZ
AQSTUU	STUQUA
ARRUUX	RURAUX
ARSSST	STRASS
ARSSTU	SUTRAS
ARSTTU	TRUSTA
ARSTUU	SUTURA
ARSTXY	STYRAX
ASSTUU	TUSSAU*
ASTTTU	STATUT
ATUUXY	TUYAUX
BBCEEU	CUBEBE*
BBEEMO	BOMBEE
BBEIIM	IMBIBE
BBEILO	BILOBE
BBEILS	BIBLES
BBEINO	BOBINE
BBEIRS	BIRBES
	BREBIS
	BRIBES
BBELSU	BULBES
BBEMOR	BOMBER
BBEMOS	BOMBES
BBEMOZ	BOMBEZ
BBEORU	BOURBE
BBGINO	GIBBON
BBHOSY	HOBBYS*
BBIIIR	BIRIBI
BBIOTU	TOUBIB
BBMOXY	BOMBYX
BBNNOO	BONBON
BBNOSU	BUBONS
BBOOUU	BOUBOU
BCCEEH	CHEBEC
BCCINU	BUCCIN
BCDLOU	BOLDUC
BCEEEH	BECHEE
BCEEER	BERCEE
BCEEHK	CHEBEK
BCEEHR	BECHER
	BRECHE
BCEEHS	BECHES
BCEEHU	BUCHEE
BCEEHZ	BECHEZ
BCEEOT	BECOTE
BCEEOU	ECOBUE
BCEERR	BERCER
BCEERS	BERCES
	REBECS
BCEERZ	BERCEZ
BCEESU	CUBEES
BCEHIR	BICHER
BCEHIS	BICHES
BCEHIZ	BICHEZ
BCEHOR	BROCHE
BCEHOS	BOCHES
BCEHOU	BOUCHE
BCEHRU	BRUCHE
	BUCHER
BCEHSU	BUCHES
BCEHUZ	BUCHEZ
BCEILR	CRIBLE
BCEILS	CIBLES
BCEINU	INCUBE
BCEIPS	BICEPS
BCEIRS	SCRIBE
BCEIUZ	CUBIEZ
BCELMO	COMBLE
BCELOU	BOUCLE
BCEMOS	COMBES
BCENTU	CUBENT
BCEORU	COURBE
BCEOST	BECOTS
BCHINO	BICHON
BCIKRS	BRICKS
BCILPU	PUBLIC
BCINOR	CORBIN

BCIOST	BICOTS
BCLOOS	COBOLS
BCLOSU	BLOCUS
BCNOSU	CUBONS
BCOOST	BOSCOT
BCOOTU	BOUCOT
BCORSU	OBSCUR
BDEEIL	DEBILE
BDEEIN	DEBINE
BDEEIP	BIPEDE
BDEEIR	BRIDEE
BDEEIT	DEBITE
BDEEJL	DJEBEL
BDEELN	BLENDE
BDEENO	BONDEE
BDEEOR	BORDEE
	BRODEE
	DEROBE
BDEEOS	OBSEDE
BDEEOU	BOUDEE
BDEEST	DEBETS
BDEETU	DEBUTE
BDEFII	BIFIDE
BDEGIR	BRIDGE
BDEGTU	BUDGET
BDEIIM	IBIDEM
BDEIIP	BIPIED
BDEILN	BLINDE
BDEILO	BOLIDE
BDEILU	BIDULE
BDEINT	BIDENT
BDEIOV	BOVIDE*
BDEIRR	BRIDER
BDEIRS	BRIDES
	DEBRIS
BDEIRZ	BRIDEZ
BDEIST	BIDETS
	DEBITS
BDELNO	BLONDE
BDELOR	BORDEL
BDELOU	DOUBLE
BDENOR	REBOND
BDENOS	BEDONS
	BONDES
BDEORR	BORDER
	BRODER
	REBORD
BDEORS	BORDES
	BRODES
BDEORU	BOUDER
	BOURDE
BDEORZ	BORDEZ
	BRODEZ
BDEOSU	BOUDES
BDEOTU	DEBOUT
BDEOUZ	BOUDEZ
BDERSY	DERBYS
BDESTU	DEBUTS
BDIILO	LIBIDO
BDILNO	BLONDI
BDINOR	BONDIR
	BRIDON
BDINOS	BIDONS
	BONDIS
BDINOT	BONDIT
BDINOU	BOUDIN
BDIORT	BITORD
BDKLOO	KOBOLD
BDLNOS	BLONDS
BEEEGR	GERBEE
BEEEHP	EPHEBE
BEEEHT	HEBETE
BEEELM	EMBLEE
BEEELR	BRELEE
BEEEMT	EMBETE
BEEEMU	EMBUEE
BEEENR	BERNEE
BEEENS	EBENES
BEEEOR	OBEREE
BEEERZ	BEEREZ
	ZEBREE
BEEFFI	BIFFEE
BEEFLU	ELBEUF
BEEGIL	BIGLEE
BEEGIN	BEIGNE
BEEGIS	BEIGES
BEEGLS	BELGES
	GLEBES
BEEGLU	BEUGLE
BEEGNO	ENGOBE
BEEGOS	GOBEES
BEEGOU	BOUGEE
BEEGRR	BERGER
	GERBER
BEEGRS	BERGES
	GERBES
	GREBES
BEEGRU	GUEBRE
BEEGRZ	GERBEZ
BEEGSU	BEGUES
BEEHIL	HIEBLE
BEEHIX	EXHIBE
BEEHMO	BOHEME
BEEHRS	HERBES
BEEHRU	HEBREU
	HERBUE
BEEIIL	BILIEE
BEEILL	BIELLE
BEEILR	BELIER
	LIBERE
BEEILS	BILEES
	SEBILE
BEEILU	BLEUIE
BEEILZ	BELIEZ
BEEIMN	NIMBEE
BEEIMR	BRIMEE
BEEINS	BENIES
	BINEES
BEEINT	BENITE
BEEIOS	BOISEE
	OBEIES*
BEEIRS	BIERES
	BRISEE
	IBERES
BEEISS	BISEES
	BISSEE
BEEIST	BETISE
BEELLS	BELLES
	LEBELS
BEELMS	BLEMES
	SEMBLE
BEELMU	MEUBLE
BEELNT	BELENT
BEELOS	BOLEES
	LOBEES
BEELOT	BELOTE
BEELOU	BOULEE*
	EBOULE
BEELPS	PLEBES
BEELRR	BRELER
BEELRS	BLESER
	BRELES
BEELRU	BERLUE
	BRULEE
	BURELE
BEELRZ	BRELEZ
BEELSS	BLESES
	BLESSE
BEELST	BETELS
BEELSU	BLEUES
BEELSY	YEBLES
BEELSZ	BLESEZ
BEELTT	BLETTE

BEELTU	BLEUET
	BLEUTE
	BLUTEE
BEELTY	BETYLE
BEEMMR	MEMBRE
BEEMOR	OMBREE
BEEMOT	TOMBEE
BEEMRS	BERMES
	BREMES
BEEMRU	EMBUER
BEEMSU	EMBUES
BEEMUZ	EMBUEZ
BEENNS	BENNES
BEENOR	BORNEE
	ENROBE
BEENOS	SNOBEE
BEENRR	BERNER
BEENRS	BERNES
BEENRU	EBURNE
BEENRZ	BERNEZ
BEENST	BENETS
BEENTU	BUTENE
BEEORR	OBERER
BEEORS	BOREES
	OBERES
	ROBEES
BEEORT	TEORBE
BEEORU	EBROUE
BEEORY	BROYEE
BEEORZ	OBEREZ
BEEOSS	BOSSEE
	OBESES
BEEOST	BOETES
BEEOSU	BOUEES
BEEOSX	BOXEES
BEEOTT	BOETTE
	BOTTEE
BEEOTU	BOUTEE
	EBOUTE
BEEPRU	PUBERE
BEEQTU	BEQUET
BEERRU	BEURRE
BEERRZ	ZEBRER
BEERSS	SERBES
BEERST	BERETS
BEERSV	BREVES
	VERBES
BEERSW	WEBERS
BEERSZ	ZEBRES
BEERTT	BRETTE
BEERTU	REBUTE
BEERTV	BREVET
BEERZZ	ZEBREZ
BEESST	BESETS
BEESTT	BETTES
BEESTU	BUTEES
	TUBEES
BEESUV	BEVUES
	BUVEES
BEETTU	BUTTEE
BEFFIR	BIFFER
BEFFIS	BIFFES
BEFFIZ	BIFFEZ
BEFFLU	BLUFFE
	BUFFLE
BEFFOU	BOUFFE
BEFFTU	BUFFET
BEFILU	FIBULE
BEFIRS	FIBRES
BEFORU	FOURBE
BEFOSU	BOEUFS
BEGGIO	BOGGIE
BEGHIO	BOGHEI
BEGIIR	GIBIER
BEGILO	OBLIGE
BEGILR	BIGLER
BEGILS	BIGLES
BEGILZ	BIGLEZ
BEGINU	BEGUIN
BEGIOS	BOGIES
	GOBIES
BEGIOT	BIGOTE
BEGIOU	BOUGIE
BEGIOZ	GOBIEZ
BEGIRU	BRIGUE
	GUIBRE
BEGIST	GIBETS
BEGISU	BIGUES
BEGLOS	GLOBES
BEGLSU	BUGLES
	BULGES
BEGMSU	BEGUMS
BEGNOR	BORGNE
BEGNOT	GOBENT
BEGORU	BOUGER
	BOUGRE
	GOBEUR
BEGOSU	BOGUES
	BOUGES
BEGOTU	BOGUET
BEGOUZ	BOUGEZ
BEHIIN	INHIBE
BEHIOP	PHOBIE
BEHLMU	HUMBLE
BEHMOR	HOMBRE
	RHOMBE
BEHRSU	HERBUS
BEIILS	BILIES
BEIILZ	BILIEZ
BEIINZ	BINIEZ
BEIIRS	IBERIS
BEIIST	STIBIE
BEIISZ	BISIEZ
BEIJLU	JUBILE
BEILLR	BRILLE
BEILLS	BILLES
BEILLT	BILLET
BEILMO	MOBILE
BEILMR	BLEMIR
BEILMS	BLEMIS
	LIMBES
BEILMT	BLEMIT
BEILNT	BILENT
BEILNU	NUBILE
BEILNY	LIBYEN
BEILOR	BOLIER
BEILOU	EBLOUI
	OUBLIE
BEILOZ	LOBIEZ
BEILPU	PUBLIE
BEILRS	LIBERS
	LIBRES
BEILRU	BLEUIR
BEILSS	BISSEL
BEILSU	BLEUIS
	LUBIES
BEILTT	BLETTI
BEILTU	BLEUIT
BEIMNO	BINOME
BEIMNR	NIMBER
BEIMNS	NIMBES
BEIMNZ	NIMBEZ
BEIMOZ	ZOMBIE
BEIMRR	BRIMER
BEIMRS	BRIMES
BEIMRT	TIMBRE
BEIMRU	ERBIUM
BEIMRZ	BRIMEZ
BEIMSU	IMBUES
BEIMTU	BITUME
BEINNS	BENINS
BEINNT	BINENT
BEINOR	BORINE

BEINOS	BEIONS
	BESOIN
BEINOT	BENOIT
	BONITE
BEINOV	BOVINE
BEINPU	PUBIEN
BEINRU	BRUINE
	BRUNIE
	BURINE
	RUBINE
BEINST	BENITS
	BISENT
BEINTU	BUTINE
BEIORS	BOIRES
	BOISER
	BROIES
	OBIERS
BEIORT	BOITER
	ORBITE
	RIBOTE
BEIORV	OBVIER
BEIORZ	BOIREZ
	ROBIEZ
BEIOSS	BOISES
BEIOST	BOITES
BEIOSV	BOIVES
	OBVIES
BEIOSZ	BOISEZ
BEIOTT	BOITTE
BEIOTZ	BOITEZ
BEIOVZ	OBVIEZ
BEIOXZ	BOXIEZ
BEIQRU	BRIQUE
BEIQSU	BIQUES
	BISQUE
BEIQTU	BIQUET
BEIRRS	BRISER
BEIRRU	BRUIRE
BEIRRV	VIBRER
BEIRSS	BISSER
	BRISES
	SBIRES
BEIRST	BISTRE
BEIRSU	BRUIES
	BUIRES
BEIRSV	VIBRES
BEIRSZ	BRISEZ
	BRIZES
BEIRTT	BITTER
BEIRTU	BITURE
	BRUITE
BEIRVZ	VIBREZ
BEISSS	BISSES
BEISST	BISETS
BEISSU	SUBIES
BEISSZ	BISSEZ
BEISTT	BITTES
BEISTU	SUBITE
BEITTU	TITUBE
BEITUZ	BIZUTE
	BUTIEZ
	TUBIEZ
BEIUVZ	BUVIEZ
BEJJUU	JUJUBE
BEJOST	OBJETS
BEKNRU	BUNKER
BEKOUZ	OUZBEK
BEKSUZ	UZBEKS
BELLOT	BELLOT
BELLOU	BOULLE
	LOBULE
BELLSU	BULLES
BELMOP	PLOMBE
BELMOS	BEMOLS
	LOMBES
	OMBLES
BELNOS	BELONS
	NOBLES
BELNOT	LOBENT
BELNOZ	BENZOL
BELOOR	BOLERO
BELOOS	OBOLES
BELOQU	BLOQUE
BELORU	BOULER
	ROUBLE
BELOST	BOLETS
BELOSU	BLOUSE
	BOULES
BELOTU	BOULET
BELOUZ	BOULEZ
BELRRU	BRULER
BELRSU	BRULES
BELRSY	BERYLS
BELRTU	BLUTER
	TRUBLE
BELRUZ	BRULEZ
BELSTU	BLUETS
	BLUTES
BELSUU	SUBULE
BELTUU	TUBULE
BELTUZ	BLUTEZ
BEMMRU	MEMBRU
BEMNOR	NOMBRE
BEMORR	OMBRER
BEMORS	BROMES
	OMBRES
	SOMBRE
BEMORT	TOMBER
	TROMBE
BEMORZ	OMBREZ
BEMOST	TOMBES
BEMOTU	BUTOME
	EMBOUT
BEMOTZ	TOMBEZ
BEMRRU	BRUMER
BEMRSU	BRUMES
BEMSSU	SEBUMS
BENNOS	BONNES
BENNOT	BONNET
BENORR	BORNER
BENORS	BORNES
	SNOBER
BENORT	BRETON
	ROBENT
BENORY	BRYONE
BENORZ	BORNEZ
	BRONZE
BENOSS	BESSON
	SNOBES
BENOST	BETONS
	BONTES
BENOSZ	BONZES
	SNOBEZ
BENOTU	OBTENU
BENOTX	BOXENT
BENOUV	OBVENU
BENRSU	BRUNES
BENRTU	BRUNET
	BURENT
BENTTU	BUTENT
	TUBENT
BEOORS	OROBES
BEOPRS	PROBES
BEORRS	ROBRES
BEORRU	BORURE
	BOURRE
BEORRY	BROYER
BEORSS	BOSSER
	BROSSE
	SOBRES
	SORBES
BEORST	REBOTS
	SORBET

BEORSU	BOURSE
BEORSV	OBVERS
BEORSX	BOXERS
BEORSY	BROYES
BEORTT	BOTTER
BEORTU	BOUTER
	BOUTRE
	BROUET
	BROUTE
	OBTURE
	TOURBE
BEORUU	BOUEUR
BEORUX	BOXEUR
BEORYZ	BROYEZ
BEOSSS	BOSSES
BEOSSU	BOSSUE
	BOUSES
BEOSSZ	BOSSEZ
BEOSTT	BOTTES
BEOSTU	BOUTES
	OBTUSE
BEOTTZ	BOTTEZ
BEOTUV	BOUVET
BEOTUZ	BOUTEZ
BEOUUX	BOUEUX
BEQSUU	BUSQUE
BERSTU	BRUTES
	REBUTS
BERTTU	BUTTER
BERTUU	BUTEUR
BERUUV	BUVEUR
BESSSU	BUSSES
BESSTU	BUSTES
BESTTU	BUTTES
BETTUZ	BUTTEZ
BFFIIN	BIFFIN
BFFIOU	BOUFFI
BFFLSU	BLUFFS
BFIORS	ROSBIF
BFIORU	FOURBI
BFIOSU	BOUIFS
BFORUU	FOURBU
BGIIRS	GRISBI
BGIORS	BIGORS
BGIORU	GOURBI
BGIOST	BIGOTS
BGLNOO	OBLONG
BGNOOS	GOBONS
BGNOOU	BOUGON
BGORSU	BOURGS
	BURGOS

BGRSUY	RUGBYS
BHIOUX	HIBOUX
BHITUZ	BIZUTH
BHLOTU	HUBLOT
BHMRSU	RHUMBS
BIIIKN	BIKINI
BIINOU	BINIOU
BIIRSS	BRISIS
BIJOUX	BIJOUX
BILLNO	BILLON
BILLOT	BILLOT
BILNOR	RIBLON
BILNOS	BILONS
BILNOU	BOULIN
BILOSU	OUBLIS
BILOTT	BLOTTI
BILRSU	BRULIS
BILSTU	SUBTIL
BIMNSU	NIMBUS
BIMORV	VROMBI
BINNOS	BINONS
BINORS	BORINS
	ROBINS
BINOSS	BISONS
BINOST	OBTINS
BINOSU	BOUSIN
BINOSV	BOVINS
	OBVINS
BINOTT	OBTINT
BINOTV	OBVINT
BINRRU	BRUNIR
BINRSU	BRUNIS
	BURINS
BINRTU	BRUNIT
	TRIBUN
	TURBIN
BINSTU	BUTINS
BIOOSV	OVIBOS
BIORST	BISTRO
BIORTU	BUTOIR
BIOSTU	SUBITO
BIRSTU	BRUITS
	TRIBUS
BIRTTU	TRIBUT
BISSTU	SUBITS
BISTUZ	BIZUTS
BJMOSU	JUMBOS
BKOORS	BROOKS
BLMOOS	BLOOMS
BLMOPS	PLOMBS
BLNOOS	LOBONS

BLNOOU	BOULON
BLOOTU	BOULOT
BLORTU	BRULOT
BNOORS	ROBONS
BNOOSS	BOSONS
BNOOST	BOSTON
BNOOSX	BOXONS
BNOOTU	BOUTON
BNORSU	BURONS
BNOSTU	BUTONS
	TUBONS
BNOSUV	BUVONS
BOORST	ROBOTS
BORRUU	BOURRU
BORSTU	BUTORS
BORTTU	TURBOT
BOSSSU	BOSSUS
BRSUUU	URUBUS
BSSSUY	BYSSUS
CCCOXY	COCCYX
CCDEIL	DECLIC
CCEEHH	CHECHE
CCEEHO	COCHEE
CCEEHR	CRECHE
CCEEHS	ECHECS
CCEEIT	CECITE
CCEELR	CERCLE
CCEEOR	ECORCE
CCEERS	CERCES
CCEHHI	CHICHE
CCEHIL	CHICLE
	CLICHE
CCEHLO	CLOCHE
CCEHOR	COCHER
	CROCHE
CCEHOS	COCHES
CCEHOT	COCHET
CCEHOU	COUCHE
CCEHOZ	COCHEZ
CCEHRU	CRUCHE
CCEIIL	CILICE
CCEIIR	RICCIE
CCEILN	CINCLE
CCEIMO	COMICE
CCEINO	COINCE
CCEIOR	CICERO
	OCCIRE
CCEIOS	OCCISE
CCEIOT	COTICE
CCEKOR	COCKER
CCELOU	OCCLUE

CCELRS	CLERCS
CCELSY	CYCLES
CCENOU	CONCUE
CCEOPU	OCCUPE
CCEORS	ESCROC
CCEOSU	COCUES
CCESSU	SUCCES
CCHHII	CHICHI
CCHINO	CHICON
CCHIOT	CHICOT
CCHNOO	COCHON
CCHOOS	HOCCOS
CCHORU	CROCHU
CCHOST	SCOTCH
CCIIRR	CRICRI
CCIKLS	CLICKS
CCINOS	CONCIS
CCINSU	SUCCIN
CCLNOU	CONCLU
CCLOSU	OCCLUS
CCLOTU	OCCLUT
CCNOOO	COCOON
CCNOOS	COCONS
CCNOSU	CONCUS
CCNOTU	CONCUT
CCOOOR	ROCOCO
CCOOUU	COUCOU
CCORSU	CROCUS
CDDEEE	DECEDE
CDDEEI	DECIDE
CDDEEO	DECODE
CDDEOU	DECOUD
CDEEEL	DECELE
CDEEEP	DEPECE
CDEEER	RECEDE
CDEEES	CEDEES
CDEEEX	EXCEDE
CDEEHR	DRECHE
CDEEHS	DECHES
CDEEHT	DECHET
CDEEHU	DECHUE
CDEEII	ECIDIE
CDEEIL	DECILE
	DELICE
CDEEIM	DECIME
CDEEIR	DECRIE
CDEEIT	DICTEE
	EDICTE
CDEEIZ	CEDIEZ
CDEELU	CEDULE
CDEENR	CENDRE
CDEENT	CEDENT
	DECENT
CDEEOR	CORDEE
	DECORE
CDEEOS	CODEES
CDEEOT	DECOTE
CDEEOU	COUDEE
CDEERS	CEDRES
CDEERT	DECRET
CDEERU	DECRUE
CDEESU	DECUES
CDEEUV	DECUVE
CDEFNO	FECOND
CDEHOU	DOUCHE
CDEHSU	DECHUS
	DUCHES
CDEHTU	DECHUT
CDEIIN	INDICE
CDEILN	DECLIN
CDEILO	DOCILE
CDEILU	LUCIDE
CDEIMO	DECIMO
CDEINS	SCINDE
CDEIOS	DECOIS
CDEIOT	DECOIT
CDEIOU	DOUCIE
CDEIOZ	CODIEZ
CDEIPU	CUPIDE
CDEIRS	CIDRES
	DECRIS
CDEIRT	CREDIT
	DECRIT
	DICTER
	DIRECT
CDEIRU	DURCIE
CDEIST	DICTES
CDEITZ	DICTEZ
CDEKOR	DOCKER
CDELOS	DECLOS
	DELCOS
CDELOT	DECLOT*
CDEMOS	MEDOCS
CDENOS	CEDONS
	SECOND
CDENOT	CODENT
CDEORR	CORDER
	RECORD
CDEORS	CORDES
	DECORS
CDEORU	COUDER
	COUDRE →
	RECOUD
CDEORZ	CORDEZ
CDEOST	DOCTES
CDEOSU	COUDES
	DOUCES
	ESCUDO
CDEOUZ	COUDEZ
CDERSU	DECRUS
CDERTU	DECRUT
CDIINS	INDICS
CDIIOT	OCTIDI
CDILOS	DOLICS
CDINOT	DICTON
CDINOU	DOUCIN
CDINSY	SYNDIC
CDIORU	DOUCIR
CDIOSU	DOUCIS
CDIOTU	DOUCIT
CDIRRU	DURCIR
CDIRSU	DURCIS
CDIRTU	DURCIT
CDLOOS	CLODOS
CDNOOR	CONDOR
	CORDON
CDNOOS	CODONS
CEEEGR	GERCEE
CEEEHL	LECHEE
CEEEHM	EMECHE
	MECHEE
CEEEHP	PECHEE
CEEEHS	SECHEE
CEEEHV	EVECHE
CEEEIM	ECIMEE
CEEEIP	EPICEE
CEEEIR	ECRIEE
CEEEJT	EJECTE
CEEELR	RECELE
CEEELS	CELEES
CEEELU	ECULEE
CEEEMN	MECENE
CEEEMR	ECREME
CEEEMU	ECUMEE
CEEENO	EOCENE
CEEENR	CERNEE
	CRENEE
	ENCREE
CEEENS	CENSEE
CEEEOP	ECOPEE
CEEEPR	CREPEE
	PERCEE
	RECEPE

CEEEPS	CEPEES
	ESPECE
CEEEPU	EPUCEE
CEEERR	RECREE
CEEERS	CREEES
CEEERT	CRETEE
	ECRETE
	TERCEE
CEEERU	ECUREE
CEEERV	CREVEE
CEEERX	EXECRE
	EXERCE
CEEESS	CESSEE
CEEFHI	FICHEE
CEEFHL	FLECHE
CEEFIL	FICELE
CEEFLU	FECULE
CEEFNN	FENNEC
CEEFNO	FONCEE
CEEFOR	FEROCE
	FORCEE
CEEGIN	CEIGNE
CEEGIR	CIERGE
CEEGLR	CLERGE
CEEGNO	COGNEE
	NEGOCE
CEEGRR	GERCER
CEEGRS	GERCES
CEEGRZ	GERCEZ
CEEHHO	HOCHEE
CEEHHR	HERCHE
CEEHHU	HUCHEE
CEEHIL	HELICE
	LICHEE
CEEHIN	CHINEE
	ECHINE
	NICHEE
CEEHIO	ECHOIE*
CEEHIP	CHIPEE
CEEHIR	CHEIRE
	CHERIE
CEEHIS	CHIEES
	SEICHE
CEEHJU	JUCHEE
CEEHLM	CHELEM
CEEHLR	LECHER
CEEHLS	LECHES
CEEHLV	VELCHE
CEEHLZ	LECHEZ
CEEHMO	CHOMEE
CEEHMR	CHREME →
	MECHER
CEEHMS	MECHES
	SCHEME
CEEHMZ	MECHEZ
CEEHNP	PENCHE
CEEHNS	CHENES
CEEHNT	CHENET
CEEHNU	CHENUE
CEEHOP	CHOPEE
	POCHEE
CEEHOR	CHOREE
CEEHOU	ECHOUE
CEEHOY	CHOYEE
CEEHPR	PECHER
	PERCHE
	PRECHE
CEEHPS	PECHES
	SPEECH
CEEHPZ	PECHEZ
CEEHQU	CHEQUE
CEEHRS	CHERES
	RECHES
	SECHER
CEEHRT	CHERTE
CEEHRU	RUCHEE
CEEHRV	CHEVRE
CEEHSS	ESCHES
	SECHES
CEEHSU	ECHUES
CEEHSZ	SECHEZ
CEEHTU	CHUTEE
CEEHTV	CHEVET
CEEHUV	CHEVEU
CEEIIL	CILIEE
CEEIIV	VICIEE
CEEILL	CILLEE
	ICELLE
CEEILR	CELERI
CEEILS	CISELE
	SIECLE
CEEILU	ECUEIL
CEEILV	CLIVEE
CEEILZ	CELIEZ
CEEIMN	EMINCE
CEEIMR	ECIMER
CEEIMS	ECIMES
CEEIMZ	ECIMEZ
CEEINP	EPINCE
	PINCEE
CEEINR	INCREE
	RINCEE
CEEINS	NIECES
	SCIENE
CEEINT	CEINTE
CEEINV	EVINCE
CEEIOP	COPIEE
CEEIOZ	ZOECIE
CEEIPR	CREPIE
	EPICER
CEEIPS	EPICES
	PIECES
CEEIPX	EXCIPE
CEEIPZ	EPICEZ
CEEIRR	ECRIER
	ECRIRE
	RECRIE
CEEIRS	CERISE
	CIREES
	CRIEES
	ECRIES
CEEIRT	CERITE
	ECRITE
	ICTERE
	RECITE
	TIERCE
CEEIRU	ECURIE
CEEIRV	ECRIVE
CEEIRZ	CREIEZ
	ECRIEZ
CEEISS	SCIEES
CEEIST	CITEES
CEEISX	EXCISE
CEEITU	CUITEE
CEEITX	EXCITE
CEEJST	EJECTS
CEEKLT	TECKEL
CEELLO	COLLEE
	OCELLE
CEELLS	CELLES
	SCELLE
CEELNT	CELENT
CEELNU	NUCLEE
CEELNY	LYCEEN
	LYCENE
CEELOP	ECLOPE
CEELOR	COLERE
	CREOLE
	ECLORE
	RECOLE
CEELOS	ECLOSE
	ECOLES
CEELOT	COTELE

CEELOU	CLOUEE
	COULEE
	ECOULE
CEELOV	VELOCE
CEELPU	PECULE
CEELRS	RECELS
CEELRU	ECULER
	RECULE
	ULCERE
CEELST	CELTES
	SELECT
CEELSU	CULEES
	ECLUSE
	ECULES
CEELSY	LYCEES
CEELUV	CUVELE
CEELUX	EXCLUE
CEELUZ	ECULEZ
CEEMNT	CEMENT
CEEMOT	COMETE
CEEMRR	CREMER
CEEMRS	CREMES
CEEMRU	ECUMER
CEEMRZ	CREMEZ
CEEMSU	ECUMES
CEEMUZ	ECUMEZ
CEENNO	ENONCE
CEENNS	ENCENS
CEENOP	PONCEE
CEENOR	COREEN
	CORNEE
	ECORNE
	ENCORE
CEENOT	CETONE
	CONTEE
CEENPT	PECTEN
CEENRR	CERNER
	CRENER
	ENCRER
CEENRS	CERNES
	CRENES
	ENCRES
CEENRT	CENTRE
	CREENT
	RECENT
	TENREC
CEENRU	CENURE
CEENRZ	CERNEZ
	CRENEZ
	ENCREZ
CEENSS	CENSES →
	SCENES
CEENUV	ENCUVE
CEEOPR	ECOPER
	PECORE
CEEOPS	ECOPES
CEEOPU	COUPEE
CEEOPZ	ECOPEZ
CEEORS	CORSEE
	OCREES
CEEORU	ECROUE
CEEORV	CORVEE
CEEOSS	ECOSSE
CEEOST	COTEES
CEEOSU	SECOUE
CEEOTU	COUTEE
	ECOUTE
CEEOTX	EXOCET
CEEOUV	COUVEE
CEEPQU	PECQUE
CEEPRR	CREPER
	PERCER
CEEPRS	CREPES
	PERCES
CEEPRU	CREPUE
	EPUCER
	PERCUE
CEEPRZ	CREPEZ
	PERCEZ
CEEPSU	EPUCES
CEEPTY	ECTYPE
CEEPUZ	EPUCEZ
CEERRT	TERCER
CEERRU	ECURER
	RECRUE
	RECURE
CEERRV	CREVER
CEERSS	CESSER
CEERST	CERTES
	CRETES
	SECRET
	TERCES
CEERSU	CERUSE
	CESURE
	CREUSE
	CUREES
	ECRUES
	ECURES
	RECUES
	RECUSE
	SUCREE
CEERSV	CREVES
CEERTT	TERCET
CEERTU	CURETE
	ERUCTE
CEERTZ	TERCEZ
CEERUV	REVECU
CEERUY	ECUYER
CEERUZ	ECUREZ
CEERVZ	CREVEZ
CEESSS	CESSES
CEESST	CESTES
	SECTES
CEESSU	SUCEES
CEESSV	VESCES
CEESSZ	CESSEZ
CEESUV	CUVEES
	VECUES
CEESUX	EXCUSE
CEFFHI	CHIFFE
CEFFIO	COIFFE
	OFFICE
CEFFOR	COFFRE
CEFHIL	FLECHI
CEFHIR	CHERIF
	FICHER
	FRICHE
CEFHIS	FICHES
CEFHIT	CHETIF
CEFHIU	FICHUE
CEFHIZ	FICHEZ
CEFHLO	FLOCHE
CEFINO	CONFIE
CEFINT	INFECT
CEFIRS	RECIFS
CEFNOR	CONFER
	FONCER
	FRONCE
CEFNOS	FONCES
CEFNOZ	FONCEZ
CEFORR	FORCER
CEFORS	FORCES
CEFORZ	FORCEZ
CEGILN	CINGLE
	CLIGNE
CEGILR	GICLER
CEGILS	GICLES
CEGILZ	GICLEZ
CEGINR	GRINCE
CEGIOT	COGITE
CEGISU	CIGUES
CEGKOS	GECKOS
CEGNOR	COGNER →

	CONGRE
CEGNOS	COGNES
	CONGES
CEGNOZ	COGNEZ
CEGNSY	CYGNES
CEGORU	COURGE
CEHHIK	CHEIKH
CEHHOR	HOCHER
CEHHOS	HOCHES
CEHHOT	HOCHET
CEHHOZ	HOCHEZ
CEHHRU	HUCHER
CEHHSU	HUCHES
CEHHUZ	HUCHEZ
CEHIIM	CHIMIE
CEHIIP	CHIPIE
CEHIIT	CHIITE
CEHIIZ	CHIIEZ
CEHILN	CHENIL
	LICHEN
CEHILR	LICHER
CEHILS	LICHES
CEHILT	LETCHI
CEHILZ	LICHEZ
CEHIMN	CHEMIN
CEHIMO	MIOCHE
CEHIMS	MICHES
CEHINR	CHINER
	NICHER
CEHINS	CHIENS
	CHINES
	NICHES
CEHINT	CHIENT
	NICHET
CEHINZ	CHINEZ
	NICHEZ
CEHIOP	PIOCHE
CEHIOR	ECHOIR
CEHIOS	CHOIES
CEHIOT	ECHOIT
CEHIPR	CHIPER
CEHIPS	CHIPES
CEHIPT	PICHET
CEHIPZ	CHIPEZ
CEHIQU	CHIQUE
	QUICHE
CEHIRR	CHERIR
	CIRRHE
CEHIRS	CHERIS
	RICHES
CEHIRT	CHERIT →
	TRICHE
CEHIRU	CHIURE
CEHJNO	JONCHE
CEHJRU	JUCHER
CEHJSU	JUCHES
CEHJUZ	JUCHEZ
CEHKOS	CHOKES
CEHKOY	HOCKEY
CEHKST	KETCHS
	SKETCH
CEHLNY	LYNCHE
CEHLOR	CHLORE
CEHLOS	LOCHES
	SCHEOL
CEHLOU	LOUCHE
CEHLSW	WELSCH
CEHLSY	CHYLES
CEHMOR	CHOMER
	CHROME
CEHMOS	CHOMES
	MOCHES
CEHMOU	MOUCHE
CEHMOZ	CHOMEZ
CEHMSY	CHYMES
CEHNOR	NOCHER
CEHNSU	CHENUS
CEHOPP	CHOPPE
CEHOPR	CHOPER
	POCHER
	PORCHE
	PROCHE
CEHOPS	CHOPES
	POCHES
CEHOPZ	CHOPEZ
	POCHEZ
CEHOQU	CHOQUE
CEHORR	ROCHER
CEHORS	ROCHES
CEHORT	ROCHET
	TORCHE
	TROCHE
CEHORU	CHOEUR
CEHORY	CHOYER
CEHORZ	ROCHEZ
CEHOSS	CHOSES
CEHOSU	COHUES
	OUCHES
	SOUCHE
CEHOSY	CHOYES
CEHOTU	CHOUTE
	TOUCHE
CEHOYZ	CHOYEZ
CEHPSY	PSYCHE
CEHRRU	RUCHER
CEHRRY	CHERRY
CEHRSU	RUCHES
CEHRTU	CHUTER
CEHRUZ	RUCHEZ
CEHSTU	CHUTES
CEHTUZ	CHUTEZ
CEIILM	MILICE
CEIILR	LICIER
CEIILS	CILIES
	SILICE
CEIILT	LICITE
CEIILU	ICELUI
CEIILV	CIVILE
CEIIMR	CIMIER
CEIINR	RICINE
CEIINS	INCISE
CEIINT	INCITE
CEIIRR	CIRIER
CEIIRV	VICIER
CEIIRZ	CIRIEZ
	CRIIEZ
CEIISV	VICIES
CEIISZ	SCIIEZ
CEIITZ	CITIEZ
CEIIVZ	VICIEZ
CEIKLN	NICKEL
CEIKTT	TICKET
CEILLR	CILLER
CEILLS	CILLES
	SCILLE
CEILLZ	CILLEZ
CEILNN	ENCLIN
CEILNT	CLIENT
CEILNU	INCLUE
CEILOO	COOLIE
CEILOP	PICOLE
	POLICE
CEILOS	SCOLIE
CEILOT	COLITE
CEILQU	CLIQUE
CEILRV	CLIVER
CEILSS	CLISSE
	SICLES
CEILSV	CLIVES
CEILUZ	CULIEZ
CEILVZ	CLIVEZ
CEIMNS	MINCES
CEIMNT	CIMENT

CEIMOT	COMITE
CEIMRS	CRIMES
	MERCIS
CEIMRU	CERIUM
CEIMSU	CESIUM
CEINNU	UNCINE
CEINOP	COPINE
	PIONCE
CEINOR	RECOIN
CEINOS	ICONES
CEINOT	NOTICE
CEINOU	COUINE
CEINOV	CONVIE
	NOCIVE
	NOVICE
CEINPR	PINCER
	PRINCE
CEINPS	PINCES
CEINPZ	PINCEZ
CEINRR	RINCER
CEINRS	ECRINS
	RINCES
CEINRT	CINTRE
	CIRENT
	CRETIN
	CRIENT
CEINRZ	RINCEZ
CEINST	CEINTS
	SCIENT
CEINSU	INCUSE
CEINTT	CITENT
CEINTU	CUTINE
CEIOOT	COTOIE
CEIOPR	COPIER
	PICORE
CEIOPS	COPIES
CEIOPT	PICOTE
CEIOPZ	COPIEZ
CEIORR	CROIRE
CEIORS	CROIES
	CROISE
	RECOIS
	SCORIE
CEIORT	COTIER
	RECOIT
CEIORU	ECROUI
CEIORV	VOCERI
CEIORZ	OCRIEZ
CEIOST	COITES
	COTIES
	COTISE →
	SCOTIE
CEIOSU	SOUCIE
CEIOTT	COITTE
CEIOTZ	COTIEZ
CEIPPS	CIPPES
CEIPRR	CREPIR
CEIPRS	CREPIS
	CRISPE
	PRECIS
	SCIRPE
CEIPRT	CREPIT
CEIPRU	PUCIER
CEIQRU	CIRQUE
	CRIQUE
CEIRRS	CIRRES
	RECRIS
CEIRRT	RECRIT
CEIRRU	CIREUR
	CRIEUR
CEIRSS	CIRSES
	CRISES
	CRISSE
CEIRST	CISTRE
	ECRITS
	RECITS
CEIRSU	CURIES
	RECUIS
	SCIEUR
	SCIURE
CEIRTU	CUITER
	RECUIT
CEIRUV	CUIVRE
	CUVIER
CEIRUX	CIREUX
CEIRUZ	CUIREZ
	CURIEZ
CEISST	CISTES
CEISSU	CUISES
	CUISSE
CEISTU	CUITES
CEISTV	CIVETS
CEISTY	CYTISE
CEISUZ	CUISEZ
	SUCIEZ
CEITUZ	CUITEZ
CEIUVZ	CUVIEZ
CEJKOY	JOCKEY
CEKKOP	KOPECK
CEKOST	STOCKE
CELLOR	COLLER
CELLOS	COLLES
CELLOT	COLLET
CELLOU	LOCULE
CELLOY	COLLEY
CELLOZ	COLLEZ
CELMSU	MUSCLE
CELMUU	CUMULE
CELNOS	CELONS
	CLONES
	ENCLOS
	LECONS
	ONCLES
CELNOT	ENCLOT
CELNTU	CULENT
CELOOR	COLORE
CELOOT	OCELOT
CELOPU	COPULE
	COULPE
	COUPLE
CELOPY	LYCOPE
CELOQU	CLOQUE
CELORS	CRESOL
CELORU	CLOUER
	COULER
	CROULE
CELORZ	CLOREZ
CELOSS	CLOSES
	SOCLES
CELOSU	CLOUES
	COULES
	OSCULE
CELOSX	SCOLEX
CELOSY	LYCOSE
CELOTU	CLOUTE
CELOTY	COTYLE
CELOUZ	CLOUEZ
	COULEZ
CELPUU	CUPULE
CELRSU	CRUELS
	LUCRES
	RECLUS
	RECULS
CELRSY	CRESYL
CELRUU	CURULE
CELSSU	CLUSES
CELSTU	CULTES
CELSUX	EXCLUS
CELTUX	EXCLUT
CEMMOT	COMMET
CEMMOU	COMMUE
CEMOPT	COMPTE
CEMORS	CORMES

CEMOST	COMTES
CEMOSY	MYCOSE
CEMRSU	CRUMES
CEMRTU	RECTUM
CENNOS	CONNES
	NONCES
CENNOT	CENTON
CENNOU	CONNUE
CENOPR	CREPON
	PONCER
CENOPS	PONCES
CENOPZ	PONCEZ
CENOQU	CONQUE
CENORR	CORNER
CENORS	CORNES
	CREONS
	CROSNE
	RONCES
CENORT	CONTER
	CONTRE
	CORNET
	OCRENT
	TRONCE
CENORU	CORNUE
	NOCEUR
CENORZ	CORNEZ
CENOSS	SCONSE
CENOST	CONTES
CENOSU	OUNCES
CENOTT	COTENT
CENOTZ	CONTEZ
CENRTU	CURENT
CENSTU	SUCENT
CENTUV	CUVENT
CEOOPT	COOPTE
CEOORU	ROCOUE
CEOORV	VOCERO
CEOOTY	COTOYE
	COYOTE
CEOPRS	PROCES
CEOPRU	COUPER
	CROUPE
CEOPST	COPTES
CEOPSU	COUPES
	POUCES
CEOPUZ	COUPEZ
CEOQRU	CROQUE
CEOQSU	COQUES
	SOCQUE
CEOQTU	COQUET
CEOQUU	COUQUE
CEORRS	CORSER
	RECORS
CEORRU	COURRE
CEORSS	CORSES
	COSSER
	CROSSE
	SCORES
CEORST	CORSET
	CORTES
	COTRES
	RECTOS
CEORSU	COEURS
	COURES
	COURSE
	ECROUS
	SOURCE
CEORSZ	CORSEZ
CEORTT	CROTTE
CEORTU	COURTE
	COUTER
	COUTRE
	CROUTE
CEORTX	CORTEX
CEORUU	COURUE
CEORUV	COUVER
	COUVRE
CEORUX	OCREUX
CEORUZ	COUREZ
CEORYZ	CROYEZ
CEOSSS	COSSES
CEOSST	ESCOTS
	ESTOCS
CEOSSU	COSSUE
	COUSES
CEOSSZ	COSSEZ
CEOSTT	COTTES
CEOSTU	COUTES
	SCOUTE
	SUCOTE
CEOSUU	COUSUE
CEOSUV	COUVES
CEOSUZ	COUSEZ
CEOTUZ	COUTEZ
CEOUVZ	COUVEZ
CEPRSU	CREPUS
	PERCUS
CEPRSY	CYPRES
CEPRTU	PERCUT
CEPRTY	CRYPTE
CERRSU	RECRUS
	SUCRER
CERSSU	CRESUS
	CRUSSE
	SUCRES
CERSTU	CRUTES
	SCRUTE
CERSUU	SUCEUR
CERSUZ	SUCREZ
CFFIIT	FICTIF
CFFINO	COFFIN
CFHISU	FICHUS
CFHLSY	FLYSCH
CFINOP	PONCIF
CFINOS	CONFIS
	NOCIFS
CFINOT	CONFIT
CFIORR	FORCIR
CFIORS	FORCIS
CFIORT	FORCIT
	FRICOT
CFIRSU	CURSIF
CFLNOO	FLOCON
CFNOSU	CONFUS
CGIKNO	COKING
CGINOS	COINGS
CGIOOT	COGITO
CGLLOY	GLYCOL
CGNORU	CONGRU
CHIILT	LITCHI
CHIINR	HIRCIN
CHIIOS	CHOISI
CHIIRS	RICHIS
CHIKRS	KIRSCH
CHIKST	KITSCH
CHINOS	CHIONS
CHINOT	CHITON
CHINTZ	CHINTZ
CHIORS	ICHORS
	ORCHIS
CHIORU	ROUCHI
CHIOST	CHIOTS
CHIRST	CHRIST
CHISVY	VICHYS
CHLMOO	MOLOCH
CHLNSU	LUNCHS
CHLOOS	LOOCHS
CHMOOR	CHROMO
CHNOOP	PONCHO
CHNOOR	CHRONO
CHNPSU	PUNCHS
CHOPSU	SCHUPO
CHORSU	CHORUS

CHOSST	SOTCHS
CHOSTT	CHOTTS
CHPSTU	PUTSCH
CHSSSU	SCHUSS
CIILLO	ILLICO
CIILSV	CIVILS
CIINOR	NOIRCI
CIINRS	RICINS
CIISSU	CUISIS
CIISTU	CUISIT
CIKRST	TRICKS
CIKSST	STICKS
CILLOS	LICOLS
CILNOS	COLINS
	NICOLS
CILNOT	COLTIN
CILNSU	INCLUS
CILNTU	INCLUT
CILOSU	COULIS
	LICOUS
CILOTU	COUTIL
CIMMOS	COMMIS
CIMMOT	COMMIT
CIMNOR	MICRON
CIMNSU	CUMINS
CIMORS	MICROS
CIMRUU	CURIUM
CINNOP	PINCON
CINOOV	CONVOI
CINOPR	COPRIN
	PORCIN
CINOQU	COQUIN
CINORS	CIRONS
	CRIONS
CINORT	CITRON
CINORU	CURION
CINORZ	ZIRCON
CINOSS	SCIONS
CINOST	CITONS
	TOCSIN
CINOSU	COUSIN
CINPRY	CYPRIN
CIOORR	CORROI
CIOORT	OCTROI
CIOPRU	CROUPI
CIOPST	PICOTS
CIORRU	COURIR
CIORST	CROITS
	TRISOC
CIORSU	SUCOIR
CIORTT	TRICOT
CIOSSU	COUSIS
	SOUCIS
CIOSTU	COUSIT
CIOSUV	COUVIS
CIPRST	SCRIPT
CIRRSU	CIRRUS
CIRSTT	STRICT
CIRSTU	RICTUS
CJKOOS	JOCKOS
CKMOSS	SMOCKS
CKOSST	STOCKS
CKRSTU	TRUCKS
CLLOUU	ULLUCO
CLLSSU	SCULLS
CLMOPU	COMPLU
CLMSUU	CUMULS
CLNOOS	COLONS
	CONSOL
CLNOSU	CONSUL
	CULONS
CLNOSW	CLOWNS
CLOORT	TORCOL
CLOPSU	CLOUPS
	PLOUCS
CLOSTU	CULOTS
CLOSUU	OCULUS
CMMNOU	COMMUN
CMNORU	MUCRON
CMOOSS	COSMOS
CMOOSY	COOMYS
CMOPTU	COMPUT
CMORSU	MUCORS
CNNOSU	CONNUS
CNNOTU	CONNUT
CNOOPU	COUPON
CNOORS	CORONS
	OCRONS
CNOORT	CORTON
	CROTON
CNOOST	COTONS
	NOSTOC
CNORST	TRONCS
CNORSU	CORNUS
	CURONS
CNOSSU	SUCONS
CNOSTU	CONTUS
CNOSUV	CUVONS
COOORZ	COROZO
COOPSS	SCOOPS
COORSS	CORSOS
COORSU	ROCOUS
COORTU	OCTUOR
COPRSU	CORPUS
	CROUPS
CORRSU	CRUORS
CORSTU	COURTS
	SURCOT
	TURCOS
CORSUU	COURUS
CORTUU	COURUT
COSSSU	COSSUS
COSSTU	SCOUTS
COSSUU	COUSUS
CRRSUY	CURRYS
CRSSUU	CURSUS
DDEEEI	DEDIEE
DDEEFN	DEFEND
DDEEIR	DEDIER
	DEDIRE
	DERIDE
	DIEDRE
DDEEIS	DEDIES
	DEDISE
DDEEIT	DEDITE
DDEEIV	DEVIDE
DDEEIZ	DEDIEZ
DDEEMO	DEMODE
DDEENP	DEPEND
DDEENT	DETEND
DDEENU	DENUDE
	DUNDEE
DDEEOR	DEDORE
	DERODE
DDEINS	DINDES
DDEIOP	DIPODE
DDEIOS	DIODES
DDEIRU	DRUIDE
DDEIST	DEDITS
DDEISU	DEDUIS
DDEITU	DEDUIT
DDELPU	PUDDLE
DDEMOR	DEMORD
DDEORT	DETORD
DDEOSU	DODUES
DDINNO	DINDON
DDIOSU	DUODIS
DDNNOO	DONDON
DEEEFI	DEFIEE
DEEEFR	DEFERE
	FEDERE
	FEEDER
DEEEGL	DEGELE

DEEEIL	DELIEE
	ELIDEE
DEEEIN	DENIEE
DEEEIS	DIESEE
DEEEIT	EDITEE
DEEEIV	DEVIEE
	EVIDEE
DEEEJT	DEJETE
DEEELM	DEMELE
DEEELO	ELODEE
DEEELT	DETELE
DEEELU	ELUDEE
DEEEMN	DEMENE
DEEEMO	OEDEME
DEEEMR	REMEDE
DEEENR	DENREE
DEEENT	DENTEE
	EDENTE
	ETENDE
DEEENU	DENUEE
DEEEOR	ERODEE
DEEEPS	PEDESE
DEEERX	EXEDRE
DEEESS	DEESSE
DEEESU	SUEDEE
DEEETV	DEVETE
DEEFII	DEIFIE
	EDIFIE
DEEFIL	DEFILE
	FELIDE*
	FIDELE
DEEFIN	EFENDI
DEEFIR	DEFIER
DEEFIS	DEFIES
DEEFIT	FETIDE
DEEFIZ	DEFIEZ
DEEFNO	FONDEE
DEEFNR	FENDRE
	REFEND
DEEFNS	DEFENS
	FENDES
DEEFNU	FENDUE
DEEFNZ	FENDEZ
DEEFST	DEFETS
DEEGIO	GEOIDE
DEEGIR	DIGERE
	DREIGE*
	REDIGE
DEEGIS	EGIDES
DEEGIU	GUIDEE
DEEGJU	DEJUGE
DEEGLO	DELOGE
DEEGLS	DEGELS
DEEGLU	DEGLUE
	DELUGE
DEEGNR	GENDRE
DEEGNU	DENGUE
	DUEGNE
DEEGOR	DEROGE
DEEGOS	GEODES
DEEGOT	DEGOTE
DEEGRS	DEGRES
	DREGES
DEEGSU	GUEDES
DEEIIT	TIEDIE
DEEILN	DELIEN
DEEILP	DEPILE
	DEPLIE
DEEILR	DELIER
	DELIRE
	ELIDER
	LIEDER
DEEILS	DELIES
	DIESEL
	EDILES
	ELIDES
DEEILT	DELITE
DEEILU	DILUEE
DEEILZ	DELIEZ
	ELIDEZ
DEEIMN	DEMINE
	MENDIE
DEEIMR	MEDIRE
DEEIMS	DEISME
	DEMIES
	DEMISE
	MEDISE
DEEIMT	MEDITE
DEEINN	INDENE
DEEINO	DIONEE
DEEINP	PINEDE
DEEINR	DENIER
DEEINS	DENIES
	DIENES
DEEINV	DEVINE
	ENDIVE
DEEINX	INDEXE
DEEINZ	DENIEZ
DEEIOS	IODEES
DEEIOV	DEVOIE
DEEIPR	DEPERI
DEEIPT	DEPITE
DEEIQU	EQUIDE*
DEEIRR	REDIRE
DEEIRS	DESIRE
	DIESER
	EIDERS
	REDISE
	RESIDE
	RIDEES
	SIDERE
DEEIRT	DETIRE
	EDITER
	REDITE
DEEIRU	UREIDE
DEEIRV	DERIVE
	DEVIER
	DEVIRE
	DRIVEE
	EVIDER
	VERDIE
DEEISS	DIESES
	SEIDES
DEEIST	DEISTE
	DEITES
	DIETES
	EDITES
	TIEDES
DEEISV	DEVIES
	DEVISE
	EVIDES
	VIDEES
DEEISZ	DIESEZ
DEEITU	ETUDIE
DEEITZ	EDITEZ
DEEIVZ	DEVIEZ
	EVIDEZ
DEEJOU	DEJOUE
DEELMO	MODELE
DEELOS	DESOLE
	SOLDEE
DEELRU	DELURE
	ELUDER
DEELSU	ELUDES
	LEUDES
DEELTU	DELUTE
DEELUZ	ELUDEZ
DEEMNO	EMONDE
	MONDEE
DEEMNS	DEMENS
DEEMNT	DEMENT
DEEMNV	MEVEND*
DEEMOR	MODERE

DEEMRS	DERMES
	MERDES
DEEMST	DEMETS
DEEMSU	MEDUSE
DEENNO	DONNEE
DEENNR	DRENNE
DEENNT	ENTEND
DEENOS	ONDEES
	SONDEE
DEENOT	DENOTE
	DETONE
DEENOU	DENOUE
DEENOY	DENOYE
DEENPR	EPREND
	PENDRE
	REPEND*
DEENPS	DEPENS
	PENDES
DEENPU	PENDUE
DEENPZ	PENDEZ
DEENRR	RENDRE
DEENRS	RENDES
DEENRT	REDENT
	RETEND
	TENDER
	TENDRE
DEENRU	ENDURE
	RENDUE
DEENRV	REVEND
	VENDRE
DEENRZ	RENDEZ
DEENSS	DENSES
DEENST	DENTES
	ETENDS
	TENDES
DEENSU	DENUES
DEENSV	VENDES
DEENSZ	ZENDES
DEENTU	DETENU
	ETENDU
	TENDUE
DEENTZ	TENDEZ
DEENUV	DEVENU
	VENDUE
DEENVZ	VENDEZ
DEEOPS	DEPOSE
	DOPEES
	EPODES
DEEOPT	DEPOTE
DEEORR	ERODER
	REDORE
DEEORS	DOREES
	ERODES
	RODEES
DEEORV	DEVORE
DEEORX	EXORDE
DEEORZ	ERODEZ
DEEOSS	DOSEES
	SODEES
DEEOST	DOTEES
DEEOSU	DOUEES
	SOUDEE
DEEOSX	EXODES
DEEOTU	DOUTEE
DEEOTV	DEVOTE
DEEOUV	DEVOUE
DEEOVY	DEVOYE
DEEOXY	OXYDEE
DEEPRR	PERDRE
	REPERD
DEEPRS	PERDES
DEEPRU	DEPURE
	EPERDU
	PERDUE
DEEPRZ	PERDEZ
DEEPSU	DUPEES
DEEPTU	DEPUTE
DEEQUU	EDUQUE
DEERSS	DRESSE
DEERST	DESERT
DEERSU	DUREES
DEERSV	DEVERS
DEERTU	DURETE
DEERTV	VERDET
DEERTX	DEXTRE
DEERUV	REDUVE
DEERVZ	DEVREZ
DEESSU	SUEDES
DEESTT	DETTES
DEESTU	DESUET
	ETUDES
DEESTV	DEVETS
DEESTW	TWEEDS
DEESUX	EXSUDE
DEETUV	DEVETU
DEFIIN	DEFINI
DEFILU	FLUIDE
DEFINS	FENDIS
DEFINT	FENDIT
DEFIOR	FROIDE
DEFNOR	FONDER
	FONDRE →
	FREDON
	FRONDE
	REFOND
DEFNOS	FONDES
DEFNOT	DEFONT
DEFNOU	FONDUE
DEFNOZ	FONDEZ
DEFNSU	FENDUS
DEFNTU	DEFUNT
DEFORU	FOUDRE
DEGHIL	GHILDE*
DEGIIR	DIRIGE
	RIGIDE
DEGIIT	DIGITE
DEGILS	GILDES
DEGILU	GUILDE*
DEGINR	GINDRE
	GREDIN
DEGINS	DESIGN
	DIGNES
DEGINU	DINGUE
	GUINDE
DEGIOT	DOIGTE
DEGIOZ	GODIEZ
DEGIRU	GUIDER
DEGIST	DIGEST
DEGISU	DIGUES
	GUIDES
DEGIUZ	GUIDEZ
DEGLNO	GOLDEN
DEGLNU	GULDEN
DEGMOS	DOGMES
DEGNOR	GRONDE
DEGNOT	GODENT
DEGORU	DROGUE
	GOURDE
DEGOST	GODETS
DEGOSU	DOGUES
DEGOTU	DEGOUT
DEHIMU	HUMIDE
DEHIOY	HYOIDE
DEHIRU	HIDEUR
DEHIRY	HYDRIE
DEHIUX	HIDEUX
DEHNSY	HYDNES
DEHOPS	EPHODS
DEHORS	DEHORS
	HORDES
DEHORU	HOURDE
DEHRSY	HYDRES
DEIIIR	IRIDIE

DEIILP LIPIDE
DEIILV LIVIDE
DEIIMO IDIOME
DEIIMT TIMIDE
DEIINN INDIEN
DEIINO IDOINE
DEIINT INEDIT
DEIINV DIVINE
DEIINZ DINIEZ
DEIIOR ROIDIE
DEIIOT IDIOTE
DEIIRT TIEDIR
DEIIRZ DIRIEZ
RIDIEZ
DEIIST TIEDIS
DEIISV DIVISE
DEIISZ DISIEZ
DEIITT TIEDIT
DEIIVZ VIDIEZ
DEIJSU JEUDIS
DEILLR DRILLE
DEILLY IDYLLE
DEILMO DEMOLI
DEILNO DOLINE
INDOLE
DEILNR DRELIN
DEILNT LENDIT
DEILNY LYDIEN
DEILOP DEPOLI
DEILOR IODLER
DEILOS IDOLES
IODLES
SOLIDE
DEILOZ IODLEZ
DEILRU DILUER
DEILST DELITS
TILDES
DEILSU DEUILS
DILUES
DEILUZ DILUEZ
DEIMMU MEDIUM
DEIMNO DOMINE
DEIMNU DEMUNI
NUMIDE
DEIMSU MEDIUS
DEINNO INONDE
ONDINE
DEINNT DINENT
DEINOO ONDOIE
DEINOR DORIEN
OINDRE

DEINPS PENDIS
DEINPT PENDIT
DEINRS DINERS
RENDIS
DEINRT DIRENT
RENDIT
RIDENT
DEINRU DINEUR
DIURNE
INDURE
DEINSS DESSIN
DEINST DESTIN
DETINS
DISENT
TENDIS
DEINSU DESUNI
ENDUIS
INDUES
DEINSV DEVINS
VENDIS
DEINTT DETINT
TENDIT
DEINTU ENDUIT
NUDITE
DEINTV DEVINT
VENDIT
VIDENT
DEIOOV OVOIDE
DEIOOZ ZOOIDE
DEIOPZ DOPIEZ
DEIORS ROIDES
DEIORT DROITE
TRIODE
DEIORU IODURE
OURDIE
RUDOIE
DEIORV DEVOIR
DEIORZ DORIEZ
RODIEZ
DEIOSS OSIDES
DEIOSV DOIVES
VIDEOS
DEIOSX IXODES
DEIOSZ DOSIEZ
DEIOTZ DOTIEZ
DEIOUX ODIEUX
DEIOUZ DOUIEZ
DEIPRS DEPRIS
PERDIS
PREDIS
SPIDER

DEIPRT DEPRIT
PERDIT
PREDIT
DEIPST DEPITS
DEIPSU DEPUIS
DEIPUZ DUPIEZ
DEIPXY PYXIDE
DEIQSU DISQUE
DEIRRV DRIVER
VERDIR
DEIRSS DESIRS
DRISSE
DEIRST DISERT
REDITS
DEIRSU DISEUR
REDUIS
RESIDU
URSIDE*
DEIRSV DIVERS
DRIVES
VERDIS
DEIRTU ERUDIT
REDUIT
DEIRTV VERDIT
DEIRUV VIDEUR
VIDURE
DEIRUZ DURIEZ
DEIRVZ DRIVEZ
DEISSS DISSES
DEISSU SEDUIS
SUIDES
DEISTU DUITES
SEDUIT
DEITUU TUDIEU
DEJLOR JODLER
DEJLOS JODLES
DEJLOZ JODLEZ
DEKNOS KENDOS
DEKRSU KURDES
DELMNO DOLMEN
DELMOU MODULE
DELNOR RONDEL
DELNOS LODENS
DELNOT DOLENT
DELNOU NODULE
ONDULE
DELOPR POLDER
DELORS DROLES
SOLDER
DELORU LOURDE
REDOUL

DELOSS	SOLDES
DELOST	DELOTS
DELOSZ	SOLDEZ
DELOUV	DEVOLU
DELPSU	DEPLUS
DELPTU	DEPLUT
DELPUX	DUPLEX
DELQUU	DUQUEL
DEMNOR	MONDER
DEMNOS	DEMONS
	MONDES
DEMNOZ	MONDEZ
DEMNTU	DUMENT
DEMOPT	DOMPTE
DEMORR	MORDRE
	REMORD
DEMORS	DORMES
	MORDES
DEMORU	MORDUE
	MOUDRE
	REMOUD
DEMORZ	DORMEZ
	MORDEZ
DEMOSU	EMOUDS
DEMPSU	PEDUMS
DEMSSU	SEDUMS
DENNOR	DONNER
DENNOS	DONNES
DENNOT	TENDON
DENNOZ	DONNEZ
DENOOS	ODEONS
DENOOY	ONDOYE
DENOPR	PONDRE
	REPOND
DENOPS	PONDES
DENOPT	DOPENT
DENOPU	PONDUE
DENOPZ	PONDEZ
DENORS	ENDORS
	RONDES
	SONDER
DENORT	DORENT
	DRONTE
	ENDORT
	RETOND
	RODENT
	TONDRE
DENOSS	SONDES
DENOST	DOSENT
	TONDES
DENOSU	NOEUDS

DENOSV	DEVONS
DENOSY	DOYENS
	SYNODE
DENOSZ	SONDEZ
DENOTT	DOTENT
DENOTU	DEUTON
	DOUENT
	TONDUE
DENOTZ	TONDEZ
DENPRS	PRENDS
DENPSU	PENDUS
DENPTU	DUPENT
DENRSU	RENDUS
DENRSY	DERNYS
DENRTU	DURENT
DENSTU	TENDUS
DENSUV	VENDUS
DEOORS	RODEOS
DEOPRT	DEPORT
DEOPRU	POUDRE
DEOPST	DEPOTS
DEORRS	ORDRES
DEORRT	RETORD
	TORDRE
DEORRU	DOREUR
	DORURE
	ORDURE
	RODEUR
DEORSS	DROSSE
DEORST	DETORS
	TORDES
DEORSU	DOSEUR
	ODEURS
	SOUDER
	SOURDE
DEORTU	DETOUR
	DOUTER
	TORDUE
DEORTZ	TORDEZ
DEORUX	REDOUX
DEORUY	RUDOYE
DEORXY	OXYDER
DEOSSS	DOSSES
DEOSSU	SOUDES
DEOSTU	DOUTES
DEOSTV	DEVOTS
DEOSUV	DOUVES
DEOSUZ	SOUDEZ
DEOSXY	OXYDES
DEOTTU	DUETTO
DEOTUZ	DOUTEZ

DEOXYZ	OXYDEZ
DEPRSU	DRUPES
	PERDUS
	PRUDES
DEPRUU	DUPEUR
	PUDEUR
DESSSU	DESSUS
	DUSSES
DESTUV	DUVETS
DFFISU	DIFFUS
DFINOS	FONDIS
DFINOT	FONDIT
DFIORS	FROIDS
DFJORS	FJORDS
DFNOSU	FONDUS
DFOORX	OXFORD
DGGNOU	DUGONG
DGHINY	DINGHY
DGIINO	INDIGO
DGIINP	PIDGIN
DGINOP	DOPING
DGINOR	GIROND
DGINOS	DIGONS
	DINGOS
DGINOU	DOGUIN
	GUIDON
DGIOST	DOIGTS
DGNOOR	GODRON
DGNOOS	GODONS
DGORSU	GOURDS
DHIINS	HINDIS
DHINOU	HINDOU
DHORSU	HOURDS
DIIMNU	INDIUM
DIIMOU	OIDIUM
DIINNO	NONIDI
DIINRS	INDRIS
DIINSU	INDUIS
DIINSV	DIVINS
DIINTU	INDUIT
DIIORR	RIDOIR
	ROIDIR
DIIORS	ROIDIS
DIIORT	ROIDIT
DIIORV	VIDOIR
DIIOST	IDIOTS
DIIRST	TRIDIS
DIJNNS	DJINNS
DILLRS	DRILLS
DILMOR	MILORD
DILNOU	LUDION

DILNSU	LUNDIS
DILNTU	INDULT
DIMNOO	DOMINO
DIMOPU	PODIUM
DIMORR	DORMIR
DIMORS	DORMIS
	MORDIS
DIMORT	DORMIT
	MORDIT
DIMOSU	SODIUM
DINNOR	RONDIN
DINNOS	DINONS
	ONDINS
DINOPS	PONDIS
DINOPT	PONDIT
DINORR	NORDIR
DINORS	DIRONS
	NORDIS
	RIDONS
DINORT	DIRONT
	NORDIT
DINOSS	DISONS
DINOST	TONDIS
DINOSV	VIDONS
DINOTT	TONDIT
DIOORR	RODOIR
DIOPSS	DISPOS
DIORRU	OURDIR
DIORST	DROITS
	TORDIS
DIORSU	OURDIS
DIORTT	TORDIT
DIORTU	OURDIT
DIOSTU	STUDIO
DIRSTU	DURITS
DISSTU	SUSDIT
DJNNOO	DONJON
DKOOSU	SODOKU
DLLOSY	LLOYDS
DLOOPZ	PODZOL
DLORSU	LOURDS
DMNOOR	DROMON
DMORSU	MORDUS
DNOOPS	DOPONS
DNOORS	DORONS
	RODONS
	RONDOS
DNOOSS	DOSONS
DNOOST	DOTONS
DNOOSU	DOUONS
DNOPSU	DUPONS →
	PONDUS
	POUNDS
DNORSU	DURONS
	ROUNDS
DNOSTU	TONDUS
DOORSU	DOUROS
DOORUU	OURDOU
DORSSU	SOURDS
	SURDOS
DORSTU	TORDUS
	TOURDS
EEEELP	EPELEE
EEEELV	ELEVEE
EEEETT	ETETEE
EEEFIM	MEFIEE
EEEFIR	FEERIE
	FERIEE
EEEFLN	ENFLEE
EEEFLR	FERLEE
EEEFLS	FELEES
EEEFMR	FERMEE
EEEFRR	FERREE
	REFERE
EEEFRT	FRETEE
EEEFSS	FESSEE
EEEFST	FETEES
EEEGIL	ELEGIE
	LIEGEE
EEEGIP	EPIGEE
	PIEGEE
EEEGIR	EGERIE
	ERIGEE
EEEGIX	EXIGEE
EEEGLR	GRELEE
	LEGERE
	REGELE
	REGLEE
EEEGLS	GELEES
EEEGLU	LEGUEE
EEEGMM	GEMMEE
EEEGMR	MEGERE
EEEGNO	EOGENE
EEEGNR	EGRENE
	GRENEE
EEEGNS	EGEENS
	GENEES
	GENESE
EEEGNV	VENGEE
EEEGRR	REGREE
EEEGRS	GEREES
	GREEES
EEEGRV	GREVEE
	VERGEE
EEEGTV	VEGETE
EEEHLS	HELEES
EEEHRS	HERSEE
EEEHRT	ETHERE
EEEILM	ELIMEE
EEEILN	ENLIEE
EEEILP	EPILEE
EEEILR	RELIEE
EEEILX	EXILEE
EEEIMN	ENIEME
EEEIMS	EMIEES
EEEINP	EPINEE
	PEINEE
EEEINR	RENIEE
EEEINV	ENVIEE
	VEINEE
EEEIPR	EPEIRE
EEEIPS	EPIEES
EEEIPX	EXPIEE
EEEIRS	SERIEE
EEEIRT	ETIREE
EEEITV	EVITEE
EEEJRT	REJETE
EEEJST	JETEES
EEELLP	EPELLE
EEELLR	REELLE
EEELLS	SELLEE
EEELMM	EMMELE
EEELMS	MELEES
EEELMU	MEULEE
EEELMX	LEXEME
EEELMZ	MELEZE
EEELNP	PELEEN
EEELNV	ENLEVE
EEELOP	POELEE
EEELPR	EPELER
	PERLEE
EEELPS	EPELES
	PELEES
EEELPT	PELTEE
EEELPZ	EPELEZ
EEELRU	REELUE
EEELRV	ELEVER
	RELEVE
	REVELE
EEELSS	LESEES
EEELST	LESTEE
EEELSV	ELEVES
	LEVEES

EEELSZ	ZELEES
EEELTU	ETEULE
EEELVZ	ELEVEZ
EEEMMN	EMMENE
EEEMMR	MEMERE
EEEMNS	MENEES
EEEMPS	EMPESE
EEEMRR	REMERE
EEEMRT	METREE
EEEMRU	REMUEE
EEEMRV	VERMEE
EEEMSS	SEMEES
EEEMTT	EMETTE
EEEMTU	EMEUTE
EEEMUV	EMEUVE
EEENNP	PENNEE
EEENNR	ENRENE
EEENOU	ENOUEE
EEENPS	PENSEE
EEENRT	ENTREE
	RENTEE
EEENRV	ENERVE
	VENERE
EEENSS	SENSEE
EEENST	ENTEES
EEENSV	SENEVE
EEENTT	ENTETE
	TENTEE
EEENTV	EVENTE
	VENTEE
EEEOPP	EPOPEE
EEEOPR	OPEREE
EEEPPR	PEPERE
EEEPRR	REPERE
EEEPRS	ESPERE
EEEPRT	PETREE
	PRETEE
	REPETE
EEEPRU	EPEURE
	EPUREE
EEEPSS	PESEES
EEEQTU	QUETEE
EEEQUV	EVEQUE
EEERRS	SERREE
EEERRT	TERREE
EEERRV	REVERE
	VERREE
EEERRZ	REEREZ
EEERST	RESTEE
	STEREE
	TERSEE
EEERSV	REVEES
	SEVERE
	SEVREE
	VERSEE
EEERTT	ETETER
EEERTV	REVETE
EEESTT	ETETES
	TESTEE
	TETEES
EEESTZ	ZESTEE
EEESUX	SEXUEE
EEESVX	VEXEES
EEETTZ	ETETEZ
EEETUV	ETUVEE
EEFFFI	FIEFFE
EEFFGR	GREFFE
EEFFIL	EFFILE
EEFFOT	ETOFFE
EEFFST	EFFETS
EEFGIL	GIFLEE
EEFGIN	FEIGNE
EEFGIS	FIGEES
EEFGLM	FLEGME
EEFGLU	GUELFE
EEFGOR	FORGEE
EEFGRU	REFUGE
EEFGUU	FUGUEE
EEFILM	FILMEE
EEFILN	ENFILE
	FELINE
EEFILO	FOLIEE
EEFILR	REFILE
	RELIEF
EEFILS	FILEES
EEFILT	FILETE
EEFILZ	FELIEZ
EEFIMR	MEFIER
EEFIMS	MEFIES
EEFIMZ	MEFIEZ
EEFINR	FREINE
	INFERE
EEFINT	FEINTE
	FIENTE
EEFINU	ENFUIE
EEFIPR	FRIPEE
EEFIRS	FERIES
	FIERES
	FRISEE
EEFIRT	FIERTE
EEFIRV	FEVIER
	FIEVRE
EEFIRZ	FERIEZ
	FIEREZ
EEFISX	FIXEES
EEFITZ	FETIEZ
EEFLLO	FLEOLE
EEFLLS	FELLES
EEFLMM	FLEMME
EEFLNR	ENFLER
	RENFLE
EEFLNS	ENFLES
	NEFLES
EEFLNT	FELENT
EEFLNZ	ENFLEZ
EEFLOP	FLOPEE
EEFLOR	FROLEE
EEFLOU	FLOUEE
	FOULEE
EEFLRR	FERLER
EEFLRS	FERLES
	FRELES
EEFLRT	REFLET
	TREFLE
EEFLRU	FELURE
	FERULE
	FEULER
	FLEURE
	REFLUE
EEFLRX	REFLEX
EEFLRZ	FERLEZ
EEFLSU	FEULES
	FUSELE
EEFLTT	FLETTE
EEFLTU	FLUTEE
EEFLUV	FLEUVE
EEFLUZ	FEULEZ
EEFMMS	FEMMES
EEFMNU	ENFUME
EEFMOR	FORMEE
EEFMRR	FERMER
EEFMRS	FERMES
EEFMRZ	FERMEZ
EEFMSU	FUMEES
EEFNOS	FOENES
EEFNOU	FOUENE
EEFNRS	ENFERS
	FRENES
EEFNST	FENTES
EEFNSU	ENFEUS*
EEFNTT	FETENT
EEFNUX	ENFEUX
EEFORS	FOREES

EEFOSU	FOUEES
EEFOSX	FOXEES
EEFPRT	PREFET
EEFRRR	FERRER
EEFRRS	FERRES
	FRERES
EEFRRT	FERRET
	FRETER
EEFRRZ	FERREZ
EEFRSS	FESSER
EEFRST	FERTES*
	FRETES
EEFRSU	FERUES
	REFUSE
EEFRTT	FRETTE
EEFRTU	FEUTRE
	FURETE
	REFUTE
EEFRTZ	FRETEZ
EEFSSS	FESSES
EEFSSU	FESSUE
	FUSEES
EEFSSZ	FESSEZ
EEFSTU	FUTEES
EEGGIN	GEIGNE
EEGGOR	EGORGE
	GORGEE
EEGGRS	GREGES
EEGGRU	EGRUGE
	GRUGEE
EEGHIR	HEGIRE
EEGILN	LIGNEE
EEGILS	EGLISE
	LIEGES
	SEIGLE
EEGILU	LIGUEE
EEGILV	GELIVE
	LEVIGE
EEGILZ	GELIEZ
EEGIMN	ENIGME
	GEMINE
EEGIMR	EMIGRE
	GRIMEE
	REGIME
	REMIGE
EEGIMS	MEGIES
EEGINO	EGOINE
EEGINP	GENEPI
	PEIGNE
EEGINR	ERIGNE
	INGERE
	NEIGER
EEGINS	GENIES
	GESINE
	IGNEES
	SIGNEE
	SINGEE
EEGINT	TEIGNE
EEGINU	GUINEE
EEGINZ	GENIEZ
EEGIPR	PIEGER
EEGIPS	EPIGES
	PIEGES
	PIGEES
EEGIPU	GUIPEE
EEGIPZ	PIEGEZ
EEGIRR	ERIGER
EEGIRS	EGRISE
	ERIGES
	GESIER
	GRISEE
	REGIES
	SIEGER
EEGIRT	TIGREE
EEGIRU	GUERIE
EEGIRV	GIVREE
	VIERGE
EEGIRX	EXIGER
EEGIRZ	ERIGEZ
	GERIEZ
	GREIEZ
EEGISS	SIEGES
EEGIST	GITEES*
EEGISX	EXIGES
EEGISZ	SIEGEZ
EEGIUX	EXIGUE
EEGIXZ	EXIGEZ
EEGJMU	MEJUGE
EEGJSU	JUGEES
EEGLLU	GELULE
EEGLMU	LEGUME
	MEUGLE
EEGLNO	LONGEE
	ONGLEE
EEGLNT	GELENT
EEGLNU	ENGLUE
EEGLOR	RELOGE
EEGLOS	ELOGES
	GELOSE
	GEOLES
	GLOSEE*
	LOGEES
EEGLOU	GOULEE
EEGLRR	GRELER
	REGLER
EEGLRS	GRELES
	LEGERS
	REGELS
	REGLES
EEGLRT	REGLET
EEGLRU	GELURE
	LEGUER
	REGULE
EEGLRZ	GRELEZ
	REGLEZ
EEGLSU	LEGUES
EEGLTU	GUELTE
EEGLUU	GUEULE
EEGLUZ	LEGUEZ
EEGMMO	GOMMEE
EEGMMR	GEMMER
EEGMMS	GEMMES
EEGMMZ	GEMMEZ
EEGMNR	GERMEN
EEGMOR	GEROME
EEGMPY	PYGMEE
EEGMRR	GERMER
EEGMRS	GERMES
EEGMRZ	GERMEZ
EEGNNT	GENENT
EEGNOP	EPONGE
EEGNOR	ROGNEE
	RONGEE
EEGNOU	ENGOUE
EEGNRR	GRENER
	REGNER
EEGNRS	GENRES
	GRENES
	NEGRES
	REGNES
EEGNRT	GERENT
	GREENT
	REGENT
EEGNRU	GENEUR
	GRENUE
EEGNRV	VENGER
	VERGNE
EEGNRZ	GRENEZ
	REGNEZ
EEGNST	GENETS
EEGNSV	VENGES
EEGNVZ	VENGEZ
EEGNYZ	ZYGENE

EEGORT	ERGOTE
EEGORU	GOUREE
	ROGUEE
EEGOTU	GOUTEE
EEGPRS	PEGRES
EEGPRU	EPURGE
	PURGEE
EEGPSU	GUEPES
EEGRRT	REGRET
EEGRRU	GREEUR
	GUERRE
EEGRRV	GREVER
	VERGER
EEGRSS	SERGES
EEGRSU	GUERES*
EEGRSV	GREVES
	VERGES
EEGRSY	GEYSER
EEGRTT	GETTER
EEGRTU	GUERET
	GUETRE
EEGRUV	VERGUE
EEGRVZ	GREVEZ
EEGSSS	GESSES
EEGSST	GESTES
EEGSTU	GUETES
EEGSUU	GUEUSE
EEGTTU	GUETTE
EEHILU	HUILEE
EEHILZ	HELIEZ
EEHIMN	HEMINE
EEHINR	HERNIE
EEHINT	ETHNIE
EEHIRT	HERITE
	THEIER
EEHISS	HISSEE
EEHIST	HESITE
EEHKMR	KHMERE
EEHLNT	HELENT
EEHLRU	HURLEE
EEHLTY	ETHYLE
EEHMNT	MENTHE
EEHMRS	HERMES
EEHMRU	RHUMEE
EEHMST	THEMES
EEHMSU	HUMEES
EEHMUX	EXHUME
EEHNNS	HENNES
EEHNOT	EHONTE
EEHNRT	THRENE
EEHNST	STHENE
EEHNSY	HYENES
EEHOPR	EPHORE
EEHOSU	HOUEES
EEHOSX	HEXOSE
EEHOTT	HOTTEE
EEHPPU	HUPPEE
EEHPRS	HERPES
	SPHERE
EEHRRS	HERSER
EEHRSS	HERSES
EEHRST	ETHERS
	HETRES
EEHRSU	HEURES
EEHRSZ	HERSEZ
EEHRTU	HEURTE
EEHRUZ	HUEREZ
EEHSST	THESES
EEHSTU	ETHUSE
EEIIMT	IMITEE
EEIIMZ	EMIIEZ
EEIIPZ	EPIIEZ
EEIIRS	IRISEE
EEIJTZ	JETIEZ
EEIKNP	PEKINE
EEILLM	MIELLE
EEILLN	NIELLE
EEILLP	PILLEE
EEILLS	SEILLE
EEILLT	TEILLE
	TILLEE
EEILLV	VEILLE
	VIELLE
EEILMN	LIMNEE
EEILMP	EMPILE
	EMPLIE
EEILMR	ELIMER
EEILMS	ELIMES
	LIMEES
EEILMT	METEIL
EEILMZ	ELIMEZ
	MELIEZ
EEILNO	EOLIEN
	OLEINE
EEILNP	PLEINE
EEILNR	ENLIER
	LIERNE
EEILNS	ENLIES
	ENLISE
	ENSILE
	LESINE
	SENILE →
	SILENE
EEILNV	NIVELE
	VENIEL
EEILNZ	ENLIEZ
EEILOS	ISOLEE
	OISELE
EEILOT	ETIOLE
	ETOILE
EEILOV	VIOLEE
	VOILEE
EEILPP	LIPPEE
EEILPR	EPILER
	REPLIE
EEILPS	EPILES
	PILEES
	PLIEES
EEILPU	EPULIE
EEILPZ	EPILEZ
	PELIEZ
EEILRR	IRREEL
	LIERRE
	RELIER
	RELIRE
EEILRS	LISERE
	REELIS
	RELIES
	RELISE
	SERIEL
EEILRT	REELIT
EEILRU	RUILEE
EEILRV	LEVIER
	LIEVRE
	LIVREE
	REVEIL
EEILRX	EXILER
EEILRZ	ELIREZ
	LIEREZ
	RELIEZ
EEILSS	ELISES
	LIESSE
	LISSEE
EEILST	ELITES
	LITEES
EEILSU	LIEUES
	LIEUSE
EEILSV	EVEILS
	VELIES
	VIELES
EEILSX	EXILES
EEILSZ	ELISEZ
	LESIEZ

EEILTV	LEVITE
	VELITE
EEILVZ	LEVIEZ
	VELIEZ
EEILXZ	EXILEZ
EEIMMS	EMIMES
	MIMEES
EEIMNN	ENNEMI
	MENINE
	MIENNE
EEIMNR	INERME
EEIMNS	MINEES
EEIMNT	EMIENT
EEIMNU	UNIEME
EEIMNZ	MENIEZ
EEIMOP	IPOMEE
EEIMOR	MOIREE
EEIMOS	MEIOSE
	MOISEE
EEIMPR	EMPIRE
	PERIME
	PRIMEE
EEIMRS	EMERIS
	MERISE
	MIREES
	MISERE
	REMISE
	RIMEES
EEIMRT	ERMITE
	MERITE
	METIER
	MITREE
	TREMIE
EEIMRU	UREMIE
EEIMRV	MIEVRE
EEIMSS	EMISES
	EMISSE
	MESSIE
	MISEES
	SEIMES
	SEISME
	SEMIES*
EEIMST	EMITES
	ESTIME
	MITEES
	SEMITE
EEIMSX	MIXEES
EEIMSZ	SEMIEZ
EEIMTT	MIETTE
EEINNP	PINENE*
EEINNS	INNEES →
	NENIES
	SIENNE
EEINNT	TIENNE
EEINNU	ENNUIE
EEINNV	VIENNE
EEINOS	EOSINE
EEINOV	ENVOIE
EEINPP	NIPPEE
EEINPR	EPINER
	PEINER
EEINPS	EPINES
	PEINES
EEINPT	EPIENT
	INEPTE
	PEINTE
	PINTEE
EEINPU	PUINEE
EEINPZ	EPINEZ
	PEINEZ
EEINQU	EQUINE
EEINRR	RENIER
EEINRS	ERINES
	INSERE
	NEREIS
	REINES
	RENIES
	RESINE
	SEREIN
	SERINE
	SIRENE
EEINRT	ENTIER
	INERTE
	NITREE
	RETINE
	TERNIE
EEINRU	REUNIE
	RUINEE
	URINEE*
EEINRV	ENIVRE
	ENVIER
	VEINER
	VERNIE
EEINRZ	NIEREZ
	RENIEZ
EEINSS	SEINES
EEINST	ETEINS
	SENTIE
	SIEENT
EEINSU	USINEE
EEINSV	ENVIES
	VEINES →
	VINEES
EEINTT	ENTITE
	ETEINT
	TEINTE
	TETINE
	TINTEE
EEINTU	NUITEE
EEINTZ	ENTIEZ
	TENIEZ
EEINVZ	ENVIEZ
	VEINEZ
	VENIEZ
EEIOPR	POIREE
EEIOPS	POESIE
EEIORS	SOIREE
EEIORV	REVOIE
EEIOST	ISOETE
	TOISEE
EEIPPR	PEPIER
EEIPPS	PEPIES
	PIPEES
EEIPPT	PEPITE
EEIPPZ	PEPIEZ
EEIPQU	EPIQUE
	EQUIPE
	PIQUEE
EEIPRR	PIERRE
	PRIERE
EEIPRS	EPRISE
	PRIEES
	PRISEE
	RIPEES
	SPIREE
EEIPRT	EPITRE
	ETRIPE
	PETRIE
	PIETER
	PIETRE
EEIPRU	EPIEUR
EEIPRV	PRIVEE
	VIPERE
EEIPRX	EXPIER
	EXPIRE
EEIPSS	EPISSE
	PISSEE
EEIPST	EPITES
	PIETES
	PISTEE
EEIPSU	EPUISE
	PIEUSE
	PUISEE

EEIPSX	EXPIES
EEIPSZ	PESIEZ
	PIEZES
EEIPTT	PETITE
EEIPTZ	PETIEZ
	PIETEZ
EEIPUX	EPIEUX
EEIPXZ	EXPIEZ
EEIPZZ	PEZIZE
EEIQTU	EQUITE
	ETIQUE
	QUIETE
EEIRRS	SERIER
EEIRRT	ETIRER
	ETRIER
	REITRE
	RETIRE
	TRIERE
EEIRRZ	ERRIEZ
EEIRSS	RISEES
	SERIES
EEIRST	ETIERS
	ETIRES
	SERTIE
	SETIER
	STRIEE
	TIREES
	TRIEES
EEIRSU	RIEUSE
EEIRSV	EVIERS
	REVISE
	RIVEES
	SERVIE
	VIREES
EEIRSZ	SERIEZ
EEIRTT	TITREE
EEIRTU	TUERIE
EEIRTV	ETRIVE
	EVITER
	RETIVE
	RIVETE
	VERITE
	VITREE
EEIRTZ	ETIREZ
	TREIZE
EEIRVV	REVIVE
	VIVREE
EEIRVZ	REVIEZ
EEISST	SIESTE
	TISSEE
EEISSU	ESSIEU →
	ESSUIE
EEISSV	VESSIE
	VISEES
	VISSEE
EEISTU	SITUEE
	SUITEE
	USITEE
EEISTV	ESTIVE
	EVITES
EEISTX	EXISTE
EEISTZ	ESTIEZ*
EEITTV	IVETTE
EEITTZ	TETIEZ
EEITUV	UVEITE
EEITUZ	ZIEUTE
EEITVZ	EVITEZ
	VETIEZ
EEIVXZ	VEXIEZ
EEJLMU	JUMELE
EEJLNO	ENJOLE
EEJNOU	ENJOUE
EEJNRU	JEUNER
EEJNSU	JEUNES
EEJNTU	JEUNET
EEJNUX	ENJEUX
EEJNUZ	JEUNEZ
EEJORU	REJOUE
EEJOSU	JOUEES
EEJRST	REJETS
EEJRSU	JUREES
EEJRSY	JERSEY
EEJRTU	JETEUR
EEJSTT	JETTES
EEKMRS	KERMES
EELLMO	MOELLE
EELLPS	PELLES
EELLPT	PELLET
EELLQU	LEQUEL
	QUELLE
EELLRS	SELLER
EELLRU	RUELLE
EELLSS	SELLES
EELLST	TELLES
EELLSZ	SELLEZ
EELMMS	LEMMES
EELMNO	MOLENE
EELMNT	MELENT
EELMOS	MELOES
EELMOT	MOLETE
EELMOU	EMOULE
	MOULEE
EELMPS	SEMPLE
EELMPT	TEMPLE
EELMPU	PLUMEE
EELMRS	MERLES
EELMRU	MERULE
	MEULER
EELMSU	ELUMES
	EMULES
	MEULES
	MUSELE
EELMUZ	MEULEZ
EELNOR	ENROLE
EELNOT	ENTOLE
EELNOV	ELEVON
	ENVOLE
EELNPS	SPLEEN
EELNPT	PELENT
EELNRT	RELENT
EELNST	LENTES
	LESENT
EELNSU	LUNEES
EELNTV	LEVENT
	VELENT
EELNXY	XYLENE
EELOPR	EPLORE
EELOPS	POELES
EELOPT	PELOTE
	POTELE
EELOPU	LOUPEE
EELOPY	PLOYEE
EELORT	TOLERE
EELORU	LOUREE
	OURLEE
	RELOUE
	ROULEE
EELORV	REVOLE
	VEROLE
EELOST	ETOLES
	TOLEES
EELOSU	LOUEES
	SOULEE
EELOSV	LOVEES
	VOLEES
EELOTV	VOLETE
EELOTZ	ZELOTE
EELOUV	EVOLUE
	LOUVEE
EELPPU	PEUPLE
EELPRS	LEPRES
	PERLES
	PERSEL →

	PRELES
EELPRT	PETREL
	REPLET
EELPRU	PELURE
	PLEURE
EELPRV	PLEVRE
EELPRZ	PERLEZ
EELPST	PELTES
EELPUV	PLEUVE
EELRRU	LEURRE
EELRST	LESTER
EELRSU	REELUS
	RELUES
EELRSV	LEVERS
	LEVRES
EELRTT	LETTRE
EELRTU	REELUT
EELRTW	WELTER
EELRTY	ELYTRE
EELRUV	LEVURE
EELSST	LESTES
	STELES
EELSSU	ELUSSE
	SEULES
EELSTT	LETTES
EELSTU	ELUTES
	LUTEES
EELSTV	SVELTE
	VELETS
	VELTES
EELSTY	STYLEE
EELSTZ	LESTEZ
EELSUV	VELUES
	VEULES
EELSUX	LUXEES
	SEXUEL
EELTTU	LUETTE
EELTUX	EXULTE
EEMMNO	MONEME
	NOMMEE
EEMMOP	POMMEE
EEMMOS	SOMMEE
EEMMRU	EMMURE
EEMMSU	EMUMES
EEMNNT	MENENT
EEMNOR	ENORME
	MORENE
	NORMEE
EEMNOT	MONTEE
EEMNOY	YEOMEN
EEMNRU	MENEUR →
	MENURE
	MURENE
EEMNSS	MENSES
EEMNST	MENTES
	SEMENT
EEMNSU	MENUES
	NEUMES
EEMNTU	MENUET
EEMNTZ	MENTEZ
EEMNYZ	ENZYME
EEMOPP	POMPEE
EEMOPS	POEMES
EEMOPT	EMPOTE
	METOPE
EEMOQU	MOQUEE
EEMORS	MOERES
EEMOST	METEOS*
	TOMEES
EEMOSY	MOYEES
EEMOTT	EMOTTE
	MOTTEE
	OMETTE
EEMPRS	SPERME
EEMPRT	PERMET
	TREMPE
EEMPST	TEMPES
EEMPSU	EMPUSE
EEMPTX	EXEMPT
EEMRRT	METRER
EEMRRU	REMUER
EEMRST	MESTRE
	METRES
	REMETS
	TERMES
EEMRSU	MESURE
	MEURES
	MUREES
	REMUES
	RESUME
	SEMEUR
EEMRTT	METTRE
EEMRTV	VERMET
EEMRTZ	METREZ
EEMRUZ	MUEREZ
	REMUEZ
EEMSSS	MESSES
EEMSST	TMESES
EEMSSU	EMUSSE
	MESUSE
	MUSEES
EEMSTT	METTES
EEMSTU	EMUTES
	MEUTES
	MUTEES
EEMSUV	MEUVES
EEMTTU	MUETTE
EEMTTZ	METTEZ
EENNOS	SONNEE
EENNOT	ETONNE
EENNPR	PRENNE
EENNPS	PENNES
EENNRS	RENNES
EENNSS	SENNES
EENNTT	ENTENT
EENNUY	ENNUYE
EENOPR	EPERON
	PERONE
	PRONEE
EENOPT	EPONTE
	PONTEE
EENORR	ERRONE
EENORS	ORNEES
EENORT	TROENE
EENORU	ENOUER
	ENROUE
	RENOUE
EENORV	RENOVE
EENOST	NOTEES
EENOSU	ENOUES
	NOUEES
EENOSV	NOVEES
EENOSY	NOYEES
EENOSZ	OZENES
	ZONEES
EENOUZ	ENOUEZ
EENOVY	ENVOYE
EENOVZ	EVZONE
EENPRS	PENSER
	REPENS
EENPRT	REPENT
EENPRZ	PRENEZ
EENPSS	PENSES
EENPST	PENTES
	PESENT
EENPSZ	PENSEZ
EENRRT	ENTRER
	ERRENT
	RENTER
	RENTRE
EENRST	ENTRES
	RENTES
	STERNE →

	TERNES
EENRSV	ENVERS
	VERNES
EENRTT	TENTER
	TRENTE
EENRTU	ENTURE
	EURENT
	NEUTRE
	RETENU
	TENEUR
	TENURE
EENRTV	REVENT
	VENTER
	VENTRE
EENRTZ	ENTREZ
	RENTEZ
EENRUV	REVENU
	VENEUR
EENSSS	SENSES
EENSST	SENTES
EENSSU	USNEES
EENSTT	ESTENT*
	NETTES
	TENTES
EENSTU	TENUES
EENSTV	EVENTS
	VENTES
EENSTZ	SENTEZ
EENSUV	NEUVES
	VENUES
EENTTT	TETENT
EENTTV	VETENT
EENTTZ	TENTEZ
EENTVX	VEXENT
EENUVX	NEVEUX
EEOPPU	POUPEE
EEOPQU	EPOQUE
EEOPRR	OPERER
	PERORE
EEOPRS	OPERES
	REPOSE
EEOPRT	PORTEE
	PROTEE
EEOPRZ	OPEREZ
EEOPSS	POSEES
EEOPST	POETES
	POSTEE
	POTEES
EEOPSU	EPOUSE
EEOPSX	EXPOSE
EEOPTU	ETOUPE

EEOQTU	TOQUEE
EEOQUV	EVOQUE
EEORRT	TOREER
EEORSS	ESSORE
	ROSEES
	ROSSEE
EEORST	OESTRE
	STEREO
	TOREES
EEORSU	ROUEES
EEORSZ	OSEREZ
EEORTU	OUTREE
	ROUTEE
	TROUEE
EEORTZ	OTEREZ
	TOREEZ
EEORUV	OEUVRE
	OUVREE
EEOSST	OSSETE
EEOSTU	TOUEES
EEOSTV	VOTEES
EEOSUV	VOUEES
EEOTUV	VOUTEE
EEPPST	STEPPE
EEPRRS	PERRES
EEPRRT	PRETER
	PRETRE
EEPRRU	EPURER
EEPRSS	PERSES
	PRESSE
	SERPES
EEPRST	PERTES
	PESTER
	PETRES
	PRESTE
	PRETES
EEPRSU	EPURES
	PESEUR
	PUREES
	REPUES
	SUPERE
EEPRSV	VEPRES
EEPRSX	EXPRES
EEPRTU	PURETE
	REPUTE
EEPRTX	EXPERT
EEPRTZ	PRETEZ
EEPRUV	PREUVE
	PREVUE
EEPRUZ	EPUREZ
	PUEREZ

EEPSST	PESTES
EEPSTZ	PESTEZ
EEPTUX	PETEUX
EEQRTU	QUETER
EEQSTU	QUETES
EEQSUU	QUEUES
EEQTUU	QUEUTE
EEQTUZ	QUETEZ
EERRRS	SERRER
EERRRT	TERRER
EERRRU	ERREUR
EERRSS	SERRES
EERRST	RESTER
	STERER
	TERRES
	TERSER
EERRSV	REVERS
	SEVRER
	VERRES
	VERSER
EERRSZ	SERREZ
EERRTT	TERTRE
EERRTU	URETRE
EERRTZ	TERREZ
EERRUV	REVEUR
	VERRUE
EERRUZ	RUEREZ
EERRVZ	VERREZ
EERSST	ESTERS
	RESTES
	SERTES
	STERES
	TERSES
	TRESSE
EERSSU	RESSUE
	RUSEES
EERSSV	SERVES
	SEVRES
	VERSES
	VESSER
EERSTT	SETTER
	TESTER
EERSTU	SURETE
EERSTV	REVETS
	TREVES
	VERSET
	VERSTE
	VERTES
EERSTZ	RESTEZ
	STEREZ
	TERSEZ _

	ZESTER	**EFGILS**	GELIFS	**EFIMRR**	FREMIR
EERSUV	REVUES		GIFLES	**EFIMRS**	FIRMES
EERSUX	SEREUX	**EFGILZ**	GIFLEZ		FREMIS
EERSUZ	SUEREZ	**EFGINT**	FIGENT		FRIMES
	USEREZ	**EFGIRS**	GRIEFS	**EFIMRT**	FREMIT
EERSVV	VERVES	**EFGIRU**	FIGURE	**EFIMRU**	FUMIER
EERSVZ	SERVEZ	**EFGISU**	FIGUES	**EFIMSU**	FUIMES
	SEVREZ	**EFGLNO**	GONFLE	**EFIMUZ**	FUMIEZ
	VERSEZ	**EFGLOS**	GOLFES	**EFINOU**	ENFOUI
EERTUV	ETUVER	**EFGORR**	FORGER		FOUINE
	REVETU	**EFGORS**	FORGES	**EFINPS**	PENSIF
	VETURE	**EFGORU**	FOUGER	**EFINRS**	FREINS
EERTUY	TUYERE	**EFGORZ**	FORGEZ	**EFINRT**	FIRENT
EERTUZ	TUEREZ	**EFGOSU**	FOUGES		FRETIN
EERUVX	VEREUX	**EFGOUU**	FOUGUE	**EFINRU**	ENFUIR
EESSSU	EUSSES	**EFGOUZ**	FOUGEZ	**EFINST**	FEINTS
EESSSV	VESSES	**EFGSUU**	FUGUES		FESTIN
EESSTT	TESTES	**EFHIRS**	SHERIF	**EFINSU**	ENFUIS
EESSTV	VESTES	**EFHNOS**	FOEHNS		INFUSE
EESSTX	SEXTES	**EFHRRU**	FUHRER	**EFINTU**	ENFUIT
EESSTZ	ZESTES	**EFIILZ**	FILIEZ		FUIENT
EESSUX	SEXUES	**EFIIMN**	INFIME	**EFINTX**	FIXENT
EESSUY	ESSUYE	**EFIINS**	FINIES	**EFIORR**	FOIRER
	YEUSES	**EFIINU**	UNIFIE	**EFIORS**	EROSIF
EESSVZ	VESSEZ	**EFIINX**	INFIXE		FOIRES
EESTTT	TETTES	**EFIITX**	FIXITE	**EFIORT**	FIEROT
EESTTU	SUETTE	**EFIIXZ**	FIXIEZ	**EFIORZ**	FOIREZ
	TETUES	**EFILLR**	FILLER		FORIEZ
EESTTX	TEXTES	**EFILLS**	FILLES	**EFIOSU**	FOUIES
EESTTZ	TESTEZ	**EFILMR**	FILMER	**EFIPRR**	FRIPER
EESTUU	TUEUSE	**EFILMS**	FILMES	**EFIPRS**	FRIPES
EESTUV	ETUVES	**EFILMZ**	FILMEZ	**EFIPRX**	PREFIX
	VETUES	**EFILNS**	FELINS	**EFIPRZ**	FRIPEZ
EESTZZ	ZESTEZ		FENILS	**EFIQSU**	ESQUIF
EESUVV	VEUVES		FLEINS	**EFIRRS**	FRISER
EETUVZ	ETUVEZ	**EFILNT**	FILENT	**EFIRRZ**	FRIREZ*
EFFGIR	GRIFFE	**EFILNU**	INFLUE	**EFIRSS**	FRISES
EFFILS	SIFFLE	**EFILOS**	FIOLES	**EFIRST**	FRITES
EFFIOR	EFFROI		FOLIES		RETIFS
EFFIRS	FIFRES		SOLFIE	**EFIRSU**	FURIES
EFFISU	SUIFFE	**EFILOZ**	LOFIEZ	**EFIRSV**	REVIFS
EFFOPU	POUFFE	**EFILPP**	FLIPPE	**EFIRSZ**	FRISEZ
EFFORS	OFFRES	**EFILRS**	RIFLES	**EFIRTT**	FRITTE
EFFORT	EFFORT	**EFILRT**	FILTRE	**EFIRTU**	FRUITE
	OFFERT		FLETRI		TUFIER
EFFORZ	OFFREZ		FLIRTE	**EFIRUZ**	FUIREZ
EFFOST	OFFSET	**EFILRU**	FILEUR	**EFISSS**	FISSES
EFFOTU	TOUFFE		FLEURI	**EFISSU**	FUISSE
EFFRTU	TRUFFE	**EFILST**	FILETS	**EFISTU**	FUITES
EFGIIZ	FIGIEZ	**EFILTU**	FUTILE	**EFISUZ**	FUSIEZ
EFGILR	GIFLER	**EFIMOT**	EMOTIF	**EFIUYZ**	FUYIEZ

EFLLOS	FOLLES
EFLLOT	FOLLET
EFLMOR	FORMEL
EFLMOU	MOUFLE
EFLMSU	MUFLES
EFLNOR	FRELON
	RONFLE
EFLNOS	FELONS
EFLNOT	LOFENT
EFLORR	FROLER
EFLORS	FLORES
	FROLES
EFLORU	FLOUER
	FOULER
EFLORZ	FROLEZ
EFLOSU	FLOUES
	FOULES
EFLOTT	FLOTTE
EFLOUV	FLOUVE
EFLOUZ	FLOUEZ
	FOULEZ
EFLRSU	FLEURS
EFLRTU	FLUTER
EFLRUX	REFLUX
EFLSTU	FLUETS
	FLUTES
EFLTUZ	FLUTEZ
EFMNTU	FUMENT
EFMORR	FORMER
EFMORS	FORMES
EFMORU	FOURME
EFMORZ	FORMEZ
EFMRSU	FEMURS
EFMRUU	FUMEUR
	FUMURE
EFMSTU	FUMETS
EFMUUX	FUMEUX
EFNNOT	FENTON
EFNORS	FERONS
	FREONS
EFNORT	FERONT
	FORENT
	REFONT
EFNOST	FESTON
	FETONS
	FONTES
EFNRTU	FURENT
EFNSTU	FUSENT
EFOPRS	PROFES
EFORRS	FERROS*
EFORRT	FREROT
EFORRU	FOREUR
	FORURE
	FOURRE
EFORST	FORETS
	FORTES
EFORSU	FUEROS
	SOUFRE
EFORSY	FOYERS
EFORTT	FROTTE
EFORTU	FOUTRE*
EFOSSS	FOSSES
EFOSTU	FOETUS
	FOUETS
	FOUTES
EFOTUU	FOUTUE
EFOTUZ	FOUTEZ
EFRRUU	FUREUR
EFRSTU	FRUSTE
	FURETS
EFRTUU	FUTURE
EFSSSU	FESSUS
	FUSSES
EFSTTU	FUSTET
EGGIJR	JIGGER
EGGINR	GRIGNE
EGGINU	GUIGNE
EGGIOT	GIGOTE
EGGISU	GIGUES
EGGNOR	GROGNE
EGGORR	GORGER
EGGORS	GORGES
EGGORT	GORGET
EGGORZ	GORGEZ
EGGOSU	GOUGES
EGGRRU	GRUGER
EGGRSU	GRUGES
EGGRUZ	GRUGEZ
EGHLPY	GLYPHE
EGHNOR	HONGRE
EGHOPY	HYPOGE
EGHOTT	GHETTO
EGIILS	LIGIES
EGIILT	LITIGE
EGIILV	VIGILE
EGIIMT	MITIGE
EGIIPZ	PIGIEZ
EGIIRS	GIRIES
EGIISV	VIGIES
EGIISZ	GISIEZ
EGIITZ	GITIEZ
EGIJNO	JOIGNE
EGIJUZ	JUGIEZ
EGILLR	GRILLE
EGILLS	GILLES
EGILLU	LIGULE
EGILMO	GLIOME
	LIMOGE
EGILMR	GREMIL
EGILNO	GNIOLE
	LEGION
EGILNR	GRELIN
	LINGER
EGILNS	LIGNES
	LINGES
	SINGLE
EGILNT	GENTIL
EGILOR	GLOIRE
	RIGOLE
EGILOT	LIGOTE
EGILOV	VOLIGE
EGILOZ	LOGIEZ
EGILRS	GRESIL
EGILRT	TRIGLE
EGILRU	LIGUER
EGILSS	GLISSE
	SIGLES
EGILST	GILETS
EGILSU	LIGUES
EGILUZ	LIGUEZ
	LUGIEZ
EGIMPR	GRIMPE
EGIMPU	GUIMPE
EGIMRR	GRIMER
EGIMRS	GRIMES
EGIMRZ	GRIMEZ
EGINNS	ENGINS
EGINNU	INGENU
EGINOP	PIGEON
	POIGNE
EGINOR	IGNORE
	REGION
EGINOS	GENOIS
	GNOSIE
	OIGNES*
	SOIGNE
EGINOZ	OIGNEZ*
EGINPR	PINGRE
EGINPS	PIGNES
EGINPT	PIGENT
EGINRS	SIGNER
	SINGER
EGINRU	RUGINE

EGINSS	GNEISS
	SEINGS
	SIGNES
	SINGES
EGINST	GISENT
	SIGNET
EGINSV	VIGNES
EGINSZ	SIGNEZ
	SINGEZ
EGINTT	GITENT
EGINTU	GUNITE
EGINUZ	ZINGUE
EGIORS	GOSIER
	ORGIES
EGIORT	GOITRE
EGIORU	ROUGIE
EGIOSV	OGIVES
EGIPPR	GRIPPE
EGIPRU	GUIPER
EGIPSU	GUIPES
EGIPUZ	GUIPEZ
EGIRRS	GRISER
EGIRRU	GUERIR
EGIRRV	GIVRER
EGIRSS	GRISES
EGIRST	GRISET
	STRIGE
	TIGRES
EGIRSU	GUERIS
	SURGIE*
EGIRSV	GIVRES
	GRIVES
EGIRSZ	GRISEZ
EGIRTU	GUERIT
EGIRUZ	URGIEZ*
EGIRVZ	GIVREZ
EGISSU	GUISES
EGISUX	EXIGUS
EGISUZ	ZIGUES
EGJLNO	JONGLE
EGJLNU	JUNGLE
EGJLUU	JUGULE
EGJNTU	JUGENT
EGJRUU	JUGEUR
EGLLOR	GROLLE
EGLMOS	GLOMES
EGLMSU	GLUMES
EGLNOP	PLONGE
EGLNOR	GRELON
	LONGER
	LORGNE
EGLNOS	GELONS
	GNOLES
	LONGES
	ONGLES
EGLNOT	LOGENT
	ONGLET
EGLNOU	LONGUE
	ONGULE
EGLNOZ	LONGEZ
EGLNTU	GLUTEN
	LUGENT
EGLORS	GLOSER
	GROLES
EGLORT	GRELOT
EGLORU	LOGEUR
	LOUGRE
EGLOSS	GLOSES
EGLOSU	GOULES
EGLOSZ	GLOSEZ
EGLOTT	GLOTTE
EGLOTU	GOULET
EGLOUU	GOULUE
EGLRUU	LUGEUR
EGMMOR	GOMMER
EGMMOS	GOMMES
EGMMOZ	GOMMEZ
EGMNOO	GOEMON
EGMNOR	GERMON
EGMNOS	GNOMES
EGMNTU	GNETUM
EGMORU	GOURME
	MORGUE
EGMOST	MEGOTS
EGMRSU	GRUMES
EGMTUU	MUGUET
EGNNOS	GENONS
EGNNOU	GUENON
EGNOOO	OOGONE
EGNOOR	ORONGE
EGNOPS	PONGES
EGNORR	ROGNER
	RONGER
EGNORS	GERONS
	GREONS
	ROGNES
	RONGES
	SONGER
EGNORT	TROGNE
EGNORZ	ROGNEZ
	RONGEZ
EGNOSS	GNOSES →
	SONGES
EGNOSZ	SONGEZ
EGNOUX	GENOUX
EGNRSU	GRENUS
EGNRTU	URGENT
EGNRTY	GENTRY
EGOPRU	GROUPE
EGORRS	REGROS
EGORRU	GOURER
EGORSS	GROSSE
EGORST	ERGOTS
	GORETS
EGORSU	GOURES
	GROUSE
	ORGUES
	ROGUES
	ROUGES
EGORTT	GROTTE
EGORTU	GOUTER
	ROUGET
EGORUV	VOGUER
EGORUZ	GOUREZ
EGOSSS	GOSSES
EGOSSU	GOUSSE
EGOSTU	EGOUTS
	GOUETS
	GOUTES
EGOSUV	VOGUES
	VOUGES
EGOTTU	GOUTTE
EGOTUZ	GOUTEZ
EGOTYZ	ZYGOTE
EGOUVZ	VOGUEZ
EGPRRU	PURGER
EGPRSU	PURGES
EGPRUZ	PURGEZ
EGPSSY	GYPSES
EGRRSU	REGURS
EHHPSY	HYPHES
EHIIOR	HOIRIE
EHIIPP	HIPPIE
EHILMU	HELIUM
EHILNO	HELION
EHILOS	HELIOS
EHILOT	HILOTE
EHILPS	SILPHE
EHILPV	PEHLVI
EHILRU	HUILER
EHILSU	HUILES
EHILUZ	HUILEZ
EHIMNR	MENHIR

EHIMNU	INHUME
EHIMST	ISTHME
EHIMUZ	HUMIEZ
EHINNN	HENNIN
EHINNO	HONNIE
EHINNR	HENNIR
EHINNS	HENNIS
EHINNT	HENNIT
EHINOP	PHONIE
EHINPX	PHENIX
EHINRU	HUNIER
EHINTZ	ZENITH
EHIOPR	ORPHIE
EHIOPT	OPHITE
EHIOST	HOSTIE
EHIOUZ	HOUIEZ
EHIPTY	PYTHIE
EHIRSS	HISSER
EHIRSV	HIVERS
EHIRTU	HUITRE
EHISSS	HISSES
EHISSZ	HISSEZ
EHITTU	TUTHIE
EHJOPS	JOSEPH
EHKLOU	KOHEUL
EHKMRS	KHMERS
EHKPRY	KEPHYR
EHLLUU	HULULE
EHLMPY	LYMPHE
EHLNOP	PHENOL
EHLNOS	HELONS
EHLOST	HOTELS
EHLOSU	HOULES
EHLPSY	SYLPHE
EHLRRU	HURLER
EHLRSU	HURLES
EHLRUZ	HURLEZ
EHMMOS	HOMMES
EHMNPY	NYMPHE
EHMNSY	HYMENS
	HYMNES
EHMNTU	HUMENT
EHMRRY	MYRRHE
EHMRSU	RHUMES
EHMRTY	RYTHME
EHMRUU	HUMEUR
EHMSTY	MYTHES
EHNOOR	HONORE
EHNOPS	PHONES
EHNORS	HERONS
EHNOST	HONTES
EHNOTU	HOUENT
EHNPSY	HYPNES
EHNRSY	HENRYS
EHNRTU	HUNTER
EHNSTU	SHUNTE
	THUNES
EHOOST	SHOOTE
EHOPPU	HOUPPE
EHOPQU	PHOQUE
EHOPSY	HYSOPE
EHOQTU	HOQUET
EHOQUU	HOUQUE
EHOSSU	HOUSSE
EHOSTT	HOTTES
EHPPSU	HUPPES
EHPRSY	SYRPHE
EHPRYZ	ZEPHYR
EHPSSY	PHYSES
EHRRSY	SHERRY
EHRSSU	RHESUS
	RUSHES
EHRSTU	HEURTS
EHRSTY	THYRSE
EHSTTU	HUTTES
EIIINT	INITIE
EIIKSZ	SKIIEZ
EIILLT	ILLITE
EIILMR	LIMIER
EIILMT	LIMITE
	MILITE
EIILMU	MILIEU
EIILMZ	LIMIEZ
EIILNR	LINIER
EIILNS	ILIENS
EIILPR	PILIER
EIILPZ	PILIEZ
	PLIIEZ
EIILRV	VIRILE
EIILRX	ELIXIR
EIILRZ	LIRIEZ
EIILSZ	LISIEZ
EIILTZ	LITIEZ
EIIMMN	MINIME
EIIMMZ	MIMIEZ
EIIMNR	MINIER
EIIMNS	SIMIEN
EIIMNT	INTIME
EIIMNZ	MINIEZ
EIIMOS	MOISIE
EIIMOT	MOITIE
EIIMPS	IMPIES
EIIMRT	IMITER
EIIMRZ	MIRIEZ
	RIMIEZ
EIIMST	IMITES
EIIMSZ	MISIEZ
EIIMTX	MIXITE
EIIMTZ	IMITEZ
	MITIEZ
EIIMXZ	MIXIEZ
EIINNO	IONIEN
EIINOR	IRONIE
EIINOS	IONISE
EIINOU	INOUIE
EIINPT	PIETIN
EIINQU	INIQUE
EIINTV	INVITE
EIINVZ	VINIEZ
EIIORV	IVOIRE
	VOIRIE
EIIOSV	OISIVE
EIIPPR	PIPIER
EIIPPZ	PIPIEZ
EIIPRZ	PRIIEZ
	RIPIEZ
EIIPST	PITIES
EIIRRS	IRISER
EIIRRT	IRRITE
EIIRRZ	RIRIEZ
EIIRSS	IRISES
EIIRSZ	IRISEZ
EIIRTZ	TIRIEZ
	TRIIEZ
EIIRVV	VIVIER
EIIRVZ	RIVIEZ
	VIRIEZ
EIISTV	VISITE
EIISUV	SUIVIE
EIISVZ	VISIEZ
EIIVVZ	VIVIEZ
EIJLNU	JULIEN
EIJLOS	JOLIES
EIJLOT	JOLIET
EIJMOT	MIJOTE
EIJNOT	JOINTE
EIJNOV	JOVIEN
EIJNRU	INJURE
EIJORU	REJOUI
EIJOUZ	JOUIEZ
EIJRUZ	JURIEZ
EIJSUV	JUIVES
EIJTUZ	JUTIEZ

EIKKLS	SLIKKE
EIKLNV	KELVIN
EIKNPS	PEKINS
EIKNST	SKIENT
EIKRSU	SKIEUR
EIKRSY	KYRIES
EILLMO	MOLLIE
EILLMS	MILLES
	SMILLE
EILLMT	MILLET
EILLMU	LIMULE
EILLNS	NILLES
EILLOS	OILLES
	SOLEIL
EILLOU	OUILLE
EILLPR	PILLER
EILLPS	PILLES
EILLPU	PILULE
EILLPZ	PILLEZ
EILLQU	QUILLE
EILLRT	TILLER
	TRILLE
EILLRV	VRILLE
EILLST	LISTEL
	SILLET
	TILLES
EILLSV	VILLES
EILLTZ	TILLEZ
EILMMO	IMMOLE
EILMNR	MERLIN
EILMNT	LIMENT
EILMOP	EMPLOI
	LIPOME
EILMPR	EMPLIR
	REMPLI
EILMPS	EMPLIS
	SIMPLE
EILMPT	EMPLIT
EILMRU	LIMEUR
EILMSS	MISSEL
EILMSU	SIMULE
EILMTU	MUTILE
	ULTIME
EILNNO	LEONIN
	LIONNE
EILNOR	NEROLI
EILNOS	ILEONS
	INSOLE
	LESION
	NOLISE
EILNPS	PLEINS
EILNPT	PILENT
	PLIENT
EILNRS	LINERS
EILNST	LISENT
EILNSU	INULES
EILNSV	VELINS
EILNSY	LYSINE
EILNTT	LITENT
EILNTU	LUTINE
EILOOT	OOLITE
EILOPR	PIROLE
	REPOLI
EILOPS	PLOIES
	POLIES
	SPOLIE
EILOPT	PILOTE
	PIOLET
EILOPU	POILUE
	POULIE
EILORS	ISOLER
EILORT	LOTIER
	ORTEIL
	TOLIER
EILORU	IOULER*
EILORV	VIOLER
	VIROLE
	VOILER
EILOSS	ISOLES
EILOST	ILOTES
	LOTIES
	TOILES
EILOSU	IOULES*
EILOSV	OLIVES
	SOLIVE
	VIOLES
	VOILES
EILOSZ	ISOLEZ
EILOTT	LITOTE
	TOLITE
EILOTV	VIOLET
EILOUZ	IOULEZ*
	LOUIEZ
EILOVZ	LOVIEZ
	VIOLEZ
	VOILEZ
	VOLIEZ
EILPPS	LIPPES
EILPPU	LIPPUE
EILPRS	PERILS
	PERSIL
	REPLIS
EILPRT	TRIPLE
EILPRU	PILEUR
	PLIEUR
	PLIURE
	PUERIL
EILPSS	PLISSE
EILPST	PILETS
EILPSU	EPULIS
	PLUIES
EILPSV	PELVIS
EILPTU	TIPULE
	TULIPE
EILPUX	PILEUX
EILRRT	TERRIL
EILRRU	RUILER
EILRRV	LIVRER
EILRSS	LISSER
EILRST	LITRES
EILRSU	LIEURS
	LISEUR
	LIURES
	RELUIS
	RUILES
	SILURE
EILRSV	LIVRES
EILRTU	RELUIT
	RITUEL
	RUTILE
	TREUIL
EILRTV	LIVRET
EILRUZ	LUIREZ
	RUILEZ
EILRVZ	LIVREZ
EILSSS	LISSES
EILSST	LISTES
EILSSU	LUISES
	SEUILS
EILSSV	SILVES
EILSSZ	LISSEZ
EILSTU	TUILES
	UTILES
EILSUV	VISUEL
EILSUZ	LUISEZ
EILTUZ	LUTIEZ
EILUXZ	LUXIEZ
EIMMNT	MIMENT
EIMMOS	MOMIES
	OMIMES
EIMNNO	INNOME
	MINOEN
EIMNNS	MENINS

EIMNNT	MINENT
EIMNOR	MINORE
EIMNOS	EMIONS
	MOINES
EIMNOT	TEMOIN
EIMNPT	PIMENT
EIMNRT	MENTIR
	MIRENT
	RIMENT
EIMNRU	MINEUR
	RUMINE
EIMNSS	MESSIN
EIMNST	MENTIS
	MINETS
	MISENT
	TINMES
EIMNSU	MUNIES
	UNIMES
EIMNSV	VINMES
EIMNTT	MENTIT
	MITENT
EIMNTU	MINUTE
	MUTINE
EIMNTX	MIXENT
EIMOOP	POMOIE*
EIMOOR	ORMOIE
EIMOPS	EMPOIS
	IMPOSE
	OPIMES
EIMOPY	MYOPIE
EIMORR	MOIRER
EIMORS	MOIRES
	MOISER
	REMOIS
	SEMOIR
EIMORT	TIMORE
EIMORZ	MOIREZ
EIMOSS	MOISES
	OMISES
	OMISSE
EIMOST	MITOSE
	MOITES
	OMITES
EIMOSU	MOUISE
EIMOSV	VOMIES
EIMOSZ	MOISEZ
EIMOTV	MOTIVE
EIMOTZ	TOMIEZ
EIMPRR	PRIMER
EIMPRS	IMPERS
	MEPRIS →
	PERMIS
	PRIMES
	PRISME
EIMPRT	MEPRIT
	PERMIT
EIMPRU	IMPURE
EIMPRZ	PRIMEZ
EIMPTU	IMPUTE
EIMRRT	TRIMER
EIMRRU	MIREUR
	MURIER
	RIMEUR
EIMRST	MITRES
	TRIMES
	TRISME
EIMRSU	MURIES
EIMRSV	VERMIS
EIMRSX	MIXERS
EIMRTZ	TRIMEZ
EIMRUX	MIXEUR
EIMRUZ	MURIEZ
EIMSSS	MISSES
EIMSTX	MIXTES
EIMSUZ	MUSIEZ
EIMTTU	MUTITE
EIMTUX	MITEUX
EIMTUZ	MUTIEZ
EINNOO	IONONE
EINNOP	PIONNE
EINNOT	NOIENT
EINNOV	INNOVE
EINNPS	PINNES
EINNST	TENNIS
EINNSU	ENNUIS
EINNSV	VENINS
EINNTV	VINENT
EINOPR	OPINER
EINOPS	EPIONS
	ESPION
	OPINES
EINOPT	PIETON
	POINTE
	POTINE
EINOPZ	OPINEZ
EINORR	RONIER
EINORS	IRONES
	NOIRES
	REIONS
	SENIOR
EINORT	ORIENT
EINORV	RENVOI →
	VIORNE
EINORZ	ORNIEZ
EINOSS	NOISES
	SONIES
EINOST	ETIONS
	OINTES
	SOIENT
	TONIES
EINOSV	ENVOIS
	NIVOSE
	OVINES
EINOTT	TIENTO
EINOTV	VOIENT
EINOTX	TOXINE
EINOTZ	NOTIEZ
EINOUZ	NOUIEZ
EINOVZ	NOVIEZ
EINOYZ	NOYIEZ
EINPPR	NIPPER
EINPPS	NIPPES
	PEPINS
EINPPT	PIPENT
EINPPZ	NIPPEZ
EINPQU	PEQUIN
EINPRT	PETRIN
	PINTER
	PRIENT
	RIPENT
EINPRU	PRUINE
	RUPINE
EINPST	PEINTS
	PINTES
EINPSU	PUINES
	PUNIES
EINPTZ	PINTEZ
EINQRU	REQUIN
EINQSU	ENQUIS
	EQUINS
	NIQUES
	QUINES
	SEQUIN
EINQTU	ENQUIT
	QUINTE
EINQUU	UNIQUE
EINQUZ	QUINZE
EINRRT	RIRENT
	TERNIR
EINRRU	REUNIR
	RUINER
	URINER
EINRRV	VERNIR

EINRSS SERINS
EINRST INTERS
NITRES
RETINS
SENTIR
TERNIS
EINRSU REUNIS
RUINES
SURINE
URINES
USINER
EINRSV NERVIS
REVINS
VERINS
VERNIS
EINRSY SYRIEN
EINRTT RETINT
TERNIT
TINTER
TIRENT
TRIENT
EINRTU REUNIT
UTERIN
EINRTV REVINT
RIVENT
VERNIT
VIRENT
EINRTY TYRIEN
EINRUZ NUIREZ
RUINEZ
UNIREZ
URINEZ
EINSST SENTIS
TINSSE
EINSSU NUISES
UNISSE
USINES
EINSSV VINSSE
EINSTT SENTIT
TEINTS
TETINS
TINTES
EINSTU ENSUIT
SUINTE
UNITES
EINSTV VENTIS
VINTES
VISENT
EINSUZ NUISEZ
USINEZ
EINTTZ TINTEZ

EINTVV VIVENT
EINUVX VINEUX
EIOPRS ESPOIR
POIRES
PROIES
EIOPRT POTIER
EIOPRU ROUPIE
EIOPRV POIVRE
EIOPSS POISES
POISSE
EIOPSZ POSIEZ
EIOPTT PETIOT
EIOPTU TOUPIE
UTOPIE
EIOPTV PIVOTE
EIOPTZ OPTIEZ
TOPIEZ
EIORRS ROSIER
EIORRV REVOIR
EIORSS OSIERS
EIORST ORTIES
ROTIES
SIROTE
SORITE
SORTIE
TOISER
TORIES
EIORSU ROUIES
SOURIE
EIORSV REVOIS
EIORTT ETROIT
TERTIO
EIORTU IOURTE
TOURIE
EIORTV REVOIT
EIORTZ ROTIEZ
EIORUZ ROUIEZ
EIOSSS SOSIES
EIOSST SOTIES
TOISES
EIOSTT OTITES
SOTTIE
EIOSTV SOVIET
EIOSTZ TOISEZ
EIOSUX OISEUX
EIOTTU TUTOIE
EIOTUZ TOUIEZ
EIOTVV VIVOTE
VOTIVE
EIOTVZ VOTIEZ
EIOUVZ VOUIEZ

EIOVYZ VOYIEZ
EIPPRR RIPPER
EIPQRU PIQUER
PIQURE
EIPQSU PIQUES
EIPQTU PIQUET
EIPQUZ PIQUEZ
EIPRRS PRISER
REPRIS
EIPRRT PETRIR
REPRIT
EIPRRU PRIEUR
EIPRRV PRIVER
EIPRSS PISSER
PRISES
PRISSE
SPIRES
EIPRST ESPRIT
PETRIS
PISTER
PITRES
PRITES
REPITS
TRIPES
EIPRSU PUISER
EIPRSV PREVIS
PRIVES
EIPRSZ PRISEZ
EIPRTT PETRIT
EIPRTU PUTIER
EIPRTV PIVERT
PREVIT
EIPRTY PYRITE
EIPRUY PYURIE
EIPRVZ PRIVEZ
EIPSSS PISSES
SPEISS
EIPSST PISTES
STIPES
EIPSSU PUISES
PUISSE
EIPSSZ PISSEZ
EIPSTT PETITS
EIPSTZ PISTEZ
EIPSUZ PUISEZ
EIPTTU PUTIET
EIPTUX PITEUX
EIQRRU QUERIR
EIQRSU REQUIS
RISQUE
SQUIRE

EIQRTU	REQUIT
	TIQUER
	TRIQUE
EIQRUU	URIQUE
EIQSTU	QUIETS
	TIQUES
EIQSUX	EXQUIS
EIQTTU	QUITTE
EIQTUZ	TIQUEZ
EIRRST	SERTIR
	STRIER
	TERRIS
EIRRSU	RIEURS
EIRRSV	SERVIR
EIRRTT	TITRER
EIRRTU	TIREUR
	TRIEUR
EIRRTV	VITRER
EIRRUV	RIVEUR
	RIVURE
	VIREUR
	VIRURE
EIRSSS	RISSES
EIRSST	SERTIS
	SISTRE
	STRIES
	TISSER
	TRISSE
EIRSSU	RESSUI
	REUSSI
	SIEURS
EIRSSV	SERVIS
	VISSER
EIRSTT	SERTIT
	TIRETS
	TITRES
	TRISTE
EIRSTU	SITUER
	TRUIES
EIRSTV	RIVETS
	SERVIT
	VITRES
EIRSTZ	STRIEZ
EIRSUV	SUIVRE
	SURVIE
	VISEUR
EIRSUZ	RUSIEZ
EIRSVV	VIVRES
EIRTTU	TRUITE
EIRTTZ	TITREZ
EIRTVZ	VITREZ
EIRUVV	VIVEUR
EIRUVX	VIREUX
EIRVVZ	VIVREZ
EISSST	TISSES
EISSSU	ISSUES
	SUISSE
EISSSV	VISSES
EISSTU	SITUES
	SUITES
	TISSUE
	USITES
EISSTX	SIXTES
EISSTZ	TISSEZ
EISSUV	SUIVES
EISSVZ	VISSEZ
EISTTU	TUTIES
EISTUZ	SITUEZ
EISUVZ	SUIVEZ
EJKNRU	JUNKER
EJKORS	JOKERS
EJLMSU	JUMELS
EJLOPS	POLJES
EJLOSU	JOULES
EJLPSU	JULEPS
EJMNTU	JUMENT
EJNNSY	JENNYS
EJNOQU	JONQUE
EJNOST	JETONS
EJNOTU	JEUNOT
	JOUENT
EJNRTU	JURENT
EJNSTU	JUNTES
EJNTTU	JUTENT
EJOPRT	PROJET
EJORSU	SEJOUR
EJORTU	JOUTER
EJORUU	JOUEUR
EJOSTU	JOUETS
	JOUTES
EJOTUX	JOUXTE
EJOTUZ	JOUTEZ
EJOUXY	JOYEUX
EJQSUU	JUSQUE
EJRRUU	JUREUR
EJRSTU	SURJET
EJRSUV	VERJUS
EJSSTU	JUSTES
	SUJETS
EJTUUX	JUTEUX
EKLMMU	KUMMEL
EKMOOU	OKOUME
EKOPRS	POKERS
EKORST	STOKER
EKOSST	STOKES
EKSSTY	KYSTES
ELLMOS	MOLLES
ELLMOT	MOLLET
ELLNOP	POLLEN
ELLNSU	NULLES
ELLNUU	LUNULE
ELLOPU	POLLUE
ELLORT	TROLLE
ELLOST	TOLLES
ELLPSY	PSYLLE
ELLRUU	ULULER
ELLSTU	TULLES
ELLSUU	ULULES
ELLUUZ	LUZULE
	ULULEZ
ELMMRU	MURMEL
ELMNOR	MERLON
ELMNOS	MELONS
	MONELS
ELMNOU	MEULON
ELMNPU	PLENUM
ELMNSU	LUMENS
ELMOPY	OLYMPE
ELMORT	MORTEL
ELMORU	MOULER
ELMOST	MOTELS
ELMOSU	MOULES
	OLEUMS
ELMOUU	EMOULU
	MOULUE
ELMOUV	VOLUME
ELMOUZ	MOULEZ
ELMOXY	OXYMEL
ELMPPU	PEPLUM
ELMPRU	PLUMER
ELMPSU	PLUMES
ELMPTU	PLUMET
ELMPUZ	PLUMEZ
ELMRSU	MERLUS
ELMSTU	MULETS
ELMSUV	VELUMS
ELMTUU	MUTUEL
	MUTULE
ELNNTU	TUNNEL
ELNOOP	POELON
ELNOPS	PELONS
ELNOPT	LEPTON
ELNOPY	PLEYON →

	PYLONE
ELNORV	LEVRON
ELNOSS	LESONS
	SOLENS
ELNOST	TELSON
ELNOSV	ENVOLS
	LEVONS
	VELONS
ELNOTU	LOUENT
	NOTULE
	NOULET
ELNOTV	LOVENT
	VOLENT
ELNOUV	NOUVEL
ELNRTU	LURENT
ELNRUU	LUNURE
ELNSTU	UNTELS
ELNTTU	LUTENT
ELNTUX	LUXENT
ELOPPS	PEPLOS
ELOPPU	POULPE
ELOPPY	POLYPE
ELOPRT	PERLOT
ELOPRU	LOUPER
ELOPRY	PLOYER
	PYLORE
ELOPSU	LOUPES
	POULES
	SOUPLE
ELOPSY	PLOYES
ELOPTU	POULET
ELOPTY	PEYOTL
ELOPUZ	LOUPEZ
ELOPYZ	PLOYEZ
ELOQSU	LOQUES
ELOQTU	LOQUET
ELORRU	LOURER
	OURLER
	ROULER
ELORST	LEROTS
	STEROL
ELORSU	LOURES
	OURLES
	RESOLU
	ROULES
	SOULER
ELORSY	LOYERS
ELORTU	LOUTRE
	OURLET
	ROTULE
ELORTV	VOLTER

ELORUU	LOUEUR
ELORUV	LOUVER
	REVOLU
	VOLEUR
ELORUZ	LOUREZ
	OURLEZ
	ROULEZ
ELOSSU	SOULES
ELOSTT	LOTTES
	TOLETS
ELOSTU	SOLUTE
	SOULTE
ELOSTV	VELOTS
	VOLETS
	VOLTES
ELOSUV	LOUVES
	OVULES
ELOSUZ	SOULEZ
ELOSVV	VOLVES
ELOTUV	LOUVET
	VOLUTE
ELOTVZ	VOLTEZ
ELOUUV	VOULUE
ELOUVZ	LOUVEZ
	VOULEZ
ELPPSU	PULPES
ELPQUU	PULQUE
ELPRSU	PLEURS
ELPSSU	PLUSSE
ELPSTU	PLUTES
ELPSUX	PLEXUS
ELPUZZ	PUZZLE
ELRSTU	LUSTRE
	ULSTER*
ELRSTY	STYLER
ELRSUU	LUEURS
ELRTTU	LUTTER
ELRUUX	LUXURE
ELSSSU	LUSSES
ELSSTY	STYLES
ELSSUU	USUELS
ELSSVY	SYLVES
ELSTTU	LUTTES
ELSTTY	STYLET
ELSTYZ	STYLEZ
ELSUUV	UVULES
ELSUVV	VULVES
ELTTUZ	LUTTEZ
EMMNOO	MONOME
EMMNOR	NOMMER
EMMNOS	NOMMES

EMMNOT	MOMENT
EMMNOZ	NOMMEZ
EMMOPR	POMMER
EMMOPS	POMMES
EMMOPZ	POMMEZ
EMMORS	SOMMER
EMMOSS	SOMMES
EMMOST	SOMMET
	TOMMES
EMMOSU	MOUSME
EMMOSY	MYOMES
EMMOSZ	SOMMEZ
EMMSUU	MUSEUM
EMNNOS	MENONS
EMNNOT	MENTON
EMNNTU	NUMENT
EMNOPR	PRENOM
EMNOPU	PNEUMO
EMNORS	MORNES
	NORMES
	RENOMS
	SERMON
EMNORT	MENTOR
	MONTER
	MONTRE
EMNORU	NUMERO
EMNOSS	MESONS
	SEMONS
EMNOST	MONTES
EMNOSY	MOYENS
EMNOTT	TOMENT
EMNOTZ	MONTEZ
EMNPSU	PENSUM
EMNRSU	MENSUR
	RUMENS
EMNRTU	MURENT
EMNSTU	MUSENT
EMNTTU	MUTENT
EMOOPY	POMOYE*
EMOORS	MOROSE
EMOOSS	OSMOSE
EMOPPR	POMPER
EMOPPS	POMPES
EMOPPZ	POMPEZ
EMOPRR	ROMPRE
EMOPRS	ROMPES
EMOPRT	EMPORT
	PROMET
	TROMPE
EMOPRU	PROMUE
	ROMPUE

EMOPRZ	ROMPEZ
EMOPST	TEMPOS
EMOPSY	MYOPES
EMOQRU	MOQUER
EMOQSU	MOQUES
EMOQUZ	MOQUEZ
EMORSS	MORSES
EMORST	METROS
	MORTES
EMORSU	MEROUS
	MOEURS
	MORUES
	OREMUS
	REMOUS
EMORSV	MORVES
	VOMERS
EMORTT	MOTTER
EMORTU	MOTEUR
EMORUZ	MOUREZ
EMOSSU	MOUSSE
EMOSTT	MOTETS
	MOTTES
	TOTEMS
EMOSTU	SOUMET
EMOTTZ	MOTTEZ
EMOUVZ	MOUVEZ
EMOUXY	MOYEUX
EMQSUU	MUSQUE
EMRRUU	RUMEUR
EMRSSU	SERUMS
EMRSTU	MURETS
	STRUME
EMRSTY	MYRTES
EMRTUU	TUMEUR
EMSSSU	MUSSES
ENNNOP	PENNON
ENNNOS	NONNES
ENNOPS	PENONS
ENNORS	SONNER
ENNORT	ORNENT
	TONNER
ENNOSS	SONNES
ENNOST	ENTONS
	SONNET
	TENONS
	TENSON
	TONNES
ENNOSV	VENONS
ENNOSX	XENONS
ENNOSZ	SONNEZ
ENNOTT	NOTENT
ENNOTU	NOUENT
ENNOTV	NOVENT
ENNOTW	NEWTON
ENNOTZ	TONNEZ
ENOORS	SONORE
ENOOSZ	OZONES
ENOPPS	PEPONS
ENOPRR	PERRON
	PRONER
ENOPRS	PRONES
	REPONS
ENOPRT	PONTER
ENOPRZ	PRONEZ
ENOPSS	PESONS
ENOPST	PETONS
	PONTES
	POSENT
ENOPSY	PONEYS
ENOPTT	OPTENT
	PONTET
	TOPENT
ENOPTZ	PONTEZ
ENOQSU	ONQUES
ENORRS	ERRONS
ENORRT	TRONER
ENORSS	SERONS
ENORST	ETRONS
	NOTRES
	SERONT
	TENORS
	TRONES
ENORSV	REVONS
ENORSY	NOYERS
ENORTT	ROTENT
ENORTU	ENTOUR
	ROUENT
	TOURNE
ENORTY	TROYEN
ENORTZ	TRONEZ
ENORUU	NOUURE
ENORUZ	ZONURE
ENOSST	ESTONS*
	SETONS
	TESSON
ENOSTT	TESTON
	TETONS
	TONTES
ENOSTV	VESTON
	VETONS
ENOSVX	VEXONS
ENOTTU	TENUTO
	TEUTON
	TOUENT
ENOTTV	VOTENT
ENOTUV	VOUENT
ENOUUX	NOUEUX
ENPRSU	PRUNES
ENPRTU	PURENT
	TURNEP
ENPSTU	PETUNS
ENQSUU	NUQUES
ENRSSU	NURSES
ENRSTU	RUSENT
	SURENT
	TUNERS
	TURNES
ENRTTU	TURENT
ENRTUV	VENTRU
EOOPPS	OPPOSE
EOOPPT	POPOTE
EOORRT	ROOTER
	TORERO*
EOOTZZ	ZOZOTE
EOPPRR	PROPRE
EOPPST	STOPPE
EOPPSU	POUPES
EOPQRU	POQUER
	PORQUE
EOPQSU	POQUES
	PSOQUE
EOPQTU	POQUET
EOPQUZ	POQUEZ
EOPRRT	PORTER
	REPORT
EOPRRY	PROYER
EOPRSS	PROSES
	SPORES
EOPRST	PEROTS
	PORTES
	POSTER
	PRESTO
	PROTES
	TROPES
EOPRSU	POSEUR
	PROUES
	SOUPER
EOPRTT	PROTET
EOPRTU	POUTRE
	TROUPE
EOPRTV	PREVOT
EOPRTZ	PORTEZ
EOPRUV	PROUVE →

EOPRUX	POREUX
EOPSST	POSTES
	PTOSES
EOPSSU	POUSSE
	SOUPES
EOPSTY	YSOPET
EOPSTZ	POSTEZ
EOPSUZ	SOUPEZ
EOPTTU	TOUPET
EOPTTY	TYPOTE
EOPUVZ	POUVEZ
EOQRRU	ROQUER
EOQRSU	ORQUES
	ROQUES
EOQRTU	ROQUET
	TOQUER
	TORQUE
	TROQUE
EOQRUZ	ROQUEZ
EOQSTU	TOQUES
EOQSUU	SOUQUE
EOQTUU	TOUQUE
EOQTUZ	TOQUEZ
EORRSS	ROSSER
EORRST	RETORS
	RETROS
	ROSTRE
	TRESOR
EORRTU	OUTRER
	RETOUR
	ROTURE
	ROUTER
	TROUER
EORRUV	OUVRER
	ROUVRE
	VERROU
EORSSS	ESSORS
	ROSSES
EORSST	SORTES
	STORES
	TORSES
EORSSU	OURSES
	RESOUS
	ROUSSE
	SOEURS
EORSSV	VERSOS
EORSSY	SOYERS
EORSSZ	ROSSEZ
EORSTU	OUTRES
	RESOUT
	ROUETS →
	ROUTES
	TROUES
EORSTV	ORVETS
	TORVES
	VOTRES
EORSTZ	SORTEZ
EORSUV	OUVRES
EORSVY	VOYERS
EORTTT	TROTTE
EORTTU	TORTUE
	TOURET
	TOURTE
EORTUU	TOUEUR
EORTUV	OUVERT
	TROUVE
	VOUTER
EORTUY	YOURTE
EORTUZ	OUTREZ
	ROUTEZ
	TROUEZ
EORTVX	VORTEX
EORUVY	VOYEUR
EORUVZ	OUVREZ
EORUXY	OXYURE
EOSSTT	SOTTES
EOSSTU	SOUTES
	TOUSSE
EOSSUV	VESOUS
EOSSUX	OSSEUX
EOSTTU	TOUTES
EOSTUV	VOUTES
EOSUXY	SOYEUX
EOTTUY	TUTOYE
EOTUVZ	VOUTEZ
EPRSSU	SUPERS
EPRSTU	STUPRE
EPRSUU	USURPE
EPRSUV	PREVUS
EPSSSU	PUSSES
EQRTUU	TRUQUE
	TURQUE
EQSTUU	STUQUE
	TUQUES
ERRSTU	RUSTRE
ERSSST	STRESS
ERSSSU	RUSSES
ERSSTU	SURETS
ERSSUU	SUEURS
	USURES
ERSTTU	TRUSTE
ERSTUU	SUTURE →
	TUEURS
	UTERUS
ERSTUV	VERTUS
ERTTUU	TUTEUR
ESSSSU	SUSSES
ESSSTU	TUSSES
ESSTXY	XYSTES
FFGIRU	GRIFFU
FFIIIR	RIFIFI
FFIKSS	SKIFFS
FFIMNU	MUFFIN
FFINPU	PUFFIN
FFIORR	OFFRIR
FFIORS	OFFRIS
FFIORT	OFFRIT
FFIRTU	FURTIF
FFISSU	SUFFIS
FFISTU	SUFFIT
FFOTUU	TOUFFU
FGIORS	FRIGOS
FGNOSU	FONGUS
FGOORU	GORFOU
FHIINS	FINISH
FHISST	SHIFTS
FHLSSU	FLUSHS
FIIINN	INFINI
FIILNS	FILINS
FIINOS	FIIONS
FIINTU	UNITIF
FIIOSS	OISIFS
FILMOR	MORFIL
FILNOR	FLORIN
FILNOS	FILONS
FILNST	FLINTS
FILNUX	INFLUX
FILOOS	FOLIOS
FILOPR	PROFIL
FILOPT	FLIPOT
FILOSU	FILOUS
FILRST	FLIRTS
FILRSU	SURFIL
FILSSU	FUSILS
FIMORU	FOURMI
	FUMOIR
FIMOST	MOTIFS
FIMSSU	MUSSIF
FIMSTU	MUFTIS
FINOOS	FOISON
FINOPR	FRIPON
FINORS	FRISON
FINORT	FORINT →

	FORTIN
FINORU	FOURNI
FINOST	FISTON
	FONTIS
FINOSU	FUSION
FINOSX	FIXONS
FINRSU	SURFIN
FIOORR	ORFROI
FIOPRT	PROFIT
FIOSSU	SOUFIS
FIOSTT	FISTOT
FIOSTV	VOTIFS
FIRSSU	SURFIS
FIRSTU	FRUITS
	SURFIT
FLMOOR	FORMOL
FLNOOS	LOFONS
FLNOOU	FOULON
FLORSU	FLUORS
FMNOSU	FUMONS
FMORSU	FORUMS
FNOORS	FORONS
FNORST	FRONTS
FNOSSU	FUSONS
FNOSUY	FUYONS
FOSTUU	FOUTUS
FRSTUU	FUTURS
GGGORY	GROGGY
GGIIRR	GRIGRI
GGIKNO	GINKGO
GGILOO	GIGOLO
GGIORU	GRIGOU
GGIOST	GIGOTS
GGLOSU	GOGLUS
GHNOSU	SHOGUN
GHOORS	SORGHO
GIIKNV	VIKING
GIINOS	OIGNIS*
GIINOT	OIGNIT*
GILNOT	LINGOT
	TIGLON
GILOOR	RIGOLO
GILOOS	IGLOOS
GILOPU	GOUPIL
GILOST	LIGOTS
GIMNNO	MIGNON
GINNOO	OIGNON
GINNOP	PIGNON
GINNOZ	ZONING
GINOOR	GIORNO
GINOPS	POINGS

GINORS	GIRONS
	GRISON
	GROINS
GINORT	TIGRON
GINORW	ROWING
GINOSS	GISONS
GINOST	GITONS
GINOTV	VIGNOT
GINRSY	GYRINS
GINSSW	SWINGS
GINSTV	VINGTS
GINSUU	UNGUIS
GIORRU	ROUGIR
GIORSS	GROSSI
GIORST	GRIOTS
GIORSU	GRISOU
	ROUGIS
GIORTU	ROUGIT
GIRRSU	SURGIR
GIRSSU	SURGIS
GIRSTU	SURGIT
GJNOOU	GOUJON
GLMNOO	MONGOL
GLOOTU	GOULOT
GLOSUU	GOULUS
GMNNOO	GNOMON
GMOOPR	POGROM
GMOORS	GROOMS
GNNOOP	POGNON
GNNOOR	ROGNON
GNOOST	GOTONS
GOORUU	GOUROU
GOPRSU	GROUPS
GPPSUY	GUPPYS
HIIRSS	RISHIS
HIKSWY	WHISKY
HILOST	THIOLS
HIMMSY	SHIMMY
HIMORS	HORMIS
HIMPTU	MUPHTI
HINNOR	HONNIR
HINNOS	HONNIS
HINNOT	HONNIT
HINOOR	HORION
HINOPS	SIPHON
HINORS	HORSIN
HINOST	SHINTO
HINOSU	HUIONS
HINPSX	SPHINX
HIOPSX	XIPHOS
HIORSU	HOURIS

HIPRST	THRIPS
HISSTW	WHISTS
HKLOOS	KOHOLS
HLMOTY	THYMOL
HLMPUY	PHYLUM
HMNOSU	HUMONS
HMORUU	HUMOUR
HMSTUY	THYMUS
HMTUYZ	ZYTHUM
HNNOOP	PHONON
HNOOPS	PHONOS
HNOOPT	PHOTON
HNOOSU	HOUONS
HNOPTY	PYTHON
	TYPHON
HNORSU	HURONS
HNOTYZ	ZYTHON
HNSSTU	SHUNTS
HOOPST	PHOTOS
HOOSST	SHOOTS
HOPRSY	OPHRYS
HOPSTU	TOPHUS
HORSST	HORSTS
	SHORTS
HPSTUY	TYPHUS
IIIKKR	RIKIKI
IIILMS	SIMILI
IIIRST	IRITIS
IILMOP	IMPOLI
IILNOS	ILIONS
	LIIONS
IILOPR	PILORI
	PLIOIR
IILORS	LOISIR
IILPST	PISTIL
IILRSV	VIRILS
IILSSU	LUISIS*
IILSTU	LUISIT*
IIMMNU	MINIUM
IIMNOS	MINOIS
IIMNPU	IMPUNI
IIMNTU	MINUIT
IIMORR	MIROIR
IIMORS	MOISIR
IIMORT	MOITIR
IIMOSS	MOISIS
IIMOST	MOISIT
	MOITIS
IIMOTT	MOITIT
IINNOS	NIIONS
IINNPY	PINYIN

IINNZZ	ZINZIN
IINORS	IRIONS
	RIIONS
IINOSU	INOUIS
IINOSV	VISION
	VOISIN
IINSSU	NUISIS
IINSTU	NUISIT
IIOPRR	PRIORI
IIORRT	TIROIR
IIORRV	RIVOIR
IIORVV	VIVOIR
IIPPST	PIPITS
IIRSVZ	VIZIRS
IISSUV	SUIVIS
IISTUV	SUIVIT
IJKMOU	MOUJIK
IJNORU	JUNIOR
IJNOST	JOINTS
IKLLRS	KRILLS
IKMNOO	KIMONO
IKMOSU	KOUMIS
IKNOSS	SKIONS
ILLMOR	MOLLIR
ILLMOS	MOLLIS
ILLMOT	MOLLIT
ILLNOS	SILLON
ILLRTU	TRULLI
ILMNOS	LIMONS
ILMNOU	MOULIN
ILMOTU	ULTIMO
ILMPSU	PILUMS
ILNNOS	LINONS
ILNOOT	LOTION
ILNOOV	VIOLON
ILNOPS	LOPINS
	PILONS
	PLIONS
ILNOPT	PONTIL
ILNORS	LIRONS
ILNORT	LIRONT
	LITRON
ILNOSS	LISONS
	SOLINS
ILNOST	LISTON
	LITONS
ILNPSU	LUPINS
ILNPUV	VULPIN
ILNRTU	LUTRIN
ILNSTU	LUTINS
ILOOPS	POLIOS
ILOORT	LORIOT
ILOPST	PILOTS
ILOPSU	PILOUS
	POILUS
ILORST	TORILS
ILORSU	ROULIS
ILORTT	TORTIL
ILOSTU	OUTILS
ILPPSU	LIPPUS
IMMNOS	MIMONS
IMMNOU	OMNIUM
IMMOSU	OSMIUM
IMNNOS	MINONS
IMNOOR	MORION
IMNOOT	MOTION
IMNORS	MIRONS
	RIMONS
IMNORT	MITRON
IMNOSS	MISONS
IMNOST	MINOTS
	MITONS
	TIMONS
IMNOSU	MUIONS
	SIMOUN
IMNOSX	MIXONS
IMNSTU	MUTINS
IMOORS	MORIOS
IMOOTV	VOMITO
IMOPRS	PROMIS
	ROMPIS
IMOPRT	PROMIT
	ROMPIT
IMOPST	IMPOTS
IMOPSU	OPIUMS
IMORRU	MOURIR
IMORSU	MUSOIR
	ROUMIS
IMOSSU	SOUMIS
IMOSSY	MYOSIS
IMOSTU	SOUMIT
IMPRSU	IMPURS
INNOOT	NOTION
INNOPP	NIPPON
INNOPS	PINSON
INNOSU	UNIONS
INNOSV	VINONS
INOOPR	PORION
INOOPS	POISON
INOOPT	OPTION
	POTION
INOORS	NOROIS
INOORT	NOROIT
INOOSS	OISONS
	OSIONS
INOOST	OTIONS
	TOISON
INOPPS	PIPONS
INOPPU	POUPIN
INOPRS	ORPINS
	PRIONS
	PRISON
	RIPONS
INOPRV	PROVIN
INOPST	PINOTS
	PISTON
	PITONS
	POINTS
	POTINS
INOPSU	PUIONS
INOPTU	POINTU
INOPUY	YOUPIN
INOQTU	QUINTO
INORRS	RIRONS
INORRT	RIRONT
INORRU	NOURRI
INORST	ROTINS
	TIRONS
	TRIONS
INORSU	OURSIN
	RUIONS
INORSV	RIVONS
	VIRONS
INORTT	TRITON
INORTU	TURION
INOSST	TISONS
INOSSU	SUIONS
	USIONS
INOSSV	VISONS
INOSTU	TUIONS
INOSVV	VIVONS
INOSXY	ONYXIS
INPRST	SPRINT
INPRSU	PURINS
	RUPINS
INPSSU	SUPINS
INRSSU	SURINS
INRSTU	INTRUS
INRSXY	SYRINX
INSSTU	SUINTS
IOPQSU	QUIPOS
IOPRRU	POURRI
IOPRSS	SIROPS

IOPRSU	SOUPIR	**LMOSUU**	MOULUS	**MORTUU**	MOURUT
IOPRTT	TRIPOT	**LMOTUU**	MOULUT	**MOSSUU**	MOUSSU
IOPSTU	PISTOU	**LNNOSY**	NYLONS	**NNOOPT**	PONTON
	PUTOIS	**LNOORS**	ORLONS	**NNOORR**	RONRON
IOPSTV	PIVOTS	**LNOOST**	STOLON	**NNOORS**	ORNONS
IORRST	SORTIR	**LNOOSU**	LOUONS	**NNOOST**	NOTONS
IORRUV	OUVRIR	**LNOOSV**	LOVONS	**NNOOSU**	NOUONS
IORSST	SORTIS		VOLONS	**NNOOSV**	NOVONS
IORSSU	ROUSSI	**LNORSU**	LURONS	**NNOOSY**	NOYONS
	SOURIS	**LNOSTU**	LUTONS	**NNOOTT**	TONTON
IORSTT	SORTIT	**LNOSUX**	LUXONS	**NOOPPU**	POUPON
IORSTU	SOURIT	**LOOPPU**	POPULO	**NOOPRT**	PROTON
	SUROIT	**LOOPRS**	PROLOS	**NOOPSS**	POSONS
IORSUV	OUVRIS	**LOOPSS**	SLOOPS	**NOOPST**	OPTONS
IORTUV	OUVRIT	**LOOPTU**	POULOT		TOPONS
IPQSUU	QUIPUS	**LOOSTU**	SOULOT	**NOORST**	ROTONS
IPRRTU	PRURIT	**LOOVVX**	VOLVOX		TORONS
IQSTUU	QUITUS	**LOPTTU**	PLUTOT	**NOORSU**	OURSON
IRSSSU	SURSIS	**LORRSY**	LORRYS*		ROUONS
IRSSTU	SURSIT	**LORSUV**	SURVOL	**NOORTU**	TOURON
IRSSUV	SURVIS	**LOSSTY**	STYLOS	**NOOSSY**	SOYONS
IRSTUV	SURVIT	**LOSTYZ**	ZLOTYS	**NOOSTT**	TOTONS
ISSSTU	TISSUS	**LOSUUV**	VOULUS	**NOOSTU**	TOUONS
ISSTTW	TWISTS	**LOTUUV**	VOULUT	**NOOSTV**	VOTONS
ISTTTU	TUTTIS	**MMMSUU**	SUMMUM	**NOOSUV**	VOUONS
JJOOUU	JOUJOU	**MMNOOR**	MORMON	**NOOSVY**	VOYONS
JNOOSU	JOUONS	**MNOOPP**	POMPON	**NOOTXY**	OXYTON
JNOPSU	JUPONS	**MNOOPR**	PRONOM	**NORSSU**	RUSONS
JNORSU	JURONS	**MNOOPU**	POUMON	**OOPPRS**	PROPOS
JNOSTU	JUTONS	**MNOORU**	MOURON	**OOPRST**	PORTOS
KKNSSU	SKUNKS	**MNOOST**	TOMONS	**OORRST**	ROTORS
KLMOOU	LOKOUM	**MNOOTU**	MOUTON	**OOSUVY**	VOYOUS
KLSSUY	SULKYS	**MNORSU**	MURONS	**OOTTUU**	TOUTOU
KMOSUY	KOUMYS		SURNOM	**OOUUYY**	YOUYOU
KNOSTU	KNOUTS	**MNOSSU**	MUSONS	**OPPSTU**	SUPPOT
LLOOTU	TOLUOL	**MNOSTU**	MUTONS	**OPRSST**	SPORTS
LLOOUU	LOULOU	**MOPPRT**	PROMPT	**OPRSTU**	PUROTS
LLORST	TROLLS	**MOPRSU**	PROMUS	**OPRUUV**	POURVU
LLORTU	TRULLO		ROMPUS	**ORSSTU**	TUSSOR
LLOSXY	XYLOLS	**MOPRTU**	PROMUT*	**ORSTTU**	TORTUS
LMNOSU	MULONS	**MOQRUU**	QUORUM	**OSSTTU**	STOUTS
LMOSTU	MULOTS	**MORSUU**	MOURUS	**RSSTTU**	TRUSTS

MOTS DE 7 LETTRES

AAAADNP	APADANA
AAABCCI	CACABAI
AAABCCL	ACCABLA
AAABCCR	BACCARA
AAABCCS	CACABAS
AAABCCT	CACABAT
AAABCHR	RABACHA
AAABCIL	CABALAI
AAABCLN	BALANCA
AAABCLS	CABALAS
AAABCLT	CABALAT
AAABCMR	CARAMBA
AAABDDU	BADAUDA
AAABDGM	GAMBADA
AAABDIL	BALADAI
AAABDLS	BALADAS
AAABDLT	BALADAT
AAABDRV	BAVARDA
AAABDRZ	BAZARDA
AAABFLL	FALBALA
AAABFLR	BALAFRA
AAABGRR	BAGARRA
AAABHNU	HAUBANA
AAABILY	BALAYAI
AAABINS	BASANAI
AAABIRS	ABRASAI
	ARABISA
AAABISS	ABAISSA
AAABITV	BATAVIA
AAABKRS	BARAKAS
AAABLMR	MALABAR
AAABLPR	PALABRA
AAABLST	BALATAS
AAABLSY	BALAYAS
AAABLTT	ATTABLA
AAABLTY	BALAYAT
AAABMST	MASTABA
AAABNSS	BASANAS
AAABNST	BASANAT
AAABQRU	BARAQUA
AAABRSS	ABRASAS
AAABRST	ABRASAT
AAABRTT	ABATTRA
	BARATTA
AAABSST	TABASSA
AAACCDR	CACARDA
AAACCDS	CASCADA
AAACCIS	ACACIAS
AAACCLM	ACCLAMA
AAACCLR	CARACAL
AAACCNN	CANCANA
AAACDFR	CAFARDA
AAACDMM	MACADAM
AAACDNR	CANARDA
AAACDNS	CANADAS
AAACEGP	PACAGEA
AAACEGR	AGACERA
AAACFLT	CALFATA
AAACGIS	AGACAIS
AAACGIT	AGACAIT
AAACGNR	GARANCA
AAACGNT	AGACANT
AAACHNP	PANACHA
AAACHNR	ACHARNA
AAACHRR	ARRACHA
AAACHTT	ATTACHA
AAACILV	CAVALAI
AAACINV	AVANCAI
AAACJSS	JACASSA
AAACLNT	CATALAN
AAACLPT	CATALPA
AAACLRZ	ALCAZAR
AAACLSV	CAVALAS
AAACLTV	CAVALAT
AAACNRS	CANARAS
AAACNST	CANASTA
AAACNSV	AVANCAS
AAACNTV	AVANCAT
AAACRTV	CRAVATA
AAADFGL	FLAGADA
AAADGJN	JANGADA
AAADHMS	HAMADAS
AAADHRS	HASARDA
AAADIPR	PARADAI
AAADIPT	ADAPTAI
AAADMNR	RAMADAN
AAADMNT	MANDATA
AAADMOU	AMADOUA
AAADMRS	ARMADAS
AAADMRU	MARAUDA

AAADMSS	DAMASSA
AAADPRS	PARADAS
AAADPRT	PARADAT
AAADPST	ADAPTAS
AAADPTT	ADAPTAT
AAADRTT	ATTARDA
AAADRTU	TARAUDA
AAADRUV	RAVAUDA
AAAEGMR	RAMAGEA
AAAEGNP	APANAGE
AAAEGPT	TAPAGEA
AAAEGRV	RAVAGEA
AAAEHLT	ALTHAEA
AAAEHNR	AHANERA
AAAELRV	AVALERA
AAAERRS	ARASERA
AAAFFIL	AFFALAI
AAAFFIM	AFFAMAI
AAAFFIR	AFFAIRA
AAAFFLS	AFFALAS
AAAFFLT	AFFALAT
AAAFFMS	AFFAMAS
AAAFFMT	AFFAMAT
AAAFGIR	AGRAFAI
AAAFGRS	AGRAFAS
AAAFGRT	AGRAFAT
AAAFIPR	PARAFAI
AAAFIRT	RATAFIA
AAAFPRS	PARAFAS
AAAFPRT	PARAFAT
AAAGGRV	AGGRAVA
AAAGIKN	NAGAIKA
AAAGINR	AGRAINA
AAAGIPY	PAGAYAI
AAAGLMS	MALAGAS
AAAGLPS	ALPAGAS
AAAGNRT	TANGARA
AAAGNTY	YATAGAN
AAAGPSY	PAGAYAS
AAAGPTY	PAGAYAT
AAAHIKN	NAHAIKA
AAAHINS	AHANAIS
AAAHINT	AHANAIT
AAAHMMT	MAHATMA
AAAHNNT	AHANANT
AAAHPPR	PARAPHA
AAAHRSS	HARASSA
AAAIIPS	APAISAI
AAAIIRV	AVARIAI
AAAILLT	ALLAITA
AAAILMR	ALARMAI →
	MALARIA
AAAILMX	MALAXAI
AAAILRS	SALARIA
AAAILRV	RAVALAI
AAAILSV	AVALAIS
	AVALISA
AAAILTV	AVALAIT
AAAIMNR	AMARINA
AAAIMNT	AIMANTA
AAAIMRR	AMARRAI
AAAIMRT	AMATIRA
AAAIMSS	AMASSAI
AAAINPV	PAVANAI
AAAIPPR	APPARIA
AAAIPPT	APPATAI
AAAIPSS	APAISAS
AAAIPST	APAISAT
AAAIRSS	ARASAIS
AAAIRST	ARASAIT
AAAIRSV	AVARIAS
AAAIRTV	AVARIAT
AAAJNSV	NAVAJAS
AAALLPT	PALATAL
AAALLRT	TRALALA
AAALMNO	ANOMALA
AAALMRS	ALARMAS
AAALMRT	ALARMAT
AAALMSX	MALAXAS
AAALMTX	MALAXAT
AAALNPT	APLANAT
AAALNSY	ANALYSA
AAALNTV	AVALANT
AAALRSV	RAVALAS
AAALRTV	RAVALAT
AAAMNPS	PANAMAS
AAAMNRT	MARANTA
AAAMRRS	AMARRAS
AAAMRRT	AMARRAT
AAAMRSS	RAMASSA
AAAMSSS	AMASSAS
AAAMSST	AMASSAT
AAANPSV	PAVANAS
AAANPTV	PAVANAT
AAANRST	ARASANT
AAAPPRT	APPARAT
AAAPPRV	VARAPPA
AAAPPST	APPATAS
AAAPPTT	APPATAT
AAAPRTT	ATTRAPA
AAAQTTU	ATTAQUA
AAARSTV	AVATARS

AABBBOS	BAOBABS
AABBEIR	EBARBAI
AABBEKL	KABBALE
AABBERR	BARBARE
	BARBERA
AABBERS	EBARBAS
AABBERT	EBARBAT
AABBERU	BARBEAU
AABBESY	ABBAYES
AABBILL	BABILLA
AABBIRS	BARBAIS
AABBIRT	BARBAIT
AABBNNS	BANBANS
AABBNRT	BARBANT
	BRABANT
AABBORS	ABSORBA
AABBORT	BARBOTA
AABBSST	SABBATS
AABCCEL	ACCABLE
AABCCER	CACABER
AABCCES	CACABES
AABCCEZ	CACABEZ
AABCDEL	DEBACLA
AABCDLU	CLABAUD
AABCDOR	BOCARDA
AABCEGH	BACHAGE
AABCEGL	BACLAGE
	CABLAGE
AABCEHR	BACHERA
	RABACHE
AABCEHU	EBAUCHA
AABCEIR	CARAIBE
AABCELN	BALANCE
	BANCALE
AABCELP	CAPABLE
AABCELR	BACLERA
	CABALER
	CABLERA
AABCELS	CABALES
AABCELU	CABLEAU
AABCELZ	CABALEZ
AABCEMR	MACABRE
AABCENS	CABANES
AABCERR	CABRERA
AABCERS	CARABES
AABCERT	CABARET
AABCHIL	CHABLAI
AABCHIN	BANCHAI
AABCHIS	BACHAIS
AABCHIT	BACHAIT
AABCHLS	CHABLAS
AABCHLT	CHABLAT
AABCHMR	CHAMBRA
AABCHNR	BRANCHA
AABCHNS	BANCHAS
AABCHNT	BACHANT
	BANCHAT
AABCHOT	BACHOTA
AABCHOU	ABOUCHA
AABCHOV	BAVOCHA
AABCHSS	CASBAHS
AABCIIS	CABIAIS
AABCILM	ALAMBIC
	CAMBIAL
AABCILR	CALIBRA
AABCILS	BACLAIS
	CABLAIS
AABCILT	BACLAIT
	CABLAIT
AABCIMR	CAMBRAI
AABCINR	CARABIN
AABCIOT	CABOTAI
AABCIRS	CABRAIS
AABCIRT	CABRAIT
AABCIST	ACABITS
AABCLNS	BANCALS
AABCLNT	BACLANT
	CABLANT
AABCLOT	CLABOTA
AABCLSU	BASCULA
AABCMRS	CAMBRAS
AABCMRT	CAMBRAT
AABCNNO	CABANON
AABCNOU	BOUCANA
AABCNRT	CABRANT
AABCOSS	CABOSSA
AABCOST	CABOTAS
AABCOTT	CABOTAT
AABCRRU	CARBURA
AABCSUU	AUCUBAS
AABDDEN	DEBANDA
AABDDER	DEBARDA
AABDDEU	BADAUDE
AABDDSU	BADAUDS
AABDEEL	BALADEE
AABDEGM	GAMBADE
AABDEGN	BANDAGE
AABDEGR	BARDAGE
AABDEIN	BADIANE
AABDEIT	DEBATAI
AABDELL	BALLADE
	DEBALLA

AABDELR	BALADER
	DELABRA
AABDELS	BALADES
AABDELY	DEBLAYA
AABDELZ	BALADEZ
AABDENR	BANDERA
	BARDANE
AABDENU	BANDEAU
AABDERR	BARDERA
	BRADERA
AABDERT	BATARDE
AABDERU	BARDEAU
	DAUBERA
AABDERV	BAVARDE
	BRAVADE
AABDERY	DEBRAYA
AABDERZ	BAZARDE
AABDEST	DEBATAS
AABDESU	AUBADES
AABDETT	DEBATAT
AABDFLR	BLAFARD
AABDGNR	BAGNARD
AABDIIN	BADINAI
AABDILN	BALADIN
AABDILS	ABSIDAL
AABDIMR	BARMAID
AABDINO	ABONDAI
AABDINS	BADINAS
	BANDAIS
AABDINT	BADINAT
	BANDAIT
AABDIOR	ABORDAI
AABDIOU	ADOUBAI
AABDIQU	ABDIQUA
AABDIRS	BARDAIS
	BRADAIS
AABDIRT	BARDAIT
	BRADAIT
AABDISU	DAUBAIS
AABDITU	DAUBAIT
AABDNNO	ABANDON
AABDNNT	BANDANT
AABDNOS	ABONDAS
AABDNOT	ABONDAT
AABDNRT	BARDANT
	BRADANT
AABDNTU	DAUBANT
AABDORS	ABORDAS
	ADSORBA
	SABORDA
AABDORT	ABORDAT
AABDORU	RADOUBA
AABDOSU	ADOUBAS
AABDOTU	ADOUBAT
AABDRST	BATARDS
	TABARDS
AABDRSV	BAVARDS
AABEEGR	ABREGEA
AABEELY	BALAYEE
AABEENS	BASANEE
AABEERS	ABRASEE
AABEETT	ABATTEE
AABEFFL	AFFABLE
AABEFLR	BALAFRE
AABEFRR	BAFRERA
AABEGGS	BAGAGES
AABEGGU	BAGUAGE
AABEGIT	TABAGIE
AABEGIY	BEGAYAI
AABEGJM	JAMBAGE
AABEGLR	GALBERA
AABEGLS	SABLAGE
AABEGLT	ABLEGAT
AABEGMS	AMBAGES
AABEGOR	ABROGEA
AABEGRR	BAGARRE
	BARRAGE
AABEGRS	BRASAGE
	GABARES
AABEGRU	BAGUERA
AABEGSS	BAGASSE
AABEGSY	BEGAYAS
AABEGTT	BATTAGE
AABEGTY	BEGAYAT
AABEHIR	EBAHIRA
AABEHLM	MAHALEB
AABEHNU	HAUBANE
AABEIIR	BAIERAI*
AABEILL	LABIALE
AABEILM	AIMABLE
	AMIABLE
AABEILS	BALAIES
AABEILT	ETABLAI
AABEIMR	ABIMERA
AABEINU	AUBAINE
AABEIOR	ABOIERA
AABEIRS	ARABISE
	BAIERAS*
	BAISERA
	BASERAI
	EBRASAI
AABEIRT	ABETIRA →

	BARETAI
	BATERAI
AABEIRV	BAVERAI
AABEIRY	BAYERAI
AABEISS	ABAISSE
AABEJLR	JABLERA
AABEJMN	ENJAMBA
AABEJOU	ABAJOUE
AABELLM	EMBALLA
AABELLR	BALLERA
AABELLV	LAVABLE
	VALABLE
AABELMR	AMBLERA
	BLAMERA
	MALABRE*
AABELMU	LAMBEAU
AABELMV	EMBLAVA
AABELNR	EBRANLA
AABELNS	BALANES
	BANALES
	ENSABLA
AABELNZ	BALZANE
AABELOR	ELABORA
AABELPP	PAPABLE
AABELPR	PALABRE
AABELPY	PAYABLE
AABELRS	ARABLES
	BLASERA
	SABLERA
AABELRT	ALBATRE
	BLATERA
	TABLERA
AABELRY	BALAYER
AABELSS	BASALES
AABELST	BASALTE
	ETABLAS
AABELSY	BALAYES
AABELTT	ATTABLE
	ETABLAT
AABELTU	TABLEAU
AABELYZ	BALAYEZ
AABEMMU	EMBAUMA
AABEMRR	AMBRERA
	BRAMERA
	EMBARRA
AABEMRS	EMBRASA
AABEMRY	EMBRAYA
AABEMSS	BASAMES
AABEMST	BATAMES
AABEMSV	BAVAMES
AABEMSY	BAYAMES
AABENNS	BANANES
AABENRS	BASANER
	RABANES
AABENSS	BASANES
AABENST	ABSENTA
AABENSZ	BASANEZ
AABEQRU	BARAQUE
AABEQSU	ABAQUES
AABEQTU	BAQUETA
AABERRR	BARRERA
AABERRS	ABRASER
	BRASERA
	SABRERA
AABERRU	BARREAU
AABERRV	BRAVERA
AABERSS	ABRASES
	BASERAS
	EBRASAS
AABERST	BARETAS
	BATERAS
	EBRASAT
AABERSU	ABUSERA
AABERSV	BAVERAS
AABERSY	BAYERAS
AABERSZ	ABRASEZ
AABERTT	ABATTRE
	BARATTE
	BARETAT
	EBATTRA
	RABATTE
AABERUV	ABREUVA
	EBAVURA
AABESSS	BASASSE
AABESST	BASATES
	BATASSE
	TABASSE
AABESSV	BAVASSE
AABESSY	BAYASSE
AABESTT	ABATTES
	BATATES
AABESTV	BAVATES
AABESTY	BAYATES
AABETTU	ABATTUE
AABETTZ	ABATTEZ
AABETUX	BATEAUX
AABFFLU	AFFUBLA
AABFILM	FLAMBAI
AABFILT	ABLATIF
AABFILU	FABLIAU
	FABULAI
AABFIOU	BAFOUAI

AABFIRS	ABRASIF
	BAFRAIS
AABFIRT	BAFRAIT
AABFLMS	FLAMBAS
AABFLMT	FLAMBAT
AABFLNO	BALAFON
AABFLSU	FABULAS
AABFLTU	FABULAT
AABFNRT	BAFRANT
AABFOSU	BAFOUAS
AABFOTU	BAFOUAT
AABGIIN	BAIGNAI
AABGILS	GALBAIS
AABGILT	GALBAIT
AABGILU	BLAGUAI
AABGINS	BAIGNAS
AABGINT	BAIGNAT
AABGIRR	BIGARRA
AABGIRT	GABARIT
AABGISU	BAGUAIS
AABGITU	BAGUAIT
AABGLNT	GALBANT
AABGLSU	BLAGUAS
AABGLTU	BLAGUAT
AABGNTU	BAGUANT
AABGRST	GRABATS
AABHIIT	HABITAI
AABHILL	HABILLA
AABHIST	HABITAS
AABHITT	HABITAT
AABHITU	HABITUA
AABHLNR	HALBRAN
AABHLTY	BATHYAL
AABHNSU	HAUBANS
AABHORR	ABHORRA
AABIIIS	BIAISAI
AABIILL	BAILLAI
AABIILR	BLAIRAI
AABIILS	BALISAI
AABIIMS	ABIMAIS
AABIIMT	ABIMAIT
AABIIRS	BRAISAI
AABIIRT	ABRITAI
	BATIRAI
AABIISS	BAISAIS
	BAISSAI
	BIAISAS
AABIIST	BAISAIT
	BIAISAT
AABIJLS	JABLAIS
AABIJLT	JABLAIT
AABIJOT	JABOTAI
AABIJRU	ABJURAI
AABILLR	BRAILLA
AABILLS	BAILLAS
	BALLAIS
AABILLT	BAILLAT
	BALLAIT
AABILMN	LAMBINA
AABILMS	AMBLAIS
	BLAMAIS
AABILMT	AMBLAIT
	BLAMAIT
	MALBATI
AABILNR	BRANLAI
AABILOR	ABOLIRA
	BARIOLA
AABILOU	ABOULAI
AABILRS	BLAIRAS
AABILRT	BLAIRAT
AABILSS	BALISAS
	BLASAIS
	SABLAIS
AABILST	BALISAT
	BLASAIT
	SABLAIT
	TABLAIS
AABILTT	TABLAIT
AABILUX	LABIAUX
AABIMNO	ABOMINA
AABIMNT	ABIMANT
	AMBIANT
AABIMRR	MARBRAI
AABIMRS	AMBRAIS
	BAIRAMS
	BRAMAIS
AABIMRT	AMBRAIT
	BRAMAIT
AABINNO	ABONNAI
AABINNR	BANNIRA
AABINNS	BANIANS
AABINQU	BANQUAI
AABINRT	BARATIN
AABINSS	BASSINA
AABINST	BAISANT
AABINSU	AUBAINS
AABIORR	ARBORAI
AABIORT	RABIOTA
	RABOTAI
AABIOST	BAISOTA
	SABOTAI
AABIOSY	ABOYAIS

AABIOTU	ABOUTAI
AABIOTY	ABOYAIT
AABIPST	BAPTISA
AABIQRU	BRAQUAI
AABIRRR	BARRIRA
AABIRRS	BARRAIS
AABIRRT	ARBITRA
	BARRAIT
AABIRSS	BRAISAS
	BRASAIS
	BRASSAI
	SABRAIS
AABIRST	ABRITAS
	BATIRAS
	BRAISAT
	BRASAIT
	SABRAIT
AABIRSV	BRAVAIS
AABIRTT	ABRITAT
	BATTRAI
AABIRTV	BRAVAIT
AABIRTY	BRAYAIT*
AABISSS	BAISSAS
AABISST	BAISSAT
AABISSU	ABUSAIS
AABISTT	ABATTIS
	BATTAIS
AABISTU	ABUSAIT
AABITTT	ABATTIT
	BATTAIT
AABJLNT	JABLANT
AABJOST	JABOTAS
AABJOTT	JABOTAT
AABJRSU	ABJURAS
AABJRTU	ABJURAT
AABKOOZ	BAZOOKA
AABLLNT	BALLANT
AABLLST	BALLAST
AABLMNT	AMBLANT
	BLAMANT
AABLMRU	LABARUM
AABLNRS	BRANLAS
AABLNRT	BRANLAT
AABLNST	BLASANT
	SABLANT
AABLNSZ	BALZANS
AABLNTT	TABLANT
AABLORU	LABOURA
AABLOSU	ABOULAS
AABLOSV	LAVABOS
AABLOTU	ABOULAT
AABLSSY	ABYSSAL
AABMNRS	BARMANS
AABMNRT	AMBRANT
	BRAMANT
AABMRRS	MARBRAS
AABMRRT	MARBRAT
AABMRSY	BAYRAMS
AABNNOS	ABONNAS
AABNNOT	ABONNAT
	BATONNA
AABNOSY	SABAYON
AABNOTY	ABOYANT
AABNQSU	BANQUAS
AABNQTU	BANQUAT
AABNRRT	BARRANT
AABNRST	BRASANT
	SABRANT
	TRABANS
AABNRTV	BRAVANT
AABNRTY	BRAYANT*
AABNSTU	ABUSANT
AABNTTT	BATTANT
AABORRS	ARBORAS
AABORRT	ARBORAT
AABORRU	RABROUA
AABORST	RABOTAS
AABORTT	RABOTAT
AABORTU	RABOUTA
AABOSST	SABOTAS
AABOSTT	SABOTAT
AABOSTU	ABOUTAS
AABOTTU	ABOUTAT
AABQRSU	BRAQUAS
AABQRTU	BRAQUAT
AABRSSS	BRASSAS
AABRSST	BRASSAT
AABRSTT	BATTRAS
AABRTTU	RABATTU
AABSTTU	ABATTUS
AACCDEI	ACCEDAI
AACCDEN	CADENCA
AACCDER	CACARDE
AACCDES	ACCEDAS
	CASCADE
	SACCADE
AACCDET	ACCEDAT
AACCDOR	ACCORDA
AACCDOU	ACCOUDA
AACCEEL	CAECALE
AACCEGS	SACCAGE
AACCEHM	MACACHE

AACCEHR	CACHERA
AACCEHT	CACHETA
AACCELM	ACCLAME
AACCELN	CANCALE
AACCELS	LACCASE
AACCENN	CANCANE
AACCENR	CARENCA*
AACCENV	VACANCE
AACCEOT	CACAOTE
AACCEPT	ACCEPTA
AACCEUX	CAECAUX
AACCHIN	CHICANA
AACCHIR	CRACHAI
AACCHIS	CACHAIS
AACCHIT	CACHAIT
AACCHLS	CHACALS
AACCHNT	CACHANT
AACCHRS	CRACHAS
AACCHRT	CRACHAT
AACCILN	CALCINA
AACCILO	ACCOLAI
AACCILU	ACCULAI
AACCINV	VACCINA
AACCIOT	ACCOTAI
AACCIOU	ACCOUAI
AACCISU	ACCUSAI
AACCLLU	CALCULA
AACCLOS	ACCOLAS
AACCLOT	ACCOLAT
AACCLRU	CARACUL
AACCLSU	ACCULAS
AACCLTU	ACCULAT
AACCNNS	CANCANS
AACCNRS	CARCANS
AACCORS	CARACOS
AACCORU	CURACAO
AACCOST	ACCOSTA
	ACCOTAS
AACCOSU	ACCOUAS
AACCOTT	ACCOTAT
	TOCCATA
AACCOTU	ACCOUAT
AACCSSU	ACCUSAS
AACCSTU	ACCUSAT
AACDDIN	CANDIDA
AACDEFR	CAFARDE
AACDEFS	FACADES
AACDEGL	DEGLACA
AACDEGR	CADRAGE
	CARDAGE
AACDEHM	CHAMADE
AACDEHR	CHARADE
AACDEHT	DETACHA
AACDEHU	ECHAUDA
AACDEIL	DECALAI
	DELACAI
AACDEIN	ACADIEN
AACDEIP	DECAPAI
AACDEIV	DECAVAI
AACDELM	DECLAMA
AACDELN	CANDELA
	DECANAL
AACDELP	DEPLACA
AACDELR	DECLARA
AACDELS	ALCADES
	DECALAS
	DELACAS
AACDELT	DECALAT
	DELACAT
AACDELU	CAUDALE
AACDEMP	DECAMPA
AACDEMR	CAMARDE
AACDENR	CANARDE
	ENCADRA
AACDENS	CADENAS
AACDENT	DECANAT
	DECANTA
AACDENV	DEVANCA
AACDEPS	DECAPAS
AACDEPT	DECAPAT
AACDERR	CADRERA
	CARDERA
	RECARDA
AACDERS	ARCADES
AACDERV	CADAVRE
AACDESU	AUDACES
AACDESV	DECAVAS
AACDETV	DECAVAT
AACDEUX	CADEAUX
AACDFRS	CAFARDS
AACDFRU	FAUCARD
AACDGNO	CADOGAN
AACDGNR	CAGNARD
AACDHLN	CHALAND
AACDILR	RADICAL
AACDINR	CANDIRA
AACDINS	SCANDAI
AACDIRS	CADRAIS
	CARDAIS
	CARDIAS
AACDIRT	CADRAIT
	CARDAIT

AACDLPR	PLACARD
AACDMRS	CAMARDS
AACDNRR	RANCARD
AACDNRS	CADRANS
	CANARDS
	CARDANS
AACDNRT	CADRANT
	CARDANT
AACDNSS	SCANDAS
AACDNST	SCANDAT
AACDPRU	CRAPAUD
AACDRSS	CSARDAS
AACDRST	CADRATS
AACDSTU	TACAUDS
AACDUUX	CAUDAUX
AACEEFG	FAGACEE*
AACEEGL	GALEACE
AACEEGN	ENCAGEA
AACEEGP	PACAGEE
AACEEGS	AGACEES
AACEELR	ECALERA
AACEELV	CAVALEE
AACEENP	PANACEE
AACEENR	ARENACE
AACEENV	AVANCEE
AACEEPR	CAPEERA
AACEERS	ARACEES
AACEETT	ACETATE
AACEETX	TAXACEE*
AACEFFI	EFFACAI
AACEFFS	EFFACAS
AACEFFT	AFFECTA
	EFFACAT
AACEFGT	FACTAGE
AACEFHR	FACHERA
AACEFIL	FACIALE
AACEFLO	AFOCALE
AACEFLT	CALFATE
AACEFNT	CAFETAN
AACEFPR	PREFACA
AACEFRS	CARAFES
AACEFTT	FACETTA
AACEGGH	GACHAGE
AACEGGL	GLACAGE
AACEGHH	HACHAGE
AACEGHL	LACHAGE
AACEGHN	CHANGEA
	GANACHE
AACEGHR	CHARGEA
	GACHERA
AACEGIN	AGENCAI
AACEGIZ	AGACIEZ
AACEGLM	MACLAGE
AACEGLP	PLACAGE
AACEGLR	GLACERA
	RACLAGE
AACEGLS	CALAGES
	LACAGES
AACEGNN	CANNAGE
AACEGNR	ANCRAGE
	CARNAGE
	GARANCE
AACEGNS	AGENCAS
AACEGNT	AGACENT
	AGENCAT
AACEGNU	ECANGUA
AACEGPR	PACAGER
	PARCAGE
AACEGPS	PACAGES
AACEGPT	CAPTAGE
AACEGPZ	PACAGEZ
AACEGRS	RACAGES
AACEGRT	TRACAGE
AACEGSS	CASSAGE
	SAGACES
AACEHHR	HACHERA
AACEHIT	ACHETAI
AACEHIV	ACHEVAI
	AVACHIE
AACEHLL	ALLACHE
	ALLECHA
AACEHLR	CHARALE*
	HARCELA
	LACHERA
	RELACHA
AACEHLS	ECHALAS
AACEHLV	CHEVALA
AACEHLZ	CHALAZE
AACEHMR	MACHERA
	REMACHA
AACEHMU	CHAMEAU
AACEHNP	EPANCHA
	PANACHE
AACEHNR	ACHARNE
	ECHARNA
AACEHNS	ENSACHA
AACEHNT	ACANTHE
	ENTACHA
	ETANCHA
AACEHPP	ECHAPPA
AACEHPR	ECHARPA
	RECHAPA

AACEHPS	APACHES		CASERAI
AACEHPT	PATACHE		ECRASAI
AACEHPU	CHAPEAU	**AACEIRT**	ACIERAT
AACEHRR	ARRACHE		CARAITE
AACEHRT	CATHARE		CATAIRE
	RACHETA		ECARTAI
	TACHERA	**AACEIRV**	AVARICE
AACEHSS	ASSECHA		CAVERAI
AACEHST	ACHETAS	**AACEIUV**	EVACUAI
AACEHSV	ACHEVAS	**AACEIUX**	EXAUCAI
AACEHTT	ACHETAT	**AACEIVX**	EXCAVAI
	ATTACHE	**AACEJLU**	EJACULA
	TACHETA	**AACEJSS**	JACASSE
AACEHTU	CHATEAU	**AACELLW**	WALLACE
AACEHTV	ACHEVAT	**AACELMR**	CALMERA
AACEIIM	EMACIAI		CARAMEL
AACEIIR	ACIERAI		CLAMERA
AACEILL	ALLIACE		MACLERA
	ECAILLA		RECLAMA
AACEILM	AMICALE	**AACELMS**	CALAMES
	CAMELIA		LACAMES
AACEILN	ELANCAI	**AACELMX**	EXCLAMA
	ENLACAI	**AACELMY**	AMYLACE
AACEILP	APICALE	**AACELNN**	CANNELA
	CAPELAI	**AACELNP**	CAPELAN
AACEILR	CALERAI	**AACELNR**	LANCERA
	ECLAIRA		RELANCA
	LACERAI		RENACLA
	RACIALE	**AACELNS**	ALCANES
	RECALAI		ELANCAS
AACEILS	ECALAIS		ENLACAS
AACEILT	ECALAIT	**AACELNT**	ECALANT
	ECLATAI		ELANCAT
AACEIMN	MENACAI		ENLACAT
AACEIMR	MACERAI	**AACELNV**	ENCLAVA
AACEIMS	EMACIAS	**AACELPR**	PLACERA
AACEIMT	EMACIAT		REPLACA
AACEIMU	CAMAIEU	**AACELPS**	CAPELAS
AACEINN	CANNAIE		PALACES
AACEINR	ACARIEN*		PASCALE
	CANERAI	**AACELPT**	CAPELAT
	CARENAI	**AACELRR**	CARRELA
AACEINS	AISANCE		RACLERA
AACEINV	ENCAVAI	**AACELRS**	CALERAS
AACEIPR	RAPIECA		LACERAS
AACEIPS	CAPEAIS		RECALAS
	ESPACAI	**AACELRT**	LACERAT
AACEIPT	CAPEAIT		RECALAT
AACEIPY	CAPEYAI	**AACELRV**	CAVALER
AACEIRR	CARIERA	**AACELSS**	CALASSE
AACEIRS	ACIERAS →		LACASSE →

	SALACES
AACELST	ACETALS
	CALATES
	ECLATAS
	LACATES
	LACTASE
AACELSU	ACAULES
	CAUSALE
AACELSV	CAVALES
AACELTT	ECLATAT
	LACTATE
AACELTV	CLAVETA
AACELUV	CLAVEAU
AACELVZ	CAVALEZ
AACEMMR	MACRAME
AACEMNP	CAMPANE
AACEMNS	CANAMES
	MENACAS
AACEMNT	MENACAT
AACEMNU	MANCEAU
AACEMPR	CAMPERA
AACEMQU	MACAQUE
AACEMRS	CAMERAS
	MACERAS
AACEMRT	MACERAT
AACEMRV	VACARME
AACEMSS	CASAMES
AACEMSV	CAVAMES
AACENNR	CANNERA
AACENPS	CANAPES
AACENPT	CAPEANT
AACENQU	ENCAQUA
AACENRR	ANCRERA
	CRANERA
	NACRERA
AACENRS	ARCANES
	CANERAS
	CARENAS
	CASERNA
	RASANCE
	SERANCA
AACENRT	CARENAT
	ENCARTA
	TANCERA
AACENRU	CARNEAU
AACENRV	AVANCER
AACENSS	CANASSE
AACENST	CANATES
AACENSV	AVANCES
	CANEVAS
	ENCAVAS
AACENTT	CANTATE
AACENTV	ENCAVAT
	VACANTE
AACENVZ	AVANCEZ
AACEOTV	AVOCATE
AACEPRS	RAPACES
AACEPRT	CAPTERA
AACEPRU	CARPEAU
AACEPSS	ESPACAS
AACEPST	ESPACAT
AACEPSY	CAPEYAS
AACEPTY	CAPEYAT
AACEQRU	CAQUERA
	CARAQUE
AACEQSU	CASAQUE
AACEQTU	CAQUETA
AACERRR	CARRARE
	CARRERA
AACERRS	SACRERA
AACERRT	RETRACA
	TRACERA
AACERRU	CARREAU
AACERSS	CARESSA
	CASERAS
	CASSERA
	ECRASAS
AACERST	CARATES
	ECARTAS
	ECRASAT
AACERSU	CAUSERA
	EUSCARA*
	RECAUSA
	SAUCERA
AACERSV	CAVERAS
AACERTT	ECARTAT
AACERTV	CRAVATE
AACERUX	ARCEAUX
AACESSS	CASASSE
AACESST	CASATES
	CASSATE
AACESSU	CASSEAU
AACESSV	CAVASSE
AACESTV	CAVATES
AACESUV	EVACUAS
AACESUX	EXAUCAS
AACESVX	EXCAVAS
AACETUV	EVACUAT
AACETUX	EXAUCAT
AACETVX	EXCAVAT
AACEUVX	CAVEAUX
AACFFHI	AFFICHA

AACFFHU	CHAUFFA
AACFHIS	FACHAIS
AACFHIT	FACHAIT
AACFHIU	FAUCHAI
AACFHLN	FLANCHA
AACFHNT	FACHANT
AACFHSU	FAUCHAS
AACFHTU	FAUCHAT
AACFIIN	FIANCAI
AACFIIP	PACIFIA
AACFILT	CALIFAT
AACFINN	FINANCA
AACFINS	FASCINA
	FIANCAS
AACFINT	FIANCAT
AACFIRR	FARCIRA
AACFISS	FASCIAS
AACFIUX	FACIAUX
AACFLST	CALFATS
AACFNNO	FACONNA
AACFNOR	CARAFON
AACFOUX	AFOCAUX
AACFRSU	SURFACA
AACFRTU	FACTURA
AACGHIN	ACHIGAN
AACGHIS	GACHAIS
AACGHIT	GACHAIT
AACGHIU	AGUICHA
AACGHNT	GACHANT
AACGIIR	GRACIAI
AACGILL	GLACIAL
AACGILO	GAIACOL
AACGILS	GLACAIS
AACGILT	GLACAIT
AACGIMR	GRIMACA
AACGIRS	AGARICS
	GRACIAS
AACGIRT	GRACIAT
AACGIRU	CARGUAI
AACGLNT	GLACANT
AACGLOU	COAGULA
AACGNOS	AGACONS
AACGNOT	CATOGAN
AACGNOU	GUANACO
AACGRSU	CARGUAS
AACGRTU	CARGUAT
AACHHIN	HANCHAI
AACHHIS	HACHAIS
AACHHIT	HACHAIT
AACHHNS	HANCHAS
AACHHNT	HACHANT →
	HANCHAT
AACHHRU	HACHURA
AACHHTU	CHAHUTA
AACHIIL	CHIALAI
AACHIIN	CHAINAI
AACHIIT	CHATIAI
AACHILS	CHIALAS
	LACHAIS
AACHILT	CHIALAT
	LACHAIT
AACHILU	CHAULAI
AACHIMN	MACHINA
AACHIMO	AMOCHAI
AACHIMR	CHARMAI
	MARCHAI
AACHIMS	CHIASMA
	MACHAIS
AACHIMT	MACHAIT
AACHIMU	CHAUMAI
AACHINS	CHAINAS
AACHINT	CHAINAT
	CHANTAI
	CHATAIN
	TACHINA
AACHIOT	CAHOTAI
AACHIRR	CHARRIA
AACHIRT	CHATRAI
AACHIRV	ARCHIVA
	AVACHIR
	CHAVIRA
AACHISS	CHASSAI
AACHIST	CHATIAS
	TACHAIS
AACHISV	AVACHIS
AACHITT	CHATIAT
	TACHAIT
AACHITV	AVACHIT
AACHKPS	CHAPSKA
AACHLNP	PLANCHA
AACHLNT	LACHANT
AACHLOT	TALOCHA
AACHLSU	CHAULAS
AACHLTU	CHAULAT
AACHMNO	MACHAON
AACHMNT	MACHANT
AACHMOS	AMOCHAS
AACHMOT	AMOCHAT
AACHMRS	CHARMAS
	MARCHAS
AACHMRT	CHARMAT
	MARCHAT

AACHMRU	MACHURA
AACHMSU	CHAUMAS
AACHMTU	CHAUMAT
AACHNRT	TRANCHA
AACHNST	CHANTAS
	SACHANT
AACHNTT	CHANTAT
	TACHANT
AACHOPP	ACHOPPA
AACHOST	CAHOTAS
AACHOTT	CAHOTAT
AACHOTY	CHATOYA
AACHRST	CHATRAS
	RACHATS
AACHRTT	CHATRAT
AACHSSS	CHASSAS
AACHSST	CHASSAT
AACHSSU	CHAUSSA
AACIILL	CAILLAI
AACIILN	CALINAI
AACIILS	LAICISA
AACIINR	RACINAI
	RICANAI
AACIIRS	CARIAIS
AACIIRT	CARIAIT
	CATIRAI
AACIITV	ACTIVAI
AACIJLO	CAJOLAI
AACILLN	ALCALIN
AACILLR	CRAILLA
AACILLS	ALCALIS
	CAILLAS
AACILLT	CAILLAT
AACILLV	VACILLA
AACILMR	CALMIRA
AACILMS	CALMAIS
	CAMAILS
	CLAMAIS
	MACLAIS
AACILMT	CALMAIT
	CLAMAIT
	MACLAIT
AACILMU	MACULAI
AACILNN	LANCINA
AACILNR	RACINAL
AACILNS	CALINAS
	LANCAIS
AACILNT	CALINAT
	LANCAIT
AACILNU	CANULAI
AACILOR	RACOLAI
AACILOS	ASOCIAL
	COALISA
AACILOV	VIOLACA
AACILOX	COAXIAL
AACILPP	CLAPPAI
AACILPS	PLACAIS
	SCALPAI
AACILPT	CAPITAL
	PLACAIT
AACILQU	CALQUAI
	CLAQUAI
AACILRS	RACLAIS
	SARCLAI
AACILRT	RACLAIT
AACILSS	CLASSAI
AACIMNS	CAIMANS
AACIMOR	AMORCAI
AACIMPS	CAMPAIS
AACIMPT	CAMPAIT
AACIMRT	MATRICA
AACIMUX	AMICAUX
AACINNR	INCARNA
AACINNS	CANNAIS
AACINNT	CANNAIT
AACINNU	NUANCAI
AACINOR	OCARINA
AACINOT	CANOTAI
AACINPT	CAPITAN
AACINRR	RANCIRA
AACINRS	ANCRAIS
	ARNICAS
	CANARIS
	CRANAIS
	NACRAIS
	RACINAS
	RICANAS
AACINRT	ANCRAIT
	CARIANT
	CRANAIT
	CRANTAI
	NACRAIT
	RACINAT
	RICANAT
AACINRV	VAINCRA
AACINST	TANCAIS
AACINTT	TANCAIT
AACIOPT	CAPOTAI
	TAPIOCA
AACIOSS	ASSOCIA
	COASSAI
AACIOTV	OCTAVIA

AACIPQU	PACQUAI
AACIPST	CAPTAIS
	PACTISA
AACIPTT	CAPTAIT
AACIPTV	CAPTIVA
AACIPUX	APICAUX
AACIQRU	CRAQUAI
AACIQSU	CAQUAIS
	SACQUAI
AACIQTU	CAQUAIT
AACIRRS	CARRAIS
AACIRRT	CARRAIT
AACIRSS	ASCARIS
	SACRAIS
AACIRST	CASTRAI
	CATIRAS
	SACRAIT
	TRACAIS
AACIRSV	CAVIARS
AACIRTT	TRACAIT
AACIRUX	RACIAUX
AACISSS	CASSAIS
AACISST	CASSAIT
AACISSU	CAUSAIS
	SAUCAIS
AACISTU	CAUSAIT
	SAUCAIT
AACISTV	ACTIVAS
AACITTV	ACTIVAT
AACJLOS	CAJOLAS
AACJLOT	CAJOLAT
AACJOSU	ACAJOUS
AACKLPT	TALPACK
AACLMNO	MONACAL
AACLMNT	CALMANT
	CLAMANT
	MACLANT
AACLMOT	COLMATA
AACLMRS	CALMARS
AACLMSU	MACULAS
AACLMTU	MACULAT
AACLNNT	LANCANT
AACLNPT	PLACANT
AACLNRT	RACLANT
AACLNRU	CANULAR
AACLNST	CANTALS
AACLNSU	CANULAS
AACLNTU	CANULAT
AACLOPR	CAPORAL
AACLOPT	CLAPOTA
AACLORS	RACOLAS
AACLORT	COALTAR
	RACOLAT
AACLOTT	CALOTTA
AACLPPS	CLAPPAS
AACLPPT	CLAPPAT
AACLPSS	PASCALS
	SCALPAS
AACLPST	CAPTALS
	SCALPAT
AACLPSU	CAPSULA
AACLQSU	CALQUAS
	CLAQUAS
AACLQTU	CALQUAT
	CLAQUAT
AACLRSS	LASCARS
	SARCLAS
AACLRST	SARCLAT
AACLSSS	CLASSAS
AACLSST	CLASSAT
AACMNNO	MACONNA
AACMNOR	MACARON
	ROMANCA
AACMNPT	CAMPANT
AACMOPR	COMPARA
AACMORS	AMORCAS
AACMORT	AMORCAT
AACNNNO	ANNONCA
	CANONNA
AACNNNT	CANNANT
AACNNOR	ARCONNA
AACNNRT	ANCRANT
	CRANANT
	NACRANT
AACNNSU	NUANCAS
AACNNTT	TANCANT
AACNNTU	NUANCAT
AACNORT	RACONTA
AACNOST	CANOTAS
AACNOTT	CANOTAT
AACNPTT	CAPTANT
AACNQTU	CAQUANT
AACNRRT	CARRANT
	RANCART
AACNRST	CRANTAS
	SACRANT
AACNRTT	CRANTAT
	TRACANT
AACNSST	CASSANT
AACNSTU	CAUSANT
	SAUCANT
AACNSTV	VACANTS

AACOPST	CAPOTAS
AACOPTT	CAPOTAT
AACORRY	CARROYA
AACORSS	CASOARS
	CROASSA
AACORTT	CAROTTA
AACORTU	AUTOCAR
AACOSSS	COASSAS
AACOSST	COASSAT
AACOSTV	AVOCATS
AACPQSU	PACQUAS
AACPQTU	PACQUAT
AACPRTU	CAPTURA
AACPSUX	PASCAUX
AACQRSU	CRAQUAS
AACQRTU	CRAQUAT
AACQSSU	SACQUAS
AACQSTU	SACQUAT
AACRSST	CASTRAS
AACRSTT	CASTRAT
AACSUUX	CAUSAUX*
AADDDEN	ADDENDA
AADDEGR	DEGRADA
AADDEIL	ALIDADE
AADDEIN	DANAIDE
AADDEIR	DERADAI
AADDELR	DELARDA
AADDEMN	DEMANDA
AADDERR	DARDERA
AADDERS	DERADAS
AADDERT	DERADAT
AADDERU	DAURADE
AADDINN	DANDINA
AADDIRS	DARDAIS
AADDIRT	DARDAIT
AADDNRT	DARDANT
AADEEGG	DEGAGEA
AADEEGR	DERAGEA
AADEEPT	ADAPTEE
AADEERS	DESAERA
AADEERV	EVADERA
AADEFFI	AFFADIE
AADEFGR	DEGRAFA
	FARDAGE
AADEFIS	FADAISE
AADEFNZ	FAZENDA
AADEFRR	FARDERA
AADEFRU	FARAUDE
	FARDEAU
AADEFRY	DEFRAYA
AADEFSS	FADASSE
AADEGGR	DRAGAGE
AADEGHR	HAGARDE
AADEGIN	DEGAINA
AADEGIU	AIGUADE
AADEGIZ	DEGAZAI
AADEGJU	ADJUGEA
AADEGLL	DALLAGE
AADEGMS	DAMAGES
AADEGNS	AGENDAS
AADEGNT	DEGANTA
AADEGRR	GARDERA
	REGARDA
AADEGST	DATAGES
AADEGSZ	DEGAZAS
AADEGTZ	DEGAZAT
AADEHIL	DEHALAI
AADEHIR	ADHERAI
AADEHLS	DEHALAS
AADEHLT	DEHALAT
AADEHRR	HARDERA
AADEHRS	ADHERAS
	HASARDE
AADEHRT	ADHERAT
AADEIIR	AIDERAI
AADEILL	AILLADE
AADEILM	MALADIE
AADEILN	DELAINA
AADEILP	PEDALAI
AADEILR	RADIALE
AADEILT	DELAITA
	DETALAI
AADEILV	DELAVAI
	DEVALAI
AADEILY	DELAYAI
AADEIMN	ADAMIEN
	AMENDAI
AADEIMR	DAMERAI
	DEMARIA
AADEIMS	AIDAMES
AADEIMT	ADAMITE
	DEMATAI
AADEINS	NAIADES
AADEINT	ANATIDE*
AADEIPR	DEPARAI
	DEPARIA
	DERAPAI
	PARIADE
AADEIPV	DEPAVAI
AADEIRR	DRAIERA
	RADERAI
	RADIERA

AADEIRS	AIDERAS		RADAMES
	DARAISE	**AADEMRU**	MARAUDE
	DERASAI	**AADEMSS**	DAMASSE
AADEIRT	DATAIRE	**AADEMST**	DAMATES
	DATERAI		DATAMES
	DERATAI		DEMATAS
AADEIRY	DERAYAI	**AADEMTT**	DEMATAT
AADEISS	AIDASSE	**AADENNP**	DEPANNA
AADEIST	AIDATES	**AADENNT**	ANDANTE
AADEISV	EVADAIS	**AADENPR**	EPANDRA
AADEISX	DESAXAI		PANARDE
AADEITV	EVADAIT	**AADENPS**	PANADES
AADEITX	DETAXAI	**AADENRR**	RENARDA
AADEIUX	AIDEAUX	**AADENRS**	DANSERA
AADEJNT	DEJANTA		NASARDE
AADELLR	DALLERA		SARDANE
AADELMS	MALADES	**AADENRU**	RENAUDA
AADELMT	DALMATE	**AADENRV**	VERANDA
AADELNS	SANDALE	**AADENTV**	EVADANT
AADELNV	LAVANDE	**AADEORR**	ADORERA
	VANDALE	**AADEPRR**	DRAPERA
AADELPS	PEDALAS		PARADER
AADELPT	PEDALAT	**AADEPRS**	DEPARAS
AADELRR	LARDERA		DERAPAS
AADELRU	ADULERA		PARADES
AADELRZ	LEZARDA	**AADEPRT**	ADAPTER
AADELSS	DELASSA		DEPARAT
	DESSALA		DERAPAT
	SALADES	**AADEPRU**	DRAPEAU
AADELST	DETALAS	**AADEPRV**	DEPRAVA
AADELSV	DELAVAS	**AADEPRZ**	PARADEZ
	DEVALAS	**AADEPSS**	DEPASSA
AADELSY	DELAYAS		PASSADE
AADELTT	DETALAT	**AADEPST**	ADAPTES
AADELTV	DELAVAT	**AADEPSV**	DEPAVAS
	DEVALAT	**AADEPSY**	DEPAYSA
AADELTY	DELAYAT	**AADEPTU**	PATAUDE
AADELUV	DEVALUA	**AADEPTV**	DEPAVAT
AADEMMS	DAMAMES	**AADEPTZ**	ADAPTEZ
AADEMNR	DAMNERA	**AADEQTU**	ADEQUAT
	MANDERA	**AADERRS**	RADERAS
	RAMENDA	**AADERRT**	RETARDA
AADEMNS	AMANDES		TARDERA
	AMENDAS	**AADERRY**	DRAYERA
	MANADES	**AADERSS**	ADRESSA
AADEMNT	AMENDAT		DERASAS
	MANDATE		RADASSE
AADEMOU	AMADOUE		RASADES
AADEMRR	DEMARRA	**AADERST**	DATERAS
AADEMRS	DAMERAS		DERASAT
	DESARMA →		DERATAS →

	RADATES
AADERSV	VASARDE*
AADERSY	DERAYAS
AADERTT	ATTARDE
	DERATAT
AADERTU	TARAUDE
AADERTX	EXTRADA
AADERTY	DERAYAT
AADERUV	RAVAUDE
AADERUX	RADEAUX
AADESST	DATASSE
AADESSX	DESAXAS
AADESTT	DATATES
AADESTV	DEVASTA
AADESTX	DESAXAT
	DETAXAS
AADETTX	DETAXAT
AADFFIM	DIFFAMA
AADFFIR	AFFADIR
AADFFIS	AFFADIS
AADFFIT	AFFADIT
AADFILM	MALADIF
AADFIRS	FARDAIS
AADFIRT	FARDAIT
AADFIRU	FRAUDAI
AADFLMN	FLAMAND
AADFNRT	FARDANT
AADFRSU	FARAUDS
	FRAUDAS
AADFRSY	FAYARDS
AADFRTU	FRAUDAT
AADGHRS	HAGARDS
AADGIIN	DAIGNAI
AADGILN	GLANDAI
AADGIMM	DIGAMMA
AADGINR	AGRANDI
	GARDIAN
AADGINS	DAIGNAS
AADGINT	DAIGNAT
AADGIOS	ADAGIOS
AADGIRS	GARDAIS
AADGIRT	GARDAIT
AADGIRU	DRAGUAI
	GRADUAI
AADGIUV	DIVAGUA
AADGLNS	GLANDAS
AADGLNT	GLANDAT
	LANDTAG
AADGNRT	GARDANT
AADGRSS	SAGARDS
AADGRSU	DRAGUAS →
	GRADUAS
AADGRTU	DRAGUAT
	GRADUAT
AADHILS	DAHLIAS
AADHIRS	HARDAIS
AADHIRT	HARDAIT
AADHJRS	RADJAHS
AADHNRT	HARDANT
AADHRSS	HASARDS
AADHRTY	HYDRATA
AADIILP	LAPIDAI
	PLAIDAI
AADIILT	DILATAI
AADIILV	VALIDAI
AADIIMO	AMODIAI
AADIIMR	ADMIRAI
AADIINR	DRAINAI
AADIINV	VIANDAI
AADIIPR	DIAPRAI
AADIIRR	IRRADIA
	RAIDIRA
AADIIRS	RADIAIS
AADIIRT	RADIAIT
AADIJNR	JARDINA
AADIJRU	ADJURAI
AADIJSU	JUDAISA
AADILLS	DALLAIS
AADILLT	DALLAIT
AADILNP	PALADIN
AADILNS	LANDAIS
AADILPS	LAPIDAS
	PLAIDAS
AADILPT	LAPIDAT
	PLAIDAT
AADILRS	LARDAIS
AADILRT	LARDAIT
AADILST	DILATAS
AADILSU	ADULAIS
AADILSV	VALIDAS
AADILSY	DIALYSA
AADILTT	DILATAT
AADILTU	ADULAIT
AADILTV	VALIDAT
AADIMNS	DAMNAIS
	MANDAIS
AADIMNT	DAMNAIT
	DIAMANT
	MANDAIT
AADIMNU	MINAUDA
AADIMOR	DIORAMA
AADIMOS	AMODIAS

AADIMOT	AMODIAT
AADIMRS	ADMIRAS
AADIMRT	ADMIRAT
AADIMRU	MAUDIRA
AADINNO	ADONNAI
AADINNS	ANDAINS
AADINRS	DRAINAS
	RADIANS
AADINRT	DRAINAT
	RADIANT
AADINSS	DANSAIS
AADINST	DANSAIT
AADINSV	VIANDAS
AADINTV	VIANDAT
AADIOPR	PARODIA
AADIOPT	ADOPTAI
AADIORS	ADORAIS
AADIORT	ADORAIT
	RADOTAI
AADIOSS	ADOSSAI
AADIPRS	DIAPRAS
	DRAPAIS
	PARADIS
AADIPRT	DIAPRAT
	DRAPAIT
AADIRST	TARDAIS
AADIRSY	DRAYAIS
AADIRTT	TARDAIT
AADIRTY	DRAYAIT
AADIRUV	VAUDRAI
AADIRUX	RADIAUX
AADISST	STADIAS
AADJKNR	KANDJAR
AADJKNS	SANDJAK
AADJRSU	ADJURAS
AADJRTU	ADJURAT
AADJTUV	ADJUVAT
AADKKRR	DRAKKAR
AADLLNT	DALLANT
AADLMNU	LADANUM
AADLMRS	MALARDS
AADLNOU	ANDALOU
AADLNRT	LARDANT
AADLNSU	LANDAUS
AADLNTU	ADULANT
AADLRSU	RADULAS
AADLSSU	SALAUDS
AADMMOP	POMMADA
AADMMRS	RAMDAMS
AADMNNT	DAMNANT
	MANDANT
AADMNST	MANDATS
AADMORT	MATADOR
AADMOSU	AMADOUS
AADMRSU	MARAUDS
	MUSARDA
AADNNOS	ADONNAS
AADNNOT	ADONNAT
AADNNST	DANSANT
AADNORT	ADORANT
	ONDATRA
AADNPRS	PANARDS
AADNPRT	DRAPANT
AADNRSS	NASARDS
AADNRTT	TARDANT
AADNRTU	TRUANDA
AADNRTV	VANTARD
AADNRTY	DRAYANT
AADOPRS	PARADOS
AADOPSS	POSADAS
AADOPST	ADOPTAS
AADOPTT	ADOPTAT
AADORST	RADOTAS
	TORSADA
AADORTT	RADOTAT
AADOSSS	ADOSSAS
AADOSST	ADOSSAT
AADPRST	PATARDS
AADPSTU	PATAUDS
AADRSSV	VASARDS
AADRSTT	ADSTRAT
AADRSTU	DATURAS
	TARAUDS
AADRSUV	VAUDRAS
AAEEFFG	AFFEAGE
AAEEFFL	AFFALEE
AAEEFFM	AFFAMEE
AAEEFGR	AGRAFEE
AAEEFPR	PARAFEE
AAEEGGL	ELAGAGE
AAEEGGN	ENGAGEA
AAEEGGR	AGREGEA
AAEEGIR	EGAIERA
AAEEGIT	ETAGEAI
AAEEGLL	ALLEGEA
AAEEGLR	EGALERA
AAEEGLS	ALESAGE
AAEEGLT	ETALAGE
AAEEGMN	AMENAGE
	MENAGEA
AAEEGMR	EMARGEA
	RAMAGEE

AAEEGMT	ETAMAGE
AAEEGNR	ENRAGEA
AAEEGPR	ARPEGEA
AAEEGPY	PAGAYEE
AAEEGRR	AGREERA
	EGARERA
AAEEGRS	AERAGES
	AREAGES
AAEEGRT	ETAGERA
AAEEGRV	RAVAGEE
AAEEGRX	EXAGERA
AAEEGRY	EGAYERA
AAEEGST	ETAGEAS
AAEEGTT	ETAGEAT
AAEEGTY	ETAYAGE
AAEEILS	ALAISEE*
AAEEIPS	APAISEE
AAEEIRR	AERERAI
AAEEIRT	ETAIERA
AAEEIRV	AVARIEE
AAEELMN	MELAENA
AAEELMR	ALARMEE
AAEELMX	MALAXEE
AAEELNZ	ALEZANE
AAEELPT	APETALE
AAEELRS	ALESERA
	REALESA
AAEELRT	ETALERA
AAEELRV	RAVALEE
AAEELSV	AVALEES
AAEELSZ	AZALEES
AAEEMNR	AMENERA
	ARAMEEN
	EMANERA
AAEEMRR	AMARREE
AAEEMRS	AERAMES
AAEEMRT	ETAMERA
AAEEMSS	AMASSEE
AAEENPV	PAVANEE
AAEENST	SATANEE
AAEEPPT	APPATEE
AAEEPRT	EPATERA
AAEERRS	AERERAS
AAEERRV	AVERERA
AAEERSS	AERASSE
	ARASEES
AAEERST	AERATES
AAEERSV	EVASERA
AAEERTY	ETAYERA
AAEFFGR	GAFFERA
AAEFFIN	EFFANAI
AAEFFIR	AFFAIRE
	EFFARAI
AAEFFLR	AFFALER
AAEFFLS	AFFALES
AAEFFLZ	AFFALEZ
AAEFFMR	AFFAMER
	AFFERMA
AAEFFMS	AFFAMES
AAEFFMZ	AFFAMEZ
AAEFFNR	FANFARE
AAEFFNS	EFFANAS
AAEFFNT	EFFANAT
AAEFFRS	EFFARAS
AAEFFRT	AFFRETA
	EFFARAT
AAEFFRY	EFFRAYA
AAEFGHN	AFGHANE
AAEFGIT	FAITAGE
AAEFGLL	FELLAGA
AAEFGLN	ALFANGE
AAEFGLS	FAGALES
AAEFGNR	FRANGEA
AAEFGNS	FANAGES
AAEFGRR	AGRAFER
AAEFGRS	AGRAFES
AAEFGRT	FARTAGE
AAEFGRZ	AGRAFEZ
AAEFILR	ERAFLAI
AAEFILS	FALAISE
AAEFINR	FANERAI
AAEFINS	FAISANE
AAEFINT	ANATIFE
	ENFAITA
AAEFIRR	FRAIERA
	RAREFIA
AAEFISY	FASEYAI
AAEFITU	FAITEAU
AAEFLMM	MALFAME
AAEFLNR	FLANERA
AAEFLRR	RAFLERA
AAEFLRS	ERAFLAS
	RAFALES
AAEFLRT	ERAFLAT
	FRELATA
AAEFLST	FATALES
AAEFMNS	FANAMES
AAEFNNT	ENFANTA
AAEFNRS	FANERAS
	SAFRANE
AAEFNSS	FANASSE
AAEFNST	FANATES

AAEFPRR PARAFER
PARFERA*
AAEFPRS PARAFES
AAEFPRU EPAUFRA
AAEFPRZ PARAFEZ
AAEFRRS FRASERA*
AAEFRRT FARTERA
AAEFRRY FRAYERA
AAEFRTU FAUTERA
AAEFSSY FASEYAS
AAEFSTY FASEYAT
AAEGGGN GAGNAGE
AAEGGIR GAGERAI
AAEGGIS AIGAGES
GAGEAIS
AAEGGIT GAGEAIT
AAEGGIU AIGUAGE
AAEGGLN LANGAGE
AAEGGLR LARGAGE
AAEGGLU GAULAGE
AAEGGNR GAGNERA
REGAGNA
AAEGGNT GAGEANT
TANGAGE
AAEGGRS GAGERAS
GARAGES
AAEGGRT AGREGAT
AAEGGRV AGGRAVE
AAEGGSV GAVAGES
AAEGGSW WAGAGES
AAEGGSZ GAZAGES
AAEGHLS HALAGES
AAEGHNT AGNATHE*
AAEGHSV HAVAGES
AAEGIIM IMAGEAI
AAEGIJL GALEJAI
AAEGIJU JAUGEAI
AAEGILL ALLIAGE
EGAILLA
AAEGILN AGNELAI
LAINAGE
LANGEAI
AAEGILR REGALAI
AAEGILS EGALAIS
EGALISA
AAEGILT EGALAIT
LAITAGE
AAEGILU ELAGUAI
AAEGILX GALAXIE
AAEGIMN ENGAMAI
MANGEAI
AAEGIMR IMAGERA
MARGEAI
MARIAGE
AAEGIMS IMAGEAS
AAEGIMT IMAGEAT
AAEGINN ENGAINA
AAEGINR AGRAINE
ANGARIE
GAINERA
NAGERAI
RANGEAI
AAEGINS NAGEAIS
AAEGINT NAGEAIT
AAEGIPP PAPEGAI
AAEGIPR PAIRAGE
PARIAGE
AAEGIPS PAGAIES
AAEGIRR AGRAIRE
GARERAI
RAGERAI
RAGREAI
REAGIRA
AAEGIRS AGREAIS
EGARAIS
RAGEAIS
AAEGIRT AGITERA
AGREAIT
EGARAIT
GATERAI
RAGEAIT
REGATAI
AAEGIRV GAVERAI
AAEGIRZ GAZERAI
AAEGISS ASSAGIE
SAGAIES
AAEGIST AGATISE
AAEGISY EGAYAIS
AAEGISZ ZAGAIES*
AAEGITT ATTIGEA
AAEGITY EGAYAIT
AAEGIVV AVIVAGE
AAEGJLS GALEJAS
AAEGJLT GALEJAT
AAEGJRU JAUGERA
AAEGJSU JAUGEAS
AAEGJTU AJUTAGE
JAUGEAT
AAEGLLP PLAGALE
AAEGLLT TALLAGE
AAEGLLU ALLEGUA
AAEGLMT MALTAGE

AAEGLNP	PLANAGE
AAEGLNR	GLANERA
	LANGERA
AAEGLNS	AGNELAS
	LANGEAS
	LASAGNE
AAEGLNT	AGNELAT
	EGALANT
	GALANTE
	LANGEAT
AAEGLPS	ALPAGES
AAEGLQU	LAQUAGE
AAEGLRR	REALGAR
AAEGLRS	REGALAS
AAEGLRT	REGALAT
AAEGLRU	GAULERA
AAEGLSS	SALAGES
	SEGALAS
AAEGLST	GALATES
	GALETAS
AAEGLSU	ELAGUAS
AAEGLSV	LAVAGES
AAEGLTT	LATTAGE
AAEGLTU	ELAGUAT
AAEGLUV	AVEUGLA
AAEGMMR	GAMMARE
AAEGMNR	MANAGER
	MANGERA
	MARNAGE
AAEGMNS	ENGAMAS
	MANGEAS
AAEGMNT	ENGAMAT
	MANGEAT
AAEGMRR	MARGERA
	RAMAGER
AAEGMRS	GARAMES
	MARGEAS
	RAMAGES
AAEGMRT	MARGEAT
AAEGMRU	MAUGREA
AAEGMRY	MAGYARE
AAEGMRZ	RAMAGEZ
AAEGMSS	MASSAGE
AAEGMST	GATAMES
	MATAGES
AAEGMSV	GAVAMES
AAEGMSZ	GAZAMES
AAEGNNT	NAGEANT
	TANNAGE
AAEGNNV	VANNAGE
AAEGNPR	EPARGNA
AAEGNPS	PANSAGE
AAEGNRR	ARRANGE
	RANGERA
AAEGNRS	GANSERA
	NAGERAS
	RANGEAS
AAEGNRT	AGREANT
	ARGENTA
	EGARANT
	GANTERA
	GARANTE
	RAGEANT
	RANGEAT
AAEGNRV	ENGRAVA
AAEGNSU	AUNAGES
	SAUNAGE
AAEGNTT	NATTAGE
AAEGNTY	EGAYANT
AAEGNUX	AGNEAUX
AAEGORR	ARROGEA
AAEGOVY	VOYAGEA
AAEGPPR	EGRAPPA
AAEGPRS	PARAGES
	RAPAGES
AAEGPRT	PARTAGE
	TAPAGER
AAEGPRY	PAGAYER
AAEGPSS	PASSAGE
AAEGPST	TAPAGES
AAEGPSV	PAVAGES
AAEGPSY	PAGAYES
	PAYSAGE
AAEGPTU	PATAUGE
AAEGPTZ	TAPAGEZ
AAEGPYZ	PAGAYEZ
AAEGRRS	GARERAS
	RAGERAS
	RAGREAS
AAEGRRT	RAGREAT
AAEGRRU	ARGUERA
	RAGUERA
AAEGRRV	GRAVERA
	RAVAGER
AAEGRSS	AGRESSA
	GARASSE
	RASAGES
AAEGRST	GARATES
	GATERAS
	RATAGES
	REGATAS
	TARAGES

AAEGRSU	SAURAGE	**AAEIILR**	LAIERAI
AAEGRSV	GAVERAS	**AAEIILS**	ASIALIE
	RAVAGES	**AAEIIMN**	ANEMIAI
AAEGRSY	RAYAGES	**AAEIIMR**	AIMERAI
AAEGRSZ	GAZERAS	**AAEIIPR**	PAIERAI
AAEGRTT	REGATAT	**AAEIIRR**	RAIERAI
AAEGRUV	VAGUERA	**AAEIJLV**	JAVELAI
AAEGRUZ	AZURAGE	**AAEIJRS**	JASERAI
AAEGRVZ	RAVAGEZ	**AAEILLM**	EMAILLA
AAEGSSS	AGASSES	**AAEILLR**	AILLERA
AAEGSST	GATASSE		ALLIERA
AAEGSSV	GAVASSE		ERAILLA
AAEGSSZ	GAZASSE	**AAEILLT**	ALLAITE
AAEGSTT	GATATES	**AAEILMN**	ANIMALE
AAEGSTV	GAVATES	**AAEILMP**	EMPALAI
AAEGSTZ	GAZATES	**AAEILMR**	AMARILE
AAEGSUV	SAUVAGE		AMIRALE
AAEGTUX	GATEAUX		MALAIRE
AAEHILN	ANHELAI		MARIALE
AAEHILR	HALERAI	**AAEILMS**	MALAISE
AAEHILT	HALETAI	**AAEILNN**	ANNELAI
	HIATALE	**AAEILNP**	APLANIE
AAEHILX	EXHALAI	**AAEILNR**	LAINERA
AAEHINZ	AHANIEZ	**AAEILNS**	ALIENAS
AAEHIPS	APHASIE		ALINEAS
AAEHIPT	APATHIE	**AAEILNT**	AILANTE
AAEHIRT	HATERAI		ALIENAT
AAEHLLM	MEHALLA	**AAEILNU**	AULNAIE
AAEHLMS	HALAMES	**AAEILNV**	ALEVINA
AAEHLNS	ANHELAS	**AAEILPP**	APPELAI
AAEHLNT	ANHELAT	**AAEILPR**	LAPERAI
AAEHLRS	HALERAS	**AAEILPS**	APLASIE
AAEHLSS	HALASSE	**AAEILPT**	APLATIE
AAEHLST	HALATES	**AAEILPU**	EPAULAI
	HALETAS	**AAEILRR**	LARAIRE
AAEHLSX	EXHALAS		RALERAI
AAEHLTT	HALETAT	**AAEILRS**	ALAIRES
AAEHLTX	EXHALAT		LAIERAS
AAEHMST	HATAMES		REALISA
AAEHMUX	HAMEAUX		RESALAI
AAEHNNT	AHANENT		SALAIRE
AAEHNRT	HANTERA		SALARIE
AAEHNSV	HAVANES		SALERAI
AAEHPPR	HAPPERA	**AAEILRT**	ALERTAI
	PARAPHE		ALITERA
AAEHRSS	HARASSE		ALTERAI
AAEHRST	HATERAS		RATELAI
AAEHSST	HATASSE		RELATAI
AAEHSTT	HATATES	**AAEILRV**	LAVERAI
AAEHSTU	AETHUSA		RELAVAI
AAEIILN	ALIENAI	**AAEILRX**	RELAXAI

AAEILRY	LAYERAI
	RELAYAI
AAEILSS	ALAISES
	ALESAIS
AAEILST	ALESAIT
	ETALAIS
AAEILSU	SAULAIE
AAEILSV	AVALISE
AAEILSX	AXIALES
AAEILTT	ATTELAI
	ETALAIT
AAEILTV	TAVELAI
AAEILTX	EXALTAI
AAEILUV	EVALUAI
AAEILVZ	AVALIEZ
AAEIMMS	AIMAMES
AAEIMNR	AMARINE
	ANIMERA
	MANIERA
	RAMENAI
	REANIMA
	REMANIA
AAEIMNS	AMENAIS
	ANEMIAS
	EMANAIS
AAEIMNT	AIMANTE
	AMANITE
	AMENAIT
	AMIANTE
	ANEMIAT
	EMANAIT
	ENTAMAI
	MAINATE
AAEIMNX	EXAMINA
AAEIMPR	EMPARAI
	PAMERAI
AAEIMPT	EMPATAI
	ETAMPAI
AAEIMRR	ARMERAI
	MARIERA
	RAMERAI
	REARMAI
	REMARIA
AAEIMRS	AIMERAS
AAEIMRT	MATERAI
	RETAMAI
AAEIMSS	AIMASSE
	ESSAIMA
AAEIMST	AIMATES
	AMATIES
	ETAMAIS
AAEIMTT	ETAMAIT
AAEIMTU	AMEUTAI
AAEINNT	ANEANTI
AAEINNX	ANNEXAI
AAEINPP	PAPAINE
AAEINPR	PANERAI
AAEINRR	RAINERA
AAEINRV	AVINERA
AAEINRY	ENRAYAI
AAEINSS	ASSENAI
AAEINST	TAENIAS
AAEINSU	AUNAIES
AAEINSV	AVANIES
	ENVASAI
AAEINTV	AVAIENT
AAEINTX	AXAIENT
AAEIPPR	APPARIE
AAEIPRR	PARERAI
	PARIERA
	RAPERAI
	REPAIRA
	REPARAI
AAEIPRS	APAISER
	PAIERAS
	SAPERAI
	SEPARAI
AAEIPRT	RAPIATE
	RETAPAI
	TAPERAI
AAEIPRU	APEURAI
AAEIPRV	PAVERAI
	REPAVAI
AAEIPRX	APRAXIE
AAEIPRY	PAYERAI
	REPAYAI
AAEIPSS	APAISES
AAEIPST	EPATAIS
AAEIPSZ	APAISEZ
AAEIPTT	APATITE
	EPATAIT
AAEIRRS	ARAIRES
	ARISERA
	RAIERAS
	RASERAI
AAEIRRT	ARRETAI
	RATERAI
	TARERAI
AAEIRRV	AVARIER
	VARIERA
AAEIRRY	RAYERAI
AAEIRSS	ASSIERA

AAEIRSV	AVARIES
	AVERAIS
	AVISERA
AAEIRSX	AXERAIS
AAEIRSZ	ARASIEZ
AAEIRTT	TATERAI
AAEIRTV	AVERAIT
AAEIRTX	AXERAIT
	TAXERAI
AAEIRVV	AVIVERA
AAEIRVZ	AVARIEZ
AAEISST	ASIATES
	ASTASIE
AAEISSU	AISSEAU
AAEISSV	EVASAIS
AAEISSY	ESSAYAI
AAEISTT	ETATISA
	SAIETTA
AAEISTV	EVASAIT
AAEISTX	ATAXIES
	EXTASIA
AAEISTY	ETAYAIS
AAEITTY	ETAYAIT
AAEIYZZ	ZEZAYAI
AAEJLSV	JAVELAS
AAEJLTV	JAVELAT
AAEJMSS	JASAMES
AAEJNRS	JASERAN
AAEJPPR	JAPPERA
AAEJPRS	JASPERA
AAEJRSS	JASERAS
AAEJSSS	JASASSE
AAEJSST	JASATES
AAEKRST	KARATES
AAEKRSU	ESKUARA
	EUSKARA
AAELLLP	PALLEAL
AAELLMS	ALLAMES
AAELLNT	ALLANTE
AAELLPS	PAELLAS
AAELLRT	LATERAL
	TALLERA
AAELLSS	ALLASSE
AAELLST	ALLATES
AAELMMN	MALMENA
AAELMNO	ANOMALE
AAELMNT	LAMENTA
AAELMOR	AMORALE
AAELMPR	LAMPERA
	PALMERA
AAELMPS	EMPALAS →
	LAPAMES
AAELMPT	EMPALAT
AAELMRR	ALARMER
AAELMRS	ALARMES
	RALAMES
AAELMRT	MALTERA
	MARTELA
AAELMRX	MALAXER
AAELMRZ	ALARMEZ
AAELMSS	SALAMES
AAELMST	MALTASE
	MATELAS
AAELMSV	LAVAMES
AAELMSX	MALAXES
AAELMSY	AMYLASE
	LAYAMES
AAELMXZ	MALAXEZ
AAELNNS	ANNALES
	ANNELAS
AAELNNT	ANNELAT
AAELNOT	ATONALE
AAELNPR	PLANERA
AAELNPT	PLATANE
AAELNRS	ARSENAL
AAELNRT	ALTERNA
AAELNSS	NASALES
AAELNST	ALESANT
	NATALES
AAELNSV	NAVALES
AAELNSY	ANALYSE
AAELNSZ	ALEZANS
AAELNTT	ATLANTE
	ETALANT
	TANTALE
AAELNTV	AVALENT
AAELORU	AUREOLA
AAELOTU	ALOUATE
AAELOTX	OXALATE
AAELPPR	PALPERA
	RAPPELA
AAELPPS	APPELAS
	PAPALES
AAELPPT	APPELAT
AAELPRR	PARLERA
	REPARLA
AAELPRS	LAPERAS
AAELPRT	PALATRE
AAELPSS	LAPASSE
AAELPST	LAPATES
AAELPSU	EPAULAS
AAELPTU	EPAULAT →

	PLATEAU
AAELQRU	LAQUERA
AAELQUV	VALAQUE
AAELRRS	RALERAS
AAELRRV	RAVALER
AAELRSS	LASSERA
	RALASSE
	RESALAS
	SALERAS
AAELRST	ALERTAS
	ALTERAS
	ASTRALE
	RALATES
	RATELAS
	RELATAS
	RESALAT
AAELRSU	SALUERA
AAELRSV	LAVERAS
	RAVALES
	RELAVAS
	VALSERA
AAELRSX	RELAXAS
AAELRSY	LAYERAS
	RELAYAS
AAELRTT	ALERTAT
	ALTERAT
	LATTERA
	RATELAT
	RELATAT
AAELRTU	LAUREAT
AAELRTV	LAVARET
	RELAVAT
AAELRTX	RELAXAT
AAELRTY	RELAYAT
AAELRTZ	LAZARET
AAELRUV	AVALEUR
AAELRVZ	RAVALEZ
AAELSSS	SALASSE
AAELSST	SALATES
AAELSSV	LAVASSE
	VASSALE
AAELSSY	LAYASSE
AAELSTT	ATTELAS
AAELSTV	LAVATES
	TAVELAS
AAELSTX	EXALTAS
AAELSTY	LAYATES
AAELSUV	EVALUAS
AAELTTT	ATTELAT
AAELTTV	TAVELAT
AAELTTX	EXALTAT
AAELTUV	EVALUAT
AAEMMPS	PAMAMES
AAEMMPU	EMPAUMA
AAEMMRS	ARMAMES
	MARASME
	RAMAMES
AAEMMST	MATAMES
AAEMNNP	EMPANNA
AAEMNNT	AMENANT
	EMANANT
AAEMNOZ	AMAZONE
AAEMNPS	PANAMES
AAEMNRR	MARNERA
	MARRANE*
AAEMNRS	RAMENAS
AAEMNRT	MATERNA
	RAMENAT
	RENTAMA
AAEMNST	AMANTES
	ENTAMAS
AAEMNTT	ENTAMAT
	ETAMANT
AAEMNTU	MANTEAU
AAEMORT	AROMATE
AAEMPPR	EPAMPRA
AAEMPRR	RAMPERA
AAEMPRS	EMPARAS
	PAMERAS
	PARAMES
	PARSEMA
	RAPAMES
AAEMPRT	EMPARAT
AAEMPRU	PAUMERA
	RAMPEAU
AAEMPSS	PAMASSE
	SAPAMES
AAEMPST	EMPATAS
	ESTAMPA
	ETAMPAS
	PAMATES
	TAPAMES
AAEMPSV	PAVAMES
AAEMPSY	PAYAMES
AAEMPTT	EMPATAT
	EMPATTA
	ETAMPAT
AAEMRRR	AMARRER
	MARRERA
AAEMRRS	AMARRES
	ARMERAS
	RAMERAS →

	REARMAS
AAEMRRT	MARATRE
	REARMAT
	TRAMERA
AAEMRRU	AMURERA
AAEMRRZ	AMARREZ
AAEMRSS	AMASSER
	ARMASSE
	MASSERA
	RAMASSE
	RASAMES
	SAMARES
AAEMRST	ARMATES
	MATERAS
	RAMATES
	RATAMES
	RETAMAS
	TARAMES
AAEMRSU	AMUSERA
AAEMRSY	RAYAMES
AAEMRTT	RETAMAT
	TREMATA
AAEMRTU	AMATEUR
	MARTEAU
	RAMEUTA
AAEMRUX	RAMEAUX
AAEMSSS	AMASSES
AAEMSST	MATASSE
AAEMSSZ	AMASSEZ
AAEMSTT	MATATES
	TATAMES
AAEMSTU	AMEUTAS
AAEMSTX	TAXAMES
AAEMTTU	AMEUTAT
AAENNPU	PANNEAU
AAENNRT	TANNERA
AAENNRV	VANNERA
AAENNST	ANNATES
AAENNSX	ANNEXAS
AAENNSZ	ZENANAS
AAENNTV	AVENANT
AAENNTX	ANNEXAT
AAENNUV	VANNEAU
AAENNUX	ANNEAUX
AAENPPR	NAPPERA
AAENPRS	PANERAS
	PANSERA
AAENPRT	ARPENTA
	TREPANA
AAENPRV	PAVANER
AAENPSS	PANASSE
AAENPST	PANATES
AAENPSV	PAVANES
AAENPTT	EPATANT
	PATENTA
	TAPANTE
AAENPTY	PAYANTE
AAENPVZ	PAVANEZ
AAENRRR	NARRERA
AAENRRT	RANATRE
AAENRRV	NAVRERA
AAENRST	ARASENT
	RASANTE
AAENRSU	SAUNERA
AAENRSY	ENRAYAS
AAENRTT	NATTERA
	TARTANE
AAENRTU	URANATE
AAENRTV	AVERANT
	ENTRAVA
	VANTERA
AAENRTY	ENRAYAT
AAENSSS	ASSENAS
AAENSST	ASSENAT
	ENTASSA
	SATANES
AAENSSV	ENVASAS
	SAVANES
AAENSTV	ENVASAT
	EVASANT
	SAVANTE
AAENSUX	NASEAUX
AAENTTT	ATTENTA
AAENTTU	ATTENUA
AAENTTY	ETAYANT
AAEOPRV	EVAPORA
AAEORTU	OUATERA
AAEORUV	AVOUERA
AAEOTTZ	AZOTATE
AAEPPRR	PREPARA
AAEPPRT	APPATER
	APPRETA
	PARAPET
AAEPPRU	APPARUE
AAEPPRV	VARAPPE
AAEPPRY	PAPAYER
AAEPPST	APPATES
AAEPPSY	PAPAYES
AAEPPTU	PAPAUTE
AAEPPTZ	APPATEZ
AAEPPUX	APPEAUX
AAEPRRS	PARERAS →

	RAPERAS
	REPARAS
AAEPRRT	REPARAT
AAEPRRU	APURERA
AAEPRSS	PARASSE
	PARESSA
	PASSERA
	RAPASSE
	REPASSA
	SAPERAS
	SEPARAS
AAEPRST	APARTES
	PARATES
	RAPATES
	RETAPAS
	SATRAPE
	SEPARAT
	TAPERAS
AAEPRSU	APEURAS
	PAUSERA
AAEPRSV	PAVERAS
	REPAVAS
AAEPRSY	PAYERAS
	REPAYAS
AAEPRTT	ATTRAPE
	RETAPAT
AAEPRTU	APEURAT
AAEPRTV	REPAVAT
AAEPRTY	REPAYAT
AAEPSSS	SAPASSE
AAEPSST	SAPATES
	TAPASSE
AAEPSSV	PAVASSE
AAEPSSY	PAYASSE
AAEPSTT	PATATES
	TAPATES
AAEPSTV	PAVATES
AAEPSTY	PAYATES
AAEQRRU	ARQUERA
AAEQRSU	SAQUERA
AAEQRTU	ETARQUA
	TAQUERA
AAEQRUV	VAQUERA
AAEQTTU	ATTAQUE
AAERRSS	RASERAS
AAERRST	ARRETAS
	RATERAS
	TARARES
	TARERAS
AAERRSU	SAURERA
AAERRSY	RAYERAS
AAERRTT	ARRETAT
	ATTERRA
	TARTARE
AAERRUZ	AZURERA
AAERSSS	RASASSE
	SASSERA
AAERSST	ESSARTA
	RASATES
	RATASSE
	TARASSE
	TASSERA
AAERSSV	REVASSA
AAERSSY	RAYASSE
	RESSAYA
AAERSTT	RATATES
	TARATES
	TATERAS
AAERSTU	SAUTERA
AAERSTX	TAXERAS
AAERSTY	RAYATES
AAERSUV	SAUVERA
AAERTUU	TAUREAU
AAERTUX	RATEAUX
AAESSSX	AXASSES
AAESSSY	ESSAYAS
AAESSTT	ASTATES
	TATASSE
AAESSTU	TASSEAU
AAESSTV	SAVATES
AAESSTX	TAXASSE
AAESSTY	ESSAYAT
AAESSUX	ASSEAUX
AAESTTT	ATTESTA
	TATATES
AAESTTX	TAXATES
AAESYZZ	ZEZAYAS
AAETYZZ	ZEZAYAT
AAFFGIR	AGRIFFA
AAFFGIS	GAFFAIS
AAFFGIT	GAFFAIT
AAFFGNT	GAFFANT
AAFFIIL	AFFILAI
	AFFILIA
AAFFIIN	AFFINAI
AAFFIIP	PIAFFAI
AAFFILO	AFFOLAI
AAFFILS	AFFILAS
AAFFILT	AFFILAT
AAFFILU	AFFLUAI
	FAUFILA
AAFFIMR	AFFIRMA

AAFFIMS	MAFFIAS
AAFFINR	RAFFINA
AAFFINS	AFFINAS
AAFFINT	AFFINAT
AAFFIPS	PIAFFAS
AAFFIPT	PIAFFAT
AAFFITU	AFFUTAI
AAFFLOR	RAFFOLA
AAFFLOS	AFFOLAS
AAFFLOT	AFFOLAT
AAFFLSU	AFFLUAS
AAFFLTU	AFFLUAT
AAFFSTU	AFFUTAS
AAFFTTU	AFFUTAT
AAFGGOR	FOGGARA
AAFGHNR	HARFANG
AAFGHNS	AFGHANS
AAFGIOT	FAGOTAI
AAFGIRU	GAUFRAI
AAFGITU	FATIGUA
AAFGOST	FAGOTAS
AAFGOTT	FAGOTAT
AAFGRSU	GAUFRAS
AAFGRTU	GAUFRAT
AAFIILL	FAILLAI
AAFIILR	FLAIRAI
AAFIILS	SALIFIA
AAFIIMR	RAMIFIA
AAFIINP	PANIFIA
AAFIINR	FARINAI
AAFIIRS	FRAISAI
AAFIIRT	RATIFIA
	TARIFAI
AAFIIRU	AURIFIA
AAFIISS	FAISAIS
AAFIIST	FAISAIT
AAFIITT	ATTIFAI
AAFILLS	FAILLAS
AAFILLT	FAILLAT
	FALLAIT
AAFILNS	FLANAIS
AAFILNT	FLANAIT
AAFILNU	FALUNAI
AAFILPR	PARFILA
AAFILRS	FLAIRAS
	RAFLAIS
AAFILRT	FLAIRAT
	RAFLAIT
AAFILTT	FLATTAI
AAFILTX	LAXATIF
AAFINRS	FARINAS
AAFINRT	FARINAT
AAFINSS	FAISANS
	FINASSA
AAFINST	FAISANT
AAFIOTY	FAYOTAI
AAFIPPR	FRAPPAI
AAFIPRS	PARFAIS
AAFIPRT	PARFAIT
AAFIRSS	FRAISAS
	FRASAIS*
	SAFARIS
AAFIRST	FARTAIS
	FRAISAT
	FRASAIT*
	TARIFAS
AAFIRSY	FRAYAIS
AAFIRTT	FARTAIT
	TARIFAT
AAFIRTY	FRAYAIT
AAFISSU	FAUSSAI
AAFISTT	ATTIFAS
AAFISTU	FAUTAIS
AAFITTT	ATTIFAT
AAFITTU	FAUTAIT
AAFLMNT	FLAMANT
AAFLNNT	FLANANT
AAFLNQU	FLANQUA
AAFLNRT	RAFLANT
AAFLNSU	FALUNAS
AAFLNTU	FALUNAT
AAFLORT	FOLATRA
AAFLRSZ	FALZARS
AAFLSTT	FLATTAS
AAFLSTU	SULFATA
AAFLTTT	FLATTAT
AAFMPRU	PARFUMA
AAFNOPR	PROFANA
AAFNRSS	SAFRANS
AAFNRST	FRASANT*
AAFNRTT	FARTANT
AAFNRTY	FRAYANT
AAFNTTU	FAUTANT
AAFOSTY	FAYOTAS
AAFOTTY	FAYOTAT
	FAYOTTA*
AAFPPRS	FRAPPAS
AAFPPRT	FRAPPAT
AAFSSSU	FAUSSAS
AAFSSTU	FAUSSAT
AAGGINS	GAGNAIS
AAGGINT	GAGNAIT

AAGGLLS GALGALS
AAGGNNT GAGNANT
AAGHNRS HANGARS
AAGIILN ALIGNAI
AAGIILP PLAGIAI
AAGIILR GLAIRAI
AAGIILS GLAISAI
AAGIILU AIGUAIL*
AAGIIMN GAMINAI
IMAGINA
AAGIIMR AMAIGRI
AAGIINP PAGINAI
AAGIINR GRAINAI
AAGIINS GAINAIS
SAIGNAI
AAGIINT GAINAIT
AAGIIOT AGIOTAI
AAGIIRR AIGRIRA
AAGIIRS AGIRAIS
AAGIIRT AGIRAIT
AAGIIRV VAGIRAI
AAGIIST AGITAIS
AAGIISU AIGUISA
AAGIITT AGITAIT
AAGILLR GRAILLA
AAGILNS ALIGNAS
ANGLAIS
GLANAIS
SANGLAI
SIGNALA
AAGILNT ALIGNAT
GLANAIT
AAGILNU ALANGUI
AAGILNV VAGINAL
AAGILOP GALOPAI
AAGILPR GLAPIRA
AAGILPS PLAGIAS
AAGILPT PLAGIAT
AAGILRS GLAIRAS
AAGILRT GLAIRAT
GLATIRA
AAGILRU LARGUAI
AAGILSS GLAISAS
AAGILST GLAISAT
AAGILSU GAULAIS
AAGILSV GAVIALS
AAGILTU GAULAIT
AAGIMNS GAMINAS
MAGASIN
AAGIMNT GAMINAT
AAGINNT GAINANT
AAGINOR AGONIRA*
AAGINOS AGONISA
AAGINPS PAGINAS
AAGINPT PAGINAT
AAGINRR GARNIRA
AAGINRS GRAINAS
SANGRIA
AAGINRT GARANTI
GRAINAT
GRANITA
GRATINA
AAGINRU GUARANI
NARGUAI
AAGINSS AGASSIN
ASSIGNA
GANSAIS
SAIGNAS
AAGINST GANSAIT
GANTAIS
SAIGNAT
STAGNAI
AAGINTT AGITANT
GANTAIT
AAGINTU TANGUAI
AAGINUV NAVIGUA
AAGIOST AGIOTAS
AAGIOTT AGIOTAT
AAGIPPR AGRIPPA
AAGIRRV GRAVIRA
AAGIRSS ASSAGIR
GRAISSA
AAGIRSU ARGUAIS
RAGUAIS
AAGIRSV GRAVAIS
VAGIRAS
AAGIRTT GRATTAI
AAGIRTU ARGUAIT
RAGUAIT
TARGUAI
AAGIRTV GRAVAIT
GRAVITA
AAGIRUU AUGURAI
AAGISSS ASSAGIS
AAGISST ASSAGIT
AAGISSU GAUSSAI
AAGISUV VAGUAIS
AAGITUV VAGUAIT
AAGJRSU JAGUARS
AAGKLNR KANGLAR
AAGLNNO GALONNA
AAGLNNT GLANANT

AAGLNOV	GALVANO
AAGLNRS	RAGLANS
AAGLNRU	GRANULA
AAGLNSS	SANGLAS
AAGLNST	GALANTS
	SANGLAT
AAGLNTU	GAULANT
AAGLOPS	GALOPAS
AAGLOPT	GALOPAT
AAGLOSS	AGLOSSA
AAGLPUX	PLAGAUX
AAGLRSU	LARGUAS
AAGLRTU	LARGUAT
AAGLRUU	AUGURAL
AAGLSST	STALAGS
AAGMNNS	MAGNANS
AAGMNST	MAGNATS
AAGMORT	MARGOTA
AAGMRSY	MAGYARS
AAGNNOZ	GAZONNA
AAGNNST	GANSANT
AAGNNTT	GANTANT
AAGNOPT	PATAGON
AAGNORS	ANGORAS
AAGNORU	OURAGAN
AAGNRST	GARANTS
AAGNRSU	NARGUAS
AAGNRTU	ARGUANT
	NARGUAT
	RAGUANT
AAGNRTV	GRAVANT
AAGNSST	STAGNAS
AAGNSTT	STAGNAT
AAGNSTU	TANGUAS
AAGNTTU	TANGUAT
AAGNTUV	VAGUANT
AAGRSTT	GRATTAS
AAGRSTU	TARGUAS
AAGRSTV	GRAVATS
AAGRSUU	AUGURAS
AAGRTTT	GRATTAT
AAGRTTU	TARGUAT
AAGRTUU	AUGURAT
AAGSSSU	GAUSSAS
AAGSSTU	GAUSSAT
AAHIILN	INHALAI
AAHIIRS	HAIRAIS
AAHIIRT	HAIRAIT
AAHILLL	HALLALI
AAHILNS	INHALAS
AAHILNT	INHALAT
AAHILPR	HARPAIL
AAHILPV	PAHLAVI
AAHIMNO	MAHONIA
AAHIMSS	SMASHAI
AAHINPR	PIRANHA
AAHINRS	HARNAIS
AAHINST	HANTAIS
AAHINTT	HANTAIT
AAHINTU	HAUTAIN
AAHIPPS	HAPPAIS
AAHIPPT	HAPPAIT
AAHIPRS	PHRASAI
	RAPHIAS
AAHIRRT	TRAHIRA
AAHIRRU	AHURIRA
AAHISSU	HAUSSAI
AAHITUX	HIATAUX
AAHKNST	KHANATS
AAHLMSS	SMALAHS
AAHMMMS	HAMMAMS
AAHMRSS	ASHRAMS
AAHMSSS	SMASHAS
AAHMSST	SMASHAT
AAHNNOS	AHANONS
	HOSANNA
AAHNNTT	HANTANT
AAHNOPR	PHARAON
AAHNPPT	HAPPANT
AAHNPST	NAPHTAS
AAHNRTX	ANTHRAX
AAHPRSS	PHRASAS
AAHPRST	PHRASAT
AAHSSSU	HAUSSAS
AAHSSTU	HAUSSAT
AAIILLM	MAILLAI
AAIILLP	PAILLAI
	PALLIAI
	PIAILLA
AAIILLR	RAILLAI
	RALLIAI
AAIILLS	AILLAIS
	ALLIAIS
AAIILLT	AILLAIT
	ALLIAIT
	TAILLAI
AAIILMN	LAMINAI
AAIILMU	MIAULAI
AAIILNP	LAPINAI
AAIILNS	LAINAIS
AAIILNT	LAINAIT
AAIILPR	PALIRAI →

	PLAIRAI
AAIILPU	PIAULAI
AAIILRS	SALIRAI
AAIILRV	AVILIRA
AAIILRZ	ALIZARI
AAIILSS	LAISSAI
AAIILST	ALITAIS
AAIILSV	SALIVAI
AAIILTT	ALITAIT
AAIIMNR	MARINAI
	RANIMAI
AAIIMNS	ANIMAIS
	MANIAIS
AAIIMNT	ANIMAIT
	MANIAIT
	MATINAI
AAIIMRR	ARRIMAI
AAIIMRS	MARIAIS
AAIIMRT	MARIAIT
	MATIRAI
AAIIMRU	AMUIRAI
AAIIMST	TAMISAI
AAIINPR	RAPINAI
AAIINPT	PATINAI
AAIINRS	AIRAINS
	RAINAIS
AAIINRT	NAITRAI
	RAINAIT
	RATINAI
	TRAINAI
AAIINRV	RAVINAI
AAIINSS	ASSAINI
AAIINST	SATINAI
	TANISAI
AAIINSV	AVINAIS
AAIINTV	AVINAIT
AAIIPQU	APIQUAI
AAIIPRS	ASPIRAI
	PARIAIS
AAIIPRT	PAITRAI
	PARIAIT
	PATIRAI
	PIRATAI
	TAPIRAI
AAIIRRS	ARRISAI
	RAIRAIS
AAIIRRT	RAIRAIT
	TARIRAI
	TRAIRAI
AAIIRRV	ARRIVAI
	RAVIRAI
AAIIRSS	ARISAIS
	SAISIRA
AAIIRST	ARISAIT
	TAIRAIS
AAIIRSV	RAVISAI
	VARIAIS
AAIIRTT	ATTIRAI
	TAIRAIT
	TRAITAI
AAIIRTV	VARIAIT
AAIIRVV	RAVIVAI
AAIIRZZ	RAZZIAI
AAIISST	TAISAIS
AAIISSV	AVISAIS
AAIISTT	ATTISAI
	TAISAIT
AAIISTV	AVISAIT
AAIISVV	AVIVAIS
AAIITVV	AVIVAIT
AAIJMOR	MAJORAI
AAIJNOT	AJOINTA
AAIJNPS	JASPINA
AAIJNRU	JAUNIRA
AAIJORU	AJOURAI
AAIJOTU	AJOUTAI
AAIJPPS	JAPPAIS
AAIJPPT	JAPPAIT
AAIJPSS	JASPAIS
AAIJPST	JASPAIT
AAIJSTU	AJUSTAI
AAIKLMS	MAKILAS
AAIKPPR	PAPRIKA
AAIKRSS	ASKARIS
AAILLMS	MAILLAS
AAILLMT	MAILLAT
AAILLMU	ALLUMAI
AAILLNS	NASILLA
AAILLNT	AILLANT
	ALLIANT
AAILLOU	ALLOUAI
AAILLPS	PAILLAS
	PALLIAS
AAILLPT	PAILLAT
	PALLIAT
AAILLRS	RAILLAS
	RALLIAS
AAILLRT	RAILLAT
	RALLIAT
AAILLST	TAILLAS
	TALLAIS
AAILLTT	TAILLAT →

	TALLAIT
AAILMMX	MAXIMAL
AAILMNS	LAMINAS
	MALSAIN
AAILMNT	LAMINAT
	MATINAL
AAILMPS	LAMPAIS
	PALMAIS
AAILMPT	LAMPAIT
	PALMAIT
AAILMRS	AMARILS
	MARIALS*
AAILMRT	MARITAL
	MARTIAL
	TRAMAIL
AAILMSS	SALAMIS
AAILMST	MALTAIS
AAILMSU	MIAULAS
AAILMTT	MALTAIT
AAILMTU	MIAULAT
AAILNNT	LAINANT
AAILNNU	ANNULAI
AAILNPR	APLANIR
	PRALINA
AAILNPS	APLANIS
	LAPINAS
	PLANAIS
AAILNPT	APLANIT
	LAPINAT
	PALATIN
	PLANAIT
	PLANTAI
	PLATINA
AAILNRU	ALUNIRA
AAILNTT	ALITANT
AAILNTV	VANTAIL
AAILOPS	SALOPAI
AAILORV	AVALOIR*
AAILOSS	ASSOLAI
AAILOSU	SAOULAI
AAILOSV	OVALISA
AAILPPS	PALPAIS
AAILPPT	PALPAIT
	PALPITA
AAILPQU	PLAQUAI
AAILPRS	PALIRAS
	PARLAIS
	PLAIRAS
AAILPRT	APLATIR
	PARLAIT
	PARTIAL →
	PLATRAI
	RAPLATI
AAILPSS	PALISSA
AAILPST	APLATIS
	SPATIAL
AAILPSU	PIAULAS
AAILPTT	APLATIT
AAILPTU	PIAULAT
AAILQSU	LAQUAIS
AAILQTU	LAQUAIT
	TALQUAI
AAILRSS	SALIRAS
AAILRTV	TRAVAIL
AAILSSS	LAISSAS
	LASSAIS
AAILSST	LAISSAT
	LASSAIT
AAILSSU	LAIUSSA
	SALUAIS
AAILSSV	SALIVAS
	SLAVISA
	VALSAIS
AAILSTT	LATTAIS
AAILSTU	SALUAIT
AAILSTV	SALIVAT
	VALSAIT
AAILTTT	LATTAIT
AAIMMST	IMAMATS
AAIMNNT	ANIMANT
	MANIANT
AAIMNOR	RAMONAI
AAIMNQU	MANQUAI
AAIMNRS	MARINAS
	MARNAIS
	RANIMAS
AAIMNRT	MARIANT
	MARINAT
	MARNAIT
	RANIMAT
	TAMARIN
AAIMNST	AIMANTS
	IMANATS
	MATINAS
AAIMNTT	MATINAT
AAIMNUX	ANIMAUX
AAIMORR	ARMORIA
AAIMOST	ATOMISA
AAIMPRS	RAMPAIS
AAIMPRT	RAMPAIT
AAIMPSU	PAUMAIS
AAIMPTU	AMPUTAI →

	PAUMAIT
AAIMQRU	MARQUAI
AAIMQSU	MASQUAI
AAIMRRS	ARRIMAS
	MARRAIS
AAIMRRT	ARRIMAT
	MARRAIT
AAIMRST	MATIRAS
	TAMARIS
	TRAMAIS
AAIMRSU	AMUIRAS
	AMURAIS
	SAMURAI
AAIMRTT	TRAMAIT
AAIMRTU	AMURAIT
AAIMRUX	AMIRAUX
	MARIAUX*
AAIMSSS	MASSAIS
AAIMSST	MASSAIT
	TAMISAS
AAIMSSU	AMUSAIS
	ASSUMAI
AAIMSTT	TAMISAT
	TATAMIS
AAIMSTU	AMUSAIT
AAIMSUV	MAUVAIS
AAINNNO	ANONNAI
AAINNOT	ANNOTAI
AAINNRT	NANTIRA
	RAINANT
AAINNRV	NAVARIN
	NIRVANA
AAINNST	TANNAIS
	TANNISA
AAINNSV	VANNAIS
AAINNTT	TANNAIT
AAINNTV	AVINANT
	VANNAIT
AAINOPT	PIANOTA
AAINOTU	OUATINA
AAINPPS	NAPPAIS
AAINPPT	NAPPAIT
AAINPQU	PANIQUA
AAINPRR	PARRAIN
AAINPRS	PANARIS
	PARIANS
	RAPINAS
AAINPRT	PARIANT
	RAPINAT
AAINPSS	PANSAIS
AAINPST	PANSAIT →

	PATINAS
AAINPTT	PATINAT
AAINQTU	TAQUINA
AAINRRS	NARRAIS
AAINRRT	NARRAIT
AAINRST	ARISANT
	ARTISAN
	NAITRAS
	RATINAS
	TRAINAS
AAINRSV	NAVRAIS
	RAVINAS
	SAVARIN
AAINRTT	NITRATA
	RATINAT
	TARTINA
	TRAINAT
AAINRTV	NAVRAIT
	RAVINAT
	VARIANT
AAINSST	SATINAS
	TANISAS
AAINSSU	SAUNAIS
AAINSTT	NATTAIS
	SATINAT
	TAISANT
	TANISAT
AAINSTU	SAUNAIT
AAINSTV	AVISANT
	VANTAIS
AAINTTT	NATTAIT
AAINTTV	VANTAIT
AAINTVV	AVIVANT
AAIOPPS	APPOSAI
AAIOPPT	PAPOTAI
AAIOPST	APOSTAI
	PATOISA
AAIOPSV	PAVOISA
AAIOPTT	TAPOTAI
AAIOPTY	APITOYA
AAIORRS	ARROSAI
AAIORSS	ASSOIRA
AAIORTV	AVORTAI
AAIOSTU	OUATAIS
AAIOSUV	AVOUAIS
AAIOSUZ	ZAOUIAS
AAIOTTU	OUATAIT
	TATOUAI
AAIOTUV	AVOUAIT
AAIPPUY	APPUYAI
AAIPQRU	PARQUAI

AAIPQSU	APIQUAS
AAIPQTU	APIQUAT
AAIPRRT	PARTIRA
AAIPRSS	ASPIRAS
AAIPRST	ASPIRAT
	PAITRAS
	PARTAIS
	PATIRAS
	PIRATAS
	RAPIATS
	TAPIRAS
AAIPRSU	APURAIS
AAIPRSY	PIRAYAS
AAIPRTT	PARTAIT
	PIRATAT
AAIPRTU	APURAIT
	PATURAI
AAIPSSS	PASSAIS
AAIPSST	PASSAIT
	TAPISSA
AAIPSSU	PAUSAIS
AAIPSTU	PAUSAIT
	TUPAIAS
AAIQRSU	ARQUAIS
AAIQRTU	ARQUAIT
	TRAQUAI
AAIQSSU	QUASSIA
	SAQUAIS
AAIQSTU	ASTIQUA
	SAQUAIT
	TAQUAIS
AAIQSUV	VAQUAIS
AAIQTTU	TAQUAIT
AAIQTUV	VAQUAIT
AAIRRSS	ARRISAS
	RASSIRA*
AAIRRST	ARRISAT
	TARIRAS
	TRAIRAS
AAIRRSV	ARRIVAS
	RAVIRAS
AAIRRTU	RATURAI
AAIRRTV	ARRIVAT
AAIRSST	RATISSA
AAIRSSU	ASSURAI
	SAURAIS
AAIRSSV	RAVISAS
AAIRSTT	ATTIRAS
	TRAITAS
AAIRSTU	SATURAI
	SAURAIT
AAIRSTV	RAVISAT
AAIRSTY	TRAYAIS
AAIRSUZ	AZURAIS
AAIRSVV	RAVIVAS
AAIRSZZ	RAZZIAS
AAIRTTT	ATTIRAT
	ATTITRA
	ATTRAIT
	TRAITAT
AAIRTTY	TRAYAIT
AAIRTUV	VAUTRAI
AAIRTUZ	AZURAIT
AAIRTVV	RAVIVAT
AAIRTZZ	RAZZIAT
AAISSSS	SASSAIS
AAISSST	ASSISTA
	SASSAIT
	TASSAIS
AAISSTT	ATTISAS
	TASSAIT
AAISSTU	SAUTAIS
AAISSUV	SAUVAIS
AAISTTT	ATTISAT
AAISTTU	SAUTAIT
	STATUAI
AAISTUV	SAUVAIT
AAJLMOR	MAJORAL
AAJLNNO	JALONNA
AAJLOSU	JALOUSA
AAJMORS	MAJORAS
AAJMORT	MAJORAT
AAJMPSY	PYJAMAS
AAJNORU	AJOURNA
AAJNPPT	JAPPANT
AAJNPST	JASPANT
AAJOPSU	SAPAJOU
AAJORSU	AJOURAS
AAJORTU	AJOURAT
	RAJOUTA
AAJOSTU	AJOUTAS
AAJOTTU	AJOUTAT
AAJPRRU	PARJURA
AAJPSTU	TUPAJAS
AAJRSTU	RAJUSTA
AAJRSTV	JAVARTS
AAJSSTU	AJUSTAS
AAJSTTU	AJUSTAT
AAKKLRU	KARAKUL
AAKMNRS	KARMANS
AAKMRUZ	MAZURKA
AAKNNTU	NUNATAK

AAKNORS	ANORAKS
AALLMRU	RALLUMA
AALLMSU	ALLUMAS
AALLMTU	ALLUMAT
AALLNST	ALLANTS
AALLNTT	TALLANT
AALLOSU	ALLOUAS
AALLOTU	ALLOUAT
AALMMNO	AMMONAL
AALMNOR	ANORMAL
AALMNPS	NAPALMS
AALMNPT	LAMPANT
	PALMANT
AALMNTT	MALTANT
AALMNTU	ALUMNAT
AALMOPR	LAMPARO
AALMORY	LARMOYA
AALMPSS	PLASMAS
AALNNOT	TALONNA
AALNNPT	PLANANT
AALNNSU	ANNULAS
AALNNTU	ANNULAT
AALNOSV	AVALONS
AALNPPT	PALPANT
AALNPQU	PLANQUA
AALNPRT	PARLANT
AALNPRU	LUPANAR
AALNPST	PLANTAS
AALNPTT	PLANTAT
AALNQTU	LAQUANT
AALNRSV	NARVALS
AALNSST	LASSANT
	SALANTS
	SANTALS*
AALNSTU	SALUANT
AALNSTV	VALSANT
AALNTTT	LATTANT
AALOPRS	PARASOL
AALOPRV	VARLOPA
AALOPSS	SALOPAS
AALOPST	SALOPAT
AALORRU	AURORAL
AALOSSS	ASSOLAS
AALOSST	ASSOLAT
AALOSSU	SAOULAS
AALOSTU	SAOULAT
AALOUXY	ALOYAUX
AALPQSU	PLAQUAS
AALPQTU	PLAQUAT
AALPRST	PLATRAS
AALPRTT	PLATRAT
AALQSTU	TALQUAS
AALQTTU	TALQUAT
AALRSTU	AUSTRAL
AAMMOSS	ASSOMMA
AAMNNOR	MARONNA
AAMNNOY	MONNAYA
AAMNNRT	MARNANT
AAMNNST	MANANTS
AAMNORS	ARAMỌNS
	RAMONAS
AAMNORT	RAMONAT
AAMNOUX	ANOMAUX
AAMNPRT	RAMPANT
AAMNPSS	SAMPANS
AAMNPTU	PAUMANT
AAMNQSU	MANQUAS
AAMNQTU	MANQUAT
AAMNRRT	MARRANT
AAMNRTT	TRAMANT
AAMNRTU	AMURANT
AAMNSST	MASSANT
AAMNSTU	AMUSANT
AAMNTTW	WATTMAN
AAMOPUY	PAUMOYA
AAMORSV	SAMOVAR
AAMORUX	AMORAUX
AAMOTUZ	MAZOUTA
AAMPSTU	AMPUTAS
AAMPTTU	AMPUTAT
AAMQRSU	MARQUAS
AAMQRTU	MARQUAT
AAMQSSU	MASQUAS
AAMQSTU	MASQUAT
AAMRSUU	SAUMURA
AAMRTWY	TRAMWAY
AAMSSSU	ASSUMAS
AAMSSTU	ASSUMAT
AANNNOS	ANONNAS
AANNNOT	ANONNAT
AANNNTT	TANNANT
AANNNTV	VANNANT
AANNORY	RAYONNA
AANNOST	ANNOTAS
AANNOSV	SAVONNA
AANNOTT	ANNOTAT
	TATONNA
AANNPPT	NAPPANT
AANNPST	PANSANT
AANNRRT	NARRANT
AANNRTV	NAVRANT
AANNSTU	SAUNANT

AANNTTT	NATTANT
AANNTTV	VANTANT
AANOPPT	APPONTA
AANORSS	ARASONS
AANOTTU	OUATANT
AANOTUV	AVOUANT
AANOTUX	ATONAUX
AANOTUY	NOYAUTA
AANPPSS	SAPPANS
AANPRST	TARPANS
AANPRTT	PARTANT
AANPRTU	APURANT
AANPSST	PASSANT
AANPSSY	PAYSANS
AANPSTT	TAPANTS
AANPSTU	PAUSANT
AANPSTY	PAYANTS
AANQRTU	ARQUANT
AANQSTU	SAQUANT
AANQTTU	TAQUANT
AANQTUV	VAQUANT
AANRRTW	WARRANT
AANRSST	RASANTS
AANRSTT	TARTANS
	TRANSAT
AANRSTU	SAURANT
AANRTTY	TRAYANT
AANRTUZ	AZURANT
AANSSST	SASSANT
AANSSTT	TASSANT
AANSSTV	SAVANTS
AANSTTU	SAUTANT
AANSTUV	SAUVANT
AANSTUX	SANTAUX*
AANTUVX	VANTAUX
AAOPPRT	APPORTA
AAOPPSS	APPOSAS
AAOPPST	APPOSAT
	PAPOTAS
AAOPPTT	PAPOTAT
AAOPRRT	PRORATA
AAOPSST	APOSTAS
	POTASSA
AAOPSTT	APOSTAT
	TAPOTAS
AAOPTTT	TAPOTAT
AAORRSS	ARROSAS
AAORRST	ARROSAT
AAORSTV	AVORTAS
AAORSUV	SAVOURA
AAORTTV	AVORTAT

AAOSTTU	AOUTATS
	TATOUAS
AAOTTTU	TATOUAT
AAPPRSU	APPARUS
AAPPRTU	APPARUT
AAPPSUY	APPUYAS
AAPPTUY	APPUYAT
AAPQRSU	PARQUAS
AAPQRTU	PARQUAT
AAPRSTU	PATURAS
AAPRSUY	SURPAYA
AAPRTTU	PATURAT
AAQRSSU	QUASARS
AAQRSTU	TRAQUAS
AAQRTTU	TRAQUAT
AARRSSU	RASSURA
	SARRAUS
AARRSTU	RATURAS
AARRSUX	SARRAUX
AARRTTU	RATURAT
AARSSSU	ASSURAS
AARSSTU	ASSURAT
	SATURAS
AARSSTV	SAVARTS
AARSTTU	SATURAT
AARSTUV	VAUTRAS
AARSTUX	ASTRAUX
	SURTAXA
AARTTUV	VAUTRAT
AARTUVX	TRAVAUX
AASSSTU	ASSAUTS
AASSTTU	STATUAS
AASSUVX	VASSAUX
AASTTTU	STATUAT
AATTUUY	TUYAUTA
ABBDILR	DRIBBLA
ABBDORS	BABORDS
	BOBARDS
ABBEEER	EBARBEE
ABBEEIU	EBAUBIE
ABBEELR	BARBELE
ABBEERR	EBARBER
ABBEERS	BARBEES
	EBARBES
ABBEERZ	EBARBEZ
ABBEESS	ABBESSE
ABBEIIL	BILABIE
ABBEILL	BABILLE
ABBEILO	BABIOLE
ABBEIMN	BAMBINE
ABBEINS	BABINES

ABBEIRR	BARBIER
ABBEIRU	EBAUBIR
ABBEIRZ	BARBIEZ
ABBEISU	EBAUBIS
ABBEITU	EBAUBIT
ABBELSU	BUBALES
ABBELUV	BUVABLE
ABBEMOR	BOMBERA
ABBENRT	BARBENT
ABBEORS	ABSORBE
ABBEORT	BARBOTE
ABBERST	BARBETS
ABBERSU	BARBUES
ABBGORS	GABBROS
ABBIIIM	IMBIBAI
ABBIIMS	IMBIBAS
ABBIIMT	IMBIBAT
ABBIINO	BOBINAI
ABBIMNS	BAMBINS
ABBIMOS	BOMBAIS
ABBIMOT	BOMBAIT
ABBINOS	BOBINAS
ABBINOT	BOBINAT
ABBINOU	BABOUIN
ABBINRS	RABBINS
ABBIRSU	ABRIBUS
ABBKOSU	KOUBBAS
ABBMNOT	BOMBANT
ABBMOSU	BAMBOUS
ABBNORS	BARBONS
ABCCEHO	CABOCHE
ABCCELU	BUCCALE
ABCCKLO	COLBACK
ABCCUUX	BUCCAUX
ABCDEEL	DEBACLE
ABCDEHU	DEBUCHA
ABCDEII	BIACIDE
ABCDEOR	BOCARDE
ABCDERS	BECARDS
ABCDORR	BROCARD
ABCDORS	BOCARDS
ABCDOUU	BOUCAUD
ABCEEES	SEBACEE
ABCEEGH	BECHAGE
ABCEEHL	CHABLEE
ABCEEHN	BANCHEE
ABCEEHR	BECHERA
	EBRECHA
	HERBACE
ABCEEHS	BACHEES
ABCEEHU	EBAUCHE
ABCEEJO	JACOBEE
ABCEEJT	ABJECTE
ABCEELM	EMBACLE
ABCEELR	CELEBRA
ABCEELS	BACLEES
	CABLEES
	SECABLE
ABCEEMR	CAMBREE
ABCEENS	ABSENCE
	BECANES
ABCEERR	BECARRE
	BERCERA
ABCEERS	ACERBES
	CABREES
ABCEERT	BRACTEE
ABCEERU	BERCEAU
ABCEESS	BECASSE
	BESACES
	SEBACES
ABCEEUX	BUXACEE*
ABCEFIS	BIFACES
ABCEGLO	BLOCAGE
ABCEGOR	BOCAGER
ABCEGOS	BOCAGES
ABCEGSU	CUBAGES
ABCEHIR	BICHERA
ABCEHIS	BECHAIS
ABCEHIT	BECHAIT
ABCEHIZ	BACHIEZ
ABCEHLN	BLANCHE
ABCEHLR	CHABLER
ABCEHLS	CHABLES
ABCEHLZ	CHABLEZ
ABCEHMR	CHAMBRE
ABCEHNR	BANCHER
	BRANCHE
ABCEHNS	BANCHES
ABCEHNT	BACHENT
	BECHANT
ABCEHNZ	BANCHEZ
ABCEHOS	BASOCHE
ABCEHOT	BACHOTE
ABCEHOU	ABOUCHE
ABCEHOV	BAVOCHE
ABCEHRU	BUCHERA
ABCEILL	BACILLE
ABCEILP	BIPLACE
ABCEILR	BERCAIL
	CABLIER
	CALIBRE
ABCEILS	SCIABLE

ABCEILT	CELIBAT
ABCEILZ	BACLIEZ
	CABLIEZ
ABCEINR	CINABRE
ABCEINS	CABINES
ABCEINT	CABINET
ABCEINU	CUBAINE
ABCEIOT	BECOTAI
ABCEIOU	ECOBUAI
ABCEIRR	BICARRE
	CRABIER
ABCEIRS	BERCAIS
ABCEIRT	BERCAIT
ABCEIRU	CUBERAI
ABCEIRZ	CABRIEZ
ABCEJOT	OBJECTA
ABCEJST	ABJECTS
ABCELMY	CYMBALE
ABCELNT	BACLENT
	CABLENT
ABCELOP	PLACEBO
ABCELOT	CLABOTE
ABCELOV	VOCABLE
ABCELRU	BACLEUR
	CURABLE
ABCELSU	BASCULE
ABCEMRR	CAMBRER
ABCEMRS	CAMBRES
	CRAMBES
ABCEMRZ	CAMBREZ
ABCEMSU	CAMBUSE
	CUBAMES
ABCENOR	CARBONE
ABCENOU	BOUCANE
ABCENRT	BERCANT
	CABRENT
ABCENRU	BUCRANE
ABCEORS	ESCOBAR
ABCEORT	CABOTER
ABCEORU	CAROUBE
	CORBEAU
ABCEOSS	CABOSSE
ABCEOST	BECOTAS
	CABOTES
ABCEOSU	ECOBUAS
ABCEOSY	COBAYES
ABCEOTT	BECOTAT
ABCEOTU	ECOBUAT
ABCEOTZ	CABOTEZ
ABCERRU	CARBURE
ABCERST	CARBETS

ABCERSU	CUBERAS
ABCESSU	CUBASSE
ABCESTU	CUBATES
ABCFILO	BIFOCAL
ABCGIIS	CAGIBIS
ABCHIIS	BICHAIS
ABCHIIT	BICHAIT
ABCHILN	BLANCHI
ABCHILS	CHABLIS
ABCHINT	BICHANT
ABCHIOR	BROCHAI
ABCHIOU	BOUCHAI
ABCHISU	BUCHAIS
ABCHITU	BUCHAIT
ABCHNOR	BRONCHA
	CHARBON
ABCHNOS	BACHONS
ABCHNRU	BRANCHU
ABCHNTU	BUCHANT
ABCHORS	BROCHAS
ABCHORT	BROCHAT
	CHABROT
ABCHOST	BACHOTS
	CHABOTS
ABCHOSU	BOUCHAS
ABCHOTU	BOUCHAT
ABCIILR	CRIBLAI
ABCIILS	BASILIC
ABCIINU	INCUBAI
ABCIJNO	JACOBIN
ABCILMO	COMBLAI
ABCILMS	LAMBICS
ABCILOR	BRICOLA
ABCILOU	BOUCLAI
ABCILRS	CRIBLAS
ABCILRT	CRIBLAT
ABCILTU	CUBITAL
ABCIMMU	CAMBIUM
ABCIMNO	COMBINA
	INCOMBA
ABCINOT	CABOTIN
ABCINRU	RUBICAN
ABCINSU	CUBAINS
	INCUBAS
ABCINTU	INCUBAT
ABCIORT	ABRICOT
ABCIORU	CARIBOU
	COURBAI
ABCIOUV	BIVOUAC
ABCISSS	BISSACS
ABCJOSU	JACOBUS

ABCLMOS	COMBLAS
ABCLMOT	COMBLAT
ABCLNOS	BACLONS
	BALCONS
	CABLONS
ABCLOST	CABLOTS
	CLABOTS
	COBALTS
ABCLOSU	BOUCLAS
ABCLOTU	BOUCLAT
ABCLOUX	BLOCAUX
ABCLTUU	CULBUTA
ABCMOST	COMBATS
	TOMBACS
ABCNORS	CABRONS
ABCNOSS	ABSCONS
ABCNOSU	BOUCANS
ABCORRT	BROCART
ABCORST	CRABOTS
ABCORSU	COURBAS
ABCORTU	COURBAT
ABCOTUU	BOUCAUT
ABCOUUX	BOUCAUX
ABDDEEN	DEBANDE
ABDDEER	DEBARDE
ABDDEIR	DEBRIDA
ABDDENO	DEBONDA
ABDDEOR	DEBORDA
ABDDHOU	BOUDDHA
ABDEEET	DEBATEE
ABDEEGR	BEDEGAR
ABDEEIL	DEBLAIE
ABDEEIN	BEDAINE
ABDEEIR	DEBRAIE
ABDEEIT	DEBATIE
	DIABETE
ABDEELL	DEBALLE
ABDEELR	DELABRE
ABDEELY	DEBLAYE
ABDEENR	BADERNE
	BENARDE
ABDEENS	BANDEES
	BEDANES
ABDEEOR	ABORDEE
ABDEEOU	ADOUBEE
ABDEERS	BARDEES
	BRADEES
ABDEERT	DEBATER
ABDEERV	ADVERBE
ABDEERY	DEBRAYE
ABDEEST	DEBATES
ABDEESU	DAUBEES
ABDEETT	DEBATTE
ABDEETZ	DEBATEZ
ABDEEUX	BEDEAUX
ABDEFIR	DEFIBRA
ABDEGGR	BEGGARD
ABDEGHO	BOGHEAD
ABDEGIR	BRIDGEA
	BRIGADE
ABDEGOR	BORDAGE
ABDEGRS	BEGARDS
ABDEGRU	BEGUARD
ABDEIIN	DEBINAI
ABDEIIT	DEBITAI
ABDEILS	DEBLAIS
	DIABLES
ABDEILU	AUDIBLE
ABDEIMR	BRIMADE
ABDEINR	BADINER
	BRANDIE
ABDEINS	BADINES
	DEBINAS
ABDEINT	DEBINAT
ABDEINZ	BADINEZ
	BANDIEZ
ABDEIOR	DEROBAI
ABDEIOS	BADOISE
	DEBOISA
	OBSEDAI
ABDEIOT	DEBOITA
ABDEIQU	ABDIQUE
ABDEIRR	BRIARDE
	BRIDERA
ABDEIRT	DEBATIR
ABDEIRU	RIBAUDE
ABDEIRZ	BARDIEZ
	BRADIEZ
ABDEISS	ABSIDES
	BASIDES
	BIDASSE
ABDEIST	BASTIDE
	DEBATIS
	DEBITAS
ABDEITT	DEBATIT
	DEBITAT
ABDEITU	DEBUTAI
ABDEIUZ	DAUBIEZ
ABDEJOR	JOBARDE
ABDELOS	ALBEDOS
	DOSABLE
ABDELOU	DEBOULA

ABDELRU	DURABLE	**ABDILOU**	DOUBLAI
ABDEMNO	ABDOMEN	**ABDILSU**	BLIAUDS
ABDEMRU	BERMUDA	**ABDINOR**	BONDIRA
ABDENNO	BEDONNA	**ABDINOU**	BOUDINA
ABDENNT	BANDENT	**ABDINRR**	BRANDIR
ABDENOR	ABONDER	**ABDINRS**	BINARDS
ABDENOS	ABONDES		BRANDIS
ABDENOZ	ABONDEZ	**ABDINRT**	BRANDIT
ABDENRS	BRANDES		BRIDANT
ABDENRT	BARDENT	**ABDINST**	BANDITS
	BRADENT	**ABDIORS**	BORDAIS
ABDENTU	DAUBENT		BRODAIS
ABDEORR	ABORDER	**ABDIORT**	BORDAIT
	BORDERA		BRODAIT
	BRODERA	**ABDIOSU**	BOUDAIS
	REBORDA	**ABDIOTU**	BOUDAIT
ABDEORS	ABORDES	**ABDIRRS**	BRIARDS
	ADSORBE	**ABDIRST**	BARDITS
	DEROBAS	**ABDIRSU**	RIBAUDS
	SABORDE	**ABDJORS**	JOBARDS
ABDEORT	DEROBAT	**ABDLLOR**	BOLLARD
ABDEORU	ADOUBER	**ABDLMOR**	LOMBARD
	BOUDERA	**ABDLORU**	BALOURD
	RADOUBE		LOUBARD*
ABDEORZ	ABORDEZ	**ABDLOSU**	DOUBLAS
	BEZOARD*	**ABDLOTU**	DOUBLAT
ABDEOSS	OBSEDAS	**ABDNNOR**	BRANDON
ABDEOST	OBSEDAT	**ABDNNOS**	BANDONS
ABDEOSU	ADOUBES	**ABDNORS**	BARDONS
ABDEOTT	DEBOTTA		BRADONS
ABDEOTU	BOUTADE	**ABDNORT**	BORDANT
	DEBOUTA		BRODANT
ABDEOUZ	ADOUBEZ	**ABDNOSU**	DAUBONS
ABDEPRY	BRADYPE	**ABDNOTU**	BOUDANT
ABDERRU	BRADEUR	**ABDNRSY**	BRANDYS
ABDERSU	ABSURDE	**ABDORSS**	SABORDS
ABDERUU	DAUBEUR	**ABDORST**	BARDOTS
ABDESTU	BAUDETS	**ABDORSU**	BAROUDS
	DEBUTAS		RADOUBS
ABDETTU	DEBATTU	**ABDORSY**	BOYARDS
	DEBUTAT	**ABDRSSU**	BUSARDS
ABDGINR	BRIGAND	**ABDRSUV**	BUVARDS
ABDHIRY	HYBRIDA	**ABEEEGR**	ABREGEE
ABDIILN	BLINDAI	**ABEEEGY**	BEGAYEE
ABDIIRS	BRIDAIS	**ABEEELT**	BATELEE
ABDIIRT	BRIDAIT		ETABLEE
ABDILLR	BILLARD	**ABEEERS**	EBRASEE
ABDILNS	BLINDAS	**ABEEFLM**	FLAMBEE
ABDILNT	BLINDAT	**ABEEFLU**	FABULEE*
ABDILOO	DIABOLO	**ABEEFOU**	BAFOUEE
ABDILOT	TABLOID	**ABEEFRS**	BAFREES

ABEEGGI	GABEGIE
ABEEGGR	GERBAGE
ABEEGHR	HERBAGE
ABEEGIN	BAIGNEE
ABEEGIS	BEGAIES
ABEEGLL	GABELLE
ABEEGLR	ALBERGE
	ALGEBRE
ABEEGLS	BEAGLES
	GALBEES
ABEEGLU	BLAGUEE
	GUEABLE
ABEEGNR	ENGERBA
ABEEGOR	ABROGEE
ABEEGRR	ABREGER
	GERBERA
ABEEGRS	ABREGES
ABEEGRU	AUBERGE
ABEEGRY	BEGAYER
ABEEGRZ	ABREGEZ
ABEEGSU	BAGUEES
ABEEGSY	BEGAYES
ABEEGTU	BEGUETA
ABEEGYZ	BEGAYEZ
ABEEHIS	EBAHIES
ABEEHIT	HABITEE
	HEBETAI
ABEEHNR	ENHERBA
ABEEHST	HEBETAS
ABEEHTT	HEBETAT
ABEEILL	ABEILLE
	BAILLEE
ABEEILN	ABELIEN
	BALEINE
ABEEILR	BELERAI
	BLAIREE
ABEEILS	BALISEE
	LABIEES
ABEEILT	ETABLIE
ABEEIMR	EMBRAIE
ABEEIMS	ABIMEES
ABEEIMT	EMBETAI
ABEEINT	BEAIENT
ABEEIOR	AEROBIE
ABEEIRS	BEERAIS
	BRAISEE
ABEEIRT	ABRITEE
	BEERAIT
	REBATIE
ABEEIRZ	BAIEREZ*
ABEEISS	BAISEES →
	BAISSEE
ABEEIST	ABETIES
ABEEJLS	JABLEES
ABEEJMN	ENJAMBE
ABEEJNU	BEJAUNE
ABEEJOT	JABOTEE*
ABEEJRU	ABJUREE
ABEELLL	LABELLE
ABEELLM	EMBALLE
ABEELLR	REBELLA
ABEELLS	BASELLE
	SABELLE
ABEELMS	BELAMES
	BLAMEES
ABEELMV	EMBLAVE
ABEELNR	BRANLEE
	EBRANLE
ABEELNS	ENSABLE
ABEELNT	BELANTE
	TENABLE
ABEELOR	BOREALE
	ELABORE
ABEELOU	ABOULEE
ABEELRR	BRELERA
ABEELRS	BELERAS
	BLESERA
	ERABLES
	RABLEES
ABEELRT	ABLERET
	BLATERE
	ETABLER
	RETABLE
ABEELRV	BALEVRE
	VERBALE
ABEELSS	BELASSE
	BLASEES
	SABLEES
ABEELST	BELATES
	ETABLES
	TABLEES
ABEELSZ	BALEZES
ABEELTT	ABLETTE
	BATELET
ABEELTZ	ETABLEZ
ABEEMMU	EMBAUME
ABEEMPT	BAPTEME
ABEEMRR	EMBARRE
	MARBREE
ABEEMRS	AMBREES
	BAREMES
	EMBRASE

ABEEMRU	EMBUERA
ABEEMRV	EMBREVA
ABEEMRY	EMBRAYE
ABEEMSS	EMBASES
ABEEMST	EMBETAS
ABEEMTT	EMBATTE
	EMBETAT
ABEENNO	ABONNEE
ABEENNZ	BAZENNE
ABEENRR	BERNERA
ABEENRU	RUBANEE
ABEENSS	SABEENS
ABEENST	ABSENTE
	BEANTES
ABEEORR	ARBOREE
	OBERERA
ABEEORT	BORATEE
	RABOTEE
ABEEOST	SABOTEE
ABEEOTU	ABOUTEE
ABEEPRU	BEAUPRE
ABEEQRU	BRAQUEE
ABEEQTU	BAQUETE
ABEERRS	BARREES
	EBRASER
ABEERRT	BARETER
ABEERRZ	ZEBRERA
ABEERSS	BRASEES
	BRASSEE
	EBRASES
	SABREES
ABEERST	BARETES
ABEERSU	AUBERES
ABEERSV	BRAVEES
ABEERSZ	BASEREZ
	EBRASEZ
ABEERTT	EBATTRE
	REBATTE
ABEERTV	BREVETA
ABEERTZ	BARETEZ
	BATEREZ
ABEERUV	ABREUVE
	EBAVURE
ABEERVZ	BAVEREZ
ABEERYZ	BAYEREZ
ABEESSS	BEASSES
ABEESST	ASBESTE
	BETASSE
	SEBASTE
ABEESSU	ABUSEES
ABEESTT	BATTEES →
	EBATTES
ABEESTU	BEAUTES
ABEESUV	BAVEUSE
ABEETTU	EBATTUE
ABEETTV	BAVETTE
ABEETTZ	EBATTEZ
ABEFFGI	BIFFAGE
ABEFFIR	BIFFERA
	REBIFFA
ABEFFLS	BAFFLES
ABEFFLU	AFFUBLE
ABEFIIT	BETIFIA
ABEFILR	FABLIER
	FRIABLE
ABEFILS	FAIBLES
	FIABLES
ABEFIRU	RUBEFIA
ABEFIRZ	BAFRIEZ
ABEFLMR	FLAMBER
ABEFLMS	FLAMBES
ABEFLMZ	FLAMBEZ
ABEFLRU	FABULER
ABEFLSU	FABULES
ABEFLUZ	FABULEZ
ABEFNRT	BAFRENT
ABEFORU	BAFOUER
ABEFOSU	BAFOUES
ABEFOUZ	BAFOUEZ
ABEFRRU	BAFREUR
ABEFRTU	FAUBERT
ABEGGRU	GRABUGE
ABEGIIM	BIGAMIE
ABEGILN	BENGALI
ABEGILO	OBLIGEA
ABEGILR	BIGLERA
ABEGILS	LIBAGES
ABEGILU	BEUGLAI
ABEGILZ	GALBIEZ
ABEGIMN	INGAMBE
ABEGIMR	REGIMBA
ABEGIMS	BIGAMES
ABEGIMU	AMBIGUE
ABEGINO	BEGONIA
	ENGOBAI
ABEGINR	BAIGNER
ABEGINS	BAIGNES
	BINAGES
	ESBIGNA
ABEGINZ	BAIGNEZ
ABEGIOR	GOBERAI
ABEGIOS	BOISAGE

ABEGIOU BOUGEAI
ABEGIRR BIGARRE
ABEGIRS GABIERS
GERBAIS
ABEGIRT GERBAIT
ABEGIRU BAGUIER
ABEGIRV VIBRAGE
ABEGIUZ BAGUIEZ
ABEGLLO GLOBALE
ABEGLNO BAGNOLE
ENGLOBA
ABEGLNT GALBENT
ABEGLOU BELOUGA
GABELOU
ABEGLRS GLABRES
ABEGLRU BLAGUER
BRULAGE
BULGARE
ABEGLSU BELUGAS
BEUGLAS
BLAGUES
ABEGLTU BEUGLAT
BLUTAGE
ABEGLUZ BLAGUEZ
ABEGMOR EMBARGO
OMBRAGE
ABEGMOS GOBAMES
ABEGMRS BREGMAS
ABEGNOR BORNAGE
EBORGNA
ABEGNOS BESOGNA
ENGOBAS
ABEGNOT ENGOBAT
ABEGNRS GRABENS
ABEGNRT GERBANT
ABEGNRU BUGRANE
ABEGNTU BAGUENT
ABEGORR ABROGER
ABEGORS ABROGES
GOBERAS
ROBAGES
ABEGORU BOUGERA
ABEGORY BROYAGE
ABEGORZ ABROGEZ
ABEGOSS BOSSAGE
GOBASSE
ABEGOST GOBATES
ABEGOSU BOUGEAS
ABEGOTU BOUGEAT
ABEGRRU GARBURE
ABEGRSU BRAGUES

ABEGSTU TUBAGES
ABEGTTU BUTTAGE
ABEHIIX EXHIBAI
ABEHILL HABILLE
ABEHILS HABILES
ABEHINR HIBERNA
ABEHINT THEBAIN
ABEHIRT HABITER
ABEHIST HABITES
ABEHISX EXHIBAS
ABEHITU HABITUE
ABEHITX EXHIBAT
ABEHITZ HABITEZ
ABEHKSS SEBKHAS
ABEHLRU HABLEUR
ABEHORR ABHORRE
ABEHRTU HAUBERT
ABEIILL BAILLIE
ABEIILR BILERAI
LIBERAI
ABEIILT TIBIALE
ABEIIMN AMIBIEN
ABEIIMZ ABIMIEZ
ABEIINR BENIRAI
BINAIRE
BINERAI
ABEIIOR OBEIRAI
ABEIIRS BIAISER
BISERAI
ABEIISS BIAISES
ABEIIST BETISAI
ABEIISZ BAISIEZ
BIAISEZ
ABEIJLZ JABLIEZ
ABEIJMR JAMBIER
ABEIKLS SKIABLE
ABEIKNT BEATNIK
ABEILLL LIBELLA
ABEILLP PLIABLE
ABEILLR BAILLER
BRAILLE
LIBERAL
ABEILLS BAILLES
LABILES
ABEILLZ BAILLEZ
BALLIEZ
ABEILMN LAMBINE
MINABLE
ABEILMR BLEMIRA
REMBLAI
ABEILMS BILAMES →

	SEMBLAI
ABEILMT	TIMBALE
ABEILMU	AMEUBLI
	MEUBLAI
ABEILMZ	AMBLIEZ
	BLAMIEZ
ABEILNN	BIENNAL
ABEILNO	ANOBLIE
ABEILNS	NIABLES
ABEILOR	BARIOLE
	LOBAIRE
	LOBERAI
ABEILOS	ABOLIES
ABEILOU	ABOULIE
	BOULAIE
	EBOULAI
ABEILPS	BIPALES
	PIBALES*
ABEILRR	BLAIRER
ABEILRS	BALISER
	BILERAS
	BLAIRES
	BRELAIS
	LIBERAS
	SABLIER
ABEILRT	BRELAIT
	ETABLIR
	LIBERAT
	RETABLI
	TABLIER
	TRIBALE
ABEILRU	BLEUIRA
ABEILRZ	BLAIREZ
ABEILSS	BALISES
	BILASSE
	BLESAIS
	BLESSAI
ABEILST	ALBITES
	BALISTE
	BESTIAL
	BILATES
	BLESAIT
	ETABLIS
ABEILSV	VIABLES
ABEILSZ	BALISEZ
	BLASIEZ
	SABLIEZ
ABEILTT	ETABLIT
ABEILTU	BLEUTAI
ABEILTZ	TABLIEZ
ABEILVV	BIVALVE →

	VIVABLE
ABEIMNO	ABOMINE
ABEIMNR	MIRBANE
	NIMBERA
ABEIMNS	BIMANES
	BINAMES
ABEIMNT	ABIMENT
ABEIMOT	EMBOITA
	MOABITE
ABEIMRR	BRIMERA
ABEIMRU	BAUMIER
ABEIMRZ	AMBRIEZ
	BRAMIEZ
ABEIMSS	BISAMES
ABEIMST	BATIMES
ABEIMSU	EMBUAIS
ABEIMTU	EMBUAIT
ABEIMTZ	MZABITE
ABEINNO	ABONNIE
ABEINNS	BANNIES
ABEINOR	BORAINE
	ENROBAI
ABEINOT	ABOIENT
ABEINRS	BENIRAS
	BERNAIS
	BINERAS
ABEINRT	BERNAIT
	BRAIENT
ABEINRU	URBAINE
ABEINSS	BASSINE
	BINASSE
	SABINES
ABEINST	BAISENT
	BINATES
ABEIORR	BROIERA
	ROBERAI
ABEIORS	BOISERA
	ISOBARE
	OBEIRAS
	OBERAIS
	REBOISA
ABEIORT	BOITERA
	OBERAIT
	RABIOTE
ABEIORU	EBROUAI
ABEIORV	OBVIERA
ABEIORX	BOXERAI
ABEIOST	BAISOTE
ABEIOTU	EBOUTAI
ABEIOYZ	ABOYIEZ
ABEIPST	BAPTISE

ABEIQRU	RABIQUE
ABEIQSU	BASIQUE
ABEIRRS	BRAISER
	BRASIER
	BRISERA
ABEIRRT	ABRITER
	ARBITRE
	REBATIR
ABEIRRU	BEURRAI
ABEIRRV	VIBRERA
ABEIRRZ	BARRIEZ
	BIZARRE
ABEIRSS	BAISERS
	BAISSER
	BISERAS
	BISSERA
	BRAISES
ABEIRST	ABRITES
	REBATIS
ABEIRSU	AUBIERS
ABEIRSZ	BRAISEZ
	BRASIEZ
	SABRIEZ
	ZEBRAIS
ABEIRTT	REBATIT
ABEIRTU	ABRUTIE
	BUTERAI
	EBRUITA
	REBUTAI
	TUBAIRE
	TUBERAI
ABEIRTZ	ABRITEZ
	BATIREZ
	ZEBRAIT
ABEIRVZ	BRAVIEZ
ABEISSS	BAISSES
	BISASSE
ABEISST	BATISSE
	BETISAS
	BISATES
ABEISSZ	BAISSEZ
ABEISTT	BATISTE
	BATITES
	BETISAT
	EBATTIS
ABEISUV	ABUSIVE
ABEISUX	BISEAUX
ABEISUZ	ABUSIEZ
ABEITTT	EBATTIT
ABEITTZ	BATTIEZ
ABEITUX	BAUXITE
ABEIUVX	BIVEAUX
ABEJLNT	JABLENT
ABEJLOU	JOUABLE
ABEJORT	JABOTER
ABEJORY	BAJOYER
ABEJOST	JABOTES
ABEJOSU	BAJOUES
ABEJOTZ	JABOTEZ
ABEJRRU	ABJURER
ABEJRSU	ABJURES
ABEJRTU	JUBARTE
ABEJRUZ	ABJUREZ
ABEKLSY	KABYLES
ABEKSST	BASKETS
ABELLMS	LAMBELS
ABELLNT	BALLENT
ABELLOT	BALLOTE
ABELLOU	LOUABLE
ABELLOV	VOLABLE
ABELLST	BALLETS
ABELLSY	SYLLABE
ABELMNT	AMBLENT
	BLAMENT
ABELMNU	ALBUMEN
ABELMOP	PALOMBE
ABELMOS	LOBAMES
ABELMOT	TOMBALE
ABELMOU	MABOULE
ABELMRT	TREMBLA
ABELMRU	AMBLEUR
ABELMSS	SEMBLAS
ABELMST	SEMBLAT
ABELMSU	MEUBLAS
ABELMTU	MEUBLAT
ABELNOT	NOTABLE
ABELNRR	BRANLER
ABELNRS	BRANLES
	BRELANS
ABELNRT	BRELANT
ABELNRZ	BRANLEZ
ABELNST	BELANTS
	BLASENT
	BLESANT
	SABLENT
ABELNTT	TABLENT
ABELOPT	POTABLE
ABELORS	BOREALS
	LOBERAS
ABELORU	ABOULER
	BOULERA
	LABOURE →

	ROUABLE
ABELOSS	BOSSELA
	LOBASSE
ABELOST	LOBATES
	OBLATES
ABELOSU	ABOULES
	ABSOLUE
	EBOULAS
ABELOSV	ABSOLVE
ABELOTT	BOTTELA
ABELOTU	EBOULAT
ABELOTV	BAVOLET
ABELOUU	BOULEAU
ABELOUZ	ABOULEZ
ABELPRU	PARBLEU
ABELRRS	BARRELS
ABELRRU	BRULERA
ABELRSU	LABEURS
	SABLEUR
	SALUBRE
ABELRSZ	BLAZERS
ABELRTU	BLUTERA
	BRUTALE
ABELSSS	BLESSAS
ABELSST	BLESSAT
	STABLES
ABELSTT	BLATTES
ABELSTU	BLEUTAS
	TUABLES
ABELSUX	SABLEUX
ABELTTU	BLEUTAT
ABEMMRU	EMBRUMA
ABEMNRT	AMBRENT
	BRAMENT
ABEMNTU	EMBUANT
ABEMORR	OMBRERA
ABEMORS	ROBAMES
ABEMORT	BROMATE
	RETOMBA
	TOMBERA
ABEMOSS	EMBOSSA
ABEMOSX	BOXAMES
ABEMOTT	ETAMBOT
ABEMOTU	TOMBEAU
ABEMRRR	MARBRER
ABEMRRS	MARBRES
ABEMRRU	BRUMERA
	MARRUBE
ABEMRRZ	MARBREZ
ABEMSTU	BUTAMES
	TUBAMES
ABEMTTU	EMBATTU
ABENNOR	ABONNER
	BARONNE
ABENNOS	ABONNES
ABENNOT	BATONNE
	BETONNA
ABENNOZ	ABONNEZ
ABENNRT	BERNANT
ABENORR	BORNERA
ABENORS	BORANES
	ENROBAS
	SNOBERA
ABENORT	BARONET
	ENROBAT
	OBERANT
ABENOSS	BONASSE
ABENOST	NABOTES
ABENQRU	BANQUER
ABENQSU	BANQUES
ABENQTU	BANQUET
ABENQUZ	BANQUEZ
ABENRRT	BARRENT
ABENRSS	BRESSAN
ABENRST	BRASENT
	BREANTS
	SABRENT
ABENRSU	RUBANES
ABENRTV	BRAVENT
ABENRTZ	ZEBRANT
ABENSST	ABSENTS
	BESANTS
ABENSTU	ABSTENU
	ABUSENT
	BUTANES
ABENTTT	BATTENT
ABEOQRU	BAROQUE
ABEORRR	ARBORER
ABEORRS	ARBORES
	ARROBES
	BRASERO
	RESORBA
	ROBERAS
ABEORRT	RABOTER
ABEORRU	EBOURRA
	RABROUE
ABEORRZ	ARBOREZ
ABEORSS	BOSSERA
	ROBASSE
ABEORST	BORATES
	RABOTES
	ROBATES →

	SABOTER
ABEORSU	ARBOUSE
	EBROUAS
ABEORSV	OBSERVA
ABEORSX	BOXERAS
ABEORTT	BOTTERA
ABEORTU	ABOUTER
	BOUTERA
	EBROUAT
	RABOUTE
ABEORTZ	RABOTEZ
ABEORUX	BOREAUX
ABEORUY	ABOYEUR
ABEOSST	SABOTES
ABEOSSX	BOXASSE
ABEOSTU	ABOUTES
	ABSOUTE
	EBOUTAS
	TABOUES*
ABEOSTX	BOXATES
ABEOSTZ	SABOTEZ
ABEOTTU	EBOUTAT
ABEOTUZ	ABOUTEZ
ABEPRTU	ABRUPTE
ABEQRRU	BRAQUER
ABEQRSU	BARQUES
	BRAQUES
ABEQRTU	BRAQUET
ABEQRUZ	BRAQUEZ
ABEQSSU	BASQUES
ABEQSTU	BAQUETS
	BASQUET
ABERRRU	BARREUR
ABERRSS	BRASSER
ABERRSU	BEURRAS
	BRASURE
	SABREUR
ABERRSY	BRAYERS
ABERRTU	BEURRAT
ABERSSS	BRASSES
ABERSSZ	BRASSEZ
ABERSTU	ARBUSTE
	BUTERAS
	REBUTAS
	TUBERAS
ABERSTY	BARYTES
ABERSUV	BAVURES
ABERTTU	BATTEUR
	BATTURE
	BUTTERA
	REBATTU →
	REBUTAT
ABERTTZ	BATTREZ
ABERUUX	BUREAUX
ABERUVX	VERBAUX
ABESSST	BASSETS
ABESSSY	ABYSSES
ABESSTU	BUTASSE
	TUBASSE
ABESTTU	BATTUES
	BUTATES
	EBATTUS
	TUBATES
ABFFIIS	BIFFAIS
ABFFIIT	BIFFAIT
ABFFILU	BLUFFAI
ABFFINT	BIFFANT
ABFFIOU	BOUFFAI
ABFFLSU	BLUFFAS
ABFFLTU	BLUFFAT
ABFFOSU	BOUFFAS
ABFFOTU	BOUFFAT
ABFIILR	FAIBLIR
ABFIILS	FAIBLIS
ABFIILT	FAIBLIT
ABFIINO	BONIFIA
ABFIORT	ABORTIF
ABFISSU	ABUSIFS
ABFNORS	BAFRONS
	FORBANS
ABFORSU	BAROUFS
ABGIILS	BIGLAIS
ABGIILT	BIGLAIT
ABGIIRU	BRIGUAI
ABGILNT	BIGLANT
ABGILOT	GALIBOT
ABGIMST	GAMBITS
ABGIMSU	AMBIGUS
ABGINOR	BIGORNA
ABGINOS	GABIONS
ABGINST	BASTING
ABGIRSU	BRIGUAS
ABGIRTU	BRIGUAT
ABGISUU	SUBAIGU
ABGLMOO	LOMBAGO
ABGLMOU	LUMBAGO
ABGLNOR	BARLONG
ABGLNOS	GALBONS
ABGLOSU	ALBUGOS
ABGLOUX	GLOBAUX
ABGNORU	BOUGRAN
ABGNOSU	BAGUONS

ABGNOTU	BOUGNAT
ABGOSTU	BAGOUTS
ABGRUUX	BURGAUX
ABHIIIN	INHIBAI
ABHIINS	INHIBAS
ABHIINT	INHIBAT
ABHIOPR	PROHIBA
ABHISTU	HABITUS
ABIIJLU	JUBILAI
ABIILLR	BRILLAI
ABIILLS	BAILLIS
ABIILOU	OUBLIAI
ABIILPU	PUBLIAI
ABIIMNS	NIMBAIS
ABIIMNT	NIMBAIT
ABIIMRS	BRIMAIS
ABIIMRT	BRIMAIT
	TIMBRAI
ABIIMTU	BITUMAI
ABIINRU	BURINAI
ABIINTU	BUTINAI
ABIIORS	BOIRAIS
ABIIORT	BOIRAIT
ABIIOSS	BOISAIS
ABIIOST	BOISAIT
	BOITAIS
ABIIOSV	OBVIAIS
ABIIOTT	BOITAIT
ABIIOTV	OBVIAIT
ABIIPRT	BIPARTI
ABIIQRU	BRIQUAI
ABIIQSU	BISQUAI
ABIIRRU	BRUIRAI
ABIIRSS	BRISAIS
ABIIRST	BRISAIT
ABIIRSU	SUBIRAI
ABIIRSV	VIBRAIS
ABIIRTU	BRUITAI
ABIIRTV	VIBRAIT
ABIISSS	BISSAIS
ABIISST	BISSAIT
ABIITTU	TITUBAI
ABIITUX	TIBIAUX
ABIITUZ	BIZUTAI
ABIJLOR	JABLOIR
ABIJLSU	JUBILAS
ABIJLTU	JUBILAT
ABIJRSU	JABIRUS
ABIKKSU	KABUKIS
ABIKRSS	BRISKAS
ABILLNO	BAILLON
ABILLRS	BRILLAS
ABILLRT	BRILLAT
ABILMNS	LAMBINS
ABILMOP	PLOMBAI
ABILMRS	LAMBRIS
ABILMSU	SUBLIMA
ABILNOR	ANOBLIR
ABILNOS	ALBINOS
	ANOBLIS
	OLIBANS
ABILNOT	ANOBLIT
ABILNOU	NOBLIAU
ABILNPS	BIPLANS
ABILNRS	LARBINS
ABILOQU	BILOQUA
	BLOQUAI
	OBLIQUA
ABILORT	ORBITAL
ABILORV	BOLIVAR
ABILOSU	BLOUSAI
	BOULAIS
	OUBLIAS
ABILOTU	BOULAIT
	OUBLIAT
ABILPSU	PUBLIAS
ABILPTU	PUBLIAT
ABILRST	TRIBALS*
ABILRSU	BRULAIS
ABILRTU	BRULAIT
ABILSTU	BLUTAIS
ABILTTU	BLUTAIT
ABIMNNT	NIMBANT
ABIMNOS	ABIMONS
ABIMNRT	BRIMANT
ABIMORS	OMBRAIS
	SOMBRAI
ABIMORT	OMBRAIT
ABIMOST	TOMBAIS
ABIMOTT	TOMBAIT
ABIMRST	TIMBRAS
ABIMRTT	TIMBRAT
ABIMRTU	BRUMAIT
ABIMSTU	BITUMAS
ABIMTTU	BITUMAT
ABINNOR	ABONNIR
	RABONNI
ABINNOS	ABONNIS
ABINNOT	ABONNIT
ABINNSV	BANVINS
ABINORS	BORAINS
	BORNAIS

ABINORT BORNAIT
ABINORZ BRONZAI
ABINOSS BAISONS
BASIONS
SNOBAIS
ABINOST BASTION
BATIONS
BOISANT
OBSTINA
SNOBAIT
ABINOSV BAVIONS
ABINOSY BAYIONS
ABINOTT BOITANT
ABINOTV OBVIANT
ABINRRU BRUNIRA
ABINRSS BRASSIN
ABINRST BRISANT
ABINRSU BURINAS
URBAINS
ABINRTU BRUINAT
BURINAT
TURBINA
ABINRTV VIBRANT
ABINSSS BASSINS
ABINSST ABSTINS
BASTINS
BISSANT
ABINSSY ABYSSIN
ABINSTT ABSTINT
ABINSTU BUTINAS
ABINTTU BUTINAT
ABIORRU BOURRAI
ABIORSS BROSSAI
ABIORST RABIOTS
ABIORSV BAVOIRS
ABIORSY BROYAIS
ABIORSZ BARZOIS
ABIORTT BATTOIR
ABIORTU ABOUTIR
BROUTAI
OBTURAI
ABIORTV VIBRATO
ABIORTY BROYAIT
ABIOSSS BOSSAIS
ABIOSST BOSSAIT
ABIOSSU BOSSUAI
ABIOSTT BOTTAIS
ABIOSTU ABOUTIS
BOUTAIS
ABIOTTT BOTTAIT
ABIOTTU ABOUTIT →
BOUTAIT
ABIQRSU BRIQUAS
ABIQRTU BRIQUAT
ABIQSSU BISQUAS
ABIQSTU BISQUAT
ABIQSUU BUSQUAI
ABIRRST BARRITS
ABIRRSU BRUIRAS
ABIRRTU ABRUTIR
ABIRSSU SUBIRAS
ABIRSTU ABRUTIS
BRUITAS
ABIRTTU ABRUTIT
BRUITAT
ABIRTUX TRIBAUX*
ABISTTU BUTTAIS
TITUBAS
ABISTUZ BIZUTAS
ABITTTU BUTTAIT
TITUBAT
ABITTUZ BIZUTAT
ABJLNOS JABLONS
ABJMNOS JAMBONS
ABLLNOS BALLONS
ABLLOST BALLOTS
ABLMNOS AMBLONS
BLAMONS
ABLMOOT TOMBOLA
ABLMOPS APLOMBS
PLOMBAS
ABLMOPT PLOMBAT
ABLMOSU MABOULS
ABLNOSS BLASONS
SABLONS
ABLNOST TABLONS
ABLNOTU BOULANT
ABLNRTU BRULANT
ABLNTTU BLUTANT
ABLOQSU BLOQUAS
ABLOQTU BLOQUAT
ABLORSU LABOURS
ABLORTU TROUBLA
ABLOSSU ABSOLUS
BLOUSAS
ABLOSTU BLOUSAT
ABMNORS AMBRONS
BRAMONS
ABMNORT OMBRANT
ABMNOTT TOMBANT
ABMNRTU BRUMANT
ABMORSS SOMBRAS

ABMORST	SOMBRAT
ABMORTU	TAMBOUR
ABMRSUY	BARYUMS
ABNNORT	BORNANT
ABNNOST	SNOBANT
ABNOORY	BORNOYA
ABNOOSY	ABOYONS
ABNOPRT	PROBANT
ABNORRS	BARRONS
ABNORSS	BRASONS
	SABRONS
ABNORSU	SUBORNA
ABNORSV	BRAVONS
ABNORSZ	BRONZAS
ABNORTY	BARYTON
	BROYANT
ABNORTZ	BRONZAT
ABNOSSS	BASSONS
ABNOSST	BOSSANT
ABNOSSU	ABUSONS
ABNOSTT	BATTONS
ABNOTTT	BOTTANT
ABNOTTU	BOUTANT
ABNRSTU	BRUANTS
	TURBANS
ABNRTUY	BRUYANT
ABNTTTU	BUTTANT
ABORRST	BARROTS
ABORRSU	BOURRAS
ABORRTU	BOURRAT
ABORSSS	BROSSAS
ABORSST	BROSSAT
ABORSTU	BROUTAS
	OBSTRUA
	OBTURAS
ABORTTU	BROUTAT
	OBTURAT
ABORTUU	BOUTURA
ABOSSSU	BOSSUAS
ABOSSTU	BOSSUAT
ABOSTUU	AUTOBUS
ABPRSTU	ABRUPTS
ABQRSUU	BRUSQUA
ABQSSUU	BUSQUAS
ABQSTUU	BUSQUAT
ABRSSTU	ABSTRUS
ABRTUUX	BRUTAUX
ACCCORR	RACCROC
ACCCORS	ACCROCS
ACCDEEN	CADENCE
ACCDEER	ACCEDER
ACCDEES	ACCEDES
ACCDEEU	CADUCEE
ACCDEEZ	ACCEDEZ
ACCDEHO	DECOCHA
ACCDENO	CONCEDA
ACCDEOR	ACCORDE
	COCARDE
ACCDEOU	ACCOUDE
ACCDESU	SUCCEDA
ACCDORR	RACCORD
ACCDORS	ACCORDS
ACCEEHL	CALECHE
ACCEEHR	CACHERE*
	CRACHEE
ACCEEHS	CACHEES
ACCEEHT	CACHETE
ACCEEIM	MICACEE
ACCEELN	CENACLE
ACCEELO	ACCOLEE
ACCEELU	ACCULEE
ACCEENR	CARENCE
	CREANCE
ACCEEOT	ACCOTEE
ACCEEOU	ACCOUEE
ACCEEPT	ACCEPTE
ACCEERT	CRETACE
ACCEERU	CERCEAU
ACCEEST	CACTEES
	CETACES
ACCEESU	ACCUSEE
ACCEFIT	FACTICE
ACCEGNO	COCAGNE
ACCEGOU	COCUAGE
ACCEHHI	CHECHIA
ACCEHHR	CHERCHA
ACCEHIL	CALICHE
ACCEHIN	CANICHE
	CHICANE
ACCEHIZ	CACHIEZ
ACCEHNO	ENCOCHA
ACCEHNR	CHANCRE
ACCEHNS	CANCHES
	CHANCES
ACCEHNT	CACHENT
ACCEHNU	CHACUNE
ACCEHOR	COCHERA
	ECORCHA
ACCEHOS	SACOCHE
ACCEHPU	CAPUCHE
ACCEHRR	CRACHER
ACCEHRS	CRACHES

ACCEHRW	CAWCHER
ACCEHRZ	CRACHEZ
ACCEHST	CACHETS
ACCEILN	CALCINE
ACCEILR	CERCLAI
ACCEILS	CALICES
ACCEILT	CALCITE
ACCEILU	ACCUEIL
ACCEIMS	MICACES
ACCEINO	COCAINE
ACCEINV	VACCINE
ACCEIOR	CORIACE
	ECORCAI
ACCEIPR	CAPRICE
ACCEIQU	CACIQUE
ACCEIRT	ACTRICE
	CACTIER
ACCELLU	CALCULE
ACCELNO	CALECON
ACCELNS	CANCELS
ACCELNY	CYCLANE
ACCELOR	ACCOLER
ACCELOS	ACCOLES
ACCELOT	CACOLET
ACCELOZ	ACCOLEZ
ACCELRS	CARCELS
	CERCLAS
ACCELRT	CERCLAT
ACCELRU	ACCULER
ACCELRY	RECYCLA
ACCELSU	ACCULES
	SACCULE
ACCELUZ	ACCULEZ
ACCEMSU	CAECUMS
ACCENOV	CAVECON
	CONCAVE
ACCENRS	CANCERS
	CANCRES
ACCENST	ACCENTS
ACCEORS	ACCORES
	ECORCAS
ACCEORT	ACCORTE
	ACCOTER
	ECORCAT
ACCEORU	ACCOUER
	ACCOURE
ACCEOSS	COCASSE
ACCEOST	ACCOSTE
	ACCOTES
ACCEOSU	ACCOUES
ACCEOTT	TOCCATE
ACCEOTZ	ACCOTEZ
ACCEOUZ	ACCOUEZ
ACCEPSU	CAPUCES
ACCERSU	ACCRUES
	ACCUSER
ACCESSU	ACCUSES
ACCESUZ	ACCUSEZ
ACCFIOU	COCUFIA
ACCGNOS	COGNACS
ACCHHOU	CHAOUCH
ACCHIIL	CLICHAI
ACCHILO	CLOCHAI
ACCHILS	CLICHAS
ACCHILT	CLICHAT
ACCHINR	CHANCIR
	CRACHIN
ACCHINS	CHANCIS
ACCHINT	CHANCIT
ACCHIOR	CROCHAI
	RICOCHA
ACCHIOS	COCHAIS
ACCHIOT	CHICOTA
	COCHAIT
ACCHIOU	COUCHAI
ACCHLOS	CLOCHAS
ACCHLOT	CLOCHAT
ACCHNOS	CACHONS
ACCHNOT	COCHANT
ACCHORS	CROCHAS
ACCHORT	CROCHAT
ACCHOST	CACHOTS
ACCHOSU	CACHOUS
	CHOUCAS
	COUCHAS
ACCHOTU	COUCHAT
ACCHRST	SCRATCH
ACCIINO	COINCAI
ACCIKRR	CARRICK
ACCILMU	CALCIUM
ACCILNS	CALCINS
ACCILOT	CALICOT
ACCILRU	CIRCULA
	CRUCIAL
ACCIMMS	MICMACS
ACCINOS	COINCAS
ACCINOT	COINCAT
	OCCITAN
ACCINPU	CAPUCIN
ACCINSV	VACCINS
ACCIOPU	OCCUPAI
ACCIORS	ACCROIS

ACCIORT	ACCROIT
ACCLLSU	CALCULS
ACCLORU	OCCLURA
ACCLOTU	OCCULTA
ACCMOPT	COMPACT
ACCMRUU	CURCUMA
ACCNORS	CORNACS
ACCNOTT	CONTACT
ACCOPSU	OCCUPAS
ACCOPTU	OCCUPAT
ACCORSU	ACCOURS
ACCORTU	ACCOURT
ACCORUU	ACCOURU
ACDDEEI	DECEDAI
ACDDEES	DECADES
	DECEDAS
ACDDEET	DECEDAT
ACDDEII	DECIDAI
	DIACIDE
ACDDEIN	CANDIDE
ACDDEIO	DECODAI
ACDDEIS	CADDIES
	DECADIS
	DECIDAS
ACDDEIT	DECIDAT
ACDDEOR	DECORDA
ACDDEOS	DECODAS
ACDDEOT	DECODAT
ACDDHKO	HADDOCK
ACDDKOP	PADDOCK
ACDEEEL	DECALEE
	DELACEE
ACDEEEP	DECAPEE
ACDEEEV	DECAVEE
ACDEEGL	DEGLACE
ACDEEHP	DEPECHA
ACDEEHR	ECHARDE
ACDEEHT	DETACHE
ACDEEHU	ECHAUDE
ACDEEIL	DECELAI
ACDEEIM	CADMIEE
ACDEEIP	DEPECAI
ACDEEIR	CEDERAI
	CEDRAIE
	RECEDAI
ACDEEIT	DECATIE
ACDEEIX	EXCEDAI
ACDEELM	DECLAME
ACDEELP	DEPLACE
ACDEELR	DECALER
	DECLARE →

	DELACER
ACDEELS	DECALES
	DECELAS
	DELACES
ACDEELT	DECELAT
	DELECTA
ACDEELZ	DECALEZ
	DELACEZ
ACDEEMP	DECAMPE
ACDEEMS	CEDAMES
ACDEENR	CERDANE
	DECERNA
	ENCADRE
ACDEENS	SCANDEE
ACDEENT	CEDANTE
	DECANTE
ACDEENV	DEVANCE
ACDEEPR	DECAPER
	PRECEDA
ACDEEPS	DECAPES
	DEPECAS
ACDEEPT	DEPECAT
ACDEEPZ	DECAPEZ
ACDEERR	CARDERE
	RECARDE
ACDEERS	CADREES*
	CARDEES
	CEDERAS
	ESCADRE
	RECEDAS
ACDEERT	DECRETA
	RECEDAT
ACDEERV	DECAVER
	DECEVRA
ACDEESS	CEDASSE
ACDEEST	CEDATES
ACDEESV	DECAVES
ACDEESX	EXCEDAS
ACDEETT	CADETTE
	DETECTA
ACDEETX	EXCEDAT
ACDEEVZ	DECAVEZ
ACDEFNO	DEFONCA
	FACONDE
	FECONDA
ACDEFOU	FOUCADE
ACDEGOR	CORDAGE
ACDEGOS	CODAGES
ACDEHIN	DENICHA
ACDEHIR	DECHIRA
ACDEHJU	DEJUCHA

ACDEHMR	DRACHME
ACDEHNT	DECHANT
ACDEHOP	POCHADE
ACDEHOR	DEROCHA
ACDEHOT	CATHODE
ACDEHRU	RECHAUD
ACDEHSU	CHAUDES
ACDEHUX	DECHAUX
ACDEIIM	DECIMAI
ACDEIIR	DECRIAI
ACDEIIS	ASCIDIE
ACDEIIT	ACIDITE
	EDICTAI
ACDEILM	DECIMAL
	MEDICAL
ACDEILN	DECLINA
ACDEILP	PLACIDE
ACDEILS	DISCALE
ACDEILT	DELICAT
ACDEILU	ACIDULE
	ELUCIDA
ACDEIMS	CADMIES
	DECIMAS
ACDEIMT	DECIMAT
	DICTAME
ACDEINO	DONACIE
ACDEINR	CEINDRA
	CENDRAI
ACDEINS	CANDIES
	CANIDES
ACDEIOR	CODERAI
	DECORAI
ACDEIOS	ACIDOSE
ACDEIOU	ADOUCIE
ACDEIOX	OXACIDE
ACDEIPR	PICARDE
ACDEIPS	SPADICE
ACDEIRR	CRIARDE
	DECRIRA
ACDEIRS	DECRIAS
	DIACRES
ACDEIRT	CARDITE
	CREDITA
	DECATIR
	DECRIAT
	DICTERA
ACDEIRU	DECRUAI
ACDEIRZ	CADRIEZ
	CARDIEZ
ACDEIST	DECATIS
	EDICTAS
ACDEITT	DECATIT
	EDICTAT
ACDEIUV	DECUVAI
ACDELLO	DECOLLA
ACDELNO	CELADON
ACDELOR	CORDELA
	DECLORA*
ACDELOU	DECLOUA
	DECOULA
ACDELPU	DECUPLA
ACDELSS	SCALDES
ACDELSU	DUCALES
ACDELTY	DACTYLE
ACDEMOS	CODAMES
ACDEMSU	MUSCADE
ACDENNO	DECONNA
	DENONCA
ACDENOR	DECORNA
	ENCORDA
ACDENOS	SECONDA
ACDENRR	RENCARD
ACDENRS	CENDRAS
	CERDANS
	SCANDER
ACDENRT	CADRENT
	CARDENT
	CENDRAT
ACDENRU	CANDEUR
ACDENSS	SCANDES
ACDENST	CEDANTS
ACDENSZ	SCANDEZ
ACDEOPR	PROCEDA
ACDEOPU	DECOUPA
ACDEORR	CORDERA
	RECORDA
ACDEORS	CODERAS
	DECORAS
	ROCADES
ACDEORT	DECORAT
	TOCARDE
ACDEORU	CORDEAU
	COUARDE
	COUDERA
ACDEOSS	CODASSE
ACDEOST	CODATES
ACDEPRU	DRUPACE
ACDEQUU	AQUEDUC
	CADUQUE
ACDERRU	CADREUR
	CARDEUR
ACDERST	CEDRATS

ACDERSU DECRUAS
DECRUSA
ACDERTU DECRUAT
ACDESSU DUCASSE
ACDESUV DECUVAS
ACDETUV DECUVAT
ACDFIIO CODIFIA
ACDFORR FROCARD
ACDGINN DANCING
ACDGOUZ GAZODUC
ACDHIOU DOUCHAI
ACDHIRR RICHARD
ACDHNOR CHARDON
ACDHOPR POCHARD
ACDHOSU DOUCHAS
ACDHOTU DOUCHAT
ACDIINN INDICAN
ACDIINS SCINDAI
ACDIINT CITADIN
ACDIIST DICTAIS
ACDIISU SUICIDA
ACDIITT DICTAIT
ACDILOR CORDIAL
ACDILOT COTIDAL
ACDIMMU CADMIUM
ACDIMRS SMICARD
ACDINPR PINCARD
ACDINSS SCINDAS
ACDINST SCINDAT
ACDINTT DICTANT
ACDIOPR PICADOR
ACDIORR CORRIDA
ACDIORS CORDAIS
ACDIORT CORDAIT
ACDIORU ADOUCIR
COUDRAI
DOUCIRA
RADOUCI
ACDIORV DIVORCA
ACDIOSU ADOUCIS
COUDAIS
ACDIOTU ADOUCIT
COUDAIT
ACDIPRS PICARDS
ACDIRRS CRIARDS
ACDIRRU DURCIRA
ACDIRTU TRUCIDA
ACDISTU DISCUTA
ACDISUV VIADUCS
ACDISUX DISCAUX
ACDLOTY DACTYLO

ACDNORR CORNARD
ACDNORS CADRONS
CARDONS
ACDNORT CORDANT
ACDNOTU COUDANT
ACDOORR CORRODA
ACDOOUY COUDOYA
ACDOQRU COQUARD
ACDORSS COSSARD
ACDORST TOCARDS
ACDORSU COUARDS
COUDRAS
ACDOSTU COSTAUD
ACEEEFF EFFACEE
ACEEEGN AGENCEE
ENCAGEE
ACEEEHT ACHETEE
ACEEEHV ACHEVEE
ACEEEIM EMACIEE
ACEEEIR ACIEREE
ACEEELN ELANCEE
ENLACEE
ACEEELO OLEACEE
ACEEELP CAPELEE
ACEEELR CEREALE
LACEREE
RECALEE
ACEEELS ECALEES
ACEEELT ECLATEE*
ACEEEMN MENACEE
ACEEEMR MACEREE
ACEEENR CARENEE
ACEEENV ENCAVEE
ACEEEPS ESPACEE
ACEEERS ACEREES
ECRASEE
ACEEERT ECARTEE
ACEEEST SETACEE
ACEEEUV EVACUEE
ACEEEUX EXAUCEE
ACEEEVX EXCAVEE
ACEEFFR EFFACER
ACEEFFS EFFACES
ACEEFFT AFFECTE
ACEEFFZ EFFACEZ
ACEEFHS FACHEES
ACEEFHU FAUCHEE
ACEEFIN CAFEINE
FAIENCE
FIANCEE
ACEEFIR CAFEIER

ACEEFIS	FASCIEE
ACEEFIT	FACETIE
ACEEFLS	FECALES
ACEEFNN	ENFANCE
ACEEFPR	PREFACE
ACEEFTT	FACETTE
ACEEGHL	LECHAGE
ACEEGHM	MECHAGE
ACEEGHN	CHANGEE
	ECHANGE
ACEEGHR	CHARGEE
ACEEGHS	GACHEES
	SECHAGE
ACEEGIM	ECIMAGE
ACEEGIR	GRACIEE
ACEEGLS	GLACEES
ACEEGMU	ECUMAGE
ACEEGNR	AGENCER
	CRENAGE
	ENCAGER
	ENCRAGE
	GERANCE
ACEEGNS	AGENCES
	ENCAGES
ACEEGNU	ECANGUE
ACEEGNZ	AGENCEZ
	ENCAGEZ
ACEEGPR	CREPAGE
	PERCAGE
ACEEGPS	CEPAGES
ACEEGRR	GERCERA
ACEEGRU	CARGUEE
	ECURAGE
ACEEHHN	HANCHEE
ACEEHHS	HACHEES
ACEEHIM	EMECHAI
ACEEHIN	CHAINEE
	CHENAIE
ACEEHIT	CHATIEE
ACEEHJR	JACHERE
ACEEHLL	ALLECHE
ACEEHLR	HARCELE
	LECHERA
	RELACHE
ACEEHLS	LACHEES
ACEEHLT	LACHETE
ACEEHLU	CHAULEE
ACEEHLV	CHEVALE
ACEEHMO	AMOCHEE
ACEEHMP	EMPECHA
ACEEHMR	CHARMEE →
	MARCHEE
	MECHERA
	REMACHE
ACEEHMS	EMECHAS
	MACHEES
ACEEHMT	EMECHAT
ACEEHMU	CHAUMEE
ACEEHNP	EPANCHE
ACEEHNR	ARCHEEN
	ECHARNE
ACEEHNS	AESCHNE
	ENSACHE
ACEEHNT	CHANTEE
	ECHEANT
	ENTACHE
	ETANCHE
ACEEHNU	CHENEAU
ACEEHOT	CAHOTEE
ACEEHPP	ECHAPPE
ACEEHPR	ECHARPE
	PECHERA
	RECHAPE
	REPECHA
ACEEHPS	CHAPEES
ACEEHRR	CHARREE
	ECHERRA*
ACEEHRS	ECHARSE
	ESCHARE
	SECHERA
ACEEHRT	ACHETER
	CHATREE
	HECTARE
	RACHETE
	TRACHEE
ACEEHRV	ACHEVER
	VACHERE
ACEEHSS	ASSECHE
	CHASSEE
	ECHASSE
	SACHEES
ACEEHST	ACHETES
	TACHEES
ACEEHSV	ACHEVES
ACEEHTT	TACHETE
ACEEHTZ	ACHETEZ
ACEEHVZ	ACHEVEZ
ACEEIIR	ACIERIE
ACEEIJT	EJECTAI
ACEEILL	CAILLEE
	ECAILLE
ACEEILN	CALINEE →

LINACEE*
ACEEILR CELERAI
ECLAIRE
LACERIE
RECELAI
ACEEILZ ECALIEZ
ACEEIMR ECIMERA
ECREMAI
EMACIER
ACEEIMS EMACIES
ACEEIMZ EMACIEZ
ACEEINR RACINEE
ACEEINS CASEINE
ACEEIOP OPIACEE
ACEEIPR EPICERA
PECAIRE*
RAPIECE
RECEPAI
ACEEIPS EPICEAS
ACEEIPT CAPITEE
ACEEIPZ CAPEIEZ
ACEEIRR ACIERER
CREERAI
ECRIERA
RECREAI
ACEEIRS ACIERES
CARIEES
ACEEIRT ECRETAI
ACEEIRX EXECRAI
EXERCAI
ACEEIRZ ACIEREZ
ACEEITV ACTIVEE
ACEEJLO CAJOLEE
ACEEJLU EJACULE
ACEEJST EJECTAS
ACEEJTT EJECTAT
ACEELLM ALMELEC
CAMELLE
ACEELLN NACELLE
ACEELLP CAPELLE
ACEELLV CLAVELE
ACEELLX EXCELLA
ACEELMR RECLAME
ACEELMS CALMEES
CELAMES
CLAMEES
MACLEES
ACEELMU MACULEE
ULMACEE*
ACEELMX EXCLAME
ACEELNN CANNELE
ACEELNR CRENELA
ELANCER
ENLACER
RELANCE
RENACLE
ACEELNS ALCENES
ELANCES
ENLACES
LANCEES
SCALENE
ACEELNT ECALENT
LATENCE
ACEELNU CANULEE*
ENUCLEA
ACEELNV ENCLAVE
VALENCE
ACEELNZ ELANCEZ
ENLACEZ
ACEELOR RACOLEE
ACEELPR CAPELER
PERCALE
REPLACE
ACEELPS CAPELES
PLACEES
SCALPEE
ACEELPT CAPELET
ACEELPZ CAPELEZ
ACEELQU CALQUEE
CLAQUEE
ACEELRR CARRELE
LACERER
RECALER
ACEELRS CELERAS
LACERES
RACLEES
RECALES
RECELAS
SARCLEE
ACEELRT ECLATER
RECELAT
RECTALE
ACEELRU ECALURE
ECULERA
ACEELRY CLAYERE
ACEELRZ CALEREZ
LACEREZ
RECALEZ
ACEELSS CELASSE
CLASSEE
ESCALES
ACEELST CELATES →

	CELESTA
	ECLATES
	LACTEES
ACEELSU	LACEUSE
ACEELSV	ESCLAVE
ACEELTU	CAUTELE
ACEELTV	CLAVETE
ACEELTZ	ECLATEZ
ACEEMNR	MENACER
ACEEMNS	MENACES
ACEEMNT	CEMENTA
	MECENAT
ACEEMNZ	MENACEZ
ACEEMOR	AMORCEE
	MORACEE*
ACEEMPS	CAMPEES
ACEEMRR	CREMERA
	MACERER
ACEEMRS	CAREMES
	CERAMES
	CREAMES
	ECREMAS
	MACERES
ACEEMRT	ECREMAT
ACEEMRU	ECUMERA
ACEEMRZ	MACEREZ
ACEEMSU	MUSACEE*
ACEEMSZ	ECZEMAS
ACEENNS	CANNEES
	ENCENSA
ACEENNU	NUANCEE
ACEENOT	ACETONE
ACEENPT	CAPEENT
ACEENQU	ENCAQUE
ACEENRR	CARENER
	CERNERA
	CRENERA
	ENCRERA
ACEENRS	ANCREES
	CARENES
	CARNEES
	CASERNE
	NACREES
	RECENSA
	SERANCE
ACEENRT	ANCETRE
	CRANTEE
	ENCARTE
ACEENRU	CERNEAU
	CRENEAU
ACEENRV	CAVERNE →
	ENCAVER
ACEENRZ	CANEREZ
	CARENEZ
ACEENSS	SEANCES
ACEENST	CETANES
	SECANTE
	TANCEES
	TENACES
ACEENSV	ENCAVES
ACEENTT	CANETTE
ACEENTU	CUTANEE
ACEENVZ	ENCAVEZ
ACEEOPR	ECOPERA
	PORACEE
ACEEOPT	CAPOTEE
ACEEORS	ROSACEE
ACEEORT	ROTACEE
ACEEORU	ECOEURA
ACEEPQU	PACQUEE
ACEEPRR	CREPERA
	PERCERA
ACEEPRS	ESCARPE
	ESPACER
	RECEPAS
	RESCAPE
ACEEPRT	RECEPAT
ACEEPRU	APERCUE
	EPUCERA
ACEEPRY	CAPEYER
ACEEPSS	ESCAPES
	ESPACES
ACEEPST	CAPTEES
	EPACTES
ACEEPSY	CAPEYES
ACEEPSZ	ESPACEZ
ACEEPTX	EXCEPTA
ACEEPYZ	CAPEYEZ
ACEEQSU	CAQUEES
	CASQUEE
	SACQUEE
ACEEQTU	CAQUETE
ACEERRS	CARREES
	CREERAS
	ECRASER
	ESCARRE
	RECREAS
ACEERRT	CRATERE
	ECARTER
	RECREAT
	RETERCA
	RETRACE →

	TERCERA
ACEERRU	ECURERA
ACEERRV	CREVERA
	RECEVRA
ACEERSS	CARESSE
	CESSERA
	CREASSE
	ECRASES
	SACREES
ACEERST	ACRETES
	CASTREE
	CERASTE
	CREATES
	ECARTES
	ECRETAS
	SECRETA
	TRACEES
ACEERSU	RECAUSE
ACEERSX	EXECRAS
	EXERCAS
ACEERSZ	CASEREZ
	ECRASEZ
ACEERTT	ECRETAT
	TRACTEE
ACEERTU	CAUTERE
	RUTACEE*
ACEERTX	EXCRETA
	EXECRAT
	EXERCAT
ACEERTZ	ECARTEZ
ACEERUV	CERVEAU
	EVACUER
ACEERUX	EXAUCER
ACEERVX	EXCAVER
ACEERVZ	CAVEREZ
ACEESSS	ASCESES
	CASSEES
ACEESST	ASCETES
	SETACES
ACEESSU	CAUSEES
	SAUCEES
ACEESTT	TESTACE
ACEESTX	EXACTES
ACEESUV	EVACUES
ACEESUX	CASEEUX
	EXAUCES
ACEESVX	EXCAVES
ACEETUX	ACETEUX
	EXECUTA
ACEEUVZ	EVACUEZ
ACEEUXZ	EXAUCEZ
ACEEVXZ	EXCAVEZ
ACEFFHI	AFFICHE
ACEFFHU	CHAUFFE
ACEFFOR	EFFORCA
ACEFFST	AFFECTS
ACEFGNO	FONCAGE
ACEFGOR	FORCAGE
ACEFGSU	FUGACES
ACEFHIL	FLECHAI
ACEFHIR	FICHERA
	FRAICHE
ACEFHIZ	FACHIEZ
ACEFHLN	FLANCHE
ACEFHLS	FLACHES
	FLECHAS
ACEFHLT	FLECHAT
ACEFHLU	FALUCHE
ACEFHNR	FRANCHE
ACEFHNT	FACHENT
ACEFHRU	FAUCHER
ACEFHSU	FAUCHES
ACEFHTU	FAUCHET
ACEFHUX	FACHEUX
ACEFHUZ	FAUCHEZ
ACEFIIL	FICELAI
ACEFIIP	PACIFIE
ACEFIIR	FICAIRE
ACEFIKO	COKEFIA
ACEFILO	FOLIACE
ACEFILS	CALIFES
	FACILES
	FICELAS
	FISCALE
ACEFILT	FICELAT
ACEFILU	FECULAI
ACEFINN	FINANCE
ACEFINR	FIANCER
ACEFINS	FASCINE
	FIANCES
ACEFINT	INFECTA
ACEFINZ	FIANCEZ
ACEFIRS	FARCIES
	FIACRES
ACEFIRT	CREATIF
	REACTIF
ACEFISS	FASCIES
ACEFLOS	FOCALES
ACEFLSU	FACULES
	FECULAS
	FUCALES
ACEFLTU	FACULTE →

	FECULAT
ACEFNNO	ENFONCA
	FACONNE
ACEFNOR	CONFERA
	FONCERA
ACEFORR	FORCERA
ACEFOSU	FOUACES
ACEFRRU	FARCEUR
ACEFRSU	FAUCRES
	SURFACE
ACEFRTU	FACTEUR
	FACTURE
ACEGHIN	CHINAGE
ACEGHIU	AGUICHE
	GAUCHIE
ACEGHIZ	GACHIEZ
ACEGHLO	GALOCHE
ACEGHMO	CHOMAGE
ACEGHNR	CHANGER
ACEGHNS	CHANGES
ACEGHNT	GACHENT
ACEGHNZ	CHANGEZ
ACEGHOR	ROCHAGE
ACEGHOU	GOUACHE
ACEGHRR	CHARGER
ACEGHRS	CHARGES
ACEGHRU	GACHEUR
	GAUCHER
ACEGHRZ	CHARGEZ
ACEGHSU	GAUCHES
ACEGILR	GICLERA
	GLACIER
	GRACILE
ACEGILS	CIGALES
ACEGILV	CLIVAGE
ACEGILZ	GLACIEZ
ACEGIMR	GRIMACE
ACEGINO	NEGOCIA
ACEGINP	PINCAGE
ACEGINR	CRAIGNE
	RINCAGE
ACEGINZ	ZINCAGE
ACEGIOP	COPIAGE
ACEGIPS	PICAGES
ACEGIRR	GRACIER
ACEGIRS	CIGARES
	CIRAGES
	GERCAIS
	GRACIES
	GRECISA
ACEGIRT	GERCAIT
ACEGIRZ	GRACIEZ
ACEGISS	SCIAGES
ACEGLLO	COLLAGE
ACEGLNO	CONGELA
ACEGLNT	GLACENT
ACEGLOU	CAGOULE
	CLOUAGE
	COAGULE
	COULAGE
ACEGLRU	GLACURE
ACEGNNO	ENGONCA
ACEGNOP	PONCAGE
ACEGNOR	CAROGNE
	COGNERA
	CONGREA
	CORNAGE
ACEGNOT	CONTAGE
ACEGNOY	CONGAYE
ACEGNRT	GERCANT
ACEGNSU	CANGUES
ACEGNUX	CAGNEUX
ACEGOPU	COUPAGE
ACEGORS	CORSAGE
ACEGORU	CAROUGE
	COURAGE
ACEGOST	CAGEOTS
	CAGOTES
ACEGOTT	COTTAGE
ACEGQRU	GRECQUA
ACEGRRU	CARGUER
ACEGRSU	CARGUES
	CURAGES
	SUCRAGE
ACEGRTU	TRUCAGE
ACEGRUZ	CARGUEZ
ACEGSTU	STUCAGE
ACEGSUV	CUVAGES
ACEHHIR	HERCHAI
ACEHHIZ	HACHIEZ
ACEHHNR	HANCHER
ACEHHNS	HANCHES
ACEHHNT	HACHENT
ACEHHNZ	HANCHEZ
ACEHHOR	HOCHERA
ACEHHOU	HOUACHE
ACEHHRS	HERCHAS
	HERSCHA
ACEHHRT	HERCHAT
ACEHHRU	HACHURE
	HUCHERA
ACEHHTU	CHAHUTE

ACEHIIN	ECHINAI
ACEHIIR	CHIERAI
ACEHILO	ACHOLIE
ACEHILR	CHIALER
	LICHERA
ACEHILS	CHIALES
	LAICHES
	LECHAIS
ACEHILT	HALICTE
	LECHAIT
ACEHILZ	CHIALEZ
	LACHIEZ
ACEHIMN	CHEMINA
	MACHINE
ACEHIMS	CHEMISA
	CHIAMES
	CHIASME
	MECHAIS
ACEHIMT	MECHAIT
ACEHIMZ	MACHIEZ
ACEHINP	PENCHAI
ACEHINR	ARCHINE
	CHAINER
	CHINERA
	NICHERA
ACEHINS	CHAINES
	ECHINAS
ACEHINT	ECHINAT
	ENTICHA
ACEHINZ	CHAINEZ
ACEHIOR	CHOIERA
	ECHOIRA
ACEHIOT	CHATOIE
ACEHIOU	ECHOUAI
ACEHIPR	CHARPIE
	CHIPERA
	PERCHAI
	PRECHAI
ACEHIPS	PECHAIS
ACEHIPT	PECHAIT
ACEHIRR	CHARRIE
	CHERIRA
ACEHIRS	CAHIERS
	CHAIRES
	CHIERAS
ACEHIRT	CHARITE
	CHATIER
	CITHARE
ACEHIRV	ARCHIVE
	CHAVIRE
ACEHISS	CHAISES →
	CHASSIE
	CHIASSE
	SECHAIS
ACEHIST	CHATIES
	CHIATES
	SECHAIT
ACEHISZ	SACHIEZ
ACEHITZ	CHATIEZ
	TACHIEZ
ACEHJRU	JUCHERA
ACEHKRS	KASCHER*
ACEHLNP	PLANCHE
ACEHLNR	CHARNEL
ACEHLNT	LACHENT
	LECHANT
ACEHLOR	CHOLERA
	CHORALE
ACEHLOT	TALOCHE
ACEHLPU	EPLUCHA
	PELUCHA
ACEHLRS	LACHERS
ACEHLRU	CHALEUR
	CHAULER
	LACHEUR
ACEHLST	CHALETS
ACEHLSU	CHAULES
ACEHLUZ	CHAULEZ
ACEHMNO	HAMECON
ACEHMNS	MANCHES
ACEHMNT	MACHENT
	MECHANT
ACEHMOP	EMPOCHA
ACEHMOR	AMOCHER
	CHOMERA
ACEHMOS	AMOCHES
ACEHMOZ	AMOCHEZ
ACEHMPR	CAMPHRE
ACEHMRR	CHARMER
	MARCHER
ACEHMRS	CHARMES
	MARCHES
ACEHMRU	CHAUMER
	MACHURE
ACEHMRZ	CHARMEZ
	MARCHEZ
ACEHMSS	SACHEMS
	SCHEMAS
ACEHMST	MATCHES
	MECHTAS
ACEHMSU	CHAUMES
ACEHMTU	HUMECTA

ACEHMTY	ECTHYMA
ACEHMUZ	CHAUMEZ
ACEHNOR	ENROCHA
ACEHNPS	PENCHAS
ACEHNPT	PECHANT
	PENCHAT
ACEHNRR	RANCHER
ACEHNRS	RANCHES
ACEHNRT	CHANTER
	CHANTRE
	TRANCHE
ACEHNRU	CHARNUE
ACEHNRV	CHANVRE
ACEHNST	CHANTES
	SACHENT
	SECHANT
	TANCHES
ACEHNTT	TACHENT
ACEHNTZ	CHANTEZ
ACEHNUX	CHENAUX
ACEHOPP	ACHOPPE
	ECHOPPA
ACEHOPR	CHOPERA
	POCHERA
ACEHOPT	PATOCHE
	POTACHE
ACEHORR	ARROCHE
	ROCHERA
ACEHORT	CAHOTER
ACEHOST	CAHOTES
ACEHOSU	ECHOUAS
ACEHOTU	ECHOUAT
ACEHOTY	CHATOYE
ACEHOTZ	CAHOTEZ
ACEHPPS	SCHAPPE
ACEHPRS	PERCHAS
	PRECHAS
ACEHPRT	PERCHAT
	PRECHAT
ACEHQUU	QUECHUA
ACEHRRS	ARCHERS
ACEHRRT	CHARTER
	CHATRER
ACEHRRU	CHARRUE
	RUCHERA
ACEHRSS	CASHERS
	CHASSER
ACEHRST	ARCHETS
	CHARTES
	CHATRES
ACEHRSV	VACHERS →
	VARECHS
ACEHRTU	CHUTERA
	RECHUTA
ACEHRTZ	CHATREZ
ACEHSSS	CHASSES
ACEHSST	CHASTES
	SACHETS
ACEHSSU	CHAUSSE
ACEHSSZ	CHASSEZ
ACEHSTT	CHATTES
ACEHSTU	CAHUTES
ACEHSUV	CHAUVES
ACEHUVX	CHEVAUX
ACEIILN	LACINIE
ACEIILS	CISELAI
	LAICISE
ACEIILT	LAICITE
ACEIIMN	AMINCIE
	EMINCAI
ACEIIMS	CIMAISE
	ECIMAIS
ACEIIMT	ECIMAIT
ACEIINP	EPINCAI
ACEIINR	ICARIEN
ACEIINT	ACTINIE
	CANITIE
ACEIINV	EVINCAI
ACEIIPS	EPICAIS
ACEIIPT	EPICAIT
ACEIIPX	EXCIPAI
ACEIIRR	CIRERAI
	CRIERAI
	ECRIRAI
	RECRIAI
ACEIIRS	ECRIAIS
	SCIERAI
	SICAIRE
ACEIIRT	CITERAI
	ECRIAIT
	RECITAI
	TIERCAI
ACEIIRV	VICAIRE
	VICIERA
ACEIIRZ	CARIIEZ
ACEIISX	EXCISAI
ACEIITX	EXCITAI
ACEIJNT	INJECTA
ACEIKLN	NICKELA
ACEILLR	CAILLER
	CILLERA
	CRAILLE

ACEILLS	CAILLES
	SCELLAI
ACEILLV	VACILLE
ACEILLX	LEXICAL
ACEILLZ	CAILLEZ
ACEILMN	MANICLE
ACEILMR	MIRACLE
ACEILMS	LIMACES
	MALICES
ACEILMZ	CALMIEZ
	CLAMIEZ
	MACLIEZ
ACEILNN	LANCINE
ACEILNO	ANCOLIE
	ONCIALE
ACEILNP	CALEPIN
	PELICAN
	PINACLE
ACEILNR	CALINER
	CARLINE
	CLARINE
	LANCIER
ACEILNS	CALINES
	LANICES
	SANICLE
ACEILNZ	CALINEZ
	LANCIEZ
ACEILOP	APICOLE
ACEILOR	CALORIE
	ECLORAI*
	RECOLAI
ACEILOS	COALISE
	SOCIALE
ACEILOT	TEOCALI
ACEILOU	ECOULAI
ACEILOV	AVICOLE
	OLIVACE
	VIOLACE
ACEILPR	CLAPIER
	PICAREL
	PLACIER
ACEILPS	ECLIPSA
	SPECIAL
ACEILPZ	PLACIEZ
ACEILRS	CALIERS
	CLAIRES
	ECLAIRS
ACEILRT	ARTICLE
	CLAIRET
	RECITAL
ACEILRU	CULERAI →
	CURIALE
	RECULAI
	ULCERAI
ACEILRV	CLAVIER
	CLIVERA
ACEILRZ	RACLIEZ
ACEILSS	CISELAS
	ECLISSA
ACEILST	CISELAT
ACEILSU	ECLUSAI
	ECULAIS
ACEILSV	LASCIVE
	VESICAL
ACEILTT	TACTILE
ACEILTU	ALUCITE
	ECULAIT
ACEILUV	CUVELAI
ACEIMNR	CARMINE
ACEIMNS	CINEMAS
	EMINCAS
	MANCIES
ACEIMNT	CIMENTA
	ECIMANT
	EMINCAT
ACEIMNU	ACUMINE
ACEIMPZ	CAMPIEZ
ACEIMRS	CIRAMES
	CREMAIS
	CRIAMES
	ESCRIMA
	RACISME
ACEIMRT	CREMAIT
	MATRICE
ACEIMSS	SCIAMES
ACEIMST	CATIMES
	CITAMES
ACEIMSU	CAESIUM
	ECUMAIS
ACEIMSY	CYMAISE
ACEIMTU	ECUMAIT
ACEINNO	ENONCAI
ACEINNR	CRANIEN
	INCARNE
ACEINNS	ANCIENS
	CANINES
ACEINNT	CANTINE
ACEINNZ	CANNIEZ
ACEINOR	ECORNAI
ACEINPR	CAPRINE
	CARPIEN
	PINCERA

ACEINPS	EPINCAS
ACEINPT	EPICANT
	EPINCAT
	PITANCE
ACEINPU	PINCEAU
ACEINRR	CARNIER
	RACINER
	RICANER
	RINCERA
ACEINRS	ARSENIC
	CERNAIS
	CRENAIS
	ENCRAIS
	RACINES
	RICANES
ACEINRT	CARIENT
	CENTRAI
	CERNAIT
	CERTAIN
	CRAINTE
	CRENAIT
	CRIANTE
	ECRIANT
	ENCRAIT
ACEINRU	RINCEAU
ACEINRV	VAINCRE
ACEINRZ	ANCRIEZ
	CRANIEZ
	NACRIEZ
	RACINEZ
	RICANEZ
ACEINST	CASTINE
	NATICES
ACEINSV	EVINCAS
ACEINTT	INTACTE
ACEINTV	EVINCAT
ACEINTX	INEXACT
ACEINTZ	TANCIEZ
ACEINUV	ENCUVAI
	VAINCUE
ACEIOPR	COPIERA
	RECOPIA
ACEIOPS	ECOPAIS
	OPIACES
ACEIOPT	ECOPAIT
	OPACITE
ACEIORR	CARROIE
	OCRERAI
ACEIORT	CAIROTE
	COTERAI
ACEIORU	ECROUAI
ACEIORX	EXCORIA
ACEIOSS	ASSOCIE
	ECOSSAI
ACEIOSU	SECOUAI
ACEIOTU	ECOUTAI
ACEIOTV	OCTAVIE
ACEIPRR	CAPRIER
	CREPIRA
ACEIPRS	CREPAIS
	PECARIS
	PERCAIS
	PRECISA
ACEIPRT	CREPAIT
	CREPITA
	PATRICE
	PERCAIT
	PICRATE
ACEIPST	CAPITES
	PACTISE
ACEIPSU	EPUCAIS
ACEIPSX	EXCIPAS
ACEIPSY	CIPAYES
ACEIPTU	EPUCAIT
ACEIPTV	CAPTIVE
ACEIPTX	EXCIPAT
ACEIPTZ	CAPTIEZ
ACEIQSU	ACQUISE
	CAIQUES
ACEIQUZ	CAQUIEZ
ACEIRRR	CARRIER
	RECRIRA
ACEIRRS	CIRERAS
	CRIERAS
	ECRIRAS
	RECRIAS
ACEIRRT	CARTIER
	RECRIAT
ACEIRRU	CURERAI
	RECUIRA
	RECURAI
ACEIRRZ	CARRIEZ
ACEIRSS	CASIERS
	CASSIER
	CIRASSE
	CRIASSE
	SCIERAS
ACEIRST	CARISTE
	CIRATES
	CITERAS
	CRIATES
	RACISTE →

	RECITAS
	TERCAIS
	TIERCAS
ACEIRSU	CREUSAI
	ECURAIS
	RECUSAI
	SAUCIER
	SUCERAI
ACEIRSV	CREVAIS
	VARICES
ACEIRSZ	SACRIEZ
ACEIRTT	CITRATE
	RECITAT
	TERCAIT
	TIERCAT
ACEIRTU	CUITERA
	CURETAI
	ECURAIT
	ERUCTAI
	RAUCITE
ACEIRTV	ACTIVER
	CREVAIT
ACEIRTZ	CATIREZ
	TRACIEZ
ACEIRUV	CUVERAI
ACEISSS	CAISSES
	CASSIES
	CESSAIS
	SCIASSE
ACEISST	ASCITES
	CATISSE
	CESSAIT
	CITASSE
	SCIATES
ACEISSU	ECUISSA
ACEISSX	EXCISAS
ACEISSZ	CASSIEZ
ACEISTT	CATITES
	CITATES
	STATICE
	TACITES
ACEISTU	ACUITES
ACEISTV	ACTIVES
	CAVISTE
	CAVITES
ACEISTX	EXCISAT
	EXCITAS
ACEISUX	CISEAUX
	EXCUSAI
ACEISUZ	CAUSIEZ
	SAUCIEZ
ACEISVV	VIVACES
ACEITTX	EXCITAT
ACEITUV	VACUITE
ACEITVZ	ACTIVEZ
ACEJLOR	CAJOLER
ACEJLOS	CAJOLES
ACEJLOZ	CAJOLEZ
ACEJQTU	JACQUET
ACEKRST	RACKETS
ACELLMO	CALOMEL
ACELLNO	ENCOLLA
ACELLOO	ALCOOLE
ACELLOR	COLLERA
	RECOLLA
ACELLOS	LOCALES
ACELLOT	COLLETA
ACELLOY	ALCOYLE
ACELLPS	SCALPEL
ACELLSS	SCELLAS
ACELLST	SCELLAT
ACELLUX	CALLEUX
ACELMNT	CALMENT
	CLAMENT
	MACLENT
ACELMOR	MORCELA
ACELMOT	CAMELOT
	COLMATE
	COMTALE
ACELMRU	CLAMEUR
	MACULER
ACELMSU	CULAMES
	MACULES
ACELMTU	CALUMET
ACELMUZ	MACULEZ
ACELNNT	LANCENT
ACELNOR	ENCLORA
ACELNOS	ECALONS
ACELNOU	ENCLOUA
ACELNPT	PLACENT
ACELNRS	LANCERS
ACELNRT	CENTRAL
	RACLENT
ACELNRU	CANULER
	LANCEUR
	LUCARNE
ACELNSU	CANULES
	LACUNES
	LUCANES
ACELNSY	ALCYNES
ACELNSZ	ZANCLES
ACELNTU	ECULANT

ACELNUZ	CANULEZ	**ACELQSU**	CALQUES
ACELOPR	POLACRE*		CLAQUES
ACELOPT	CLAPOTE	**ACELQUZ**	CALQUEZ
	PACTOLE		CLAQUEZ
ACELOQU	CLOAQUE	**ACELRRS**	SARCLER
	LOQUACE	**ACELRRU**	CRURALE
ACELORR	CORRELA		RACLEUR
	RACOLER		RACLURE
ACELORS	ECLORAS*	**ACELRSS**	CLASSER
	ORACLES		SARCLES
	RACOLES	**ACELRST**	CARTELS
	RECOLAS		CLARTES
	SCAROLE	**ACELRSU**	CULERAS
ACELORT	CROTALE		LACEURS
	RECOLAT		RECULAS
	RECOLTA		ULCERAS
ACELORU	CLOUERA	**ACELRSZ**	SARCLEZ
	COULERA	**ACELRTU**	RECULAT
	ECROULA		ULCERAT
ACELORY	CALOYER	**ACELRUX**	EXCLURA
ACELORZ	RACOLEZ	**ACELSSS**	CLASSES
ACELOST	COSTALE	**ACELSST**	CASTELS
	LACTOSE	**ACELSSU**	CASUELS
ACELOSU	CLOSEAU		CLAUSES
	ECOULAS		CULASSE
ACELOSV	ALCOVES		ECLUSAS
	VOCALES	**ACELSSZ**	CLASSEZ
ACELOSX	COXALES	**ACELSTU**	ACTUELS
ACELOTT	CALOTTE		CULATES
ACELOTU	ECOULAT		ECLUSAT
ACELOTY	ACOLYTE	**ACELSUV**	CUVELAS
ACELOUV	VACUOLE	**ACELTUV**	CUVELAT
ACELPPR	CLAPPER	**ACEMMOR**	COMMERA
ACELPPS	CLAPPES	**ACEMNNO**	MACONNE
ACELPPZ	CLAPPEZ	**ACEMNOR**	ROMANCE
ACELPRS	PLACERS	**ACEMNOS**	MECANOS
	SCALPER		SEMONCA
ACELPRU	CRAPULE	**ACEMNOU**	MONCEAU
	PLACEUR	**ACEMNPT**	CAMPENT
ACELPSS	SCALPES	**ACEMNRT**	CREMANT
ACELPST	CLAPETS	**ACEMNSU**	MUANCES
	PLACETS	**ACEMNTU**	ECUMANT
ACELPSU	CAPSULE	**ACEMOPR**	COMPARE
	SPECULA	**ACEMOPT**	ACOMPTE
ACELPSZ	SCALPEZ	**ACEMORR**	AMORCER
ACELPTU	CAPULET	**ACEMORS**	AMORCES
	PECULAT		OCRAMES
	PULTACE		SARCOME
	TAPECUL	**ACEMORU**	MORCEAU
ACELQRU	CALQUER	**ACEMORZ**	AMORCEZ
	CLAQUER	**ACEMOST**	COTAMES →

	ESTOMAC
ACEMPRS	CRAMPES
ACEMPRU	CAMPEUR
ACEMRSU	CURAMES
ACEMSSU	CAMUSES
	SUCAMES
ACEMSUV	CUVAMES
ACENNNO	ANNONCE
	CANONNE
ACENNNT	CANNENT
ACENNOP	CAPONNE
ACENNOR	ARCONNE
	ENCORNA
	RENONCA
ACENNOS	ENONCAS
ACENNOT	CANETON
	ENONCAT
	ETANCON
ACENNOZ	CANZONE
ACENNRT	ANCRENT
	CERNANT
	CRANENT
	CRENANT
	ENCRANT
	NACRENT
ACENNRU	CANNEUR
	NUANCER
	RANCUNE
ACENNSU	NUANCES
ACENNTT	TANCENT
ACENNUZ	NUANCEZ
ACENOPR	PONCERA
ACENOPS	CANOPES
	CAPEONS
ACENOPT	ECOPANT
ACENOPU	PONCEAU
ACENORR	CORNERA
ACENORS	ECORNAS
	NARCOSE
	NECROSA
ACENORT	CANOTER
	CONTERA
	ECORNAT
	RACONTE
ACENORU	NAUCORE
ACENOST	CANOTES
	OCTANES
	TOSCANE
ACENOSY	CYANOSE
ACENOTT	OCTANTE
	TOCANTE
ACENOTV	CENTAVO
ACENOTZ	CANOTEZ
ACENOVY	VOYANCE
ACENPRT	CREPANT
	PERCANT
ACENPTT	CAPTENT
ACENPTU	EPUCANT
ACENQTU	CAQUENT
ACENRRT	CARRENT
	CRANTER
	RENCART
ACENRRU	CRANEUR
ACENRST	CANTERS
	CARNETS
	CENTRAS
	CRANTES
	ENCARTS
	NECTARS
	SACRENT
	TANRECS
ACENRSU	CENSURA
ACENRTT	CENTRAT
	TERCANT
	TRACENT
ACENRTU	ECURANT
ACENRTV	CREVANT
ACENRTZ	CRANTEZ
ACENRUY	CYANURE
ACENSST	CASSENT
	CESSANT
	SECANTS
	STANCES
ACENSSU	CANUSES
ACENSTU	CAUSENT
	CUTANES
	SAUCENT
ACENSUU	AUCUNES
ACENSUV	ENCUVAS
ACENTUV	ENCUVAT
ACEOOPP	APOCOPE
ACEOOPR	COOPERA
ACEOPRR	PORRACE
	PROCREA
ACEOPRS	PORACES
ACEOPRT	CAPOTER
ACEOPRU	COUPERA
	RECOUPA
ACEOPRY	COPAYER
ACEOPST	CAPOTES
ACEOPTZ	CAPOTEZ
ACEOPUX	COPEAUX

ACEOQSU	COSAQUE
ACEOQTU	COQUETA
ACEORRS	CORSERA
	OCRERAS
ACEORRY	CARROYE
ACEORSS	COASSER
	COSSERA
	CROASSE
	OCRASSE
	ROSACES
ACEORST	ATROCES
	CORSETA
	COTERAS
	CROATES
	ESCORTA
	OCRATES
	ROTACES
ACEORSU	ECROUAS
ACEORSV	VORACES
ACEORTT	CAROTTE
ACEORTU	COUTERA
	ECOURTA
	ECROUAT
	ECROUTA
ACEORUV	COUVERA
ACEOSSS	COASSES
	ECOSSAS
ACEOSST	COTASSE
	ECOSSAT
ACEOSSU	SECOUAS
ACEOSSZ	COASSEZ
ACEOSTT	COTATES
ACEOSTU	ECOUTAS
	SECOUAT
ACEOSTV	OCTAVES
ACEOTTU	ECOUTAT
ACEOTUU	COUTEAU
ACEOTUX	COTEAUX
ACEPQRU	PACQUER
ACEPQSU	PACQUES
ACEPQUZ	PACQUEZ
ACEPRRS	SCRAPER
ACEPRSS	PARSECS
ACEPRSU	APERCUS
ACEPRTU	APERCUT
	CAPTURE
	PERCUTA
ACEPSST	ASPECTS
ACEPUUX	PUCEAUX
ACEQRRU	CRAQUER
ACEQRSU	CRAQUES →
	SACQUER
ACEQRUZ	CRAQUEZ
ACEQSSU	CASQUES
	SACQUES
ACEQSTU	ACQUETS
	CAQUETS
ACEQSUZ	SACQUEZ
ACERRRU	CARRURE
ACERRST	CARTERS
	CASTRER
ACERRSU	ARCURES
	CURARES
	CURERAS
	RECURAS
	SUCRERA
ACERRTU	RECRUTA
	RECURAT
	TRACEUR
ACERSSS	CRASSES
	RESSACS
ACERSST	CASTRES
	SACRETS*
ACERSSU	CASSEUR
	CASSURE
	CREUSAS
	CURASSE
	RECUSAS
	SUCERAS
	SUCRASE
ACERSTT	TRACTES
ACERSTU	ACTEURS
	CREUSAT
	CURATES
	CURETAS
	ERUCTAS
	RECUSAT
	SUCRATE
ACERSTZ	CASTREZ
ACERSUU	CAUSEUR
ACERSUV	CUVERAS
ACERTTU	CURETAT
	ERUCTAT
ACERTUU	CRUAUTE
ACERTUX	RECTAUX
ACERUXY	CRAYEUX
ACESSSU	CAUSSES
	SUCASSE
ACESSTU	ASTUCES
	CUESTAS
	SUCATES
ACESSUV	CUVASSE

ACESSUX	EXCUSAS
ACESTUV	CUVATES
ACESTUX	EXCUSAT
ACEUUVX	CUVEAUX
ACFFHIR	CHIFFRA
ACFFIIO	COIFFAI
	OFFICIA
ACFFIOR	COFFRAI
ACFFIOS	COIFFAS
ACFFIOT	COIFFAT
ACFFORS	COFFRAS
ACFFORT	COFFRAT
ACFFOSU	COUFFAS
ACFHIIR	FRAICHI
ACFHIIS	FICHAIS
ACFHIIT	FICHAIT
ACFHINR	FRANCHI
ACFHINT	FICHANT
ACFHISU	FUCHSIA
ACFHNNO	FANCHON
ACFHNOS	FACHONS
ACFHORU	FAROUCH
	FOURCHA
ACFIINO	CONFIAI
ACFIINT	INACTIF
ACFILOT	LOCATIF
ACFILSS	LASCIFS
ACFINNO	CONFINA
ACFINOR	CONFIRA
	FRONCAI
ACFINOS	CONFIAS
	FONCAIS
ACFINOT	CONFIAT
	FACTION
	FONCAIT
ACFINRS	FARCINS
ACFIORR	FORCIRA
ACFIORS	FORCAIS
ACFIORT	FORCAIT
	FRICOTA
ACFIOSS	FIASCOS
ACFIOTV	VOCATIF
ACFIPST	CAPTIFS
ACFIRST	TRAFICS
ACFIRTT	TRACTIF
ACFIRTU	CURATIF
ACFISUX	FISCAUX
ACFLLOU	FLOCULA
ACFLNOS	FLACONS
ACFLNOU	CONFLUA
ACFMSTU	FACTUMS
ACFNNOT	FONCANT
ACFNORS	FRONCAS
ACFNORT	FORCANT
	FRONCAT
ACFNOSU	FAUCONS
ACFORST	FORCATS
ACGHINR	CHAGRIN
ACGHIRU	GAUCHIR
ACGHISU	GAUCHIS
ACGHITU	GAUCHIT
ACGHNOS	GACHONS
ACGHOSU	GAUCHOS
ACGIILN	CINGLAI
	CLIGNAI
ACGIILS	GICLAIS
ACGIILT	GICLAIT
ACGIINR	GRINCAI
ACGIIOT	COGITAI
ACGILNS	CINGLAS
	CLIGNAS
ACGILNT	CINGLAT
	CLIGNAT
	GICLANT
ACGIMNP	CAMPING
ACGINOS	COGNAIS
	CONGAIS
ACGINOT	COGNAIT
	COTINGA
ACGINRS	GRINCAS
ACGINRT	GRINCAT
ACGINSS	CASINGS
ACGIOST	COGITAS
ACGIOTT	COGITAT
ACGLNOS	GLACONS
ACGNNOT	COGNANT
ACGNORS	GARCONS
ACGNOSS	GASCONS
ACGNOST	COGNATS
ACGSTTU	CATGUTS
ACHHIOR	HACHOIR
ACHHIOS	HOCHAIS
ACHHIOT	HOCHAIT
ACHHISU	HUCHAIS
ACHHITU	HUCHAIT
ACHHNOS	HACHONS
ACHHNOT	HOCHANT
ACHHNTU	HUCHANT
ACHHSTU	CHAHUTS
ACHIIKM	KAMICHI
ACHIILS	LICHAIS
ACHIILT	LICHAIT

ACHIINS	CHINAIS
	NICHAIS
ACHIINT	CHIANTI
	CHINAIT
	NICHAIT
ACHIIOP	PIOCHAI
ACHIIOR	CHOIRAI*
ACHIIPS	CHIPAIS
ACHIIPT	CHIPAIT
ACHIIQU	CHIQUAI
ACHIIRT	TRICHAI
ACHIJNO	JONCHAI
ACHIJSU	JUCHAIS
ACHIJTU	JUCHAIT
ACHILNT	LICHANT
ACHILNY	LYNCHAI
ACHILOR	CHALOIR
ACHILOU	LOUCHAI
ACHILST	CHALITS
ACHIMNS	CHAMSIN
	MACHINS
ACHIMOR	CHROMAI
ACHIMOS	CHAMOIS
	CHOMAIS
ACHIMOT	CHOMAIT
ACHIMOU	MOUCHAI
ACHIMPS	CHAMPIS
ACHINNO	CHAINON
ACHINNT	CHINANT
	NICHANT
ACHINOS	ANCHOIS
ACHINPT	CHIPANT
ACHINTU	CHUINTA
ACHINUV	CHAUVIN
ACHIOPP	CHOPPAI
ACHIOPS	CHOPAIS
	PIOCHAS
	POCHAIS
ACHIOPT	CHIPOTA
	CHOPAIT
	PIOCHAT
	POCHAIT
ACHIOQU	CHOQUAI
ACHIORR	CHARROI
ACHIORS	CHOIRAS*
	ROCHAIS
ACHIORT	CHARIOT
	HARICOT
	ROCHAIT
	TORCHAI
ACHIOSY	CHOYAIS
ACHIOTU	TOUCHAI
ACHIOTY	CHOYAIT
ACHIQSU	CHIQUAS
ACHIQTU	CHIQUAT
ACHIQUU	QUICHUA
ACHIRST	TRICHAS
ACHIRSU	RUCHAIS
ACHIRTT	TRICHAT
ACHIRTU	RUCHAIT
ACHISSS	CHASSIS
ACHISTU	CHUTAIS
ACHITTU	CHUTAIT
ACHJNOS	JONCHAS
ACHJNOT	JONCHAT
ACHJNTU	JUCHANT
ACHKOSS	SCHAKOS
ACHLLOR	CHLORAL
ACHLMMS	SCHLAMM
ACHLNOS	LACHONS
ACHLNSY	LYNCHAS
ACHLNTY	LYNCHAT
ACHLORS	CHORALS
ACHLOSU	LOUCHAS
ACHLOTU	LOUCHAT
ACHLSTU	CHALUTS
ACHMNNO	MANCHON
ACHMNOS	MACHONS
ACHMNOT	CHOMANT
	MANCHOT
ACHMORS	CHROMAS
ACHMORT	CHROMAT
ACHMOSU	MOUCHAS
ACHMOTU	MOUCHAT
ACHNNOS	CHANSON
ACHNOPS	CHAPONS
ACHNOPT	CHOPANT
	POCHANT
ACHNORR	CHARRON
ACHNORS	RANCHOS
ACHNORT	ROCHANT
ACHNOSS	SACHONS
ACHNOST	CHATONS
	TACHONS
ACHNOSU	CHOUANS
ACHNOTY	CHOYANT
ACHNPSS	SCHNAPS
ACHNRSU	CHARNUS
ACHNRTU	RUCHANT
ACHNTTU	CHUTANT
ACHOPPS	CHOPPAS
ACHOPPT	CHOPPAT

ACHOPRS	COPRAHS
ACHOPST	PACHTOS
ACHOPSU	COPAHUS
ACHOQSU	CHOQUAS
ACHOQTU	CHOQUAT
ACHORST	TORCHAS
ACHORSU	AUROCHS
ACHORTT	TORCHAT
ACHORUX	CHORAUX
ACHOSTU	TOUCHAS
ACHOTTU	TOUCHAT
ACHOTUU	TOUCHAU
ACIIILT	LICITAI
ACIIINS	INCISAI
ACIIINT	INCITAI
ACIIISV	VICIAIS
ACIIITV	VICIAIT
ACIILLS	CILLAIS
ACIILLT	CILLAIT
ACIILNN	INCLINA
ACIILNV	VICINAL
ACIILOP	PICOLAI
ACIILSS	CLISSAI
ACIILST	LICITAS
ACIILSV	CLIVAIS
ACIILTT	LICITAT
ACIILTV	CLIVAIT
ACIIMMS	IMMISCA
ACIIMNR	AMINCIR
ACIIMNS	AMINCIS
ACIIMNT	AMINCIT
ACIIMRS	CASIMIR
ACIINOP	COPINAI
	PIONCAI
ACIINOU	COUINAI
ACIINOV	CONVIAI
ACIINPS	PINCAIS
ACIINPT	PINCAIT
ACIINRS	RINCAIS
ACIINRT	CINTRAI
	RINCAIT
ACIINSS	INCISAS
ACIINST	INCISAT
	INCITAS
ACIINSU	CUISINA
ACIINTT	INCITAT
ACIINTV	VICIANT
ACIIOPR	PICORAI
ACIIOPS	COPIAIS
ACIIOPT	COPIAIT
	PICOTAI

ACIIORR	CROIRAI
ACIIORS	CROISAI
ACIIORT	COTIRAI
ACIIOST	COTISAI
ACIIOSU	SOUCIAI
ACIIPRS	CRISPAI
ACIIRSS	CRISSAI
ACIIRSU	CUIRAIS
ACIIRTU	CUIRAIT
ACIIRUV	CUIVRAI
ACIISSU	CUISAIS
ACIISTU	CUISAIT
	CUITAIS
ACIITTU	CUITAIT
ACIKOST	STOCKAI
ACILLNT	CILLANT
ACILLOS	COLLAIS
	OSCILLA
ACILLOT	CAILLOT
	COLLAIT
ACILLOU	CAILLOU
ACILLST	TILLACS
ACILMNO	LIMACON
ACILMNU	CULMINA
ACILMOP	COMPILA
ACILMST	CLIMATS
ACILMSU	MUSCLAI
	MUSICAL
ACILMUU	CUMULAI
ACILNOP	CLOPINA
ACILNOR	CLAIRON
ACILNOS	CALIONS
	LACIONS
ACILNOT	CALOTIN
	COLTINA
ACILNOU	INOCULA
ACILNPU	INCULPA
ACILNRS	CARLINS
	LARCINS
ACILNRU	INCLURA
ACILNST	TINCALS
ACILNTV	CLIVANT
ACILNUV	VULCAIN
ACILOOR	COLORAI
	COLORIA
ACILOPS	PICOLAS
ACILOPT	PICOLAT
ACILOPU	COUPLAI
ACILOQU	CLOQUAI
ACILORR	RACLOIR
ACILORS	CLORAIS →

	SALICOR*
ACILORT	CLOITRA
	CLORAIT
ACILORU	CROULAI
ACILOSU	CLOUAIS
	COULAIS
ACILOTU	CLOUAIT
	CLOUTAI
	COULAIT
ACILPST	PLASTIC
ACILRST	CRISTAL
ACILSSS	CLISSAS
ACILSST	CLISSAT
ACILTUV	CULTIVA
ACIMMOU	COMMUAI
ACIMNOS	CAMIONS
	MANIOCS
ACIMNPU	PANICUM
ACIMNRS	CARMINS
ACIMOPT	COMPATI
	COMPTAI
	TAMPICO
ACIMOTT	COMITAT
ACIMPST	IMPACTS
ACIMRSU	MUSCARI
ACIMSST	MASTICS
ACINNOS	CANIONS
	CONNAIS
ACINNOT	CONNAIT
ACINNOZ	CANZONI
ACINNPT	PINCANT
ACINNRT	RINCANT
ACINOPS	COPAINS
	COPINAS
	PIONCAS
	PONCAIS
ACINOPT	CAPITON
	COPIANT
	COPINAT
	PIONCAT
	PONCAIT
ACINORR	RACORNI
ACINORS	CARIONS
	CORNAIS
	RANCIOS
ACINORT	CONTRAI
	CORNAIT
ACINOSS	CAISSON
	CASINOS
	CASIONS
ACINOST	ACONITS →
	ACTIONS
	CATIONS
	CONTAIS
ACINOSU	COUINAS
	COUSINA
ACINOSV	CAVIONS
	CONVIAS
ACINOTT	CONTAIT
ACINOTU	CAUTION
	COUINAT
ACINOTV	CONVIAT
ACINOUV	COUVAIN
ACINOUX	ONCIAUX
ACINPRS	CAPRINS
ACINRST	CINTRAS
	CRAINTS
	CRIANTS
ACINRTT	CINTRAT
ACINRUV	INCURVA
ACINSTT	INTACTS
ACINSTU	CUISANT
ACINSUV	VAINCUS
ACINTTU	CUITANT
ACIOOPT	COOPTAI
ACIOORU	ROCOUAI
ACIOOTY	COTOYAI
ACIOPRS	PICAROS*
	PICORAS
ACIOPRT	PICORAT
ACIOPST	PICOTAS
ACIOPSU	COUPAIS
ACIOPTT	PICOTAT
ACIOPTU	COUPAIT
ACIOQRU	CROQUAI
ACIORRS	CROIRAS
ACIORRT	CROITRA
	TRACOIR
ACIORRU	COURRAI
ACIORSS	CORSAIS
	CROISAS
	CROSSAI
ACIORST	CORSAIT
	COTIRAS
	CROISAT
ACIORSU	COURAIS
ACIORSY	CROYAIS
ACIORTT	CROTTAI
	TRICOTA
ACIORTU	COURAIT
ACIORTY	CROYAIT
ACIOSSS	COSSAIS

ACIOSST COSSAIT
COTISAS
ACIOSSU COUSAIS
SOUCIAS
ACIOSTT ASTICOT
COTISAT
ACIOSTU COUSAIT
COUTAIS
SOUCIAT
SUCOTAI
ACIOSUV COUVAIS
ACIOSUX SOCIAUX
ACIOTTU COUTAIT
ACIOTUV COUVAIT
ACIPRSS CRISPAS
ACIPRST CRISPAT
ACIQSTU ACQUITS
ACIRSSS CRISSAS
ACIRSST CRISSAT
ACIRSSU SUCRAIS
ACIRSTU SCRUTAI
SUCRAIT
ACIRSUV CUIVRAS
ACIRTUV CUIVRAT
ACIRUUX CURIAUX
ACISSTU SUSCITA
ACJNORU CONJURA
ACKOSST STOCKAS
ACKOSTT STOCKAT
ACLLNOT COLLANT
ACLLOOS ALCOOLS
ACLMNOS CALMONS
CLAMONS
MACLONS
ACLMSSU MUSCLAS
ACLMSTU MUSCLAT
ACLMSUU CUMULAS
ACLMTUU CUMULAT
ACLNNOP PLANCON
ACLNNOS LANCONS
ACLNOOR CORONAL
ACLNOOS CONSOLA
ACLNOOT COLONAT
ACLNOOV CONVOLA
ACLNOPS PLACONS
ACLNORS RACLONS
ACLNOST CLOSANT*
ACLNOSV VOLCANS
ACLNOSY ALCYONS
CLAYONS
LYCAONS
ACLNOTU CLOUANT
COULANT
ACLOORS COLORAS
ACLOORT COLORAT
ACLOPSU COUPLAS
ACLOPTU COUPLAT
ACLOQSU CLOQUAS
ACLOQTU CLOQUAT
ACLORSU CAROLUS
CROULAS
ACLORTU CLOTURA
CROULAT
ACLOSTU CLOUTAS
ACLOTTU CLOUTAT
CULOTTA
ACLPSTU SCULPTA
ACMMOSU COMMUAS
ACMMOTU COMMUAT
COMMUTA
ACMNOPR CRAMPON
ACMNOPS CAMPONS
ACMNOSU CONSUMA
ACMOOPS COMPOSA
ACMOPRU COMPARU
ACMOPST COMPTAS
ACMOPTT COMPTAT
ACMOSTT COMTATS
ACMOSTU COSTUMA
ACMOTUX COMTAUX
ACMRSSU SACRUMS
ACMSSTU MUSCATS
ACMSUUV VACUUMS
ACNNNOS CANNONS
ACNNOOT CONNOTA
COTONNA
ACNNOPT PONCANT
ACNNORS ANCRONS
CRANONS
NACRONS
RANCONS
ACNNORT CORNANT
ACNNOST CANTONS
TANCONS
ACNNOSY CANYONS
ACNNOTT CONTANT
ACNOORS RACOONS
ACNOORT CARTOON
ACNOOVY CONVOYA
ACNOPST CAPTONS
ACNOPSU CONSPUA
ACNOPSY SYNCOPA

ACNOPTU	COUPANT
	PONCTUA
ACNOQSU	CAQUONS
ACNORRS	CARRONS
ACNORSS	SACRONS
ACNORST	CARTONS
	CONTRAS
	CORSANT
	TRACONS
ACNORSY	CRAYONS
ACNORTT	CONTRAT
ACNORTU	COURANT
ACNORTY	CROYANT
ACNOSSS	CASSONS
ACNOSST	COSSANT
	TOSCANS
ACNOSSU	CAUSONS
	SAUCONS
ACNOSTT	CONSTAT
	OCTANTS
ACNOSTU	COUSANT
	TOUCANS
ACNOTTU	COUTANT
ACNOTUV	COUVANT
ACNRSTU	SUCRANT
ACNSSTU	SANCTUS
ACOOPST	COOPTAS
ACOOPTT	COOPTAT
ACOORRY	CORROYA
ACOORSU	ROCOUAS
ACOORTU	ROCOUAT
ACOORTY	OCTROYA
ACOOSTY	COTOYAS
ACOOTTY	COTOYAT
ACOPRRU	PROCURA
ACOQRSU	CROQUAS
ACOQRTU	COQUART
	CROQUAT
ACORRSU	COURRAS
ACORRTT	TROCART
ACORSSS	CROSSAS
ACORSST	CASTORS
	CROSSAT
ACORSTT	CROTTAS
ACORSYZ	CORYZAS
ACORTTT	CROTTAT
ACOSSTU	SUCOTAS
ACOSTTU	SUCOTAT
ACOSTUX	COSTAUX
ACRRUUX	CRURAUX
ACRSSTU	SCRUTAS
ACRSTTU	SCRUTAT
	TRACTUS
ADDEEGR	DEGRADE
ADDEEIM	DIADEME
ADDEEIR	DEDIERA
ADDEELR	DELARDE
ADDEELS	DEDALES
ADDEEMN	DEMANDE
ADDEEMR	DEMERDA
ADDEERR	DERADER
ADDEERS	DARDEES
	DERADES
ADDEERZ	DERADEZ
ADDEGIS	GADIDES
ADDEIIR	DEDIRAI
	DERIDAI
ADDEIIS	DEDIAIS
ADDEIIT	DEDIAIT
ADDEIIV	DEVIDAI
ADDEIMO	DEMODAI
ADDEIMR	DEMIARD
ADDEINN	DANDINE
ADDEINS	DEDAINS
ADDEINT	DEDIANT
ADDEINU	DENUDAI
ADDEIOR	DEDORAI
	DERODAI
ADDEIRS	DEDIRAS
	DERIDAS
ADDEIRT	DERIDAT
ADDEIRU	DEDUIRA
ADDEIRZ	DARDIEZ
ADDEISV	DEVIDAS
ADDEITV	DEVIDAT
ADDEMOS	DEMODAS
ADDEMOT	DEMODAT
ADDENOR	RONDADE
ADDENPR	PENDARD
ADDENRT	DARDENT
ADDENSU	DENUDAS
ADDENTU	DENUDAT
ADDEORS	DEDORAS
	DERODAS
	DORADES
ADDEORT	DEDORAT
	DERODAT
ADDERSY	DRYADES
ADDFIIT	ADDITIF
ADDHIJJ	HADJDJI
ADDHJJS	HADJDJS*
ADDILPU	PUDDLAI

ADDINNS	DANDINS
ADDLPSU	PUDDLAS
ADDLPTU	PUDDLAT
ADDNORS	DARDONS
ADDORSS	DOSSARD
ADDORSU	SOUDARD
ADEEEGG	DEGAGEE
ADEEEGZ	DEGAZEE
ADEEEHL	DEHALEE
ADEEELV	DELAVEE
	DEVALEE
ADEEELY	DELAYEE
ADEEEMN	AMENDEE
ADEEEMT	DEMATEE
ADEEENN	ENNEADE
ADEEEPR	DEPAREE
ADEEEPV	DEPAVEE
ADEEERS	DERASEE
	DESAERE
ADEEERT	DERATEE
ADEEERY	DERAYEE
ADEEESV	EVADEES
ADEEESX	DESAXEE
ADEEETX	DETAXEE
ADEEFFI	AFFIDEE
ADEEFGN	FENDAGE
ADEEFGR	DEGRAFE
ADEEFIR	DEFAIRE
	DEFERAI
	DEFIERA
	DEFRAIE
	FEDERAI
ADEEFIT	DEFAITE
ADEEFLO	FEODALE
ADEEFLR	DEFERLA
	FEDERAL
ADEEFQU	DEFEQUA
ADEEFRR	DEFERRA
	FERRADE
ADEEFRS	DEFERAS
	FARDEES
	FEDERAS
ADEEFRT	DEFERAT
	FEDERAT
ADEEFRU	FRAUDEE
ADEEFRY	DEFRAYE
ADEEFSS	DEFASSE
ADEEGGR	DEGAGER
ADEEGGS	DEGAGES
ADEEGGZ	DEGAGEZ
ADEEGIL	DEGELAI
ADEEGIN	DEGAINE
ADEEGIR	REDIGEA
ADEEGIV	EVIDAGE
ADEEGJU	ADJUGEE
	DEJAUGE
	DEJUGEA
ADEEGLN	GLANDEE
	LEGENDA
ADEEGLO	DELOGEA
ADEEGLR	DEREGLA
ADEEGLS	DEGELAS
ADEEGLT	DEGELAT
ADEEGLU	DELEGUA
ADEEGMN	DEMANGE
ADEEGMR	DEGERMA
	MEGARDE
ADEEGNP	PENDAGE
ADEEGNR	DERANGE
	GRENADE
ADEEGNT	DEGANTE
ADEEGOR	DEROGEA
ADEEGRR	DERAGER
	REGARDE
ADEEGRS	DERAGES
	DRAGEES
	GARDEES
	GRADEES*
ADEEGRU	DRAGUEE
	GRADUEE
ADEEGRV	DEGREVA
ADEEGRZ	DEGAZER
	DERAGEZ
ADEEGSZ	DEGAZES
ADEEGZZ	DEGAZEZ
ADEEHLR	DEHALER
ADEEHLS	DEHALES
ADEEHLZ	DEHALEZ
ADEEHPS	DEPHASE
ADEEHRR	ADHERER
ADEEHRS	ADHERES
	HARDEES
ADEEHRZ	ADHEREZ
ADEEIJT	DEJETAI
	JADEITE
ADEEILM	DEMELAI
	MEDIALE
ADEEILN	DELAINE
	DELINEA
ADEEILP	LAPIDEE
	PELIADE
	PLAIDEE →

	PLEIADE
ADEEILR	DELIERA
	ELIDERA
ADEEILS	DELAIES
	IDEALES
ADEEILT	DELAITE
	DETELAI
	DILATEE
ADEEILV	VALIDEE
ADEEIMN	DEMENAI
	MEDIANE
ADEEIMO	AMODIEE
ADEEIMR	ADMIREE
	DEMARIE
	REMEDIA
ADEEIMT	MEDIATE
ADEEINR	DENIERA
	DRAINEE
ADEEINT	ADENITE
	EDENTAI
ADEEIOR	AROIDEE*
ADEEIPR	DEPARIE
	DIAPREE
ADEEIPX	EXPEDIA
ADEEIRS	DERAIES
	DIESERA
	RADIEES
ADEEIRT	DATERIE
	EDITERA
	REEDITA
ADEEIRV	DEVIERA
	EVIDERA
ADEEIRZ	AIDEREZ
ADEEIVZ	EVADIEZ
ADEEJNT	DEJANTE
ADEEJNU	DEJEUNA
ADEEJRU	ADJUREE
ADEEJST	DEJETAS
ADEEJTT	DEJETAT
ADEELLS	DALLEES
ADEELMS	DEMELAS
ADEELMT	DEMELAT
ADEELNT	DENTALE
	DENTELA
ADEELPR	PEDALER
ADEELPS	PEDALES
	PELADES
ADEELPZ	PEDALEZ
ADEELRS	LARDEES
	LEADERS
ADEELRT	DETALER
ADEELRU	ELUDERA
ADEELRV	DELAVER
	DEVALER
ADEELRY	DELAYER
ADEELRZ	LEZARDE
ADEELSS	DELASSE
	DESSALE
ADEELST	DELESTA
	DETALES
	DETELAS
ADEELSU	ADULEES
ADEELSV	DELAVES
	DEVALES
ADEELSY	DELAYES
ADEELTT	DETELAT
ADEELTZ	DETALEZ
ADEELUV	DEVALUE
ADEELVZ	DELAVEZ
	DEVALEZ
ADEELYZ	DELAYEZ
ADEEMMR	EMMERDA
ADEEMNN	MANDEEN
ADEEMNO	ADENOME
ADEEMNR	AMENDER
	MEANDRE
	RAMENDE
ADEEMNS	AMENDES
	DAMNEES
	DEMENAS
	MANDEES
	MENADES
ADEEMNT	DEMENAT
ADEEMNZ	AMENDEZ
ADEEMRR	DEMARRE
ADEEMRS	DESARME
	MADERES
	MADREES
	MEDERSA
ADEEMRT	DEMATER
	READMET
ADEEMRU	DEMEURA
ADEEMRZ	DAMEREZ
ADEEMST	DEMATES
ADEEMTT	ADMETTE
ADEEMTZ	DEMATEZ
ADEENNO	ADONNEE
ADEENNP	DEPANNE
ADEENNR	ANDRENE
ADEENNS	ENDEANS
ADEENNT	ENDENTA
ADEENPP	APPENDE

ADEENPR	EPANDRE
	REPANDE
ADEENPS	DEPENSA
	EPANDES
ADEENPT	PEDANTE
ADEENPU	EPANDUE
	PENAUDE
ADEENPZ	EPANDEZ
ADEENRR	RENARDE
ADEENRT	ARDENTE
	ETENDRA
ADEENRU	RENAUDE
ADEENSS	DANSEES
ADEENST	EDENTAS
ADEENTT	ATTENDE
	EDENTAT
	ENDETTA
ADEENTV	EVADENT
ADEENUV	ADVENUE
ADEEOPT	ADOPTEE
ADEEORR	ERODERA
ADEEORS	ADOREES
ADEEOSS	ADOSSEE
ADEEPRR	DEPARER
	DERAPER
ADEEPRS	DEPARES
	DERAPES
	DRAPEES
	SAPERDE
ADEEPRT	DEPARTE
	DEPETRA
ADEEPRV	DEPAVER
	DEPRAVE
ADEEPRZ	DEPAREZ
	DERAPEZ
ADEEPSS	DEPASSE
	PESADES
ADEEPST	ADEPTES
ADEEPSV	DEPAVES
ADEEPSY	DEPAYSE
ADEEPVZ	DEPAVEZ
ADEERRS	DERASER
ADEERRT	DERATER
	DETERRA
	RETARDE
ADEERRY	DERAYER
ADEERRZ	RADEREZ
ADEERSS	ADRESSE
	DERASES
	RESEDAS
ADEERST	DERATES →
	DESERTA
	ESTRADE
ADEERSU	SERDEAU
ADEERSV	ADVERSE
	DEVERSA
ADEERSX	DESAXER
ADEERSY	DERAYES
	DRAYEES
ADEERSZ	DERASEZ
ADEERTX	ADEXTRE
	DETAXER
	EXTRADE
ADEERTZ	DATEREZ
	DERATEZ
ADEERYZ	DERAYEZ
ADEESSX	DESAXES
ADEESTT	DETESTA
ADEESTV	DEVASTE
ADEESTX	DETAXES
ADEESUV	DESAVEU
ADEESXZ	DESAXEZ
ADEETTW	DEWATTE
ADEETXZ	DETAXEZ
ADEFFIM	DIFFAME
ADEFFIR	DIFFERA
ADEFFIS	AFFIDES
ADEFHIS	ADHESIF
ADEFIII	DEIFIAI
	EDIFIAI
ADEFIIL	DEFILAI
ADEFIIS	DEFIAIS
	DEIFIAS
	EDIFIAS
ADEFIIT	DEFIAIT
	DEIFIAT
	EDIFIAT
ADEFILS	DEFILAS
ADEFILT	DEFILAT
ADEFINO	INFEODA
ADEFINR	FEINDRA
	FENDRAI
	FRIANDE
ADEFINS	FENDAIS
ADEFINT	DEFIANT
	FENDAIT
ADEFINU	FINAUDE
ADEFINY	FEDAYIN
ADEFIOR	FOIRADE
ADEFIPR	DEFRIPA
ADEFIRR	FARDIER
ADEFIRS	DEFRISA →

	SEFARDI
ADEFIRZ	FARDIEZ
ADEFIST	DEFAITS
	SEDATIF
ADEFLOR	DEFLORA
ADEFLOU	DEFOULA
ADEFMOR	DEFORMA
ADEFNNT	FENDANT
ADEFNOR	FONDERA
ADEFNRS	FENDRAS
ADEFNRT	FARDENT
ADEFOUX	FEODAUX
ADEFRRU	FRAUDER
ADEFRST	FETARDS
ADEFRSU	FADEURS
	FRAUDES
ADEFRUY	FUYARDE
ADEFRUZ	FRAUDEZ
ADEFSTU	DEFAUTS
ADEGGIU	GUIDAGE
ADEGGST	GADGETS
ADEGIIR	DIGERAI
	DIRIGEA
ADEGILS	ALGIDES
ADEGILU	DEGLUAI
ADEGINO	GANOIDE*
ADEGINP	PIGNADE
ADEGINR	DAIGNER
	DEGARNI
	DENIGRA
	GARDIEN
	GEINDRA
	GRANDIE
ADEGINS	DAIGNES
	DESIGNA
ADEGINU	ENDIGUA
	NIGAUDE
ADEGINV	VIDANGE
ADEGINZ	DAIGNEZ
ADEGIOR	GODERAI
ADEGIOS	DEGOISA
ADEGIOT	DEGOTAI
ADEGIRS	DEGRISA
	DIGERAS
	RIDAGES
ADEGIRT	DIGERAT
ADEGIRU	GUIDERA
ADEGIRV	DEGIVRA
	GRAVIDE
ADEGIRZ	GARDIEZ
ADEGISU	DEGUISA
ADEGISV	VIDAGES
ADEGIUU	GUIDEAU
ADEGIUV	DIVAGUE
ADEGJRU	ADJUGER
ADEGJSU	ADJUGES
ADEGJUZ	ADJUGEZ
ADEGLNO	GOELAND
ADEGLNR	GLANDER
ADEGLNS	GLANDES
ADEGLNZ	GLANDEZ
ADEGLRU	GRADUEL
ADEGLSU	DEGLUAS
ADEGLTU	DEGLUAT
ADEGMMO	DEGOMMA
	DOMMAGE
ADEGMOS	GODAMES
ADEGNOR	DRAGEON
ADEGNOS	GONADES
	SONDAGE
ADEGNOT	TONDAGE
ADEGNRS	DANGERS
	GRANDES
ADEGNRT	GARDENT
	GRANDET
ADEGOPR	PODAGRE
ADEGOPS	DOPAGES
	PAGODES
ADEGORS	DORAGES
	GODERAS
	RODAGES
ADEGORT	TORDAGE
ADEGOSS	DOSAGES
	GODASSE
ADEGOST	DEGOTAS
	GODATES
ADEGOSU	GADOUES
	SOUDAGE
ADEGOTT	DEGOTAT
	DEGOTTA
ADEGOTU	DEGOUTA
ADEGPRU	GUEPARD
ADEGRRS	REGARDS
ADEGRRU	DRAGUER
	GARDEUR
	GRADUER
ADEGRSU	DRAGUES
	GRADUES
ADEGRUZ	DRAGUEZ
	GRADUEZ
ADEGSTU	DAGUETS
	DEGUSTA

ADEHINP	DAPHNIE
ADEHINR	ENHARDI
ADEHIPS	DIPHASE
ADEHIRS	HARDIES
ADEHIRZ	HARDIEZ
ADEHITY	THYIADE
ADEHLOP	PHOLADE
ADEHNPS	DAPHNES
ADEHNRT	HARDENT
ADEHNRY	ANHYDRE
ADEHRTY	HYDRATE
ADEIILN	ENLAIDI
ADEIILP	DEPILAI
	DEPLIAI
ADEIILR	DELIRAI
ADEIILS	DELIAIS
	ELIDAIS
ADEIILT	DELIAIT
	DELITAI
	ELIDAIT
ADEIIMN	DEMINAI
	DIAMINE
	MENDIAI
ADEIIMR	MEDIRAI
ADEIIMT	MEDITAI
ADEIINR	DINERAI
ADEIINS	DENIAIS
ADEIINT	DENIAIT
ADEIINV	DEVINAI
ADEIINX	INDEXAI
ADEIINZ	DIZAINE
ADEIIPT	DEPITAI
ADEIIRR	IRRADIE
	REDIRAI
	RIDERAI
ADEIIRS	DESIRAI
	RAIDIES
	RESIDAI
	SIDERAI
ADEIIRT	ARIDITE
	DETIRAI
	TIEDIRA
ADEIIRV	DERIVAI
	DEVIRAI
	VIDERAI
ADEIIRZ	RADIIEZ
ADEIISS	DIESAIS
ADEIIST	DIESAIT
	EDITAIS
ADEIISV	DEVIAIS
	DEVISAI →
	EVIDAIS
ADEIITT	ATTIEDI
	EDITAIT
ADEIITU	ETUDIAI
ADEIITV	AVIDITE
	DEVIAIT
	EVIDAIT
ADEIJNR	JARDINE
ADEIJOU	DEJOUAI
ADEIJSU	JUDAISE
ADEILLR	DRAILLE
	RALLIDE*
ADEILLZ	DALLIEZ
ADEILMN	LIMANDE
ADEILMO	MODELAI
ADEILNR	LANDIER
ADEILNS	ALDINES
ADEILNT	DELIANT
	ELIDANT
ADEILOR	IODLERA
	ORDALIE
ADEILOS	DESOLAI
ADEILOV	DEVOILA
ADEILOX	OXALIDE
ADEILPR	LAPIDER
	PLAIDER
ADEILPS	DEPILAS
	DEPLAIS
	DEPLIAS
	LAPIDES
	PLAIDES
ADEILPT	DEPILAT
	DEPLAIT
	DEPLIAT
ADEILPZ	LAPIDEZ
	PLAIDEZ
ADEILRS	DELIRAS
	SIDERAL
ADEILRT	DELIRAT
	DILATER
ADEILRU	DILUERA
	LAIDEUR
ADEILRV	DELIVRA
	VALIDER
ADEILRX	RIXDALE
ADEILRZ	LARDIEZ
ADEILST	DELITAS
	DETAILS
	DILATES
ADEILSU	DIAULES
	ELUDAIS

ADEILSV	VALIDES
ADEILSY	DIALYSE
ADEILTT	DELITAT
ADEILTU	DELUTAI
	DUALITE
	ELUDAIT
ADEILTZ	DILATEZ
ADEILUZ	ADULIEZ
ADEILVZ	VALIDEZ
ADEIMMS	ADMIMES
ADEIMNO	DOMAINE
	EMONDAI
ADEIMNS	DEMAINS
	DEMINAS
	DINAMES
	MEDIANS
	MEDINAS
	MENDIAS
ADEIMNT	DEMINAT
	MENDIAT
ADEIMNU	MINAUDE
ADEIMNZ	DAMNIEZ
	MANDIEZ
ADEIMOR	AMODIER
	MODERAI
ADEIMOS	AMODIES
ADEIMOZ	AMODIEZ
ADEIMPR	DEPRIMA
ADEIMRR	ADMIRER
	MADRIER
ADEIMRS	ADMIRES
	DAMIERS
	MEDIRAS
	READMIS
	RIDAMES
ADEIMRT	READMIT
ADEIMRU	MAUDIRE
ADEIMRY	MYRIADE
ADEIMRZ	ADMIREZ
ADEIMSS	ADMISES
	ADMISSE
	SADISME
	SAMEDIS
ADEIMST	ADMITES
	MEDIATS
	MEDITAS
ADEIMSU	MEDUSAI
ADEIMSV	VIDAMES
ADEIMTT	MEDITAT
ADEIMTU	MAUDITE
ADEINNO	ANODINE
ADEINNS	ANDINES
ADEINNT	DENANTI
	DENIANT
ADEINOS	DANOISE
ADEINOT	DENOTAI
	DETONAI
ADEINOU	DENOUAI
ADEINOY	DENOYAI
ADEINPR	EPINARD
	PEINARD
	PEINDRA
	PENDRAI
ADEINPS	EPANDIS
	PENDAIS
ADEINPT	EPANDIT
	PENDAIT
	PINTADE
ADEINRR	DRAINER
	RENDRAI
ADEINRS	DINERAS
	DRAINES
	RANIDES
	RENDAIS
	SARDINE
ADEINRT	DIANTRE
	DRAIENT
	RADIENT
	RENDAIT
	TEINDRA
	TENDRAI
	TIENDRA
ADEINRU	ENDUIRA
	ENDURAI
ADEINRV	ADVENIR
	RENVIDA
	VEINARD
	VENDRAI
	VIANDER
	VIENDRA
ADEINRZ	DRAINEZ
ADEINSS	DESSINA
	DINASSE
ADEINST	DESTINA
	DIESANT
	DINATES
	TENDAIS
ADEINSV	DEVINAS
	VENDAIS
	VIANDES
ADEINSX	INDEXAS
ADEINSZ	DANSIEZ

ADEINTT	EDITANT
	TENDAIT
ADEINTV	ADVIENT
	DEVIANT
	DEVINAT
	EVIDANT
	VENDAIT
ADEINTX	INDEXAT
ADEINVZ	VIANDEZ
ADEIOPR	DOPERAI
	PARODIE
	PODAIRE
ADEIOPS	ADIPOSE
	DEPOSAI
ADEIOPT	DEPOTAI
ADEIORR	DORERAI
	REDORAI
	RODERAI
ADEIORS	ARDOISE
	DOSERAI
	ERODAIS
ADEIORT	ADROITE
	DOTERAI
	ERODAIT
ADEIORU	DOUAIRE
	DOUERAI
ADEIORV	AVODIRE
	DEVORAI
ADEIORZ	ADORIEZ
ADEIOST	IODATES
ADEIOUV	DEVOUAI
ADEIOVY	DEVOYAI
ADEIPQU	DEPIQUA
ADEIPRR	DIAPRER
	DRAPIER
	PERDRAI
	PREDIRA
ADEIPRS	DIAPRES
	PARIDES
	PERDAIS
	PRESIDA
	RAPIDES
ADEIPRT	DEPARTI
	PERDAIT
	TREPIDA
ADEIPRU	DEPURAI
	DUPERAI
	PARDIEU
	REPUDIA
ADEIPRZ	DIAPREZ
	DRAPIEZ

ADEIPSS	APSIDES
	SAPIDES
ADEIPST	DEPISTA
	DEPITAS
ADEIPTT	DEPITAT
ADEIPTU	DEPUTAI
ADEIPUX	ADIPEUX
ADEIQRU	DARIQUE
ADEIQSU	SADIQUE
ADEIQUU	EDUQUAI
ADEIRRS	RADIERS
	REDIRAS
	RIDERAS
ADEIRRU	DURERAI
	RAIDEUR
	REDUIRA
ADEIRRV	DRIVERA
	VERDIRA
ADEIRSS	DESIRAS
	DRESSAI
	RASSIED
	RESIDAS
	RIDASSE
	SIDERAS
ADEIRST	DESIRAT
	DETIRAS
	RESIDAT
	RIDATES
	SIDERAT
	TIRADES
	TRIADES
ADEIRSU	SEDUIRA
ADEIRSV	DAVIERS
	DERIVAS
	DEVIRAS
	DEVRAIS
	VIDERAS
ADEIRTT	DATTIER
	DETIRAT
ADEIRTV	DERIVAT
	DEVIRAT
	DEVRAIT
	TARDIVE
ADEIRTZ	TARDIEZ
ADEIRUX	RADIEUX
	RIDEAUX
ADEIRYZ	DRAYIEZ
ADEISSS	ASSIEDS
ADEISST	DESISTA
ADEISSU	ASSIDUE
ADEISSV	DEVISAS →

	DEVISSA
	VIDASSE
ADEISTU	ETUDIAS
ADEISTV	DATIVES
	DEVISAT
	VIDATES
ADEISUX	EXSUDAI
ADEITTU	ETUDIAT
ADEJLOR	JODLERA
ADEJMRU	MUDEJAR
ADEJNRU	JURANDE
ADEJOSU	DEJOUAS
ADEJOTU	DEJOUAT
ADEJRRU	ADJURER
ADEJRSU	ADJURES
ADEJRUZ	ADJUREZ
ADELLNT	DALLENT
ADELLOY	DELOYAL
ADELLRU	DALLEUR
ADELMNO	MANDOLE
ADELMOS	MODALES
	MODELAS
ADELMOT	MODELAT
ADELMOU	DEMOULA
ADELMOV	MOLDAVE
ADELMPU	DEPLUMA
ADELMRU	MULARDE
ADELNOR	LEONARD
ADELNOS	NODALES
ADELNRT	LARDENT
ADELNTU	ADULENT
	ELUDANT
ADELOPR	DEPLORA
	LEOPARD
ADELOPY	DEPLOYA
ADELORS	DORSALE
	LOADERS
	SOLDERA
ADELORU	DEROULA
	ROULADE
ADELOSS	ALDOSES
	DESOLAS
	DESSOLA
ADELOST	DESOLAT
	DOTALES
ADELOTV	DEVOLTA
ADELPPU	DEPULPA
ADELPRS	PELARDS
ADELPRU	PRELUDA
ADELRRU	RUDERAL
ADELRSZ	LEZARDS
ADELSTU	ADULTES
	DELUTAS
ADELTTU	DELUTAT
ADEMMNO	DENOMMA
ADEMMOP	POMMADE
ADEMNNT	DAMNENT
	MANDENT
ADEMNOR	MONDERA
	ROMANDE
ADEMNOS	EMONDAS
	MADONES
	MONADES
	NOMADES
ADEMNOT	DEMONTA
	EMONDAT
ADEMNRU	DURAMEN
ADEMNSS	DESMANS
ADEMNST	TANDEMS
ADEMOPS	DOPAMES
ADEMORS	DORAMES
	MODERAS
	RADOMES
	RODAMES
ADEMORT	MODERAT
ADEMORU	EMOUDRA
ADEMOSS	DOSAMES
ADEMOST	DOTAMES
ADEMOSU	DOUAMES
ADEMPRS	DAMPERS
ADEMPSU	DUPAMES
ADEMRRU	MADRURE
ADEMRSU	DAMEURS
	DURAMES
	MUSARDE
ADEMSSU	MEDUSAS
ADEMSTU	MEDUSAT
ADENNOR	ADONNER
	DONNERA
	REDONNA
ADENNOS	ADONNES
ADENNOT	DETONNA
ADENNOZ	ADONNEZ
ADENNPT	PENDANT
ADENNRT	RENDANT
ADENNST	DANSENT
ADENNTT	TENDANT
ADENNTV	VENDANT
ADENOOT	ODONATE*
ADENOPR	PANDORE
	PONDERA
ADENOPS	ESPADON

ADENORS ARONDES
SONDERA
ADENORT ADORENT
DETRONA
ERODANT
TADORNE
TORNADE
ADENORU RONDEAU
ADENOSS ENDOSSA
ADENOST DENOTAS
DETONAS
ADENOSU DENOUAS
DOUANES
ADENOSV EVADONS
ADENOSY DENOYAS
NOYADES
ADENOTT DENOTAT
DETONAT
ADENOTU DENOUAT
ADENOTY DENOYAT
ADENPPR APPREND
ADENPPS APPENDS
ADENPPU APPENDU
ADENPRR PRENDRA
ADENPRS PENDRAS
REPANDS
ADENPRT DRAPENT
PERDANT
ADENPRU REPANDU
ADENPST PEDANTS
ADENPSU EPANDUS
PENAUDS
ADENRRS RENARDS
RENDRAS
ADENRSS SANDRES
ADENRST ARDENTS
TENDRAS
ADENRSU DANSEUR
ENDURAS
ADENRSV VENDRAS
ADENRTT TARDENT
ADENRTU ENDURAT
RUDENTA
TRUANDE
ADENRTY DRAYENT
ADENSTT ATTENDS
ADENSTV DEVANTS
ADENSTY DYNASTE
ADENSUV ADVENUS
ADENTTU ATTENDU
ADENTUX DENTAUX

ADEOOPS APODOSE
ADEOPRS DOPERAS
ADEOPRT ADOPTER
DEPORTA
ADEOPSS DEPOSAS
DOPASSE
POSSEDA
ADEOPST ADOPTES
DEPOSAT
DEPOTAS
DOPATES
ADEOPSU PADOUES
ADEOPTT DEPOTAT
ADEOPTZ ADOPTEZ
ADEOQTU TOQUADE
ADEORRS DORERAS
DROSERA
REDORAS
RODERAS
ADEORRT RADOTER
REDORAT
ADEORSS ADOSSER
DORASSE
DOSERAS
RODASSE
ADEORST DORATES
DOTERAS
RADOTES
RODATES
TORSADE
ADEORSU DOUERAS
SOUDERA
ADEORSV DEVORAS
ADEORTU DEROUTA
DETOURA
DOUTERA
OUTARDE
REDOUTA
ADEORTV DEVORAT
ADEORTZ RADOTEZ
ADEORVY VERDOYA
ADEORXY OXYDERA
ADEOSSS ADOSSES
DESOSSA
DOSASSE
ADEOSST DOSATES
DOTASSE
ADEOSSU DOUASSE
ADEOSSZ ADOSSEZ
ADEOSTT DOTATES
ADEOSTU DOUATES

ADEOSUV	DEVOUAS
ADEOSVY	DEVOYAS
ADEOSXY	OXYDASE
ADEOTUV	DEVOUAT
ADEOTVY	DEVOYAT
ADEPRRS	PERDRAS
ADEPRST	DEPARTS
	PETARDS
ADEPRSU	DEPURAS
	DUPERAS
ADEPRTU	DEPURAT
ADEPSSU	DUPASSE
ADEPSTU	DEPUTAS
	DUPATES
ADEPTTU	DEPUTAT
ADEQSUU	EDUQUAS
ADEQTUU	EDUQUAT
ADERRST	DARTRES
	RETARDS
ADERRSU	ARDEURS
	DURERAS
ADERSSS	DRESSAS
ADERSST	DRESSAT
ADERSSU	DURASSE
ADERSTT	TETARDS
ADERSTU	DATEURS
	DURATES
ADERSTW	STEWARD
ADERSUY	DASYURE
ADERUVZ	VAUDREZ
ADESSUX	EXSUDAS
ADESTUX	EXSUDAT
ADFFISU	DIFFUSA
ADFGINS	FADINGS
ADFIIIN	NIDIFIA
ADFIIMO	MODIFIA
ADFIITU	AUDITIF
ADFILRR	RIFLARD
ADFINOR	FONDRAI
	FRONDAI
ADFINOS	FONDAIS
ADFINOT	FONDAIT
ADFINRS	FRIANDS
ADFINSU	FINAUDS
ADFIOPT	ADOPTIF
ADFIRST	TARDIFS
ADFLNOP	PLAFOND
ADFLORU	FOULARD
ADFNNOT	FONDANT
ADFNOPR	PARFOND
ADFNORS	FARDONS →
	FONDRAS
	FRONDAS
ADFNORT	FRONDAT
ADFRSUY	FUYARDS
ADGHILO	HIDALGO
ADGIILT	DIGITAL
ADGIINN	INDIGNA
ADGIINU	GUINDAI
ADGIIOT	DOIGTAI
ADGIISU	GUIDAIS
ADGIITU	GUIDAIT
ADGILLO	GODILLA
ADGIMNR	MIGNARD
ADGIMRU	GRIMAUD
ADGINNS	GANDINS
ADGINOR	GRONDAI
	ORGANDI
ADGINRR	GRANDIR
	RINGARD
ADGINRS	GRADINS
	GRANDIS
ADGINRT	GRANDIT
ADGINSU	GUINDAS
	NIGAUDS
ADGINTU	GUIDANT
	GUINDAT
ADGIORU	DROGUAI
ADGIOST	DOIGTAS
ADGIOTT	DOIGTAT
ADGIRRS	GRISARD
ADGLNOO	GONDOLA
ADGMNOR	DROGMAN
ADGNOOP	PAGODON
ADGNORS	DRAGONS
	GARDONS
	GRONDAS
ADGNORT	GRONDAT
ADGORSU	DROGUAS
ADGORTU	DROGUAT
ADHHIST	HADITHS
ADHIMRS	DIRHAMS
ADHINPU	DAUPHIN
ADHIORU	HOURDAI
ADHMORS	HOMARDS
ADHMRSU	DURHAMS
ADHNORS	HADRONS
	HARDONS
ADHNOSU	HOUDANS
ADHORSU	HOURDAS
	HOUSARD
ADHORTU	HOURDAT

ADHRSSU	HUSSARD
ADIIISV	DIVISAI
ADIIKOS	AIKIDOS
ADIILOS	IODLAIS
ADIILOT	IODLAIT
ADIILQU	LIQUIDA
ADIILSU	DILUAIS
ADIILTU	DILUAIT
ADIIMNO	DOMINAI
ADIIMNU	DIMINUA
ADIINNO	INONDAI
ADIINOR	OINDRAI*
ADIINOS	AIDIONS
ADIINQU	INDIQUA
ADIINRU	INDUIRA
	INDURAI
ADIINSZ	DIZAINS
ADIIORR	ROIDIRA
ADIIPSS	DISSIPA
ADIIRSV	DRIVAIS
ADIIRTV	DRIVAIT
ADIISSV	DIVISAS
ADIISTV	DIVISAT
ADIJLOS	JODLAIS
ADIJLOT	JODLAIT
ADIJNOR	JOINDRA
ADIJNOS	ADJOINS
ADIJNOT	ADJOINT
ADIJNRS	JARDINS
ADIKMOS	MIKADOS
ADIKSTT	DIKTATS
ADILLPR	PILLARD
ADILMNO	MONDIAL
ADILMOU	MODULAI
ADILMSY	MILADYS
ADILNOR	ORDINAL
ADILNOT	IODLANT
ADILNOU	ONDULAI
ADILNRU	DIURNAL
ADILNTU	DILUANT
ADILORU	ALOURDI
ADILOSS	SOLDAIS
ADILOST	SOLDAIT
ADIMNNO	MONDAIN
ADIMNNR	MANDRIN
ADIMNOS	AMIDONS
	DAMIONS
	DOMINAS
	MONDAIS
ADIMNOT	DOMINAT
	MONDAIT
ADIMOPT	DOMPTAI
ADIMORR	DORMIRA
	MIRADOR
	MORDRAI
ADIMORS	DORMAIS
	MORDAIS
ADIMORT	DORMAIT
	MORDAIT
ADIMORU	MOUDRAI
ADIMQSU	QUIDAMS
ADIMRRT	TRIMARD
ADIMRST	MITARDS
ADIMRSU	RADIUMS
ADIMSTU	MAUDITS
ADINNOS	ANODINS
	DONNAIS
	INONDAS
ADINNOT	DONNAIT
	INONDAT
ADINOOY	ONDOYAI
ADINOPR	POINDRA
	PONDRAI
ADINOPS	PONDAIS
ADINOPT	PONDAIT
ADINORR	ANORDIR
	ARRONDI
	NORDIRA
ADINORS	ANORDIS*
	OINDRAS*
	RADIONS
ADINORT	ANORDIT
	TONDRAI
ADINORU	NOIRAUD
ADINOSS	DISSONA
	SONDAIS
ADINOST	DATIONS
	SONDAIT
	TONDAIS
ADINOSU	SOUDAIN
ADINOTT	TONDAIT
ADINOUV	DOUVAIN
ADINOUZ	DOUZAIN
ADINPRS	PINARDS
ADINPST	PANDITS
ADINQUU	QUINAUD
ADINRSU	INDURAS
ADINRTU	INDURAT
ADINRTV	DRIVANT
ADINSTT	DISTANT
ADIOPRU	POUDRAI
ADIOPSS	DISPOSA

ADIORRT	TORDRAI
ADIORRU	OURDIRA
ADIORSS	DROSSAI
ADIORST	ADROITS
	TORDAIS
ADIORTT	TORDAIT
ADIORUV	VOUDRAI
ADIORUY	RUDOYAI
ADIOSSU	SOUDAIS
ADIOSTU	DOUTAIS
	SOUDAIT
ADIOSUV	VAUDOIS
ADIOSXY	OXYDAIS
ADIOTTU	DOUTAIT
ADIOTXY	OXYDAIT
ADIPRST	PISTARD
ADIPRSU	DISPARU
	PUISARD
ADIPSTU	DISPUTA
ADIRRSS	SIRDARS
ADIRSTU	TRADUIS
ADIRTTU	TRADUIT
ADISSSU	ASSIDUS
ADJKOSU	JUDOKAS
ADJLNOT	JODLANT
ADJNORS	JARDONS
ADLLLOR	LOLLARD*
ADLLNOS	DALLONS
ADLLNRU	NULLARD
ADLLORS	DOLLARS
ADLMNOS	DOLMANS
ADLMOSU	MODULAS
ADLMOTU	MODULAT
ADLMPRU	PLUMARD
ADLMRSU	MULARDS
ADLNORS	LARDONS
ADLNOST	SOLDANT
ADLNOSU	ADULONS
	ONDULAS
ADLNOSY	SYNODAL
ADLNOTU	ONDULAT
ADLOORT	DORLOTA
ADLORSU	SOULARD
ADLOSST	SOLDATS
ADLOSUU	SOULAUD
ADMMOPR	POMMARD
ADMNNOR	NORMAND
ADMNNOS	DAMNONS
	MANDONS
ADMNNOT	MONDANT
ADMNORS	ROMANDS
ADMNORT	DORMANT
	MORDANT
ADMNOSY	DYNAMOS
ADMOORR	MORDORA
ADMOPST	DOMPTAS
ADMOPTT	DOMPTAT
ADMORRS	MORDRAS
ADMORST	MOTARDS
ADMORSU	MOUDRAS
ADMORTU	MOUTARD
ADMRSSU	MUSARDS
ADNNNOT	DONNANT
ADNNOOR	ORDONNA
ADNNOPT	PONDANT
ADNNOSS	DANSONS
ADNNOST	SONDANT
ADNNOSU	NANDOUS
ADNNOTT	TONDANT
ADNOORS	ADORONS
ADNOORT	ODORANT
ADNOOSY	ONDOYAS
ADNOOTY	ONDOYAT
ADNOPRS	DRAPONS
	PARDONS
	PONDRAS
ADNOPRU	PANDOUR
ADNORST	TARDONS
	TONDRAS
ADNORSY	DRAYONS
ADNORSZ	ZONARDS
ADNORTT	TORDANT
ADNORTU	TOUNDRA
ADNOSSW	SANDOWS
ADNOSTU	SOUDANT
ADNOTTU	DOUTANT
ADNOTXY	OXYDANT
ADNRSTU	TRUANDS
ADOORST	ODORATS
ADOOSUY	SOUDOYA
ADOPPRU	POUPARD
ADOPRST	POTARDS
ADOPRSU	POUDRAS
ADOPRTU	POUDRAT
ADOQRTU	TOQUARD
ADORRSS	ROSSARD
ADORRST	TORDRAS
ADORSSS	DROSSAS
ADORSST	DROSSAT
ADORSUV	VOUDRAS
ADORSUX	DORSAUX
ADORSUY	RUDOYAS

ADORTUY RUDOYAT
ADOSUUV VAUDOUS
ADRSTUU RUSTAUD
AEEEFFN EFFANEE
AEEEFFR EFFAREE
AEEEFLR ERAFLEE
AEEEFSY FASEYEE
AEEEGGN ENGAGEE
AEEEGGR AGREGEE
AEEEGLL ALLEGEE
AEEEGLN AGNELEE
AEEEGLR REGALEE
AEEEGLS EGALEES
AEEEGLU ELAGUEE
AEEEGLV ELEVAGE
AEEEGMN MENAGEE
AEEEGMR EMARGEE
EMERGEA
AEEEGNR ENRAGEE
AEEEGPR ARPEGEE
PEAGERE*
AEEEGRR RAGREEE
AEEEGRS AGREEES
EGAREES
AEEEGRT ETAGERE
AEEEGRX EXAGERE
AEEEGST ETAGEES
AEEEGSY EGAYEES
AEEEGTT ETETAGE
AEEEHLX EXHALEE
AEEEHNT ATHENEE
AEEEILN ALIENEE
AEEEIMN ANEMIEE
AEEEJLV JAVELEE
AEEELMP EMPALEE
AEEELNN ANNELEE
AEEELPP APPELEE
AEEELPU EPAULEE
AEEELRS REALESE
RESALEE
AEEELRT ALERTEE
ALTEREE
RATELEE
RELATEE
AEEELRV ELEVERA
RELAVEE
AEEELRX RELAXEE
AEEELRY RELAYEE
AEEELSS ALESEES
AEEELST ELEATES
ETALEES
AEEELSV ELAVEES
AEEELSZ ALEZEES*
AEEELTT ATTELEE
AEEELTV TAVELEE
AEEELTX EXALTEE
AEEELUV EVALUEE
AEEEMNR RAMENEE
AEEEMNS AMENEES
AEEEMNT ENTAMEE
AEEEMPR EMPAREE
AEEEMPT EMPATEE
ETAMPEE
AEEEMRR REARMEE
AEEEMRT RETAMEE
AEEEMST ETAMEES
AEEEMTU AMEUTEE
AEEENNX ANNEXEE
AEEENPR PANEREE
AEEENRY ENRAYEE
AEEENSS ASSENEE
AEEENSV ENVASEE
AEEEPRR REPAREE
AEEEPRS SEPAREE
AEEEPRT RETAPEE
AEEEPRU APEUREE
AEEEPRV REPAVEE
AEEEPRY REPAYEE
AEEEPST EPATEES
AEEERRT ARRETEE
AEEERRZ AEREREZ
AEEERSV AVEREES
AEEERTT ETETERA
AEEESSV EVASEES
AEEESSY ESSAYEE
AEEESTY ETAYEES
AEEESUX ASEXUEE
AEEFFGS GAFFEES
AEEFFIL AFFILEE
AEEFFIN AFFINEE
AEEFFIP PIAFFEE*
AEEFFIR EFFRAIE
AEEFFIX AFFIXEE
AEEFFLO AFFOLEE
AEEFFMR AFFERME
AEEFFNR EFFANER
AEEFFNS EFFANES
AEEFFNZ EFFANEZ
AEEFFRR EFFARER
AEEFFRS EFFARES
AEEFFRT AFFRETE
AEEFFRY EFFRAYE

AEEFFRZ EFFAREZ
AEEFFTU AFFUTEE
AEEFGMR FERMAGE
AEEFGNR FRANGEE
AEEFGOT FAGOTEE
AEEFGRR FERRAGE
AEEFGRT FREGATE
AEEFGRU GAUFREE
AEEFILL FAILLEE
AEEFILR ALIFERE
FELERAI
FERIALE
FLAIREE
AEEFIMR MEFIERA
AEEFINR FARINEE
FRENAIE
AEEFINT ENFAITE
AEEFIRR RAREFIE
REFAIRE
REFERAI
AEEFIRS FRAISEE
AEEFIRT FETERAI
REFAITE
TARIFEE
AEEFITT ATTIFEE
AEEFLMM FLAMMEE
AEEFLMS FELAMES
AEEFLNR ENFLERA
FALERNE
AEEFLNU FALUNEE
AEEFLOT FOETALE
AEEFLRR ERAFLER
FERLERA
AEEFLRS ERAFLES
FELERAS
RAFLEES
AEEFLRT FRELATE
REFLETA
AEEFLRU FEULERA
AEEFLRZ ERAFLEZ
AEEFLSS FELASSE
AEEFLST FELATES
AEEFLTT FLATTEE
AEEFMNR ENFERMA
AEEFMRR FERMERA
REFERMA
AEEFMRS FRAMEES
AEEFMST FETAMES
AEEFMSU FAMEUSE
AEEFNNT ENFANTE
AEEFNOR AERONEF
AEEFNRR ENFERRA
REFRENA
AEEFNRT FENETRA
AEEFNRZ FANEREZ
AEEFNST NEFASTE
AEEFNSU FANEUSE
AEEFPPR FRAPPEE
AEEFPRR PREFERA
AEEFPRU EPAUFRE
AEEFRRR FERRERA
AEEFRRS REFERAS
AEEFRRT FERRATE
FRETERA
REFERAT
AEEFRRY FRAYERE
AEEFRSS FESSERA
FRASEES*
REFASSE
AEEFRST FARTEES
FETERAS
AEEFRSY FASEYER
FRAYEES
AEEFSST FETASSE
AEEFSSU FAUSSEE
AEEFSSY FASEYES
AEEFSTT FETATES
AEEFSYZ FASEYEZ
AEEGGIR GAGERIE
AEEGGLR REGLAGE
AEEGGMM GEMMAGE
AEEGGNR ENGAGER
GRANGEE
GRENAGE
REGAGNE
RENGAGE
AEEGGNS ENGAGES
GAGNEES
AEEGGNZ ENGAGEZ
AEEGGOR EGORGEA
AEEGGRR AGREGER
AEEGGRS AGREGES
AEEGGRU EGRUGEA
GAGEURE
AEEGGRZ AGREGEZ
GAGEREZ
AEEGGSU GAGEUSE
AEEGHNN GHANEEN
AEEGHRS HERSAGE
AEEGIIP PIEGEAI
AEEGIIR ERIGEAI
AEEGIIS SIEGEAI

AEEGIIX	EXIGEAI
AEEGILL	EGAILLE
AEEGILN	ALIGNEE
	GENIALE
	INEGALE
AEEGILP	PLAGIEE
AEEGILR	ELARGIE
	GALERIE
	GELERAI
	GLAIREE
	REGELAI
	RELIAGE
AEEGILS	EGALISE
	GLAISEE
AEEGILT	EGALITE
AEEGILV	LEVIGEA
AEEGILZ	EGALIEZ
AEEGIMS	IMAGEES
AEEGINN	ENGAINE
AEEGINP	PAGINEE
AEEGINR	ANERGIE
	EGRENAI
	GENERAI
	GRAINEE*
	NEIGERA
AEEGINS	GAINEES
	SAIGNEE
AEEGINT	EGAIENT
	NEIGEAT
AEEGINV	VENGEAI
AEEGIPR	PIEGERA
AEEGIPS	EPIAGES
	PIEGEAS
AEEGIPT	PIEGEAT
AEEGIRR	ERIGERA
	GERERAI
	GREERAI
	REGREAI
AEEGIRS	ERIGEAS
	SIEGERA
AEEGIRT	ERIGEAT
	ETIRAGE
	GATERIE
AEEGIRV	VIAGERE
AEEGIRX	EXIGERA
AEEGIRZ	AGREIEZ
	EGARIEZ
	GAZIERE
AEEGISS	ASSIEGE
	SIEGEAS
AEEGIST	AGITEES →

	ETIAGES
	GAIETES
	SIEGEAT
AEEGISX	EXIGEAS
AEEGITV	EVITAGE
	VEGETAI
AEEGITX	EXIGEAT
AEEGITZ	ETAGIEZ
AEEGIYZ	EGAYIEZ
AEEGJLR	GALEJER
AEEGJLS	GALEJES
AEEGJLZ	GALEJEZ
AEEGJMU	MEJUGEA
AEEGJST	JETAGES
AEEGJSU	JAUGEES
AEEGLLM	GAMELLE
AEEGLLN	AGNELLE
AEEGLLR	ALLEGER
	ALLEGRE
AEEGLLS	ALLEGES
	LEGALES
AEEGLLU	ALLEGUE
AEEGLLZ	ALLEGEZ
	GAZELLE
AEEGLMN	MELANGE
AEEGLMS	GELAMES
AEEGLMU	MEULAGE
AEEGLNR	AGNELER
	GENERAL
	GRENELA
AEEGLNS	GALENES
	GLANEES
	LANGEES
	SANGLEE
AEEGLNT	AGNELET
	EGALENT
	ELEGANT
AEEGLNZ	AGNELEZ
AEEGLOP	GALOPEE
AEEGLOR	RELOGEA
AEEGLPS	PELAGES
AEEGLRR	GRELERA
	REGALER
	REGLERA
AEEGLRS	GALERES
	GELERAS
	REGALES
	REGELAS
AEEGLRT	REGELAT
AEEGLRU	ELAGUER
	LARGUEE →

	LEGUERA
	RELEGUA
AEEGLRZ	REGALEZ
AEEGLSS	GELASSE
AEEGLST	GELATES
	LESTAGE
	TELEGAS
AEEGLSU	ELAGUES
	GALEUSE
	GAULEES
AEEGLSV	LEVAGES
	VELAGES
AEEGLTT	GALETTE
AEEGLTV	VEGETAL
AEEGLUU	EGUEULA
AEEGLUV	AVEUGLE
AEEGLUZ	ELAGUEZ
AEEGMMR	GEMMERA
AEEGMMS	GAMMEES
AEEGMNR	ENGAMER
	MENAGER
	REMANGE
AEEGMNS	ENGAMES
	GENAMES
	MANEGES
	MANGEES
	MENAGES
	MESANGE
AEEGMNZ	ENGAMEZ
	MENAGEZ
AEEGMRR	EMARGER
	GERMERA
AEEGMRS	EMARGES
	GERAMES
	GREAMES
	MARGEES
AEEGMRT	METRAGE
AEEGMRU	MAUGREE
	REMUAGE
AEEGMRZ	EMARGEZ
AEEGMSS	MESSAGE
AEEGMST	GAMETES
AEEGMUX	GEMEAUX
AEEGNNP	PENNAGE
AEEGNNR	ENGRENA
	GARENNE
AEEGNNS	ENGANES
AEEGNNT	GENANTE
AEEGNNU	ENNUAGE
AEEGNOP	EPONGEA
AEEGNOR	ORANGEE
AEEGNPR	EPARGNE
AEEGNRR	ENRAGER
	GRENERA
	REGNERA
AEEGNRS	EGRENAS
	ENRAGES
	GENERAS
	RANGEES
AEEGNRT	AGREENT
	ARGENTE
	EGARENT
	EGRENAT
	ETRANGE
	GERANTE
	REGENTA
	RENEGAT
AEEGNRU	NAGUERE
	NARGUEE
AEEGNRV	ENGRAVE
	VENGERA
AEEGNRZ	ENRAGEZ
	NAGEREZ
AEEGNSS	ESSANGE
	GANSEES
	GENASSE
AEEGNST	GANTEES
	GEANTES
	GENATES
AEEGNSU	NAGEUSE
AEEGNSV	VENGEAS
AEEGNTT	ETAGENT
AEEGNTV	VENGEAT
	VENTAGE
AEEGNTY	EGAYENT
AEEGOPS	APOGEES
AEEGORR	ARROGEE
AEEGPPR	EGRAPPE
AEEGPRR	ARPEGER
AEEGPRS	ARPEGES
	ASPERGE
	PEAGERS*
	PRESAGE
AEEGPRZ	ARPEGEZ
AEEGPSS	PEGASES
	PESAGES
AEEGPTY	GYPAETE
AEEGRRR	RAGREER
AEEGRRS	GERERAS
	GREERAS
	RAGREES
	REGREAS →

	SERRAGE
AEEGRRT	REGATER
	REGREAT
	TERRAGE
AEEGRRV	GREVERA
AEEGRRZ	GAREREZ
	RAGEREZ
	RAGREEZ
AEEGRSS	AGRESSE
	GERASSE
	GREASSE
AEEGRST	AGRESTE
	GEASTER
	GERATES
	GREATES
	REGATES
AEEGRSU	ARGUEES
	GERSEAU
	RAGEUSE
	RAGUEES*
AEEGRSV	GRAVEES
	SERVAGE
	SEVRAGE
AEEGRTT	GRATTEE
AEEGRTU	TARGUEE
AEEGRTZ	GATEREZ
	REGATEZ
AEEGRUU	AUGUREE
AEEGRVZ	GAVEREZ
AEEGRZZ	GAZEREZ
AEEGSSS	SAGESSE
AEEGSSU	GAUSSEE
	USAGEES
AEEGSTT	TAGETES
AEEGSTU	GATEUSE
AEEGSTV	VEGETAS
AEEGSUZ	GAZEUSE
AEEGTTV	VEGETAT
AEEGTTZ	GAZETTE
AEEGTUV	ETUVAGE
AEEGUVV	VEUVAGE
AEEHILM	HIEMALE
AEEHILN	HALEINE
	INHALEE
AEEHILP	APHELIE
AEEHILR	HELERAI
AEEHIMT	HEMATIE
AEEHINV	ENVAHIE
AEEHIRT	HETAIRE
	HETRAIE
AEEHLMS	HELAMES
AEEHLNP	PHALENE
AEEHLNR	ANHELER
AEEHLNS	ANHELES
AEEHLNZ	ANHELEZ
AEEHLPR	PHALERE
AEEHLRS	HELERAS
AEEHLRT	HALETER
	HALTERE
AEEHLRX	EXHALER
AEEHLRZ	HALEREZ
AEEHLSS	HELASSE
AEEHLST	HALETES
	HELATES
AEEHLSX	EXHALES
AEEHLTT	ATHLETE
	HATELET
AEEHLTZ	HALETEZ
AEEHLXZ	EXHALEZ
AEEHMNT	METHANE
AEEHMPS	EMPHASE
AEEHMSU	HEAUMES
AEEHNNR	RHENANE
AEEHNPR	PHANERE
AEEHNPS	SAPHENE
AEEHNPT	PHENATE
AEEHNRT	ANTHERE
AEEHNST	ANTHESE
	ETHANES
	HANTEES
AEEHNTV	HAVENET
AEEHPPS	HAPPEES
AEEHRRS	HERSERA
AEEHRTT	THEATRE
AEEHRTZ	HATEREZ
AEEHRUX	EXHAURE
AEEHSST	HASTEES
AEEHSSU	HAUSSEE
AEEHSUV	HAVEUSE
AEEIIMR	EMIERAI
AEEIINP	EPINAIE
AEEIIPR	EPIAIRE
	EPIERAI
	PAIERIE
AEEIJRT	REJETAI
AEEILLM	EMAILLE
	MAILLEE
AEEILLN	LINEALE
AEEILLP	PAILLEE
	PALLIEE
AEEILLR	AIRELLE
	ARILLEE →

	ERAILLE
	RAILLEE
	RALLIEE
AEEILLS	AILLEES
	ALLIEES
AEEILLT	TAILLEE
AEEILLV	EVEILLA
AEEILMM	EMMELAI
AEEILMN	LAMINEE
AEEILMR	ELIMERA
	MELERAI
AEEILNP	PINEALE
AEEILNR	ALIENER
	ENLIERA
	LANIERE
AEEILNS	ALIENES
	LAINEES
AEEILNV	ALEVINE
	AVELINE
	ENLEVAI
AEEILNX	ALEXINE
AEEILNZ	ALIENEZ
AEEILPR	EPILERA
	PALIERE
	PARELIE
	PELERAI
AEEILPS	EPELAIS
AEEILPT	EPELAIT
AEEILRR	REELIRA
	RELIERA
AEEILRS	LESERAI
	REALISE
	RELAIES
	SALIERE
AEEILRT	ALTIERE
	ATELIER
	ETALIER
	REALITE
AEEILRU	AURELIE*
AEEILRV	LAVERIE
	LEVERAI
	RELEVAI
	REVELAI
	VELAIRE
	VELERAI
AEEILRX	EXILERA
AEEILRZ	LAIEREZ
AEEILSS	LAISSEE
AEEILST	ALITEES
	LAITEES
AEEILSU	AIEULES
AEEILSV	ELEVAIS
AEEILSX	ALEXIES
AEEILSZ	ALESIEZ
AEEILTT	AILETTE
AEEILTV	ELEVAIT
AEEILTZ	ETALIEZ
AEEILUV	AVEULIE
AEEIMMN	EMMENAI
AEEIMMS	EMIAMES
AEEIMNR	ANEMIER
	MANIERE
	MARINEE
	MENERAI
	RANIMEE
	REANIME
	REMANIE
AEEIMNS	AMINEES
	AMNESIE
	ANEMIES
	ANIMEES
	MANIEES
	SEMAINE
AEEIMNT	AMENITE
	ETAMINE
	MATINEE
AEEIMNX	EXAMINE
AEEIMNZ	AMENIEZ
	ANEMIEZ
	EMANIEZ
AEEIMPS	EMPESAI
	EPIAMES
AEEIMPT	EMPIETA
AEEIMPY	IMPAYEE
AEEIMRR	AMERRIE*
	ARRIMEE
	REMARIE
AEEIMRS	AREISME
	EMERISA
	EMIERAS
	MARIEES
	SEMERAI
AEEIMRT	MATIERE
AEEIMRZ	AIMEREZ
AEEIMSS	EMIASSE
	ESSAIME
AEEIMST	EMIATES
	TAMISEE
AEEIMTT	EMIETTA
AEEIMTZ	ETAMIEZ
AEEINNP	PAIENNE
AEEINNR	ARIENNE →

	ENRENAI
AEEINPP	EPEPINA
AEEINPR	EPINERA
	PEINERA
	RAPINEE
AEEINPT	PATINEE
AEEINRR	RENIERA
AEEINRS	AERIENS
	ANERIES
	ANIERES
	ARSENIE
	ENRAIES
	RAINEES
AEEINRT	ENTERAI
	EREINTA
	RATINEE
	REAIENT
	TANIERE
	TRAINEE
AEEINRV	ENERVAI
	ENVIERA
	RAVINEE
	VEINERA
	VENERAI
AEEINSS	AINESSE
AEEINST	SATINEE
	TANISEE
AEEINSV	AVINEES
	VANISEE
	VESANIE
AEEINTT	ENTETAI
	ETAIENT
	TETANIE
AEEINTV	EVENTAI
	NAIVETE
AEEINTX	ANXIETE
AEEIORS	OSERAIE
AEEIPPR	PEPIERA
	PRIAPEE
AEEIPPS	APEPSIE
AEEIPQU	APIQUEE
AEEIPRR	EPIERRA
	RAPERIE
	RAPIERE
	REPAIRE
	REPERAI
AEEIPRS	ASPIREE
	EPIERAS
	ESPERAI
	PARESIE
	PARIEES →
	PESERAI
	REPAIES
AEEIPRT	PETERAI
	PIETERA
	REPETAI
AEEIPRX	EXPIERA
AEEIPRZ	PAIEREZ
AEEIPSS	ASEPSIE
	EPAISSE
	EPIASSE
AEEIPST	EPIATES
AEEIPTZ	EPATIEZ
AEEIQRU	AREIQUE
AEEIRRR	ARRIERE
	ERRERAI
AEEIRRS	ARRISEE*
	REERAIS
	SERIERA
AEEIRRT	ARETIER
	ETIRERA
	RATIERE
	REERAIT
	REITERA
	TARIERE
AEEIRRV	ARRIVEE
	RAVIERE
	REVERAI
AEEIRRZ	RAIEREZ
AEEIRSS	ARISEES*
	RESSAIE
AEEIRST	ASTERIE
	ESTERAI*
AEEIRSV	RAVISEE
	VARIEES
	VASIERE
AEEIRTT	ARIETTE
	ATTIREE
	TETERAI
	TRAITEE
AEEIRTV	AVERTIE
	EVITERA
	VARIETE
AEEIRTX	EXTRAIE
AEEIRVV	RAVIVEE
AEEIRVX	VEXERAI
AEEIRVZ	AVERIEZ
AEEIRXZ	AXERIEZ
AEEIRZZ	RAZZIEE
AEEISSS	ESSAIES
AEEISSV	AVISEES
AEEISTT	AETITES →

	ATTISEE
	ETATISE
	ETETAIS
	SAIETTE
	SATIETE
AEEISTX	EXTASIE
AEEISVV	AVIVEES
	EVASIVE
AEEISVZ	EVASIEZ
AEEISZZ	ZEZAIES
AEEITTT	ETETAIT
AEEITYZ	ETAYIEZ
AEEJLLV	JAVELLE
AEEJLRV	JAVELER
AEEJLSV	JAVELES
AEEJLVZ	JAVELEZ
AEEJMOR	MAJOREE
AEEJMRU	MAJEURE
AEEJMST	JETAMES
	MAJESTE
AEEJNRU	JEUNERA
AEEJORU	AJOUREE
AEEJOTU	AJOUTEE
AEEJPSS	JASPEES
AEEJRRT	JARRETE
AEEJRST	REJETAS
AEEJRSZ	JASEREZ
AEEJRTT	JETTERA
	REJETAT
AEEJSST	JETASSE
AEEJSSU	JASEUSE
AEEJSTT	JETATES
AEEJSTU	AJUSTEE
AEEKMRS	REMAKES
AEEKNSY	YANKEES
AEEKPRS	SPEAKER
AEEKRSU	EUSKERA
AEELLLM	LAMELLE
AEELLLS	ALLELES
AEELLMM	MAMELLE
AEELLMR	MARELLE
AEELLMU	ALLUMEE
AEELLNN	ANNELLE
AEELLNS	ALLENES
AEELLOU	ALLOUEE
AEELLOV	ALVEOLE
AEELLPP	APPELLE
AEELLPT	PATELLE
	PELLETA
AEELLRS	SELLERA
AEELLRT	RATELLE
AEELLST	LETALES
AEELLSV	VALLEES
AEELLTT	ATTELLE
AEELLTV	TAVELLE
AEELLVV	VELLAVE
AEELMMN	MALMENE
AEELMMS	EMMELAS
	MELAMES
AEELMMT	EMMELAT
AEELMMU	MAMELUE
AEELMNS	MELENAS
AEELMNT	LAMENTE
	MANTELE
	MENTALE
AEELMPR	EMPALER
	EMPERLA
AEELMPS	EMPALES
	LAMPEES
	PALMEES
	PELAMES
AEELMPT	MEPLATE
AEELMPZ	EMPALEZ
AEELMRS	MELERAS
AEELMRT	MARTELE
AEELMRU	MERLEAU
	MEULERA
AEELMSS	LESAMES
	MELASSE
AEELMST	MALTEES
	MELATES
AEELMSV	LEVAMES
	VELAMES
AEELNNR	ANNELER
AEELNNS	ANNELES
AEELNNT	ANNELET
AEELNNU	ANNULEE
AEELNNZ	ANNELEZ
AEELNPR	EPERLAN
AEELNPS	PENALES
	PLANEES
AEELNPT	EPELANT
	PLANETE
	PLANTEE
AEELNPZ	PLANEZE
AEELNRS	RENALES
AEELNRT	ALTERNE
AEELNRV	VERNALE
AEELNST	ALESENT
AEELNSV	ENLEVAS
	VENALES
AEELNTT	ETALENT →

	LATENTE
AEELNTV	ELEVANT
	ENLEVAT
AEELOPS	SALOPEE
AEELORS	AREOLES
AEELORU	AUREOLE
AEELORZ	AZEROLE
AEELOSS	ASSOLEE
AEELOST	OLEATES
AEELOSU	SAOULEE
AEELPPR	APPELER
	RAPPELE
AEELPPS	APPELES
	PALPEES
AEELPPZ	APPELEZ
AEELPQU	PLAQUEE
AEELPRR	PERLERA
	REPARLE
AEELPRS	PARLEES
	PELERAS
	RELAPSE
AEELPRT	PLATREE
AEELPRU	EPAULER
AEELPRV	PRELEVA
	PREVALE
AEELPRZ	LAPEREZ
AEELPSS	PELASSE
	SEPALES
AEELPST	PELATES
	PETALES
	PLATEES
AEELPSU	EPAULES
AEELPTT	PALETTE
AEELPUZ	EPAULEZ
AEELQSU	LAQUEES
AEELQTU	TALQUEE
AEELRRS	RESALER
AEELRRT	ALERTER
	ALTERER
	RATELER
	RELATER
AEELRRV	RELAVER
AEELRRX	RELAXER
AEELRRY	RELAYER
AEELRRZ	RALEREZ
AEELRSS	LESERAS
	RESALES
AEELRST	ALERTES
	ALTERES
	LESTERA
	RATELES →
	RELATES
AEELRSU	LAUREES
	RALEUSE
AEELRSV	LARVEES
	LEVERAS
	RELAVES
	RELEVAS
	REVELAS
	VELERAS
AEELRSX	RELAXES
AEELRSY	RELAYES
AEELRSZ	RESALEZ
	SALEREZ
AEELRTT	ATTELER
AEELRTV	RELEVAT
	REVELAT
	TAVELER
AEELRTX	EXALTER
AEELRTZ	ALERTEZ
	ALTEREZ
	RATELEZ
	RELATEZ
AEELRUV	EVALUER
	REVALUE
AEELRVZ	LAVEREZ
	RELAVEZ
	REVALEZ
AEELRXZ	RELAXEZ
AEELRYZ	LAYEREZ
	RELAYEZ
AEELSSS	LASSEES
	LESASSE
AEELSST	ALTESSE
	LESATES
	SALETES
AEELSSU	SALUEES
	SAULEES
AEELSSV	LEVASSE
	VALSEES
	VELASSE
AEELSTT	ATTELES
	LATTEES
AEELSTV	LEVATES
	TAVELES
	VELATES
	VESTALE
AEELSTX	EXALTES
AEELSUV	EVALUES
	LAVEUSE
AEELTTU	ALUETTE
AEELTTV	LAVETTE

AEELTTY LAYETTE
AEELTTZ ATTELEZ
AEELTVZ TAVELEZ
AEELTXZ EXALTEZ
AEELUVZ EVALUEZ
AEEMMNR REMMENA
AEEMMNS EMMENAS
MENAMES
AEEMMNT EMMENAT
AEEMMPU EMPAUME
AEEMMSS SEMAMES
AEEMNNO ANEMONE
AEEMNNP EMPANNE
AEEMNNT AMENENT
EMANENT
AEEMNOR RAMONEE
ROMANEE
AEEMNQU MANQUEE
AEEMNRR RAMENER
AEEMNRS MARNEES
MENERAS
RAMENES
AEEMNRT ENTAMER
MATERNE
RENTAME
AEEMNRU ENUMERA
AEEMNRZ RAMENEZ
AEEMNSS MENASSE
AEEMNST ENTAMES
MENATES
AEEMNSX EXAMENS
AEEMNTT ETAMENT
MANETTE
AEEMNTZ ENTAMEZ
AEEMNUX MENEAUX
AEEMPPR EPAMPRE
AEEMPRR EMPARER
AEEMPRS AMPERES
ASPERME
EMPARES
PARSEME
AEEMPRT EMPATER
EMPETRA
ETAMPER
TEMPERA
AEEMPRZ EMPAREZ
PAMEREZ
AEEMPSS EMPESAS
PESAMES
AEEMPST EMPATES
EMPESAT →
EMPESTA
ESTAMPE
ETAMPES
PETAMES
AEEMPSU PAUMEES
AEEMPTT EMPATTE
TEMPETA
AEEMPTU AMPUTEE
AEEMPTX EXEMPTA
AEEMPTZ EMPATEZ
ETAMPEZ
AEEMQRU MARQUEE
AEEMQSU MASQUEE
AEEMRRR REARMER
AEEMRRS ERRAMES
MARREES
REARMES
AEEMRRT METRERA
RETAMER
AEEMRRU REMUERA
AEEMRRZ ARMEREZ
RAMEREZ
REARMEZ
AEEMRSS RESSEMA
SEMERAS
AEEMRST RETAMES
STEAMER
TRAMEES
AEEMRSU AMUREES
ARMEUSE
RAMEUSE
AEEMRSV REVAMES
AEEMRTT EMETTRA
RAMETTE
TREMATE
AEEMRTU AMEUTER
ETAMEUR
ETAMURE
RAMEUTE
AEEMRTY METAYER
AEEMRTZ MATEREZ
RETAMEZ
AEEMRUX MEREAUX*
AEEMSSS MASSEES
SEMASSE
SESAMES
AEEMSST ESTAMES*
SEMATES
AEEMSSU AMUSEES
ASSUMEE
AEEMSTT TETAMES

AEEMSTU	AMEUTES
AEEMSVX	VEXAMES
AEEMTTZ	MAZETTE
AEEMTUZ	AMEUTEZ
AEENNNO	ANONNEE
AEENNNT	ANTENNE
AEENNOT	ANNOTEE
AEENNPT	PANTENE
	PENTANE
AEENNRS	ENRENAS
AEENNRT	ENRENAT
	ETRENNA
AEENNRX	ANNEXER
AEENNRY	ARYENNE
AEENNST	TANNEES
AEENNSV	VANNEES
AEENNSX	ANNEXES
AEENNTT	TENANTE
AEENNXZ	ANNEXEZ
AEENORU	ENOUERA
AEENORX	EXONERA
AEENPPS	NAPPEES
AEENPRS	PENSERA
	PERSANE
	REPENSA
AEENPRT	ARPENTE
	PARENTE
	PATERNE
	PENETRA
	TREPANE
AEENPRZ	PANEREZ
AEENPSS	PANSEES
AEENPST	NEPETAS
	PATENES
	PENATES
	PESANTE
AEENPSX	EXPANSE
AEENPTT	EPATENT
	PATENTE
AEENQRU	ENARQUE
AEENQTU	ENQUETA
AEENRRS	ENSERRA
	NARREES
AEENRRT	ENTERRA
	ENTRERA
	ERRANTE
	RENTERA
AEENRRV	ENVERRA
AEENRRY	ENRAYER
AEENRSS	ASSENER
AEENRST	ENTERAS
AEENRSV	ENERVAS
	ENVASER
	NAVREES
	VENERAS
AEENRSY	ENRAYES
AEENRTT	RENETTA
	TENTERA
AEENRTU	ETERNUA
AEENRTV	AVERENT
	ENERVAT
	ENTRAVE
	EVENTRA
	TAVERNE
	VENERAT
	VENTERA
	VETERAN
AEENRTX	AXERENT
AEENRYZ	ENRAYEZ
AEENSSS	ANESSES
	ASSENES
AEENSST	ENTASSE
	SEANTES
AEENSSU	NAUSEES
AEENSSV	ENVASES
	VANESSE
AEENSSZ	ASSENEZ
AEENSTT	ENTATES
	ENTETAS
	NATTEES
AEENSTV	EVASENT
	EVENTAS
	VANTEES
AEENSTX	TEXANES
AEENSTY	SAYNETE
	SEYANTE
AEENSUV	AVENUES
AEENSVZ	ENVASEZ
AEENTTT	ATTENTE
	ENTETAT
	ETETANT
AEENTTU	ATTENUE
AEENTTV	EVENTAT
	NAVETTE
AEENTTY	ETAYENT
AEENTUX	EXTENUA
AEENTVX	VEXANTE
AEEOPPS	APPOSEE
AEEOPRR	OPERERA
AEEOPRV	EVAPORE
AEEOPST	APOSTEE
AEEOPTT	TAPOTEE

AEEORRS ARROSEE
AEEORRT TOREERA
AEEORTT TAROTEE
AEEOSTU AOUTEES
OUATEES
AEEOSTZ AZOTEES
AEEOSUV AVOUEES
AEEOTTU TATOUEE
AEEPPRR PREPARE
AEEPPRT APPRETE
AEEPPSS PAPESSE
AEEPPUY APPUYEE
AEEPQRU EPARQUE
PARQUEE
AEEPQSU SAPEQUE
AEEPRRR REPARER
AEEPRRS PARERES
REPARES
REPERAS
SEPARER
AEEPRRT PRETERA
REPARTE
REPERAT
RETAPER
AEEPRRU APEURER
EPURERA
REPARUE*
AEEPRRV REPAVER
AEEPRRY REPAYER
AEEPRRZ PAREREZ
RAPEREZ
REPAREZ
AEEPRSS EPARSES
ESPERAS
PARESSE
PESERAS
REPASSE
SEPARES
AEEPRST APRETES
APTERES
ARPETES
ESPERAT
PATERES
PESTERA
PETERAS
REPETAS
RETAPES
AEEPRSU APEURES
APUREES
RAPEUSE
AEEPRSV REPAVES
AEEPRSY REPAYES
AEEPRSZ SAPEREZ
SEPAREZ
AEEPRTT REPETAT
AEEPRTU EPATEUR
PATUREE*
AEEPRTZ RETAPEZ
TAPEREZ
TRAPEZE
AEEPRUZ APEUREZ
AEEPRVZ PAVEREZ
REPAVEZ
AEEPRYZ PAYEREZ
REPAYEZ
AEEPSSS PASSEES
PESASSE
AEEPSST PESATES
PESETAS
PETASES
PETASSE
AEEPSTT PATTEES
PETATES
AEEPSTU PATEUSE
TAPEUSE
TAUPEES
AEEPSUY PAYEUSE
AEEPTTT TAPETTE
AEEQRSU ARQUEES
RESEQUA
AEEQRTU ETARQUE
QUETERA
TRAQUEE
AEEQRUX EXARQUE
AEEQSSU SAQUEES
AEEQSTU TAQUEES
AEEQSUU AQUEUSE
AEEQTUU EQUEUTA
AEEQTUZ AZTEQUE
AEERRRS ERRERAS
SERRERA
AEERRRT ARRETER
TERRERA
AEERRRV REVERRA
AEERRSS ERRASSE
AEERRST ARRETES
ARTERES
ERRATES
RARETES
RESTERA
SERRATE
STERERA →

	TERSERA
AEERRSV	RESERVA
	REVERAS
	REVERSA
	SEVRERA
	VERSERA
AEERRSY	RAYERES
AEERRSZ	RASEREZ
AEERRTT	ATTERRE
	TARTREE
AEERRTU	RATUREE
	TERREAU
AEERRTV	REVERAT
	VERATRE
AEERRTZ	ARRETEZ
	RATEREZ
	TAREREZ
AEERRYZ	RAYEREZ
AEERSSS	REASSES
AEERSST	ESSARTE
	ESTERAS*
AEERSSU	ASSUREE
	RASEUSE
	SAUREES
AEERSSV	AVERSES
	REVASSE
	VESSERA
AEERSSY	ESSAYER
	RASSEYE
	RESSAYE
AEERSTT	RASETTE
	STATERE
	TESTERA
	TETERAS
AEERSTU	AUSTERE
	SATUREE
	URAETES
AEERSTV	ETRAVES
	REVATES
	TRAVEES
AEERSTW	SWEATER
AEERSTZ	ZESTERA
AEERSUV	EVASURE
	VAREUSE
	VERSEAU
AEERSUX	ERSEAUX
	RESEAUX
AEERSUZ	AZUREES
AEERSVX	VEXERAS
AEERTTU	TRETEAU
AEERTTZ	TATEREZ
AEERTUV	ETUVERA
	EVERTUA
	VAUTREE
AEERTXZ	TAXEREZ
AEERYZZ	ZEZAYER
AEESSSS	SASSEES
AEESSST	ESTASSE*
	TASSEES
AEESSSY	ASSEYES
	ESSAYES
AEESSTT	ASSETTE
	ESTATES*
	TETASSE
AEESSTU	SAUTEES
AEESSTX	EXTASES
AEESSUV	SAUVEES
	VASEUSE
AEESSUX	ASEXUES
AEESSVX	VEXASSE
AEESSYZ	ASSEYEZ
	ESSAYEZ
AEESTTT	ATTESTE
	TETATES
AEESTTU	STATUEE
AEESTUV	SAUVETE
AEESTVX	VEXATES
AEESYZZ	ZEZAYES
AEETTUX	TETEAUX
AEEYZZZ	ZEZAYEZ
AEFFFII	FIEFFAI
AEFFFIS	FIEFFAS
AEFFFIT	FIEFFAT
AEFFGIL	AFFLIGE
AEFFGIR	AGRIFFE
	GREFFAI
AEFFGIZ	GAFFIEZ
AEFFGNT	GAFFENT
AEFFGRS	GREFFAS
AEFFGRT	GREFFAT
AEFFGRU	GAFFEUR
AEFFIIL	AFFILIE
	EFFILAI
AEFFILR	AFFILER
AEFFILS	AFFILES
	EFFILAS
AEFFILT	EFFILAT
AEFFILU	FAUFILE
AEFFILZ	AFFILEZ
AEFFIMR	AFFERMI
	AFFIRME
AEFFINR	AFFINER →

	RAFFINE
AEFFINS	AFFINES
AEFFINZ	AFFINEZ
AEFFIOT	ETOFFAI
AEFFIPR	PIAFFER
AEFFIPS	PIAFFES
AEFFIPZ	PIAFFEZ
AEFFIRT	EFFRITA
AEFFISX	AFFIXES
AEFFLMU	MAFFLUE
AEFFLOR	AFFOLER
	RAFFOLE
AEFFLOS	AFFOLES
AEFFLOZ	AFFOLEZ
AEFFLRU	AFFLUER
	FARFELU
AEFFLSU	AFFLUES
AEFFLUZ	AFFLUEZ
AEFFNOS	OFFENSA
AEFFOST	ETOFFAS
AEFFOTT	ETOFFAT
AEFFOTU	ETOUFFA
AEFFRTU	AFFUTER
AEFFRUX	AFFREUX
AEFFSTU	AFFUTES
AEFFTUU	TUFFEAU
AEFFTUZ	AFFUTEZ
AEFGIIL	GELIFIA
AEFGIIR	FIGERAI
AEFGIIS	FIGEAIS
AEFGIIT	FIGEAIT
AEFGILR	FRAGILE
	GIFLERA
AEFGILS	FILAGES
AEFGINS	FINAGES
AEFGINT	FIGEANT
	NEGATIF
AEFGIOR	FORGEAI
AEFGIOU	FOUGEAI
AEFGIPU	APIFUGE
AEFGIRS	FIGERAS
	GIRAFES
AEFGIRU	REFUGIA
AEFGISX	FIXAGES
AEFGITU	FATIGUE
AEFGLOU	FOULAGE
AEFGLRU	FRUGALE
AEFGLSU	FLUAGES
AEFGMOR	FORMAGE
	FROMAGE
AEFGMSU	FUMAGES
AEFGNRR	FRANGER
AEFGNRS	FRANGES
AEFGNRZ	FRANGEZ
AEFGNUX	FANGEUX
AEFGORR	FORGERA
AEFGORS	FORAGES
	FORGEAS
AEFGORT	FAGOTER
	FORGEAT
AEFGORU	FOUGERA
AEFGOST	FAGOTES
AEFGOSU	FAGOUES
	FOUAGES
	FOUGEAS
AEFGOTU	FOUGEAT
AEFGOTZ	FAGOTEZ
AEFGRRU	GAUFRER
AEFGRSU	GAUFRES
AEFGRTU	GERFAUT
AEFGRUZ	GAUFREZ
AEFHIKL	KHALIFE
AEFHLLS	FELLAHS*
AEFHLSS	FLASHES
AEFIILL	FAILLIE
	FILIALE
AEFIILN	ENFILAI
	LENIFIA
AEFIILR	FILAIRE
	FILERAI
	REFILAI
AEFIILS	SALIFIE
AEFIILT	FILETAI
AEFIIMN	INFAMIE
AEFIIMR	RAMIFIE
AEFIIMS	MEFIAIS
AEFIIMT	MEFIAIT
AEFIINP	PANIFIE
AEFIINR	FREINAI
	INFERAI
	RIFAINE
AEFIINT	FEINTAI
	FIAIENT
	FIENTAI
AEFIIRS	FIERAIS
AEFIIRT	FIERAIT
	RATIFIE
AEFIIRU	AURIFIE
AEFIIRV	VERIFIA
AEFIIRX	FIXERAI
AEFIISZ	FAISIEZ
AEFILLM	FAMILLE

AEFILLR	FAILLER	**AEFIMSX**	FIXAMES
AEFILLS	FAILLES	**AEFIMTU**	TUMEFIA
AEFILLU	FEUILLA	**AEFINNT**	INFANTE
AEFILLZ	FAILLEZ	**AEFINNZ**	FANZINE
AEFILMN	FLAMINE	**AEFINOR**	FORAINE
AEFILMR	FERMAIL	**AEFINRR**	FARINER
	FILMERA		REFRAIN
AEFILMS	FILAMES	**AEFINRS**	FARINES
AEFILNR	RENFILA		FREINAS
	RENFLAI		INFERAS
	RENIFLA	**AEFINRT**	FRAIENT
AEFILNS	ENFILAS		FREINAT
	ENFLAIS		INFERAT
	FINALES	**AEFINRU**	ENFUIRA
AEFILNT	ENFILAT	**AEFINRZ**	FARINEZ
	ENFLAIT	**AEFINSS**	FINASSE
	FILANTE	**AEFINST**	FEINTAS
AEFILNZ	FLANIEZ		FIENTAS
AEFILOR	LOFERAI		INFESTA
AEFILOX	EXFOLIA	**AEFINTT**	FEINTAT
AEFILPR	PARFILE		FIENTAT
AEFILPS	FLAPIES	**AEFINTU**	FUTAINE
AEFILRR	FLAIRER		INFATUE
AEFILRS	FERLAIS	**AEFIORR**	FOIRERA
	FILERAS		FORERAI
	FLAIRES		ORFRAIE
	REFILAS	**AEFIPRR**	FRIPERA
AEFILRT	FERLAIT	**AEFIPRX**	PREFIXA
	REFILAT	**AEFIQSU**	FIASQUE
	RELATIF	**AEFIRRS**	FERRAIS
	TREFILA		FRAISER
AEFILRU	FLEURAI		FRISERA
	REFLUAI	**AEFIRRT**	FERRAIT
AEFILRZ	FLAIREZ		TARIFER
	RAFLIEZ	**AEFIRSS**	FRAISES
AEFILSS	FILASSE	**AEFIRST**	FRETAIS
AEFILST	FILATES		REFAITS
	FILETAS		TARIFES
AEFILSU	FEULAIS	**AEFIRSU**	FAISEUR
	FUSELAI		FUSERAI
AEFILTT	FILETAT		REFUSAI
AEFILTU	FEULAIT	**AEFIRSX**	FIXERAS
AEFIMNS	FAMINES	**AEFIRSZ**	FRAISEZ
	INFAMES		FRASIEZ*
AEFIMNT	MEFIANT	**AEFIRTT**	ATTIFER
AEFIMNU	ENFUMAI		FRETAIT
AEFIMRR	FREMIRA		FRETTAI
AEFIMRS	FERMAIS	**AEFIRTU**	FEUTRAI
AEFIMRT	FERMAIT		FURETAI
AEFIMRU	FUMERAI		REFUTAI
AEFIMST	MEFAITS	**AEFIRTZ**	FARTIEZ →

	TARIFEZ
AEFIRUX	FERIAUX
AEFIRYZ	FRAYIEZ
AEFISSS	FESSAIS
	FIASSES
AEFISST	FESSAIT
	FIESTAS
AEFISSV	EVASIFS
AEFISSX	FIXASSE
AEFISSZ	FASSIEZ
AEFISTT	ATTIFES
AEFISTU	FUTAIES
AEFISTX	FIXATES
AEFITTT	ATTIFET
AEFITTU	FATUITE
AEFITTZ	ATTIFEZ
AEFITUV	FAUTIVE
AEFITUZ	FAUTIEZ
AEFJORT	FORJETA
AEFLLOR	FLORALE
	FLOREAL
AEFLMMS	FLAMMES
AEFLMOR	FEMORAL
AEFLMOS	LOFAMES
AEFLNNT	ENFLANT
	FLANENT
AEFLNOR	FORLANE
AEFLNQU	FLANQUE
AEFLNRS	RENFLAS
AEFLNRT	FERLANT
	RAFLENT
	RENFLAT
AEFLNRU	FALUNER
	FLANEUR
AEFLNST	FLETANS
AEFLNSU	FALUNES
AEFLNTU	FEULANT
AEFLNUZ	FALUNEZ
AEFLORR	FROLERA
AEFLORS	LOFERAS
AEFLORT	FOLATRE
AEFLORU	FLOUERA
	FOULERA
	REFOULA
AEFLOSS	LOFASSE
AEFLOST	FALOTES
	LOFATES
AEFLQSU	FLAQUES
	FLASQUE
AEFLRSU	FLEURAS
	REFLUAS

AEFLRTT	FLATTER
AEFLRTU	FLEURAT
	FLUTERA
	REFLUAT
AEFLSSU	FUSELAS
AEFLSTT	FLATTES
AEFLSTU	FLUATES
	FUSELAT
	SULFATE
AEFLTTZ	FLATTEZ
AEFLTUU	FLUTEAU
AEFMMSU	FUMAMES
AEFMNOT	FANTOME
	FOMENTA
AEFMNRT	FERMANT
AEFMNSU	ENFUMAS
AEFMNTU	ENFUMAT
	FUMANTE
AEFMORR	FORMERA
	REFORMA
AEFMORS	FORAMES
AEFMPRU	PARFUME
AEFMRSU	FUMERAS
AEFMRUX	FERMAUX
AEFMSSU	FUMASSE
	FUSAMES
AEFMSTU	FUMATES
AEFNNST	ENFANTS
AEFNOPR	PROFANE
AEFNQRU	FRANQUE
AEFNRRT	FERRANT
AEFNRST	FRASENT*
AEFNRSU	FANEURS
	FANURES
AEFNRTT	FARTENT
	FRETANT
AEFNRTY	FRAYENT
AEFNSST	FASSENT
	FESSANT
AEFNSTU	FUSANTE
AEFNTTU	FAUTENT
AEFNTUY	FUYANTE
AEFOPRR	PERFORA
	PROFERA
AEFORRS	FORERAS
AEFORSS	FORASSE
AEFORST	FORATES
AEFORTY	FAYOTER
AEFOSTY	FAYOTES
	FESTOYA
AEFOTTU	FOUETTA

AEFOTTY	FAYOTTE*
AEFOTUX	FOETAUX
AEFOTYZ	FAYOTEZ
AEFPPRR	FRAPPER
AEFPPRS	FRAPPES
AEFPPRZ	FRAPPEZ
AEFQRSU	FRASQUE
AEFRRSU	SURFERA
AEFRRUY	FRAYEUR
AEFRSSU	FAUSSER
	FUSERAS
	REFUSAS
AEFRSTT	FRETTAS
AEFRSTU	FEUTRAS
	FURETAS
	REFUSAT
	REFUTAS
AEFRSUV	FAVEURS
AEFRTTT	FRETTAT
AEFRTTU	FEUTRAT
	FURETAT
	REFUTAT
	TARTUFE
AEFRTUU	FAUTEUR
AEFSSSU	FAUSSES
	FUSASSE
AEFSSTU	FAUSSET
	FUSATES
AEFSSUZ	FAUSSEZ
AEFSUUX	FUSEAUX
AEFTUUX	TUFEAUX
AEGGILN	LIGNAGE
AEGGIMR	GRIMAGE
AEGGINZ	GAGNIEZ
	ZINGAGE
AEGGIOR	GORGEAI
AEGGIPU	GUIPAGE
AEGGIRU	GRUGEAI
AEGGIRV	GIVRAGE
AEGGIST	GAGISTE
AEGGMMO	GOMMAGE
AEGGNNT	GAGNENT
AEGGNOR	ROGNAGE
AEGGNOS	GAGEONS
AEGGNRS	GRANGES
AEGGNRU	GAGNEUR
AEGGNSU	GANGUES
AEGGORR	GORGERA
AEGGORS	GORGEAS
AEGGORT	GARGOTE
	GORGEAT
AEGGRRU	GRUGERA
AEGGRSU	GAGEURS
	GRUGEAS
	SUGGERA
AEGGRTU	GRUGEAT
AEGHILU	HUILAGE
AEGHIPR	GRAPHIE
AEGHISS	GEISHAS
AEGHKNS	KHAGNES
AEGHLTW	THALWEG
AEGHMMO	HOMMAGE
AEGHMNZ	MAGHZEN
AEGHMSU	HUMAGES
AEGHNRS	HARENGS
	HARGNES
AEGHNRU	NURAGHE
AEGHPRS	GRAPHES
AEGIILT	AGILITE
AEGIIMN	GEMINAI
	IMAGINE
AEGIIMR	EMIGRAI
	GEMIRAI
	IMAGIER
	MAIGRIE
	MEGIRAI
AEGIIMS	IGAMIES
AEGIIMT	MITIGEA
AEGIIMZ	IMAGIEZ
AEGIINN	INGENIA
AEGIINP	PEIGNAI
AEGIINR	GAINIER
	INGERAI
AEGIINS	SINGEAI
AEGIINZ	GAINIEZ
AEGIIPR	PIGERAI
AEGIIPS	PIGEAIS
AEGIIPT	PIGEAIT
AEGIIRR	REGIRAI
AEGIIRS	AIGRIES
	EGRISAI
AEGIIRT	GITERAI
AEGIIRZ	AGIRIEZ
AEGIISU	AIGUISE
AEGIITZ	AGITIEZ
AEGIJRU	JUGERAI
AEGIJSU	JUGEAIS
AEGIJTU	JUGEAIT
AEGIJUZ	JAUGIEZ
AEGILLL	ILLEGAL
AEGILLM	MILLAGE
AEGILLP	PILLAGE

AEGILLR	GRAILLE
AEGILLS	SILLAGE
AEGILLT	GAILLET
	TILLAGE
AEGILLU	GLAIEUL
AEGILLV	VILLAGE
AEGILMM	GEMMAIL
AEGILMN	MALIGNE
AEGILMO	LIMOGEA
AEGILMR	GREMIAL
AEGILMS	LIMAGES
	MILAGES
AEGILMU	MEUGLAI
AEGILMY	MYALGIE
AEGILNN	ENLIGNA
AEGILNO	ELOIGNA
	LONGEAI
AEGILNP	EPINGLA
	PLAIGNE
AEGILNR	ALIGNER
AEGILNS	AIGNELS
	ALGINES
	ALIGNES
	LEASING
	SIGNALE
AEGILNT	ANTIGEL
	GENITAL
AEGILNU	ELINGUA
	ENGLUAI
AEGILNZ	ALIGNEZ
	GLANIEZ
	LANGIEZ
AEGILOR	LOGERAI
AEGILOS	LOGEAIS
AEGILOT	ALIGOTE
	GALIOTE
	LOGEAIT
	OTALGIE
	TOILAGE
AEGILOV	OGIVALE
	VOILAGE
	VOLIGEA
AEGILPR	PLAGIER
AEGILPS	PILAGES
	PLAGIES
	PLIAGES
AEGILPZ	PLAGIEZ
AEGILQU	ALGIQUE
AEGILRR	ELARGIR
	GLAIRER
	RELARGI
AEGILRS	AGRILES
	ARGILES
	ELARGIS
	GLAIRES
	GLAISER
	GRELAIS
	REGLAIS
AEGILRT	ELARGIT
	GRELAIT
	REGLAIT
AEGILRU	LIGUERA
	LUGERAI
AEGILRV	GRIVELA
AEGILRZ	GLAIREZ
AEGILSS	GLAISES
	LISAGES
	LISSAGE
AEGILSU	LEGUAIS
	LUGEAIS
AEGILSV	GLAIVES
AEGILSZ	GLAISEZ
AEGILTU	LEGUAIT
	LUGEAIT
AEGILUU	GUEULAI
AEGILUZ	GAULIEZ
AEGIMMS	GEMMAIS
AEGIMMT	GEMMAIT
AEGIMNO	ANGIOME
AEGIMNR	GAMINER
	GERMAIN
AEGIMNS	GAMINES
	GEMINAS
	IGNAMES
	MINAGES
AEGIMNT	GEMINAT
	IMAGENT
AEGIMNZ	GAMINEZ
	MANGIEZ
AEGIMOR	MOIRAGE
AEGIMOS	ISOGAME
AEGIMPR	PRIMAGE
AEGIMQU	MAGIQUE
AEGIMRR	GRIMERA
AEGIMRS	EMIGRAS
	GEMIRAS
	GERMAIS
	MAIGRES
	MEGIRAS
	MIRAGES
AEGIMRT	EMIGRAT
	GERMAIT

AEGIMRZ	MARGIEZ
AEGIMSS	MEGISSA
AEGIMST	GATISME
	GITAMES
AEGIMSV	VAGIMES
AEGIMSX	MIXAGES
AEGINNR	ENGRAIN
AEGINNS	ANGINES
AEGINNT	GAINENT
AEGINNV	ANGEVIN
AEGINOR	RONGEAI
AEGINOS	AGNOSIE
	AGONIES
	AGONISE
	SONGEAI
AEGINOU	ENGOUAI
AEGINPR	PAGINER
AEGINPS	PAGINES
	PEIGNAS
AEGINPT	PEIGNAT
	PIGEANT
AEGINPZ	PAGINEZ
AEGINRR	GRAINER
	REGARNI
AEGINRS	ARGIENS
	ENGRAIS
	GARNIES
	GRAINES
	GRENAIS
	IGNARES
	INGERAS
	REGAINS
	REGNAIS
	RESIGNA
	SAIGNER
	SERINGA
	SIGNERA
	SINGERA
AEGINRT	AGIRENT
	GANTIER
	GRANITE
	GRATINE
	GRENAIT
	INGERAT
	INGRATE
	INTEGRA
	REGNAIT
AEGINRZ	GRAINEZ
	RANGIEZ
AEGINSS	ASSIGNE
	SAIGNES →
	SINGEAS
AEGINST	GATINES
	GISANTE
	GITANES
	SINGEAT
	TSIGANE
AEGINSU	IGUANES
	USINAGE
AEGINSV	VINAGES
AEGINSZ	GANSIEZ
	SAIGNEZ
AEGINTT	AGITENT
AEGINTZ	GANTIEZ
	TZIGANE
AEGINUV	NAVIGUE
	VIGNEAU
AEGINUX	GENIAUX
	INEGAUX
AEGIORT	AGIOTER
	AGRIOTE
	ERGOTAI
AEGIOST	AGIOTES
AEGIOTZ	AGIOTEZ
AEGIPPR	AGRIPPE
AEGIPQU	PIQUAGE
AEGIPRS	PIGERAS
	RIPAGES
AEGIPRU	GUIPERA
	PURGEAI
AEGIPST	PISTAGE
AEGIPSU	PUISAGE
AEGIRRS	GRISERA
	REGIRAS
AEGIRRU	AGUERRI
	AIGREUR
	GUERIRA
	URGERAI*
AEGIRRV	GIVRERA
	GRAVIER
AEGIRSS	EGRISAS
	GRAISSE
	SEGRAIS
AEGIRST	EGRISAT
	GITERAS
	TIRAGES
	TRIAGES
AEGIRSU	AURIGES
	SARIGUE
	URGEAIS*
AEGIRSV	GRAVIES
	GREVAIS →

	RIVAGES
	VAIGRES
	VIAGERS
	VIRAGES
AEGIRSZ	GAZIERS
AEGIRTT	ATTIGER
	TITRAGE
AEGIRTU	ARGUTIE
	GUETRAI
	GUITARE
	TARGUIE
	URGEAIT
AEGIRTV	GRAVITE
	GREVAIT
	VITRAGE
AEGIRUZ	ARGUIEZ
	RAGUIEZ
AEGIRVZ	GRAVIEZ
	VAGIREZ
AEGISSS	AGISSES
AEGISST	GITASSE
	TISSAGE
AEGISSU	SEGUIAS
AEGISSV	VAGISSE
	VISAGES
	VISSAGE
AEGISSZ	AGISSEZ
AEGISTT	ATTIGES
	GITATES
	SAGITTE
AEGISTV	VAGITES
AEGITTU	GUETTAI
AEGITTZ	ATTIGEZ
AEGIUVZ	VAGUIEZ
AEGJLSU	JUGALES
AEGJNTU	JAUGENT
	JUGEANT
AEGJNUU	ENJUGUA
AEGJRSU	JUGERAS
AEGJRUU	JAUGEUR
AEGLLNO	ALLONGE
AEGLLOR	ALLEGRO
AEGLMOU	MOULAGE
AEGLMPU	PLUMAGE
AEGLMRU	GRUMELA
AEGLMSU	MEUGLAS
AEGLMSY	MYGALES
AEGLMTU	MEUGLAT
AEGLNNO	GALONNE
AEGLNNT	GLANENT
	LANGENT
AEGLNOP	PLONGEA
AEGLNOR	LONGERA
AEGLNOS	EGALONS
	LONGEAS
	LOSANGE
AEGLNOT	ANGELOT
	LOGEANT
	LONGEAT
AEGLNOU	LOUANGE
AEGLNRS	SANGLER
AEGLNRT	GRELANT
	REGLANT
AEGLNRU	GLANEUR
	GLANURE
	GRANULE
AEGLNRY	LARYNGE
AEGLNSS	SANGLES
AEGLNST	ANGLETS
AEGLNSU	ANGELUS
	ENGLUAS
	GNAULES
	LAGUNES
	LANGUES
AEGLNSZ	SANGLEZ
AEGLNTU	ENGLUAT
	GAULENT
	GLUANTE
	LEGUANT
	LUGEANT
AEGLNUU	UNGUEAL
AEGLOPR	GALOPER
	PERGOLA
AEGLOPS	GALOPES
AEGLOPY	PLOYAGE
AEGLOPZ	GALOPEZ
AEGLORS	GLOSERA
	LOGERAS
AEGLORU	ROULAGE
AEGLOSU	LOUAGES
	SOULAGE
AEGLOSV	VOLAGES
AEGLOSZ	GAZOLES
AEGLOTV	VOLTAGE
AEGLQUU	GLAUQUE
AEGLRRU	LARGEUR
	LARGUER
AEGLRST	TERGALS
AEGLRSU	LARGUES
	LUGERAS
	SURGELA
AEGLRSV	VERGLAS

AEGLRUZ	LARGUEZ
AEGLSTW	TALWEGS
AEGLSUU	GUEULAS
AEGLTUU	GUEULAT
AEGLTUV	VULGATE
AEGMMNO	ENGOMMA
AEGMMNT	GEMMANT
AEGMMOR	GOMMERA
AEGMMRS	GRAMMES
AEGMMUX	GEMMAUX*
AEGMNNT	MANGENT
AEGMNOR	MARENGO
AEGMNOT	MAGNETO
	MONTAGE
AEGMNRS	MANGERS
AEGMNRT	GERMANT
	MARGENT
AEGMNRU	MANGEUR
AEGMNSU	MANGUES
AEGMNSY	GYMNASE
AEGMNTU	AUGMENT
AEGMOPP	POMPAGE
AEGMORS	ORGASME
AEGMORT	MARGOTE
AEGMRRU	MARGEUR
AEGMRSU	AGRUMES
	MURAGES
AEGMRUU	GRUMEAU
AEGMSUZ	ZEUGMAS
AEGNNOS	NAGEONS
AEGNNOT	NEGATON
	TONNAGE
AEGNNOZ	GAZONNE
AEGNNRT	GRENANT
	RANGENT
	REGNANT
AEGNNST	GANSENT
	GENANTS
AEGNNTT	GANTENT
	TANGENT
AEGNORR	ORANGER
	ROGNERA
	RONGERA
AEGNORS	AGREONS
	EGARONS
	ONAGRES
	ORANGES
	ORGANES
	RAGEONS
	RONGEAS
	SONGERA
AEGNORT	RONGEAT
AEGNORU	AUGERON
AEGNOSS	SONGEAS
AEGNOST	SONGEAT
AEGNOSU	ENGOUAS
	NOUAGES
AEGNOSX	AXONGES
AEGNOSY	EGAYONS
AEGNOSZ	ZONAGES
AEGNOTU	ENGOUAT
AEGNOXY	OXYGENA
AEGNPRT	TREPANG
AEGNPRU	REPUGNA
AEGNRRS	RANGERS
AEGNRRU	NARGUER
AEGNRST	ARGENTS
	GERANTS
	GRENATS
	STAGNER
AEGNRSU	NAGEURS
	NARGUES
	SURNAGE
AEGNRTU	ARGUENT
	RAGUENT
	TANGUER
	URGEANT
AEGNRTV	GRAVENT
	GREVANT
AEGNRUZ	NARGUEZ
AEGNSST	STAGNES
AEGNSSU	SANGSUE
AEGNSTU	TANGUES
	TUNAGES
AEGNSTZ	STAGNEZ
AEGNTUV	VAGUENT
AEGNTUZ	TANGUEZ
AEGNUUX	NUAGEUX
AEGOPPR	PROPAGE
AEGOPRT	PORTAGE
	POTAGER
AEGOPST	GESTAPO
	PAGEOTS
	POSTAGE
	POTAGES
AEGOPSU	GOUAPES
AEGORRR	ARROGER
AEGORRS	ARROGES
AEGORRU	GOURERA
AEGORRZ	ARROGEZ
AEGORSS	ROSAGES
AEGORST	ERGOTAS →

	ORGEATS
	RAGOTES
AEGORSU	ROUAGES
AEGORTT	ERGOTAT
AEGORTU	GOUTERA
	OUTRAGE
	ROUTAGE
AEGORUV	OUVRAGE
	VOGUERA
AEGORUX	ORAGEUX
AEGORVY	VOYAGER
AEGOSTU	TOUAGES
AEGOSVY	GOYAVES
	VOYAGES
AEGOTTU	EGOUTTA
AEGOTTV	GAVOTTE
AEGOVYZ	VOYAGEZ
AEGPPRS	GRAPPES
AEGPRRU	PURGERA
AEGPRSU	PAGURES
	PURGEAS
AEGPRTU	PURGEAT
AEGRRSU	RAGEURS
	URGERAS*
AEGRRTT	GRATTER
AEGRRTU	TARGUER
AEGRRUU	AUGURER
AEGRRUV	GRAVEUR
	GRAVURE
AEGRSSS	GRASSES
AEGRSST	GRASSET
AEGRSSU	GAUSSER
	USAGERS
AEGRSTT	GRATTES
AEGRSTU	GUETRAS
	TARGUES
AEGRSUU	AUGURES
AEGRTTU	GUETRAT
AEGRTTZ	GRATTEZ
AEGRTUZ	TARGUEZ
AEGRUUZ	AUGUREZ
AEGSSSU	GAUSSES
AEGSSUZ	GAUSSEZ
AEGSTTU	GUETTAS
AEGSTUU	AUGUSTE
AEGTTTU	GUETTAT
AEHIILR	HILAIRE
AEHIINT	HAITIEN
AEHIIRT	HERITAI
AEHIIRZ	HAIRIEZ
AEHIIST	HESITAI
AEHILLR	HALLIER
AEHILNR	INHALER
AEHILNS	INHALES
AEHILNY	HYALINE
AEHILNZ	INHALEZ
AEHILRS	HILARES
AEHILRU	HUILERA
AEHILTY	HYALITE
AEHIMNU	HUMAINE
AEHIMRS	MEHARIS
AEHIMRU	HUMERAI
AEHIMTY	ATHYMIE
AEHIMUX	EXHUMAI
	HIEMAUX
AEHINNR	HENNIRA
AEHINOP	APHONIE
AEHINPS	PHANIES
AEHINRT	HAIRENT
AEHINRV	ENVAHIR
	HIVERNA
AEHINST	HANTISE
AEHINSV	ENVAHIS
	VAHINES
AEHINTT	THEATIN
AEHINTU	HUAIENT
AEHINTV	ENVAHIT
AEHINTZ	HANTIEZ
AEHINUX	HAINEUX
AEHIORR	HORAIRE
AEHIORU	HOUERAI
AEHIPPZ	HAPPIEZ
AEHIPRS	HARPIES
AEHIRSS	HERISSA
	HERSAIS
	HISSERA
AEHIRST	HATIERS
	HERITAS
	HERSAIT
	TRAHIES
AEHIRSU	AHURIES
	HUERAIS
AEHIRTT	HERITAT
AEHIRTU	HEURTAI
	HUERAIT
AEHISSS	HAISSES
AEHISST	HESITAS
AEHISSZ	HAISSEZ
AEHISTT	HESITAT
AEHISTV	HATIVES
AEHKMNZ	MAKHZEN
AEHKRSS	SHAKERS

AEHLLPY	APHYLLE
AEHLLST	THALLES
AEHLLTT	TALLETH
AEHLMRT	THERMAL
AEHLMRU	HUMERAL
	MALHEUR
AEHLRRU	HURLERA
AEHLRST	THALERS
AEHLRSU	HALEURS
AEHLSTT	TALETHS
AEHMMSU	HUMAMES
AEHMNNO	MAHONNE
AEHMNPY	NYMPHEA
AEHMNRU	ENRHUMA
AEHMNST	HETMANS
AEHMOPR	AMORPHE
	AMPHORE
AEHMOSU	HOUAMES
AEHMPSS	PHASMES
AEHMRSS	SMASHER
AEHMRST	HAMSTER
AEHMRSU	HUMERAS
AEHMSSS	SMASHES
AEHMSST	ASTHMES
AEHMSSU	HUMASSE
AEHMSSZ	SMASHEZ
AEHMSTU	HUMATES
AEHMSUX	EXHUMAS
AEHMTUX	EXHUMAT
	MATHEUX
AEHNNRS	RHENANS
AEHNNTT	HANTENT
AEHNOPS	APHONES
AEHNOPT	PHAETON
AEHNPPT	HAPPENT
AEHNPST	NAPHTES
AEHNRST	HERSANT
	THENARS
AEHNRTX	NARTHEX
AEHOPRT	EPHORAT
AEHOQTU	HOQUETA
AEHORSU	HOUERAS
AEHORTX	EXHORTA
AEHOSSU	HOUASSE
AEHOSTU	HOUATES
AEHPRRS	PHRASER
AEHPRSS	PHRASES
AEHPRSZ	PHRASEZ
AEHPSST	SPATHES
AEHPTUX	APHTEUX
AEHQSTU	HAQUETS
AEHRSSU	HAUSSER
AEHRSTU	HERAUTS
	HEURTAS
	HUERTAS
	REHAUTS
AEHRSUV	HAVEURS
AEHRTTU	HEURTAT
AEHRTUU	HAUTEUR
AEHSSSU	HAUSSES
	HUASSES
AEHSSUZ	HAUSSEZ
AEIIJLL	JAILLIE*
AEIIKNR	IRAKIEN
AEIIKNT	KAINITE
AEIIKRS	SKIERAI
AEIILLL	LILIALE
AEIILLN	NIELLAI
AEIILLP	PIAILLE
AEIILLS	SAILLIE
AEIILLT	TEILLAI
AEIILLV	VEILLAI
	VIELLAI
AEIILLZ	AILLIEZ
	ALLIIEZ
AEIILMN	ELIMINA
AEIILMP	EMPILAI
AEIILMR	LIMERAI
AEIILMS	ELIMAIS
AEIILMT	ELIMAIT
AEIILNN	ANILINE
AEIILNR	LAINIER
	LINAIRE
AEIILNS	ENLIAIS
	ENLISAI
	ENSILAI
	LESINAI
AEIILNT	ENLIAIT
	ITALIEN
	LIAIENT
	LITANIE
AEIILNV	NIVELAI
	VILAINE
AEIILNZ	AZILIEN
	LAINIEZ
AEIILOS	OISELAI
AEIILOT	ETIOLAI
	ETOILAI
AEIILOV	OLIVAIE
AEIILPR	PILAIRE
	PILERAI
	PLIERAI →

	REPLIAI
AEIILPS	EPILAIS
AEIILPT	EPILAIT
AEIILQU	ILIAQUE
AEIILRR	RELIRAI
AEIILRS	AILIERS
	ALISIER
	ELIRAIS
	LIERAIS
	LISERAI
	RELIAIS
	RESILIA
AEIILRT	ELIRAIT
	LAITIER
	LIERAIT
	LITERAI
	RELIAIT
AEIILRV	RAVILIE
	VIRELAI
AEIILSS	ELISAIS
AEIILST	ELISAIT
AEIILSV	AVILIES
AEIILSX	EXILAIS
AEIILTX	EXILAIT
AEIILTZ	ALITIEZ
AEIIMMR	MIMERAI
AEIIMNN	INANIME
AEIIMNR	MINERAI
AEIIMNS	MISAINE
AEIIMNT	MITAINE
AEIIMNX	XIMENIA
AEIIMNZ	ANIMIEZ
	MANIIEZ
AEIIMPR	EMPIRAI
	IMPAIRE
	PERIMAI
AEIIMRR	MIRERAI
	RIMERAI
AEIIMRS	MAIRIES
	MISERAI
	REMISAI
AEIIMRT	IMITERA
	MERITAI
	MITERAI
AEIIMRX	MIXERAI
AEIIMRZ	MARIIEZ
AEIIMST	AMITIES
	ESTIMAI
AEIINNR	IRANIEN
AEIINNS	ASINIEN
AEIINNT	INANITE →

	NIAIENT
AEIINOR	NOIERAI
AEIINPS	EPINAIS
	PEINAIS
AEIINPT	EPINAIT
	PEINAIT
	PIETINA
AEIINQR	IRAQIEN
AEIINRS	INSERAI
	NIERAIS
	RAISINE
	RENIAIS
	RESINAI
	SERINAI
AEIINRT	IRAIENT
	NIERAIT
	RENIAIT
	RIAIENT
AEIINRV	ENIVRAI
	VINAIRE
	VINERAI
AEIINRZ	RAINIEZ
AEIINSS	NIAISES
	SAISINE
AEIINSV	ENVIAIS
	VEINAIS
AEIINTT	TEINTAI
AEIINTV	ENVIAIT
	VEINAIT
AEIINVZ	AVINIEZ
AEIINZZ	ZIZANIE
AEIIOPT	APITOIE
AEIIPPR	PIPERAI
AEIIPPS	PEPIAIS
AEIIPPT	PEPIAIT
AEIIPQU	EQUIPAI
AEIIPRR	PERIRAI
	PRAIRIE
	PRIERAI
	RIPERAI
AEIIPRS	PAIRIES
AEIIPRT	ETRIPAI
AEIIPRX	EXPIRAI
AEIIPRZ	PARIIEZ
AEIIPSS	EPAISSI
	EPISSAI
AEIIPST	PIETAIS
AEIIPSU	EPUISAI
AEIIPSX	EXPIAIS
AEIIPTT	PIETAIT
AEIIPTX	EXPIAIT

AEIIQSU	ISIAQUE	**AEIKNSS**	KINASES
AEIIRRS	IRISERA	**AEIKNST**	KENTIAS
AEIIRRT	RETIRAI	**AEIKRRS**	KERRIAS
	TIRERAI	**AEIKRSS**	KAISERS
	TRIERAI		SKIERAS
AEIIRRV	RIVERAI	**AEIKRST**	KARITES
	VIRERAI	**AEIKSSS**	SKIASSE
AEIIRRZ	RAIRIEZ	**AEIKSST**	SKIATES
AEIIRSS	SERIAIS	**AEILLMN**	MANILLE
AEIIRST	ETIRAIS	**AEILLMO**	AMOLLIE
	SERIAIT	**AEILLMR**	MAILLER
	SIERAIT	**AEILLMS**	MAILLES
AEIIRSV	IVRAIES	**AEILLMT**	MAILLET
	REVISAI	**AEILLMX**	MAXILLE
	SEVIRAI	**AEILLMZ**	MAILLEZ
	VISERAI	**AEILLNS**	NASILLE
AEIIRSZ	ARISIEZ		NIELLAS
AEIIRTT	ETIRAIT	**AEILLNT**	AILLENT
AEIIRTV	RIVETAI		ALLIENT
	VETIRAI		NIELLAT
AEIIRTZ	TAIRIEZ	**AEILLNV**	VANILLE
AEIIRVZ	VARIIEZ	**AEILLOR**	OLLAIRE
AEIISSS	SAISIES	**AEILLPP**	PAPILLE
AEIISTV	EVITAIS	**AEILLPR**	PAILLER
AEIISTX	EXISTAI		PALLIER
AEIISTZ	TAISIEZ		PILLERA
AEIISVZ	AVISIEZ	**AEILLPS**	PAILLES
AEIITTV	EVITAIT		PALLIES
AEIITUZ	ZIEUTAI	**AEILLPT**	PAILLET
AEIIVVZ	AVIVIEZ		PETILLA
AEIJLMU	JUMELAI	**AEILLPZ**	PAILLEZ
AEIJLNO	ENJOLAI		PALLIEZ
AEIJLOV	JOVIALE	**AEILLRR**	RAILLER
AEIJNOT	AJOINTE		RALLIER
	EJOINTA	**AEILLRS**	ARILLES
AEIJNPS	JASPINE		RAILLES
AEIJNRU	RAJEUNI		RALLIES
AEIJNRV	JANVIER	**AEILLRT**	ETRILLA
AEIJNSU	JAUNIES		TAILLER
	JEUNAIS		TILLERA
AEIJNTU	JEUNAIT		TRAILLE
AEIJORU	JOUERAI	**AEILLRZ**	RAILLEZ
	REJOUAI		RALLIEZ
AEIJPPZ	JAPPIEZ	**AEILLSS**	SELLAIS
AEIJPSZ	JASPIEZ	**AEILLST**	SELLAIT
AEIJQRU	JAQUIER		TAILLES
AEIJRRU	JURERAI		TEILLAS
AEIJRTU	JUTERAI	**AEILLSV**	VAILLES
AEIKLST	LAKISTE		VEILLAS
AEIKMSS	SKIAMES		VIELLAS
AEIKNNT	KANTIEN	**AEILLTT**	TEILLAT

AEILLTV	VEILLAT
	VETILLA
	VIELLAT
AEILLTZ	TAILLEZ
	TALLIEZ
AEILLUV	ELUVIAL
AEILMMS	LIMAMES
AEILMNO	MONIALE
AEILMNR	LAMINER
	MINERAL
AEILMNS	LAMINES
	MALIENS
	SEMINAL
AEILMNT	ALIMENT
	ELIMANT
AEILMNU	ALUMINE
AEILMNZ	LAMINEZ
AEILMOR	LARMOIE
	MARIOLE
	MOLAIRE
AEILMOT	LATOMIE
	MOLETAI
AEILMPR	EMPLIRA
	PALMIER
	REMPILA
AEILMPS	EMPILAS
	PALIMES
	PILAMES
	PLIAMES
AEILMPT	EMPILAT
AEILMPZ	LAMPIEZ
	PALMIEZ
AEILMQU	MALIQUE
AEILMRR	LARMIER
AEILMRS	LAMIERS
	LIMERAS
AEILMRT	MITRALE
	TREMAIL
AEILMRU	MIAULER
	ULMAIRE
AEILMSS	LIMASSE
	SALIMES
	SEISMAL
	SISMALE
AEILMST	LIMATES
	LITAMES
AEILMSU	MEULAIS
	MIAULES
	MUSELAI
AEILMSX	LAXISME
AEILMTU	MEULAIT
AEILMTZ	MALTIEZ
AEILMUZ	MIAULEZ
AEILNNT	ENLIANT
	LAINENT
AEILNOP	OPALINE
AEILNOR	AILERON
	ENROLAI
AEILNOS	ALENOIS
	LEONAIS
AEILNOT	ENTOILA
	ENTOLAI
	LAOTIEN
AEILNOV	ENVOILA
	ENVOLAI
AEILNPR	LAPINER
	PRALINE
AEILNPS	ALPINES
	LAPINES
	PLAINES
	SPINALE
AEILNPT	EPILANT
	PATELIN
	PLAINTE
	PLATINE
	PLIANTE
AEILNPU	PAULIEN
AEILNPZ	LAPINEZ
	PLANIEZ
AEILNRT	RALENTI
	RELIANT
AEILNRU	LAINEUR
	LUNAIRE
	ULNAIRE
AEILNRV	ELINVAR
AEILNSS	ENLISAS
	ENSILAS
	LESINAS
	SALIENS
	SALINES
AEILNST	ELISANT
	ENLISAT
	ENSILAT
	LATINES
	LESINAT
	LIANTES
AEILNSU	ALUNIES*
	NIAULES
AEILNSV	ALEVINS
	ALVINES
	LEVAINS
	NIVALES →

	NIVELAS
	VALINES
	VELANIS
AEILNTT	ALITENT
AEILNTU	ALUNITE
	LINTEAU
	NAUTILE
AEILNTV	NIVELAT
	VENTAIL
	VENTILA
AEILNTX	EXILANT
AEILNUX	LAINEUX
	LINEAUX
AEILOPR	PLOIERA
	POLAIRE
AEILOPS	OPALISE
	PALOISE
AEILOPT	PELOTAI
AEILORS	ALESOIR
	ISOLERA
	SOLAIRE
AEILORT	TOLERAI
AEILORU	IOULERA*
	LOUERAI
	RELOUAI
AEILORV	LOVERAI
	REVOILA
	REVOLAI
	VARIOLE
	VIOLERA
	VOILERA
	VOLERAI
AEILOSS	OISELAS
AEILOST	ETIOLAS
	ETOILAS
	OISELAT
AEILOSV	OVALISE
AEILOTT	ETIOLAT
	ETOILAT
AEILOTV	VIOLETA
	VOLETAI
AEILOUV	EVOLUAI
AEILPPT	PALPITE
AEILPPU	PEUPLAI
AEILPPZ	PALPIEZ
AEILPRS	PAIRLES
	PALIERS
	PAREILS
	PERLAIS
	PILERAS
	PLIERAS →
	REPLIAS
	SPIRALE
AEILPRT	PARTIEL
	PERLAIT
	REPLIAT
	TRIPALE
AEILPRU	PALIURE
	PARULIE
	PIAULER
	PLEURAI
AEILPRZ	PALIREZ
	PARLIEZ
	PLAIREZ
AEILPSS	LIPASES
	PALISSE
	PILASSE
	PLAISES
	PLIASSE
AEILPST	ALPISTE
	PALITES
	PILATES
	PLASTIE
	PLIATES
AEILPSU	PIAULES
AEILPSZ	PLAISEZ
AEILPUZ	PIAULEZ
AEILQSU	LAIQUES
	SALIQUE
AEILQTU	QUALITE
	TEQUILA
AEILQUU	AULIQUE
AEILQUZ	LAQUIEZ
AEILRRS	RELIRAS
AEILRRU	LAURIER
	LEURRAI
	RELUIRA
	RUILERA
AEILRRV	LIVRERA
AEILRSS	LAISSER
	LISERAS
	LISSERA
	SERAILS
	SERIALS
AEILRST	ALTIERS
	LATRIES
	LISERAT
	LITERAS
AEILRSV	RIVALES
	SALIVER
	VIRALES
AEILRSZ	SALIREZ

AEILRTT	TALITRE
AEILRTU	LUTERAI
	TAULIER
AEILRTV	LEVIRAT
AEILRUV	AVEULIR
AEILRUX	LUXERAI
AEILSSS	LAISSES
	LIASSES
	SALISSE
AEILSST	ALTISES
	LESTAIS
	LITASSE
	SALITES
AEILSSU	LAIUSSE
AEILSSV	LESSIVA
	SALIVES
	SLAVISE
	VALISES
AEILSSZ	LAISSEZ
	LASSIEZ
AEILSTT	ALTISTE
	LESTAIT
	LITATES
AEILSTU	LAITUES
	LISTEAU
AEILSTV	ESTIVAL
	VITALES
AEILSTX	LAXISTE
	LAXITES
AEILSUV	AVEULIS
AEILSUZ	SALUIEZ
AEILSVZ	SALIVEZ
	VALSIEZ
AEILTTZ	LATTIEZ
AEILTUU	TUILEAU
AEILTUV	AVEULIT
AEILTUX	EXULTAI
	LAITEUX
	LITEAUX
AEILTVY	VILAYET
AEIMMMS	MIMAMES
AEIMMNS	MINAMES
AEIMMOS	MAOISME
AEIMMRS	MIMERAS
	MIRAMES
	RIMAMES
AEIMMRT	MARMITE
AEIMMRU	EMMURAI
AEIMMSS	MIASMES
	MIMASSE
	MISAMES
AEIMMST	MATIMES
	MIMATES
	MITAMES
AEIMMSU	AMUIMES
AEIMMSX	MAXIMES
	MIXAMES
AEIMNNO	MONNAIE
AEIMNNS	NANISME
AEIMNNT	ANIMENT
	MANIENT
	MANNITE
AEIMNNU	UNANIME
AEIMNOR	MORAINE
	ROMAINE
AEIMNOS	ANOMIES
	ANOSMIE
AEIMNOU	MOINEAU
AEIMNPT	PIMENTA
AEIMNQU	MANIQUE
AEIMNRR	MARINER
	MERRAIN
	RANIMER
AEIMNRS	MARINES
	MINERAS
	RANIMES
AEIMNRT	MARIENT
	MARTIEN
	MATINER
	MENTIRA
	MINARET
	TERMINA
AEIMNRU	MANIEUR
AEIMNRX	MARXIEN
AEIMNRZ	MARINEZ
	MARNIEZ
	RANIMEZ
AEIMNSS	MINASSE
AEIMNST	MAINTES
	MATINES
	MENTAIS
	MINATES
	STAMINE
AEIMNSU	MENUISA
AEIMNSV	VINAMES
AEIMNSZ	NAZISME
AEIMNTT	MENTAIT
AEIMNTU	MUAIENT
AEIMNTZ	MATINEZ
AEIMOPR	EMPORIA*
AEIMOPT	EMPOTAI
AEIMOPU	PAUMOIE

AEIMORR	ARMOIRE
	ARMORIE
	MOIRERA
AEIMORS	ARMOISE
	MOISERA
	ORMAIES
AEIMORT	AMORTIE
	TOMERAI
AEIMOST	ATOMISE
	MAOISTE
	MATOISE
	TAOISME
AEIMOSX	AXIOMES
AEIMOTT	EMOTTAI
AEIMPPS	PAPISME
	PIPAMES
AEIMPRR	PRIMERA
	REPRIMA
AEIMPRS	EMPIRAS
	MEPRISA
	PERIMAS
	PRIAMES
	RIPAMES
AEIMPRT	EMPIRAT
	IMPETRA
	PERIMAT
	PRIMATE*
	TREMPAI
AEIMPRV	VAMPIRE
AEIMPRX	EXPRIMA
AEIMPRZ	RAMPIEZ
AEIMPSS	IMPASSE
AEIMPST	PATIMES
	TAPIMES
AEIMPSY	IMPAYES
AEIMPUZ	PAUMIEZ
AEIMRRR	AMERRIR
	ARRIMER
AEIMRRS	AMERRIS
	ARRIMES
	MARRIES
	MIRERAS
	RAMIERS
	RIMERAS
	SIMARRE
AEIMRRT	AMERRIT
	TRIMERA
AEIMRRU	MARIEUR
	MURERAI
AEIMRRZ	ARRIMEZ
	MARRIEZ
AEIMRSS	MASSIER
	MIRASSE
	MISERAS
	REMISAS
	RIMASSE
AEIMRST	EMIRATS
	MAITRES
	MARISTE
	MERITAS
	METRAIS
	MIRATES
	MITERAS
	REMISAT
	RIMATES
	TAMIERS
	TAMISER
	TARIMES
	TIRAMES
	TRIAMES
AEIMRSU	AERIUMS
	MAIEURS
	MESURAI
	MUERAIS
	MUSERAI
	REMUAIS
	RESUMAI
AEIMRSV	RAVIMES
	RIVAMES
	VIRAMES
AEIMRSX	MIXERAS
AEIMRSY	RIMAYES
AEIMRTT	MERITAT
	METRAIT
	METTRAI
AEIMRTU	MUERAIT
	MURIATE
	MUTERAI
	REMUAIT
AEIMRTZ	MATIREZ
	TRAMIEZ
AEIMRUZ	AMUIREZ
	AMURIEZ
AEIMSSS	ASSIMES
	ESSAIMS
	MISASSE
AEIMSST	ESTIMAS
	MATISSE
	METISSA
	MISATES
	MITASSE
	TAMISES

AEIMSSU	AMUISSE
	MESUSAI
AEIMSSV	MASSIVE
	VISAMES
AEIMSSX	MIXASSE
AEIMSSZ	MASSIEZ
AEIMSTT	ESTIMAT
	MASTITE
	MATITES
	METTAIS
	MITATES
AEIMSTU	AMUITES
	AUTISME
AEIMSTX	MIXATES
AEIMSTZ	TAMISEZ
AEIMSUZ	AMUSIEZ
AEIMTTT	METTAIT
AEINNOT	ETONNAI
AEINNPT	EPINANT
	PEINANT
AEINNRS	NARINES
AEINNRT	ENTRAIN
	INTERNA
	RAINENT
	RENIANT
AEINNRV	INNERVA
	VANNIER
AEINNSS	INSANES
AEINNST	NANTIES
	TANNISE
AEINNTT	INTENTA
	TANTINE
AEINNTU	ANNUITE
AEINNTV	AVINENT
	ENVIANT
	INVENTA
	VEINANT
AEINNTZ	TANNIEZ
AEINNUY	ENNUYAI
AEINNVZ	VANNIEZ
AEINOPR	OPINERA
AEINOPT	EPOINTA
	PIANOTE
AEINOPU	EPANOUI
AEINORR	ORNERAI
AEINORS	AERIONS
	NOIERAS
AEINORT	NOTAIRE
	NOTARIE
	NOTERAI
	ORIENTA

AEINORU	ENROUAI
	NOUERAI
	OUARINE*
	RENOUAI
AEINORV	NOVERAI
	OVARIEN
	RENOVAI
AEINOSS	OASIENS
AEINOST	ATONIES
	OSAIENT
AEINOSU	ENOUAIS
AEINOSV	AVOINES
	EVASION
AEINOSX	ANOXIES
AEINOTT	OTAIENT
AEINOTU	AOUTIEN
	ENOUAIT
	OUATINE
AEINOUV	EVANOUI
	INAVOUE
AEINOVY	ENVOYAI
AEINPPR	NIPPERA
AEINPPT	PEPIANT
AEINPPZ	NAPPIEZ
AEINPQU	PANIQUE
AEINPRR	RAPINER
AEINPRS	PANIERS
	PRENAIS
	RAPINES
AEINPRT	PARIENT
	PATINER
	PINTERA
	PRENAIT
AEINPRU	UNIPARE
AEINPRV	EPARVIN
AEINPRZ	RAPINEZ
AEINPSS	PENSAIS
	PINASSE
	PISANES
	SAPINES
AEINPST	INAPTES
	PATINES
	PENSAIT
	SEPTAIN
AEINPSU	PUNAISE
AEINPSZ	PANSIEZ
AEINPTT	PATIENT
	PIETANT
AEINPTU	PETUNIA
	PUAIENT
AEINPTX	EXPIANT

AEINPTZ	PATINEZ
AEINPUX	PINEAUX
AEINQSU	NASIQUE
AEINQTU	ANTIQUE
	TAQUINE
AEINQUV	VAINQUE
AEINRRT	RATINER
	RENTRAI
	TERNIRA
	TERRAIN
	TRAINER
AEINRRU	RAINURE
	REUNIRA
	RUINERA
	URINERA
AEINRRV	RAVINER
	VERNIRA
AEINRRZ	NARRIEZ
AEINRSS	ARSINES
	INSERAS
	RESINAS
	SERINAS
AEINRST	ARISENT
	ENTRAIS
	INSERAT
	RATINES
	RENTAIS
	RESINAT
	RIANTES
	SATINER
	SENTIRA
	SERIANT
	SERINAT
	TANISER
	TARSIEN
	TRAINES
	TRANSIE
	TSARINE
AEINRSU	ANURIES
	SAUNIER
	SAURIEN
	URANIES
	USINERA
AEINRSV	AVENIRS
	ENIVRAS
	INVERSA
	NAVIRES
	RAVINES
	VINERAS
AEINRTT	ENTRAIT
	ETIRANT →
	NATTIER
	NITRATE
	RENTAIT
	TARTINE
	TINTERA
	TRAIENT
AEINRTU	RUAIENT
	TAURINE
	URANITE
AEINRTV	ENIVRAT
	VARIENT
AEINRTZ	NAITREZ
	RATINEZ
	TRAINEZ
	TZARINE
AEINRUV	VAURIEN
AEINRVZ	NAVRIEZ
	RAVINEZ
AEINSSS	NAISSES
	NIASSES
AEINSST	NASTIES
	SAINTES
	SATINES
	SENTAIS
	TANISES
	TISANES
AEINSSV	VANISES
	VINASSE
AEINSSZ	NAISSEZ
AEINSTT	ATTEINS
	SENTAIT
	TAISENT
	TEINTAS
	TENTAIS
	TITANES
AEINSTU	SUAIENT
	UNIATES
	USAIENT
AEINSTV	AVISENT
	NATIVES
	VANITES
	VINATES
AEINSTZ	SATINEZ
	TANISEZ
AEINSUX	AUXINES
	SANIEUX
	UNIAXES
AEINSUZ	SAUNIEZ
AEINTTT	ATTEINT
	TEINTAT
	TENTAIT

AEINTTU	TUAIENT
AEINTTV	EVITANT
	VENTAIT
AEINTTZ	NATTIEZ
AEINTVV	AVIVENT
	VIVANTE
AEINTVZ	VANTIEZ
AEINUVX	NIVEAUX
AEINUXX	ANXIEUX
AEIOPRR	PERORAI
AEIOPRS	APORIES
	OPERAIS
	POSERAI
	REPOSAI
AEIOPRT	OPERAIT
	OPTERAI
	TOPERAI
AEIOPRU	ORIPEAU
	POIREAU
AEIOPRV	APIVORE
	OVIPARE
AEIOPST	PATOISE
	POETISA
AEIOPSU	EPOUSAI
AEIOPSV	PAVOISE
AEIOPSX	EXPOSAI
AEIOPTU	ETOUPAI
AEIOPTY	APITOYE
AEIOQSU	SEQUOIA
AEIOQUV	EVOQUAI
AEIOQUZ	AZOIQUE
AEIORRS	ROSAIRE
AEIORRT	ROTERAI
AEIORRU	ROUERAI
AEIORSS	ASSEOIR
	ESSORAI
	OSERAIS
	RASSOIE
AEIORST	AORISTE
	OSERAIT
	OTARIES
	OTERAIS
	TOISERA
	TOREAIS
AEIORSV	OVAIRES
AEIORTT	AORTITE
	OTERAIT
	TOREAIT
AEIORTU	TOUERAI
AEIORTV	OVARITE
	VOTERAI →

AEIORUV	OEUVRAI
	VOUERAI
AEIOSSS	ASSOIES
AEIOSTT	TAOISTE
AEIOSUX	OISEAUX
AEIOTTZ	AZOTITE
AEIOTUZ	OUATIEZ
AEIOUVZ	AVOUIEZ
AEIPPRS	APPRISE
	PAPIERS
	PIPERAS
AEIPPSS	PIPASSE
AEIPPST	PAPISTE
	PIPATES
AEIPPSU	APPUIES
AEIPPTT	APPETIT
AEIPPUX	PIPEAUX
AEIPQRU	APIQUER
	PIQUERA
	REPIQUA
AEIPQSU	APIQUES
	EQUIPAS
AEIPQTU	EQUIPAT
	PIQUETA
AEIPQUZ	APIQUEZ
AEIPRRS	ASPIRER
	PERIRAS
	PRAIRES
	PRIERAS
	PRISERA
	REPRISA
	RESPIRA
	RIPERAS
AEIPRRT	PETRIRA
	PIRATER
	REPARTI
AEIPRRU	PARIEUR
AEIPRRV	PRIVERA
AEIPRSS	ASPIRES
	PARSIES
	PISSERA
	PRESSAI
	PRIASSE
	RIPASSE
AEIPRST	ETRIPAS
	PARITES
	PARTIES
	PATRIES
	PIASTRE
	PIRATES
	PISTERA →

	PRETAIS
	PRIATES
	RIPATES
AEIPRSU	EPURAIS
	PUERAIS
	PUISERA
	SURPAIE
AEIPRSV	PREAVIS
AEIPRSX	EXPIRAS
AEIPRSZ	ASPIREZ
AEIPRTT	ETRIPAT
	PARTITE
	PRETAIT
AEIPRTU	EPURAIT
	PUERAIT
	TAUPIER
AEIPRTX	EXPIRAT
	EXTIRPA
AEIPRTZ	PAITREZ
	PARTIEZ
	PATIREZ
	PIRATEZ
	TAPIREZ
AEIPRUZ	APURIEZ
AEIPSSS	EPISSAS
	PAISSES
AEIPSST	EPISSAT
	PATISSE
	PESTAIS
	TAPISSE
AEIPSSU	EPUISAS
AEIPSSV	PASSIVE
AEIPSSZ	PAISSEZ
	PASSIEZ
AEIPSTT	PATITES
	PESTAIT
	TAPITES
AEIPSTU	EPUISAT
AEIPSUZ	PAUSIEZ
AEIQRRU	EQUARRI
AEIQRTU	ETRIQUA
	TIQUERA
AEIQRUZ	ARQUIEZ
AEIQSTU	ASTIQUE
	QUETAIS
AEIQSUV	ESQUIVA
AEIQSUZ	SAQUIEZ
AEIQTTU	ATTIQUE
	QUETAIT
AEIQTUU	QUEUTAI
AEIQTUZ	TAQUIEZ

AEIQUVZ	VAQUIEZ
AEIRRRS	ARRISER
AEIRRRV	ARRIVER
AEIRRSS	ARRISES
	SERRAIS
	SIERRAS
AEIRRST	RATIERS
	RETIRAS
	SERRAIT
	SERTIRA
	STRIERA
	TARSIER
	TERRAIS
	TIRERAS
	TRIERAS
AEIRRSU	AIRURES
	RUERAIS
	RUSERAI
AEIRRSV	ARRIVES
	RAVIERS
	RAVISER
	RIVERAS
	SERVIRA
	VERRAIS
	VIRERAS
AEIRRSZ	ARRISEZ
AEIRRTT	ATTERRI
	ATTIRER
	RETIRAT
	RETRAIT
	TERRAIT
	TITRERA
	TRAITER
	TRAITRE
AEIRRTU	RUERAIT
AEIRRTV	AVERTIR
	TREVIRA
	VERRAIT
	VITRERA
AEIRRTW	REWRITA
AEIRRTZ	TARIREZ
	TRAIREZ
AEIRRVV	RAVIVER
	REVIVRA
AEIRRVZ	ARRIVEZ
	RAVIREZ
AEIRRZZ	RAZZIER
AEIRSSS	RASSISE
	SARISSE
AEIRSST	RATISSE
	RESISTA →

	RESTAIS
	RETISSA
	SATIRES
	STERAIS
	TARISSE
	TERSAIS
	TIRASSE
	TISSERA
	TRESSAI
	TRIASSE
AEIRSSU	RESSUAI
	SUAIRES
	SUERAIS
	USERAIS
AEIRSSV	ASSERVI
	RAVISES
	RAVISSE
	REVISAS
	RIVASSE
	SERVAIS
	SEVIRAS
	SEVRAIS
	VERSAIS
	VIRASSE
	VISERAS
	VISSERA
AEIRSTT	ARTISTE
	ATTIRES
	ATTISER
	RATITES
	RESTAIT
	STERAIT
	TARITES
	TERSAIT
	TIRATES
	TRAITES
	TRIATES
AEIRSTU	SITUERA
	SUERAIT
	TUERAIS
	USERAIT
AEIRSTV	AVERTIS
	RAVITES
	REVISAT
	RIVATES
	RIVETAS
	SERVAIT
	SEVRAIT
	VERSAIT
	VETIRAS
	VIRATES

AEIRSTX	EXTRAIS
AEIRSUZ	SAURIEZ
AEIRSVV	RAVIVES
AEIRSVZ	RAVISEZ
AEIRSZZ	RAZZIES
AEIRTTT	ATTITRE
AEIRTTU	TUERAIT
AEIRTTV	AVERTIT
	RIVETAT
AEIRTTX	EXTRAIT
AEIRTTZ	ATTIREZ
	TRAITEZ
AEIRTUZ	AZURITE
AEIRTYZ	TRAYIEZ
AEIRUZZ	AZURIEZ
AEIRVVZ	RAVIVEZ
AEIRZZZ	RAZZIEZ
AEISSSS	ASSISES
	ASSISSE
AEISSST	ASSISTE
	ASSITES
AEISSSV	VESSAIS
	VISASSE
AEISSSZ	SASSIEZ
AEISSTT	ATTISES
	TESTAIS
AEISSTV	VESSAIT
	VISATES
AEISSTX	EXISTAS
AEISSTZ	TASSIEZ
	ZESTAIS
AEISSUY	ESSUYAI
AEISTTT	TESTAIT
AEISTTX	EXISTAT
AEISTTZ	ATTISEZ
	ZESTAIT
AEISTUV	ETUVAIS
	SUAVITE
AEISTUZ	SAUTIEZ
	ZIEUTAS
AEISUVZ	SAUVIEZ
AEITTUV	ETUVAIT
AEITTUZ	ZIEUTAT
AEJLMSU	JUMELAS
AEJLMTU	JUMELAT
AEJLNNO	JALONNE
AEJLNOS	ENJOLAS
AEJLNOT	ENJOLAT
AEJLOSU	JALOUSE
AEJLOTV	JAVELOT
AEJLOUZ	AZULEJO

AEJMORR	MAJORER
AEJMORS	MAJORES
AEJMORZ	MAJOREZ
AEJMOSU	JOUAMES
AEJMRSU	JURAMES
	MAJEURS
AEJMSTU	JUTAMES
AEJMUUX	JUMEAUX
AEJNNTU	JEUNANT
AEJNORU	AJOURNE
AEJNPPT	JAPPENT
AEJNPST	JASPENT
AEJNSTU	JAUNETS
AEJNTUV	JUVENAT
AEJOPRT	PROJETA
AEJORRU	AJOURER
AEJORSS	JAROSSE
AEJORSU	AJOURES
	JOUERAS
	REJOUAS
AEJORTU	AJOUTER
	JOUTERA
	RAJOUTE
	REJOUAT
AEJORUZ	AJOUREZ
AEJOSSU	JOUASSE
AEJOSTU	AJOUTES
	JOUATES
AEJOTUZ	AJOUTEZ
AEJPPRU	JAPPEUR
AEJPRRU	PARJURE
AEJPRSU	JASPURE
AEJRRST	JARRETS
AEJRRSU	JURERAS
AEJRSSU	JASEURS
	JURASSE
AEJRSTT	TRAJETS
AEJRSTU	AJUSTER
	JURATES
	JUTERAS
	RAJUSTE
	SURJETA
AEJSSTU	AJUSTES
	JUTASSE
AEJSTTU	JUTATES
AEJSTUZ	AJUSTEZ
AEKNRST	TANKERS
AEKNSTY	ENKYSTA
AEKORSS	ARKOSES
AEKOSSU	OUKASES
AEKQRSU	QUAKERS
AELLLSY	ALLYLES
AELLMOT	METALLO
AELLMRU	ALLUMER
	RALLUME
AELLMSU	ALLUMES
AELLMUZ	ALLUMEZ
AELLMWX	MAXWELL
AELLNST	SELLANT
AELLNTT	TALLENT
AELLOOT	OLEOLAT
AELLORU	ALLOUER
AELLOSU	ALLOUES
AELLOSY	LOYALES
AELLOUZ	ALLOUEZ
AELLPRU	PLEURAL
	PLURALE
AELLRSU	ALLURES
AELLRSY	RALLYES
AELLRUU	ULULERA
AELLSST	STALLES
AELLUVV	VALVULE
AELMMNO	MAMELON
AELMMOP	POMMELA
AELMMPU	EMPLUMA
AELMMSU	MAMELUS
AELMNOP	PALEMON
AELMNOR	NORMALE
AELMNOT	LAMENTO
	TELAMON
AELMNPT	LAMPENT
	PALMENT
AELMNRS	MERLANS
AELMNRU	NUMERAL
AELMNSU	MANUELS
AELMNTT	MALTENT
AELMNTU	MEULANT
AELMNUV	MALVENU
AELMOPU	AMPOULE
AELMOPY	EMPLOYA
AELMORS	MORALES
AELMORU	MOULERA
AELMORY	LARMOYE
AELMOSS	MOLASSE
AELMOST	MALTOSE
	MOLESTA
	MOLETAS
AELMOSU	LOUAMES
	OULEMAS
AELMOSV	LOVAMES
	VOLAMES
AELMOTT	MALTOTE →

	MATELOT
	MOLETAT
AELMPRS	PALMERS
AELMPRU	AMPLEUR
	PALMURE
	PLUMERA
AELMPRY	LAMPYRE
AELMPST	MEPLATS
AELMPUU	PLUMEAU
AELMRSU	MALURES
	MURALES
AELMRTU	MULATRE
AELMSSU	MUSELAS
AELMSTU	LUTAMES
	MULETAS
	MUSELAT
AELMSUV	VALUMES
AELMSUX	LUXAMES
AELNNOT	TALONNE
AELNNPT	PLANENT
AELNNRU	ANNULER
AELNNSU	ANNUELS
	ANNULES
AELNNUZ	ANNULEZ
AELNOPR	PALERON
AELNOPS	LAPONES
AELNOPT	POLENTA
AELNORS	ENROLAS
	SALERON
AELNORT	ENROLAT
AELNORU	ENROULA
AELNOSS	ALESONS
AELNOST	ENTOLAS
	ETALONS
	TONALES
AELNOSU	SOULANE
AELNOSV	ENVOLAS
AELNOSZ	ZONALES
AELNOTT	ENTOLAT
AELNOTV	ENVOLAT
	VOLANTE
AELNPPT	PALPENT
AELNPQU	PLANQUE
AELNPRT	PARLENT
	PERLANT
	PLANTER
AELNPRU	PLANEUR
AELNPST	PLANTES
AELNPTY	PENALTY
AELNPTZ	PLANTEZ
AELNQTU	LAQUENT
AELNRST	STERNAL
AELNRTU	NATUREL
AELNRTV	VENTRAL
AELNRUU	NEURULA
AELNSST	LASSENT
AELNSTT	LATENTS
	LESTANT
	TALENTS
AELNSTU	SALUENT
	SULTANE
AELNSTV	LEVANTS
	VALSENT
AELNTTT	LATTENT
AELOORS	AEROSOL
AELOPQU	POLAQUE*
AELOPRS	PAROLES
	SALOPER
AELOPRT	PARLOTE
AELOPRU	LOUPERA
AELOPRV	VARLOPE
AELOPRX	EXPLORA
AELOPRY	REPLOYA
AELOPSS	SALOPES
AELOPST	PELOTAS
	POSTALE
AELOPSX	EXPLOSA
AELOPSZ	SALOPEZ
AELOPTT	PALETOT
	PALOTTE
	PELOTAT
AELORRU	LOURERA
	OURLERA
	ROULERA
AELORSS	ASSOLER
AELORST	OESTRAL
	TOLERAS
AELORSU	LOUERAS
	RELOUAS
	SAOULER
	SOULERA
AELORSV	LOVERAS
	ORVALES
	REVOLAS
	VOLERAS
AELORSY	ROYALES
AELORTT	TOLERAT
AELORTU	RELOUAT
AELORTV	REVOLAT
	REVOLTA
	VOLTERA
AELORUU	ROULEAU

AELORUV LOUVERA
AELOSSS ASSOLES
AELOSSU LOUASSE
SAOULES
AELOSSV LOVASSE
VOLASSE
AELOSSZ ASSOLEZ
AELOSTT TOTALES
AELOSTU LOUATES
AELOSTV LOVATES
SOLVATE
VOLATES
VOLETAS
AELOSUV EVOLUAS
SOULEVA
AELOSUZ SAOULEZ
AELOTTV VOLETAT
AELOTUV EVOLUAT
LOUVETA
VELOUTA
AELOTUY LOYAUTE
AELPPRS RAPPELS
AELPPRU PALPEUR
AELPPSU PAPULES
PEUPLAS
SUPPLEA
AELPPTU PEUPLAT
AELPQRU PLAQUER
AELPQSU PLAQUES
AELPQUZ PLAQUEZ
AELPRRS PARLERS
AELPRRT PLATRER
PRELART
AELPRRU PARLEUR
AELPRST PLATRES
PRELATS
REPLATS
SPALTER
AELPRSU PALEURS
PLEURAS
AELPRSY PYRALES
AELPRTU PLEURAT
AELPRTZ PLATREZ
AELPRUV PLEUVRA
PREVALU
AELPSST PASTELS
PLASTES
AELPSTU SPATULE
AELPSUX EXPULSA
AELQRTU TALQUER
AELQRUU LAQUEUR →
RELUQUA
AELQSSU SQUALES
AELQSTU TALQUES
AELQTUZ TALQUEZ
AELQUUX LAQUEUX
AELRRSU LEURRAS
RALEURS
RURALES
AELRRTU LEURRAT
URETRAL
AELRSSU SALURES
AELRSSV SERVALS
AELRSTU LUTERAS
RESULTA
AELRSTV VARLETS
AELRSTY STYLERA
AELRSUV LAVEURS
LAVURES
REVALUS
REVULSA
VALEURS
VALSEUR
AELRSUX LUXERAS
AELRSUY LAYEURS
AELRTTU LUTTERA
AELRTUV LEVRAUT
REVALUT
AELSSSY ALYSSES
AELSSTU LUTASSE
AELSSUV VALUSSE
AELSSUX LUXASSE
AELSTTU LUTATES
AELSTUV VALUTES
AELSTUX EXULTAS
LUXATES
AELTTUX EXULTAT
AEMMNOR NOMMERA
RENOMMA
AEMMOPR POMMERA
AEMMOPU POMMEAU
AEMMORS SOMMERA
AEMMOSS ASSOMME
AEMMOST TOMAMES
AEMMRSU EMMURAS
MURAMES
AEMMRTU EMMURAT
AEMMSSU MUSAMES
AEMMSTU MUTAMES
AEMNNOR MARONNE
AEMNNOS AMENONS
EMANONS

AEMNNOT	MANETON
AEMNNOY	ANONYME
	MONNAYE
AEMNNRT	MARNENT
AEMNNTT	MENTANT
AEMNOPR	PROMENA
AEMNOQU	MANOQUE
AEMNORR	RAMONER
AEMNORS	ORNAMES
	RAMONES
	ROMANES
AEMNORT	MATRONE
	MONTERA
	REMONTA
AEMNORZ	RAMONEZ
AEMNOSS	MOSANES
AEMNOST	ETAMONS
	NOTAMES
AEMNOSU	AUMONES
	NOUAMES
	SAUMONE
AEMNOSV	NOVAMES
AEMNOSY	NOYAMES
AEMNOTU	AUTOMNE
AEMNPRT	RAMPENT
AEMNPTU	PAUMENT
AEMNQRU	MANQUER
AEMNQSU	MANQUES
AEMNQUZ	MANQUEZ
AEMNRRT	MARRENT
AEMNRRU	MARNEUR
AEMNRST	SARMENT
AEMNRSU	SURMENA
AEMNRTT	METRANT
	TRAMENT
AEMNRTU	AMURENT
	REMUANT
AEMNRUX	MARNEUX
AEMNSST	MASSENT
AEMNSTU	AMUSENT
AEMNTTT	METTANT
AEMNTTW	WATTMEN
AEMNTUX	MENTAUX
AEMOPPR	PAMPERO
	POMPERA
AEMOPRT	EMPORTA
	REMPOTA
AEMOPSS	POSAMES
AEMOPST	EMPOTAS
	ESTOMPA
	OPTAMES →
	TOPAMES
AEMOPTT	EMPOTAT
AEMOPUY	PAUMOYE
AEMOQRU	MOQUERA
AEMORRS	REMORAS
AEMORSS	MASSORE
	MORASSE
AEMORST	MAESTRO
	ROTAMES
	TOMERAS
AEMORSU	ROUAMES
AEMORSV	MORAVES
AEMORTT	MAROTTE
	MOTTERA
	OMETTRA
AEMORTU	MAROUTE
AEMORUV	EMOUVRA
AEMORUX	ORMEAUX
AEMORUY	ROYAUME
AEMOSST	TOMASSE
AEMOSSU	EMOUSSA
AEMOSTT	EMOTTAS
	STOMATE
	TOMATES
AEMOSTU	TOUAMES
AEMOSTV	VOTAMES
AEMOSUV	VOUAMES
AEMOTTT	EMOTTAT
AEMOTUZ	MAZOUTE
AEMPPRS	PAMPRES
AEMPRRT	REMPART
AEMPRST	TREMPAS
AEMPRSU	PARUMES
	PRESUMA
AEMPRTT	TREMPAT
AEMPRTU	AMPUTER
	PERMUTA
AEMPSSS	SPASMES
AEMPSSU	PSAUMES
AEMPSTU	AMPUTES
AEMPTUZ	AMPUTEZ
AEMQRRU	MARQUER
AEMQRSU	MARQUES
	MASQUER
AEMQRUZ	MARQUEZ
AEMQSSU	• MASQUES
	SQUAMES
AEMQSUZ	MASQUEZ
AEMRRST	MARTRES
AEMRRSU	ARMURES
	MURERAS →

	RAMEURS
	RAMURES
AEMRRTU	ERRATUM
	TRAMEUR
AEMRRTY	MARTYRE
AEMRSSU	ASSUMER
	MASSEUR
	MASURES
	MAUSERS
	MESURAS
	MURASSE
	MUSERAS
	RESUMAS
	RUSAMES
	SURSEMA
AEMRSTT	METTRAS
AEMRSTU	MATURES
	MESURAT
	MURATES
	MUTERAS
	RESUMAT
AEMRSUU	AMUSEUR
	SAUMURE
AEMRSUY	MAYEURS
AEMRTUU	TRUMEAU
AEMSSSU	ASSUMES
	MASSUES
	MESUSAS
	MUASSES
	MUSASSE
AEMSSTU	MESUSAT
	MUSATES
	MUTASSE
AEMSSUU	AUMUSSE
AEMSSUZ	ASSUMEZ
AEMSSYZ	ZYMASES
AEMSTTU	MUTATES
AEMSUUX	MUSEAUX
AENNNOR	ANONNER
AENNNOS	ANNONES
	ANONNES
AENNNOT	ENTONNA
	NONANTE
AENNNOZ	ANONNEZ
AENNNTT	TANNENT
AENNNTV	VANNENT
AENNOPS	PAONNES
AENNOPT	PANETON
AENNORS	RESONNA
	SONNERA
AENNORT	ANNOTER →
	TONNERA
AENNORU	ROUANNE
AENNORY	RAYONNE
AENNOST	ANNOTES
	ETONNAS
AENNOSV	SAVONNE
AENNOSX	SAXONNE
AENNOTT	ETONNAT
	TATONNE
AENNOTU	ENOUANT
	TONNEAU
AENNOTZ	ANNOTEZ
AENNPPT	NAPPENT
AENNPRT	PRENANT
AENNPST	PANSENT
	PENSANT
AENNRRT	NARRENT
AENNRSU	SURANNE
AENNRTT	ENTRANT
	RENTANT
AENNRTU	TANNEUR
AENNRTV	NAVRENT
AENNRUV	VANNEUR
	VANNURE
AENNSTT	SENTANT
	TENANTS
AENNSTU	SAUNENT
AENNSTV	VENANTS
AENNSUY	ENNUYAS
AENNTTT	NATTENT
	TENTANT
AENNTTV	VANTENT
	VENTANT
AENNTUY	ENNUYAT
AENOPPR	PANORPE
	PROPANE
AENOPPT	APPONTE
AENOPRR	PRONERA
AENOPRT	OPERANT
	PONTERA
AENOPST	EPATONS
AENORRS	ORNERAS
AENORRT	TRONERA
AENORSS	ORNASSE
AENORST	NOTERAS
	ORANTES
	ORNATES
AENORSU	ANOURES
	ENROUAS
	NOUERAS
	RENOUAS

AENORSV	AVERONS
	NOVERAS
	RENOVAS
AENORSX	AXERONS
AENORTT	TOREANT
AENORTU	ENROUAT
	ENTOURA
	RENOUAT
AENORTV	RENOVAT
AENORTX	AXERONT
AENORVY	RENVOYA
AENOSST	NOTASSE
	SONATES
AENOSSU	NOUASSE
AENOSSV	EVASONS
	NOVASSE
AENOSSY	NOYASSE
AENOSTT	NOTATES
	TETANOS
AENOSTU	NOUATES
	SOUTANE
AENOSTV	NOVATES
AENOSTY	ETAYONS
	NOYATES
AENOSVY	ENVOYAS
AENOTTU	OUATENT
AENOTTV	VOTANTE
AENOTTY	NETTOYA
AENOTUV	AVOUENT
	ENVOUTA
AENOTUY	NOYAUTE
AENOTVY	ENVOYAT
	VOYANTE
AENOUUV	NOUVEAU
AENPRSS	PERSANS
AENPRST	ARPENTS
	PARENTS
	TREPANS
AENPRSU	PANURES
AENPRSZ	PANZERS
AENPRTT	PARTENT
	PATTERN
	PRETANT
AENPRTU	APURENT
	EPURANT
AENPRTY	PRYTANE
AENPRUU	PRUNEAU
AENPRUV	PARVENU
AENPSST	PASSENT
	PESANTS
AENPSSU	PANSUES
AENPSSY	SYNAPSE
AENPSTT	PATENTS
	PESTANT
AENPSTU	PAUSENT
	PUANTES
AENQRTU	ARQUENT
AENQSTU	SAQUENT
AENQTTU	QUETANT
	TAQUENT
AENQTUV	VAQUENT
AENRRSS	SERRANS
AENRRST	ERRANTS
	RENTRAS
	SERRANT
AENRRTT	RENTRAT
	TERRANT
AENRRUV	NERVURA
AENRSST	ESTRANS
	TRANSES
AENRSTT	RESTANT
	STERANT
	TERSANT
AENRSTU	NATURES
	SATURNE
	SAURENT
AENRSTV	SERVANT
	SEVRANT
	VERSANT
AENRTUZ	AZURENT
AENRUVX	VERNAUX
AENSSST	SASSENT
AENSSTT	TASSENT
AENSSTV	VESSANT
AENSSTY	SEYANTS
AENSTTT	TESTANT
AENSTTU	SAUTENT
	TUANTES
AENSTTX	SEXTANT
AENSTTZ	ZESTANT
AENSTUV	AUVENTS
	SAUVENT
AENSTVX	VEXANTS
AENSTXY	SYNTAXE
AENTTUV	ETUVANT
AENTUVX	VENTAUX*
AEOPPRS	APPOSER
	PREPOSA
AEOPPRT	APPORTE
	PAPOTER
AEOPPSS	APPOSES
AEOPPST	PAPOTES

AEOPPSU	SOUPAPE	**AEORRST**	ROSATRE
AEOPPSZ	APPOSEZ		ROTERAS
AEOPPTZ	PAPOTEZ	**AEORRSU**	AURORES
AEOPQRU	POQUERA		ROUERAS
AEOPQSU	OPAQUES	**AEORRSZ**	ARROSEZ
AEOPRRS	PERORAS	**AEORRTU**	ORATEUR
AEOPRRT	PERORAT		OUTRERA
	PORTERA		ROUTERA
	REPORTA		TROUERA
AEOPRSS	POSERAS	**AEORRTV**	AVORTER
	REPOSAS	**AEORRUV**	OUVRERA
AEOPRST	APOSTER	**AEORSSS**	ESSORAS
	APOTRES	**AEORSST**	ESSORAT
	OPTERAS		ROTASSE
	POSTERA		SERTAOS*
	PROTASE	**AEORSSU**	ROUASSE
	REPOSAT	**AEORSTT**	ROTATES
	TOPERAS		TAROTES
AEOPRSU	SOUPERA	**AEORSTU**	ROUATES
AEOPRTT	TAPOTER		SOURATE
AEOPRTU	RETOUPA		TOUERAS
AEOPRTX	EXPORTA	**AEORSTV**	AVORTES
AEOPRUV	EPROUVA		VOTERAS
AEOPSSS	POSASSE	**AEORSUV**	OEUVRAS
AEOPSST	APOSTES		SAVOURE
	OPTASSE		VOUERAS
	POSATES	**AEORSUX**	ROSEAUX
	POTASSE	**AEORTTU**	TATOUER
	TOPASSE	**AEORTUV**	OEUVRAT
AEOPSSU	EPOUSAS		VOUTERA
	SOUPESA	**AEORTUY**	ROYAUTE
AEOPSSX	EXPOSAS	**AEORTVZ**	AVORTEZ
AEOPSTT	OPTATES	**AEORUUV**	OUVREAU
	TAPOTES	**AEOSSSS**	OSASSES
	TOPATES	**AEOSSST**	OTASSES
AEOPSTU	EPOUSAT	**AEOSSTU**	TOUASSE
	ETOUPAS	**AEOSSTV**	VOTASSE
AEOPSTX	EXPOSAT	**AEOSSUV**	VOUASSE
AEOPSTZ	APOSTEZ	**AEOSSYZ**	ASSOYEZ
	TOPAZES	**AEOSTTU**	TATOUES
AEOPTTU	ETOUPAT		TOUATES
AEOPTTZ	TAPOTEZ	**AEOSTTV**	VOTATES
AEOPTUX	POTEAUX	**AEOSTUV**	VOUATES
AEOQRRU	ROQUERA	**AEOSUVZ**	ZOUAVES
AEOQRTU	TOQUERA	**AEOTTUZ**	TATOUEZ
AEOQRUV	REVOQUA	**AEOTUXZ**	AZOTEUX
AEOQSUV	EVOQUAS	**AEPPRST**	APPRETS
AEOQTUV	EVOQUAT		TRAPPES
AEORRRS	ARROSER	**AEPPRUY**	APPUYER
AEORRSS	ARROSES	**AEPPSUY**	APPUYES
	ROSSERA	**AEPPUYZ**	APPUYEZ

AEPQRRU PARQUER
AEPQRSU PARQUES
AEPQRTU PARQUET
AEPQRUZ PARQUEZ
AEPQSTU PAQUETS
AEPRRSU PARURES
PRESURA
RAPURES
REPARUS
AEPRRTU PATURER
REPARUT
AEPRSSS PRESSAS
AEPRSST PRESSAT
SPARTES
AEPRSSU PARUSSE
PASSEUR
SAPEURS
AEPRSTU PARUTES
PASTEUR
PATURES
TAPEURS
TRAPUES
AEPRSUV PAUVRES
PAVEURS
VAPEURS
AEPRSUY PAYEURS
SURPAYE
AEPRTUV PAUVRET
PREVAUT
AEPRTUZ PATUREZ
AEPRTXY APTERYX
AEPRUUX PUREAUX
AEPRUVX PREVAUX
AEPRUXY YPREAUX
AEPSSSU PUASSES*
AEPSTTU PATTUES
AEQRRSU QUARRES
AEQRRTU TRAQUER
AEQRSSU SQUARES
AEQRSTU QUARTES
TRAQUES
AEQRSUU RAUQUES
AEQRTTU TRAQUET
AEQRTUZ TRAQUEZ
AEQSSUV VASQUES
AEQSTTU TAQUETS
AEQSTUU QUEUTAS
AEQTTUU QUEUTAT
AERRRTU RATURER
AERRSSU ASSURER
RASEURS →
RASSURE
RUSERAS
AERRSTT STARTER
TARTRES
AERRSTU RATURES
SATURER
AERRSTV TRAVERS
VERRATS
AERRSUY RAYURES
AERRTUV VAUTRER
AERRTUY TRAYEUR
AERRTUZ RATUREZ
AERSSST ESSARTS
STRASSE
TRESSAS
AERSSSU ASSURES
RESSUAS
RUASSES
RUSASSE
SASSEUR
AERSSTT STRATES
TRESSAT
AERSSTU RESSAUT
RESSUAT
RUSATES
SATURES
SAURETS
SURATES
AERSSTY SATYRES
STAYERS
AERSSUV SAVEURS
AERSSUY RESSUYA
AERSSUZ ASSUREZ
AERSTTU STATUER
STATURE
TATEURS
AERSTUU AUTEURS
SAUTEUR
AERSTUV VAUTRES
AERSTUX SURTAXE
AERSTUZ SATUREZ
AERSUUV SAUVEUR
AERSUUX SUREAUX
AERTTUU TUTEURA
AERTUVZ VAUTREZ
AESSSSU SUASSES
USASSES
AESSSTU TUASSES
AESSSUY ESSUYAS
AESSTTU STATUES
AESSTUY ESSUYAT

AESTTUZ	STATUEZ
AETTUUY	TUYAUTE
AFFGIIR	GRIFFAI
AFFGIRS	GRIFFAS
AFFGIRT	GRIFFAT
AFFGNOS	GAFFONS
AFFIILS	SIFFLAI
AFFIISU	SUIFFAI
AFFIITX	FIXATIF
AFFILSS	SIFFLAS
AFFILST	SIFFLAT
AFFILSU	FAUFILS
AFFIMST	MASTIFF
AFFINRU	RUFFIAN
AFFIOPU	POUFFAI
AFFIORR	OFFRIRA
AFFIORS	FORFAIS*
	OFFRAIS
AFFIORT	FORFAIT
	OFFRAIT
AFFIRSU	SUFFIRA
AFFIRTU	TRUFFAI
AFFISSU	SUIFFAS
AFFISTU	FAUTIFS
	SUIFFAT
AFFKOSU	KOUFFAS
AFFLMSU	MAFFLUS
AFFLOSU	SOUFFLA
AFFNORT	AFFRONT
	OFFRANT
AFFOPSU	POUFFAS
AFFOPTU	POUFFAT
AFFRSTU	RAFFUTS
	TRUFFAS
AFFRTTU	TRUFFAT
AFGIILS	GIFLAIS
AFGIILT	GIFLAIT
AFGIIRU	FIGURAI
AFGILNO	FIGNOLA
	GONFLAI
AFGILNT	GIFLANT
AFGILNU	FLINGUA
AFGINNR	FRANGIN
AFGINOR	GOINFRA
AFGINOT	FAGOTIN
AFGINRU	FRINGUA
AFGIORS	FIGAROS
AFGIRSU	FIGURAS
AFGIRTU	FIGURAT
AFGLNOS	GONFLAS
AFGLNOT	GONFLAT
AFGLRUU	FULGURA
AFGNORS	FRAGONS
AFGORUU	FOURGUA
AFGRUUX	FRUGAUX
AFHIMNU	HAFNIUM
AFIIINR	FINIRAI
AFIIINU	UNIFIAI
AFIIIVV	VIVIFIA
AFIILLR	FAILLIR
AFIILLS	FAILLIS
AFIILLT	FAILLIT
AFIILMS	FILMAIS
AFIILMT	FILMAIT
AFIILNU	INFLUAI
AFIILOR	FOIRAIL
AFIILOS	SOLFIAI
AFIILPP	FLIPPAI
AFIILRS	FRAISIL
AFIILRT	FILTRAI
	FLIRTAI
AFIILUX	FILIAUX
AFIIMMO	MOMIFIA
AFIIMNR	INFIRMA
AFIINOT	NOTIFIA
	TONIFIA
AFIINOU	FOUINAI
AFIINRS	FINIRAS
	RIFAINS
AFIINSU	INFUSAI
	UNIFIAS
AFIINTU	UNIFIAT
AFIIORS	FOIRAIS
AFIIORT	FOIRAIT
AFIIORU	FOUIRAI
AFIIOSS	OSSIFIA
AFIIPRS	FRIPAIS
AFIIPRT	FRIPAIT
AFIIPRU	PURIFIA
AFIIRRS	FRIRAIS*
AFIIRRT	FRIRAIT*
AFIIRSS	FRISAIS
AFIIRST	FRISAIT
AFIIRSU	FUIRAIS
AFIIRTU	FUIRAIT
AFILLOR	FALLOIR
AFILLOU	FOUILLA
AFILLSU	ALLUSIF
	FUSILLA
AFILLUV	FLUVIAL
AFILMNT	FILMANT
AFILMNU	FULMINA

AFILNOR	RONFLAI
AFILNOT	OLIFANT
AFILNST	FILANTS
AFILNSU	INFLUAS
AFILNTU	INFLUAT
AFILOOT	FOLIOTA
AFILOPR	PROFILA
AFILORS	FOIRALS*
	FROLAIS
AFILORT	FROLAIT
AFILOSS	SOLFIAS
AFILOST	SOLFIAT
AFILOSU	FLOUAIS
	FOULAIS
AFILOTT	FLOTTAI
AFILOTU	FILOUTA
	FLOUAIT
	FOULAIT
AFILPPS	FLIPPAS
AFILPPT	FLIPPAT
AFILRSS	FRASILS
AFILRST	FILTRAS
	FLIRTAS
AFILRSU	SURFILA
AFILRTT	FILTRAT
	FLIRTAT
AFILSTU	FLUTAIS
AFILTTU	FLUTAIT
AFIMNOR	INFORMA
AFIMNRS	FIRMANS
AFIMORS	FORMAIS
AFIMORT	FORMAIT
AFIMSSS	MASSIFS
AFINNOS	FANIONS
AFINNST	INFANTS
AFINORS	FORAINS
AFINORT	FOIRANT
AFINOSS	FAISONS
AFINOSU	FOUINAS
AFINOTU	FOUINAT
AFINPRT	FRIPANT
AFINQSU	FAQUINS
AFINRST	FRISANT
AFINRSU	RUFIANS
AFINSSU	FUSAINS
	INFUSAS
AFINSTU	INFUSAT
AFIOPRS	PARFOIS
AFIOPRT	PROFITA
AFIOPTT	OPTATIF
AFIORRT	RAIFORT
AFIORRU	FOURRAI
AFIORSS	FROISSA
AFIORST	RAFIOTS
AFIORSU	FOUIRAS
	SOUFRAI
AFIORSV	FAVORIS
AFIORTT	FROTTAI
	ROTATIF
AFIORTU	FOUTRAI
AFIORUX	FOIRAUX*
AFIOSTU	FOUTAIS
AFIOTTU	FOUTAIT
AFIPSSS	PASSIFS
AFIPTTU	PUTATIF
AFIRSSU	FISSURA
	SURFAIS
AFIRSTU	SURFAIT
AFIRSUX	SURFAIX
AFLMOOR	FORMOLA
AFLMORU	FORMULA
AFLMORW	WOLFRAM
AFLNNOS	FLANONS
AFLNORS	RAFLONS
	RONFLAS
AFLNORT	FROLANT
	FRONTAL
	RONFLAT
AFLNOTU	FLOUANT
	FOULANT
AFLNTTU	FLUTANT
AFLORUX	FLORAUX
AFLOSTT	FLOTTAS
AFLOTTT	FLOTTAT
AFLRSUU	SULFURA
AFMNORT	FORMANT
AFMNSTU	FUMANTS
AFMORST	FORMATS
AFMPRSU	PARFUMS
AFNNOST	FANTONS
AFNOPRT	PARFONT
AFNORRT	FORTRAN
AFNORSS	FRASONS*
AFNORST	FARTONS
AFNORSY	FRAYONS
AFNOSTU	FAUTONS
AFNOTTU	FOUTANT
AFNSSTU	FUSANTS
AFNSTUY	FUYANTS
AFORRSU	FOURRAS
AFORRTU	FOURRAT
AFORSSU	SOUFRAS

AFORSTT	FROTTAS
AFORSTU	FOUTRAS
	SOUFRAT
AFORTTT	FROTTAT
AFRRSTU	FRUSTRA
AGGIINR	GRIGNAI
AGGIINU	GUIGNAI
AGGIIOT	GIGOTAI
AGGILOS	LOGGIAS
AGGINOR	GROGNAI
AGGINOS	GAGIONS
AGGINRS	GRIGNAS
AGGINRT	GRIGNAT
AGGINSU	GUIGNAS
AGGINTU	GUIGNAT
AGGIOST	GIGOTAS
AGGIOTT	GIGOTAT
AGGISZZ	ZIGZAGS
AGGNNOS	GAGNONS
AGGNORS	GROGNAS
AGGNORT	GROGNAT
AGHINOR	HONGRAI
AGHINRU	NURAGHI
AGHINSV	SHAVING
AGHMORY	HYGROMA
AGHNORS	HONGRAS
AGHNORT	HONGRAT
AGIILLR	GRILLAI
AGIILOR	RIGOLAI
AGIILOT	LIGOTAI
AGIILSS	GLISSAI
AGIILSU	LIGUAIS
AGIILTU	LIGUAIT
AGIIMMR	IMMIGRA
AGIIMPR	GRIMPAI
AGIIMRR	MAIGRIR
AGIIMRS	GRIMAIS
	MAIGRIS
AGIIMRT	GRIMAIT
	MAIGRIT
AGIIMRU	MUGIRAI
AGIINOR	IGNORAI
AGIINOS	OIGNAIS*
	SOIGNAI
AGIINOT	OIGNAIT*
AGIINRS	AIGRINS
AGIINRU	RUGINAI
AGIINRZ	ZINGARI
AGIINSS	SIGNAIS
AGIINST	SIGNAIT
AGIINUZ	ZINGUAI
AGIIPPR	GRIPPAI
AGIIPSU	GUIPAIS
AGIIPTU	GUIPAIT
AGIIRRU	IRRIGUA
	RUGIRAI
AGIIRSS	GRISAIS
AGIIRST	GRISAIT
AGIIRSV	GIVRAIS
AGIIRTV	GIVRAIT
AGIJLNO	JONGLAI
AGIJLUU	JUGULAI
AGIKNPR	PARKING
AGIKNRT	KARTING
AGILLMU	GALLIUM
AGILLNU	LINGUAL
AGILLOS	GALLOIS
AGILLRS	GRILLAS
AGILLRT	GRILLAT
AGILNOP	GALOPIN
AGILNOR	LORGNAI
	ORIGNAL
AGILNOS	AIGLONS
	GALIONS
AGILNRU	GALURIN
	LANGUIR
AGILNSU	LANGUIS
AGILNTU	LANGUIT
	LIGUANT
	NILGAUT
AGILOPT	GALIPOT
AGILORS	GIRASOL
	GLORIAS
	RIGOLAS
AGILORT	LARIGOT
	RIGOLAT
AGILOSS	GASOILS
	GLOSAIS
AGILOST	GLOSAIT
	LIGOTAS
AGILOSU	GAULOIS
AGILOTT	LIGOTAT
AGILPPR	GRIPPAL
AGILPTU	PUGILAT
AGILRUV	VIRGULA
AGILSSS	GLISSAS
AGILSST	GLISSAT
AGIMMOS	GOMMAIS
AGIMMOT	GOMMAIT
AGIMNOT	MIGNOTA
AGIMNRT	GRIMANT
	MIGRANT

AGIMORT	MARIGOT
AGIMORU	GOURAMI
AGIMPRS	GRIMPAS
AGIMPRT	GRIMPAT
AGIMRSU	MUGIRAS
AGIMSWW	WIGWAMS
AGINNOS	GAINONS
	NAGIONS
AGINNOT	OIGNANT*
AGINNST	SIGNANT
AGINNSU	SANGUIN
AGINORS	AGIRONS
	AGRIONS
	ANGROIS
	GARIONS
	IGNORAS
	ORIGANS
	RAGIONS
	ROGNAIS
AGINORT	AGIRONT
	IGNORAT
	ROGNAIT
AGINORZ	ZINGARO
AGINOSS	SOIGNAS
AGINOST	AGITONS
	GANTOIS
	GATIONS
	SOIGNAT
AGINOSU	SAGOUIN
AGINOSV	GAVIONS
AGINOSZ	GAZIONS
AGINPPR	GRAPPIN
AGINPRT	TRIPANG
AGINPTU	GUIPANT
AGINRST	GRANITS
	GRATINS
	GRISANT
	INGRATS
AGINRSU	RUGINAS
AGINRTU	RUGINAT
AGINRTV	GIVRANT
AGINSST	GISANTS
AGINSUX	SIGNAUX
AGINSUZ	ZINGUAS
AGINTUZ	ZINGUAT
AGIOPRS	PRAGOIS
AGIOPRT	PARIGOT
AGIOPRU	GROUPAI
AGIORRU	ROUGIRA
AGIORST	AGROTIS
AGIORSU	GOURAIS

AGIORSV	GRAVOIS
	VIRAGOS
AGIORTU	GOURAIT
AGIOSTU	AGOUTIS
	GOUTAIS
AGIOSUV	VOGUAIS
AGIOTTU	GOUTAIT
	GOUTTAI
AGIOTUV	VOGUAIT
AGIOUVX	OGIVAUX
AGIPPRS	GRIPPAS
AGIPPRT	GRIPPAT
AGIRRSU	RUGIRAS
	SURGIRA
AGIRSTU	TARGUIS
AGIRSUU	SURAIGU
AGIRTTU	GRATUIT
AGJLNOS	JONGLAS
AGJLNOT	JONGLAT
AGJLSUU	JUGULAS
AGJLTUU	JUGULAT
AGJNORS	JARGONS
AGJOSTU	GOUJATS
AGLLNOS	GALLONS
AGLLOTT	GLOTTAL
AGLLPSU	GALLUPS
AGLNNOS	GLANONS
AGLNORS	LORGNAS
AGLNORT	LORGNAT
AGLNOSS	SLOGANS
AGLNOST	GLOSANT
	SANGLOT
AGLNOSU	GAULONS
AGLNSTU	GLUANTS
AGLOSSU	GLOUSSA
AGMMNOT	GOMMANT
AGMMNSU	MAGNUMS
AGMNSTU	MUSTANG
AGMORST	MARGOTS
AGMOSYZ	ZYGOMAS
AGNNORT	ROGNANT
AGNNOSS	GANSONS
AGNNOST	GANTONS
	TANGONS
AGNOORT	ROGATON
AGNORSS	SARONGS
AGNORST	ROTANGS
AGNORSU	ARGUONS
	RAGUONS
AGNORSV	GRAVONS
AGNORTU	GOURANT

AGNOSTU	NOUGATS
AGNOSUV	VAGUONS
AGNOTTU	GOUTANT
AGNOTUV	VOGUANT
AGOPRSU	GROUPAS
AGOPRTU	GROUPAT
AGORRST	GARROTS
AGORSTU	RAGOUTS
AGOSTTU	GOUTTAS
AGOTTTU	GOUTTAT
AHHRRSU	HURRAHS
AHIILMU	HUMILIA
AHIILSU	HUILAIS
AHIILSW	SWAHILI
AHIILTU	HUILAIT
AHIIMNU	INHUMAI
AHIINTU	HUITAIN
AHIISSS	HISSAIS
AHIISST	HISSAIT
AHIKMNS	KHAMSIN
AHILLNO	HAILLON
AHILLUU	HULULAI
AHILMST	LITHAMS
AHILNOS	HALIONS
AHILNSY	HYALINS
AHILNTU	HUILANT
AHILOPT	HOPITAL
AHILORS	HALOIRS
AHILPST	THLASPI
AHILRSU	HURLAIS
AHILRTU	HURLAIT
AHIMNSU	HUMAINS
	INHUMAS
AHIMNTU	INHUMAT
AHIMORS	MOHAIRS
AHIMRTY	RYTHMAI
AHINNOR	HONNIRA
AHINOOR	HONORAI
AHINORS	HAIRONS
	HARNOIS
	HORSAIN
AHINORT	HAIRONT
AHINOST	HATIONS
AHINSST	HISSANT
AHINSTU	HAUTINS
	SHUNTAI
AHIOOST	SHOOTAI
AHIOSTU	SOUHAIT
AHIPRSS	SAPHIRS
AHLLMOS	MOLLAHS
AHLLPSU	PHALLUS
AHLLSUU	HULULAS
AHLLTUU	HULULAT
AHLMNPY	NYMPHAL
AHLMORU	HUMORAL
AHLNOPT	NAPHTOL
AHLNRTU	HURLANT
AHMRSTY	RYTHMAS
AHMRTTY	RYTHMAT
AHNNOST	HANTONS
AHNOORS	HONORAS
AHNOORT	HONORAT
AHNOPPS	HAPPONS
AHNOPRS	HARPONS
AHNORSX	SAXHORN
AHNPRXY	PHARYNX
AHNSSTU	SHUNTAS
AHNSTTU	SHUNTAT
AHOOPRS	SOPHORA
AHOOSST	SHOOTAS
AHOOSTT	SHOOTAT
AHOPSSU	POUSSAH
AHORRST	ROHARTS
AHORRSU	HOURRAS
AHSSSTU	TUSSAHS*
AIIIINT	INITIAI
AIIILMT	LIMITAI
	MILITAI
AIIILNT	INITIAL
AIIIMNT	INTIMAI
AIIIMRS	SAIMIRI
AIIIMST	IMITAIS
AIIIMTT	IMITAIT
AIIINOS	IONISAI
AIIINST	INITIAS
AIIINTT	INITIAT
AIIINTV	INVITAI
AIIIRRT	IRRITAI
AIIIRSS	IRISAIS
AIIIRST	IRISAIT
AIIISTV	VISITAI
AIIJLLR	JAILLIR
AIIJLLS	JAILLIS
AIIJLLT	JAILLIT
AIIJMOT	MIJOTAI
AIIJNRU	INJURIA
AIIJORU	JOUIRAI
AIILLLO	AILLOLI
AIILLLP	LAPILLI
AIILLMN	LIMINAL
AIILLOU	OUILLAI
AIILLPS	PAILLIS →

	PILLAIS
AIILLPT	PILLAIT
AIILLRS	SAILLIR
AIILLRT	TRILLAI
AIILLRV	VRILLAI
AIILLST	SAILLIT
	TAILLIS
	TILLAIS
AIILLTT	TILLAIT
	TITILLA
AIILLUX	LILIAUX
AIILMMN	MINIMAL
AIILMMO	IMMOLAI
AIILMNO	MONILIA
AIILMST	LIMITAS
	MILITAS
AIILMSU	SIMULAI
AIILMTT	LIMITAT
	MILITAT
AIILMTU	MUTILAI
AIILNOS	INSOLAI
	LIAISON
	NOLISAI
AIILNOU	NIAOULI
AIILNQU	AQUILIN
AIILNSV	VILAINS
AIILNTU	LUTINAI
AIILOPR	POLIRAI
AIILOPS	SPOLIAI
AIILOPT	PILOTAI
AIILORT	LOTIRAI
AIILORV	RAVIOLI
	VIROLAI
AIILOSS	ISOLAIS
AIILOST	ISOLAIT
AIILOSU	IOULAIS*
AIILOSV	VIOLAIS
	VOILAIS
AIILOTU	IOULAIT*
AIILOTV	VIOLAIT
	VOILAIT
AIILPRS	PLAISIR
AIILPRT	TRIPLAI
AIILPSS	PLISSAI
AIILRRV	RAVILIR
AIILRSU	LUIRAIS
	RUILAIS
AIILRSV	LIVRAIS
	RAVILIS
AIILRTU	LUIRAIT
	RUILAIT →
	RUTILAI
AIILRTV	LIVRAIT
	RAVILIT
	TRIVIAL
	VITRAIL
AIILSSS	LISSAIS
AIILSST	LISSAIT
	TASSILI
AIILSSU	LUISAIS
AIILSTU	LUISAIT
	UTILISA
AIIMMPR	IMPRIMA
AIIMNOR	MINORAI
AIIMNOS	AIMIONS
AIIMNRU	MUNIRAI
	RUMINAI
AIIMNST	INTIMAS
AIIMNTT	IMITANT
	INTIMAT
AIIMNTU	MINUTAI
	MUTINAI
AIIMOPS	IMPOSAI
AIIMORS	MOIRAIS
	MOISIRA
AIIMORT	MIROITA
	MOIRAIT
	MOITIRA
AIIMORV	VOMIRAI
AIIMOSS	MOISAIS
	SIAMOIS
AIIMOST	MOISAIT
AIIMOTV	MOTIVAI
AIIMPRS	IMPAIRS
	PRIMAIS
AIIMPRT	IMPARTI
	PRIMAIT
AIIMPTU	IMPUTAI
AIIMRRU	MURIRAI
AIIMRST	TRIMAIS
AIIMRTT	TRIMAIT
AIINNOP	PIONNAI
AIINNOV	INNOVAI
AIINNSU	INSINUA
AIINNSZ	ZINNIAS
AIINOPS	OPINAIS
AIINOPT	OPINAIT
	POINTAI
	POTINAI
AIINORS	IRONISA
AIINOSS	IONISAS
AIINOST	IONISAT

AIINOSV	VOISINA
AIINPPS	NIPPAIS
AIINPPT	NIPPAIT
AIINPRS	INSPIRA
AIINPRU	PUNIRAI
AIINPST	PINTAIS
AIINPTT	PINTAIT
AIINRSS	RAISINS
AIINRST	IRISANT
AIINRSU	NUIRAIS
	RUINAIS
	SURINAI
	UNIRAIS
	URINAIS
AIINRTU	NUIRAIT
	RUINAIT
	UNIRAIT
	URINAIT
AIINSST	INSISTA
AIINSSU	NUISAIS
	USINAIS
AIINSSX	SIXAINS
AIINSSZ	SIZAINS
AIINSTT	TINTAIS
AIINSTU	NUISAIT
	SUINTAI
	USINAIT
AIINSTV	INVITAS
AIINTTT	TINTAIT
AIINTTV	INVITAT
AIIOPRV	POIVRAI
AIIOPSS	POISSAI
AIIOPTV	PIVOTAI
AIIORRS	ROSIRAI
AIIORRT	ROTIRAI
AIIORRU	ROUIRAI
AIIORST	SIROTAI
AIIOSST	TOISAIS
AIIOSTT	TOISAIT
AIIOTVV	VIVOTAI
AIIPQSU	PIQUAIS
AIIPQTU	PIQUAIT
AIIPRSS	PARISIS
	PRISAIS
AIIPRST	PRISAIT
AIIPRSV	PRIVAIS
AIIPRTV	PRIVAIT
AIIPSSS	PISSAIS
AIIPSST	PISSAIT
	PISTAIS
AIIPSSU	PUISAIS
AIIPSTT	PISTAIT
AIIPSTU	PUISAIT
AIIPSTW	WAPITIS
AIIPTTU	PITUITA
AIIQRSU	RISQUAI
AIIQRTU	TRIQUAI
AIIQSTU	TIQUAIS
AIIQTTU	QUITTAI
	TIQUAIT
AIIRRST	IRRITAS
AIIRRSU	SURIRAI
AIIRRTT	IRRITAT
AIIRSST	STRIAIS
	TRISSAI
AIIRSTT	STRIAIT
	TITRAIS
AIIRSTV	VITRAIS
AIIRSUV	SUIVRAI
AIIRSVV	VIVRAIS
AIIRTTT	TITRAIT
AIIRTTV	VITRAIT
AIIRTVV	VIVRAIT
AIIRTVZ	VIZIRAT
AIISSST	TISSAIS
AIISSSV	VISSAIS
AIISSTT	TISSAIT
AIISSTU	SITUAIS
AIISSTV	VISITAS
	VISSAIT
AIISSUV	SUIVAIS
AIISTTU	SITUAIT
AIISTTV	VISITAT
AIISTUV	SUIVAIT
AIJLOSV	JOVIALS
AIJMNSS	JASMINS
AIJMOST	MIJOTAS
AIJMOTT	MIJOTAT
AIJNOSS	JASIONS
AIJORSU	JOUIRAS
AIJOSTU	JOUTAIS
AIJOTTU	JOUTAIT
AIJOTUX	JOUXTAI
AIJOUVX	JOVIAUX
AIKLNOS	KAOLINS
AIKMOSU	OUMIAKS
AIKNNNS	NANKINS
AIKORST	TROIKAS
AIKPRRT	PRAKRIT
AILLMNO	MAILLON
AILLMOR	AMOLLIR
	MOLLIRA →

	RAMOLLI	**AILNOPU**	POULAIN
AILLMOS	AMOLLIS		POULINA
AILLMOT	AMOLLIT	**AILNOQU**	AQUILON
	MAILLOT		QUINOLA
AILLMOU	MOUILLA	**AILNORR**	LORRAIN
AILLMPU	PALLIUM	**AILNORS**	RALIONS
AILLNOP	PAILLON	**AILNOSS**	INSOLAS
AILLNOS	AILLONS		NOLISAS
	ALLIONS		SALIONS
AILLNPT	PILLANT	**AILNOST**	ALITONS
AILLNTT	TILLANT		INSOLAT
AILLOPU	POLLUAI		ISOLANT
AILLORU	ROUILLA		LAITONS
AILLOSU	OUILLAS		NOLISAT
	SOUILLA		TALIONS
AILLOTU	OUILLAT	**AILNOSV**	LAVIONS
	OUTILLA		VALIONS
	TOUILLA	**AILNOSY**	LAYIONS
AILLOTV	VOLATIL	**AILNOTU**	IOULANT*
AILLPUV	PLUVIAL	**AILNOTV**	ANTIVOL
AILLRST	TRILLAS		VIOLANT
AILLRSV	VRILLAS		VOILANT
AILLRTT	TRILLAT	**AILNPRS**	PRALINS
AILLRTV	VRILLAT	**AILNPRT**	TRIPLAN
AILLSUU	ULULAIS	**AILNPST**	PLAINTS
AILLTUU	ULULAIT		PLIANTS
AILMMOR	IMMORAL	**AILNPTU**	NUPTIAL
AILMMOS	IMMOLAS	**AILNPUV**	PLUVIAN
AILMMOT	IMMOLAT	**AILNQTU**	QUINTAL
AILMNNO	NOMINAL	**AILNRTU**	RUILANT
AILMNOP	LAMPION	**AILNRTV**	LIVRANT
AILMNOU	MALOUIN	**AILNSST**	LISSANT
	MOULINA	**AILNSTU**	INSULTA
AILMOPR	IMPLORA		LUISANT
AILMOPT	OPTIMAL		LUTINAS
AILMOSU	MOULAIS	**AILNTTU**	LUTINAT
AILMOTU	MOULAIT	**AILOPRR**	PARLOIR
AILMPSU	IMPULSA	**AILOPRS**	PAROLIS
	PLUMAIS		POLIRAS
AILMPTU	PLUMAIT	**AILOPRT**	PORTAIL
AILMRST	MISTRAL	**AILOPSS**	SPOLIAS
AILMSSU	SIMULAS	**AILOPST**	PILOTAS
AILMSTU	MUTILAS		SPOLIAT
	SIMULAT	**AILOPSU**	LOUPAIS
	STIMULA	**AILOPSY**	PLOYAIS
AILMTTU	MUTILAT	**AILOPTT**	PILOTAT
AILNNOP	PILONNA	**AILOPTU**	LOUPAIT
AILNNOS	LAINONS	**AILOPTY**	PLOYAIT
AILNOPR	PLANOIR	**AILORSS**	RISSOLA
AILNOPS	LAPIONS		SALOIRS
	OPALINS	**AILORST**	LOTIRAS

AILORSU	LOURAIS
	OURLAIS
	ROULAIS
AILORSV	LAVOIRS
	VIROLAS
AILORTU	LOURAIT
	OURLAIT
	ROULAIT
AILORTV	LIVAROT
	VIROLAT
AILOSST	ISOLATS
AILOSSU	SOULAIS
AILOSTU	SOULAIT
AILOSTV	VIOLATS
	VOLTAIS
AILOSUV	LOUVAIS
	VOULAIS
AILOTTV	VOLTAIT
AILOTUV	LOUVAIT
	VOULAIT
AILPPSU	SUPPLIA
AILPRST	TRIPLAS
AILPRTT	TRIPLAT
AILPSSS	PLISSAS
AILPSST	PLISSAT
AILPSTU	STIPULA
AILRSTU	LUSTRAI
	RUTILAS
AILRTTU	RUTILAT
AILSSTY	STYLAIS
	STYLISA
AILSTTU	LUTTAIS
AILSTTY	STYLAIT
AILTTTU	LUTTAIT
AIMMMUX	MAXIMUM
AIMMNOS	NOMMAIS
AIMMNOT	NOMMAIT
AIMMOPS	POMMAIS
AIMMOPT	POMMAIT
AIMMOSS	MIMOSAS
	SOMMAIS
AIMMOST	SOMMAIT
AIMNNOS	ANIMONS
	MANIONS
	MANSION
AIMNNOT	MITONNA
AIMNOPS	PAMIONS
AIMNORR	ROMARIN
AIMNORS	ARMIONS
	MANOIRS
	MARIONS →

	MINORAS
	RAMIONS
	ROMAINS
AIMNORT	ARTIMON
	MINORAT
	MOIRANT
	MONTRAI
AIMNORU	ROUMAIN
AIMNOSS	MAISONS
AIMNOST	MATIONS
	MOISANT
	MONTAIS
AIMNOTT	MONTAIT
AIMNOTU	MANITOU
	TINAMOU
AIMNPPT	PIMPANT
AIMNPRT	PRIMANT
AIMNRSU	MUNIRAS
	RUMINAS
AIMNRTT	TRIMANT
AIMNRTU	RUMINAT
AIMNRUU	URANIUM
AIMNSTU	MINUTAS
	MUTINAS
	TSUNAMI
AIMNTTU	MINUTAT
	MUTINAT
AIMOOPY	POMOYAI*
AIMOPPR	OPPRIMA
AIMOPPS	POMPAIS
AIMOPPT	POMPAIT
AIMOPRR	ROMPRAI
AIMOPRS	ROMPAIS
AIMOPRT	IMPORTA
	ROMPAIT
	TROMPAI
AIMOPSS	IMPOSAS
AIMOPST	IMPOSAT
AIMOQSU	MOQUAIS
AIMOQTU	MOQUAIT
AIMORRT	AMORTIR
AIMORRU	MOURRAI
AIMORST	AMORTIS
	MATOIRS
AIMORSU	MOURAIS
AIMORSV	VOMIRAS
AIMORTT	AMORTIT
AIMORTU	MOURAIT
AIMORUV	MOUVRAI
AIMOSSU	MOUSSAI
AIMOSTT	MOTTAIS

AIMOSTV	MOTIVAS
AIMOSUV	MOUVAIS
AIMOTTT	MOTTAIT
AIMOTTV	MOTIVAT
AIMOTUV	MOUVAIT
AIMPRST	PRIMATS
AIMPSTU	IMPUTAS
AIMPTTU	IMPUTAT
AIMQRSU	MARQUIS
AIMQSUU	MUSIQUA
AIMRRSU	MURIRAS
AIMRSTU	ATRIUMS
AIMRTUX	MITRAUX
AIMSSUX	SISMAUX
AIMSTUZ	AZIMUTS
AINNNST	TANNINS
AINNOPS	PANIONS
	PIONNAS
AINNOPT	OPINANT
	PIONNAT
AINNORS	RAINONS
AINNOSS	SONNAIS
AINNOST	NATIONS
	SONNAIT
	TISONNA
	TONNAIS
AINNOSV	AVINONS
	INNOVAS
AINNOSZ	ONZAINS
AINNOTT	TONNAIT
AINNOTV	INNOVAT
AINNPPT	NIPPANT
AINNPST	PANTINS
AINNPTT	PINTANT
AINNRTU	RUINANT
	URINANT
AINNSTT	INSTANT
AINNSTU	NUISANT
	USINANT
AINNTTT	TINTANT
AINOORS	ORAISON
AINOOSZ	OZONISA
AINOOTV	OVATION
AINOPPS	PAPIONS
AINOPPT	APPOINT
AINOPRS	PARIONS
	PRONAIS
	RAPIONS
	SOPRANI
AINOPRT	PRONAIT
AINOPSS	PASSION →

	SAPIONS
AINOPST	PANTOIS
	POINTAS
	PONTAIS
	POTINAS
	TAPIONS
AINOPSV	PAVIONS
AINOPSY	PAYIONS
AINOPTT	POINTAT
	PONTAIT
	POTINAT
AINOPTU	OPUNTIA
AINOQSU	QUINOAS
AINOQUV	INVOQUA
AINORRS	RAIRONS
AINORRT	RAIRONT
AINORSS	ARISONS
	RAISONS
	RASIONS
AINORST	RATIONS
	TAIRONS
	TARIONS
	TRONAIS
AINORSU	AURIONS
AINORSV	AVIRONS
	VAIRONS
	VARIONS
AINORSY	RAYIONS
AINORTT	TAIRONT
	TRONAIT
AINORTU	TOURNAI
AINOSSS	SAISONS
AINOSST	TAISONS
AINOSSV	AVISONS
	SAVIONS
AINOSTT	STATION
	TATIONS
	TOISANT
AINOSTX	TAXIONS
AINOSVV	AVIVONS
AINPQSU	PASQUIN
AINPQTU	PIQUANT
AINPRST	PRISANT
	SPIRANT
	SPRINTA
AINPRSU	PUNIRAS
AINPRSV	PARVINS
AINPRTU	PATURIN
AINPRTV	PARVINT
	PRIVANT
AINPSST	PISSANT

AINPSTT	PISTANT
AINPSTU	PUISANT
	PUTAINS
	TAUPINS
AINPSUX	SPINAUX
AINQRTU	INQUART
	TRINQUA
AINQSTU	TAQUINS
AINQTTU	TIQUANT
AINRRST	TRANSIR
AINRSST	TRANSIS
AINRSSU	SAURINS
	SURINAS
AINRSTT	STRIANT
	TIRANTS
	TRANSIT
AINRSTU	SURINAT
	TAURINS
AINRTTT	TITRANT
AINRTTV	VITRANT
AINRUUX	URINAUX
AINSSTT	TISSANT
AINSSTU	SUINTAS
AINSSTV	VISSANT
AINSTTU	SITUANT
	SUINTAT
AINSTUV	SUIVANT
AINSTUZ	TAUZINS
AINSTVV	VIVANTS
AIOOPPS	OPPOSAI
AIOORSS	ARIOSOS
AIOOTZZ	ZOZOTAI
AIOPPST	STOPPAI
AIOPQSU	POQUAIS
AIOPQTU	POQUAIT
AIOPRRT	PRIORAT
AIOPRRU	POURRAI
AIOPRST	PORTAIS
	RIPOSTA
AIOPRSU	SOUPIRA
AIOPRSV	POIVRAS
AIOPRTT	PORTAIT
	TRIPOTA
AIOPRTV	POIVRAT
AIOPRUV	PROUVAI
AIOPSSS	POISSAS
AIOPSST	POISSAT
	POSTAIS
AIOPSSU	ASSOUPI
	POUSSAI
	SOUPAIS
AIOPSTT	POSTAIT
AIOPSTU	SOUPAIT
AIOPSTV	PIVOTAS
AIOPSUV	POUVAIS
AIOPTTV	PIVOTAT
AIOPTUV	POUVAIT
AIOQRSU	ROQUAIS
AIOQRTU	ROQUAIT
	TAQUOIR
	TROQUAI
AIOQSTU	TOQUAIS
AIOQSUU	SOUQUAI
AIOQTTU	TOQUAIT
AIORRSS	RASOIRS
	ROSIRAS
	SARROIS
AIORRST	ROTIRAS
	SORTIRA
AIORRSU	ROUIRAS
	SOURIRA
AIORRUV	OUVRIRA
AIORSSS	RASSOIS
	ROSSAIS
AIORSST	ASSORTI
	RASSOIT
	ROSSAIT
	SIROTAS
	SORTAIS
AIORSSV	SAVOIRS
AIORSTT	SIROTAT
	SORTAIT
AIORSTU	OUTRAIS
	ROUTAIS
	SAUTOIR
	SOUTIRA
	TROUAIS
AIORSUV	OUVRAIS
AIORTTT	TROTTAI
AIORTTU	OUTRAIT
	ROUTAIT
	TROUAIT
AIORTUV	OUVRAIT
	TROUVAI
	VOITURA
AIOSSTU	TOUSSAI
AIOSSUV	ASSOUVI
AIOSTUV	VOUTAIS
AIOSTVV	VIVOTAS
AIOTTUV	VOUTAIT
AIOTTUY	TUTOYAI
AIOTTVV	VIVOTAT

AIPPRRS	RAPPRIS
AIPPRRT	RAPPRIT
AIPPUZZ	PUPAZZI
AIPRSUU	USURPAI
AIPRSUX	SPIRAUX
AIPSSST	PISSATS
AIQRSSU	RISQUAS
AIQRSTU	RISQUAT
	TRIQUAS
AIQRTTU	TRIQUAT
AIQRTUU	TRUQUAI
AIQSTTU	QUITTAS
AIQSTUU	STUQUAI
AIQTTTU	QUITTAT
AIRRSSU	SURIRAS
AIRRSUV	SURVIRA
AIRRTTU	TRITURA
AIRSSST	TRISSAS
AIRSSTT	TRISSAT
AIRSSUV	SUIVRAS
AIRSTTU	TRUSTAI
AIRSTTY	YTTRIAS
AIRSTUU	SUTURAI
AIRTUVX	VITRAUX
AJLNORU	JOURNAL
AJNOPPS	JAPPONS
AJNOPSS	JASPONS
AJNOTTU	JOUTANT
AJNSSTU	JUSANTS
AJORSTU	RAJOUTS
AJOSTUX	JOUXTAS
AJOTTUX	JOUXTAT
AKKLOSU	KOULAKS
AKLNOSX	KLAXONS
AKLOPUV	VOLAPUK
AKNNOSU	NANSOUK
AKOSSTY	OSTYAKS
ALLLPUU	PULLULA
ALLMNPU	PULLMAN
ALLMOSS	SLALOMS
ALLNOST	TALLONS
ALLNOSV	VALLONS
ALLNOSW	WALLONS
ALLNTUU	ULULANT
ALLOOTX	AXOLOTL
ALLOPSU	POLLUAS
ALLOPTU	POLLUAT
ALLRSTU	LUSTRAL
ALMNOOS	SOMNOLA
ALMNOPS	LAMPONS
	PALMONS
ALMNOST	MALTONS
ALMNOTU	MOULANT
ALMNPTU	PLUMANT
ALMORSU	MORULAS
ALMORTU	MALOTRU
ALMORUU	MOULURA
ALMOSTU	TAMOULS
ALNNOPS	PLANONS
ALNNOPT	PLANTON
ALNOORT	ORTOLAN
ALNOPPS	PALPONS
ALNOPRS	PARLONS
	PROLANS
ALNOPTU	LOUPANT
ALNOPTY	PLOYANT
ALNOQSU	LAQUONS
ALNORRS	LARRONS
ALNORTU	LOURANT
	OURLANT
	ROULANT
ALNOSSS	LASSONS
ALNOSSU	SALUONS
ALNOSSV	SLAVONS
	VALSONS
ALNOSSY	ALYSSON
ALNOSTT	LATTONS
ALNOSTU	SOULANT
ALNOSTV	SOLVANT
	VOLANTS
ALNOTTV	VOLTANT
ALNOTUV	LOUVANT
	VOULANT
ALNSSTU	SULTANS
ALNSTTY	STYLANT
ALNTTTU	LUTTANT
ALOOUVY	LOUVOYA
ALOPRSU	SPORULA
ALOPSTU	POSTULA
ALOQRRU	RORQUAL
ALORRST	ROSTRAL
ALORSUV	SURVOLA
ALORTYY	ROYALTY
ALOSTUW	OUTLAWS
ALPPRTU	PLUPART
ALPRSSU	PULSARS
ALPRUUX	PLURAUX
ALRSSTU	LUSTRAS
ALRSTTU	LUSTRAT
ALRSTUU	SUTURAL
AMMNNOT	NOMMANT
AMMNOPT	POMMANT

AMMNOST	SOMMANT
AMMORST	MARMOTS
AMMORSU	MAMOURS
AMMRRUU	MURMURA
AMNNORS	MARNONS
AMNNOTT	MONTANT
AMNOOTT	OTTOMAN
AMNOPPT	POMPANT
AMNOPRS	RAMPONS
AMNOPRT	ROMPANT
AMNOPST	TAMPONS
AMNOPSU	PAUMONS
AMNOPTU	PANTOUM
AMNOQTU	MOQUANT
AMNORRS	MARRONS
AMNORST	MONTRAS
	TRAMONS
AMNORSU	AMURONS
AMNORTT	MONTRAT
AMNORTU	MOURANT
AMNORUX	NORMAUX
AMNOSSS	MASSONS
AMNOSSU	AMUSONS
	SAUMONS
AMNOTTT	MOTTANT
AMNOTUV	MOUVANT
AMNPSTY	TYMPANS
AMNQTUU	QUANTUM
AMNRSTU	NATRUMS
AMNSTTU	MUTANTS
AMOOORS	AMOROSO
AMOOPSY	POMOYAS*
AMOOPTT	POTAMOT
AMOOPTY	POMOYAT*
AMOPRRS	ROMPRAS
AMOPRST	TROMPAS
AMOPRTT	TROMPAT
AMOPSST	SAMPOTS
AMORRSU	MOURRAS
AMORSUV	MOUVRAS
AMOSSSU	MOUSSAS
AMOSSTU	MOUSSAT
AMOSTUZ	MAZOUTS
AMRRSTY	MARTYRS
ANNNOST	SONNANT
	TANNONS
ANNNOSV	VANNONS
ANNNOTT	TONNANT
ANNOPPS	NAPPONS
ANNOPRT	PRONANT
ANNOPSS	PANSONS
ANNOPST	PONANTS*
ANNOPTT	PONTANT
ANNORRS	NARRONS
ANNORST	NATRONS
ANNORSV	NAVRONS
ANNORTT	TRONANT
ANNOSST	SANTONS
ANNOSSU	SAUNONS
ANNOSTT	NATTONS
ANNOSTV	VANTONS
ANOOPRS	PRONAOS
	SOPRANO
ANOORTV	AVORTON
ANOOSTU	OUATONS
ANOOSUV	AVOUONS
ANOPQTU	POQUANT
ANOPRST	PARTONS
	PATRONS
	TARPONS
ANOPRSU	APURONS
ANOPRTT	PORTANT
ANOPRTU	PATURON
ANOPSSS	PASSONS
ANOPSSU	PAUSONS
ANOPSTT	POSTANT
ANOPSTU	SOUPANT
ANOPTUV	POUVANT
ANOQRSU	ARQUONS
ANOQRTU	ROQUANT
	TRONQUA
ANOQSSU	SAQUONS
ANOQSTU	TAQUONS
ANOQSUV	VAQUONS
ANOQTTU	TOQUANT
ANORRSV	VARRONS
ANORSST	NOSTRAS
	ROSSANT
ANORSSU	SAURONS
ANORSTT	SORTANT
ANORSTU	SAURONT
	TONSURA
	TOURNAS
ANORSTY	TRAYONS
ANORSUZ	AZURONS
ANORTTU	OUTRANT
	ROUTANT
	TOURNAT
	TROUANT
ANORTUV	OUVRANT
ANOSSSS	SASSONS
ANOSSST	TASSONS

ANOSSTU	SAUTONS
ANOSSUV	SAUVONS
ANOSTTV	VOTANTS
ANOSTVY	VOYANTS
ANOTTUV	VOUTANT
AOOPPRS	PROPOSA
AOOPPSS	OPPOSAS
AOOPPST	OPPOSAT
AOORRST	SORORAT
AOORRSY	ARROYOS
AOOSTZZ	ZOZOTAS
AOOTTZZ	ZOZOTAT
AOOUVVY	VOUVOYA
AOPPRRT	RAPPORT
AOPPRST	APPORTS
AOPPSST	STOPPAS
AOPPSSU	SUPPOSA
AOPPSTT	STOPPAT
AOPPUZZ	PUPAZZO
AOPRRSU	POURRAS
AOPRSUV	PROUVAS
AOPRTTU	PARTOUT
AOPRTUV	PROUVAT
AOPSSSU	POUSSAS
AOPSSTU	POUSSAT
	STOUPAS*
AOPSTUX	POSTAUX
AOQRSTU	TROQUAS
AOQRTTU	TROQUAT
AOQRTUU	QUATUOR
AOQSSUU	SOUQUAS
AOQSTUU	SOUQUAT
AORRSTY	ROTARYS
AORRTTU	TORTURA
AORSSTT	STATORS
AORSSTU	SOUTRAS
	TROUSSA
AORSTTT	TROTTAS
AORSTUU	AUTOURS
AORSTUV	TROUVAS
AORSTUY	YAOURTS
AORTTTT	TROTTAT
AORTTUV	TROUVAT
AORTUUV	VAUTOUR
AOSSSTU	TOUSSAS
AOSSTTU	TOUSSAT
AOSTTUY	TUTOYAS
AOTTTUY	TUTOYAT
APPRRUU	PURPURA
APPRSUU	SUPPURA
APPRSUY	PAPYRUS
APPSTUU	SUPPUTA
APRSSUU	USURPAS
APRSTUU	USURPAT
AQRSTUU	TRUQUAS
AQRTTUU	TRUQUAT
AQSSTUU	STUQUAS
AQSTTUU	STUQUAT
ARRSSUU	SUSURRA
ARSSTTU	STRATUS
	TRUSTAS
ARSSTUU	SURSAUT
	SUTURAS
ARSTTTU	TRUSTAT
ARSTTUU	SUTURAT
ARSTUUX	SURTAUX
ASSTTTU	STATUTS
ASSTUUX	TUSSAUX*
BBCEEHO	BOBECHE
BBCEESU	CUBEBES*
BBDEILR	DRIBBLE
BBEEERR	BERBERE
BBEEIIM	IMBIBEE
BBEEILO	BILOBEE
BBEEIMR	IMBERBE
BBEEINO	BOBINEE
BBEEMOS	BOMBEES
BBEIIMR	IMBIBER
BBEIIMS	IMBIBES
BBEIIMZ	IMBIBEZ
BBEILOS	BILOBES
	LOBBIES
BBEILOT	BIBELOT
BBEIMOZ	BOMBIEZ
BBEINOR	BIBERON
	BOBINER
BBEINOS	BOBINES
BBEINOZ	BOBINEZ
BBELUUX	BULBEUX
BBEMNOT	BOMBENT
BBEORSU	BOURBES
BBGINOS	GIBBONS
BBIIIRS	BIRIBIS
BBIOSTU	TOUBIBS
BBMNOOS	BOMBONS
BBNNOOS	BONBONS
BBNOORU	BOURBON
BBOOSUU	BOUBOUS
BCCEEHS	CHEBECS
BCCEILY	BICYCLE
BCCESUU	SUCCUBE
BCCINSU	BUCCINS

BCCIOOR	BROCCIO
BCDEEHU	DEBUCHE
BCDEEIL	DECIBEL
BCDEHIO	BIDOCHE
BCDLOSU	BOLDUCS
BCEEEHR	EBRECHE
BCEEEHS	BECHEES
BCEEELR	CELEBRE
BCEEEOT	BECOTEE
BCEEEOU	ECOBUEE
BCEEEQU	BECQUEE
BCEEERR	CERBERE
BCEEERS	BERCEES
BCEEGIR	ICEBERG
BCEEHIZ	BECHIEZ
BCEEHKS	CHEBEKS
BCEEHMU	EMBUCHE
BCEEHNT	BECHENT
BCEEHOR	BROCHEE
BCEEHOU	BOUCHEE
BCEEHRS	BRECHES
BCEEHRT	BRECHET
BCEEHRU	BECHEUR
BCEEHSU	BUCHEES
BCEEILR	CRIBLEE
BCEEINU	INCUBEE
BCEEIRU	ECUBIER
BCEEIRZ	BERCIEZ
BCEEJOT	OBJECTE
BCEELMO	COMBLEE
BCEELOU	BOUCLEE
BCEENOS	OBSCENE
BCEENRT	BERCENT
BCEEORT	BECOTER
BCEEORU	COURBEE
	ECOBUER
BCEEOST	BECOTES
BCEEOSU	ECOBUES
BCEEOTZ	BECOTEZ
BCEEOUZ	ECOBUEZ
BCEEQTU	BECQUET
BCEERRU	BERCEUR
BCEERUZ	CUBEREZ
BCEFIKT	BIFTECK
BCEHIIZ	BICHIEZ
BCEHINT	BICHENT
BCEHIOR	BECHOIR
	BRIOCHE
BCEHIUZ	BUCHIEZ
BCEHNOR	BRONCHE
BCEHNOS	BECHONS
BCEHNTU	BUCHENT
BCEHORR	BROCHER
BCEHORS	BROCHES
BCEHORT	BROCHET
BCEHORU	BOUCHER
BCEHORZ	BROCHEZ
BCEHOSU	BOUCHES
BCEHOUZ	BOUCHEZ
BCEHRSU	BRUCHES
	BUCHERS
BCEHRUU	BUCHEUR
BCEIIOR	CIBOIRE
BCEIISV	VIBICES
BCEILNO	BINOCLE
BCEILOR	BRICOLE
BCEILOU	CIBOULE
BCEILRR	CRIBLER
BCEILRS	CRIBLES
BCEILRZ	CRIBLEZ
BCEIMNO	COMBIEN
	COMBINE
	INCOMBE
BCEIMOR	MICROBE
BCEIMSU	CUBISME
BCEINOR	BICORNE
BCEINOY	INOCYBE
BCEINRU	BRUCINE
	INCUBER
BCEINSU	INCUBES
BCEINUZ	INCUBEZ
BCEIOQU	BICOQUE
BCEIQUU	CUBIQUE
BCEIRSS	SCRIBES
BCEISTU	CUBISTE
BCELMOO	COLOMBE
BCELMOR	COMBLER
BCELMOS	COMBLES
BCELMOZ	COMBLEZ
BCELORU	BOUCLER
	CORBLEU
BCELOSU	BOUCLES
BCELOUZ	BOUCLEZ
BCELTUU	CULBUTE
BCEMORY	CORYMBE
BCENORS	BERCONS
BCEOORT	OCTOBRE
BCEORRU	COURBER
BCEORSU	COURBES
	OBSCURE
BCEORUZ	COURBEZ
BCHIKOU	CHIBOUK

BCHINOS	BICHONS
BCHNOOU	BOUCHON
BCHNOSU	BUCHONS
BCHOOTU	BOUCHOT
BCHORST	BORTSCH
BCIILMO	OMBILIC
BCIILOR	COLIBRI
BCIISTU	BISCUIT
BCILMOR	LOMBRIC
BCILOOR	BROCOLI
BCILOTU	CUBILOT
BCILPSU	PUBLICS
BCINORS	CORBINS
BCINOSU	CUBIONS
BCISTUU	CUBITUS
BCLMOOO	COLOMBO
BCLMOOU	COULOMB
BCOOSST	BOSCOTS
BCOOSTU	BOUCOTS
BCORSSU	OBSCURS
BCORSTU	SCORBUT
BDDEEIR	DEBRIDE
BDDEENO	DEBONDE
BDDEEOR	DEBORDE
BDEEEIN	DEBINEE
BDEEEIT	DEBITEE
BDEEEOR	DEROBEE
BDEEEOS	OBSEDEE
BDEEERR	BREEDER
BDEEETU	DEBUTEE
BDEEFIR	DEFIBRE
BDEEILN	BLINDEE
BDEEILS	DEBILES
BDEEINR	DEBINER
BDEEINS	DEBINES
BDEEINZ	DEBINEZ
BDEEIOR	DEBOIRE
BDEEIOS	DEBOISE
	DESOBEI
BDEEIOT	DEBOITE
BDEEIPS	BIPEDES
BDEEIRS	BRIDEES
BDEEIRT	DEBITER
BDEEIST	DEBITES
BDEEITZ	DEBITEZ
BDEEJLS	DJEBELS
BDEELNS	BLENDES
BDEELOU	DEBOULE
	DOUBLEE
BDEENNO	BEDONNE
BDEENOR	BONDREE
BDEENOS	BONDEES
BDEEORR	DEROBER
	REBORDE
BDEEORS	BORDEES
	BRODEES
	DEROBES
	OBSEDER
BDEEORZ	DEROBEZ
BDEEOSS	OBSEDES
BDEEOSU	BOUDEES
BDEEOSZ	OBSEDEZ
BDEEOTT	DEBOTTE
BDEEOTU	DEBOUTE
BDEERTU	DEBUTER
BDEESTU	DEBUTES
BDEETUZ	DEBUTEZ
BDEFIIS	BIFIDES
BDEGIRR	BRIDGER
BDEGIRS	BRIDGES
BDEGIRZ	BRIDGEZ
BDEGSTU	BUDGETS
BDEHIRY	HYBRIDE
BDEIIPS	BIPIEDS
BDEIIRZ	BRIDIEZ
BDEILNR	BLINDER
BDEILNS	BLINDES
BDEILNZ	BLINDEZ
BDEILOS	BOLIDES
BDEILSU	BIDULES
BDEIMOR	MORBIDE
BDEINOR	REBONDI
BDEINOU	BEDOUIN
	BOUDINE
BDEINRT	BRIDENT
BDEINST	BIDENTS
BDEIORR	BORDIER
BDEIORZ	BORDIEZ
	BRODIEZ
BDEIOSV	BOVIDES
BDEIOUZ	BOUDIEZ
BDEIOXY	BIOXYDE
BDEISSU	SUBSIDE
BDELNOS	BLONDES
BDELORS	BORDELS
BDELORU	DOUBLER
BDELOSU	DOUBLES
BDELOTU	DOUBLET
BDELOUZ	DOUBLEZ
BDENORS	REBONDS
BDENORT	BORDENT
	BRODENT

BDENOTU	BOUDENT
BDEORRS	REBORDS
BDEORRU	BORDURE
	BRODEUR
BDEORSU	BOURDES
	DEBOURS
BDEORTU	BUTORDE
BDEORUU	BOUDEUR
BDGIIOU	BIGOUDI
BDIILOS	LIBIDOS
BDILNNO	BLONDIN
BDILNOR	BLONDIR
BDILNOS	BLONDIS
BDILNOT	BLONDIT
BDINORS	BRIDONS
BDINOSU	BOUDINS
BDIOORU	BOUDOIR
BDIORRT	TRIBORD
BDIORST	BITORDS
BDKLOOS	KOBOLDS
BDLNOOU	DOUBLON
BDNOORS	BORDONS
	BRODONS
BDNOORU	BOURDON
BDNOOSU	BOUDONS
BEEEEHT	HEBETEE
BEEEEMT	EMBETEE
BEEEGHR	HEBERGE
BEEEGLU	BEUGLEE
BEEEGNO	ENGOBEE
BEEEGNR	ENGERBE
BEEEGRR	BERGERE
BEEEGRS	GERBEES
BEEEGTU	BEGUETE
BEEEHIP	EPHEBIE
BEEEHIX	EXHIBEE
BEEEHNR	ENHERBE
BEEEHPS	EPHEBES
BEEEHRT	HEBETER
BEEEHST	HEBETES
BEEEHTZ	HEBETEZ
BEEEILR	BELIERE
	LIBEREE
BEEEINR	EBENIER
BEEEIRT	EBRIETE
BEEEIRZ	BEERIEZ
BEEELLR	REBELLE
BEEELMM	EMBLEME
BEEELMU	MEUBLEE
BEEELOU	EBOULEE
BEEELRS	BRELEES
BEEELRU	BURELEE
	EBERLUE
BEEELRZ	BELEREZ
BEEELSS	BLESSEE
BEEELTT	BELETTE
BEEELTU	BLEUTEE
BEEEMMR	MEMBREE
BEEEMRT	EMBETER
BEEEMRV	EMBREVE
BEEEMST	EMBETES
BEEEMSU	EMBUEES
BEEEMTZ	EMBETEZ
BEEENNZ	BENZENE
BEEENOR	ENROBEE
BEEENRS	BERNEES
BEEENRT	BEERENT
BEEENRU	EBURNEE
BEEEORS	OBEREES
BEEEORU	EBROUEE
BEEEOTU	EBOUTEE
BEEERRU	BEURREE
BEEERSZ	ZEBREES
BEEERTU	REBUTEE
BEEERTV	BREVETE
BEEFFIR	REBIFFE
BEEFFIS	BIFFEES
BEEFFLU	BLUFFEE
BEEFFOU	BOUFFEE
BEEFIIT	BETIFIE
BEEFILR	FEBRILE
	FELIBRE
BEEFIRU	RUBEFIE
BEEFLSU	ELBEUFS
BEEFNRU	FUNEBRE
BEEGGOR	GOBERGE
BEEGILO	OBLIGEE
BEEGILS	BIGLEES
BEEGILT	GIBELET
BEEGIMR	REGIMBE
BEEGINN	BENIGNE
BEEGINR	GIBERNE
BEEGINS	BEIGNES
	ESBIGNE
BEEGINT	BEIGNET
BEEGINU	BEGUINE
BEEGIRR	GERBIER
BEEGIRU	BRIGUEE
BEEGIRZ	GERBIEZ
BEEGISU	BESIGUE
BEEGLNO	ENGLOBE
BEEGLOT	GOBELET

BEEGLRU	BEUGLER
BEEGLSU	BEUGLES
BEEGLUZ	BEUGLEZ
BEEGNOR	EBORGNE
	ENGOBER
BEEGNOS	BESOGNE
	ENGOBES
BEEGNOZ	ENGOBEZ
BEEGNRT	GERBENT
BEEGORZ	GOBEREZ
BEEGOSU	BOUGEES
	GOBEUSE
BEEGRRS	BERGERS
BEEGRSU	GUEBRES
BEEHIIN	INHIBEE
BEEHILS	HIEBLES
BEEHINR	HIBERNE
BEEHIRR	HERBIER
BEEHIRX	EXHIBER
BEEHISX	EXHIBES
BEEHIXZ	EXHIBEZ
BEEHMOS	BOHEMES
BEEHORT	THEORBE
BEEHRSU	HERBUES
BEEHRUX	HEBREUX
	HERBEUX
BEEIILS	BILIEES
BEEIINR	IBERIEN*
BEEIIST	STIBIEE
BEEILLL	LIBELLE
BEEILLM	EMBELLI
BEEILLO	LOBELIE
BEEILLS	BIELLES
BEEILLT	BILLETE
BEEILMO	EMBOLIE
BEEILNN	BLENNIE
BEEILNP	PENIBLE
BEEILNR	BERLINE
BEEILNS	LESBIEN
BEEILOP	EPILOBE
BEEILOU	EBLOUIE
	OUBLIEE
BEEILPU	PUBLIEE
BEEILRR	LIBERER
BEEILRS	BELIERS
	LIBERES
BEEILRT	BELITRE
	LIBERTE
BEEILRZ	BILEREZ
	BRELIEZ
	LIBEREZ
BEEILSS	SEBILES
BEEILST	BLESITE
BEEILSU	BLEUIES
BEEILSZ	BLESIEZ
BEEIMNS	BENIMES
	NIMBEES
BEEIMOS	OBEIMES
BEEIMOT	EMBOITE
BEEIMRS	BRIMEES
BEEIMRT	TIMBREE
BEEIMTU	BITUMEE
BEEIMUZ	EMBUIEZ
BEEINNP	BIPENNE
BEEINNZ	BENZINE
BEEINOT	BENOITE
	BEOTIEN
	BETOINE
	EBONITE
BEEINPR	PEBRINE
BEEINRU	BURINEE
BEEINRZ	BENIREZ
	BERNIEZ
	BINEREZ
BEEINSS	BENISSE
BEEINST	BENITES
BEEINSU	BINEUSE
BEEINTT	BINETTE
BEEINTU	BUTINEE
BEEIORS	REBOISE
BEEIORT	BETOIRE
BEEIORZ	OBEIREZ
	OBERIEZ
BEEIOSS	BOISEES
	OBEISSE
BEEIOST	OBEITES
	OBESITE
BEEIQRU	BRIQUEE
BEEIRSS	BRISEES
BEEIRST	BETISER
	BISTREE
BEEIRSZ	BISEREZ
BEEIRTU	EBRUITE
BEEIRTV	BREVITE
BEEIRZZ	ZEBRIEZ
BEEISSS	BISSEES
BEEISST	BETISES
BEEISTZ	BETISEZ
BEEISUX	BISEXUE
BEEITUZ	BIZUTEE
BEELLMO	OMBELLE
BEELLOU	LOBULEE

BEELLRU	BURELLE
BEELMOP	PLOMBEE
BEELMRS	SEMBLER
BEELMRT	TREMBLE
BEELMRU	MEUBLER
BEELMSS	SEMBLES
BEELMSU	MEUBLES
BEELMSZ	SEMBLEZ
BEELMUZ	MEUBLEZ
BEELNOO	BOOLEEN
BEELNRT	BRELENT
BEELNST	BLESENT
BEELOQU	BLOQUEE
BEELORU	EBOULER
	RUBEOLE
BEELORZ	LOBEREZ
BEELOSS	BOSSELE
BEELOST	BELOTES
BEELOSU	BLOUSEE
	BOULEES*
	EBOULES
BEELOTT	BOTTELE
BEELOTU	BOULETE
BEELOUZ	EBOULEZ
BEELRSS	BLESSER
BEELRSU	BERLUES
	BRULEES
	BURELES
BEELRTU	BLEUTER
BEELRTZ	BRETZEL
BEELSSS	BLESSES
BEELSSZ	BLESSEZ
BEELSTT	BLETTES
BEELSTU	BLEUETS
	BLEUTES
	BLUTEES
BEELSTY	BETYLES
BEELSUU	SUBULEE
BEELTTU	BLUETTE
BEELTUU	TUBULEE
BEELTUZ	BLEUTEZ
BEEMMRS	MEMBRES
BEEMMRU	EMBRUME
	MEMBRUE
BEEMNTU	EMBUENT
BEEMORS	OMBREES
BEEMORT	RETOMBE
BEEMOSS	EMBOSSE
BEEMOST	TOMBEES
BEENNOT	BETONNE
BEENNRT	BERNENT
BEENORR	ENROBER
BEENORS	BEERONS
	BORNEES
	ENROBES
BEENORT	BEERONT
	OBERENT
BEENORZ	BRONZEE
	ENROBEZ
BEENOSS	SNOBEES
BEENOTU	OBTENUE
BEENOTZ	OBTENEZ
BEENOVZ	OBVENEZ
BEENRRU	BERNEUR
BEENRSU	EBURNES
BEENRTZ	ZEBRENT
BEENSTU	BUTENES
BEEORRS	RESORBE
BEEORRU	BOURREE
	EBOURRE
	EBROUER
BEEORRZ	ROBEREZ
BEEORSS	BROSSEE
BEEORST	TEORBES
BEEORSU	EBROUES
	ROBEUSE*
BEEORSV	OBSERVE
	OBVERSE*
BEEORSY	BROYEES
BEEORTU	BROUTEE
	EBOUTER
	OBTUREE
BEEORUU	EBOUEUR
BEEORUZ	EBROUEZ
BEEORXZ	BOXEREZ
BEEOSSS	BOSSEES
BEEOSSU	BOSSUEE
BEEOSTT	BOETTES
	BOTTEES
BEEOSTU	BOUTEES
	EBOUTES
BEEOSUU	BOUEUSE
BEEOTTU	BOUETTE
BEEOTUZ	EBOUTEZ
BEEPRSU	PUBERES
	SUPERBE
BEEPRTU	PUBERTE
BEEQSTU	BEQUETS
BEEQSUU	BUSQUEE
BEERRRU	BEURRER
BEERRSU	BEURRES
BEERRTU	REBUTER

BEERRUY	BRUYERE
BEERRUZ	BEURREZ
	ZEBRURE
BEERSTT	BRETTES
BEERSTU	REBUTES
BEERSTV	BREVETS
BEERTTU	BURETTE
BEERTUZ	BUTEREZ
	REBUTEZ
	TUBEREZ
BEERUVX	VERBEUX
BEESTTU	BUTTEES
BEESUUV	BUVEUSE
BEETTUV	BUVETTE
BEFFIIZ	BIFFIEZ
BEFFINT	BIFFENT
BEFFIOR	BEFFROI
BEFFIOU	BOUFFIE
BEFFIRU	BIFFURE
BEFFLRU	BLUFFER
BEFFLSU	BLUFFES
	BUFFLES
BEFFLUZ	BLUFFEZ
BEFFORU	BOUFFER
BEFFOSU	BOUFFES
BEFFOUZ	BOUFFEZ
BEFFSTU	BUFFETS
BEFGIIL	FILIBEG
BEFIINO	BONIFIE
BEFIINR	FIBRINE
BEFILSU	FIBULES
	FUSIBLE
BEFIMOR	FIBROME
BEFIORU	FOURBIE
BEFIRUX	FIBREUX
BEFORSU	FOURBES
BEFORUU	FOURBUE
BEGGIOS	BOGGIES
BEGHIOS	BOGHEIS
BEGIILN	GIBELIN
BEGIILZ	BIGLIEZ
BEGIINU	BIGUINE
BEGIIRS	GIBIERS
BEGILLO	GOBILLE
BEGILNO	IGNOBLE
BEGILNT	BIGLENT
BEGILOR	OBLIGER
BEGILOS	OBLIGES
BEGILOZ	OBLIGEZ
BEGILUX	BIGLEUX
BEGINOR	BIGORNE
BEGINRU	BRINGUE
BEGINSU	BEGUINS
BEGINTT	BETTING
BEGIOST	BIGOTES
BEGIOSU	BOUGIES
BEGIOUZ	BOUGIEZ
BEGIRRU	BRIGUER
BEGIRSU	BRIGUES
	GUIBRES
BEGIRUZ	BRIGUEZ
BEGLLOU	GLOBULE
BEGLRUU	LUGUBRE
BEGNORS	BORGNES
	GERBONS
BEGNOTU	BOUGENT
BEGORSU	BOUGRES
	GOBEURS
	SUBROGE
BEGOSTU	BOGUETS
BEHIINR	INHIBER
BEHIINS	INHIBES
BEHIINZ	INHIBEZ
BEHIOPR	PROHIBE
BEHIOPS	PHOBIES
BEHLMSU	HUMBLES
BEHMORS	HOMBRES
	RHOMBES
BEHNORT	BERTHON
BEHNORU	BONHEUR
BEHNOST	BENTHOS
BEIILLS	LISIBLE
BEIILRS	RISIBLE
BEIILSV	VISIBLE
BEIILUX	BILIEUX
BEIIMNZ	NIMBIEZ
BEIIMRZ	BRIMIEZ
BEIINST	STIBINE
BEIIOPS	BIOPSIE
BEIIORT	BOITIER
BEIIORZ	BOIRIEZ
BEIIOSZ	BOISIEZ
BEI.IOTT	BIOTITE
BEIIOTZ	BOITIEZ
BEIIOVZ	OBVIIEZ
BEIIRSZ	BRISIEZ
BEIIRVZ	VIBRIEZ
BEIISST	STIBIES
BEIISSZ	BISSIEZ
BEIJLNO	JOBELIN
BEIJLRU	JUBILER
BEIJLSU	JUBILES

BEIJLUZ	JUBILEZ
BEIJNNO	BENJOIN
BEILLNR	BRINELL
BEILLOU	BOUILLE
BEILLRR	BRILLER
BEILLRS	BRILLES
BEILLRZ	BRILLEZ
BEILLST	BILLETS
BEILLSY	SIBYLLE
BEILMOS	MOBILES
BEILMRU	IMBRULE
BEILMSU	SUBLIME
BEILNNO	ENNOBLI
BEILNOO	BOOLIEN
BEILNOS	BELIONS
BEILNOU	BOULINE
BEILNSU	NUBILES
BEILNSY	LIBYENS
BEILOQU	BILOQUE
	OBLIQUE
BEILORS	BOLIERS
BEILORT	TRILOBE
BEILORU	BOULIER
	EBLOUIR
	OUBLIER
BEILOSS	BLESOIS
BEILOSU	EBLOUIS
	EBOULIS
	OUBLIES
BEILOTT	BLOTTIE
BEILOTU	EBLOUIT
BEILOUZ	BOULIEZ
	OUBLIEZ
BEILPRU	PUBLIER
BEILPSU	PUBLIES
BEILPUZ	PUBLIEZ
BEILRTT	BLETTIR
BEILRUZ	BRULIEZ
BEILSSS	BISSELS
BEILSTT	BLETTIS
BEILSTU	SUBTILE
BEILTTT	BLETTIT
BEILTUZ	BLUTIEZ
BEIMNNT	NIMBENT
BEIMNOR	OMBRIEN
	OMBRINE
BEIMNOS	BINOMES
BEIMNRT	BRIMENT
BEIMORZ	OMBRIEZ
BEIMOSZ	ZOMBIES
BEIMOTU	EMBOUTI
BEIMOTZ	TOMBIEZ
BEIMRRT	TIMBRER
BEIMRST	TIMBRES
BEIMRSU	BRUIMES
	ERBIUMS
BEIMRTU	BITUMER
	TERBIUM
BEIMRTZ	TIMBREZ
BEIMSSU	SUBIMES
BEIMSTU	BITUMES
BEIMTUZ	BITUMEZ
BEINNOS	BOSNIEN
BEINOOR	BORNOIE
BEINORS	BERNOIS
	BORINES
BEINORT	BROIENT
	OBTENIR
	ROBINET
BEINORV	OBVENIR
BEINORZ	BORNIEZ
BEINOSS	BESOINS
BEINOST	BENOITS
	BOISENT
	BONITES
	OBSTINE
	OBTIENS
BEINOSV	BOVINES
	OBVIENS
BEINOSZ	SNOBIEZ
BEINOTT	BIENTOT
	BOITENT
	BOTTINE
	OBTIENT
BEINOTV	BOIVENT
	OBVIENT
BEINPSU	PUBIENS
BEINRRU	BRUINER
	BURINER
BEINRST	BRISENT
BEINRSU	BRUINES
	BRUNIES
	BURINES
	RUBINES
BEINRTU	BUTINER
	TRIBUNE
	TURBINE
BEINRTV	VIBRENT
BEINRUZ	BURINEZ
BEINSST	BISSENT
BEINSTU	BUTINES
BEINTUZ	BUTINEZ

BEIOOPT	BIOTOPE
BEIOPRT	PROBITE
BEIOQRU	BORIQUE
BEIORRS	SORBIER
BEIORST	ORBITES
	RIBOTES
BEIORSU	BOISEUR
	BOUSIER
	OBUSIER
BEIORTT	BOTTIER
BEIORTU	BIROUTE
BEIORUV	BOUVIER
BEIORYZ	BROYIEZ
BEIOSSZ	BOSSIEZ
BEIOSTT	BOITTES
BEIOTTZ	BOTTIEZ
BEIOTUX	BOITEUX
BEIOTUZ	BOUTIEZ
BEIQRRU	BRIQUER
BEIQRSU	BISQUER
	BRIQUES
	BRISQUE
BEIQRTU	BRIQUET
BEIQRUZ	BRIQUEZ
BEIQSSU	BISQUES
BEIQSTU	BIQUETS
BEIQSUZ	BISQUEZ
BEIRRSU	BRISEUR
	BRISURE
BEIRRTU	BRUITER
BEIRRUV	VIBREUR
BEIRRUZ	BRUIREZ
BEIRSST	BISTRES
BEIRSSU	BRUISSE
BEIRSTT	BITTERS
BEIRSTU	BITURES
	BRUITES
	BUSTIER
BEIRSUZ	SUBIREZ
BEIRTTU	TITUBER
BEIRTUZ	BIZUTER
	BRUITEZ
BEISSSU	SUBISSE
BEISSTU	SUBITES
BEISSUZ	BUSSIEZ
BEISTTU	TITUBES
	TUBISTE
BEISTUZ	BIZUTES
BEITTUZ	BUTTIEZ
	TITUBEZ
BEITUZZ	BIZUTEZ
BEJJSUU	JUJUBES
BEKNRSU	BUNKERS
BEKOSUZ	OUZBEKS
BELLOST	BELLOTS
BELLOSU	BOULLES
	LOBULES
	SOLUBLE
BELLUUX	BULLEUX
BELMNOO	NELOMBO
BELMNOU	NELUMBO
BELMOPR	PLOMBER
BELMOPS	PLOMBES
BELMOPZ	PLOMBEZ
BELMORU	MORBLEU
BELMOSY	SYMBOLE
BELNORS	BRELONS
BELNOSS	BLESONS
BELNOSZ	BENZOLS
BELNOTU	BOULENT
BELNRTU	BRULENT
BELNTTU	BLUTENT
BELOORS	BOLEROS
BELOQRU	BLOQUER
BELOQSU	BLOQUES
BELOQUZ	BLOQUEZ
BELORSU	BLOUSER
	ROUBLES
BELORTU	TROUBLE
BELOSSU	BLOUSES
	BLOUSSE
BELOSTU	BOULETS
BELOSUZ	BLOUSEZ
BELRRUU	BRULEUR
	BRULURE
BELRSTU	TRUBLES
BELSSUU	SUBULES
BELSTUU	TUBULES
BEMMNOR	MEMBRON
BEMMRSU	MEMBRUS
BEMNORS	NOMBRES
BEMNORT	OMBRENT
BEMNORY	EMBRYON
BEMNOSU	EMBUONS
BEMNOTT	TOMBENT
BEMNRSU	EMBRUNS
BEMORRS	SOMBRER
BEMORRU	BROMURE
BEMORSS	SOMBRES
BEMORST	STROMBE
	TOMBERS
	TROMBES

BEMORSZ	SOMBREZ
BEMORTU	TOMBEUR
BEMORUX	OMBREUX
BEMOSTU	BUTOMES
	EMBOUTS
BEMRUUX	BRUMEUX
BENNORS	BERNONS
BENNORT	BORNENT
BENNOST	BONNETS
	SNOBENT
BENOORS	OBERONS
BENOORY	BORNOYE
BENORRZ	BRONZER
BENORST	BRETONS
BENORSU	SUBORNE
BENORSY	BRYONES
BENORSZ	BRONZES
	ZEBRONS
BENORZZ	BRONZEZ
BENOSSS	BESSONS
BENOSST	BOSSENT
BENOSTU	OBTENUS
BENOTTT	BOTTENT
BENOTTU	BOUTENT
BENRSTU	BRUNETS
BENSSTU	BUSSENT
BENSUUV	SUBVENU
BENTTTU	BUTTENT
BEOORST	BOOSTER
BEOQSTU	BOSQUET
BEOQTUU	BOUQUET
BEORRRU	BOURRER
BEORRSS	BROSSER
BEORRSU	BORURES
	BOURRES
	REBOURS
BEORRTU	BROUTER
	OBTURER
BEORRUU	BOURRUE
BEORRUY	BROYEUR
BEORRUZ	BOURREZ
BEORSSS	BROSSES
BEORSST	SORBETS
BEORSSU	BOSSUER
	BOURSES
	BROUSSE
BEORSSZ	BROSSEZ
BEORSTU	BOUTRES
	BROUETS
	BROUTES
	OBSTRUE →
	OBTURES
	ROBUSTE
	TOURBES
BEORSUU	BOUEURS
BEORSUX	BOXEURS
BEORTUU	BOUTEUR
	BOUTURE
BEORTUZ	BROUTEZ
	OBTUREZ
BEOSSSU	BOSSUES
BEOSSTU	OBTUSES
BEOSSUZ	BOSSUEZ
BEOSTUV	BOUVETS
BEQRSUU	BRUSQUE
	BUSQUER
BEQSSUU	BUSQUES
BEQSUUZ	BUSQUEZ
BERSTUU	BUTEURS
BERSUUV	BUVEURS
BERTTUU	BUTTEUR
BFFIINS	BIFFINS
BFFINOS	BIFFONS
BFFIORU	BOUFFIR
BFFIOSU	BOUFFIS
BFFIOTU	BOUFFIT
BFFNOOU	BOUFFON
BFIORRU	FOURBIR
BFIORSS	ROSBIFS
BFIORSU	FOURBIS
BFIORTU	FOURBIT
BFORSUU	FOURBUS
BGIIRSS	GRISBIS
BGILNOS	BIGLONS
BGILNOW	BOWLING
BGINOOS	GOBIONS
BGIORSU	GOURBIS
BGLNOOS	OBLONGS
BGNNORU	BRUGNON
BGNOOSU	BOUGONS
BHIMSTU	BISMUTH
BHISTUZ	BIZUTHS
BHLNOOU	HOUBLON
BHLOSTU	HUBLOTS
BIIIKNS	BIKINIS
BIILLNO	BILLION
BIILLOU	BOUILLI
BIILNOS	BILIONS
BIIMNOU	NIOBIUM
BIIMNSU	MINIBUS
BIINNOS	BINIONS
BIINORV	VIBRION

BIINOSS	BISIONS
BIINOSU	BINIOUS
BILLNOS	BILLONS
BILLOST	BILLOTS
BILMNOR	NOMBRIL
BILNOOS	LOBIONS
BILNORS	RIBLONS
BILNOSU	BOULINS
BILOORU	BOULOIR
BILORRU	BRULOIR
BILORST	BRISTOL
BILORTT	BLOTTIR
BILORTU	BLUTOIR
BILOSTT	BLOTTIS
BILOTTT	BLOTTIT
BILRTUY	TILBURY
BILSSTU	SUBTILS
BIMNNOS	NIMBONS
BIMNORS	BRIMONS
BIMNOSU	OMNIBUS
BIMORRV	VROMBIR
BIMORSV	VROMBIS
BIMORTV	VROMBIT
BINOORS	BOIRONS
	BONSOIR
	ROBIONS
BINOORT	BOIRONT
BINOOSS	BOISONS
	BOISSON
BINOOST	BOITONS
BINOOSV	OBVIONS
BINOOSX	BOXIONS
BINOQUU	BOUQUIN
BINORRU	BOURRIN
BINORSS	BRISONS
BINORSV	VIBRONS
BINORTU	BRUTION
BINOSSS	BISSONS
BINOSSU	BOUSINS
	BUISSON
BINOSTU	BUTIONS
	TUBIONS
BINOSUV	BUVIONS
BINRSTU	TRIBUNS
	TURBINS
BINSSUV	SUBVINS
BINSTUV	SUBVINT
BIOORSS	BOSSOIR
BIOORTU	BOUTOIR
BIORSST	BISTROS
BIORSTT	BISTROT
BIORSTU	BUTOIRS
BIORTTU	BUTTOIR
BIRSTTU	TRIBUTS
BJNOORU	BONJOUR
BLMOOOT	TOMBOLO
BLNOOSU	BLOUSON
	BOULONS
BLNORSU	BRULONS
BLNOSTU	BLUTONS
BLOOSTU	BOULOTS
BLORSTU	BRULOTS
BMNOORS	OMBRONS
BMNOOST	TOMBONS
BNNOORS	BORNONS
BNNOOSS	SNOBONS
BNOORSY	BROYONS
BNOOSSS	BOSSONS
BNOOSST	BOSTONS
BNOOSTT	BOTTONS
BNOOSTU	BOUTONS
BNORSUU	BURNOUS
BNOSTTU	BUTTONS
BORRSUU	BOURRUS
BORSTTU	TURBOTS
CCDEEEN	DECENCE
CCDEEHO	DECOCHE
CCDEEII	CECIDIE
CCDEENO	CONCEDE
CCDEEOT	DECOCTE
CCDEESU	SUCCEDE
CCDEILS	DECLICS
CCEEELR	CERCLEE
CCEEENR	RECENCE
CCEEEOR	ECORCEE
CCEEHHR	CHERCHE
CCEEHHS	CHECHES
CCEEHIL	CLICHEE
CCEEHLN	CLENCHE
CCEEHNO	ENCOCHE
CCEEHOR	COCHERE
	CROCHEE
	ECORCHE
CCEEHOS	COCHEES
CCEEHOU	COUCHEE
CCEEHRS	CRECHES
CCEEIIL	CECILIE
CCEEILN	LICENCE
CCEEINO	COINCEE
CCEEINS	SCIENCE
CCEEIST	CECITES
CCEELRR	CERCLER

CCEELRS	CERCLES
CCEELRY	RECYCLE
CCEELRZ	CERCLEZ
CCEEOPR	PRECOCE
CCEEOPU	OCCUPEE
CCEEORR	ECORCER
CCEEORS	ECORCES
CCEEORZ	ECORCEZ
CCEFIOU	COCUFIE
CCEHHIS	CHICHES
CCEHILR	CLICHER
CCEHILS	CHICLES
	CLICHES
CCEHILZ	CLICHEZ
CCEHIOR	RICOCHE
CCEHIOT	CHICOTE
CCEHIOZ	COCHIEZ
CCEHLOR	CLOCHER
CCEHLOS	CLOCHES
CCEHLOZ	CLOCHEZ
CCEHNOT	COCHENT
CCEHORR	CROCHER
CCEHORS	COCHERS
	CROCHES
CCEHORT	CROCHET
CCEHORU	COUCHER
	CROCHUE
CCEHORZ	CROCHEZ
CCEHOST	COCHETS
CCEHOSU	COUCHES
CCEHOUZ	COUCHEZ
CCEHRSU	CRUCHES
CCEIILS	CILICES
CCEIIRS	RICCIES
CCEIIST	SICCITE
CCEIKRT	CRICKET
CCEILNO	CONCILE
CCEILNS	CINCLES
CCEILRU	CIRCULE
CCEIMOS	COMICES
CCEINOR	COINCER
CCEINOS	COINCES
	CONCISE
CCEINOZ	COINCEZ
CCEIORS	CICEROS
CCEIOSS	OCCISES
CCEIOST	COTICES
CCEKORS	COCKERS
CCELNOU	CONCLUE
CCELNOY	CYCLONE
CCELOPY	CYCLOPE
CCELORU	OCCLURE
CCELOSU	OCCLUES
	OCCLUSE
CCELOTU	OCCULTE
CCELOUZ	OCCLUEZ
CCENOPT	CONCEPT
CCENORT	CONCERT
	CONCRET
CCENOSU	CONCUES
CCEOOTT	COCOTTE
CCEOPRU	OCCUPER
CCEOPSU	OCCUPES
CCEOPUZ	OCCUPEZ
CCEORRT	CORRECT
CCEORSS	ESCROCS
CCESTUU	CUSCUTE
CCFILNO	CLINFOC*
CCGHINO	GNOCCHI
CCHHIIS	CHICHIS
CCHINOS	CHICONS
CCHIOST	CHICOTS
CCHIOSU	COUCHIS
CCHNOOS	COCHONS
CCHNORU	CRUCHON
CCHORSU	CROCHUS
CCHOSST	SCOTCHS
CCIIRRS	CRICRIS
CCIIRTU	CIRCUIT
CCIKOPT	COCKPIT
CCILOOP	PICCOLO
CCINOOS	CONCOIS
CCINOOT	CONCOIT
CCINOSU	SUCCION
CCINOTV	CONVICT
CCINSSU	SUCCINS
CCIOORS	SIROCCO
CCIOPTU	OCCIPUT
CCLNOSU	CONCLUS
CCLNOTU	CONCLUT
CCNOOOS	COCOONS*
CCNOORU	COURCON
CCOOORS	ROCOCOS*
CCOOSUU	COUCOUS
CDDEEEE	DECEDEE
CDDEEEI	DECIDEE
CDDEEEO	DECODEE
CDDEEER	DECEDER
CDDEEES	DECEDES
CDDEEEZ	DECEDEZ
CDDEEII	DEICIDE
CDDEEIR	DECIDER

CDDEEIS	DECIDES
CDDEEIZ	DECIDEZ
CDDEENS	DESCEND
CDDEEOR	DECODER
	DECORDE
CDDEEOS	DECODES
CDDEEOZ	DECODEZ
CDDEOSU	DECOUDS
CDDIORS	DISCORD
CDEEEEL	DECELEE
CDEEEEP	DEPECEE
CDEEEER	RECEDEE
CDEEEEX	EXCEDEE
CDEEEHP	DEPECHE
CDEEEIM	DECIMEE
CDEEEIR	DECRIEE
CDEEEIT	EDICTEE
CDEEELR	DECELER
CDEEELS	DECELES
CDEEELT	DELECTE
CDEEELZ	DECELEZ
CDEEEMN	DEMENCE
CDEEENR	CENDREE
	DECERNE
CDEEENT	DECENTE
CDEEEOR	DECOREE
CDEEEPR	DEPECER
	PRECEDE
CDEEEPS	DEPECES
CDEEEPZ	DEPECEZ
CDEEERR	RECEDER
CDEEERS	RECEDES
CDEEERT	DECRETE
CDEEERU	DECRUEE
CDEEERX	EXCEDER
CDEEERZ	CEDEREZ
	RECEDEZ
CDEEESX	EXCEDES
CDEEETT	DETECTE
CDEEEUV	DECUVEE
CDEEEVZ	DECEVEZ
CDEEEXZ	EXCEDEZ
CDEEFII	EDIFICE
CDEEFNO	DEFONCE
	FECONDE
CDEEHIN	DENICHE
	ECHIDNE
CDEEHIO	DECHOIE
CDEEHIR	DECHIRE
CDEEHJU	DEJUCHE
CDEEHOR	DEROCHE

CDEEHOU	DOUCHEE
CDEEHRS	DRECHES
CDEEHST	DECHETS
CDEEHSU	DECHUES
CDEEIIS	ECIDIES
CDEEILL	CEDILLE
CDEEILN	DECLINE
CDEEILS	DECILES
	DELICES
CDEEILU	EDICULE
	ELUCIDE
CDEEILV	DECLIVE
CDEEIMN	CNEMIDE
	MEDECIN
CDEEIMO	COMEDIE
CDEEIMR	DECIMER
CDEEIMS	DECIMES
CDEEIMZ	DECIMEZ
CDEEINO	CODEINE
CDEEINR	CEINDRE
CDEEINS	SCINDEE
CDEEIOS	DIOCESE
CDEEIOV	DECOIVE
CDEEIPR	DECREPI
CDEEIRR	DECRIER
	DECRIRE
CDEEIRS	DECRIES
CDEEIRT	CREDITE
	DECRITE
	DIRECTE
	EDICTER
CDEEIRU	DECURIE
CDEEIRV	CERVIDE
	DECRIVE
CDEEIRZ	DECRIEZ
CDEEIST	DICTEES
	EDICTES
CDEEITZ	EDICTEZ
CDEELLO	DECOLLE
CDEELOR	CORDELE
	DECLORE
CDEELOS	DECLOSE
CDEELOU	DECLOUE
	DECOULE
CDEELPU	DECUPLE
CDEELRU	CREDULE
CDEELSU	CEDULES
CDEEMSU	DECUMES
CDEENNO	DECONNE
	DENONCE
CDEENOR	DECORNE →

	ENCORDE
CDEENOS	SECONDE
CDEENRR	CENDRER
CDEENRS	CENDRES
CDEENRZ	CENDREZ
CDEENST	DECENTS
CDEEOPR	PROCEDE
CDEEOPU	DECOUPE
CDEEORR	DECORER
	RECORDE
CDEEORS	CORDEES
	DECORES
CDEEORZ	CODEREZ
	DECOREZ
CDEEOST	CESTODE
	DECOTES
CDEEOSU	COUDEES
	DECOUSE
CDEERRU	DECRUER
CDEERST	DECRETS
CDEERSU	DECRUES
	DECRUSE
CDEERUV	DECUVER
CDEERUZ	DECRUEZ
CDEESSU	DECUSSE
CDEESTU	DECUTES
CDEESUV	DECUVES
CDEEUVZ	DECUVEZ
CDEFIIO	CODIFIE
CDEFIIS	DECISIF
CDEFIIT	DEFICIT
CDEFNOS	FECONDS
CDEGHIO	GODICHE
CDEGILU	GLUCIDE
CDEHIOR	DECHOIR
CDEHIOS	DECHOIS
CDEHIOT	DECHOIT
CDEHORU	DOUCHER
CDEHOSU	DOUCHES
CDEHOUZ	DOUCHEZ
CDEIILN	DICLINE
CDEIINO	CONIDIE
CDEIINS	INDECIS
	INDICES
CDEIISU	SUICIDE
CDEIITZ	DICTIEZ
CDEIKRR	DERRICK
CDEILNS	DECLINS
CDEILOS	DOCILES
CDEILSU	LUCIDES
CDEILTU	DUCTILE →

	DULCITE
CDEIMSU	MUSCIDE*
CDEINOO	CONOIDE
CDEINOS	CEDIONS
CDEINOU	DOUCINE
CDEINRS	SCINDER
CDEINRU	ENDURCI
CDEINSS	SCINDES
CDEINSZ	SCINDEZ
CDEINTT	DICTENT
CDEIOOU	COUDOIE
CDEIORR	CORDIER
CDEIORS	DECROIS
CDEIORT	CORDITE
	DECROIT
	DICROTE
CDEIORV	CORVIDE*
	DIVORCE
CDEIORZ	CORDIEZ
CDEIOSU	DOUCIES
CDEIOUZ	COUDIEZ
CDEIPSU	CUPIDES
	CUSPIDE
CDEIRST	CREDITS
	DECRITS
	DIRECTS
	DISCRET
CDEIRSU	DURCIES
CDEIRTU	CRUDITE
	TRUCIDE
CDEIRTV	VERDICT
CDEISTU	CISTUDE
	DISCUTE
CDEKORS	DOCKERS
CDELNOY	CONDYLE
CDELOOU	OLEODUC
CDEMMOO	COMMODE
CDEMNOO	COMEDON
CDEMORU	DECORUM
CDENORT	CORDENT
CDENOSS	SECONDS
CDENOSU	SECUNDO
CDENOTU	COUDENT
CDEOORR	CORRODE
CDEOOUY	COUDOYE
CDEORRS	RECORDS
CDEORSU	DECOURS
	RECOUDS
CDEORTU	DOCTEUR
CDEORUU	DOUCEUR
CDEORUZ	COUDREZ

CDEOSSU	ESCUDOS
CDEOSTU	CUSTODE
CDEOSUU	DECOUSU
CDFNNOO	CONFOND
CDIINOT	DICTION
CDIIOST	OCTIDIS
CDINOOS	CODIONS
CDINOST	DICTONS
CDINOSU	CONDUIS
	DOUCINS
CDINOTU	CONDUIT
CDINSSY	SYNDICS
CDNOORS	CONDORS
	CORDONS
CDNOOSU	COUDONS
CEEEEHM	EMECHEE
CEEEEJT	EJECTEE
CEEEELR	RECELEE
CEEEEMR	ECREMEE
CEEEEPR	RECEPEE
CEEEERR	RECREEE
CEEEERT	ECRETEE
CEEEERX	EXECREE
	EXERCEE
CEEEFHL	FLECHEE
CEEEFIL	FICELEE
CEEEFLU	FECULEE
CEEEGNR	REGENCE
CEEEGNY	GYNECEE
CEEEGRS	GERCEES
CEEEHIN	ECHINEE
CEEEHIP	EPEICHE
CEEEHLL	ECHELLE
CEEEHLS	LECHEES
CEEEHMP	EMPECHE
CEEEHMR	EMECHER
CEEEHMS	EMECHES
	MECHEES
CEEEHMZ	EMECHEZ
CEEEHNP	PENCHEE
CEEEHNR	ENCHERE
CEEEHOU	ECHOUEE
CEEEHPR	PECHERE
	PERCHEE
	PRECHEE
	REPECHE
CEEEHPS	PECHEES
CEEEHRV	REVECHE
CEEEHSS	SECHEES
CEEEHSV	EVECHES
CEEEILS	CISELEE
CEEEIMN	EMINCEE
CEEEIMS	ECIMEES
CEEEINP	EPICENE
	EPINCEE
CEEEINR	INCREEE
CEEEINV	EVINCEE
CEEEIPS	EPICEES
CEEEIRR	RECRIEE
CEEEIRS	ECRIEES
CEEEIRT	RECITEE
	TIERCEE
CEEEISX	EXCISEE
CEEEITX	EXCITEE
CEEEJRT	EJECTER
CEEEJST	EJECTES
CEEEJTZ	EJECTEZ
CEEELLN	CENELLE
CEEELLO	OCELLEE
CEEELLS	SCELLEE
CEEELLU	ECUELLE
CEEELLX	EXCELLE
CEEELNR	CRENELE
CEEELNU	ENUCLEE
	NUCLEEE
CEEELOP	ECLOPEE
CEEELOR	RECOLEE
CEEELOT	COTELEE
CEEELOU	ECOULEE
CEEELPR	CREPELE
CEEELRR	RECELER
CEEELRS	RECELES
CEEELRU	RECULEE
	ULCEREE
CEEELRZ	CELEREZ
	RECELEZ
CEEELST	CELESTE
CEEELSU	ECLUSEE
	ECULEES
CEEELUV	CUVELEE
CEEEMNS	MECENES
	SEMENCE
CEEEMNT	CEMENTE
CEEEMRR	ECREMER
CEEEMRS	ECREMES
CEEEMRZ	ECREMEZ
CEEEMSU	ECUMEES
CEEENNO	ENONCEE
CEEENNS	ENCENSE
CEEENOR	ECORNEE
CEEENOS	EOCENES
CEEENRS	CERNEES →

	CRENEES
	ENCREES
	RECENSE
CEEENRT	CENTREE
	RECENTE
CEEENSS	CENSEES
	ESSENCE
CEEENTU	EUNECTE
CEEENUV	ENCUVEE
CEEEOPS	ECOPEES
CEEEORU	ECOEURE
	ECROUEE
CEEEOSS	ECOSSEE
CEEEOSU	SECOUEE
CEEEOTU	ECOUTEE
CEEEPRR	RECEPER
CEEEPRS	CREPEES
	PERCEES
	RECEPES
CEEEPRZ	RECEPEZ
CEEEPSS	ESPECES
CEEEPSU	EPUCEES
CEEEPTX	EXCEPTE
CEEERRR	RECREER
CEEERRS	RECREES
CEEERRT	ECRETER
	RETERCE
CEEERRU	RECUREE
CEEERRX	EXECRER
	EXERCER
CEEERRZ	CREEREZ
	RECREEZ
CEEERST	CRETEES
	ECRETES
	SECRETE
	TERCEES
CEEERSU	CREUSEE
	ECUREES
	RECUSEE
	RESUCEE
CEEERSV	CREVEES
CEEERSX	EXECRES
	EXERCES
CEEERTT	RECETTE
CEEERTU	CURETEE
	ERUCTEE
CEEERTX	EXCRETE
CEEERTZ	ECRETEZ
CEEERUV	REVECUE*
CEEERUY	ECUYERE
CEEERVZ	RECEVEZ
CEEERXZ	EXECREZ
	EXERCEZ
CEEESSS	CESSEES
CEEESUX	EXCUSEE
CEEETUX	EXECUTE
CEEFFIO	COIFFEE
CEEFFOR	COFFREE
	EFFORCE
CEEFHIL	FLECHIE
CEEFHIS	FICHEES
CEEFHIT	FETICHE
CEEFHLR	FLECHER
CEEFHLS	FLECHES
CEEFHLZ	FLECHEZ
CEEFIKO	COKEFIE
CEEFILL	FICELLE
CEEFILR	FICELER
CEEFILS	FICELES
CEEFILT	ELECTIF
CEEFILZ	FICELEZ
CEEFINO	CONFIEE
CEEFINT	INFECTE
CEEFLRU	FECULER
CEEFLSU	FECULES
CEEFLUZ	FECULEZ
CEEFNNO	ENFONCE
CEEFNNS	FENNECS
CEEFNOR	CONFERE
	FORCENE
	FRONCEE
CEEFNOS	FONCEES
CEEFORS	FEROCES
	FORCEES
CEEGHIR	GRIECHE
CEEGHOR	CHOREGE
CEEGILN	CINGLEE
	CLIGNEE
CEEGILR	CLERGIE
CEEGINO	NEGOCIE
CEEGINS	CEIGNES
CEEGINV	GENCIVE
CEEGINZ	CEIGNEZ
CEEGIRS	CIERGES
	GRECISE
CEEGIRT	GRECITE
CEEGIRZ	GERCIEZ
CEEGLLO	COLLEGE
CEEGLMO	GLECOME
CEEGLNO	CONGELE
CEEGLRS	CLERGES
CEEGNNO	ENGONCE

CEEGNOR	CONGERE
	CONGREE
CEEGNOS	COGNEES
	NEGOCES
CEEGNRT	GERCENT
CEEGNRU	URGENCE
CEEGORT	CORTEGE
CEEGQRU	GRECQUE
CEEGRRU	GERCURE
CEEHHOS	HOCHEES
CEEHHRR	HERCHER
CEEHHRS	HERCHES
	HERSCHE
CEEHHRZ	HERCHEZ
CEEHHSU	HUCHEES
CEEHILS	HELICES
	LICHEES
CEEHILV	LIVECHE
CEEHILZ	LECHIEZ
CEEHIMN	CHEMINE
CEEHIMR	CHIMERE
CEEHIMS	CHEMISE
CEEHIMZ	MECHIEZ
CEEHINN	CHIENNE
CEEHINP	PENICHE
CEEHINR	ECHINER
	ENCHERI
CEEHINS	CHINEES
	ECHINES
	NICHEES
CEEHINT	ENTICHE
CEEHINV	ECHEVIN
CEEHINZ	ECHINEZ
CEEHIOP	PIOCHEE
CEEHIPS	CHIPEES
CEEHIPZ	PECHIEZ
CEEHIQU	CHIQUEE
CEEHIRS	CHEIRES
	CHERIES
CEEHIRT	CERITHE
	TRICHEE*
CEEHIRZ	CHIEREZ
CEEHISS	SEICHES
CEEHISZ	SECHIEZ
CEEHITV	CHETIVE
CEEHJNO	JONCHEE
CEEHJSU	JUCHEES
CEEHLMS	CHELEMS
	SCHELEM
CEEHLNO	ECHELON
CEEHLNT	LECHENT
CEEHLNY	LYNCHEE
CEEHLOR	CHLOREE
CEEHLPT	CHEPTEL
	CLEPHTE
CEEHLPU	EPLUCHE
	PELUCHE
CEEHLRU	HERCULE
	LECHEUR
CEEHLSV	VELCHES
CEEHLUV	CHEVELU
CEEHMNT	MECHENT
CEEHMOP	EMPOCHE
CEEHMOR	CHROMEE
CEEHMOS	CHOMEES
CEEHMOU	MOUCHEE
CEEHMRS	CHERMES
	CHREMES
CEEHMSS	SCHEMES
CEEHMTU	HUMECTE
CEEHMUX	MECHEUX
CEEHNOP	PHOCEEN
CEEHNOR	ENROCHE
CEEHNPR	PENCHER
CEEHNPS	PENCHES
CEEHNPT	PECHENT
CEEHNPZ	PENCHEZ
CEEHNST	CHENETS
	SECHENT
CEEHNSU	CHENUES
CEEHOPP	ECHOPPE
CEEHOPS	CHOPEES
	POCHEES
CEEHOQU	CHOQUEE
CEEHORS	CHOREES
CEEHORT	TORCHEE
	TROCHEE
CEEHORU	ECHOUER
CEEHOSU	ECHOUES
CEEHOSY	CHOYEES
CEEHOTU	TOUCHEE
CEEHOUZ	ECHOUEZ
CEEHPRR	PERCHER
	PRECHER
CEEHPRS	PECHERS
	PERCHES
	PRECHES
CEEHPRU	PECHEUR
CEEHPRZ	PERCHEZ
	PRECHEZ
CEEHQSU	CHEQUES
CEEHQTU	TCHEQUE

CEEHRST	CHERTES
	CHESTER
CEEHRSU	RUCHEES
	SECHEUR
CEEHRSV	CHEVRES
CEEHRTU	RECHUTE
CEEHSTU	CHUTEES
CEEHSTV	CHEVETS
CEEHUVX	CHEVEUX
CEEIILS	CILIEES
CEEIILT	LICITEE
CEEIIMZ	ECIMIEZ
CEEIINR	RICINEE
CEEIINS	INCISEE
CEEIINT	INCITEE
CEEIIPR	EPICIER
CEEIIPZ	EPICIEZ
CEEIIRR	CIRIERE
CEEIIRS	SCIERIE
CEEIIRV	CIVIERE
CEEIIRZ	ECRIIEZ
CEEIISV	VICIEES
CEEIJNT	INJECTE
CEEIJST	JECISTE
CEEIKLN	NICKELE
CEEIKOR	COKERIE
CEEILLM	MICELLE
CEEILLR	CELLIER
CEEILLS	CILLEES
	ICELLES
CEEILLU	CUEILLE
CEEILLV	CIVELLE
CEEILNN	ENCLINE
CEEILNS	SILENCE
CEEILNT	CENTILE
	CLIENTE
CEEILOP	POECILE
	POLICEE
CEEILOR	ECOLIER
CEEILOS	ISOCELE
CEEILPS	ECLIPSE
CEEILRS	CELERIS
	CISELER
CEEILRU	CULIERE
	RECUEIL
CEEILSS	CISELES
	CLISSEE
	ECLISSE
	SIECLES
CEEILST	CISELET
CEEILSU	ECUEILS
CEEILSV	CLIVEES
CEEILSZ	CISELEZ
CEEILTU	LEUCITE
CEEILUZ	ECULIEZ
CEEIMNO	MIOCENE
CEEIMNR	EMINCER
CEEIMNS	EMINCES
CEEIMNT	CENTIME
	CIMENTE
	ECIMENT
CEEIMNZ	EMINCEZ
CEEIMRR	CREMIER
	MERCIER
CEEIMRS	ESCRIME
CEEIMRZ	CREMIEZ
CEEIMUZ	ECUMIEZ
CEEINNR	ENCRINE
CEEINNS	ENCEINS
CEEINNT	ENCEINT
CEEINNU	UNCINEE
CEEINOT	CETOINE
CEEINOV	CONVIEE
CEEINPR	CREPINE
	EPINCER
CEEINPS	EPINCES
	PINCEES
CEEINPT	EPICENT
	PECTINE
CEEINPZ	EPINCEZ
CEEINRR	ENCRIER
CEEINRS	CENSIER
	INCREES
	RINCEES
	SINCERE
CEEINRT	CINTREE
	CITERNE
	CRETINE
	ECRIENT
CEEINRV	EVINCER
CEEINRZ	CERNIEZ
	CRENIEZ
	ENCRIEZ
CEEINSS	SCIENES
CEEINST	CEINTES
	ESCIENT
	INCESTE
	INSECTE
CEEINSV	CENSIVE
	EVINCES
CEEINVZ	EVINCEZ
CEEIOPR	PICOREE →

	RECOPIE
CEEIOPS	COPIEES
CEEIOPT	PICOTEE
CEEIOPZ	ECOPIEZ
CEEIORS	CROISEE
CEEIORT	COTERIE
	COTIERE
CEEIORU	ECROUIE
CEEIORV	RECOIVE
CEEIORX	EXCORIE
CEEIOST	COTISEE*
	SOCIETE
CEEIOSU	SOUCIEE
CEEIOSZ	ZOECIES
CEEIOTU	EUTOCIE
CEEIPRR	CREPIER
	RECREPI
CEEIPRS	CREPIES
	CRISPEE
	PRECISE
CEEIPRT	CREPITE
	PRECITE
CEEIPRX	EXCIPER
CEEIPRZ	CREPIEZ
	PERCIEZ
CEEIPSX	EXCIPES
CEEIPUZ	EPUCIEZ
CEEIPXZ	EXCIPEZ
CEEIRRR	RECRIER
	RECRIRE
CEEIRRS	RECRIES
	REECRIS*
CEEIRRT	CRITERE
	RECITER
	RECRITE
	REECRIT*
	RETRECI
	TIERCER
CEEIRRU	RECUIRE
CEEIRRV	CERVIER
	RECRIVE
CEEIRRZ	CIREREZ
	CRIEREZ
	ECRIREZ
	RECRIEZ
CEEIRSS	CERISES
CEEIRST	CERITES
	ECRITES
	ICTERES
	RECITES
	TIERCES
CEEIRSU	CIREUSE
	CRIEUSE
	ECURIES
	RECUISE
CEEIRSV	ECRIVES
	SERVICE
	VISCERE
CEEIRSX	EXCISER
CEEIRSZ	SCIEREZ
CEEIRTT	RECTITE
CEEIRTU	RECUITE
CEEIRTX	EXCITER
CEEIRTZ	CITEREZ
	RECITEZ
	TERCIEZ
	TIERCEZ
CEEIRUV	CUIVREE
CEEIRUZ	ECURIEZ
CEEIRVZ	CREVIEZ
	ECRIVEZ
CEEISSU	ECUISSE
CEEISSV	SEVICES
CEEISSX	EXCISES
CEEISSZ	CESSIEZ
CEEISTU	CUITEES
CEEISTX	EXCITES
CEEISXZ	EXCISEZ
CEEITTV	CIVETTE
CEEITXZ	EXCITEZ
CEEKLST	TECKELS
CEEKOST	STOCKEE
CEELLLU	CELLULE
CEELLNO	ENCOLLE
CEELLNU	NUCELLE
CEELLOR	RECOLLE
CEELLOS	COLLEES
	OCELLES
CEELLOT	COLLETE
CEELLOU	LOCULEE
CEELLPU	PUCELLE
CEELLRS	SCELLER
CEELLRU	CRUELLE
CEELLSS	SCELLES
CEELLSZ	SCELLEZ
CEELLUV	CUVELLE
CEELMNT	CLEMENT
CEELMNU	ENCLUME
CEELMOR	MORCELE
CEELMSU	MUSCLEE
CEELMUU	CUMULEE
CEELNOR	ENCLORE

CEELNOS	ENCLOSE
CEELNOU	ENCLOUE
CEELNOV	CEVENOL
CEELNSU	CENSUEL
	NUCLEES
CEELNSY	LYCEENS
	LYCENES
CEELNTU	ECULENT
CEELOOR	COLOREE
CEELOPS	ECLOPES
CEELOPU	COUPLEE
CEELOQU	CLOQUEE
CEELORR	CORRELE
	RECOLER
CEELORS	COLERES
	CREOLES
	RECOLES
CEELORT	RECOLTE
CEELORU	CROULEE*
	ECOULER
	ECROULE
CEELORY	CLOYERE
CEELORZ	ECLOREZ*
	RECOLEZ
CEELOSS	ECLOSES
CEELOST	COTELES
CEELOSU	CLOUEES
	COULEES
	ECOULES
	LEUCOSE
CEELOSV	VELOCES
CEELOSZ	ECLOSEZ*
CEELOTU	CLOUTEE
CEELOUZ	ECOULEZ
CEELPRT	PLECTRE
CEELPRU	CREPELU
CEELPSU	PECULES
	SPECULE
CEELRRU	RECULER
	ULCERER
CEELRSU	ECLUSER
	RECLUSE
	RECULES
	ULCERES
CEELRTU	LECTEUR
	LECTURE
CEELRUV	CUVELER
CEELRUX	EXCLURE
CEELRUZ	CULEREZ
	RECULEZ
	ULCEREZ
CEELSST	SELECTS
CEELSSU	ECLUSES
CEELSUV	CUVELES
CEELSUX	EXCLUES
CEELSUZ	ECLUSEZ
CEELUVZ	CUVELEZ
CEELUXZ	EXCLUEZ
CEEMMOR	COMMERE
CEEMMOU	COMMUEE
CEEMNOO	ECONOME
CEEMNOR	CREMONE
CEEMNOS	SEMONCE
CEEMNRT	CREMENT
CEEMNRU	CERUMEN
CEEMNST	CEMENTS
CEEMNTU	ECUMENT
CEEMOPR	COMPERE
CEEMOPT	COMPTEE
CEEMOST	COMETES
CEEMRRU	MERCURE
CEEMRSU	RECUMES
CEEMRUU	ECUMEUR
CEEMRUX	CREMEUX
CEEMSUV	VECUMES
CEEMUUX	ECUMEUX
CEENNOR	CORNEEN
	ENCORNE
	ENONCER
	RENONCE
CEENNOS	ENONCES
	SENECON
CEENNOU	COUENNE
CEENNOX	CONNEXE
CEENNOZ	ENONCEZ
CEENNRT	CERNENT
	CRENENT
	ENCRENT
CEENOOP	CONOPEE
CEENOPS	PONCEES
CEENOPT	ECOPENT
	POTENCE
CEENORR	ECORNER
CEENORS	COREENS
	CORNEES
	ECORNES
	NECROSE
CEENORT	CONTREE
CEENORU	COENURE
	ENCOURE
	ENCROUE
CEENORZ	ECORNEZ

CEENOST	CETONES
	CONTEES
CEENOSU	NOCEUSE
CEENOVX	CONVEXE
CEENPRS	SPENCER
CEENPRT	CREPENT
	PERCENT
CEENPST	PECTENS
CEENPTU	EPUCENT
CEENRRT	CENTRER
CEENRRU	CERNURE*
	ENCREUR
CEENRST	CENTRES
	RECENTS
	TENRECS
CEENRSU	CENSEUR
	CENSURE
	CENURES
CEENRTT	TERCENT
CEENRTU	CRUENTE
	ECURENT
CEENRTV	CREVENT
CEENRTZ	CENTREZ
CEENRUV	ENCUVER
CEENSST	CESSENT
CEENSUV	ENCUVES
CEENUVZ	ENCUVEZ
CEEOOPR	COOPERE
CEEOOPT	COOPTEE
CEEOORU	ROCOUEE
CEEOOTY	COTOYEE
CEEOPRR	PROCREE
CEEOPRS	PECORES
CEEOPRU	RECOUPE
CEEOPSU	COUPEES
CEEOPTY	ECOTYPE
CEEOQRU	CROQUEE
CEEOQTU	COQUETE
CEEORRU	ECROUER
	RECOURE
CEEORRZ	OCREREZ
CEEORSS	CORSEES
	CROSSEE
	ECOSSER
CEEORST	CORSETE
	ESCORTE
CEEORSU	ECROUES
	OCREUSE
	RECOUSE
	SECOUER
	SECOURE
CEEORSV	CORVEES
CEEORTT	CROTTEE
CEEORTU	ECOURTE
	ECOUTER
	ECROUTE
CEEORTZ	COTEREZ
CEEORUZ	ECROUEZ
CEEOSSS	ECOSSES
CEEOSSU	SECOUES
CEEOSSZ	ECOSSEZ
CEEOSTU	COUTEES
	ECOUTES
	SUCOTEE
CEEOSTX	EXOCETS
CEEOSUV	COUVEES
CEEOSUZ	SECOUEZ
CEEOTTU	COUETTE
CEEOTUZ	ECOUTEZ
CEEPPRU	PREPUCE
CEEPQSU	PECQUES
CEEPRRU	CREPURE
	PERCEUR
CEEPRST	RESPECT
	SCEPTRE
	SPECTRE
CEEPRSU	CREPUES
	PERCUES
CEEPRTU	PERCUTE
CEEPSTY	ECTYPES
CEERRRU	RECURER
CEERRSU	CREUSER
	RECRUES
	RECURES
	RECUSER
CEERRTU	CURETER
	ERUCTER
	RECRUTE
	RECTEUR
CEERRUU	ECUREUR
CEERRUZ	CUREREZ
	RECUREZ
CEERSST	SECRETS
CEERSSU	CERUSES
	CESURES
	CREUSES
	RECUSES
	RECUSSE
	SUCREES
CEERSTT	TERCETS
CEERSTU	CREUSET
	CURETES →

	ERUCTES
	RECUTES
	SCRUTEE
	SECTEUR
CEERSUV	REVECUS
CEERSUX	EXCUSER
CEERSUY	ECUYERS
CEERSUZ	CREUSEZ
	RECUSEZ
	SUCEREZ
CEERTTU	CURETTE
CEERTUV	REVECUT
	VECTEUR
CEERTUZ	CURETEZ
	ERUCTEZ
CEERUVZ	CUVEREZ
CEESSUU	SUCEUSE
CEESSUV	VECUSSE
CEESSUX	EXCUSES
CEESTTU	SUCETTE
CEESTUV	VECUTES
CEESUXZ	EXCUSEZ
CEETTUV	CUVETTE
CEFFHIR	CHIFFRE
CEFFHIS	CHIFFES
CEFFIIO	OFFICIE
CEFFIOR	COIFFER
CEFFIOS	COIFFES
	OFFICES
CEFFIOZ	COIFFEZ
CEFFORR	COFFRER
CEFFORS	COFFRES
CEFFORT	COFFRET
CEFFORZ	COFFREZ
CEFHIIR	FICHIER
CEFHIIZ	FICHIEZ
CEFHILR	FLECHIR
CEFHILS	FLECHIS
CEFHILT	FLECHIT
CEFHINT	FICHENT
CEFHIRS	CHERIFS
	FRICHES
CEFHIRT	FICHTRE
CEFHIST	CHETIFS
CEFHISU	FICHUES
CEFHLOS	FLOCHES
CEFHORU	FOURCHE
CEFIIOR	ORIFICE
CEFIITV	FICTIVE
CEFINNO	CONFINE
CEFINOR	CONFIER →
	CONFIRE
	FONCIER
CEFINOS	CONFIES
	CONFISE
CEFINOT	CONFITE
CEFINOZ	CONFIEZ
	FONCIEZ
CEFINST	INFECTS
CEFIORT	FRICOTE
CEFIORZ	FORCIEZ
CEFLLOU	FLOCULE
CEFLNOU	CONFLUE
CEFNNOT	FONCENT
CEFNORR	FRONCER
CEFNORS	FRONCES
CEFNORT	FORCENT
CEFNORU	FONCEUR
CEFNORZ	FRONCEZ
CEFNOSU	CONFUSE
CEFOPRS	FORCEPS
CEGGINO	CIGOGNE
CEGHISU	GUICHES
CEGHITU	GUICHET
CEGIILZ	GICLIEZ
CEGIINS	CEIGNIS
CEGIINT	CEIGNIT
CEGILLO	COLLIGE
CEGILNR	CINGLER
	CLIGNER
CEGILNS	CINGLES
	CLIGNES
CEGILNT	GICLENT
CEGILNU	GLUCINE
CEGILNY	GLYCINE
CEGILNZ	CINGLEZ
	CLIGNEZ
CEGILRU	GICLEUR
CEGINOZ	COGNIEZ
CEGINRR	GRINCER
CEGINRS	GRINCES
CEGINRZ	GRINCEZ
CEGIORR	CORRIGE
CEGIORT	COGITER
CEGIOST	COGITES
CEGIOTZ	COGITEZ
CEGLOSU	GLUCOSE
CEGNNOT	COGNENT
CEGNORS	CONGRES
	GERCONS
CEGNORU	CONGRUE
CEGORSU	COURGES

CEHHIKS	CHEIKHS
CEHHIOZ	HOCHIEZ
CEHHIUZ	HUCHIEZ
CEHHNOT	HOCHENT
CEHHNTU	HUCHENT
CEHHOST	HOCHETS
CEHIILN	CHILIEN
CEHIILZ	LICHIEZ
CEHIIMS	CHIISME
	CHIMIES
CEHIINR	ENRICHI
	HIRCINE
CEHIINT	CHITINE
CEHIINZ	CHINIEZ
	NICHIEZ
CEHIIOS	CHOISIE
CEHIIPS	CHIPIES
CEHIIPZ	CHIPIEZ
CEHIIST	CHIITES
CEHIJUZ	JUCHIEZ
CEHILNO	CHOLINE
	HELICON
CEHILNS	CHENILS
	LICHENS
CEHILNT	LICHENT
CEHILST	LETCHIS
CEHIMNS	CHEMINS
CEHIMOS	MIOCHES
CEHIMOU	MECHOUI
CEHIMOZ	CHOMIEZ
CEHIMRS	CHRISME
CEHIMSS	SCHISME
CEHINNT	CHINENT
	NICHENT
CEHINOP	CHOPINE
CEHINOT	CHOIENT
CEHINPT	CHIPENT
CEHINRU	CHINEUR
CEHINST	NICHETS
CEHINTU	CHUINTE
CEHIOPR	PIOCHER
CEHIOPS	HOSPICE
	PIOCHES
CEHIOPT	CHIPOTE
	POTICHE
CEHIOPZ	CHOPIEZ
	PIOCHEZ
	POCHIEZ
CEHIORR	ROCHIER
CEHIORS	SECHOIR
CEHIORT	ORCHITE
CEHIORZ	CHOIREZ*
	ROCHIEZ
CEHIOYZ	CHOYIEZ
CEHIPRS	PERCHIS
CEHIPRU	CHIPEUR
CEHIPST	PICHETS
CEHIQRU	CHIQUER
CEHIQSU	CHIQUES
	QUICHES
CEHIQUZ	CHIQUEZ
CEHIRRS	CIRRHES
CEHIRRT	TRICHER
CEHIRST	TRICHES
CEHIRSU	CHIURES
CEHIRSV	CHERVIS
CEHIRTZ	TRICHEZ
CEHIRUZ	RUCHIEZ
CEHISST	SCHISTE
CEHITUZ	CHUTIEZ
CEHJNOR	JONCHER
CEHJNOS	JONCHES
CEHJNOZ	JONCHEZ
CEHJNTU	JUCHENT
CEHKOSY	HOCKEYS
CEHKPTU	KETCHUP
CEHLNOS	LECHONS
CEHLNRY	LYNCHER
CEHLNSU	LUNCHES
CEHLNSY	LYNCHES
CEHLNYZ	LYNCHEZ
CEHLORS	CHLORES
CEHLORU	LOUCHER
CEHLOSS	SCHEOLS
CEHLOSU	LOUCHES
CEHLOTU	LOUCHET
CEHLOUZ	LOUCHEZ
CEHLSSW	WELSCHS
CEHMNOS	MECHONS
CEHMNOT	CHOMENT
CEHMORR	CHROMER
CEHMORS	CHROMES
CEHMORU	CHOMEUR
	MOUCHER
CEHMORZ	CHROMEZ
CEHMOSU	MOUCHES
CEHMOUZ	MOUCHEZ
CEHNOPS	PECHONS
CEHNOPT	CHOPENT
	POCHENT
CEHNORS	NOCHERS
CEHNORT	ROCHENT →

	TRONCHE
CEHNORV	CHEVRON
CEHNOSS	SECHONS
CEHNPST	PSCHENT
CEHNPSU	PUNCHES*
CEHNRTU	CHURENT*
	RUCHENT
CEHNTTU	CHUTENT
CEHOORT	COHORTE
CEHOPPR	CHOPPER
CEHOPPS	CHOPPES
CEHOPPZ	CHOPPEZ
CEHOPRR	PORCHER
CEHOPRS	PORCHES
	PROCHES
CEHOPSY	CYPHOSE
CEHOQRU	CHOQUER
CEHOQSU	CHOQUES
CEHOQUZ	CHOQUEZ
CEHORRS	ROCHERS
	SCHORRE
CEHORRT	TORCHER
CEHORST	ROCHETS
	TORCHES
	TROCHES
CEHORSU	CHOEURS
CEHORSZ	SCHERZO
CEHORTU	TOUCHER
CEHORTZ	TORCHEZ
CEHORUX	ROCHEUX
CEHOSSU	SOUCHES
CEHOSTU	CHOUTES
	SOUCHET
	TOUCHES
CEHOTUZ	TOUCHEZ
CEHPSSY	PSYCHES
CEHRRSU	RUCHERS
CEHRRSY	CHERRYS
CEIIIVZ	VICIIEZ
CEIILLU	CUEILLI
	LUCILIE
CEIILLZ	CILLIEZ
CEIILMS	MILICES
CEIILNN	INCLINE
CEIILRS	LICIERS
CEIILRT	LICITER
CEIILSS	SILICES
CEIILST	LICITES
CEIILSV	CIVILES
CEIILTZ	LICITEZ
CEIILVZ	CLIVIEZ
CEIIMMS	IMMISCE
CEIIMRS	CIMIERS
CEIIMSV	CIVISME
CEIIMTV	VICTIME
CEIINOR	NOIRCIE
CEIINPS	PISCINE
CEIINPZ	PINCIEZ
CEIINRS	INCISER
	RICINES
CEIINRT	CINETIR
	CITRINE
	INCITER
CEIINRU	INCURIE
CEIINRZ	RINCIEZ
CEIINSS	INCISES
CEIINST	INCITES
CEIINSU	CUISINE
CEIINSZ	INCISEZ
CEIINTU	UNICITE
CEIINTV	VICIENT
CEIINTZ	INCITEZ
CEIIOPZ	COPIIEZ
CEIIORV	REVOICI
CEIIQUV	CIVIQUE
CEIIRRS	CIRIERS
CEIIRSV	ECRIVIS
CEIIRTV	ECRIVIT
CEIIRUZ	CUIRIEZ
CEIISUZ	CUISIEZ
CEIITUZ	CUITIEZ
CEIIUVX	VICIEUX
CEIJOST	JOCISTE
CEIJSTU	JUSTICE
CEIKLNR	CLINKER
CEIKLNS	NICKELS
CEIKLPS	PICKLES
CEIKSTT	TICKETS
CEILLNO	COLLINE
CEILLNT	CILLENT
CEILLNU	LINCEUL
CEILLOR	COLLIER
CEILLOS	OSCILLE
CEILLOU	LUCIOLE
CEILLOZ	COLLIEZ
CEILLRU	CUILLER
CEILLSS	SCILLES
CEILMNU	CULMINE
CEILMOP	COMPILE
CEILMTU	CELTIUM
CEILNNO	INCONEL
CEILNNS	ENCLINS

CEILNOO	COLONIE
CEILNOP	CLOPINE
CEILNOR	LICORNE
CEILNOS	CELIONS
	CONSEIL
CEILNOT	COLTINE
CEILNOU	INOCULE
CEILNPU	INCULPE
CEILNRU	INCLURE
CEILNST	CLIENTS
	STENCIL
CEILNSU	INCLUES
	INCLUSE
CEILNTU	INCULTE
CEILNTV	CLIVENT
CEILNUZ	INCLUEZ
CEILOOR	COLORIE
CEILOOS	COOLIES
CEILOPR	PICOLER
CEILOPS	PICOLES
	POLICES
CEILOPZ	PICOLEZ
CEILOQU	COLIQUE
CEILORT	CLOITRE
CEILORZ	CLORIEZ
CEILOSS	SCOLIES
CEILOST	COLITES
CEILOSZ	CLOSIEZ
CEILOUZ	CLOUIEZ
	COULIEZ
CEILPPR	CLIPPER
CEILPSU	SPICULE
CEILQSU	CLIQUES
CEILQTU	CLIQUET
CEILRSS	CLISSER
CEILRTU	LICTEUR
CEILSSS	CLISSES
CEILSSZ	CLISSEZ
CEILTUV	CULTIVE
CEIMMOS	COMMISE
CEIMNOS	ECIMONS
CEIMNRU	MINCEUR
CEIMNST	CIMENTS
CEIMNSY	CYNISME
CEIMOQU	COMIQUE
CEIMORR	CORMIER
CEIMORT	MOTRICE
CEIMOST	COMITES
	COTIMES
CEIMOTV	VICOMTE
CEIMRSU	CERIUMS
CEIMSSU	CESIUMS
CEINNPT	PINCENT
CEINNRT	RINCENT
CEINNSU	UNCINES
CEINOOV	CONVOIE
CEINOPR	COPINER
	PIONCER
	PORCINE
CEINOPS	COPINES
	EPICONS
	PIONCES
CEINOPT	COPIENT
CEINOPZ	COPINEZ
	PIONCEZ
	PONCIEZ
CEINOQU	CONIQUE
	COQUINE
CEINORR	CORNIER
	RONCIER
CEINORS	CREIONS
	ECRIONS
	RECOINS
CEINORT	CROIENT
CEINORU	COUINER
CEINORV	CONVIER
CEINORZ	CORNIEZ
	ZIRCONE
CEINOSS	CESSION
CEINOST	NOTICES
	SECTION
CEINOSU	COUINES
	COUSINE
CEINOSV	CONVIES
	NOCIVES
	NOVICES
CEINOTY	CITOYEN
CEINOTZ	CONTIEZ
CEINOUZ	COUINEZ
CEINOVV	CONVIVE
CEINOVZ	CONVIEZ
CEINPRS	CREPINS
	PRINCES
CEINPRU	PINCEUR
	PINCURE
CEINQSU	SCINQUE
CEINQUY	CYNIQUE
CEINRRT	CINTRER
CEINRRU	RINCURE
CEINRST	CINTRES
	CRETINS
CEINRTZ	CINTREZ

CEINRUV	INCURVE
CEINSSU	INCUSES
CEINSTU	CUISENT
	CUTINES
CEINTTU	CUITENT
CEIOORR	CORROIE
CEIOORT	OCTROIE
CEIOOST	COTOIES
CEIOPPR	PROPICE
CEIOPRR	PERCOIR
	PICORER
CEIOPRS	PERCOIS
	PICORES
CEIOPRT	PERCOIT
	PICOTER
CEIOPRU	COPIEUR
	CROUPIE
	POUCIER
CEIOPRZ	PICOREZ
CEIOPST	COPISTE
	PICOTES
CEIOPTZ	PICOTEZ
CEIOPUX	COPIEUX
CEIOPUZ	COUPIEZ
CEIORRS	CROISER
	SORCIER
CEIORRT	CROITRE
CEIORRU	ECROUIR
CEIORRZ	CROIREZ
CEIORSS	CROISES
	CROISSE
	SCORIES
CEIORST	COTIERS
	COTISER
	CRETOIS
CEIORSU	ECROUIS
	SOUCIER
CEIORSZ	CORSIEZ
	CROISEZ
CEIORTT	TRICOTE
CEIORTU	ECROUIT
CEIORTZ	COTIREZ
CEIORUZ	COURIEZ
CEIORYZ	CROYIEZ
CEIOSST	COTISES
	COTISSE
	SCOTIES
CEIOSSU	SOUCIES
CEIOSSV	VISCOSE
CEIOSSZ	COSSIEZ
CEIOSTT	COITTES →
	COTITES
	SCIOTTE
CEIOSTZ	COTISEZ
CEIOSUZ	COUSIEZ
	SOUCIEZ
CEIOTUZ	COUTIEZ
CEIOUVZ	COUVIEZ
CEIPRRS	CRISPER
CEIPRSS	CRISPES
	SCIRPES
CEIPRST	SCRIPTE
	TRICEPS
CEIPRSU	PUCIERS
CEIPRSZ	CRISPEZ
CEIPRTU	PRECUIT
CEIPRTV	PICVERT*
CEIQRSU	CIRQUES
	CRIQUES
CEIQRTU	CRIQUET
CEIRRSS	CRISSER
CEIRRST	RECRITS
	RESCRIT
CEIRRSU	CIREURS
	CRIEURS
	CRUISER
	SUCRIER
CEIRRUV	CUIVRER
CEIRSSS	CRISSES
CEIRSST	CISTRES
CEIRSSU	SCIEURS
	SCIURES
CEIRSSZ	CRISSEZ
CEIRSTT	STRICTE
CEIRSTU	CUISTRE
	CURISTE
	RECUITS
CEIRSUU	CUISEUR
CEIRSUV	CUIVRES
	CURSIVE
	CUVIERS
CEIRSUZ	SUCRIEZ
CEIRTTU	TUTRICE
CEIRUUX	CURIEUX
CEIRUVZ	CUIVREZ
CEISSSU	CUISSES
CEISSTU	SUSCITE
CEISSTY	CYTISES
CEISTTY	CYSTITE
CEJKOSY	JOCKEYS
CEJNORU	CONJURE
CEKKOPS	KOPECKS

CEKORST	STOCKER
CEKOSST	STOCKES
CEKOSTZ	STOCKEZ
CELLNOO	COLONEL
CELLNOT	COLLENT
CELLOOR	COROLLE
CELLORU	COLLEUR
CELLORY	COLLYRE
CELLOST	COLLETS
CELLOSU	LOCULES
CELLOSY	COLLEYS
CELLTUU	CULTUEL
CELMNOO	MONOCLE
CELMOPT	COMPLET
CELMRSU	MUSCLER
CELMRUU	CUMULER
CELMSSU	MUSCLES
CELMSUU	CUMULES
CELMSUZ	MUSCLEZ
CELMUUZ	CUMULEZ
CELNNOO	COLONNE
CELNNOU	NUCLEON
CELNOOS	CONSOLE
CELNOOV	CONVOLE
CELNORU	CULERON
CELNOST	CLOSENT
CELNOSU	ECULONS
CELNOTU	CLOUENT
	COULENT
	NOCTULE
CELOOPU	COUPOLE
CELOORR	COLORER
CELOORS	COLORES
	CREOSOL
CELOORZ	COLOREZ
CELOOSS	COLOSSE
CELOOST	OCELOTS
CELOPRU	COUPLER
CELOPSU	COPULES
	COUPLES
CELOPSY	LYCOPES
CELOPTU	COUPLET
CELOPUZ	COUPLEZ
CELOQRU	CLOQUER
CELOQSU	CLOQUES
CELOQUZ	CLOQUEZ
CELORRU	CROULER
CELORSS	CRESOLS
CELORSU	CROULES
CELORTU	CLOTURE
	CLOUTER
CELORTV	COLVERT
CELORUU	COULEUR
	COULURE
CELORUZ	CROULEZ
CELOSSU	OSCULES
CELOSSY	LYCOSES
CELOSTU	CLOUTES
	LOCUSTE
CELOSTY	COTYLES
	SCOLYTE
CELOTTU	CULOTTE
CELOTUZ	CLOUTEZ
CELPRSU	PERCLUS
CELPSTU	SCULPTE
CELPSUU	CUPULES
CELRSSY	CRESYLS
CELRSUU	CURULES
CELRTUU	CULTURE
CEMMNOT	COMMENT
CEMMNOU	COMMUNE
CEMMORU	COMMUER
CEMMOST	COMMETS
CEMMOSU	COMMUES
CEMMOTU	COMMUTE
CEMMOUZ	COMMUEZ
CEMNNOU	MECONNU
CEMNOOP	COMPONE
CEMNORS	CREMONS
CEMNOSU	CONSUME
	ECUMONS
CEMNRTU	CRUMENT
CEMOOPS	COMPOSE
CEMOOPT	COMPOTE
CEMOOST	SCOTOME
CEMOPRT	COMPTER
CEMOPST	COMPTES
CEMOPTZ	COMPTEZ
CEMOSSY	MYCOSES
CEMOSTU	COSTUME
CEMOTUU	COUTUME
CEMRSTU	RECTUMS
CENNOOT	CONNOTE
	COTONNE
CENNOPT	PONCENT
CENNORS	CERNONS
	CRENONS
	ENCRONS
CENNORT	CORNENT
CENNORU	RECONNU
CENNOSS	CONSENS
CENNOST	CENTONS →

	CONSENT
CENNOSU	CONNUES
CENNOTT	CONTENT
CENNOTU	CONTENU
CENNOTV	CONVENT
CENNOUV	CONVENU
CENOOPS	ECOPONS
CENOORR	CORONER
	CROONER
CENOOVY	CONVOYE
CENOPRS	CREPONS
	PERCONS
CENOPRU	PUCERON
CENOPSU	CONSPUE
	EPUCONS
CENOPSY	SYNCOPE
CENOPTU	COUPENT
	PONCTUE
CENOPUX	PONCEUX
CENOQSU	CONQUES
	ONCQUES
CENOQTU	CONQUET
CENORRS	CORNERS
CENORRT	CONTRER
CENORSS	CRESSON
	CROSNES
CENORST	CONTRES
	CORNETS
	CORSENT
	TERCONS
	TRONCES
CENORSU	CORNUES
	ECURONS
	ENCOURS
	NOCEURS
CENORSV	CONVERS
	CREVONS
CENORTU	CONTEUR
	COURENT
	ENCOURT
CENORTZ	CONTREZ
CENORUU	ENCOURU
CENORUX	RONCEUX
CENOSSS	CESSONS
	SCONSES
CENOSST	COSSENT
CENOSSU	ECUSSON
CENOSTU	CONTUSE
	COUSENT
CENOTTU	COUTENT
CENOTUV	COUVENT
CENRRTU	CRURENT
CENRSTU	SUCRENT
CEOOPRT	COOPTER
CEOOPST	COOPTES
CEOOPTZ	COOPTEZ
CEOORRU	ROCOUER
CEOORRY	CORROYE
CEOORST	SCOOTER
CEOORSU	ROCOUES
CEOORTY	COTOYER
	OCTROYE
CEOORUZ	ROCOUEZ
CEOOSTY	COTOYES
	COYOTES
CEOOTYZ	COTOYEZ
CEOPRRU	PROCURE
CEOPRSU	CROUPES
CEOPRUU	COUPEUR
	COUPURE
CEOQRRU	CROQUER
CEOQRSU	CROQUES
CEOQRTU	CROQUET
CEOQRUZ	CROQUEZ
CEOQSSU	SOCQUES
CEOQSTU	COQUETS
CEOQSUU	COUQUES
CEORRSS	CROSSER
CEORRSU	RECOURS
CEORRTT	CROTTER
CEORRTU	RECOURT
CEORRUU	COUREUR
	RECOURU
CEORRUZ	COURREZ
CEORSSS	CROSSES
CEORSST	CORSETS
CEORSSU	COURSES
	SECOURS
	SOURCES
CEORSSZ	CROSSEZ
CEORSTT	CROTTES
CEORSTU	COURTES
	COUTRES
	CROUTES
	SECOURT
	SUCOTER
CEORSUU	COURUES
	RECOUSU
	SECOURU
CEORSUV	COUVRES
CEORTTZ	CROTTEZ
CEORTUU	COUTURE

CEORTUV	COUVERT
CEORUVZ	COUVREZ
CEOSSSU	COSSUES
CEOSSTU	SCOUTES
	SUCOTES
CEOSSUU	COUSUES
CEOSTUZ	SUCOTEZ
CEOTUUX	COUTEUX
CEPRSTY	CRYPTES
CEPSSTU	SUSPECT
CERRSTU	SCRUTER
CERRSUU	CURSEUR
CERSSSU	CRUSSES
CERSSTU	SCRUTES
CERSSUU	SUCEURS
CERSTUZ	SCRUTEZ
CERSUUV	SURVECU
CFFHINO	CHIFFON
CFFIIST	FICTIFS
CFFINOS	COFFINS
CFFINOU	COUFFIN
CFGINOR	FORCING
CFHIIOR	FICHOIR
CFHIIRT	FRICHTI
CFHINOS	FICHONS
CFHLSSY	FLYSCHS
CFHORUU	FOURCHU
CFIIINS	INCISIF
CFIINOT	FICTION
CFILNOT	CONFLIT
CFINNOS	CONFINS
CFINOPS	PONCIFS
CFINORS	FRONCIS
CFINOST	CONFITS
CFIORST	FRICOTS
CFIRSSU	CURSIFS
CFLNOOS	FLOCONS
CFLOORS	FORCLOS
CFNNOOS	FONCONS
CFNOORS	FORCONS
CFNOORT	CONFORT
CGHINNO	CHIGNON
CGIKNOS	COKINGS
CGILNOS	GICLONS
CGILNRU	CURLING
CGINOTU	CONTIGU
CGIOOST	COGITOS*
CGLLOSY	GLYCOLS
CGNNOOS	COGNONS
CGNORSU	CONGRUS
CHHISTY	ICHTHYS
CHHNOOS	HOCHONS
CHHNOSU	HUCHONS
CHIILST	LITCHIS
CHIINOR	NICHOIR
CHIINOS	CHIIONS
	CHINOIS
	ISCHION
CHIINRS	HIRCINS
CHIIORS	CHOISIR
CHIIOSS	CHOISIS
CHIIOST	CHOISIT
CHIJORU	JUCHOIR
CHIKNOO	CHINOOK
CHIKORY	HICKORY
CHIKRSS	KIRSCHS
CHILNOS	LICHONS
CHILNSY	LYCHNIS
CHILOTY	ICHTYOL
CHINNOS	CHINONS
	NICHONS
CHINOOR	CHORION
CHINOPS	CHIPONS
CHINOST	CHITONS
CHIOOPR	POCHOIR
CHIOORZ	CHORIZO
CHIORST	TORCHIS
CHIORSU	ROUCHIS
CHIRSST	CHRISTS
CHJNOSU	JUCHONS
CHLMOOS	MOLOCHS
CHMNOOS	CHOMONS
CHMOORS	CHROMOS
CHNOOPS	CHOPONS
	POCHONS
	PONCHOS
CHNOORS	CHRONOS
	ROCHONS
CHNOORT	TORCHON
CHNOOSY	CHOYONS
CHNORSU	RUCHONS
CHNOSTU	CHUTONS
CHOPSSU	SCHUPOS
CHPSSTU	PUTSCHS*
CIIILNV	INCIVIL
CIIINPT	INCIPIT
CIILNOP	CIPOLIN
CIILNOR	LINCOIR
CIIMNOT	MICTION
CIINOPT	PICOTIN
CIINORR	NOIRCIR
CIINORS	CIRIONS →

	CRIIONS
	NOIRCIS
CIINORT	NOIRCIT
CIINOSS	SCIIONS
CIINOST	CITIONS
CIINOSV	VICIONS
CIINPRS	CRISPIN
CIINRSS	INSCRIS
CIINRST	INSCRIT
CILLNOS	CILLONS
CILNOOS	CLOISON
CILNOST	COLTINS
CILNOSU	CULIONS
CILNOSV	CLIVONS
CILOORS	COLORIS
CILOORU	COULOIR
CILORSU	COURLIS
	SOURCIL
CILOSTU	COUTILS
	LOUSTIC
CIMNOOR	OMICRON
CIMNORS	MICRONS
CIMOOST	COMTOIS
CIMOPRS	COMPRIS
CIMOPRT	COMPRIT
CIMRSUU	CURIUMS
CINNNOU	INCONNU
CINNOOP	POINCON
CINNOOT	ONCTION
CINNOPS	PINCONS
CINNORS	RINCONS
CINNOST	CONTINS
CINNOSV	CONVINS
CINNOTT	CONTINT
CINNOTU	CONTINU
CINNOTV	CONVINT
CINOOPS	COPIONS
CINOORS	OCRIONS
CINOORT	CORNIOT
CINOOST	COTIONS
CINOOSV	CONVOIS
CINOPRS	COPRINS
	PORCINS
CINOQSU	CONQUIS
	COQUINS
CINOQTU	CONQUIT
CINORST	CITRONS
CINORSU	CUIRONS
	CURIONS
CINORSZ	ZIRCONS
CINORTT	CONTRIT →
	CROTTIN
CINORTU	CUIRONT
CINOSST	TOCSINS
CINOSSU	COSINUS
	COUSINS
	COUSSIN
	CUISONS
	CUISSON
	SUCIONS
CINOSTU	CUITONS
CINOSUV	CUVIONS
CINPRSY	CYPRINS
CINRSTU	SCRUTIN
CIOOPRU	COUPOIR
CIOORRS	CORROIS
CIOORST	OCTROIS
CIOORUV	COUVOIR
CIOPRRU	CROUPIR
CIOPRSU	CROUPIS
CIOPRTU	CROUPIT
CIOQRSU	CROQUIS
CIORRUV	COUVRIR
CIORSST	TRISOCS
CIORSSU	SUCOIRS
CIORSTT	TRICOTS
CIORSUV	COUVRIS
CIORTUV	COUVRIT
CIOSSSY	SYCOSIS
CIOSSTU	CUISSOT
CIOSTTU	CUISTOT
CIPRSST	SCRIPTS
CIRSSTT	STRICTS
CLLNOOS	COLLONS
CLLOSUU	ULLUCOS
CLMOOPT	COMPLOT
CLMOPSU	COMPLUS
CLMOPTU	COMPLUT
CLMSUUU	CUMULUS
CLNOORS	CLORONS
CLNOORT	CLORONT
CLNOOSS	CONSOLS
CLNOOSU	CLOUONS
	COULONS
CLNOSSU	CONSULS
CLOOPSY	POLYSOC
CLOORST	TORCOLS
CMMNOSU	COMMUNS
CMNORSU	MUCRONS
CMNPTUU	PUNCTUM
CMOOPST	COMPOST
CMOPSTU	COMPUTS

CMORSTU	SCROTUM
CNNOOPS	PONCONS
CNNOORS	CORNONS
CNNOORT	TRONCON
CNNOOST	CONTONS
CNOOOTY	OTOCYON
CNOOPRU	CROUPON
CNOOPSU	COUPONS
	SOUPCON
CNOORSS	CORSONS
CNOORST	CONSORT
	CORTONS
	CROTONS
CNOORSU	COURONS
	COURSON
CNOORSY	CROYONS
CNOORTU	CONTOUR
	CROUTON
CNOOSSS	COSSONS
CNOOSST	NOSTOCS
CNOOSSU	COUSONS
CNOOSTU	COUTONS
CNOOSUV	COUVONS
CNORSSU	SUCRONS
COOORSZ	COROZOS
COORSTU	OCTUORS
CORSSTU	SURCOTS
DDEEEFN	DEFENDE
DDEEEIR	DERIDEE
DDEEEIS	DEDIEES
DDEEEIV	DEVIDEE
DDEEEMO	DEMODEE
DDEEEMR	DEMERDE
DDEEENP	DEPENDE
DDEEENT	DETENDE
DDEEENU	DENUDEE
DDEEEOR	DEDOREE
	DERODEE
DDEEFNS	DEFENDS
DDEEFNU	DEFENDU
DDEEIIZ	DEDIIEZ
DDEEIMS	DEDIMES
DDEEINT	DEDIENT
DDEEIRR	DERIDER
DDEEIRS	DERIDES
	DIEDRES
DDEEIRU	DEDUIRE
DDEEIRV	DEVIDER
DDEEIRZ	DEDIREZ
	DERIDEZ
DDEEISS	DEDISES →
	DEDISSE
DDEEIST	DEDITES
DDEEISU	DEDUISE
DDEEISV	DEVIDES
DDEEISZ	DEDISEZ
DDEEITU	DEDUITE
DDEEIVZ	DEVIDEZ
DDEELPU	PUDDLEE
DDEEMOR	DEMODER
	DEMORDE
DDEEMOS	DEMODES
DDEEMOX	DEMODEX
DDEEMOZ	DEMODEZ
DDEENOR	EDREDON
DDEENPR	DEPREND
DDEENPS	DEPENDS
DDEENPU	DEPENDU
DDEENRU	DENUDER
DDEENST	DETENDS
DDEENSU	DENUDES
	DUNDEES
DDEENTU	DETENDU
DDEENUZ	DENUDEZ
DDEEORR	DEDORER
	DERODER
DDEEORS	DEDORES
	DERODES
DDEEORT	DETORDE
DDEEORZ	DEDOREZ
	DERODEZ
DDEILTY	LYDDITE
DDEINOS	DEDIONS
DDEINST	DISTEND
DDEIOPS	DIPODES
DDEIORS	SORDIDE
DDEIOXY	DIOXYDE
DDEIRSU	DRUIDES
DDEIRTU	TURDIDE*
DDEISTU	DEDUITS
DDELPRU	PUDDLER
DDELPSU	PUDDLES
DDELPUZ	PUDDLEZ
DDEMORS	DEMORDS
DDEMORU	DEMORDU
DDEORST	DETORDS
DDEORTU	DETORDU
DDGINPU	PUDDING
DDHIISY	YIDDISH
DDHIOOR	RHODOID
DDINNOS	DINDONS
DDIORST	DISTORD

DDNNOOS	DONDONS
DEEEEFR	DEFEREE
	FEDEREE
DEEEEGL	DEGELEE
DEEEEJT	DEJETEE
DEEEELM	DEMELEE
DEEEELT	DETELEE
DEEEEMN	DEMENEE
DEEEENT	EDENTEE
DEEEFII	DEIFIEE
	EDIFIEE
DEEEFIL	DEFILEE
DEEEFIS	DEFIEES
DEEEFLR	DEFERLE
DEEEFNR	REFENDE
DEEEFNS	DEFENSE
DEEEFQU	DEFEQUE
DEEEFRR	DEFERER
	DEFERRE
	FEDERER
DEEEFRS	DEFERES
	FEDERES
	FEEDERS
DEEEFRZ	DEFEREZ
	FEDEREZ
DEEEGIR	DIGEREE
	REDIGEE
DEEEGJU	DEJUGEE
DEEEGLN	LEGENDE
DEEEGLO	DELOGEE
DEEEGLR	DEGELER
	DEREGLE
DEEEGLS	DEGELES
DEEEGLU	DEGLUEE
	DELEGUE
DEEEGLZ	DEGELEZ
DEEEGMR	DEGERME
DEEEGOT	DEGOTEE
DEEEGRT	DETERGE
DEEEGRV	DEGREVE
DEEEHLO	HELODEE
DEEEILN	DELINEE
DEEEILP	DEPILEE
	DEPLIEE
DEEEILS	DELIEES
	ELIDEES
DEEEILT	DELITEE
DEEEIMN	DEMINEE
	ENDEMIE
	MENDIEE
DEEEIMR	REMEDIE
DEEEIMT	MEDITEE
DEEEINR	NEREIDE
DEEEINS	DENIEES
DEEEINV	DEVEINE
	DEVINEE
DEEEINX	INDEXEE
DEEEIPT	DEPITEE
DEEEIPX	EXPEDIE
DEEEIRS	DESIREE
	DIERESE
	SIDEREE
DEEEIRT	DETIREE
	REEDITE
DEEEIRV	DERIVEE
	DEVIREE
DEEEISS	DIESEES
DEEEIST	EDITEES
DEEEISV	DEVIEES
	EVIDEES
DEEEITU	ETUDIEE
DEEEJNU	DEJEUNE
DEEEJOU	DEJOUEE
DEEEJRT	DEJETER
DEEEJST	DEJETES
DEEEJTT	DEJETTE
DEEEJTZ	DEJETEZ
DEEELLT	DETELLE
DEEELMO	MODELEE
DEEELMR	DEMELER
DEEELMS	DEMELES
DEEELMZ	DEMELEZ
DEEELNT	DENTELE
DEEELOS	DESOLEE
	ELODEES
DEEELRT	DETELER
DEEELRU	DELUREE
DEEELST	DELESTE
	DETELES
DEEELSU	ELUDEES
DEEELTU	DELUTEE
DEEELTZ	DETELEZ
DEEEMMR	EMMERDE
DEEEMNO	EMONDEE
DEEEMNR	DEMENER
DEEEMNS	DEMENES
DEEEMNT	DEMENTE
DEEEMNV	MEVENDE*
DEEEMNZ	DEMENEZ
DEEEMOR	MODEREE
DEEEMOS	OEDEMES
DEEEMRS	REMEDES

DEEEMRU	DEMEURE
DEEEMSU	MEDUSEE
DEEEMTT	DEMETTE
DEEENNT	ENDENTE
	ENTENDE
DEEENNV	VENDEEN
DEEENOT	DENOTEE
DEEENOU	DENOUEE
DEEENOY	DENOYEE
DEEENPR	REPENDE*
DEEENPS	DEPENSE
DEEENRS	DENREES
DEEENRT	EDENTER
	ETENDRE
	RETENDE
DEEENRU	ENDUREE
DEEENRV	ENDEVER*
	REVENDE
DEEENST	DENTEES
	EDENTES
	ETENDES
DEEENSU	DENUEES
DEEENTT	DETENTE
	ENDETTE
DEEENTU	DETENUE
	ETENDUE
DEEENTZ	DETENEZ
	EDENTEZ
	ETENDEZ
DEEENUV	DEVENUE
DEEENVZ	DEVENEZ
DEEEOPS	DEPOSEE
DEEEOPT	DEPOTEE
DEEEORR	REDOREE
DEEEORS	ERODEES
DEEEORV	DEVOREE
DEEEOUV	DEVOUEE
DEEEOVY	DEVOYEE
DEEEPRR	REPERDE
DEEEPRT	DEPETRE
DEEEPRU	DEPUREE
	EPERDUE
DEEEPSS	PEDESES
DEEEPTU	DEPUTEE
DEEEQUU	EDUQUEE
DEEERRT	DETERRE
DEEERSS	DRESSEE
DEEERST	DESERTE
DEEERSV	DEVERSE
DEEERSX	EXEDRES
DEEESSS	DEESSES
DEEESSU	SUEDEES
DEEESTT	DETESTE
DEEESTU	DESUETE
DEEESTV	DEVETES
DEEETTV	VEDETTE
DEEETUV	DEVETUE
DEEETVZ	DEVETEZ
DEEFFIR	DIFFERE
DEEFIIN	DEFINIE
DEEFIIR	DEIFIER
	EDIFIER
DEEFIIS	DEIFIES
	EDIFIES
DEEFIIZ	DEFIIEZ
	DEIFIEZ
	EDIFIEZ
DEEFILR	DEFILER
DEEFILS	DEFILES
	FELIDES
	FIDELES
DEEFILZ	DEFILEZ
DEEFIMS	DEFIMES
DEEFINO	INFEODE
DEEFINR	FEINDRE
DEEFINS	EFENDIS
DEEFINT	DEFIENT
DEEFINZ	FENDIEZ
DEEFIPR	DEFRIPE
	PERFIDE
DEEFIRS	DEFRISE
	REDEFIS
DEEFIRT	REDEFIT
DEEFISS	DEFISSE
DEEFIST	DEFITES
	FETIDES
DEEFLOR	DEFLORE
DEEFLOU	DEFOULE
DEEFMOR	DEFORME
DEEFNNT	FENDENT
DEEFNOR	FRONDEE
	REFONDE
DEEFNOS	FONDEES
DEEFNRS	REFENDS
DEEFNRU	FENDEUR
	REFENDU
DEEFNRZ	FENDREZ
DEEFNSU	FENDUES
DEEFNTU	DEFUNTE
DEEGGOR	DEGORGE
DEEGIIR	DIRIGEE
DEEGIIT	DIGITEE

DEEGINR	DENIGRE
	GEINDRE
	GREDINE
DEEGINS	DESIGNE
DEEGINU	ENDIGUE
	GUINDEE
DEEGIOS	DEGOISE
	GEOIDES
DEEGIOT	DOIGTEE
DEEGIRR	DIGERER
	REDIGER
DEEGIRS	DEGRISE
	DIGERES
	DREIGES*
	REDIGES
DEEGIRV	DEGIVRE
	DIVERGE
DEEGIRZ	DIGEREZ
	REDIGEZ
DEEGIST	DIGESTE
DEEGISU	DEGUISE
	GUIDEES
DEEGJRU	DEJUGER
DEEGJSU	DEJUGES
DEEGJUZ	DEJUGEZ
DEEGLOR	DELOGER
DEEGLOS	DELOGES
DEEGLOZ	DELOGEZ
DEEGLRU	DEGLUER
DEEGLRW	WERGELD
DEEGLSU	DEGLUES
	DELUGES
DEEGLUZ	DEGLUEZ
DEEGMMO	DEGOMME
DEEGNOR	GRONDEE
DEEGNRS	GENDRES
DEEGNSU	DENGUES
	DUEGNES
DEEGORR	DEROGER
DEEGORS	DEROGES
DEEGORT	DEGOTER
DEEGORU	DROGUEE
DEEGORZ	DEROGEZ
	GODEREZ
DEEGOST	DEGOTES
DEEGOTT	DEGOTTE
DEEGOTU	DEGOUTE
DEEGOTZ	DEGOTEZ
DEEGSTU	DEGUSTE
DEEHIKV	KHEDIVE
DEEHIOR	HEROIDE
DEEHISU	HIDEUSE
DEEHMOT	METHODE
DEEHORU	HOURDEE
DEEIILT	EDILITE
DEEIILZ	DELIIEZ
	ELIDIEZ
DEEIIMX	DIXIEME
DEEIINT	INEDITE
DEEIINZ	DENIIEZ
DEEIIPR	PIERIDE
DEEIIST	TIEDIES
DEEIISV	DIVISEE
DEEIISZ	DIESIEZ
DEEIITZ	EDITIEZ
DEEIIVZ	DEVIIEZ
	EVIDIEZ
DEEILLR	RIDELLE
DEEILMM	DILEMME
DEEILMO	DEMOLIE
	MELODIE
DEEILNS	DELIENS
DEEILNT	DELIENT
	ELIDENT
DEEILOP	DEPLOIE
	DEPOLIE
DEEILOV	DEVOILE
DEEILPR	DEPILER
	DEPLIER
DEEILPS	DEPILES
	DEPLIES
DEEILPU	EPULIDE
DEEILPZ	DEPILEZ
	DEPLIEZ
DEEILRR	DELIRER
DEEILRS	DELIRES
DEEILRT	DELITER
DEEILRV	DELIVRE
DEEILRZ	DELIREZ
DEEILSS	DIESELS
DEEILST	DELITES
DEEILSU	DILUEES
DEEILTZ	DELITEZ
DEEILUZ	ELUDIEZ
DEEIMMS	DEMIMES
	MEDIMES
DEEIMNN	INDEMNE
DEEIMNO	DOMINEE
DEEIMNR	DEMINER
	MENDIER
DEEIMNS	DEMINES
	MENDIES

DEEIMNT	DEMENTI
DEEIMNU	DEMUNIE
DEEIMNZ	DEMINEZ
	MENDIEZ
DEEIMOR	MERDOIE*
DEEIMPR	DEPRIME
DEEIMQU	MEDIQUE
DEEIMRR	MERDIER
DEEIMRS	REDIMES
DEEIMRT	DERMITE
	MEDITER
DEEIMRZ	MEDIREZ
DEEIMSS	DEISMES
	DEMISES
	DEMISSE
	MEDISES
	MEDISSE
	MESSIED
DEEIMST	DEMITES
	MEDITES
DEEIMSU	EUDEMIS
DEEIMSV	VEDISME
DEEIMSZ	MEDISEZ
DEEIMTZ	MEDITEZ
DEEINNO	INONDEE
DEEINNS	INDENES
DEEINNT	DENIENT
	DENTINE
DEEINOS	DENOIES
	DIONEES
DEEINPR	PEINDRE
DEEINPS	DEPEINS
	PINEDES
DEEINPT	DEPEINT
DEEINPZ	PENDIEZ
DEEINRR	DERNIER
DEEINRS	DENIERS
DEEINRT	DENTIER
	DETENIR
	TEINDRE
DEEINRU	ENDUIRE
	INDUREE
DEEINRV	DEVENIR
	DEVERNI
	DEVINER
	RENVIDE
DEEINRX	INDEXER
DEEINRZ	DINEREZ
	RENDIEZ
DEEINSS	DESSEIN
	DESSINE

DEEINST	DENSITE
	DESTINE
	DETEINS
	DETIENS
	DIESENT
	ETENDIS
DEEINSU	DESUNIE
	DINEUSE
	ENDUISE
	SUEDINE
DEEINSV	DEVIENS
	DEVINES
	ENDIVES
DEEINSX	INDEXES
DEEINTT	DETEINT
	DETIENT
	DINETTE
	EDITENT
	ETENDIT
DEEINTU	ENDUITE
DEEINTV	DEVIENT
	EVIDENT
DEEINTZ	TENDIEZ
DEEINVZ	DEVINEZ
	VENDIEZ
DEEINXZ	INDEXEZ
DEEIOPR	PERIODE
DEEIOPS	EPISODE
DEEIORU	IODUREE
DEEIORV	VERDOIE
DEEIORZ	ERODIEZ
DEEIOSU	ODIEUSE
DEEIOSV	DEVOIES
DEEIPQU	DEPIQUE
DEEIPRR	DEPERIR
	PREDIRE
DEEIPRS	DEPERIS
	DEPRISE
	PREDISE
	PRESIDE
DEEIPRT	DEPERIT
	DEPITER
	DIPTERE
	PREDITE
	TREPIDE
	TREPIED
DEEIPRU	DUPERIE
	REPUDIE
DEEIPRZ	PERDIEZ
DEEIPST	DEPISTE
	DEPITES

DEEIPSV	VESPIDE
DEEIPTZ	DEPITEZ
DEEIPUX	PEDIEUX
DEEIQSU	EQUIDES
DEEIQUV	VEDIQUE
DEEIRRS	DESIRER
	RESIDER
	SIDERER
DEEIRRT	DETIRER
	TRIEDRE
DEEIRRU	REDUIRE
DEEIRRV	DERIVER
	DEVIRER
	REVERDI
	VERDIER
DEEIRRZ	REDIREZ
	RIDEREZ
DEEIRSS	DESIRES
	REDISES
	REDISSE
	RESIDES
	SIDERES
DEEIRST	DETIRES
	DISERTE
	REDITES
	STERIDE
DEEIRSU	DIURESE
	REDUISE
	SEDUIRE
	UREIDES
DEEIRSV	DERIVES
	DEVIRES
	DEVISER
	DIVERSE
	DRIVEES
	VERDIES
DEEIRSZ	DESIREZ
	RESIDEZ
	SIDEREZ
DEEIRTU	EDITEUR
	ERUDITE
	ETUDIER
	REDUITE
	TIEDEUR
DEEIRTV	DEVETIR
DEEIRTZ	DETIREZ
DEEIRVZ	DERIVEZ
	DEVIREZ
	DEVRIEZ
	VIDEREZ
DEEISST	DEISTES →
	DESISTE
DEEISSU	DISEUSE
	SEDUISE
DEEISSV	DEVISES
	DEVISSE
DEEISTT	DISETTE
DEEISTU	ETUDIES
	EUDISTE
	SEDUITE
DEEISTV	DEVETIS
DEEISUV	VIDEUSE
DEEISVZ	DEVISEZ
DEEITTV	DEVETIT
	DIVETTE
DEEITUZ	ETUDIEZ
DEEJORU	DEJOUER
DEEJOSU	DEJOUES
DEEJOUZ	DEJOUEZ
DEELLOU	DOUELLE
DEELMNO	MENDOLE
DEELMOR	MODELER
DEELMOS	MODELES
DEELMOU	DEMOULE
	MODULEE
DEELMOZ	MODELEZ
DEELMPU	DEPLUME
DEELNOT	DOLENTE
DEELNOU	ONDULEE
DEELNPU	PENDULE
DEELNTU	ELUDENT
DEELOPR	DEPLORE
DEELOPY	DEPLOYE
DEELORS	DESOLER
DEELORU	DEROULE
	URODELE*
DEELOSS	DESOLES
	DESSOLE
	SOLDEES
DEELOSZ	DESOLEZ
DEELOTV	DEVOLTE
DEELOUV	DEVOLUE
DEELPPU	DEPULPE
DEELPRU	PRELUDE
DEELRSU	DELURES
DEELRTU	DELUTER
DEELSTU	DELUTES
DEELTUZ	DELUTEZ
DEEMMNO	DENOMME
DEEMNOR	EMONDER
	ENDORME
	MODERNE

DEEMNOS	EMONDES	**DEENOUZ**	DENOUEZ
	MONDEES	**DEENOYZ**	DENOYEZ
DEEMNOT	DEMONTE	**DEENPRR**	PRENDRE
DEEMNOY	NEODYME		REPREND
DEEMNOZ	EMONDEZ	**DEENPRS**	EPRENDS
DEEMNPR	MEPREND		REPENDS*
DEEMNST	DEMENTS	**DEENPRT**	PERDENT
DEEMNSV	MEVENDS*		PRETEND
DEEMNUV	MEVENDU*	**DEENPRU**	REPENDU*
DEEMOPT	DOMPTEE	**DEENPRZ**	PENDREZ
DEEMORR	MODERER	**DEENPSU**	PENDUES
	REMORDE	**DEENPSY**	DYSPNEE
DEEMORS	MODERES	**DEENRRU**	ENDURER
DEEMORU	EMOUDRE	**DEENRRZ**	RENDREZ
DEEMORZ	MODEREZ	**DEENRST**	REDENTS
DEEMOST	MODESTE		RETENDS
DEEMRSU	MEDUSER		TENDERS
DEEMRUX	MERDEUX		TENDRES
DEEMSSU	MEDUSES	**DEENRSU**	ENDURES
DEEMSUZ	MEDUSEZ		RENDUES
DEENNOR	REDONNE	**DEENRSV**	REVENDS
DEENNOS	DONNEES	**DEENRTU**	DENTURE
DEENNOT	DETONNE		RETENDU
DEENNOY	DOYENNE		RUDENTE
DEENNPT	PENDENT		TENDEUR
DEENNRS	DRENNES	**DEENRTZ**	TENDREZ
DEENNRT	RENDENT	**DEENRUV**	REVENDU
DEENNST	ENTENDS		VENDEUR
DEENNTT	TENDENT	**DEENRUZ**	ENDUREZ
DEENNTU	ENTENDU	**DEENRVZ**	VENDREZ
DEENNTV	VENDENT	**DEENSTU**	DETENUS
DEENOOY	ONDOYEE		ETENDUS
DEENOPR	PONDERE		TENDUES
	REPONDE	**DEENSUV**	DEVENUS
DEENOPS	SPONDEE		VENDUES
DEENOPT	PENTODE	**DEENTTU**	DUNETTE
DEENORT	DENOTER	**DEEOPRR**	PROEDRE
	DETONER	**DEEOPRS**	DEPOSER
	DETRONE	**DEEOPRT**	DEPORTE
	ERODENT		DEPOTER
	RETONDE	**DEEOPRU**	POUDREE
DEENORU	DENOUER	**DEEOPRZ**	DOPEREZ
DEENORY	DENOYER	**DEEOPSS**	DEPOSES
DEENOSS	ENDOSSE		POSSEDE
	SONDEES	**DEEOPST**	DEPOTES
DEENOST	DENOTES		DESPOTE
	DETONES	**DEEOPSZ**	DEPOSEZ
DEENOSU	DENOUES	**DEEOPTZ**	DEPOTEZ
DEENOSY	DENOYES	**DEEORRR**	REDORER
DEENOTZ	DENOTEZ	**DEEORRS**	REDORES
	DETONEZ	**DEEORRT**	RETORDE

DEEORRV	DEVORER
DEEORRZ	DOREREZ
	REDOREZ
	RODEREZ
DEEORSS	DROSSEE
DEEORST	DETORSE
	OERSTED
DEEORSU	DOREUSE
	RODEUSE
DEEORSV	DEVORES
DEEORSX	EXORDES
DEEORSZ	DOSEREZ
DEEORTU	DEROUTE
	DETOURE
	REDOUTE
DEEORTZ	DOTEREZ
DEEORUV	DEVOUER
DEEORUY	RUDOYEE
DEEORUZ	DOUEREZ
DEEORVY	DEVOYER
	VERDOYE
DEEORVZ	DEVOREZ
DEEOSSS	DESOSSE
DEEOSSU	SOUDEES
DEEOSSY	ODYSSEE
DEEOSTU	DOUTEES
DEEOSTV	DEVOTES
DEEOSUV	DEVOUES
DEEOSVY	DEVOYES
DEEOSXY	OXYDEES
DEEOUVZ	DEVOUEZ
DEEOVYZ	DEVOYEZ
DEEPRRS	REPERDS
DEEPRRU	DEPURER
	REPERDU
DEEPRRZ	PERDREZ
DEEPRSU	DEPURES
	EPERDUS
	PERDUES
DEEPRTU	DEPUTER
DEEPRUZ	DEPUREZ
	DUPEREZ
DEEPSTU	DEPUTES
DEEPSUU	DUPEUSE
DEEPTUZ	DEPUTEZ
DEEQRUU	EDUQUER
DEEQSUU	EDUQUES
DEEQUUZ	EDUQUEZ
DEERRSS	DRESSER
DEERRUV	VERDEUR
	VERDURE
DEERRUZ	DUREREZ
DEERSSS	DESSERS
	DRESSES
DEERSST	DESERTS
	DESSERT
DEERSSU	RUDESSE
DEERSSZ	DRESSEZ
DEERSTU	DURETES
DEERSTV	VERDETS
DEERSTX	DEXTRES
DEERSUV	REDUVES
DEERSUX	EXSUDER
DEESSTU	DESUETS
DEESSUX	EXSUDES
DEESTUV	DEVETUS
DEESUXZ	EXSUDEZ
DEFFISU	DIFFUSE
DEFGIIR	FRIGIDE
DEFIIIN	NIDIFIE
DEFIIMO	MODIFIE
DEFIINR	DEFINIR
DEFIINS	DEFINIS
DEFIINT	DEFINIT
DEFIIRT	TRIFIDE
DEFILSU	FLUIDES
DEFINOR	FENDOIR
DEFINOS	DEFIONS
DEFINOZ	FONDIEZ
DEFIORS	FROIDES
DEFNNOS	FENDONS
DEFNNOT	FONDENT
DEFNORR	FRONDER
DEFNORS	FREDONS
	FRONDES
	REFONDS
DEFNORU	FONDEUR
	REFONDU
DEFNORZ	FONDREZ
	FRONDEZ
DEFNOSU	FONDUES
DEFNSTU	DEFUNTS
DEFORSU	FOUDRES
DEGHILS	GHILDES
DEGIINN	INDIGNE
DEGIINT	DIGNITE
DEGIIRR	DIRIGER
DEGIIRS	DIRIGES
	RIGIDES
DEGIIRZ	DIRIGEZ
DEGIIST	DIGITES
DEGIIUZ	GUIDIEZ

DEGILLO	GODILLE
DEGILSU	GUILDES
DEGILTU	DEGLUTI
DEGINOR	GIRONDE
	GORDIEN
DEGINOU	DOGUINE
DEGINRS	GINDRES
	GREDINS
DEGINRU	DINGUER*
	GUINDER
DEGINSS	DESIGNS
DEGINSU	DINGUES
	GUINDES
DEGINTU	GUIDENT
DEGINUZ	GUINDEZ
DEGIOPR	PRODIGE
DEGIORT	DOIGTER
DEGIOST	DOIGTES
DEGIOTZ	DOIGTEZ
DEGISST	DIGESTS
DEGLNOO	GONDOLE
DEGLNOS	GOLDENS
DEGLNSU	GULDENS
DEGNNOO	NEGONDO
DEGNNOU	NEGUNDO
DEGNORR	GRONDER
DEGNORS	GRONDES
DEGNORZ	GRONDEZ
DEGORRU	DROGUER
DEGORSU	DROGUES
	GOURDES
DEGORTU	DROGUET
DEGORUZ	DROGUEZ
DEGOSTU	DEGOUTS
DEHIIPS	HISPIDE
DEHIMSU	HUMIDES
DEHINOU	HINDOUE
DEHIOPY	HYPOIDE
DEHIORT	RHODITE
DEHIOSY	HYOIDES
DEHIRSU	HIDEURS
DEHIRSY	HYDRIES
DEHLRRU	HURDLER
DEHORRU	HOURDER
DEHORSU	HOURDES
DEHORUZ	HOURDEZ
DEHRRUY	HYDRURE
DEIIIOT	IDIOTIE
DEIIIRS	IRIDIES
DEIILMP	LIMPIDE
DEIILOP	LIPOIDE
DEIILOZ	IODLIEZ
DEIILPS	LIPIDES
DEIILQU	LIQUIDE
DEIILSV	LIVIDES
DEIILUZ	DILUIEZ
DEIIMNU	DIMINUE
DEIIMOS	IDIOMES
	IODISME
DEIIMST	TIMIDES
DEIINNS	INDIENS
DEIINOS	IDOINES
DEIINOT	EDITION
DEIINQU	INDIQUE
DEIINRU	INDUIRE
DEIINST	INEDITS
DEIINSU	INDUISE
DEIINSV	DIVINES
DEIINTU	INDUITE
DEIINUV	INDUVIE
DEIIOQU	DIOIQUE
	IODIQUE
DEIIORS	ROIDIES
DEIIORT	DIORITE
DEIIOST	IDIOTES
DEIIPSS	DISSIPE
DEIIPST	SEPTIDI
DEIIRSV	DIVISER
DEIIRTV	DIVERTI
DEIIRVZ	DRIVIEZ
DEIISSV	DIVISES
DEIISSZ	DISSIEZ
DEIISTX	SEXTIDI
DEIISVZ	DIVISEZ
DEIITUV	VIDUITE
DEIJLOZ	JODLIEZ
DEIJNOR	JOINDRE
DEILLOU	DOUILLE
DEILLRS	DRILLES
DEILLSY	IDYLLES
DEILMOO	DOLOMIE
DEILMOP	DIPLOME
DEILMOR	DEMOLIR
DEILMOS	DEMOLIS
DEILMOT	DEMOLIT
DEILNOS	DELIONS
	DOLINES
	ELIDONS
	INDOLES
DEILNOT	IODLENT
DEILNRS	DRELINS
DEILNST	LENDITS

DEILNSY	LYDIENS
DEILNTU	DILUENT
DEILOOR	DOLOIRE
DEILOPR	DEPOLIR
DEILOPS	DEPOLIS
DEILOPT	DEPOLIT
DEILOQU	DOLIQUE
DEILOSS	SOLIDES
DEILOSZ	SOLDIEZ
DEILQUU	LUDIQUE
DEILSTY	DISTYLE
DEIMMNO	IMMONDE
DEIMMSU	MEDIUMS
DEIMNOO	MONODIE
DEIMNOR	DOMINER
	ENDORMI
	MOINDRE
DEIMNOS	DOMINES
DEIMNOZ	DOMINEZ
	MONDIEZ
DEIMNRU	DEMUNIR
DEIMNSU	DEMUNIS
	NUDISME
	NUMIDES
DEIMNTU	DEMUNIT
DEIMOOS	SODOMIE
DEIMOQU	MODIQUE
DEIMORZ	DORMIEZ
	MORDIEZ
DEIMOST	MODISTE
DEINNOR	INONDER
DEINNOS	DENIONS
	INONDES
	ONDINES
DEINNOZ	DONNIEZ
	INONDEZ
DEINNUV	INVENDU
DEINOOR	INODORE
DEINOOS	ONDOIES
DEINOPR	PENDOIR
	POINDRE
DEINOPZ	PONDIEZ
DEINORS	DORIENS
DEINORT	ENDROIT
	TENDOIR
DEINORU	DOURINE
DEINORZ	OINDREZ*
DEINOSS	DIESONS
	DISSONE
DEINOST	EDITONS
DEINOSV	DEVIONS →
	EVIDONS
DEINOSZ	SONDIEZ
DEINOTV	DOIVENT
DEINOTZ	TONDIEZ
DEINRRU	INDURER
DEINRSU	DESUNIR
	DINEURS
	DIURNES
	INDURES
DEINRTT	TRIDENT
DEINRTV	DRIVENT
DEINRUZ	INDUREZ
DEINSSS	DESSINS
DEINSST	DESTINS
	DISSENT
DEINSSU	DESUNIS
DEINSTU	DESUNIT
	ENDUITS
	NUDISTE
	NUDITES
DEIOOPS	ISOPODE*
DEIOOSU	SOUDOIE
DEIOOSV	OVOIDES
DEIOOSZ	ZOOIDES
DEIOOVV	VOIVODE
DEIOPRT	DIOPTRE
	PERIDOT
	PROTIDE*
	TORPIDE
	TRIPODE
DEIOPSS	DISPOSE
DEIOQRU	DORIQUE
DEIOQSU	SODIQUE
DEIORRT	TORRIDE
DEIORRU	ROIDEUR
DEIORSS	DOSSIER
DEIORST	DROITES
	TRIODES
DEIORSU	IODURES
	OURDIES
	RUDOIES
	SOUDIER
DEIORSV	DEVOIRS
DEIORTT	DETROIT
DEIORTU	ETOURDI
DEIORTZ	TORDIEZ
DEIOSSU	SUEDOIS
DEIOSUZ	SOUDIEZ
DEIOTUZ	DOUTIEZ
DEIOXYZ	OXYDIEZ
DEIPQUU	PUDIQUE

DEIPRRX	PERDRIX
DEIPRSS	SPIDERS
DEIPRST	PREDITS
DEIPRTU	PUTRIDE
DEIPSTU	DISPUTE
	STUPIDE
DEIPSXY	PYXIDES
DEIQSSU	DISQUES
DEIQTUY	DYTIQUE
DEIRSSS	DRISSES
DEIRSST	DISERTS
DEIRSSU	DISEURS
	RESIDUS
	URSIDES
DEIRSTU	DETRUIS
	ERUDITS
	REDUITS
	RUDISTE
	SURDITE
DEIRSUV	VIDEURS
	VIDURES
DEIRSUY	DYSURIE
DEIRTTU	DETRUIT
DEISSTU	SEDUITS
	SUDISTE
	SUSDITE
DEISSUZ	DUSSIEZ
DEJLNOT	JODLENT
DELMNOS	DOLMENS
DELMORU	MODULER
DELMOSU	MODULES
DELMOUZ	MODULEZ
DELNORS	LONDRES
	RONDELS
DELNORU	ONDULER
DELNOST	DOLENTS
	SOLDENT
DELNOSU	ELUDONS
	NODULES
	ONDULES
DELNOUZ	ONDULEZ
DELOOPU	DUOPOLE
DELOORS	LORDOSE
DELOORT	DORLOTE
DELOPRS	POLDERS
DELORSU	LOURDES
	REDOULS
	SOLDEUR
DELORUU	DOULEUR
DELOSUV	DEVOLUS
DEMNNOT	MONDENT
DEMNOOS	OSMONDE
DEMNORT	DORMENT
	MORDENT
DEMOORR	MORDORE
DEMOPRT	DOMPTER
DEMOPST	DOMPTES
DEMOPTZ	DOMPTEZ
DEMORRS	REMORDS
DEMORRU	DORMEUR
	REMORDU
DEMORRZ	MORDREZ
DEMORSU	MORDUES
	REMOUDS
DEMORUZ	MOUDREZ
DENNNOT	DONNENT
DENNOOR	ORDONNE
DENNOPS	PENDONS
DENNOPT	PONDENT
DENNORS	RENDONS
DENNORT	TENDRON
DENNORU	DONNEUR
DENNOST	SONDENT
	TENDONS
DENNOSV	VENDONS
DENNOTT	TONDENT
DENOORS	ERODONS
DENOORT	ROTONDE
DENOORY	ONDOYER
DENOOSY	ONDOYES
DENOOYZ	ONDOYEZ
DENOPRS	PERDONS
	REPONDS
DENOPRU	PONDEUR
	REPONDU
DENOPRZ	PONDREZ
DENOPSU	PONDUES
DENORRU	RONDEUR
DENORST	DRONTES
	RETONDS
DENORSU	SONDEUR
DENORSV	DEVRONS
DENORTT	TORDENT
DENORTU	RETONDU
	TONDEUR
DENORTV	DEVRONT
DENORTZ	TONDREZ
DENOSSY	SYNODES
DENOSTU	DEUTONS
	SOUDENT
	TONDUES
DENOTTU	DOUTENT

DENOTXY	OXYDENT
DENPRTU	PRUDENT
DENPSSU	SUSPEND
DENSSTU	DUSSENT
DEOOPRT	TORPEDO
DEOOPRU	UROPODE
DEOOSUY	SOUDOYE
DEOPRRU	POUDRER
DEOPRST	DEPORTS
DEOPRSU	POUDRES
DEOPRUZ	POUDREZ
DEORRSS	DROSSER
DEORRST	RETORDS
DEORRSU	DOREURS
	DORURES
	ORDURES
	RODEURS
	SOURDRE
DEORRTU	RETORDU
DEORRTZ	TORDREZ
DEORRUY	RUDOYER
DEORSSS	DROSSES
DEORSSU	DOSEURS
	SOURDES
DEORSSZ	DROSSEZ
DEORSTU	DETOURS
	TORDUES
DEORSUU	SOUDEUR
	SOUDURE
	SURDOUE
DEORSUY	RUDOYES
DEORTUU	DOUTEUR
DEORUVZ	VOUDREZ
DEORUYZ	RUDOYEZ
DEOSSSU	DESSOUS
DEOSTTU	DUETTOS
DEOTUUX	DOUTEUX
DEPRSUU	DUPEURS
	PUDEURS
DFILOOS	DOLOSIF
DFINOOR	FONDOIR
DFMNOOR	MORFOND
DFNNOOS	FONDONS
DFNOOPR	PROFOND
DFOORSX	OXFORDS
DGGNOSU	DUGONGS
DGHILNO	HOLDING
DGHINSY	DINGHYS
DGIINOS	INDIGOS
DGIINPS	PIDGINS
DGIMNPU	DUMPING
DGINNOR	GRONDIN
DGINOOR	RIGODON
DGINOOS	GODIONS
DGINOPS	DOPINGS
DGINOPU	POUDING
DGINORS	GIRONDS
DGINORU	GOURDIN
DGINOSU	DOGUINS
	GUIDONS
DGNOORS	GODRONS
DGNOORU	GOUDRON
DHIIMPS	MIDSHIP
DHIMORU	RHODIUM
DHINOSU	HINDOUS
DHIORSU	HOURDIS
DIIIMPR	PRIMIDI
DIIIMRU	IRIDIUM
DIIINSV	INDIVIS
DIILMOU	MILDIOU
DIIMNSU	INDIUMS
DIIMOSU	OIDIUMS
DIIMSUV	VIDIMUS
DIINNOS	DINIONS
	NONIDIS
DIINORS	DIRIONS
	RIDIONS
DIINOSS	DISIONS
DIINOSV	VIDIONS
DIINSTU	INDUITS
DIIORRS	RIDOIRS
DIIORSV	VIDOIRS
DILMNRU	DRUMLIN
DILMORS	MILORDS
DILNOOS	IODLONS
DILNOSU	DILUONS
	LUDIONS
DILNSTU	INDULTS
DILOSSU	DISSOLU
DIMNOOS	DOMINOS
DIMOPPU	OPPIDUM
DIMOPSU	PODIUMS
DIMOSSU	SODIUMS
DIMRUUV	DUUMVIR
DINNORS	RONDINS
DINOOPR	PONDOIR
DINOOPS	DOPIONS
DINOORS	DORIONS
	RODIONS
DINOOSS	DOSIONS
DINOOST	DOTIONS
DINOOSU	DOUIONS

DINOPSU	DUPIONS
DINORSU	DURIONS
DINORSV	DRIVONS
DIOORRS	RODOIRS
DIOORRT	DORTOIR
	TORDOIR
DIOPRSU	PRODUIS
DIOPRTU	PRODUIT
DIORSST	DISTORS
DIOSSSU	DISSOUS
DIOSSTU	DISSOUT
	STUDIOS
DISSSTU	SUSDITS
DJLNOOS	JODLONS
DJNNOOS	DONJONS
DKOOSSU	SODOKUS
DLMOORU	MODULOR
DLNOOSS	SOLDONS
DLOOPSZ	PODZOLS
DMNNOOS	MONDONS
DMNOORS	DORMONS
	DROMONS
	MORDONS
DNNNOOS	DONNONS
DNNOOPS	PONDONS
DNNOOSS	SONDONS
DNNOOST	TONDONS
DNOORST	TORDONS
DNOOSSU	SOUDONS
DNOOSTU	DOUTONS
DNOOSXY	OXYDONS
DOORSUU	OURDOUS
EEEEFRR	REFEREE
EEEEGLR	REGELEE
EEEEGNN	EGEENNE
EEEEGNR	EGRENEE
EEEEGRR	REGREEE
EEEEGSX	EXEGESE
EEEEGTX	EXEGETE
EEEEHRT	ETHEREE
EEEEJRT	REJETEE
EEEELMM	EMMELEE
EEEELNV	ENLEVEE
EEEELPS	EPELEES
EEEELRV	RELEVEE
	REVELEE
EEEELSV	ELEVEES
EEEEMMN	EMMENEE
EEEEMPS	EMPESEE
EEEENNR	ENRENEE
EEEENRV	ENERVEE →
	VENEREE
EEEENTT	ENTETEE
EEEENTV	EVENTEE
EEEEPRR	REPEREE
EEEEPRS	ESPEREE
EEEEPRT	REPETEE
EEEEPRU	EPEUREE
EEEERRV	REVEREE
EEEERSX	EXERESE
EEEESTT	ETETEES
EEEFFFI	FIEFFEE
EEEFFGR	GREFFEE
EEEFFIL	EFFILEE
EEEFFNR	EFFRENE
EEEFFOT	ETOFFEE
EEEFILN	ENFILEE
EEEFILR	REFILEE
EEEFILT	FILETEE
EEEFIMS	MEFIEES
EEEFINR	FREINEE
	INFEREE
EEEFINT	FEINTEE
EEEFIRS	FEERIES
	FERIEES
EEEFLLM	FEMELLE
EEEFLNR	RENFLEE
EEEFLNS	ENFLEES
EEEFLRS	FERLEES
EEEFLRT	REFLETE
EEEFLRX	REFLEXE
EEEFLRZ	FELEREZ
EEEFLSU	FUSELEE
EEEFMNR	ENFERME
EEEFMNU	ENFUMEE
EEEFMRR	REFERME
EEEFMRS	FERMEES
EEEFMRT	FERMETE
EEEFNRR	ENFERRE
	REFRENE
EEEFNRT	FENETRE
EEEFPRR	PREFERE
EEEFPRT	PREFETE
EEEFRRR	REFERER
EEEFRRS	FERREES
	REFERES
EEEFRRZ	FREEZER
	REFEREZ
EEEFRST	FRETEES
EEEFRSU	REFUSEE
EEEFRTT	FRETTEE
EEEFRTU	FEUTREE →

	FURETEE*
	REFUTEE
EEEFRTZ	FETEREZ
EEEFSSS	FESSEES
EEEGGOR	EGORGEE
EEEGGRU	EGRUGEE
EEEGHNN	GEHENNE
EEEGILS	ELEGIES
	LIEGEES
EEEGILV	LEVIGEE
EEEGIMN	GEMINEE
EEEGIMR	EMIGREE
EEEGINN	ENNEIGE
EEEGINP	PEIGNEE
EEEGINR	ENERGIE
	INGEREE
EEEGINT	ETEIGNE
EEEGIPR	PERIGEE
EEEGIPS	EPIGEES
	PIEGEES
EEEGIRS	EGERIES
	EGRISEE
	ERIGEES
EEEGISX	EXIGEES
EEEGJMU	MEJUGEE
EEEGLLM	GEMELLE
EEEGLNR	ENGRELE
	GRENELE
EEEGLNU	ENGLUEE
	EUGLENE
EEEGLOR	RELOGEE
EEEGLRR	REGELER
EEEGLRS	GRELEES
	LEGERES
	REGELES
	REGLEES
EEEGLRU	RELEGUE
EEEGLRZ	GELEREZ
	REGELEZ
EEEGLSU	LEGUEES
EEEGLUU	EGUEULE
	GUEULEE
EEEGMMS	GEMMEES
EEEGMRR	EMERGER
EEEGMRS	EMERGES
	MEGERES
EEEGMRZ	EMERGEZ
EEEGNNO	NEOGENE
EEEGNNR	ENGRENE
EEEGNOP	EPONGEE
EEEGNOR	EROGENE
EEEGNOS	EOGENES
EEEGNOU	ENGOUEE
EEEGNOX	EXOGENE
EEEGNRR	EGRENER
EEEGNRS	EGRENES
	GRENEES
EEEGNRT	REGENTE
EEEGNRZ	EGRENEZ
	GENEREZ
EEEGNSS	GENESES
EEEGNSU	GENEUSE
EEEGNSV	VENGEES
EEEGNTT	GENETTE
EEEGORT	ERGOTEE
EEEGRRR	REGREER
EEEGRRS	REGREES
EEEGRRZ	GEREREZ
	GREEREZ
	REGREEZ
EEEGRSV	GREVEES
	VERGEES
EEEGRTU	GUETREE
EEEGRTV	VEGETER
	VERGETE
EEEGRUX	EXERGUE
EEEGSTV	VEGETES
EEEGTTU	GUETTEE
EEEGTVZ	VEGETEZ
EEEHIMN	HEMINEE
EEEHINR	HERNIEE
EEEHIRS	HERESIE
EEEHIRT	HERITEE
	THEIERE
EEEHLLN	HELLENE
EEEHLRZ	HELEREZ
EEEHMNY	HYMENEE
EEEHMUX	EXHUMEE
EEEHNOT	EHONTEE
EEEHRSS	HERSEES
EEEHRST	ETHERES
EEEHRTU	HEURTEE
EEEHSTT	ESTHETE
EEEIKNP	PEKINEE
EEEILLM	MIELLEE
EEEILLN	NIELLEE
EEEILLT	TEILLEE
EEEILLV	EVEILLE
	VEILLEE
EEEILMP	EMPILEE
EEEILMS	ELIMEES
EEEILNS	ENLIEES →

	ENLISEE
	ENSILEE
EEEILNV	NIVELEE
EEEILOS	OISELEE*
EEEILOT	ETIOLEE
	ETOILEE
EEEILPR	REPLIEE
EEEILPS	EPILEES
EEEILPZ	EPELIEZ
EEEILRR	REELIRE
EEEILRS	LISEREE
	REELISE
	RELIEES
EEEILSX	EXILEES
EEEILVZ	ELEVIEZ
EEEIMNN	ENNEMIE
EEEIMNS	ENIEMES
EEEIMPR	EMPIREE
	PERIMEE
EEEIMPT	EMPIETE
EEEIMRS	EMERISE
	REMISEE
EEEIMRT	EMERITE
	MERITEE
EEEIMRZ	EMIEREZ
EEEIMSS	MESSIEE
EEEIMST	ESTIMEE
EEEIMTT	EMIETTE
EEEINPP	EPEPINE
EEEINPR	PERINEE
EEEINPS	EPINEES
	PEINEES
EEEINRS	ESERINE
	INSEREE
	RENIEES
	RESINEE
	SEREINE
	SERINEE
EEEINRT	ENTIERE
	EREINTE
EEEINRV	ENIVREE
	VENERIE
EEEINST	ETESIEN
EEEINSV	ENVIEES
	VEINEES
EEEINTT	ETEINTE
	TEINTEE
EEEIPQU	EQUIPEE
EEEIPRR	EPIERRE
	PIERREE
EEEIPRS	EPEIRES
EEEIPRT	ETRIPEE
EEEIPRX	EXPIREE
EEEIPRZ	EPIEREZ
EEEIPSS	EPISSEE
EEEIPST	EPEISTE
EEEIPSU	EPIEUSE
	EPUISEE
EEEIPSX	EXPIEES
EEEIRRT	REITERE
	RETIREE
EEEIRRV	REVERIE
EEEIRRZ	REERIEZ
EEEIRSS	SERIEES
EEEIRST	ETIREES
EEEIRSV	REVISEE
EEEIRTT	TETIERE
EEEIRTV	RIVETEE
EEEISTV	EVITEES
EEEITTZ	ETETIEZ
EEEITUX	EUTEXIE
EEEITUZ	ZIEUTEE
EEEJLMU	JUMELEE
EEEJLNO	ENJOLEE
EEEJNOU	ENJOUEE
EEEJORU	REJOUEE
EEEJRRT	REJETER
EEEJRST	REJETES
EEEJRTT	REJETTE
EEEJRTZ	REJETEZ
EEEJSTU	JETEUSE
EEELLMS	SEMELLE
EEELLNS	ENSELLE
EEELLNV	VENELLE
EEELLPS	EPELLES
EEELLPT	PELLETE
EEELLRS	REELLES
EEELLSS	SELLEES
EEELMMR	EMMELER
EEELMMS	EMMELES
EEELMMZ	EMMELEZ
EEELMNT	ELEMENT
EEELMOP	MELOPEE
EEELMOT	MOLETEE
EEELMPR	EMPERLE
EEELMPX	EXEMPLE
EEELMRZ	MELEREZ
EEELMSU	MEULEES
	MUSELEE
EEELMSX	LEXEMES
EEELMSZ	MELEZES
EEELNOR	ENROLEE

EEELNOT	ENTOLEE
EEELNOV	ENVOLEE
EEELNPS	PELEENS
EEELNRT	ETERNEL
EEELNRV	ENLEVER
EEELNSV	ENLEVES
EEELNSY	ELYSEEN
EEELNTV	ELEVENT
EEELNVZ	ENLEVEZ
EEELOPR	EPLOREE
EEELOPS	POELEES
EEELOPT	PELOTEE
	POTELEE
EEELORT	TOLEREE
EEELORU	RELOUEE
EEELOUV	EVOLUEE
EEELPPU	PEUPLEE
EEELPRS	PERLEES
EEELPRT	REPLETE
EEELPRU	PLEUREE
EEELPRV	PRELEVE
EEELPRZ	PELEREZ
EEELPST	PELTEES
	STEEPLE*
EEELRRU	LEURREE
EEELRRV	RELEVER
	REVELER
EEELRSU	REELUES
EEELRSV	RELEVES
	REVELES
EEELRSZ	LESEREZ
EEELRTT	LETTREE
EEELRUV	ELEVEUR
EEELRVZ	LEVEREZ
	RELEVEZ
	REVELEZ
	VELEREZ
EEELSST	LESTEES
EEELSSU	ESSEULE
EEELSTU	ETEULES
EEEMMNR	EMMENER
	REMMENE
EEEMMNS	EMMENES
EEEMMNZ	EMMENEZ
EEEMMPY	EMPYEME
EEEMMRS	MEMERES
EEEMMRU	EMMUREE
EEEMNNP	EMPENNE
EEEMNNS	NEMEENS
EEEMNRU	ENUMERE
EEEMNRZ	MENEREZ
EEEMNST	TENESME
EEEMNSU	MENEUSE
EEEMNTV	MEVENTE
EEEMOPT	EMPOTEE
EEEMORT	METEORE
EEEMOTT	EMOTTEE
EEEMPRS	EMPESER
EEEMPRT	EMPETRE
	TEMPERE
	TREMPEE
EEEMPRY	EMPYREE
EEEMPSS	EMPESES
EEEMPST	EMPESTE
EEEMPSZ	EMPESEZ
EEEMPTT	TEMPETE
EEEMPTX	EXEMPTE
EEEMQTU	METEQUE
EEEMRRS	REMERES
EEEMRSS	RESSEME
EEEMRST	METREES
EEEMRSU	MESUREE
	REMUEES
	RESUMEE
EEEMRSV	VERMEES
EEEMRSZ	SEMEREZ
EEEMRTT	EMETTRE
	REMETTE
EEEMRTX	EXTREME
EEEMSSU	SEMEUSE
EEEMSTT	EMETTES
EEEMSTU	EMEUTES
EEEMSUV	EMEUVES
EEEMTTZ	EMETTEZ
EEENNOT	ETONNEE
EEENNPR	EPRENNE
	PERENNE
EEENNPS	PENNEES
EEENNRR	ENRENER
EEENNRS	ENRENES
EEENNRT	ETRENNE
EEENNRZ	ENRENEZ
EEENNTT	ENTENTE
EEENNUY	ENNUYEE
EEENORR	ERRONEE
EEENORU	ENROUEE
	RENOUEE
EEENORV	RENOVEE
EEENORX	EXONERE
EEENOSU	ENOUEES
EEENOVY	ENVOYEE
EEENPRS	REPENSE

EEENPRT PENETRE
REPENTE
TERPENE
EEENPRZ EPRENEZ
EEENPSS PENSEES
EEENQTU ENQUETE
EEENRRS ENSERRE
EEENRRT ENTERRE
REERENT
RENTREE
EEENRRV ENERVER
VENERER
EEENRST ENTREES
RENTEES
EEENRSV ENERVES
VENERES
EEENRTT ENTETER
RENETTE
EEENRTU ETERNUE
RETENUE
EEENRTV EVENTER
EVENTRE
REVENTE
VENTREE
EEENRTX EXTERNE
EEENRTZ ENTEREZ
RETENEZ
EEENRUV REVENUE
EEENRVZ ENERVEZ
REVENEZ
VENEREZ
EEENSSS SENSEES
EEENSSV SENEVES
EEENSTT ENTETES
TENTEES
EEENSTU TENEUSE
EEENSTV EVENTES
VENTEES
EEENTTT ETETENT
NETTETE
EEENTTV VENETTE
EEENTTZ ENTETEZ
EEENTUX EXTENUE
EEENTVZ EVENTEZ
EEEOPPS EPOPEES
EEEOPRS OPEREES
REPOSEE
EEEOPSU EPOUSEE
EEEOPSX EXPOSEE
EEEOPTU ETOUPEE
EEEOQUV EVOQUEE

EEEORSS ESSOREE
EEEPPRS PEPERES
EEEPRRR REPERER
EEEPRRS ESPERER
REPERES
EEEPRRT REPETER
EEEPRRZ REPEREZ
EEEPRSS ESPERES
PRESSEE
EEEPRST PETREES*
PRETEES
REPETES
EEEPRSU EPEURES
EPUREES
EEEPRSZ ESPEREZ
PESEREZ
EEEPRTU REPUTEE
EEEPRTX EXPERTE
EEEPRTZ PETEREZ
REPETEZ
EEEPRUV EPREUVE
EEEPSSU PESEUSE
EEEPSTT PESETTE
EEEPSTU PETEUSE
EEEQRRU EQUERRE
EEEQRSU RESEQUE
EEEQRTU REQUETE
EEEQSTU QUETEES
EEEQSUV EVEQUES
EEEQTUU EQUEUTE
EEERRRV REVERER
EEERRRZ ERREREZ
EEERRSS SERREES
EEERRST TERREES
EEERRSV RESERVE
REVERES
REVERSE
VERREES
EEERRTU URETERE
EEERRVZ REVEREZ
EEERSST RESTEES
STEREES
TERSEES
TESSERE
TRESSEE
EEERSSU SEREUSE
EEERSSV SEVERES
SEVREES
VERSEES
EEERSTV REVETES
EEERSTZ ESTEREZ*

EEERSUV	REVEUSE
	VEREUSE
EEERTTZ	TETEREZ
EEERTUV	EVERTUE
	REVETUE
EEERTVZ	REVETEZ
EEERUZZ	ZEUZERE
EEERVXZ	VEXEREZ
EEESSTT	TESTEES
EEESSTZ	ZESTEES
EEESSUX	SEXUEES
EEESSUY	ESSUYEE
EEESTUV	ETUVEES
EEFFFIR	FIEFFER
EEFFFIS	FIEFFES
EEFFFIZ	FIEFFEZ
EEFFGII	EFFIGIE
EEFFGIR	GRIFFEE
EEFFGRR	GREFFER
EEFFGRS	GREFFES
EEFFGRZ	GREFFEZ
EEFFILR	EFFILER
EEFFILS	EFFILES
	SIFFLEE
EEFFILZ	EFFILEZ
EEFFIRT	EFFRITE
EEFFISU	SUIFFEE
EEFFLUV	EFFLUVE
EEFFNOS	OFFENSE
EEFFORT	ETOFFER
	OFFERTE
EEFFOST	ETOFFES
EEFFOTU	ETOUFFE
EEFFOTZ	ETOFFEZ
EEFFRTU	TRUFFEE
EEFFSTU	SUFFETE
EEFGIIL	GELIFIE
EEFGILN	EGLEFIN
EEFGILS	GIFLEES
EEFGINS	FEIGNES
EEFGINU	FUEGIEN
EEFGINZ	FEIGNEZ
EEFGIRU	FIGUREE
	REFUGIE
EEFGIRZ	FIGEREZ
EEFGLMS	FLEGMES
EEFGLNO	GONFLEE
EEFGLOS	SOLFEGE
EEFGLSU	GUELFES
EEFGORS	FORGEES
EEFGORU	FOUGERE
EEFGRSU	REFUGES
EEFGSUU	FUGUEES
EEFIILN	LENIFIE
EEFIILR	FILIERE
EEFIIMZ	MEFIIEZ
EEFIINU	UNIFIEE
EEFIIRV	VERIFIE
EEFIIRZ	FIERIEZ
EEFILLU	FEUILLE
EEFILMS	FILMEES
EEFILNO	FELONIE
	OLEFINE*
EEFILNR	ENFILER
	NEFLIER
	RENFILE
	RENIFLE
EEFILNS	ENFILES
	FELINES
EEFILNZ	ENFILEZ
	ENFLIEZ
EEFILOS	FOLIEES
	SOLFIEE
EEFILOX	EXFOLIE
EEFILRR	REFILER
EEFILRS	REFILES
	RELIEFS
EEFILRT	FERTILE
	FILETER
	FILTREE
	FLETRIE
	TREFILE
EEFILRU	FLEURIE
EEFILRZ	FERLIEZ
	FILEREZ
	REFILEZ
EEFILST	FILETES
EEFILSU	FILEUSE
EEFILTZ	FILETEZ
EEFILUZ	FEULIEZ
EEFIMNT	MEFIENT
EEFIMRR	FERMIER
EEFIMRS	REFIMES
EEFIMRU	FUMERIE
EEFIMRZ	FERMIEZ
EEFIMTU	TUMEFIE
EEFINOU	ENFOUIE
EEFINRR	FREINER
	INFERER
EEFINRS	FREINES
	INFERES
EEFINRT	FEINTER →

	FIENTER
	FIERENT
	FREINTE
EEFINRZ	FREINEZ
	INFEREZ
EEFINSS	FINESSE
EEFINST	FEINTES
	FIENTES
	INFESTE
EEFINSU	ENFUIES
	INFUSEE
EEFINTT	FINETTE
EEFINTZ	FEINTEZ
	FIENTEZ
EEFIORT	FIEROTE
EEFIOST	FESTOIE
EEFIPRS	FRIPEES
EEFIPRX	PREFIXE
EEFIRRV	FEVRIER
EEFIRRZ	FERRIEZ
EEFIRSS	FESSIER
	FRISEES
	REFISSE
EEFIRST	FIERTES
	REFITES
EEFIRSV	FEVIERS
	FIEVRES
EEFIRTU	FRUITEE
	TUFIERE
EEFIRTZ	FRETIEZ
EEFIRXZ	FIXEREZ
EEFISSZ	FESSIEZ
EEFJORT	FORJETE
EEFLLOS	FLEOLES
EEFLLSU	FUSELLE
EEFLMMS	FLEMMES
EEFLNNO	FELONNE
EEFLNNT	ENFLENT
EEFLNRR	RENFLER
EEFLNRS	RENFLES
EEFLNRT	FERLENT
EEFLNRU	ENFLURE
EEFLNRZ	RENFLEZ
EEFLNTU	FEULENT
EEFLOPS	FLOPEES
EEFLORS	FROLEES
EEFLORU	REFOULE
EEFLORZ	LOFEREZ
EEFLOSU	FLOUEES
	FOULEES
EEFLRRU	FLEURER →
	REFLUER
EEFLRST	REFLETS
	TREFLES
EEFLRSU	FELURES
	FERULES
	FLEURES
	FUSELER
	REFLUES
EEFLRTU	FLEURET
EEFLRUX	FLEXURE
EEFLRUZ	FLEUREZ
	REFLUEZ
EEFLSSU	FUSELES
EEFLSTT	FLETTES
EEFLSTU	FLUTEES
EEFLSUV	FLEUVES
EEFLSUZ	FUSELEZ
EEFLTTU	FLUETTE
EEFMMOR	MEFORME
EEFMNOR	FORMENE
EEFMNOT	FOMENTE
EEFMNRT	FERMENT
EEFMNRU	ENFUMER
EEFMNSU	ENFUMES
EEFMNUZ	ENFUMEZ
EEFMORR	REFORME
EEFMORS	FORMEES
EEFMOTT	MOFETTE
EEFMRUZ	FUMEREZ
EEFMSUU	FUMEUSE
EEFNORT	REFONTE
EEFNORU	FOURNEE
EEFNOSU	FOUENES
EEFNRRT	FERRENT
EEFNRTT	FRETENT
EEFNRTV	FERVENT
EEFNSST	FESSENT
EEFNSTU	FUNESTE
EEFNUYZ	ENFUYEZ
EEFOPRR	PERFORE
	PROFERE
EEFORRU	FOURREE
EEFORRV	ORFEVRE
EEFORRZ	FORERE Z
EEFORSU	FOREUSE
	SOUFREE
EEFORTT	FROTTEE
EEFOSTY	FESTOYE
EEFOTTU	FOUETTE
EEFPRST	PREFETS
EEFQRSU	FRESQUE

EEFQTUU	FETUQUE
EEFRRRU	FERREUR
	FERRURE
EEFRRST	FERRETS
EEFRRSU	REFUSER
EEFRRTT	FRETTER
EEFRRTU	FEUTRER
	FRETEUR
	FURETER
	REFUTER
EEFRRUV	FERVEUR
EEFRRUX	FERREUX
EEFRSSU	REFUSES
EEFRSTT	FRETTES
EEFRSTU	FEUTRES
	FURETES
	REFUTES
EEFRSUZ	FUSEREZ
	REFUSEZ
EEFRTTZ	FRETTEZ
EEFRTUZ	FEUTREZ
	FURETEZ
	REFUTEZ
EEFSSSU	FESSUES
EEFSTTU	FUSETTE
EEGGILN	NEGLIGE
EEGGINS	GEIGNES
EEGGINU	GUIGNEE
EEGGINZ	GEIGNEZ
EEGGIOT	GIGOTEE
EEGGLOU	EGLOGUE
EEGGNOR	ENGORGE
EEGGORR	EGORGER
	REGORGE
EEGGORS	EGORGES
	GORGEES
EEGGORU	GOUGERE
EEGGORZ	EGORGEZ
EEGGRRU	EGRUGER
EEGGRSU	EGRUGES
	GREGUES
	GRUGEES
	SUGGERE
EEGGRUZ	EGRUGEZ
EEGHINO	EGOHINE
EEGHINY	HYGIENE
EEGHIRS	HEGIRES
EEGHNOR	HONGREE
EEGHOPY	HYPOGEE
EEGHPRY	GRYPHEE
EEGIIMT	MITIGEE
EEGIINN	INGENIE
EEGIIPZ	PIEGIEZ
EEGIIRZ	ERIGIEZ
EEGIISZ	SIEGIEZ
EEGIIXZ	EXIGIEZ
EEGILLN	NIGELLE
EEGILLR	GIRELLE
	GRILLEE
EEGILLS	GISELLE
EEGILLT	TIGELLE
EEGILLU	LIGULEE
EEGILMO	LIMOGEE
EEGILNN	ENLIGNE
EEGILNO	ELOIGNE
EEGILNP	EPINGLE
	PEELING
EEGILNR	LINGERE
EEGILNS	LIGNEES
EEGILNU	ELINGUE
EEGILOR	GEOLIER
EEGILOT	LIGOTEE
EEGILOV	VOLIGEE
EEGILPS	SPIEGEL
EEGILRV	GRIVELE
	LEVIGER
EEGILRZ	GRELIEZ
	REGLIEZ
EEGILSS	EGLISES
	GLISSEE
	SEIGLES
EEGILST	LEGISTE
EEGILSU	LIGUEES
EEGILSV	GELIVES
	LEVIGES
EEGILUX	LIEGEUX
EEGILUZ	LEGUIEZ
EEGILVZ	LEVIGEZ
EEGIMMR	IMMERGE
EEGIMMS	GEMIMES
	MEGIMES
EEGIMMZ	GEMMIEZ
EEGIMNN	MENINGE
EEGIMNR	GEMINER
EEGIMNS	ENIGMES
	GEMINES
EEGIMNT	MEETING
EEGIMNZ	GEMINEZ
EEGIMOS	EGOISME
EEGIMPR	GRIMPEE
EEGIMRR	EMIGRER
EEGIMRS	EMIGRES →

	GRIMEES
	REGIMES
	REMIGES
EEGIMRZ	EMIGREZ
	GEMIREZ
	GERMIEZ
	MEGIREZ
EEGIMSS	GEMISSE
	MEGISSE
EEGIMST	GEMITES
	MEGITES
EEGINNU	GUINEEN
	INGENUE
EEGINOP	EPIGONE
	POIGNEE
EEGINOR	IGNOREE
EEGINOS	EGOINES
	GENOISE
	SOIGNEE
EEGINPR	PEIGNER
EEGINPS	GENEPIS
	PEIGNES
EEGINPT	PIEGENT
EEGINPY	EPIGYNE
EEGINPZ	PEIGNEZ
EEGINRR	GRENIER
	INGERER
	NEGRIER
EEGINRS	ERIGNES
	INGERES
	RESIGNE
EEGINRT	ERIGENT
	INTEGRE
EEGINRU	RUGINEE
EEGINRZ	GRENIEZ
	INGEREZ
	REGNIEZ
EEGINSS	GENISSE
	SIGNEES
	SINGEES
EEGINST	SIEGENT
	TEIGNES
EEGINSU	GUINEES
EEGINTX	EXIGENT
EEGINTZ	TEIGNEZ
EEGINUX	NEIGEUX
EEGINUZ	ZINGUEE
EEGINVZ	VENGIEZ
EEGIOPT	EPITOGE
EEGIOST	EGOISTE
EEGIPPR	GRIPPEE

EEGIPRU	GUEPIER
	PIEGEUR
EEGIPRZ	PIGEREZ
EEGIPSU	GUIPEES
EEGIRRS	EGRISER
EEGIRRU	GRUERIE
EEGIRRZ	REGIREZ
EEGIRSS	EGRISES
	GESIERS
	GRISEES
	REGISSE
EEGIRST	REGITES
	TIGREES
EEGIRSU	GUERIES
EEGIRSV	GIVREES
	VIERGES
EEGIRSZ	EGRISEZ
EEGIRTU	GUERITE
EEGIRTV	VERTIGE
EEGIRTZ	GITEREZ
EEGIRVZ	GREVIEZ
EEGISTV	VESTIGE
EEGISUX	EXIGUES
EEGITTT	TIGETTE
EEGJLUU	JUGULEE
EEGJMRU	MEJUGER
EEGJMSU	MEJUGES
EEGJMUZ	MEJUGEZ
EEGJNUU	ENJUGUE
EEGJOTU	JUGEOTE
EEGJPRU	PREJUGE
EEGJRUZ	JUGEREZ
EEGJSUU	JUGEUSE
EEGLLNO	GONELLE
EEGLLSU	GELULES
EEGLMMU	GEMMULE
EEGLMRU	GRUMELE
	MERGULE
	MEUGLER
	REMUGLE
EEGLMSU	LEGUMES
	MEUGLES
EEGLMUZ	MEUGLEZ
EEGLNOP	PLONGEE
EEGLNOR	LORGNEE
EEGLNOS	LONGEES
	ONGLEES
EEGLNOU	ONGULEE
EEGLNRT	GRELENT
	REGLENT
EEGLNRU	ENGLUER

EEGLNSU	ENGLUES
EEGLNTU	LEGUENT
EEGLNUZ	ENGLUEZ
EEGLOOZ	ZOOGLEE •
EEGLORR	RELOGER
EEGLORS	RELOGES
EEGLORT	ORGELET
EEGLORZ	LOGEREZ
	RELOGEZ
EEGLOSS	GELOSES
	GLOSEES*
EEGLOSU	GOULEES
	LOGEUSE
EEGLOTT	LOGETTE
EEGLPRS	PRELEGS
EEGLRRU	REGLEUR
	REGLURE
EEGLRST	REGLETS
EEGLRSU	GELURES
	REGULES
	SURGELE
EEGLRUU	GUEULER
EEGLRUX	GRELEUX
EEGLRUZ	LUGEREZ
EEGLSTU	GESTUEL
	GUELTES
EEGLSUU	GUEULES
	LUGEUSE
EEGLUUZ	GUEULEZ
EEGMMNO	ENGOMME
EEGMMNT	GEMMENT
EEGMMOS	GOMMEES
EEGMMRU	GEMMEUR
EEGMNPY	PYGMEEN
EEGMNRS	GERMENS
EEGMNRT	GERMENT
EEGMNST	SEGMENT
EEGMORS	GEROMES
EEGMORU	GOURMEE
EEGMPSY	PYGMEES
EEGMRUZ	MERGUEZ
EEGNNRT	GRENENT
	REGNENT
EEGNNTV	VENGENT
EEGNOPR	EPONGER
EEGNOPS	EPONGES
EEGNOPY	PYOGENE
EEGNOPZ	EPONGEZ
EEGNORS	ROGNEES
	RONGEES
EEGNORT	GERONTE
EEGNORU	ENGOUER
EEGNOSU	ENGOUES
EEGNOUZ	ENGOUEZ
EEGNOXY	OXYGENE
EEGNPRU	REPUGNE
EEGNRRU	GRENURE
EEGNRST	REGENTS
	SERGENT
EEGNRSU	GENEURS
	GRENUES
EEGNRSV	VERGNES
EEGNRTU	URGENTE
EEGNRTV	GREVENT
EEGNRUV	VENGEUR
EEGNSYZ	ZYGENES
EEGOPRT	PROTEGE
EEGOPRU	GROUPEE
EEGORRT	ERGOTER
EEGORSS	OGRESSE
EEGORST	ERGOTES
EEGORSU	GOUREES
	ROGUEES
EEGORTZ	ERGOTEZ
EEGOSTU	GOUTEES
EEGOTTU	EGOUTTE
EEGPRSU	EPURGES
	PURGEES
EEGPRUX	EXPURGE
EEGRRST	REGRETS
EEGRRSU	GREEURS
	GUERRES
EEGRRSV	VERGERS
EEGRRTU	GUETRER
EEGRRUY	GRUYERE
EEGRRUZ	URGEREZ*
EEGRSSY	GEYSERS
EEGRSTT	GETTERS
EEGRSTU	GUERETS
	GUETRES
EEGRSUV	VERGUES
EEGRSUX	GRESEUX
EEGRTTU	GUETTER
EEGRTUZ	GUETREZ
EEGSSUU	GUEUSES
EEGSTTU	GUETTES
EEGTTUZ	GUETTEZ
EEHILMO	HOMELIE
EEHILOT	EOLITHE
EEHILSU	HUILEES
EEHIMNO	HEMIONE
EEHIMNR	HERMINE

EEHIMNS	HEMINES
EEHIMNT	HIEMENT
EEHIMNU	INHUMEE
EEHIMRT	THERMIE
EEHIMST	THEISME
EEHINOR	HEROINE
EEHINRS	HERNIES
EEHINRV	HIVERNE
EEHINST	ETHNIES
EEHIOPR	EPHORIE
EEHIORT	THEORIE
EEHIQTU	ETHIQUE
EEHIRRT	HERITER
EEHIRSS	HERISSE
EEHIRST	HERITES
	HESITER
	THEIERS
EEHIRSZ	HERSIEZ
EEHIRTZ	HERITEZ
EEHIRUZ	HUERIEZ
EEHISSS	HISSEES
EEHISST	HESITES
EEHISTT	THEISTE
EEHISTZ	HESITEZ
EEHKLPT	KLEPHTE
EEHKMRS	KHMERES
EEHLLOP	PHLEOLE
EEHLMTY	METHYLE
EEHLNPY	PHENYLE
EEHLRSU	HURLEES
EEHLSTY	ETHYLES
EEHMNOP	PHONEME
EEHMNPY	NYMPHEE
EEHMNRU	ENRHUME
EEHMNST	MENTHES
EEHMRST	THERMES
EEHMRSU	RHUMEES
EEHMRTY	RYTHMEE
EEHMRUX	EXHUMER
EEHMRUZ	HUMEREZ
EEHMSUX	EXHUMES
EEHMUXZ	EXHUMEZ
EEHNNOT	HONNETE
EEHNOOR	HONOREE
EEHNOST	EHONTES
EEHNRST	HERSENT
	THRENES
EEHNRTU	HUERENT
	RUTHENE
EEHNSST	STHENES
EEHNSTU	SHUNTEE
EEHOOST	SHOOTEE
EEHOPRS	EPHORES
EEHOPRT	TROPHEE
EEHOQTU	HOQUETE
EEHORTX	EXHORTE
EEHORUZ	HOUEREZ
EEHOSST	HOTESSE
EEHOSSX	HEXOSES
EEHOSTT	HOTTEES
EEHPPSU	HUPPEES
EEHPRSS	SPHERES
EEHRRTU	HEURTER
	RHETEUR
EEHRSTU	HEURTES
EEHRTUZ	HEURTEZ
EEHRUUX	HEUREUX
EEHSSTU	ETHUSES
EEIIINT	INITIEE
EEIILLV	VIEILLE
EEIILMN	ELIMINE
	EMILIEN
EEIILMP	LIPEMIE
EEIILMT	LIMITEE
EEIILMZ	ELIMIEZ
EEIILNN	ILIENNE
EEIILNR	LINIERE
EEIILNV	VILENIE
EEIILNZ	ENLIIEZ
EEIILPZ	EPILIEZ
EEIILRS	LISIERE
	RESILIE
EEIILRT	LITERIE
	LITIERE
EEIILRZ	ELIRIEZ
	LIERIEZ
	RELIIEZ
EEIILSZ	ELISIEZ
EEIILXZ	EXILIEZ
EEIIMNR	MINIERE
EEIIMNT	INTIMEE
EEIIMPT	IMPIETE
EEIIMST	IMITEES
EEIIMSX	SIXIEME
EEIINNT	INNEITE
EEIINOS	IONISEE
EEIINPR	EPINIER
	PINIERE
EEIINPT	INEPTIE
	PIETINE
EEIINPX	INEXPIE
EEIINPZ	EPINIEZ →

	PEINIEZ
EEIINRT	INERTIE
EEIINRZ	NIERIEZ
	RENIIEZ
EEIINTV	INVITEE
EEIINVZ	ENVIIEZ
	VEINIEZ
EEIIORS	SOIERIE
EEIIPPR	PIPIERE
EEIIPPZ	PEPIIEZ
EEIIPST	IPSEITE
EEIIPTZ	PIETIEZ
EEIIPXZ	EXPIIEZ
EEIIRRT	IRRITEE
EEIIRRV	RIVIERE
EEIIRRZ	RIZERIE
	RIZIERE
EEIIRSS	IRISEES
EEIIRSV	VISIERE
EEIIRSZ	SERIIEZ
EEIIRTZ	ETIRIEZ
EEIISTV	VISITEE
EEIITVZ	EVITIEZ
EEIJMOT	MIJOTEE
EEIJNOT	EJOINTE
	JOINTEE
EEIJNUZ	JEUNIEZ
EEIJORU	REJOUIE
EEIJSST	JETISSE
EEIJSTU	JESUITE
EEIKLMT	MELKITE
EEIKLST	TELESKI
EEIKNPS	PEKINES
EEIKRSZ	SKIEREZ
EEIKSSU	SKIEUSE
EEILLMS	MIELLES
EEILLMT	MELLITE
EEILLNR	NIELLER
EEILLNS	NIELLES
EEILLNV	NIVELLE
EEILLNZ	NIELLEZ
EEILLOR	OREILLE
EEILLOS	OISELLE
	OSEILLE
EEILLOT	OEILLET
EEILLOU	OUILLEE
EEILLPS	ELLIPSE
	PEILLES
	PILLEES
EEILLPT	EPILLET
	PETILLE
EEILLQU	EQUILLE
EEILLRS	RESILLE
	SELLIER
EEILLRT	ETRILLE
	TEILLER
	TREILLE
	TRILLEE*
EEILLRV	VEILLER
	VIELLER
	VRILLEE
EEILLSS	SEILLES
EEILLST	TEILLES
	TILLEES
EEILLSV	VEILLES
	VIELLES
EEILLSZ	SELLIEZ
EEILLTV	VETILLE
EEILLTZ	TEILLEZ
EEILLUV	VEUILLE
EEILLVX	VEXILLE
EEILLVZ	VEILLEZ
	VIELLEZ
EEILMMO	IMMOLEE
EEILMNS	LIMNEES
EEILMNT	ELIMENT
	LIEMENT
EEILMNY	MYELINE
EEILMOP	EMPLOIE
EEILMPR	EMPILER
	REMPILE
	REMPLIE
EEILMPS	EMPILES
	EMPLIES
	LEPISME
EEILMPX	IMPLEXE
EEILMPZ	EMPILEZ
EEILMQU	MELIQUE
EEILMRU	LUMIERE
	MEULIER
EEILMRV	VERMEIL
EEILMRZ	LIMEREZ
EEILMSS	MELISSE
EEILMST	METEILS
EEILMSU	LIMEUSE
	SIMULEE
EEILMTT	LIMETTE
	MELITTE
EEILMTU	MUTILEE
EEILMTY	MYELITE
EEILMUZ	MEULIEZ
EEILNNN	LINNEEN

EEILNNO LEONINE
EEILNNT ENLIENT
EEILNOS EOLIENS
INSOLEE
NOLISEE
OLEINES
EEILNOT ENTOILE
ETOLIEN
EEILNOV ENVOILE
NIVEOLE
EEILNPR PELERIN
PLENIER
EEILNPS PLEINES
EEILNPT EPILENT
EEILNPV PELVIEN
EEILNRS ENLISER
ENSILER
LESINER
LIERNES
EEILNRT LIERENT
RELIENT
EEILNRV NIVELER
EEILNSS ENLISES
ENSILES
LESINES
SENILES
SILENES
EEILNST ELISENT
EEILNSV NIVELES
VENIELS
EEILNSZ ENLISEZ
ENSILEZ
LESINEZ
EEILNTU LUTEINE
LUTINEE
EEILNTV VENTILE
EEILNTX EXILENT
EEILNUV VEINULE
EEILNVZ NIVELEZ
EEILOPR POELIER
REPLOIE
REPOLIE
EEILOPS SPOLIEE
EEILOPT LEPIOTE
PETIOLE
PILOTEE
EEILOQU OLEIQUE
EEILORS OISELER
EEILORT ETIOLER
ETOILER
LOTERIE →
TOLERIE
TOLIERE
EEILORV VIROLEE
VOLERIE
VOLIERE
EEILOSS ISOLEES
OISELES*
EEILOST ETIOLES
ETOILES
OISELET
EEILOSV VIOLEES
VOILEES
EEILOSZ OISELEZ
EEILOTV VIOLETE
EEILOTZ ETIOLEZ
ETOILEZ
ZEOLITE
EEILPPR PERIPLE
EEILPPS LIPPEES
EEILPPT PIPELET
EEILPRR PERLIER
REPLIER
EEILPRS REPLIES
EEILPRT REPTILE
TRIPLEE
EEILPRU PUERILE
EEILPRZ PERLIEZ
PILEREZ
PLIEREZ
REPLIEZ
EEILPSS PELISSE
PLISSEE
EEILPSU EPULIES
PILEUSE
PLIEUSE
EEILPTY PYELITE
EEILQRU RELIQUE
EEILQUV VELIQUE
EEILQUX LEXIQUE
EEILRRS IRREELS
LIERRES
LISERER
EEILRRU RELIEUR
RELIURE
RELUIRE
EEILRRV LEVRIER
EEILRRZ RELIREZ
EEILRSS LISERES
RELISES
SERIELS
EEILRST STERILE

EEILRSU RELUISE
RUILEES
EEILRSV LEVIERS
LIEVRES
LIVREES
REVEILS
SERVILE
EEILRSZ LISEREZ
RELISEZ
EEILRTZ LITEREZ
EEILRVZ ELZEVIR
EEILSSS LIESSES
LISSEES
SESSILE
EEILSSU LIEUSES
LISEUSE
EEILSSV LESSIVE
EEILSTT LISETTE
EEILSTV LEVITES
VELITES
EEILSTZ LESTIEZ
EEILTTX TEXTILE
EEIMMNS IMMENSE
EEIMMOR MEMOIRE
MOMERIE
EEIMMRS REMIMES
EEIMMRZ MIMEREZ
EEIMNNO INNOMEE
EEIMNNS ENNEMIS
MENINES
MIENNES
EEIMNNT EMINENT
EEIMNOR MINOREE
EEIMNOZ ONZIEME
EEIMNPR PERMIEN
EEIMNPT PIMENTE
EEIMNRS INERMES
EEIMNRT EMIRENT
TERMINE
EEIMNRU MEUNIER
MINEURE
RUMINEE
EEIMNRV MINERVE
VERMINE
EEIMNRZ MINEREZ
EEIMNSS MESSINE
SIEMENS
EEIMNSU MENUISE
UNIEMES
EEIMNTT MINETTE
EEIMNTU MINUTEE →
MUTINEE
EEIMNTZ MENTIEZ
EEIMOPS IMPOSEE
IPOMEES
EEIMOPT EPITOME
EEIMORS ISOMERE
MOIREES
REMOISE
EEIMORT TIMOREE
EEIMOSS MEIOSES
MOISEES
EEIMOTV EMOTIVE
MOTIVEE
EEIMOTX TOXEMIE
EEIMPRR EMPIRER
PERIMER
PREMIER
REPRIME
EEIMPRS EMPIRES
EMPRISE
EPRIMES
MEPRISE
PERIMES
PERMISE
PRIMEES
EEIMPRT IMPETRE
EEIMPRX EXPRIME
EEIMPRZ EMPIREZ
PERIMEZ
EEIMPST SEPTIME
EEIMPTU IMPUTEE
EEIMQRU REQUIEM
EEIMRRS REMISER
EEIMRRT MERITER
TRIMERE
TRIREME
EEIMRRZ MIREREZ
RIMEREZ
EEIMRSS MERISES
MESSIRE
MISERES
REMISES
REMISSE
EEIMRST ERMITES
ESTIMER
MEISTRE
MERITES
METIERS
MITREES
REMITES
TREMIES

EEIMRSU	MIREUSE
	RIMEUSE
	UREMIES
EEIMRSV	MIEVRES
	REVIMES
	VERISME
EEIMRSZ	MISEREZ
	REMISEZ
EEIMRTT	METRITE
	TERMITE
EEIMRTZ	MERITEZ
	METRIEZ
	MITEREZ
EEIMRUZ	MUERIEZ
	REMUIEZ
EEIMRXZ	MIXEREZ
EEIMSSS	EMISSES
	MESSIES
	SEISMES
EEIMSST	ESTIMES
	METISSE
	SEMITES
EEIMSSV	SEVIMES
EEIMSSX	SEXISME
EEIMSTT	MIETTES
EEIMSTU	MITEUSE
EEIMSTV	VETIMES
EEIMSTZ	ESTIMEZ
EEIMTTZ	METTIEZ
EEINNOV	INNOVEE
EEINNPS	PENNIES
	PINENES*
EEINNPT	EPINENT
	PEINENT
EEINNRT	INTERNE
	NIERENT
	RENIENT
EEINNRV	INNERVE
EEINNSS	INSENSE
	SIENNES
EEINNST	INTENSE
	SENTINE
	TIENNES
EEINNSU	ENNUIES
EEINNSV	VIENNES
EEINNTT	INTENTE
EEINNTV	ENVIENT
	INVENTE
	VEINENT
EEINOPT	EPOINTE
	POINTEE
EEINORR	ORNIERE
EEINORT	ORIENTE
EEINORV	RENVOIE
EEINORZ	NOIEREZ
EEINOSS	EOSINES
	OSSEINE
EEINOSV	ENVOIES
EEINOTT	NEOTTIE
	NETTOIE
EEINOUZ	ENOUIEZ
EEINPPS	NIPPEES
	PEPSINE
EEINPPT	PEPIENT
EEINPRS	REPEINS
EEINPRT	PEINTRE
	REPEINT
	REPENTI
	TERPINE
EEINPRU	PENURIE
EEINPRV	EPERVIN
EEINPRZ	PRENIEZ
EEINPST	INEPTES
	PEINTES
	PINTEES
EEINPSU	PUINEES
EEINPSV	PENSIVE
EEINPSZ	PENSIEZ
EEINPTT	PIETENT
EEINPTX	EXPIENT
EEINPUX	EPINEUX
EEINQSU	ENQUISE
	EQUINES
EEINRRS	INSERER
	RESINER
	SERINER
EEINRRT	RENTIER
	RETENIR
	TERRIEN
	TERRINE
EEINRRV	ENIVRER
	REVENIR
	VERNIER
EEINRSS	INSERES
	RESINES
	SEREINS
	SERINES
	SIRENES
EEINRST	ENTIERS
	ETREINS
	INERTES
	NITREES →

	RETEINS
	RETIENS
	RETINES
	SENTIER
	SERIENT
	TERNIES
EEINRSU	REUNIES
	RUINEES
	SURINEE
	URINEES*
EEINRSV	ENIVRES
	INVERSE
	REVIENS
	VERNIES
EEINRSZ	INSEREZ
	RESINEZ
	SERINEZ
EEINRTT	ETIRENT
	ETREINT
	INTERET
	RETEINT
	RETENTI
	RETIENT
	TEINTER
EEINRTU	UTERINE
EEINRTV	NEVRITE
	REVIENT
EEINRTZ	ENTRIEZ
	RENTIEZ
EEINRUV	VEINURE
EEINRVZ	ENIVREZ
	VINEREZ
EEINSST	SENTIES
EEINSSU	USINEES
EEINSTT	ENTITES
	ETEINTS
	TEINTES
	TETINES
	TINTEES
EEINSTU	ENSUITE
	NUITEES
EEINSTX	SEXTINE
EEINSTY	SYENITE
EEINSTZ	SENTIEZ
EEINSUV	ENSUIVE
	VINEUSE
EEINSUX	UNISEXE
EEINTTT	TINETTE
EEINTTU	TENUITE
EEINTTV	EVITENT
EEINTTZ	TEINTEZ →
	TENTIEZ
EEINUVX	ENVIEUX
	VEINEUX
EEIOPRS	POIREES
EEIOPRT	EPIROTE
	PETOIRE
	POTERIE
EEIOPRV	POIVREE
	PREVOIE
EEIOPRZ	OPERIEZ
EEIOPSS	POESIES
	POISSEE
EEIOPST	POETISE
EEIOPTT	PETIOTE
EEIORRS	ROSIERE
EEIORRU	ROUERIE
EEIORSS	SOIREES
EEIORST	SIROTEE
EEIORSV	EROSIVE
	REVOIES
EEIORSZ	OSERIEZ
EEIORTT	ETROITE
EEIORTZ	OTERIEZ
	TOREIEZ
EEIOSST	ISOETES
	TOISEES
EEIOSSU	OISEUSE
EEIOSTT	OSTEITE
EEIPPRZ	PIPEREZ
EEIPPST	PEPITES
EEIPPTT	PIPETTE
EEIPQRU	EQUIPER
	REPIQUE
EEIPQSU	EPIQUES
	EQUIPES
	PIQUEES
EEIPQTU	PIQUETE
EEIPQUZ	EQUIPEZ
EEIPRRS	PIERRES
	PRIERES
	REPRISE
	RESPIRE
EEIPRRT	ETRIPER
EEIPRRU	PRIEURE
EEIPRRX	EXPIRER
EEIPRRZ	PERIREZ
	PRIEREZ
	RIPEREZ
EEIPRSS	EPISSER
	EPRISES
	EPRISSE →

	PERISSE
	PRISEES
	SPIREES
EEIPRST	EPITRES
	EPRITES
	ETRIPES
	PERITES
	PETRIES
	PIETRES
EEIPRSU	EPIEURS
	EPUISER
EEIPRSV	PRIVEES
	VIPERES
EEIPRSX	EXPIRES
EEIPRTX	EXTIRPE
EEIPRTY	YPERITE
EEIPRTZ	ETRIPEZ
	PRETIEZ
EEIPRUV	PIEUVRE
EEIPRUZ	EPURIEZ
	PUERIEZ
EEIPRXY	PYREXIE
EEIPRXZ	EXPIREZ
EEIPSSS	EPISSES
	PISSEES
EEIPSST	PISTEES
EEIPSSU	EPUISES
	PIEUSES
	PUISEES
EEIPSSZ	EPISSEZ
EEIPSTT	PETITES
EEIPSTU	PITEUSE
EEIPSTZ	PESTIEZ
EEIPSUZ	EPUISEZ
EEIPSZZ	PEZIZES
EEIQRSU	ESQUIRE
	REQUISE
	RISQUEE
	SERIQUE
EEIQRTU	ETRIQUE
	RETIQUE
	TRIQUEE
EEIQSTU	EQUITES
	ETIQUES
	QUIETES
EEIQSUV	ESQUIVE
EEIQSUX	EXQUISE
EEIQTTU	QUITTEE
	TIQUETE
EEIQTUZ	QUETIEZ
EEIRRRT	RETIRER →
	TERRIER
EEIRRRV	VERRIER
EEIRRST	ETRIERS
	REITRES
	RETIRES
	TRIERES
EEIRRSV	REVERSI
	REVISER
EEIRRSZ	SERRIEZ
EEIRRTV	REVETIR
	RIVETER
	TREVIRE
EEIRRTW	REWRITE
EEIRRTZ	RETIREZ
	TERRIEZ
	TIREREZ
	TRIEREZ
EEIRRUZ	RUERIEZ
EEIRRVV	REVIVRE
EEIRRVZ	RIVEREZ
	VERRIEZ
	VIREREZ
EEIRSST	RESISTE
	RETISSE
	SERTIES
	SETIERS
	STRIEES
	TRISSEE
EEIRSSU	RESSUIE
	REUSSIE
	RIEUSES
EEIRSSV	IVRESSE
	REVISES
	REVISSE
	SERVIES
EEIRSTT	RISETTE
	TITREES
EEIRSTU	TIREUSE
	TRIEUSE
	TUERIES
EEIRSTV	ETRIVES
	RETIVES
	REVETIS
	REVITES
	RIVETES
	SERVITE*
	VERISTE
	VERITES
	VITREES
EEIRSTX	EXISTER
EEIRSTZ	RESTIEZ →

	STERIEZ
	TERSIEZ
EEIRSUV	RIVEUSE*
	VIREUSE
EEIRSUX	SERIEUX
EEIRSUZ	SUERIEZ
	USERIEZ
EEIRSVV	REVIVES
	VIVREES
EEIRSVZ	REVISEZ
	SERVIEZ
	SEVIREZ
	SEVRIEZ
	VERSIEZ
	VISEREZ
EEIRTTT	TIRETTE
EEIRTTU	TRUITEE
EEIRTTV	REVETIT
	RIVETTE
EEIRTUZ	TUERIEZ
	ZIEUTER
EEIRTVV	VETIVER
EEIRTVZ	RIVETEZ
	VETIREZ
EEIRVVZ	REVIVEZ
EEISSST	SIESTES
	TISSEES
EEISSSU	ESSUIES
EEISSSV	SEVISSE
	VESSIES
	VISSEES
EEISSTU	SITUEES
	SUITEES
	USITEES
EEISSTV	ESTIVES
	SEVITES
	VETISSE
	VITESSE
EEISSTX	EXISTES
EEISSUX	ESSIEUX
EEISSUZ	EUSSIEZ
EEISSVZ	VESSIEZ
EEISTTV	IVETTES
	VETITES
EEISTTZ	TESTIEZ
EEISTUV	UVEITES
EEISTUZ	ZIEUTES
EEISTXZ	EXISTEZ
EEISTZZ	ZESTIEZ
EEISUVV	VIVEUSE
EEITUVZ	ETUVIEZ
EEITUZZ	ZIEUTEZ
EEJLLMU	JUMELLE
EEJLMRU	JUMELER
EEJLMSU	JUMELES
EEJLMUZ	JUMELEZ
EEJLNOR	ENJOLER
EEJLNOS	ENJOLES
EEJLNOZ	ENJOLEZ
EEJMNTU	JUMENTE*
EEJNNTU	JEUNENT
EEJNORT	REJETON
EEJNORU	JOURNEE
EEJNOSU	ENJOUES
EEJNRUU	JEUNEUR
EEJNSTU	JEUNETS
EEJNTTT	JETTENT
EEJOPRT	PROJETE
EEJORRU	REJOUER
EEJORSU	REJOUES
EEJORUZ	JOUEREZ
	REJOUEZ
EEJOSUU	JOUEUSE
EEJOSUY	JOYEUSE
EEJOTUX	JOUXTEE
EEJRRUZ	JUREREZ
EEJRSSY	JERSEYS
EEJRSTU	JETEURS
	SURJETE
EEJRTUV	VERJUTE
EEJRTUZ	JUTEREZ
EEJSTTU	SUJETTE
EEJSTUU	JUTEUSE
EEKNSTY	ENKYSTE
EEKRRUZ	KREUZER
EELLMOR	MORELLE
EELLMOS	MOELLES
EELLMSU	MUSELLE
EELLNST	SELLENT
EELLOPU	POLLUEE
EELLORU	ROUELLE
EELLOVY	VOYELLE
EELLPST	PELLETS
EELLQSU	QUELLES
EELLRSU	RUELLES
EELLRTU	TELLURE
	TRUELLE
EELLSUU	USUELLE
EELLTTU	TUTELLE
EELMMOP	PLOMMEE
	POMMELE
EELMMPU	EMPLUME

EELMNOS	MOLENES	**EELNTUV**	VEULENT
EELMNSU	MENSUEL	**EELOORS**	ROSEOLE
EELMNTU	MEULENT	**EELOPRS**	EPLORES
EELMOPY	EMPLOYE	**EELOPRT**	PELOTER
EELMORT	MOLETER		PETROLE
EELMORU	REMOULE		PROTELE
EELMOST	MOLESTE	**EELOPRX**	EXPLORE
	MOLETES	**EELOPRY**	REPLOYE
EELMOSU	EMOULES	**EELOPST**	PELOTES
	MOULEES		POTELES
	SEMOULE	**EELOPSU**	LOUPEES
EELMOTT	MOLETTE		PELOUSE
EELMOTZ	MOLETEZ	**EELOPSX**	EXPLOSE
EELMOUU	EMOULUE	**EELOPSY**	PLOYEES
EELMOUZ	EMOULEZ	**EELOPTZ**	PELOTEZ
EELMPSS	SEMPLES	**EELORRT**	TOLERER
EELMPST	TEMPLES	**EELORRU**	RELOUER
EELMPSU	PLUMEES	**EELORRV**	REVOLER
EELMRSU	LEMURES	**EELORST**	SOLERET
	MERULES		TOLERES
	MUSELER	**EELORSU**	LOUREES
	RELUMES		OURLEES
EELMSSU	MUSELES		RELOUES
EELMSTU	MUSELET		RESOLUE
EELMSUZ	MUSELEZ		ROULEES
EELMTTU	MULETTE	**EELORSV**	RESOLVE
EELNOPS	EPELONS		REVOLES
EELNORR	ENROLER		VEROLES
EELNORS	ENROLES	**EELORTT**	LORETTE
EELNORT	ENTOLER	**EELORTV**	REVOLTE
EELNORU	ENROULE		VOLETER
	LEONURE	**EELORTZ**	TOLEREZ
EELNORV	ENVOLER	**EELORUV**	EVOLUER
EELNORZ	ENROLEZ		REVOLUE
EELNOST	ENTOLES	**EELORUZ**	LOUEREZ
EELNOSV	ELEVONS		RELOUEZ
	ENVOLES	**EELORVZ**	LOVEREZ
	SLOVENE		REVOLEZ
EELNOTU	TOLUENE		VOLEREZ
EELNOTZ	ENTOLEZ	**EELOSST**	OSSELET
EELNOVZ	ENVOLEZ	**EELOSSU**	SOULEES
EELNPRT	PERLENT	**EELOSTZ**	ZELOTES
EELNPSS	SPLEENS	**EELOSUU**	LOUEUSE
EELNRST	RELENTS	**EELOSUV**	EVOLUES
EELNRTU	ELURENT		LOUVEES
	LENTEUR		SOULEVE
EELNRUZ	LUZERNE		VOLEUSE
EELNSSU	SENSUEL	**EELOTTV**	VOLETTE
EELNSTT	LESTENT	**EELOTUV**	LOUVETE
EELNSXY	XYLENES		VELOUTE
EELNTTU	LUNETTE	**EELOTVZ**	VOLETEZ

EELOUVZ	EVOLUEZ
EELPPRU	PEUPLER
EELPPSU	PEUPLES
	SUPPLEE
EELPPUZ	PEUPLEZ
EELPRRU	PLEURER
EELPRSS	PERSELS
EELPRST	PETRELS
	REPLETS
EELPRSU	PELURES
	PLEURES
	SERPULE
EELPRSV	PLEVRES
EELPRTU	LEPTURE
	PLEUTRE
EELPRUX	LEPREUX
EELPRUZ	PLEUREZ
EELPSUX	EXPULSE
EELQQUU	QUELQUE
EELQRUU	RELUQUE
EELRRRU	LEURRER
EELRRSU	LEURRES
	SURREEL
EELRRUZ	LEURREZ
EELRSSU	RELUSSE
EELRSTT	LETTRES
	STERLET
EELRSTU	LUSTREE
	RELUTES
	RESULTE
EELRSTW	WELTERS
EELRSTY	ELYTRES
EELRSUV	LEVURES
	REVULSE
EELRTTU	LURETTE
EELRTUX	EXULTER
EELRTUZ	LUTEREZ
EELRUXZ	LUXEREZ
EELSSSU	ELUSSES
EELSSTV	SVELTES
EELSSTY	STYLEES
EELSSUX	SEXUELS
EELSTTU	LUETTES
EELSTUX	EXULTES
EELTTUX	TEXTUEL
EELTUXZ	EXULTEZ
EEMMNOR	RENOMME
EEMMNOS	MONEMES
	NOMMEES
EEMMNOT	MEMENTO
EEMMOPS	POMMEES
EEMMOPT	POMMETE
EEMMOSS	SOMMEES
EEMMRRU	EMMURER
EEMMRSU	EMMURES
EEMMRUZ	EMMUREZ
EEMNNOU	NOUMENE
EEMNNOY	MOYENNE
EEMNNTT	MENTENT
EEMNOPR	PROMENE
EEMNOPY	EPONYME
EEMNORS	ENORMES
	MORENES
	NORMEES
EEMNORT	MONTREE
	REMONTE
EEMNOST	MONTEES
EEMNOTT	MENOTTE
EEMNRST	SERMENT
EEMNRSU	MENEURS
	MENURES
	MURENES
	SURMENE
EEMNRTT	METRENT
EEMNRTU	EMURENT
	MENTEUR
	MEURENT
	MUERENT
	REMUENT
EEMNSTU	MENUETS
EEMNSYZ	ENZYMES
EEMNTTT	METTENT
EEMNTUV	MEUVENT
EEMOOPY	POMOYEE*
EEMOPPS	POMPEES
EEMOPRT	EMPORTE
	EMPOTER
	REMPOTE
	TROMPEE
EEMOPST	EMPOTES
	ESTOMPE
	METOPES
EEMOPTZ	EMPOTEZ
EEMOQSU	MOQUEES
	MOSQUEE
EEMORTT	EMOTTER
	OMETTRE
EEMORTZ	TOMEREZ
EEMOSSU	EMOUSSE
EEMOSTT	EMOTTES
	MOTTEES
	OMETTES

EEMOTTT	TOMETTE*
EEMOTTU	MOUETTE
EEMOTTY	MOYETTE
EEMOTTZ	EMOTTEZ
	MOZETTE
	OMETTEZ
EEMOUVZ	EMOUVEZ
EEMPRRT	TREMPER
EEMPRSS	SPERMES
EEMPRST	PERMETS
	TREMPES
EEMPRSU	PRESUME
	REPUMES
	SUPREME
EEMPRTU	PERMUTE
EEMPRTZ	TREMPEZ
EEMPSSU	EMPUSES
EEMPSTX	EXEMPTS
EEMQSUU	MUSQUEE
EEMRRSU	MESURER
	RESUMER
EEMRRTU	METREUR
	MEURTRE
EEMRRUZ	MURERERZ
EEMRSST	MESTRES
EEMRSSU	MESURES
	MESUSER
	RESUMES
	SEMEURS
	SURSEME
EEMRSTV	VERMETS
EEMRSTY	MYSTERE
EEMRSUZ	MESUREZ
	MUSEREZ
	RESUMEZ
EEMRTTU	METTEUR
	MURETTE
EEMRTTZ	METTREZ
EEMRTUZ	MUTEREZ
EEMSSSU	EMUSSES
	MESUSES
EEMSSTY	SYSTEME
EEMSSUZ	MESUSEZ
EEMSTTU	MUETTES
	MUSETTE
EENNNOT	ENTONNE
EENNORS	RESONNE
EENNORT	ETONNER
EENNORU	NEURONE
EENNOSS	SONNEES
EENNOST	ETONNES
EENNOTU	ENOUENT
EENNOTZ	ETONNEZ
EENNPRS	PRENNES
EENNPST	PENSENT
EENNRTT	ENTRENT
	RENTENT
EENNRUY	ENNUYER
EENNSTT	SENTENT
EENNSUY	ENNUYES
EENNTTT	TENTENT
EENNUYZ	ENNUYEZ
EENOPPT	PEPTONE
EENOPRS	EPERONS
	PERONES
	PERSONE
	PRONEES
	REPONSE
EENOPRT	OPERENT
	POTERNE
EENOPST	EPONTES
	PONTEES
	STENOPE
EENOPTT	PONETTE
EENORRS	ERRONES
	REERONS
EENORRT	REERONT
EENORRU	ENROUER
	RENOUER
EENORRV	RENOVER
EENORRZ	ORNEREZ
EENORST	ENTORSE
	OSERENT
	TROENES
EENORSU	ENROUES
	RENOUES
EENORSV	NEVROSE
	RENOVES
EENORTT	OTERENT
	TOREENT
EENORTU	ENTOURE
	TOURNEE
EENORTZ	NOTEREZ
EENORUX	ONEREUX
EENORUZ	ENROUEZ
	NOUEREZ
	RENOUEZ
EENORVY	ENVOYER
	RENVOYE
EENORVZ	NOVEREZ
	RENOVEZ
EENOSST	STENOSE

EENOSTT	ETETONS
EENOSTV	VENTOSE
EENOSUU	NOUEUSE
EENOSVY	ENVOYES
EENOSVZ	EVZONES
EENOTTY	NETTOYE
EENOTUV	ENVOUTE
EENOVYZ	ENVOYEZ
EENPRRU	PRENEUR
EENPRST	PRESENT
	SERPENT
EENPRSU	PENSEUR
EENPRTT	PRETENT
EENPRTU	EPURENT
	PENTURE
	PUERENT*
EENPRUV	PREVENU
EENPSTT	PESTENT
EENPSTU	PETUNSE
EENPTUV	PEUVENT
EENQTTU	QUETENT
EENQUUU	EUNUQUE
EENRRRT	RENTRER
EENRRST	RENTRES
	SERRENT
EENRRTT	TERRENT
EENRRTU	RUERENT
EENRRTZ	RENTREZ
EENRRUV	NERVURE
EENRSSS	RESSENS
EENRSST	RESSENT
	STERNES
EENRSTT	RESTENT
	STERENT
	TERSENT
EENRSTU	ENTURES
	NEUTRES
	RETENUS
	SENTEUR
	SUERENT
	TENEURS
	TENSEUR
	TENURES
	USERENT
EENRSTV	SERVENT
	SEVRENT
	VENTRES
	VERSENT
EENRSTW	WESTERN
EENRSTY	STYRENE
EENRSUV	REVENUS →
	VENEURS
EENRTTU	TENTURE
	TUERENT
EENRTUV	ENTREVU
	VENTRUE
EENRUVX	NERVEUX
EENSSTU	EUSSENT
EENSSTV	VESSENT
EENSTTT	TESTENT
EENSTTZ	ZESTENT
EENSTUV	VENUSTE
EENTTUV	ETUVENT
EENTUVX	VENTEUX
EEOOPPS	OPPOSEE
EEOPPRS	PREPOSE
EEOPPST	STOPPEE
EEOPPSU	POUPEES
EEOPQSU	EPOQUES
EEOPRRR	PERORER
EEOPRRS	PERORES
	REPOSER
EEOPRRT	REPORTE
EEOPRRZ	PEROREZ
EEOPRSS	REPOSES
EEOPRST	ESTROPE
	PORTEES
	PROTEES
EEOPRSU	EPOUSER
	POREUSE
EEOPRSX	EXPOSER
EEOPRSZ	POSEREZ
	REPOSEZ
EEOPRTU	ETOUPER
	RETOUPE
EEOPRTV	PREVOTE
EEOPRTX	EXPORTE
EEOPRTZ	OPTEREZ
	TOPEREZ
EEOPRUV	EPROUVE
	PROUVEE
EEOPSST	POSTEES
EEOPSSU	EPOUSES
	POSEUSE
	POUSSEE
	SOUPESE
EEOPSSX	EXPOSES
EEOPSTU	ETOUPES
EEOPSUZ	EPOUSEZ
EEOPSXZ	EXPOSEZ
EEOPTTT	TOPETTE
EEOPTUZ	ETOUPEZ

EEOQRTU	TROQUEE
EEOQRUV	EVOQUER
	REVOQUE
EEOQSTU	TOQUEES
EEOQSUU	SOUQUEE
EEOQSUV	EVOQUES
EEOQUVZ	EVOQUEZ
EEORRSS	ESSORER
EEORRST	RETORSE
EEORRTZ	ROTEREZ
EEORRUV	OEUVRER
EEORRUZ	ROUEREZ
EEORSSS	ESSORES
	ROSSEES
EEORSST	OESTRES
	SERTOES*
	STEREOS
EEORSSZ	ESSOREZ
EEORSTT	ROSETTE
EEORSTU	OUTREES
	RESOUTE*
	ROUTEES
	TROUEES
EEORSTZ	ZOSTERE
EEORSUV	OEUVRES
	OUVREES
EEORTTT	TROTTEE
EEORTUV	OUVERTE
	TROUVEE
EEORTUZ	TOUEREZ
EEORTVZ	VOTEREZ
EEORUVZ	OEUVREZ
	VOUEREZ
EEORVYZ	REVOYEZ
EEOSSST	OSSETES
EEOSSSU	OSSEUSE
EEOSSUY	SOYEUSE
EEOSTUU	TOUEUSE
EEOSTUV	VOUTEES
EEOTTUY	TUTOYEE
EEPPSST	STEPPES
EEPQRSU	PRESQUE
EEPRRSS	PRESSER
EEPRRST	PRETRES
EEPRRSU	PRESURE
EEPRRSV	PERVERS
EEPRRTU	PRETEUR
	PRETURE
EEPRSSS	PRESSES
EEPRSST	PRESTES
EEPRSSU	PESEURS →

	REPUSSE
	SUPERES
EEPRSSX	EXPRESS
EEPRSSZ	PRESSEZ
EEPRSTU	PURETES
	REPUTES
EEPRSTX	EXPERTS
EEPRSUU	USURPEE
EEPRSUV	PREUVES
	PREVUES
EEPRTUX	PETREUX
EEPRUUX	PEUREUX
EEPSSTY	TYPESSE
EEPSTUX	PESTEUX
EEQRTUU	QUETEUR
	QUEUTER
	TRUQUEE
EEQSTUU	QUEUTES
	STUQUEE
EEQTUUZ	QUEUTEZ
EERRRSU	ERREURS
	SERRURE
EERRRTU	TERREUR
EERRSSS	RESSERS
EERRSST	RESSERT
	TRESSER
EERRSSU	RESSUER
EERRSTT	TERTRES
EERRSTU	URETRES
EERRSUV	REVEURS
	SERVEUR
	VERRUES
	VERSEUR
EERRSUZ	RUSEREZ
EERRTUX	TERREUX
EERSSST	TRESSES
EERSSSU	RESSUES
EERSSTT	SETTERS
EERSSTU	SURETES
EERSSTV	VERSETS
	VERSTES
EERSSTZ	TRESSEZ
EERSSUY	ESSUYER
	RESSUYE
EERSSUZ	RESSUEZ
EERSTTT	STRETTE
EERSTTU	SURETTE
	TRUSTEE
EERSTUU	SUTUREE
EERSTUV	REVETUS
	VETURES

EERSTUY	TUYERES
EERTTUU	TUTEURE
EERTTUX	TEXTURE
EERTUUV	ETUVEUR
EERUVVX	VERVEUX
EESSSUY	ESSUYES
EESSTTU	SUETTES
EESSTUU	TUEUSES
EESSUYZ	ESSUYEZ
EESTTUV	VETUSTE
EFFGIRR	GRIFFER
EFFGIRS	GRIFFES
EFFGIRU	GRIFFUE
EFFGIRZ	GRIFFEZ
EFFGNOR	GREFFON
EFFGORU	GOUFFRE
EFFILRS	SIFFLER
EFFILSS	SIFFLES
EFFILST	SIFFLET
EFFILSZ	SIFFLEZ
EFFIORS	EFFROIS
EFFIORZ	OFFRIEZ
EFFIOST	SOFFITE
EFFIRSU	SUFFIRE
	SUIFFER
EFFISSU	SUFFISE
	SUIFFES
EFFISUX	SUFFIXE
EFFISUZ	SUIFFEZ
EFFLOSU	SOUFFLE
EFFNORT	OFFRENT
EFFOPRU	POUFFER
EFFOPSU	POUFFES
EFFOPUZ	POUFFEZ
EFFORST	EFFORTS
	OFFERTS
EFFORSU	SOUFFRE
EFFOSST	OFFSETS
EFFOSTU	TOUFFES
EFFOTUU	TOUFFUE
EFFRRTU	TRUFFER
EFFRSTU	TRUFFES
EFFRTUZ	TRUFFEZ
EFGIILN	INFLIGE
EFGIILZ	GIFLIEZ
EFGIINS	FEIGNIS
EFGIINT	FEIGNIT
	GENITIF
EFGIIRU	FIGUIER
EFGILNO	FIGNOLE
EFGILNT	GIFLENT
EFGILNU	FLINGUE
EFGILOR	GIROFLE
EFGINNP	PFENNIG
EFGINOR	GOINFRE
EFGINOS	FIGEONS
EFGINRU	FRINGUE
EFGIORZ	FORGIEZ
EFGIOUZ	FOUGIEZ
EFGIRRU	FIGURER
EFGIRSU	FIGURES
EFGIRUZ	FIGUREZ
EFGISTU	FUSTIGE
EFGLMNO	FLEGMON
EFGLNOR	GONFLER
EFGLNOS	GONFLES
EFGLNOZ	GONFLEZ
EFGLRUU	FULGURE
EFGNORT	FORGENT
EFGNOTU	FOUGENT
EFGORRU	FORGEUR
EFGORUU	FOURGUE
EFGOSUU	FOUGUES
EFGRUUU	FUGUEUR
EFHIRSS	SHERIFS
EFHRRSU	FUHRERS*
EFIIINN	INFINIE
EFIIIVV	VIVIFIE
EFIILMZ	FILMIEZ
EFIILNT	LENITIF
EFIILRT	LIFTIER
EFIILSS	FISSILE
EFIILST	SIFILET
EFIIMMO	MOMIFIE
EFIIMNN	FEMININ
EFIIMNR	INFIRME
EFIIMNS	FINIMES
	INFIMES
EFIIMSS	EMISSIF
EFIIMSX	FIXISME
EFIINOT	NOTIFIE
	TONIFIE
EFIINRU	UNIFIER
EFIINRZ	FINIREZ
EFIINSS	FINISSE
EFIINST	FINITES
EFIINSU	UNIFIES
EFIINSX	INFIXES
EFIINUZ	UNIFIEZ
EFIIORZ	FOIRIEZ
EFIIOSS	OSSIFIE
EFIIPRR	FRIPIER

EFIIPRU	PURIFIE
EFIIPRZ	FRIPIEZ
EFIIRRZ	FRIRIEZ*
EFIIRSZ	FRISIEZ
EFIIRUZ	FUIRIEZ
EFIISSZ	FISSIEZ
EFIISTX	FIXISTE
	FIXITES
EFIKQUU	KUFIQUE
EFILLLU	FILLEUL
EFILLOO	FOLIOLE
EFILLOU	FOUILLE
EFILLSU	FUSILLE
EFILLUU	FEUILLU
EFILMNT	FILMENT
EFILMNU	FULMINE
EFILMRU	MUFLIER
EFILMSU	EMULSIF
EFILNOS	FELIONS
EFILNOU	FENOUIL
EFILNOX	FLEXION
EFILNRU	INFLUER
EFILNSU	INFLUES
EFILNUZ	INFLUEZ
EFILOOT	FOLIOTE
EFILOPR	PROFILE
EFILOQU	FOLIQUE
EFILORS	SOLFIER
EFILORV	FRIVOLE
EFILORZ	FROLIEZ
EFILOSS	FOSSILE
	SOLFIES
EFILOSZ	SOLFIEZ
EFILOTU	FILOUTE
EFILOUZ	FLOUIEZ
	FOULIEZ
EFILPPR	FLIPPER
EFILPPS	FLIPPES
EFILPPZ	FLIPPEZ
EFILRRT	FILTRER
	FLETRIR
	FLIRTER
EFILRRU	FLEURIR
EFILRST	FILTRES
	FLETRIS
	FLIRTES
EFILRSU	FILEURS
	FLEURIS
	SURFILE
EFILRTT	FLETRIT
EFILRTU	FLEURIT
EFILRTZ	FILTREZ
	FLIRTEZ
EFILRUX	FRILEUX
EFILSTU	FISTULE
	FUTILES
	SULFITE
EFILTUZ	FLUTIEZ
EFIMMRU	FERMIUM
EFIMNOR	FERMION
	INFORME
EFIMNOS	MEFIONS
EFIMORR	FERMOIR
EFIMORZ	FORMIEZ
EFIMOST	EMOTIFS
EFIMOSU	FOUIMES
EFIMRSU	FUMIERS
EFIMSTU	FUMISTE
EFINOPT	PONTIFE
EFINORS	FERIONS
	FIERONS
EFINORT	FIERONT
	FOIRENT
EFINORU	ENFOUIR
	FOUINER
	FOURNIE
EFINOST	FETIONS
EFINOSU	ENFOUIS
	FOUINES
EFINOTU	ENFOUIT
EFINOUZ	FOUINEZ
EFINPRT	FRIPENT
EFINPSS	PENSIFS
EFINRST	FRETINS
	FRISENT
EFINRSU	INFUSER
	SURFINE
EFINRTU	FUIRENT
EFINSST	FESTINS
	FISSENT
EFINSSU	INFUSES
EFINSUZ	INFUSEZ
EFIOPRT	PIEFORT
	PROFITE
EFIORSS	EROSIFS
	FROISSE
EFIORST	FIEROTS
EFIORSU	SERFOUI
EFIORUX	FOIREUX
EFIORUZ	FOUIREZ
EFIOSSU	FOUISSE
EFIOSTU	FOUITES

EFIOTUZ	FOUTIEZ
EFIPRTU	ERUPTIF
EFIQRTU	FRIQUET
EFIQSSU	ESQUIFS
EFIRRSU	FRISURE
EFIRRTU	FRITURE
EFIRSSU	FISSURE
EFIRSTT	FRITTES
EFIRSTU	FRUITES
	TUFIERS
EFIRTUV	FURTIVE
EFIRUUX	FURIEUX
EFISSSU	FUISSES
EFISSUZ	FUSSIEZ
EFLLOST	FOLLETS
EFLMOOR	FORMOLE
EFLMORS	FORMELS
EFLMORU	FORMULE
EFLMOSU	MOUFLES
EFLNNOS	ENFLONS
EFLNORR	RONFLER
EFLNORS	FERLONS
	FRELONS
	RONFLES
EFLNORT	FROLENT
EFLNORU	FLEURON
EFLNORZ	RONFLEZ
EFLNOSU	FEULONS
	SULFONE
EFLNOTU	FLOUENT
	FOULENT
EFLNTTU	FLUTENT
EFLOQUU	FOULQUE
EFLORRU	FROLEUR
EFLORTT	FLOTTER
EFLORUU	FOULURE
EFLOSTT	FLOTTES
EFLOSUV	FLOUVES
EFLOTTZ	FLOTTEZ
EFLRSUU	SULFURE
EFLRTTU	FLUTTER
EFMNORS	FERMONS
EFMNORT	FORMENT
	FROMENT
EFMNORU	FUMERON
EFMORSU	FOURMES
EFMRSUU	FUMEURS
	FUMURES
EFNNOST	FENTONS
EFNORRS	FERRONS
EFNORRT	RENFORT
EFNORST	FRETONS
EFNORTU	FORTUNE
EFNOSSS	FESSONS
EFNOSST	FESTONS
EFNOTTU	FOUTENT
EFNSSTU	FUSSENT
EFORRRU	FOURRER
EFORRST	FREROTS
EFORRSU	FOREURS
	FORURES
	FOURRES
	SOUFRER
EFORRTT	FROTTER
EFORRUZ	FOURREZ
EFORSSU	FROUSSE
	SOUFRES
EFORSTT	FROTTES
EFORSUZ	SOUFREZ
EFORTTZ	FROTTEZ
EFORTUZ	FOUTREZ
EFOSTUU	FOUTUES
EFRRSTU	FRUSTRE
EFRRSUU	FUREURS
EFRSSTU	FRUSTES
EFRSTUU	FUTURES
EFSSTTU	FUSTETS
EGGGILN	LEGGING
EGGGINO	GIGOGNE
EGGIINS	GEIGNIS
EGGIINT	GEIGNIT
EGGIJRS	JIGGERS
EGGINOV	VIGOGNE
EGGINRR	GRIGNER
EGGINRS	GRIGNES
EGGINRU	GUIGNER
EGGINRZ	GRIGNEZ
EGGINSU	GUIGNES
EGGINTU	GINGUET
EGGINUZ	GUIGNEZ
EGGIORT	GIGOTER
EGGIORZ	GORGIEZ
EGGIOST	GIGOTES
EGGIOTZ	GIGOTEZ
EGGIRUZ	GRUGIEZ
EGGNOOR	GORGONE
EGGNORR	GROGNER
EGGNORS	GROGNES
EGGNORT	GORGENT
EGGNORZ	GROGNEZ
EGGNRTU	GRUGENT
EGGORST	GORGETS

EGHINPS	SPHINGE
EGHLNOR	LEGHORN
EGHLOOR	HORLOGE
EGHLPSY	GLYPHES
EGHNORR	HONGRER
EGHNORS	HONGRES
EGHNORZ	HONGREZ
EGHOPSY	HYPOGES
EGHOSTT	GHETTOS
EGIILLS	SIGILLE
EGIILNN	LIGNINE
EGIILNT	LIGNITE
EGIILST	LITIGES
EGIILSV	VIGILES
EGIILUZ	LIGUIEZ
EGIIMMR	IMMIGRE
EGIIMRT	MITIGER
EGIIMRZ	GRIMIEZ
EGIIMST	MITIGES
EGIIMTZ	MITIGEZ
EGIINNS	INSIGNE
EGIINOR	ORIGINE
EGIINOZ	OIGNIEZ*
EGIINPS	PEIGNIS
EGIINPT	PEIGNIT
EGIINST	TEIGNIS
EGIINSZ	SIGNIEZ
	SINGIEZ
EGIINTT	TEIGNIT
EGIIPST	PIGISTE
EGIIPUZ	GUIPIEZ
EGIIRRU	IRRIGUE
EGIIRSZ	GRISIEZ
EGIIRUV	VIGUIER
EGIIRVZ	GIVRIEZ
EGIJNOS	JOIGNES
EGIJNOZ	JOIGNEZ
EGILLNU	LIGNEUL
EGILLOR	GIROLLE
	GORILLE
EGILLRR	GRILLER
EGILLRS	GRILLES
EGILLRZ	GRILLEZ
EGILLSU	LIGULES
EGILMMN	LEMMING
EGILMOR	LIMOGER
EGILMOS	GLIOMES
	LIMOGES
EGILMOZ	LIMOGEZ
EGILMRS	GREMILS
EGILNOR	ONGLIER
EGILNOS	GELIONS
	GNIOLES
	LEGIONS
EGILNOT	LENTIGO
EGILNOZ	LONGIEZ
EGILNRS	GRELINS
	LINGERS
EGILNRT	TRINGLE
EGILNSS	SINGLES
EGILNST	GENTILS
EGILNTU	LIGUENT
EGILNUX	LIGNEUX
EGILOQU	LOGIQUE
EGILORR	RIGOLER
EGILORS	GLOIRES
	RIGOLES
EGILORT	LIGOTER
EGILORU	ORGUEIL
EGILORV	VOLIGER
EGILORZ	RIGOLEZ
EGILOST	LIGOTES
	LOGISTE
EGILOSV	VOLIGES
EGILOSZ	GLOSIEZ
EGILOTV	VOLTIGE
EGILOTZ	LIGOTEZ
EGILOVZ	VOLIGEZ
EGILRSS	GLISSER
	GRESILS
EGILRST	TRIGLES
EGILRUU	LIGUEUR
EGILRUV	VIRGULE
EGILSSS	GLISSES
EGILSSZ	GLISSEZ
EGIMMOR	GOMMIER
EGIMMOZ	GOMMIEZ
EGIMMSU	MUGIMES
EGIMNOT	MIGNOTE
EGIMNPT	PIGMENT
EGIMNRT	GRIMENT
EGIMORR	GERMOIR
EGIMORU	GOUMIER
EGIMPRR	GRIMPER
EGIMPRS	GRIMPES
EGIMPRZ	GRIMPEZ
EGIMPSU	GUIMPES
EGIMRSU	RUGIMES
EGIMRUZ	MUGIREZ
EGIMSSU	MUGISSE
EGIMSTU	MUGITES
EGINNOR	GIRONNE

EGINNOS	GENIONS	**EGIORUZ**	GOURIEZ
EGINNOT	OIGNENT*	**EGIOTUZ**	GOUTIEZ
EGINNST	SIGNENT	**EGIOUVZ**	VOGUIEZ
	SINGENT	**EGIPPRR**	GRIPPER
EGINNSU	INGENUS	**EGIPPRS**	GRIPPES
EGINOOS	ISOGONE	**EGIPPRZ**	GRIPPEZ
EGINOPS	PIGEONS	**EGIPRUU**	GUIPURE
	POIGNES	**EGIPRUZ**	PURGIEZ
EGINOPT	POIGNET	**EGIRRSU**	RESURGI
EGINORR	IGNORER	**EGIRRTU**	GRUTIER
EGINORS	ENGROIS	**EGIRRUU**	RIGUEUR
	GERIONS	**EGIRRUZ**	RUGIREZ
	GREIONS	**EGIRSST**	GRISETS
	IGNORES		STRIGES
	REGIONS	**EGIRSSU**	RUGISSE
	SOIGNER		SURGIES*
EGINORT	TRIGONE	**EGIRSTU**	RUGITES
EGINORU	OUGRIEN	**EGIRUUV**	VIGUEUR
EGINORV	IVROGNE	**EGIRUVX**	GIVREUX
EGINORZ	IGNOREZ	**EGISYYZ**	SYZYGIE
	ROGNIEZ	**EGJLNOR**	JONGLER
	RONGIEZ	**EGJLNOS**	JONGLES
EGINOSS	GNOSIES	**EGJLNOZ**	JONGLEZ
	SOIGNES	**EGJLNSU**	JUNGLES
EGINOST	GESTION	**EGJLRUU**	JUGULER
EGINOSV	VOSGIEN	**EGJLSUU**	JUGULES
EGINOSZ	SOIGNEZ	**EGJLUUZ**	JUGULEZ
	SONGIEZ	**EGJNOSU**	JUGEONS
EGINPRS	PINGRES	**EGJRSUU**	JUGEURS
EGINPRU	PERUGIN	**EGLLORS**	GROLLES
EGINPTU	GUIPENT	**EGLMNOO**	GOMENOL
EGINRRU	RUGINER		MONGOLE
EGINRSS	GRESSIN	**EGLMOOT**	GOLMOTE
EGINRST	GRISENT	**EGLNNOT**	LONGENT
EGINRSU	INSURGE	**EGLNOOS**	LOGEONS
	RUGINES	**EGLNOPR**	PLONGER
EGINRTV	GIVRENT	**EGLNOPS**	PLONGES
EGINRUZ	RUGINEZ	**EGLNOPZ**	PLONGEZ
	ZINGUER	**EGLNORR**	LORGNER
EGINSST	SIGNETS	**EGLNORS**	GRELONS
EGINSTU	GUNITES		LORGNES
EGINSUZ	ZINGUES		REGLONS
EGINUZZ	ZINGUEZ	**EGLNORZ**	LORGNEZ
EGIOPRU	PIROGUE	**EGLNOST**	GLOSENT
EGIOQTU	GOTIQUE		ONGLETS
EGIORSS	GOSIERS	**EGLNOSU**	LEGUONS
	GROSSIE		LONGUES
EGIORST	GOITRES		LUGEONS
EGIORSU	ROUGIES		ONGULES
EGIORTT	GRIOTTE	**EGLNOTU**	LONGUET
EGIORTV	VERTIGO	**EGLNSTU**	GLUTENS

EGLORST	GRELOTS
EGLORSU	LOGEURS
	LOUGRES
EGLOSSU	GLOUSSE
EGLOSTT	GLOTTES
EGLOSTU	GOULETS
EGLOSUU	GOULUES
EGLRSUU	LUGEURS
EGMMNOS	GEMMONS
EGMMNOT	GOMMENT
EGMMOOR	ROGOMME
EGMMOUX	GOMMEUX
EGMNOOS	GOEMONS
EGMNORS	GERMONS
EGMNOTY	GYMNOTE
EGMNSTU	GNETUMS
EGMOOPR	POGROME
EGMORSU	GOURMES
	MORGUES
EGMORTU	GOURMET
EGMSTUU	MUGUETS
EGNNORS	GRENONS
	REGNONS
EGNNORT	ROGNENT
	RONGENT
	RONTGEN
EGNNOST	SONGENT
EGNNOSU	GUENONS
EGNNOTU	ONGUENT
EGNOOOS	OOGONES
EGNOORS	ORONGES
EGNORRU	ROGNEUR
	ROGNURE
	RONGEUR
EGNORST	TROGNES
EGNORSU	SONGEUR
	SURGEON
EGNORSV	GREVONS
EGNORTU	GOURENT
EGNOTTU	GOUTENT
EGNOTUV	VOGUENT
EGNPRTU	PURGENT
EGNRSTU	URGENTS
EGNRSTY	GENTRYS
EGOOPRR	PROROGE
EGOPRRS	PROGRES
EGOPRRU	GROUPER
EGOPRSU	GROUPES
EGOPRUZ	GROUPEZ
EGORRUU	ROUGEUR
EGORSSS	GROSSES
EGORSSU	GROUSES
EGORSTT	GROTTES
EGORSTU	GOUTERS
	ROUGETS
EGORTTU	GOUTTER
EGOSSSU	GOUSSES
EGOSSTU	GOUSSET
EGOSTTU	GOUTTES
EGOSTYZ	ZYGOTES
EGOTTUZ	GOUTTEZ
EGPRRUU	PURGEUR
EGPSUXY	GYPSEUX
EGRUUUX	RUGUEUX
EHIILMU	HUMILIE
EHIILNT	LITHINE
EHIILOR	HILOIRE
EHIILRU	HUILIER
EHIILUZ	HUILIEZ
EHIINRT	RHINITE
EHIIORS	HOIRIES
EHIIPPS	HIPPIES
EHIIPST	PHTISIE
EHIISSZ	HISSIEZ
EHIITTT	HITTITE
EHILLOU	HOUILLE
EHILLPY	PHYLLIE
EHILMSU	HELIUMS
EHILNOS	HELIONS
EHILNPT	PLINTHE
EHILNTU	HUILENT
EHILOOT	OOLITHE
EHILOPT	HOPLITE
EHILOST	HILOTES
	HOSTILE
EHILPRT	PHILTRE
EHILPSS	SILPHES
EHILPSV	PEHLVIS
EHILRTU	LUTHIER
EHILRUZ	HURLIEZ
EHILUUX	HUILEUX
EHIMNRS	MENHIRS
EHIMNRU	INHUMER
	RHENIUM
EHIMNSU	INHUMES
EHIMNUZ	INHUMEZ
EHIMOQU	OHMIQUE
EHIMORZ	RHIZOME
EHIMOST	THOMISE
EHIMSST	ISTHMES
EHINNNS	HENNINS
EHINNOS	HONNIES

EHINNOT	THONINE
EHINOPS	PHONIES
EHINOPX	PHOENIX
EHINORT	THONIER
	THORINE
EHINPTY	PYTHIEN
EHINRSU	HUNIERS
EHINSST	HISSENT
EHINSTZ	ZENITHS
EHIOPRS	ORPHIES
EHIOPRU	OPHIURE
EHIOPST	OPHITES
EHIORTT	THORITE
EHIOSST	HOSTIES
EHIPSTY	PYTHIES
EHIPYZZ	ZIZYPHE
EHIRSTU	HIRSUTE
	HUITRES
EHISSTU	HUSSITE
EHISTTU	TUTHIES
EHJOPSS	JOSEPHS*
EHKLOSU	KOHEULS
EHKPRSY	KEPHYRS
EHLLRUU	HULULER
EHLLSUU	HULULES
EHLLUUZ	HULULEZ
EHLMNOT	MENTHOL
EHLMPSY	LYMPHES
EHLNOPS	PHENOLS
EHLNRTU	HURLENT
EHLOQUU	HOULQUE
EHLOTTU	HULOTTE
EHLOUUX	HOULEUX
EHLPSSY	SYLPHES
EHLRRUU	HURLEUR
EHMNOOR	HORMONE
EHMNPSY	NYMPHES
EHMORST	THERMOS
EHMRRSY	MYRRHES
EHMRRTY	RYTHMER
EHMRSTY	RYTHMES
EHMRSUU	HUMERUS
	HUMEURS
EHMRTYZ	RYTHMEZ
EHNNORU	HONNEUR
	HURONNE
EHNOOPR	ORPHEON
EHNOORR	HONORER
EHNOORS	HONORES
EHNOORZ	HONOREZ
EHNOPRY	HYPERON
EHNOPSY	HYPNOSE
EHNORSS	HERSONS
EHNORSU	HUERONS
EHNORTU	HUERONT
EHNOTUX	HONTEUX
EHNRSTU	HUNTERS
	SHUNTER
EHNSSTU	SHUNTES
EHNSTUZ	SHUNTEZ
EHOORST	ORTHOSE
	SHOOTER
EHOOSST	SHOOTES
EHOOSTZ	SHOOTEZ
EHOPPSU	HOUPPES
EHOPQSU	PHOQUES
EHOPRST	STROPHE
EHOPSSY	HYSOPES
EHOPSTY	TYPHOSE
EHOQRUU	HOURQUE
EHOQSTU	HOQUETS
EHOQSUU	HOUQUES
EHORRRU	HORREUR
EHOSSSU	HOUSSES
EHPRSSY	SYRPHES
EHPRSYZ	ZEPHYRS
EHRRSSY	SHERRYS
EHRSSTY	THYRSES
EIIILLV	VIEILLI
EIIIMTZ	IMITIEZ
EIIINRT	INITIER
EIIINST	INITIES
EIIINTZ	INITIEZ
EIIIRSZ	IRISIEZ
EIIJNRU	INJURIE
EIILLMR	MILLIER
EIILLPZ	PILLIEZ
EIILLST	ILLITES
EIILLTT	TITILLE
EIILLTZ	TILLIEZ
EIILMOP	IMPOLIE
EIILMRS	LIMIERS
EIILMRT	LIMITER
	MILITER
EIILMSS	MISSILE
EIILMST	LIMITES
	MILITES
EIILMSU	SIMULIE
EIILMTZ	LIMITEZ
	MILITEZ
EIILMUX	MILIEUX
EIILNNU	INULINE

EIILNOS	ELISION
EIILNOV	INVIOLE
	OLIVINE
	VIOLINE
EIILNRS	LINIERS
EIILNRT	NITRILE
EIILNTU	INUTILE
EIILORV	OLIVIER
	VIOLIER
	VOILIER
EIILOSZ	ISOLIEZ
EIILOUZ	IOULIEZ*
EIILOVZ	VIOLIEZ
	VOILIEZ
EIILPRS	PILIERS
EIILQSU	SILIQUE
EIILRSS	LISSIER
EIILRSV	VIRILES
EIILRSX	ELIXIRS
EIILRTU	TUILIER
EIILRUZ	LUIRIEZ
	RUILIEZ
EIILRVZ	LIVRIEZ
EIILSSZ	LISSIEZ
EIILSTU	UTILISE
EIILSUZ	LUISIEZ
EIILTTU	UTILITE
EIIMMNS	MINIMES
EIIMMPR	IMPRIME
EIIMMQU	MIMIQUE
EIIMNOS	EMIIONS
	SIMONIE
EIIMNPU	IMPUNIE
EIIMNRS	MINIERS
EIIMNRT	INTERIM
	INTIMER
EIIMNSS	SIMIENS
EIIMNST	INTIMES
EIIMNTT	IMITENT
EIIMNTU	MINUTIE
EIIMNTZ	INTIMEZ
EIIMORT	MIROITE
EIIMORZ	MOIRIEZ
EIIMOSS	MOISIES
EIIMOST	MOITIES
EIIMOSZ	MOISIEZ
EIIMPRZ	PRIMIEZ
EIIMRTZ	TRIMIEZ
EIIMSSV	MISSIVE
EIIMSSZ	MISSIEZ
EIIMSTT	TITISME
EIIMSTX	MIXITES
EIINNOP	INOPINE
EIINNOS	IONIENS
EIINNQU	QUININE
EIINNSU	INSINUE
EIINOPS	EPIIONS
EIINOPV	PIVOINE
EIINOPZ	OPINIEZ
EIINOQU	IONIQUE
EIINORS	IONISER
	IRONIES
	IRONISE
EIINOSS	IONISES
EIINOSU	INOUIES
EIINOSV	VOISINE
EIINOSZ	IONISEZ
EIINPPZ	NIPPIEZ
EIINPRS	INSPIRE
EIINPRV	VIPERIN
EIINPST	PIETINS
EIINPTZ	PINTIEZ
EIINQSU	INIQUES
EIINQTU	INQUIET
EIINQUV	VINIQUE
EIINRST	IRISENT
EIINRSU	USINIER
EIINRTT	NITRITE
	TRINITE
EIINRTV	INVERTI
	INVITER
	VITRINE
EIINRUZ	NUIRIEZ
	RUINIEZ
	UNIRIEZ
	URINIEZ
EIINSST	INSISTE
EIINSTU	INUSITE
EIINSTV	INVESTI
	INVITES
EIINSUV	ENSUIVI
EIINSUZ	NUISIEZ
	USINIEZ
EIINTTZ	TINTIEZ
EIINTUV	UNITIVE
EIINTVZ	INVITEZ
EIIOPRR	POIRIER
EIIORSV	IVOIRES
	VOIRIES
EIIOSSV	OISIVES
EIIOSTZ	TOISIEZ
EIIPPRS	PIPIERS

EIIPQRU	PIQUIER
EIIPQUZ	PIQUIEZ
EIIPRRT	TRIPIER
EIIPRST	SPIRITE
EIIPRSZ	PRISIEZ
EIIPRVZ	PRIVIEZ
EIIPSSZ	PISSIEZ
EIIPSTZ	PISTIEZ
EIIPSUZ	PUISIEZ
EIIPTTU	PITUITE
EIIQRTU	QUIRITE
EIIQTUZ	TIQUIEZ
EIIRRRT	IRRITER
EIIRRST	IRRITES
EIIRRTV	VITRIER
EIIRRTZ	IRRITEZ
EIIRRVV	VIVRIER
EIIRSSZ	RISSIEZ
EIIRSTV	VISITER
EIIRSTZ	STRIIEZ
EIIRSVV	VIVIERS
EIIRTTZ	TITRIEZ
EIIRTVZ	VITRIEZ
EIIRVVZ	VIVRIEZ
EIISSTV	VISITES
EIISSTZ	TISSIEZ
EIISSUV	SUIVIES
EIISSVZ	VISSIEZ
EIISTTT	TITISTE
EIISTUZ	SITUIEZ
EIISTVZ	VISITEZ
EIISUVZ	SUIVIEZ
EIJLLTU	JUILLET
EIJLNSU	JULIENS
EIJLOST	JOLIETS
EIJMORT	MIJOTER
EIJMOST	MIJOTES
EIJMOSU	JOUIMES
EIJMOTZ	MIJOTEZ
EIJNNOS	ENJOINS
EIJNNOT	ENJOINT
EIJNORS	REJOINS
EIJNORT	REJOINT
EIJNOST	JETIONS
	JOINTES
EIJNOSV	JOVIENS
EIJNRSU	INJURES
EIJNSTU	INJUSTE
EIJORRU	REJOUIR
EIJORSU	REJOUIS
EIJORTU	REJOUIT
EIJORUZ	JOUIREZ
EIJOSSU	JOUISSE
EIJOSTU	JOUITES
EIJOTUZ	JOUTIEZ
EIJRSTU	JURISTE
EIKKLSS	SLIKKES
EIKLNSV	KELVINS
EIKOQSU	KIOSQUE
EIKPPRS	SKIPPER
EIKRSSU	SKIEURS
EILLLTU	TILLEUL
EILLMOR	MORILLE
	ORMILLE
EILLMOS	MOLLIES
EILLMOT	MELILOT
EILLMOU	MOUILLE
EILLMSS	SMILLES
EILLMST	MILLETS
EILLMSU	LIMULES
EILLNOS	SEILLON
EILLNOU	NOUILLE
EILLNPT	PILLENT
EILLNTT	TILLENT
EILLNTU	NULLITE
EILLOPU	POUILLE
EILLORR	ROLLIER
EILLORU	OUILLER
	ROUILLE
EILLORZ	ZORILLE
EILLOSS	SOLEILS
EILLOSU	OUILLES
	SOUILLE
EILLOTU	OUTILLE
	TOUILLE
EILLOUZ	OUILLEZ
EILLPPU	PUPILLE
EILLPRU	PILLEUR
	PLURIEL
EILLPSU	PILULES
EILLQSU	QUILLES
EILLRRT	TRILLER
EILLRRV	VRILLER
EILLRST	TRILLES
EILLRSV	VRILLES
EILLRTU	TULLIER
EILLRTZ	TRILLEZ
EILLRVZ	VRILLEZ
EILLSST	LISTELS
	SILLETS
EILLUUZ	ULULIEZ
EILLUVX	VILLEUX

EILMMOR	IMMOLER
EILMMOS	IMMOLES
	SOMMEIL
EILMMOZ	IMMOLEZ
EILMNOS	ELIMONS
	MELIONS
EILMNOU	MOULINE
EILMNRS	MERLINS
EILMOPP	POMPILE
EILMOPR	IMPLORE
	REMPLOI
EILMOPS	EMPLOIS
	LIPOMES
	POLIMES
EILMOST	LOTIMES
EILMOUZ	MOULIEZ
EILMPRR	REMPLIR
EILMPRS	REMPLIS
EILMPRT	REMPLIT
EILMPRU	PLUMIER
EILMPSS	SIMPLES
EILMPST	SIMPLET
EILMPSU	IMPULSE
EILMPUZ	PLUMIEZ
EILMRSU	LIMEURS
	SIMULER
EILMRSY	LYRISME
EILMRTU	MUTILER
EILMSSS	MISSELS
EILMSSU	SIMULES
EILMSTU	MUTILES
	STIMULE
	ULTIMES
EILMSUZ	SIMULEZ
EILMTUZ	MUTILEZ
EILNNOP	PILONNE
EILNNOS	ENLIONS
	LEONINS
	LIONNES
EILNNPU	PINNULE
EILNOPS	EPILONS
	EPSILON
	PELIONS
	SINOPLE
EILNOPT	PLOIENT
EILNOPU	POULINE
EILNORS	ELIRONS
	INSOLER
	LIERONS
	LISERON
	NEROLIS →
	NOLISER
	RELIONS
EILNORT	ELIRONT
	LIERONT
	LITORNE
EILNORU	OURLIEN
EILNOSS	ELISONS
	INSOLES
	LESIONS
	NOLISES
EILNOST	ISOLENT
EILNOSV	LEVIONS
	VELIONS
EILNOSX	EXILONS
EILNOSZ	INSOLEZ
	NOLISEZ
EILNOTT	LINOTTE
EILNOTU	IOULENT*
	TONLIEU
EILNOTV	VIOLENT
	VOILENT
EILNOUV	ELUVION
EILNRST	LINTERS
EILNRTU	LUIRENT*
	LUTINER
	RUILENT
EILNRTV	LIVRENT
EILNSST	LISSENT
EILNSSY	LYSINES
EILNSTU	INSULTE
	LUISENT
	LUTINES
EILNTUZ	LUTINEZ
EILOOST	OOLITES
	OSTIOLE
EILOOUV	LOUVOIE
EILOPPT	POPLITE
EILOPRR	REPOLIR
EILOPRS	PIROLES
	REPOLIS
	SPOLIER
EILOPRT	PILOTER
	REPOLIT
EILOPRX	PROLIXE
EILOPRZ	POLIREZ
EILOPSS	POLISSE
	SPOLIES
EILOPST	PILOTES
	PIOLETS
	PISTOLE
	POLISTE →

	POLITES
EILOPSU	POILUES
	POULIES
EILOPSZ	SPOLIEZ
EILOPTX	EXPLOIT
EILOPTZ	PILOTEZ
EILOPUZ	LOUPIEZ
EILOPYZ	PLOYIEZ
EILORRS	LORRIES*
EILORRU	ROULIER
EILORRV	VIROLER
EILORSS	RISSOLE
EILORST	LOTIERS
	ORTEILS
	TOLIERS
EILORSU	SOULIER
EILORSV	VIROLES
EILORTT	TRIOLET
EILORTZ	LOTIREZ
EILORUV	VOILURE
EILORUZ	LOURIEZ
	OURLIEZ
	ROULIEZ
EILORVZ	VIROLEZ
EILOSST	LOTISSE
	SOLISTE
EILOSSV	SOLIVES
EILOSTT	LITOTES
	LOTITES
	TOLITES
EILOSTV	VIOLETS
EILOSUZ	SOULIEZ
EILOTVZ	VOLTIEZ
EILOUVZ	LOUVIEZ
	VOULIEZ
EILPPSU	LIPPUES
	SUPPLIE
EILPRRT	TRIPLER
EILPRSS	PERSILS
	PLISSER
EILPRST	TRIPLES
EILPRSU	PILEURS
	PLIEURS
	PLIURES
	PUERILS
EILPRTT	TRIPLET
EILPRTZ	TRIPLEZ
EILPRUV	PLUVIER
EILPSSS	PLISSES
EILPSSZ	PLISSEZ
EILPSTU	STIPULE →
	TIPULES
	TULIPES
EILQRUU	LIQUEUR
EILQRUY	LYRIQUE
EILRRST	TERRILS
EILRRTU	RUTILER
EILRRUV	LIVREUR
EILRSSU	LISEURS
	SILURES
EILRSTU	RITUELS
	RUTILES
	TREUILS
EILRSTV	LIVRETS
EILRTUV	VIRTUEL
EILRTUZ	RUTILEZ
EILSSTY	STYLISE
EILSSUV	VISUELS
EILSSUZ	LUSSIEZ
EILSTTY	STYLITE
EILSTYZ	STYLIEZ
EILTTUZ	LUTTIEZ
EILTUVV	VULVITE
EIMMNNO	INNOMME*
EIMMNOS	MONISME
EIMMNOZ	NOMMIEZ
EIMMNSU	MUNIMES
EIMMOPR	POMMIER
EIMMOPZ	POMMIEZ
EIMMORS	SOMMIER
EIMMOST	SOMMITE
	TOMMIES
EIMMOSV	VOMIMES
EIMMOSZ	SOMMIEZ
EIMMRRT	TRIMMER
EIMMRSU	MURIMES
EIMMSTU	MUTISME
EIMNNOS	INNOMES
	MENIONS
	MINOENS
EIMNNOT	MENTION
	MITONNE
EIMNNTU	UNIMENT
EIMNOOT	EMOTION
EIMNOPT	PIEMONT
EIMNORR	MINORER
EIMNORS	MERINOS
	MINORES
EIMNORT	MOIRENT
	OMIRENT
	TRINOME
EIMNORW	WORMIEN

EIMNORZ	MINOREZ
EIMNOSS	SEMIONS
EIMNOST	MOISENT
	MONISTE
	TEMOINS
EIMNOTY	MITOYEN
EIMNOTZ	MONTIEZ
EIMNPRT	PRIMENT
EIMNPRU	PREMUNI
EIMNPST	PIMENTS
EIMNPSU	PUNIMES
EIMNQSU	MESQUIN
EIMNRRU	RUMINER
EIMNRSU	MINEURS
	RUMINES
EIMNRTT	TRIMENT
EIMNRTU	MINUTER
	MURETIN*
	MUTINER
EIMNRUW	WURMIEN
EIMNRUZ	MUNIREZ
	RUMINEZ
EIMNSSS	MESSINS
EIMNSST	MISSENT
EIMNSSU	MUNISSE
EIMNSTU	MINUTES
	MUNITES
	MUTINES
EIMNTUZ	MINUTEZ
	MUTINEZ
EIMNUZZ	MUEZZIN
EIMOOPS	POMOIES*
EIMOORS	ORMOIES
EIMOPPR	OPPRIME
	POMPIER
EIMOPPZ	POMPIEZ
EIMOPRS	IMPOSER
	PROMISE
EIMOPRT	IMPORTE
EIMOPRZ	ROMPIEZ
EIMOPSS	IMPOSES
EIMOPST	IMPOSTE
	SEPTIMO
EIMOPSY	MYOPIES
EIMOPSZ	IMPOSEZ
EIMOQSU	OSMIQUE
EIMOQUV	VOMIQUE
EIMOQUZ	MOQUIEZ
EIMORRT	MORTIER
EIMORRU	MOIRURE
EIMORSS	ROSIMES →
	SEMOIRS
EIMORST	ROTIMES
	TIMORES
EIMORSU	ROUIMES
EIMORTU	MOITEUR
	MOUTIER
EIMORTV	MOTIVER
EIMORUZ	MOURIEZ
EIMORVZ	VOMIREZ
EIMOSSS	OMISSES
EIMOSST	MITOSES
EIMOSSU	MOUISES
	SOUMISE
EIMOSSV	VOMISSE
EIMOSTV	MOTIVES
	VOMITES
EIMOTTZ	MOTTIEZ
EIMOTVZ	MOTIVEZ
EIMOUVZ	MOUVIEZ
EIMPRRU	PRIMEUR
EIMPRSS	PRISMES
EIMPRSU	IMPURES
	PURISME
EIMPRTU	IMPUTER
EIMPRUV	IMPREVU
EIMPSTU	IMPUTES
EIMPTUZ	IMPUTEZ
EIMQSUU	MUSIQUE
EIMRRSU	MIREURS
	MURIERS
	RIMEURS
EIMRRTU	MEURTRI
EIMRRUZ	MURIREZ
EIMRSST	TRISMES
EIMRSSU	MURISSE
	SURIMES
EIMRSTU	MURITES
	TRUISME
EIMRSUX	MIXEURS
EIMRTUX	MIXTURE
EIMSSUV	MUSSIVE
EIMSSUZ	MUSSIEZ
EIMSTTU	MUTITES
EINNOOS	IONONES
EINNOPP	NIPPONE
EINNOPR	PIONNER
EINNOPS	EPINONS
	PEINONS
	PENSION
	PIONNES
EINNOPT	OPINENT

EINNOPZ	PIONNEZ
EINNOQU	QUINONE
EINNORS	NIERONS
	RENIONS
EINNORT	NIERONT
EINNORU	REUNION
EINNORV	ENVIRON
	INNOVER
EINNOST	ENTIONS
	TENIONS
	TENSION
	TISONNE
EINNOSU	ONUSIEN
EINNOSV	ENVIONS
	INNOVES
	VEINONS
	VENIONS
EINNOSZ	SONNIEZ
EINNOTT	TONTINE
EINNOTZ	TONNIEZ
EINNOVZ	INNOVEZ
EINNPPT	NIPPENT
EINNPTT	PINTENT
EINNRTT	TINRENT
EINNRTU	RUINENT
	UNIRENT
	URINENT
EINNRTV	VINRENT
EINNSTU	NUISENT
	SUNNITE
	USINENT
EINNTTT	TINTENT
EINOORS	EROSION
EINOORT	NOTOIRE
EINOOSZ	OZONISE
EINOPPS	PEPIONS
EINOPPU	POUPINE
EINOPRT	POINTER
	PONTIER
	POTINER
EINOPRZ	PRONIEZ
EINOPSS	ESPIONS
	PESIONS
EINOPST	PETIONS
	PIETONS
	POINTES
	POTINES
EINOPSX	EXPIONS
EINOPTU	POINTUE
EINOPTZ	POINTEZ
	PONTIEZ →
	POTINEZ
EINOPUY	YOUPINE
EINOQSU	SONIQUE
EINOQTU	TONIQUE
EINOQUV	INVOQUE
EINORRS	ERRIONS
	RONIERS
EINORRU	NOURRIE
EINORSS	SENIORS
	SERIONS
EINORST	ETIRONS
	ORIENTS
	SIERONT
EINORSV	RENVOIS
	REVIONS
	VERSION
	VIORNES
EINORTU	ROUTINE
EINORTV	VIRETON
EINORTZ	TRONIEZ
EINOSSS	SESSION
	SISSONE
EINOSST	ESTIONS*
EINOSSV	NIVOSES*
EINOSTT	TETIONS
	TIENTOS
	TOISENT
EINOSTU	SOUTIEN
EINOSTV	EVITONS
	VETIONS
EINOSTX	TOXINES
EINOSVX	VEXIONS
EINOSVY	SYNOVIE
EINPQSU	PEQUINS
EINPQTU	PIQUENT
EINPQUU	PUNIQUE
EINPRRT	PRIRENT
EINPRRU	PRUNIER
EINPRST	PETRINS
	PRISENT
	SPRINTE
EINPRSU	PRUINES
	RUPINES
EINPRSV	PREVINS
EINPRTV	PREVINT
	PRIVENT
EINPRUZ	PUNIREZ
EINPSST	PISSENT
EINPSSU	PUNISSE
EINPSTT	PISTENT
EINPSTU	PUISENT →

	PUNITES
EINQRSU	REQUINS
EINQRTU	TRINQUE
EINQRUU	RUNIQUE
EINQSSU	SEQUINS
EINQSTU	QUINTES
EINQSUU	UNIQUES
EINQTTU	TIQUENT
EINQTUU	TUNIQUE
EINRRSU	SURINER
EINRRTU	NITRURE
EINRRUU	RUINURE
EINRSST	RISSENT
EINRSSU	SURINES
EINRSSY	SYRIENS
EINRSTT	STRIENT
EINRSTU	INTRUSE
	SUINTER
	UTERINS
EINRSTY	TYRIENS
EINRSUV	UNIVERS
EINRSUZ	SURINEZ
EINRTTT	TITRENT
EINRTTV	VITRENT
EINRTUV	VENTURI
EINRTUX	NITREUX
EINRUUX	RUINEUX
	URINEUX*
EINSSST	TINSSES
EINSSSU	UNISSES
EINSSSV	VINSSES
EINSSTT	TISSENT
EINSSTU	SUINTES
EINSSTV	VISSENT
EINSSUZ	UNISSEZ
EINSTTU	SITUENT
EINSTUV	SUIVENT
EINSTUZ	SUINTEZ
EINSUUX	SINUEUX
EIOOPST	ISOTOPE
EIOOPSZ	ZOOPSIE
EIOOUVV	VOUVOIE
EIOPQTU	OPTIQUE
	TOPIQUE
EIOPQUZ	POQUIEZ
EIOPRRT	PIERROT
	PORTIER
EIOPRRU	POURRIE
EIOPRRV	POIVRER
	PREVOIR
EIOPRSS	ESPOIRS →
	POISSER
EIOPRST	POSTIER
	POTIERS
	RIPOSTE
EIOPRSU	ROUPIES
	SOUPIRE
EIOPRSV	POIVRES
	PREVOIS
EIOPRTT	TRIPOTE
EIOPRTV	PIVOTER
	PREVOIT
EIOPRTZ	PORTIEZ
EIOPRVZ	POIVREZ
EIOPSSS	POISSES
EIOPSSZ	POISSEZ
EIOPSTT	PETIOTS
EIOPSTU	TOUPIES
	UTOPIES
EIOPSTV	PIVOTES
EIOPSTZ	POSTIEZ
EIOPSUZ	SOUPIEZ
EIOPTVZ	PIVOTEZ
EIOPUVZ	POUVIEZ
EIOQQUU	QUOIQUE
EIOQRTU	TORIQUE
EIOQRUZ	ROQUIEZ
EIOQSTU	STOIQUE
EIOQTTU	QUOTITE
EIOQTUX	TOXIQUE
EIOQTUZ	TOQUIEZ
EIORRRT	TERROIR
EIORRSS	ROSIERS
EIORRST	SIROTER
EIORRSU	SOURIRE
EIORRSV	REVOIRS
	VERSOIR
EIORRSZ	ROSIREZ
EIORRTU	ROUTIER
	TOURIER
EIORRTZ	ROTIREZ
EIORRUV	OUVRIER
EIORRUZ	ROUIREZ
EIORSSS	ROSISSE
EIORSST	ROSITES
	ROTISSE
	SIROTES
	SORITES
	SORTIES
EIORSSU	ROUISSE
	ROUSSIE
	SOURIES →

	SURSOIE
EIORSSZ	ROSSIEZ
EIORSTT	ETROITS
	ROTITES
EIORSTU	IOURTES
	ROUITES
	SOUTIER
	SOUTIRE
	TOURIES
EIORSTZ	SIROTEZ
	SORTIEZ
EIORSUZ	SOURIEZ
EIORTTU	TOITURE
EIORTUV	VOITURE
EIORTUZ	OUTRIEZ
	ROUTIEZ
	TROUIEZ
EIORTVV	VIVOTER
EIORUVZ	OUVRIEZ
EIOSSTT	SOTTIES
	SOTTISE
EIOSSTV	SOVIETS
EIOSTTU	TUTOIES
EIOSTVV	VIVOTES
	VOTIVES
EIOTUVZ	VOUTIEZ
EIOTVVZ	VIVOTEZ
EIPPRRS	RIPPERS
EIPPRTU	PUPITRE
EIPQRSU	PIQURES
EIPQRUU	PIQUEUR
EIPQSTU	PIQUETS
EIPQSUU	PUISQUE
EIPQTUY	TYPIQUE
EIPQUUX	PIQUEUX
EIPRRSU	PRIEURS
	PRISEUR
EIPRSSS	PRISSES
EIPRSST	ESPRITS
EIPRSTU	PERTUIS
	PURISTE
	PUTIERS
EIPRSTV	PIVERTS
EIPRSTY	PYRITES
EIPRSUY	PYURIES
EIPSSSU	PUISSES
EIPSSUX	PISSEUX
EIPSSUZ	PUSSIEZ
EIPSTTU	PUTIETS
EIQRRSU	RISQUER
	SQUIRRE
EIQRRTU	TRIQUER
EIQRSSU	RISQUES
	SQUIRES
EIQRSTU	TRIQUES
EIQRSUU	URIQUES
EIQRSUZ	RISQUEZ
EIQRTTU	QUITTER
	TRIQUET
EIQRTUU	TIQUEUR
EIQRTUZ	TRIQUEZ
EIQSTTU	QUITTES
EIQTTUZ	QUITTEZ
EIRRSST	TRISSER
EIRRSSU	REUSSIR
EIRRSTU	STRIURE
	TIREURS
	TRIEURS
EIRRSUU	USURIER
EIRRSUV	RIVEURS
	RIVURES
	SURVIRE
	VIREURS
	VIRURES
EIRRSUZ	SURIREZ
EIRRTTU	TRITURE
EIRSSST	SISTRES
	TRISSES
EIRSSSU	RESSUIS
	REUSSIS
	SURISSE
	SURSISE*
EIRSSTT	TRISTES
EIRSSTU	REUSSIT
	SURITES
	TISSEUR
	TISSURE
EIRSSTZ	TRISSEZ
EIRSSUV	SURVIES
	VISEURS
EIRSTTU	TRUITES
EIRSUUV	SUIVEUR
EIRSUVV	SURVIVE
	VIVEURS
EIRSUVZ	SUIVREZ
EIRTUVX	VITREUX
EISSSSU	SUISSES
EISSSTU	TISSUES
EISSSUV	SUSVISE
EISSSUZ	SUSSIEZ
EISSTUZ	TUSSIEZ
EJJMNUU	JEJUNUM

EJKNRSU	JUNKERS
EJMNSTU	JUMENTS
EJNNOSU	JEUNONS
EJNOQSU	JONQUES
EJNOSTU	JEUNOTS
EJNOTTU	JOUTENT
EJOPRST	PROJETS
EJORSSU	SEJOURS
EJORSUU	JOUEURS
EJORTUU	JOUTEUR
EJORTUX	JOUXTER
EJOSTUX	JOUXTES
EJOTUXZ	JOUXTEZ
EJQSSUU	JUSQUES*
EJRRSUU	JUREURS
EJRSSTU	SURJETS
EKLMMSU	KUMMELS
EKMOOSU	OKOUMES
EKNNORZ	KONZERN
EKOORRY	ROOKERY
EKORSST	STOKERS
ELLLPUU	PULLULE
ELLMNOO	MOELLON
ELLMOST	MOLLETS
ELLMPUU	PLUMULE
ELLNOPS	POLLENS
ELLNOSS	SELLONS
ELLNSUU	LUNULES
ELLNTUU	ULULENT
ELLOPRU	POLLUER
ELLOPSU	POLLUES
ELLOPUZ	POLLUEZ
ELLORST	TROLLES
ELLORTY	TROLLEY
ELLPSSY	PSYLLES
ELLSUUZ	LUZULES
ELMMORT	TROMMEL
ELMMRSU	MURMELS
ELMNOOS	SOMNOLE
ELMNOPU	PULMONE*
ELMNORS	MERLONS
ELMNOSU	MEULONS
ELMNOTU	MOULENT
ELMNPSU	PLENUMS
ELMNPTU	PLUMENT
ELMOORT	TREMOLO
ELMOOSS	MOLOSSE
ELMOPSY	OLYMPES
ELMORST	MORTELS
ELMORUU	MOULEUR
	MOULURE →
	REMOULU
ELMOSUU	EMOULUS
	MOULUES
ELMOSUV	VOLUMES
ELMOSXY	OXYMELS
ELMOTUU	EMOULUT
ELMPPSU	PEPLUMS
ELMPRUU	PLUMEUR
ELMPSTU	PLUMETS
ELMSTUU	MUTUELS
	MUTULES
ELMTTUU	TUMULTE
ELNNORU	LURONNE
ELNNSTU	TUNNELS
ELNOOPS	POELONS
ELNOOPT	PELOTON
ELNOOTV	VOLONTE
ELNOPRS	PERLONS
ELNOPST	LEPTONS
ELNOPSY	PLEYONS
	PYLONES
ELNOPTU	LOUPENT
	OPULENT
ELNORSV	LEVRONS
ELNORTU	LOURENT
	OURLENT
	ROULENT
ELNOSST	LESTONS
	TELSONS
ELNOSTT	LETTONS
ELNOSTU	NOTULES
	NOULETS
	SOULENT
ELNOSUV	NOUVELS*
ELNOTTV	VOLTENT
ELNOTUV	LOUVENT
ELNPRTU	PLURENT
ELNRSUU	LUNURES
ELNSSTU	LUSSENT
ELNSTTY	STYLENT
ELNTTTU	LUTTENT
ELOOSTU	SOULOTE
ELOOUVY	LOUVOYE
ELOPPSU	POULPES
ELOPPSY	POLYPES
ELOPRRY	PYRROLE
ELOPRST	PERLOTS
ELOPRSU	SPORULE
ELOPRSY	PYLORES
ELOPSSU	SOUPLES
ELOPSTU	POSTULE →

	POULETS
ELOPSTY	PEYOTLS
ELOPTUV	VOLUPTE
ELOQRSU	LORSQUE
ELOQSTU	LOQUETS
ELORRUU	ROULEUR
	ROULURE
ELORSST	STEROLS
ELORSSU	RESOLUS
ELORSTU	LOUTRES
	OURLETS
	RESOLUT
	ROTULES
ELORSUU	LOUEURS
ELORSUV	REVOLUS
	SURVOLE
	VELOURS
	VOLEURS
ELOSSTU	SOLUTES
	SOULTES
ELOSSTY	SYSTOLE
ELOSTUV	LOUVETS
	VOLUTES
ELOSUUV	VOULUES
ELPPUUX	PULPEUX
ELPQSUU	PULQUES
ELPSSSU	PLUSSES
ELPSTUU	PUSTULE
ELPSUZZ	PUZZLES
ELRRSTU	LUSTRER
ELRSSTU	LUSTRES
	ULSTERS*
ELRSSUU	RUSSULE
ELRSTUZ	LUSTREZ
ELRSUUX	LUXURES
ELRTTUU	LUTTEUR
ELSSTTY	STYLETS
ELSSTYY	SYSTYLE
ELUUUXX	LUXUEUX
EMMNNOT	NOMMENT
EMMNOOR	MORMONE
EMMNOOS	MONOMES
EMMNOPT	POMMENT
EMMNOST	MOMENTS
	SOMMENT
EMMOSST	SOMMETS
EMMOSSU	MOUSMES
EMMRRUU	MURMURE
EMMSSUU	MUSEUMS
EMNNOST	MENTONS
EMNNOTT	MONTENT
EMNOPPT	POMPENT
EMNOPRS	PRENOMS
EMNOPRT	ROMPENT
EMNOPSU	PNEUMOS
EMNOQTU	MOQUENT
EMNORRT	MONTRER
EMNORSS	SERMONS
EMNORST	MENTORS
	METRONS
	MONSTRE
	MONTRES
EMNORSU	MUERONS
	NUMEROS
	REMUONS
EMNORTU	MONTEUR
	MONTURE
	MUERONT
EMNORTZ	MONTREZ
EMNOSTT	METTONS
EMNOTTT	MOTTENT
EMNPRTU	EMPRUNT
EMNPSSU	PENSUMS
EMNRSSU	MENSURS
EMNRSTU	MUNSTER
	STERNUM
EMNSSTU	MUSSENT
EMOOPRY	POMOYER*
EMOOPSY	POMOYES*
EMOOPYZ	POMOYEZ*
EMOORSS	MOROSES
EMOOSSS	OSMOSES
EMOOSTX	STOMOXE
EMOPPRT	PROMPTE
EMOPPUX	POMPEUX
EMOPRRT	TROMPER
EMOPRRZ	ROMPREZ
EMOPRST	PROMETS
	TROMPES
EMOPRSU	PROMUES
	ROMPUES
EMOPRTZ	TROMPEZ
EMOQRUU	MOQUEUR
EMORRSU	MORSURE
EMORRUZ	MOURREZ
EMORSSU	MOUSSER
EMORSTU	MOTEURS
EMORSTY	TORYSME
EMORTUU	MOUTURE
EMORUVX	MORVEUX
EMORUVZ	MOUVREZ
EMOSSSU	MOUSSES

EMOSSTU SOUMETS
EMOSSUU MOUSSUE
EMOSSUZ MOUSSEZ
EMOSTVZ ZEMSTVO
EMOTTUX MOTTEUX
EMPSUUX SPUMEUX
EMQSSUU MUSQUES
EMQUUUX MUQUEUX
EMRRSUU RUMEURS
EMRSSTU STRUMES
EMRSTUU TUMEURS
ENNNOPS PENNONS
ENNNOST SONNENT
ENNNOTT TONNENT
ENNOOSU ENOUONS
ENNOPRS PRENONS
ENNOPRT PRONENT
ENNOPSS PENSONS
ENNOPTT PONTENT
ENNORST ENTRONS
RENTONS
ENNORSU SONNEUR
ENNORTT TRONENT
ENNORTU NEUTRON
ENNOSST SENTONS
SONNETS
TENSONS
ENNOSTT TENTONS
ENNOSTW NEWTONS
ENNPRRU NERPRUN
ENOOPRS OPERONS
ENOORSS OSERONS
SONORES
ENOORST OSERONT
OTERONS
TOREONS
ENOORTT OTERONT
ENOPQTU POQUENT
ENOPRRS PERRONS
ENOPRST PRETONS
ENOPRSU EPURONS
PUERONS
ENOPRTT PORTENT
ENOPRTU PUERONT
ENOPRUV PROVENU
ENOPSST PESTONS
ENOPSTT PONTETS
POSTENT
ENOPSTU SOUPENT
ENOQRTU ROQUENT
TRONQUE

ENOQSTU QUETONS
ENOQTTU TOQUENT
ENORRSS SERRONS
ENORRST TERRONS
ENORRSU RUERONS
ENORRSV VERRONS
ENORRTT TORRENT
ENORRTU RUERONT
TOURNER
ENORRTV VERRONT
ENORSST RESTONS
ROSSENT
STERONS
TERSONS
ENORSSU SUERONS
USERONS
ENORSSV SERVONS
SEVRONS
VERSONS
ENORSTT SORTENT
STENTOR
ENORSTU SUERONT
TONSURE
TOURNES
TUERONS
USERONT
ENORSTY TROYENS
ENORSUU NOUURES
ENORSUZ ZONURES
ENORTTU OUTRENT
ROUTENT
TONTURE
TROUENT
TUERONT
ENORTUV OUVRENT
ENORTUZ TOURNEZ
ENOSSST TESSONS
ENOSSSV VESSONS
ENOSSTT TESTONS
ENOSSTV VESTONS
ENOSSTZ ZESTONS
ENOSTTU TEUTONS
ENOSTUU SOUTENU
ENOSTUV ETUVONS
SOUVENT
ENOSUUV SOUVENU
ENOTTUV VOUTENT
ENPRSTU TURNEPS
ENPSSSU SUSPENS
ENPSSTU PUSSENT
ENRRSUY NURSERY

ENRSTUV	VENTRUS
ENRSUUV	SURVENU
ENSSSTU	SUSSENT
ENSSTTU	TUSSENT
EOOPPRS	OPPOSER
	PROPOSE
EOOPPSS	OPPOSES
EOOPPST	POPOTES
EOOPPSZ	OPPOSEZ
EOORRST	ROOTERS
	TOREROS*
EOORTZZ	ZOZOTER
EOOSTZZ	ZOZOTES
EOOTUVY	VOYOUTE*
EOOTZZZ	ZOZOTEZ
EOOUVVY	VOUVOYE
EOPPRRS	PROPRES
EOPPRRT	PROPRET
EOPPRRU	POURPRE
EOPPRST	STOPPER
EOPPSST	STOPPES
EOPPSSU	SUPPOSE
EOPPSTZ	STOPPEZ
EOPQRSU	PORQUES
EOPQSSU	PSOQUES
EOPQSTU	POQUETS
EOPRRST	PORTERS
	PROSTRE
	REPORTS
EOPRRSY	PROYERS
EOPRRTU	PORTEUR
	TORPEUR
EOPRRUV	PROUVER
EOPRRUZ	POURREZ
EOPRSST	POSTERS
EOPRSSU	POSEURS
	POUSSER
	SOUPERS
EOPRSTT	PROTETS
EOPRSTU	POSTURE
	POUTRES
	SEPTUOR
	TROUPES
EOPRSTV	PREVOTS
EOPRSUU	SOUPEUR
EOPRSUV	PROUVES
EOPRTUU	POUTURE
EOPRUUV	POURVUE
EOPRUVZ	PROUVEZ
EOPSSSU	POUSSES
EOPSSTY	YSOPETS
EOPSSUZ	POUSSEZ
EOPSTTU	TOUPETS
EOPSTTY	TYPOTES
EOQRRTU	TROQUER
EOQRSTU	ROQUETS
	TORQUES
	TROQUES
EOQRSUU	SOUQUER
EOQRTTU	TROQUET
EOQRTUZ	TROQUEZ
EOQSSUU	SOUQUES
EOQSTUU	QUEUSOT
	TOUQUES
EOQSUUZ	SOUQUEZ
EORRSSS	RESSORS
EORRSST	RESSORT
	ROSTRES
	TRESORS
EORRSTU	RETOURS
	ROTURES
	TORSEUR
EORRSUV	ROUVRES
	VERROUS
EORRTTT	TROTTER
EORRTTU	TORTURE
EORRTUV	ROUVERT
	TROUVER
EORRUUV	OUVREUR
EORRUVZ	ROUVREZ
EORSSSU	ROUSSES
EORSSTU	OESTRUS
	TOUSSER
	TROUSSE
EORSTTT	TROTTES
EORSTTU	TORTUES
	TOURETS
	TOURTES
EORSTUU	TOUEURS
EORSTUV	OUVERTS
	TROUVES
EORSTUX	SEXTUOR
EORSTUY	YOURTES
EORSUVY	VOYEURS
EORSUXY	OXYURES
EORTTTZ	TROTTEZ
EORTTUY	TUTOYER
EORTUVZ	TROUVEZ
EOSSSTU	TOUSSES
EOSSTUZ	TOUSSEZ
EOSTTUY	TUTOYES
EOTTUYZ	TUTOYEZ

EPPRSUU	SUPPURE
EPPSTUU	SUPPUTE
EPRRSUU	USURPER
EPRRTUU	RUPTEUR
	RUPTURE
EPRSSTU	STUPRES
EPRSSUU	USURPES
EPRSTUU	STUPEUR
EPRSUUZ	USURPEZ
EQRRTUU	TRUQUER
EQRSTUU	STUQUER
	TRUQUES
	TURQUES
EQRTUUZ	TRUQUEZ
EQSSTUU	STUQUES
EQSTUUZ	STUQUEZ
ERRSSTU	RUSTRES
ERRSSUU	SUSURRE
ERRSTTU	TRUSTER
ERRSTUU	SUTURER
ERSSTTU	TRUSTES
ERSSTUU	SUTURES
ERSTTUU	TUTEURS
ERSTTUZ	TRUSTEZ
ERSTUUZ	SUTUREZ
FFGIITU	FUGITIF
FFGINOR	GRIFFON
FFGIRSU	GRIFFUS
FFIIIRS	RIFIFIS
FFIMNSU	MUFFINS
FFINPSU	PUFFINS
FFIRSTU	FURTIFS
FFJLOUU	JOUFFLU
FFNOORS	OFFRONS
FFOSTUU	TOUFFUS
FGIILNT	LIFTING
FGIINOS	FIGIONS
FGILNOS	GIFLONS
FGILNOT	FLINGOT
FGINOOT	FOOTING
FGINOPU	PIGNOUF
FGKLOOU	KOUGLOF
FGNOORU	FOURGON
FGOORSU	GORFOUS
FHIINSS	FINISHS
FIIINNS	INFINIS
FIIJNOT	JOINTIF
FIILNOS	FILIONS
FIILORR	RIFLOIR
FIILOTV	VOLITIF
FIIMOTV	VOMITIF
FIINNOS	FINNOIS
FIINOSS	FISSION
FIINOSX	FIXIONS
FIINPTU	PUNITIF
FIINSTU	UNITIFS
FIIOPST	POSITIF
FILMNOS	FILMONS
FILMORS	MORFILS
FILNOOS	LOFIONS
FILNORS	FLORINS
FILNORU	FOURNIL
FILNOUX	FLUXION
FILOORU	FOULOIR
FILOOTW	WITLOOF
FILOPRS	PROFILS
FILOPST	FLIPOTS
FILRSSU	SURFILS
FIMNOSU	FUMIONS
FIMORSU	FOURMIS
	FUMOIRS
FIMSSSU	MUSSIFS
FINOORS	FOIRONS
	FORIONS
FINOOSS	FOISONS
FINOPRS	FRIPONS
FINORRS	FRIRONS*
FINORRT	FRIRONT*
FINORRU	FOURNIR
FINORSS	FRISONS
	FRISSON
FINORST	FORINTS
	FORTINS
FINORSU	FOURNIS
	FUIRONS
FINORTU	FOURNIT
	FUIRONT
FINOSST	FISTONS
FINOSSU	FUSIONS
FINOSUY	FUYIONS
FINRSSU	SURFINS
FIOORRS	ORFROIS
FIOORSU	FURIOSO
FIOPRST	PROFITS
	SPORTIF
FIOPSSU	POUSSIF
FIORSTT	FROTTIS
FIORTTU	FORTUIT
FIOSSTT	FISTOTS
FLMNOOU	MOUFLON
FLMOORS	FORMOLS
FLNOORS	FROLONS

FLNOOSU	FLOUONS
	FOULONS
FLNOSTU	FLUTONS
FMNOORS	FORMONS
FNNOORT	FRONTON
FNOOSTU	FOUTONS
FNORSTU	SURFONT
GGGORSY	GROGGYS
GGIIRRS	GRIGRIS
GGIKNOS	GINKGOS
GGILNOU	GUIGNOL
GGILOOS	GIGOLOS
GGINNOR	GRIGNON
GGINNOU	GUIGNON
GGIORSU	GRIGOUS
GGNNOOR	GROGNON
GHIINST	INSIGHT
GHILOSU	SLOUGHI
GHINOPS	SHOPING
GHNOOSU	SHOGOUN
GHNOSSU	SHOGUNS
GHOORSS	SORGHOS
GIIJNOS	JOIGNIS
GIIJNOT	JOIGNIT
GIIKNSV	VIKINGS
GIILNST	LISTING
GIILRZZ	GRIZZLI
GIINOPS	PIGIONS
GIINOSS	GISIONS
GIINOST	GITIONS
GIIORSV	GRIVOIS
GIJMNPU	JUMPING
GIJNOSU	JUGIONS
GIKMNOS	SMOKING
GILLNOR	GRILLON
GILNOOP	LOOPING
GILNOOS	LOGIONS
GILNOST	LINGOTS
	TIGLONS
GILNOSU	LIGUONS
	LUGIONS
GILOORS	RIGOLOS
GILOPSU	GOUPILS
GIMNNOO	MOIGNON
GIMNNOS	MIGNONS
GIMNORS	GRIMONS
GINNOOS	OIGNONS
GINNOPS	PIGNONS
GINNOQU	QUIGNON
GINNOSS	SIGNONS
GINNOSZ	ZONINGS
GINOPSU	GUIPONS
GINORSS	GRISONS
GINORST	TIGRONS
GINORSU	URGIONS*
GINORSV	GIVRONS
GINORSW	ROWINGS
GINOSTV	VIGNOTS
GIOPRRU	PRURIGO
GIORRSS	GROSSIR
GIORSSS	GROSSIS
GIORSST	GROSSIT
GIORSSU	GRISOUS
GJNOOSU	GOUJONS
GLMNOOS	MONGOLS
GLNNOOR	LORGNON
GLNOOSS	GLOSONS
GLNOOTU	GLOUTON
GLOOSTU	GOULOTS
GMMNOOS	GOMMONS
GMNNOOS	GNOMONS
GMOOPRS	POGROMS
GNNOOPS	POGNONS
GNNOORS	ROGNONS
GNNOORT	TROGNON
GNOORSU	GOURONS
GNOOSTU	GOUTONS
GNOOSUV	VOGUONS
GOORSUU	GOUROUS
GOORTUY	YOGOURT
HIILMTU	LITHIUM
HIKSSWY	WHISKYS
HILMMOU	HOLMIUM
HILMTUU	THULIUM
HILNOSU	HUILONS
HIMMSSY	SHIMMYS
HIMNOSU	HUMIONS
HIMNRRU	MURRHIN
HIMORTU	THORIUM
HIMPSTU	MUPHTIS
HINOORS	HORIONS
HINOORZ	HORIZON
HINOOSU	HOUIONS
HINOPSS	SIPHONS
HINORSS	HORSINS
HINOSSS	HISSONS
HINOSST	SHINTOS
HKKLOOZ	KOLKHOZ
HLMOSTY	THYMOLS
HLMPSUY	PHYLUMS
HLNORSU	HURLONS
HMORSUU	HUMOURS

HMSTUYZ	ZYTHUMS
HNNOOPS	PHONONS
HNOOPST	PHOTONS
HNOPSTY	PYTHONS
	TYPHONS
HNOSTYZ	ZYTHONS
IIILMSS	SIMILIS
IIINORV	IVOIRIN
IIJKOPR	PIROJKI
IIKNOSS	SKIIONS
IILLMNO	MILLION
IILMNOS	LIMIONS
IILMNOU	MILOUIN
IILMOPS	IMPOLIS
IILMSTU	STIMULI
IILNOOP	OPILION*
IILNOPR	RIPOLIN
IILNOPS	PILIONS
	PLIIONS
IILNOPT	PILOTIN
	POINTIL
IILNORS	LIRIONS
IILNOSS	LISIONS
IILNOST	LITIONS
IILOORS	ISOLOIR
IILOPRS	PILORIS
	PLIOIRS
IILOPRT	TRIPOLI
IILOPST	PILOTIS
IILORSS	LISSOIR
	LOISIRS
IILORTV	VITRIOL
IILPSST	PISTILS
IIMMMNU	MINIMUM
IIMMNOS	MIMIONS
IIMMNSU	MINIUMS
IIMNNOS	MINIONS
IIMNORS	MIRIONS
	RIMIONS
IIMNOSS	MISIONS
	MISSION
IIMNOST	IMITONS
	MITIONS
IIMNOSX	MIXIONS
IIMNOTX	MIXTION
IIMNPSU	IMPUNIS
IIMNSTU	MINUITS
IIMORRS	MIROIRS
IIMRTTU	TRITIUM
IINNOOP	OPINION
IINNOSV	VINIONS
IINNPSY	PINYINS
IINNSZZ	ZINZINS
IINOPPS	PIPIONS
IINOPRS	PRIIONS
	RIPIONS
IINORRS	RIRIONS
IINORRU	URINOIR
IINORSS	IRISONS
IINORST	TIRIONS
	TRIIONS
IINORSV	RIVIONS
	VIRIONS
IINORTT	INTROIT
IINOSSV	VISIONS
	VOISINS
IINOSVV	VIVIONS
IIOPRSS	PISSOIR
IIORRST	TIROIRS
IIORRSV	RIVOIRS
IIORSVV	VIVOIRS
IJKMOSU	MOUJIKS
IJNOOSU	JOUIONS
IJNORSU	JUNIORS
	JURIONS
IJNOSSU	JUSSION
IJNOSTU	JUTIONS
IKMNOOS	KIMONOS
IKMORRU	KROUMIR
ILLNOOR	ORILLON
ILLNOPS	PILLONS
ILLNOQU	QUILLON
ILLNORS	RILLONS
ILLNOSS	SILLONS
ILLNOST	TILLONS
ILLNPUU	LUPULIN
ILMNOSU	MOULINS
	MULSION
ILNOOSS	ISOLONS
ILNOOST	LOTIONS
ILNOOSU	IOULONS*
	LOUIONS
ILNOOSV	LOVIONS
	VIOLONS
	VOILONS
	VOLIONS
ILNOPST	PONTILS
ILNOPSU	PULSION
	UPSILON
ILNORST	LITRONS
ILNORSU	LUIRONS
	RUILONS

ILNORSV LIVRONS
ILNORTU LUIRONT
ILNOSSS LISSONS
ILNOSST LISTONS
ILNOSSU LUISONS
ILNOSTU LUTIONS
ILNOSUX LUXIONS
ILNPSUV VULPINS
ILNRSTU LUTRINS
ILOOPTU LOUPIOT
POULIOT
ILOORST LORIOTS
ILOORUV VOULOIR
ILORSTT TORTILS
ILPRSSU SURPLIS
IMMNOSU OMNIUMS
IMMOPTU OPTIMUM
IMMOSSU OSMIUMS
IMNOOPR MORPION
IMNOORS MOIRONS
MORIONS
IMNOORT MIROTON
MONITOR
MONTOIR
IMNOOSS MOISONS
MOISSON
IMNOOST MOTIONS
TOMIONS
IMNOPRS PRIMONS
IMNORST MITRONS
TRIMONS
IMNORSU MURIONS
IMNOSSU MUSIONS
SIMOUNS
IMNOSTU MUTIONS
IMOORUV MOUVOIR
IMOOSTV VOMITOS
IMORSSU MUSOIRS
IMRSSTU TRISMUS
IMRTTUY YTTRIUM
INNOOPS OPINONS
INNOORS ORNIONS
INNOOST NOTIONS
INNOOSU NOUIONS
INNOOSV NOVIONS
INNOOSY NOYIONS
INNOPPS NIPPONS
INNOPSS PINSONS
INNOPST PINTONS
INNORSU NUIRONS
RUINONS
UNIRONS
URINONS
INNORTU NUIRONT
UNIRONT
INNOSSU NUISONS
UNISSON
USINONS
INNOSTT TINTONS
INOOPRS PORIONS
INOOPRT PORTION
POTIRON
INOOPRV POIVRON
INOOPSS POISONS
POISSON
POSIONS
INOOPST OPTIONS
POSITON
POTIONS
TOPIONS
INOORRS NORROIS
INOORST NOROITS
ROTIONS
TORSION
INOORSU ROUIONS
INOORTU TOURNOI
INOOSST TOISONS
INOOSTU TOUIONS
INOOSTV VOTIONS
INOOSUV VOUIONS
INOOSVY VOYIONS
INOPPSU POUPINS
INOPQSU PIQUONS
INOPRSS PRISONS
INOPRSV PRIVONS
PROVINS
INOPRTU PUROTIN
INOPRTV PROVINT
INOPSSS PISSONS
INOPSST PISTONS
INOPSSU POUSSIN
PUISONS
INOPSTU POINTUS
INOPSUY YOUPINS
INOQRUU ROUQUIN
INOQSTU TIQUONS
INORRRU NOURRIR
INORRSU NOURRIS
INORRTU NOURRIT
INORSST STRIONS
INORSSU OURSINS
ROUSSIN →

	RUSIONS
INORSTT	TITRONS
	TRITONS
INORSTU	TOURNIS
	TURIONS
INORSTV	VITRONS
INORSVV	VIVRONS
INORTTT	TROTTIN
INORTVV	VIVRONT
INORTXY	TRIONYX
INOSSST	TISSONS
INOSSSV	VISSONS
INOSSTU	SITUONS
	SOUTINS
INOSSUV	SOUVINS
	SUIVONS
INOSTTU	SOUTINT
INOSTUV	SOUVINT
INPRSST	SPRINTS
INQRTUU	TURQUIN
INRSSUV	SURVINS
INRSTUV	SURVINT
IOOPRTV	POIVROT
IOOPRUV	POURVOI
	POUVOIR
IOORRUV	OUVROIR
IOORSTT	RISOTTO
IOPRRRU	POURRIR
IOPRRSU	POURRIS
IOPRRTU	POURRIT
IOPRSSU	SOUPIRS
IOPRSSY	PYROSIS
IOPRSTT	TRIPOTS
IOPSSTU	PISTOUS
IORRRUV	ROUVRIR
IORRSSU	ROUSSIR
IORRSUV	ROUVRIS
IORRTUV	ROUVRIT
IORSSSU	ROUSSIS
	SURSOIS
IORSSTU	ROUSSIT
	SUROITS
	SURSOIT
IPRRSSU	SURPRIS
IPRRSTU	PRURITS
	SURPRIT
IRSSTTU	TRUSTIS
JJOOUUX	JOUJOUX
JNOOSTU	JOUTONS
KLMOOSU	LOKOUMS
KLMOOUU	LOUKOUM
KNOPRTY	KRYPTON
LLNOSUU	ULULONS
LLOOSTU	TOLUOLS
LLOOSUU	LOULOUS
LMNOOSU	MOULONS
LMNOPSU	PLUMONS
LMSTUUU	TUMULUS
LNOOPRT	POLTRON
LNOOPSU	LOUPONS
LNOOPSY	PLOYONS
LNOORSU	LOURONS
	OURLONS
	ROULONS
LNOOSST	STOLONS
LNOOSSU	SOULONS
LNOOSTV	VOLTONS
LNOOSUV	LOUVONS
	VOULONS
LNOSSTY	STYLONS
LNOSTTU	LUTTONS
LOOPPSU	POPULOS
LOOPSTU	POULOTS
LOOSSTU	SOULOTS
LORSSUV	SURVOLS
LPRSSUU	SURPLUS
MMMSSUU	SUMMUMS
MMNNOOS	NOMMONS
MMNOOPS	POMMONS
MMNOORS	MORMONS
MMNOOSS	SOMMONS
MNNOOST	MONTONS
MNOOPPS	POMPONS
MNOOPRS	PRONOMS
	ROMPONS
MNOOPSU	POUMONS
MNOOQSU	MOQUONS
MNOORSU	MOURONS
MNOOSSU	MOUSSON
MNOOSTT	MOTTONS
MNOOSTU	MOUTONS
MNOOSUV	MOUVONS
MNORSSU	SURNOMS
MOOPSSU	OPOSSUM
MOOSSTU	MOUSSOT
MOPPRST	PROMPTS
MOQRSUU	QUORUMS
MOSSSUU	MOUSSUS
NNNOOSS	SONNONS
NNNOOST	TONNONS
NNOOPRS	PRONONS
NNOOPST	PONTONS

NNOORRS	RONRONS
NNOORST	TRONONS
NNOOSTT	TONTONS
NOOPPSU	POUPONS
NOOPQSU	POQUONS
NOOPRST	PORTONS
	PROTONS
NOOPSST	POSTONS
NOOPSSU	SOUPONS
NOOPSUV	POUVONS
NOOQRSU	ROQUONS
NOOQSTU	TOQUONS
NOORSSS	ROSSONS
NOORSST	SORTONS
NOORSSU	OURSONS
NOORSTU	OUTRONS
	ROUTONS
	TOURONS
	TROUONS
NOORSUV	OUVRONS
NOOSTUV	VOUTONS
NOOSTXY	OXYTONS
OOSTTUU	TOUTOUS
OOSUUYY	YOUYOUS
OPPRSTU	SUPPORT
OPPSSTU	SUPPOTS
OPRSUUV	POURVUS
OPRTUUV	POURVUT
ORSSSTU	TUSSORS
ORSTTUU	SURTOUT

MOTS DE 8 LETTRES

AAAACCPR	ACCAPARA
AAAACPRT	CARAPATA
AAAADNPS	APADANAS
AAAAEGNP	APANAGEA
AAAAGLMM	AMALGAMA
AAAAHJMR	MAHARAJA
AAAARTTT	TARATATA
AAABBILT	ABBATIAL
AAABCCER	CACABERA
AAABCCIL	ACCABLAI
AAABCCIS	CACABAIS
AAABCCIT	CACABAIT
AAABCCLM	CALAMBAC
AAABCCLS	ACCABLAS
AAABCCLT	ACCABLAT
AAABCCNT	CACABANT
AAABCCRS	BACCARAS
AAABCCRT	BACCARAT
AAABCDLU	CLABAUDA
AAABCELR	CABALERA
AAABCENN	ENCABANA
AAABCHIR	CHARABIA
	RABACHAI
AAABCHRS	RABACHAS
AAABCHRT	RABACHAT
AAABCILN	BALANCAI
AAABCILS	CABALAIS
AAABCILT	CABALAIT
AAABCLNS	BALANCAS
AAABCLNT	BALANCAT
	BATACLAN
	CABALANT
AAABDDIU	BADAUDAI
AAABDDSU	BADAUDAS
AAABDDTU	BADAUDAT
AAABDELR	BALADERA
AAABDGIM	GAMBADAI
AAABDGMS	GAMBADAS
AAABDGMT	GAMBADAT
AAABDILS	BALADAIS
AAABDILT	BALADAIT
AAABDIRT	ABATARDI
AAABDIRV	BAVARDAI
AAABDIRZ	BAZARDAI
AAABDLNT	BALADANT
AAABDRSV	BAVARDAS
AAABDRSZ	BAZARDAS
AAABDRTV	BAVARDAT
AAABDRTZ	BAZARDAT
AAABEGLY	BALAYAGE
AAABEGTT	ABATTAGE
AAABEHNR	HABANERA
AAABEILR	BALAIERA
AAABELRY	BALAYERA
AAABENRS	BASANERA
AAABEPRS	PARABASE
AAABERRS	ABRASERA
AAABFFLU	AFFABULA
AAABFILR	BALAFRAI
AAABFLLS	FALBALAS
AAABFLRS	BALAFRAS
AAABFLRT	BALAFRAT
AAABGIRR	BAGARRAI
AAABGRRS	BAGARRAS
AAABGRRT	BAGARRAT
AAABGRTU	RUTABAGA
AAABHINU	HAUBANAI
AAABHNSU	HAUBANAS
AAABHNTU	HAUBANAT
AAABIIRS	ARABISAI
AAABIISS	ABAISSAI
AAABILLT	BATAILLA
AAABILNS	ALBANAIS
	BANALISA
AAABILPR	PALABRAI
AAABILSY	BALAYAIS
AAABILTT	ATTABLAI
AAABILTY	BALAYAIT
AAABINRT	BARATINA
AAABINSS	BASANAIS
AAABINST	BASANAIT
AAABIQRU	BARAQUAI
AAABIRSS	ABRASAIS
	ARABISAS
	RABAISSA
AAABIRST	ABRASAIT
	ARABISAT
AAABIRTT	ABATTRAI
	BARATTAI
AAABISSS	ABAISSAS

AAABISST	ABAISSAT
	TABASSAI
AAABISTT	ABATTAIS
AAABISTV	BATAVIAS
AAABITTT	ABATTAIT
AAABLMRS	MALABARS
AAABLNTY	BALAYANT
AAABLPRS	PALABRAS
AAABLPRT	PALABRAT
AAABLSTT	ATTABLAS
AAABLTTT	ATTABLAT
AAABMSST	MASTABAS
AAABNNST	BASANANT
AAABNRST	ABRASANT
AAABNTTT	ABATTANT
AAABQRSU	BARAQUAS
AAABQRTU	BARAQUAT
AAABRRTT	RABATTRA
AAABRSTT	ABATTRAS
	BARATTAS
AAABRTTT	BARATTAT
AAABSSST	TABASSAS
AAABSSTT	TABASSAT
AAACCDIR	CACARDAI
AAACCDIS	CASCADAI
AAACCDRS	CACARDAS
AAACCDRT	CACARDAT
AAACCDSS	CASCADAS
AAACCDST	CASCADAT
AAACCEGS	SACCAGEA
AAACCEPR	ACCAPARE
	CARAPACE
AAACCHRV	CRAVACHA
AAACCILM	ACCLAMAI
AAACCINN	CANCANAI
AAACCLMS	ACCLAMAS
AAACCLMT	ACCLAMAT
AAACCLOR	CARACOLA
AAACCLRS	CARACALS
AAACCNNS	CANCANAS
AAACCNNT	CANCANAT
AAACDELS	ESCALADA
AAACDEMR	CAMARADE
AAACDENR	ANACARDE
AAACDFIR	CAFARDAI
AAACDFRS	CAFARDAS
AAACDFRT	CAFARDAT
AAACDFRU	FAUCARDA
AAACDHPR	CHAPARDA
AAACDINR	CANARDAI
AAACDIRV	CAVIARDA
AAACDLNR	CALANDRA
AAACDLPR	PLACARDA
AAACDMMS	MACADAMS
AAACDNNO	ANACONDA
AAACDNRS	CANARDAS
AAACDNRT	CANARDAT
AAACDRST	CADASTRA
AAACEGIP	PACAGEAI
AAACEGIR	AGACERAI
AAACEGMS	AGACAMES
AAACEGNT	AGACANTE
AAACEGPR	PACAGERA
AAACEGPS	PACAGEAS
AAACEGPT	PACAGEAT
AAACEGRS	AGACERAS
AAACEGSS	AGACASSE
AAACEGST	AGACATES
AAACELNT	CATALANE
AAACELRV	CAVALERA
AAACENRV	AVANCERA
	CARAVANE
AAACEPRT	CARAPATE
AAACFILT	CALFATAI
AAACFLST	CALFATAS
AAACFLTT	CALFATAT
AAACFRSS	FRACASSA
AAACGINR	GARANCAI
AAACGMNR	ARMAGNAC
AAACGNRS	GARANCAS
AAACGNRT	GARANCAT
AAACGNST	AGACANTS
AAACHHNR	HARNACHA
AAACHINP	PANACHAI
AAACHINR	ACHARNAI
AAACHIRR	ARRACHAI
AAACHIRV	AVACHIRA
AAACHITT	ATTACHAI
AAACHLMN	ALMANACH
AAACHMRR	CHAMARRA
AAACHNPS	PANACHAS
AAACHNPT	PANACHAT
AAACHNRS	ACHARNAS
AAACHNRT	ACHARNAT
AAACHRRS	ARRACHAS
AAACHRRT	ARRACHAT
AAACHRTT	RATTACHA
AAACHSTT	ATTACHAS
AAACHTTT	ATTACHAT
AAACIJSS	JACASSAI
AAACILMN	CALAMINA
AAACILNS	CANALISA

AAACILSV CAVALAIS
AAACILTV CAVALAIT
AAACINSV AVANCAIS
AAACINTV AVANCAIT
AAACIRTV CRAVATAI
AAACJSSS JACASSAS
AAACJSST JACASSAT
AAACLNRV CARNAVAL
AAACLNST CATALANS
AAACLNTV CAVALANT
AAACLPST CATALPAS
AAACLRSZ ALCAZARS
AAACLSTY CATALYSA
AAACMRSS MASSACRA
AAACNNTV AVANCANT
AAACNSST CANASTAS
AAACRSST TRACASSA
AAACRSTV CRAVATAS
AAACRTTV CRAVATAT
AAADEGLR ALGARADE
AAADEIMN AMANDAIE
AAADEPRR PARADERA
AAADEPRT ADAPTERA
PETARADA
READAPTA
AAADFFIR AFFADIRA
AAADFINS FAISANDA
AAADGJNS JANGADAS
AAADGLUV GALVAUDA
AAADGMRU MARGAUDA
AAADHIRS HASARDAI
AAADHRSS HASARDAS
AAADHRST HASARDAT
AAADILLT TAILLADA
AAADIMNT MANDATAI
AAADIMOU AMADOUAI
AAADIMRU MARAUDAI
AAADIMSS DAMASSAI
AAADINTT ANTIDATA
AAADIPRS PARADAIS
AAADIPRT PARADAIT
AAADIPST ADAPTAIS
AAADIPTT ADAPTAIT
AAADIRTT ATTARDAI
AAADIRTU TARAUDAI
AAADIRUV RAVAUDAI
AAADMNRS RAMADANS
AAADMNST MANDATAS
AAADMNTT MANDATAT
AAADMNTU TAMANDUA
AAADMOSU AMADOUAS
AAADMOTU AMADOUAT
AAADMRSU MARAUDAS
AAADMRTU MARAUDAT
AAADMSSS DAMASSAS
AAADMSST DAMASSAT
AAADNPRT PARADANT
AAADNPTT ADAPTANT
AAADRSTT ATTARDAS
AAADRSTU TARAUDAS
AAADRSUV RAVAUDAS
AAADRTTT ATTARDAT
AAADRTTU TARAUDAT
AAADRTUV RAVAUDAT
AAAEEFFG AFFEAGEA
AAAEEGLT ETALAGEA
AAAEEGMN AMENAGEA
AAAEEGNP APANAGEE
AAAEFFLR AFFALERA
AAAEFFMR AFFAMERA
AAAEFGGR AGRAFAGE
AAAEFGRR AGRAFERA
AAAEFPRR PARAFERA
AAAEGILX AGALAXIE
AAAEGIMR RAMAGEAI
AAAEGIPR PAGAIERA
AAAEGIPT TAPAGEAI
AAAEGIRV RAVAGEAI
AAAEGLMM AMALGAME
AAAEGLMN LAMANAGE
AAAEGLMX MALAXAGE
AAAEGMRR AMARRAGE
RAMAGERA
AAAEGMRS RAMAGEAS
AAAEGMRT RAMAGEAT
AAAEGNPR APANAGER
AAAEGNPS APANAGES
AAAEGNPZ APANAGEZ
AAAEGNRR ARRANGEA
AAAEGNTV AVANTAGE
AAAEGPRT PARTAGEA
TAPAGERA
AAAEGPRY PAGAYERA
AAAEGPST TAPAGEAS
AAAEGPTT TAPAGEAT
AAAEGPTU PATAUGEA
AAAEGRRV RAVAGERA
AAAEGRSV RAVAGEAS
AAAEGRTV RAVAGEAT
AAAEHINR AHANERAI
AAAEHLST ALTHAEAS
AAAEHMNS AHANAMES

AAAEHNPS	ANAPHASE
AAAEHNRS	AHANERAS
AAAEHNSS	AHANASSE
AAAEHNST	AHANATES
AAAEILRV	AVALERAI
AAAEIPRS	APAISERA
AAAEIRRS	ARASERAI
AAAEIRRV	AVARIERA
AAAEIRTX	ATARAXIE
AAAELLPT	PALATALE
AAAELMRR	ALARMERA
AAAELMRX	MALAXERA
AAAELMSV	AVALAMES
AAAELNPT	PANATELA
AAAELNRV	RAVENALA
AAAELRRV	RAVALERA
AAAELRSV	AVALERAS
AAAELSSV	AVALASSE
AAAELSTV	AVALATES
AAAEMNRT	AMARANTE
AAAEMRRR	AMARRERA
AAAEMRSS	AMASSERA
	ARASAMES
AAAENPRV	PAVANERA
AAAEPPRT	APPATERA
AAAERRSS	ARASERAS
AAAERSSS	ARASASSE
AAAERSST	ARASATES
AAAFFIIR	AFFAIRAI
AAAFFILS	AFFALAIS
AAAFFILT	AFFALAIT
AAAFFIMS	AFFAMAIS
AAAFFIMT	AFFAMAIT
AAAFFIRS	AFFAIRAS
AAAFFIRT	AFFAIRAT
AAAFFISS	AFFAISSA
AAAFFLNT	AFFALANT
AAAFFMNT	AFFAMANT
AAAFGIRS	AGRAFAIS
AAAFGIRT	AGRAFAIT
AAAFGNRT	AGRAFANT
AAAFINST	FANATISA
	FANTASIA
AAAFIPRS	PARAFAIS
AAAFIPRT	PARAFAIT
AAAFIRST	RATAFIAS
AAAFNPRT	PARAFANT
AAAGGIRV	AGGRAVAI
AAAGGRSV	AGGRAVAS
AAAGGRTV	AGGRAVAT
AAAGHNRU	HARANGUA
AAAGIINR	AGRAINAI
AAAGIKNS	NAGAIKAS
AAAGILNS	ANGLAISA
AAAGILPT	GALAPIAT
AAAGIMNS	MAGASINA
AAAGINPS	PAGANISA
AAAGINRS	AGRAINAS
AAAGINRT	AGRAINAT
AAAGIPSY	PAGAYAIS
AAAGIPTY	PAGAYAIT
AAAGIRSS	ASSAGIRA
AAAGMNRZ	MAZAGRAN
AAAGNPTY	PAGAYANT
AAAGNRST	TANGARAS
AAAGNSTY	YATAGANS
AAAHIKNS	NAHAIKAS
AAAHIMNR	MAHARANI
AAAHINSV	HAVANAIS
AAAHIPPR	PARAPHAI
AAAHIRSS	HARASSAI
AAAHLPST	ASPHALTA
AAAHPPRS	PARAPHAS
AAAHPPRT	PARAPHAT
AAAHRSSS	HARASSAS
AAAHRSST	HARASSAT
AAAIILLT	ALLAITAI
AAAIILRS	SALARIAI
AAAIILSV	AVALISAI
AAAIIMNR	AMARINAI
AAAIIMNT	AIMANTAI
AAAIIMRT	AMATIRAI
AAAIIPPR	APPARIAI
AAAIIPSS	APAISAIS
AAAIIPST	APAISAIT
AAAIIRSV	AVARIAIS
AAAIIRTV	AVARIAIT
AAAIJNSV	JAVANAIS
AAAILLRS	SALARIAL
AAAILLST	ALLAITAS
AAAILLTT	ALLAITAT
AAAILMRS	ALARMAIS
	MALARIAS
AAAILMRT	ALARMAIT
AAAILMSX	MALAXAIS
AAAILMTX	MALAXAIT
AAAILNPR	APLANIRA
AAAILNSS	NASALISA
AAAILNSY	ANALYSAI
AAAILPRT	APLATIRA
AAAILRSS	SALARIAS
AAAILRST	SALARIAT

AAAILRSV	RAVALAIS
AAAILRTV	RAVALAIT
AAAILSSV	AVALISAS
AAAILSTV	AVALISAT
AAAIMNRS	AMARINAS
AAAIMNRT	AMARINAT
AAAIMNST	AIMANTAS
AAAIMNTT	AIMANTAT
AAAIMRRS	AMARRAIS
AAAIMRRT	AMARRAIT
AAAIMRSS	RAMASSAI
AAAIMRST	AMATIRAS
AAAIMSSS	AMASSAIS
AAAIMSST	AMASSAIT
AAAINOPR	PARANOIA
AAAINPRR	PARRAINA
AAAINPST	APAISANT
AAAINPSV	PAVANAIS
AAAINPTV	PAVANAIT
AAAINRTT	RATATINA
AAAINRTV	AVARIANT
AAAIPPRR	RAPPARIA
AAAIPPRS	APPARAIS
	APPARIAS
AAAIPPRT	APPARAIT
	APPARIAT
AAAIPPRV	VARAPPAI
AAAIPPST	APPATAIS
AAAIPPTT	APPATAIT
AAAIPRRT	PARAITRA
	RAPATRIA
AAAIPRST	PARASITA
AAAIPRTT	ATTRAPAI
AAAIPSSV	PIASSAVA
AAAIQTTU	ATTAQUAI
AAAIRSSS	RASSASIA
AAAKNRST	ASTRAKAN
AAALLRST	TRALALAS
AAALMNOS	ANOMALAS
AAALMNRT	ALARMANT
AAALMNTX	MALAXANT
AAALNPQU	PALANQUA
AAALNPRT	RATAPLAN
AAALNPST	APLANATS
AAALNRTV	RAVALANT
AAALNSSY	ANALYSAS
AAALNSTY	ANALYSAT
AAALPRSY	PARALYSA
AAALPTUX	PALATAUX
AAALSSVV	VAVASSAL
AAAMNOPR	PANORAMA
AAAMNRRT	AMARRANT
AAAMNRST	MARANTAS
AAAMNSST	AMASSANT
AAAMQRTU	MATRAQUA
AAAMRSSS	RAMASSAS
AAAMRSST	RAMASSAT
AAANNPTV	PAVANANT
AAANPPTT	APPATANT
AAANRRTW	WARRANTA
AAAPPRST	APPARATS
AAAPPRSV	VARAPPAS
AAAPPRTV	VARAPPAT
AAAPPRUX	APPARAUX
AAAPRRTT	RATTRAPA
AAAPRSTT	ATTRAPAS
	PATATRAS
AAAPRTTT	ATTRAPAT
AAAQSTTU	ATTAQUAS
AAAQTTTU	ATTAQUAT
AABBCELN	BANCABLE
AABBCHMO	BAMBOCHA
AABBDMOR	BOMBARDA
AABBEERR	EBARBERA
AABBEIRR	BARBARIE
	BARBERAI
AABBEIRS	EBARBAIS
AABBEIRT	EBARBAIT
AABBEIRU	EBAUBIRA
AABBEKLS	KABBALES
AABBELLM	BLAMABLE
AABBEMRS	BARBAMES
AABBENRT	BARBANTE
	EBARBANT
AABBERRS	BARBARES
	BARBERAS
AABBERSS	BARBASSE
AABBERST	BARBATES
AABBERUX	BARBEAUX
AABBIILL	BABILLAI
	BILABIAL
AABBILLS	BABILLAS
AABBILLT	BABILLAT
AABBILMR	BRIMBALA
AABBILRT	BARBITAL
AABBILTU	BALBUTIA
AABBINRT	RABBINAT
AABBIORS	ABSORBAI
AABBIORT	BARBOTAI
AABBLMOU	BAMBOULA
AABBNRST	BARBANTS
	BRABANTS

AABBORSS ABSORBAS
AABBORST ABSORBAT
BARBOTAS
AABBORTT BARBOTAT
AABCCEEL ACCABLEE
AABCCEIZ CACABIEZ
AABCCELR ACCABLER
AABCCELS ACCABLES
AABCCELZ ACCABLEZ
AABCCENT CACABENT
AABCCNOS CACABONS
AABCDEHU DEBAUCHA
AABCDEIL DEBACLAI
AABCDELS DEBACLAS
AABCDELT DEBACLAT
AABCDELU CLABAUDE
AABCDHMR CHAMBARD
AABCDIOR BOCARDAI
AABCDKRW DRAWBACK
AABCDLSU CLABAUDS
AABCDNRR BRANCARD
AABCDORR BROCARDA
AABCDORS BOCARDAS
AABCDORT BOCARDAT
AABCEEHR RABACHEE
AABCEEIL LABIACEE*
AABCEELN BALANCEE
AABCEENN ENCABANE
AABCEERS SCARABEE
AABCEERX EXACERBA
AABCEESU ESCABEAU
AABCEGHN BANCHAGE
AABCEGHS BACHAGES
AABCEGLS BACLAGES
CABLAGES
AABCEGMR CAMBRAGE
AABCEGOT CABOTAGE
AABCEHIR BACHERAI
AABCEHIU EBAUCHAI
AABCEHLR CHABLERA
AABCEHMS BACHAMES
AABCEHMU EMBAUCHA
AABCEHNR BANCHERA
EBRANCHA
AABCEHRR RABACHER
AABCEHRS BACHERAS
RABACHES
AABCEHRV BRAVACHE
AABCEHRZ RABACHEZ
AABCEHSS BACHASSE
AABCEHST BACHATES
AABCEHSU EBAUCHAS
AABCEHTU EBAUCHAT
AABCEILM CAMBIALE
AABCEILR BACLERAI
CABLERAI
AABCEILZ CABALIEZ
AABCEIMN AMBIANCE
AABCEINR BANCAIRE
CARABINE
AABCEIRR CABRERAI
AABCEIRS CARAIBES
AABCELMS BACLAMES
CABLAMES
AABCELNR BALANCER
AABCELNS BALANCES
AABCELNT CABALENT
AABCELNZ BALANCEZ
AABCELPS CAPABLES
AABCELRS BACLERAS
CABLERAS
AABCELRT BRACTEAL
CARTABLE
AABCELSS BACLASSE
CABLASSE
CASSABLE
AABCELST BACLATES
CABLATES
AABCELUX CABLEAUX
AABCEMRR CAMBRERA
AABCEMRS CABRAMES
MACABRES
AABCENST CABESTAN
AABCEORT ACROBATE
CABOTERA
AABCERRS CABRERAS
AABCERSS BARCASSE
CABRASSE
AABCERST CABARETS
CABRATES
AABCESST CABASSET
AABCHILR BRACHIAL
AABCHILS CHABLAIS
AABCHILT CHABLAIT
AABCHIMR CHAMBRAI
AABCHINR BRANCHAI
AABCHINS BANCHAIS
AABCHINT BANCHAIT
AABCHIOT BACHOTAI
COHABITA
AABCHIOU ABOUCHAI
AABCHIOV BAVOCHAI

AABCHLNT CHABLANT
AABCHMRS CHAMBRAS
AABCHMRT CHAMBRAT
AABCHNNT BANCHANT
AABCHNRS BRANCHAS
AABCHNRT BRANCHAT
AABCHOST BACHOTAS
AABCHOSU ABOUCHAS
AABCHOSV BAVOCHAS
AABCHOTT BACHOTAT
AABCHOTU ABOUCHAT
AABCHOTV BAVOCHAT
AABCIILR CALIBRAI
AABCILLU CABILLAU
AABCILMS ALAMBICS
AABCILOR CABRIOLA
AABCILOT CLABOTAI
AABCILRS CALIBRAS
AABCILRT CALIBRAT
AABCILSU BASCULAI
AABCIMRS CAMBRAIS
AABCIMRT CAMBRAIT
AABCIMUX CAMBIAUX
AABCINNS CANNABIS
AABCINOT CABOTINA
AABCINOU BOUCANAI
AABCINRS CARABINS
AABCIOSS CABOSSAI
AABCIOST CABOTAIS
AABCIOTT CABOTAIT
AABCIRRU CARBURAI
AABCLNOS CABALONS
AABCLOST CLABOTAS
AABCLOTT CLABOTAT
AABCLSSU BASCULAS
AABCLSTU BASCULAT
AABCMNRT CAMBRANT
AABCNNOR BRACONNA
AABCNNOS CABANONS
AABCNORR BARRANCO
AABCNORT BROCANTA
AABCNOSU BOUCANAS
AABCNOTT CABOTANT
AABCNOTU BOUCANAT
AABCOSSS CABOSSAS
AABCOSST CABOSSAT
AABCRRSU CARBURAS
AABCRRTU CARBURAT
AABDDEIN DEBANDAI
AABDDEIR DEBARDAI
AABDDENR BRANDADE
AABDDENS DEBANDAS
AABDDENT DEBANDAT
AABDDERS DEBARDAS
AABDDERT DEBARDAT
AABDDERU BADAUDER
AABDDESU BADAUDES
AABDDEUZ BADAUDEZ
AABDEELS BALADEES
AABDEERT DEBATERA
AABDEERY BAYADERE
AABDEERZ BAZARDEE
AABDEFLR BLAFARDE
AABDEGIN BADINAGE
BAIGNADE
AABDEGIR BIGARADE
AABDEGMR GAMBADER
AABDEGMS GAMBADES
AABDEGMZ GAMBADEZ
AABDEGNS BANDAGES
AABDEGOR ABORDAGE
AABDEGRS BARDAGES
AABDEHHI DAHABIEH
AABDEILL DEBALLAI
AABDEILR DELABRAI
AABDEILS ABSIDALE
AABDEILY DEBLAYAI
AABDEILZ BALADIEZ
AABDEINR BADINERA
BANDERAI
AABDEINS BADIANES
AABDEIRR BARDERAI
BRADERAI
AABDEIRT DEBATIRA
AABDEIRU DAUBERAI
AABDEIRY DEBRAYAI
AABDEIST DEBATAIS
AABDEITT DEBATAIT
AABDEJLL DJELLABA
AABDELLS BALLADES
DEBALLAS
AABDELLT DEBALLAT
AABDELMN DAMNABLE
AABDELMU DEAMBULA
AABDELNS LABADENS
AABDELNT BALADENT
AABDELOR ADORABLE
AABDELRS DELABRAS
AABDELRT DELABRAT
AABDELRU BALADEUR
AABDELSS DESSABLA
AABDELSY DEBLAYAS

AABDELTY	DEBLAYAT
AABDEMNS	BANDAMES
AABDEMRR	RAMBARDE
AABDEMRS	BARDAMES
	BRADAMES
AABDEMSU	DAUBAMES
AABDENOR	ABONDERA
AABDENRS	BANDERAS
	BARDANES
AABDENSS	BANDASSE
AABDENST	BANDATES
AABDENTT	DEBATANT
AABDENUX	BANDEAUX
AABDEORR	ABORDERA
AABDEORU	ADOUBERA
AABDEQRU	DEBARQUA
AABDERRS	BARDERAS
	BRADERAS
	DEBARRAS
AABDERRV	BAVARDER
AABDERRZ	BAZARDER
AABDERSS	BARDASSE
	BRADASSE
AABDERST	BARDATES
	BATARDES
	BRADATES
AABDERSU	DAUBERAS
AABDERSV	BAVARDES
	BRAVADES
AABDERSY	DEBRAYAS
AABDERSZ	BAZARDES
AABDERTT	DEBATTRA
AABDERTY	DEBRAYAT
AABDERUX	BARDEAUX
AABDERVZ	BAVARDEZ
AABDERZZ	BAZARDEZ
AABDESSU	DAUBASSE
	DESABUSA
AABDESTU	DAUBATES
AABDFILR	FAIBLARD
AABDFLMR	FLAMBARD
AABDFLRS	BLAFARDS
AABDGINR	BRIGANDA
AABDGNOV	VAGABOND
AABDGNRS	BAGNARDS
AABDHLLN	HANDBALL
AABDIINS	BADINAIS
AABDIINT	BADINAIT
AABDIIQU	ABDIQUAI
AABDILNS	BALADINS
AABDIMRS	BARMAIDS
AABDINNT	BADINANT
AABDINOS	ABONDAIS
AABDINOT	ABONDAIT
AABDINRR	BRANDIRA
AABDIORS	ABORDAIS
	ADSORBAI
	SABORDAI
AABDIORT	ABORDAIT
AABDIORU	RADOUBAI
AABDIOSU	ADOUBAIS
AABDIOTU	ADOUBAIT
AABDIQSU	ABDIQUAS
AABDIQTU	ABDIQUAT
AABDISUX	ABSIDAUX
AABDLMNU	LABDANUM
AABDLNOS	BALADONS
AABDLORR	LABRADOR
AABDNNOS	ABANDONS
AABDNNOT	ABONDANT
AABDNORT	ABORDANT
AABDNOTU	ADOUBANT
AABDORSS	ADSORBAS
	SABORDAS
AABDORST	ADSORBAT
	SABORDAT
AABDORSU	ABSOUDRA
	RADOUBAS
AABDORTU	RADOUBAT
AABDRRSS	BRASSARD
AABEEFLR	BALAFREE
AABEEGHR	HERBAGEA
AABEEGIR	ABREGEAI
	BEGAIERA
AABEEGLL	EGALABLE
AABEEGLR	AGREABLE
AABEEGLT	BATELAGE
AABEEGRR	ABREGERA
	BAGARREE
AABEEGRS	ABREGEAS
AABEEGRT	ABREGEAT
AABEEGRY	BEGAYERA
AABEEHNU	HAUBANEE
AABEEIRS	ARABISEE
AABEEISS	ABAISSEE
AABEELRT	ARBALETE
	ETABLERA
AABEELSY	BALAYEES
AABEELTT	ATTABLEE
AABEENSS	BASANEES
AABEERRS	EBRASERA
AABEERRT	BARETERA

AABEERSS	ABRASEES
AABEERTT	BARATTEE
AABEESST	TABASSEE
AABEESTT	ABATTEES
AABEFFLS	AFFABLES
AABEFFLU	AFFABULE
AABEFGLM	FLAMBAGE
AABEFIIT	BEATIFIA
AABEFILS	FAISABLE
AABEFIRR	BAFRERAI
AABEFLMR	FLAMBERA
AABEFLMU	FLAMBEAU
AABEFLRR	BALAFRER
AABEFLRS	BALAFRES
AABEFLRU	FABULERA
AABEFLRZ	BALAFREZ
AABEFMRS	BAFRAMES
AABEFORU	BAFOUERA
AABEFRRS	BAFRERAS
AABEFRSS	BAFRASSE
AABEFRST	BAFRATES
AABEGGSU	BAGUAGES
AABEGHTU	BAHUTAGE
AABEGILR	GALBERAI
AABEGILS	BALISAGE
AABEGILV	BALIVAGE
AABEGINR	BAIGNERA
AABEGIOR	ABROGEAI
AABEGIRR	GABARIER
AABEGIRU	BAGUERAI
AABEGIST	TABAGIES
AABEGISY	BEGAYAIS
AABEGITY	BEGAYAIT
AABEGJMS	JAMBAGES
AABEGLLR	LARGABLE
AABEGLMS	GALBAMES
AABEGLRS	GALBERAS
AABEGLRU	BLAGUERA
AABEGLSS	GALBASSE
	SABLAGES
AABEGLST	ABLEGATS
	GALBATES
AABEGMOR	OMBRAGEA
AABEGMSU	BAGUAMES
AABEGNTY	BEGAYANT
AABEGORR	ABROGERA
AABEGORS	ABROGEAS
AABEGORT	ABROGEAT
	RABOTAGE
AABEGOST	SABOTAGE
AABEGQRU	BRAQUAGE
AABEGRRR	BAGARRER
AABEGRRS	BAGARRES
	BARRAGES
AABEGRRZ	BAGARREZ
AABEGRSS	BRASAGES
	BRASSAGE
AABEGRSU	BAGUERAS
AABEGSSS	BAGASSES
AABEGSSU	BAGUASSE
AABEGSTT	BATTAGES
AABEGSTU	BAGUATES
AABEHIIR	EBAHIRAI
AABEHIRS	EBAHIRAS
AABEHIRT	HABITERA
AABEHKNR	BARKHANE
AABEHLMS	MAHALEBS
AABEHLPT	ALPHABET
AABEHLTY	BATHYALE
AABEHMNR	BRAHMANE
AABEHNRU	HAUBANER
AABEHNSU	HAUBANES
AABEHNUZ	HAUBANEZ
AABEIIMR	ABIMERAI
AABEIIMS	AMIBIASE
AABEIIOR	ABOIERAI
AABEIIRS	BAIERAIS*
	BAISERAI
	BIAISERA
AABEIIRT	ABETIRAI
	BAIERAIT*
AABEIJLR	JABLERAI
AABEIJMN	ENJAMBAI
AABEILLM	EMBALLAI
AABEILLR	BAILLERA
	BALLERAI
AABEILLS	LABIALES
AABEILLT	BATAILLE
AABEILMN	MANIABLE
AABEILMR	AMBLERAI
	BLAMERAI
	MARIABLE
AABEILMS	AIMABLES
	AMIABLES
AABEILMT	MALBATIE
AABEILMV	EMBLAVAI
AABEILNR	EBRANLAI
AABEILNS	BANALISE
	ENSABLAI
AABEILNT	BALAIENT
	BALANITE
	BANALITE

AABEILOR	ELABORAI
AABEILRR	BLAIRERA
AABEILRS	BALISERA
	BLASERAI
	SABLERAI
AABEILRT	ATRABILE
	BLATERAI
	ETABLIRA
	TABLERAI
AABEILRU	BLAIREAU
AABEILRV	VARIABLE
AABEILST	ETABLAIS
AABEILTT	ETABLAIT
AABEILUV	BALIVEAU
AABEILYZ	BALAYIEZ
AABEIMMS	ABIMAMES
AABEIMMU	EMBAUMAI
AABEIMNT	AMBIANTE
AABEIMRR	AMBRERAI
	BRAMERAI
	EMBARRAI
AABEIMRS	ABIMERAS
	EMBRASAI
AABEIMRY	EMBRAYAI
AABEIMSS	ABIMASSE
	BAISAMES
AABEIMST	ABIMATES
AABEINNR	BANANIER
AABEINOU	OUABAINE
AABEINRS	BEARNAIS
AABEINRT	BARATINE
AABEINSS	SESBANIA
AABEINST	ABSENTAI
	BASAIENT
AABEINSU	AUBAINES
AABEINSZ	BASANIEZ
AABEINTT	BATAIENT
AABEINTV	BAVAIENT
AABEINTY	BAYAIENT
AABEIORS	ABOIERAS
AABEIQRU	ARABIQUE
AABEIQTU	BAQUETAI
AABEIRRR	BARRERAI
AABEIRRS	ARABISER
	BRAISERA
	BRASERAI
	SABRERAI
AABEIRRT	ABRITERA
	REBATIRA
AABEIRRV	BRAVERAI
AABEIRSS	ABAISSER →
	ARABISES
	BAISERAS
	BAISSERA
	BASERAIS
	EBRASAIS
	RABAISSE
AABEIRST	ABETIRAS
	ABSTRAIE
	BARETAIS
	BASERAIT
	BATERAIS
	EBRASAIT
AABEIRSU	ABUSERAI
AABEIRSV	ABRASIVE
	BAVERAIS
AABEIRSY	BAYERAIS
AABEIRSZ	ABRASIEZ
	ARABISEZ
AABEIRTT	BARETAIT
	BATERAIT
	EBATTRAI
AABEIRTV	BAVERAIT
AABEIRTY	BAYERAIT
AABEIRUV	ABREUVAI
	EBAVURAI
AABEISSS	ABAISSES
	BAISASSE
AABEISST	BAISATES
AABEISSZ	ABAISSEZ
AABEISTT	EBATTAIS
AABEISTU	BISEAUTA
AABEITTT	EBATTAIT
AABEITTZ	ABATTIEZ
AABEJLMS	JABLAMES
AABEJLRS	JABLERAS
AABEJLSS	JABLASSE
AABEJLST	JABLATES
AABEJMNS	ENJAMBAS
AABEJMNT	ENJAMBAT
AABEJORT	JABOTERA
AABEJOSU	ABAJOUES
AABEJRRU	ABJURERA
AABELLMR	REMBALLA
AABELLMS	BALLAMES
	EMBALLAS
AABELLMT	EMBALLAT
AABELLNT	BALLANTE
AABELLPP	PALPABLE
AABELLRS	BALLERAS
AABELLSS	BALLASSE
AABELLST	BALLATES

AABELLSV	LAVABLES
	VALABLES
AABELMMS	AMBLAMES
	BLAMAMES
AABELMRS	AMBLERAS
	BLAMERAS
	MALABRES*
AABELMRV	REMBLAVA
AABELMRY	REMBLAYA
AABELMSS	AMBLASSE
	ASSEMBLA
	BLAMASSE
	BLASAMES
	SABLAMES
AABELMST	AMBLATES
	BLAMATES
	TABLAMES
AABELMSV	EMBLAVAS
AABELMTV	EMBLAVAT
AABELMUX	LAMBEAUX
AABELNRR	BRANLERA
AABELNRS	EBRANLAS
AABELNRT	EBRANLAT
AABELNSS	ENSABLAS
AABELNST	ENSABLAT
AABELNSZ	BALZANES
AABELNTT	ETABLANT
AABELNTY	BALAYENT
AABELOPR	PARABOLE
AABELORS	ELABORAS
AABELORT	ELABORAT
AABELORU	ABOULERA
AABELOTY	BATAYOLE
AABELOUV	AVOUABLE
AABELPPS	PAPABLES
AABELPRR	PALABRER
AABELPRS	PALABRES
AABELPRZ	PALABREZ
AABELPSS	PASSABLE
AABELPSY	PAYABLES
AABELRSS	BLASERAS
	SABLERAS
AABELRST	ALBATRES
	BLATERAS
	TABLERAS
AABELRTT	ATTABLER
	BLATERAT
AABELRUY	BALAYEUR
AABELSSS	BLASASSE
	SABLASSE
AABELSST	BASALTES →
	BLASATES
	SABLATES
	TABLASSE
AABELSSY	ABYSSALE
AABELSTT	ATTABLES
	TABLATES
AABELTTZ	ATTABLEZ
AABELTUX	TABLEAUX
AABEMMRS	AMBRAMES
	BRAMAMES
AABEMMSU	EMBAUMAS
AABEMMTU	EMBAUMAT
AABEMORZ	MOZARABE
AABEMOSY	ABOYAMES
AABEMQRU	EMBARQUA
AABEMRRR	MARBRERA
	REMBARRA
AABEMRRS	AMBRERAS
	BARRAMES
	BRAMERAS
	EMBARRAS
AABEMRRT	EMBARRAT
AABEMRSS	AMBRASSE
	BRAMASSE
	BRASAMES
	EMBRASAS
	EMBRASSA
	SABRAMES
AABEMRST	AMBRATES
	BRAMATES
	EMBRASAT
AABEMRSV	BRAVAMES
AABEMRSY	EMBRAYAS
AABEMRTT	EMBATTRA
AABEMRTY	EMBRAYAT
AABEMSSU	ABUSAMES
AABENNOR	ABONNERA
	REABONNA
AABENNST	BASANENT
AABENQRU	BANQUERA
AABENQTU	BANQUETA
AABENRRT	ABERRANT
AABENRST	ABRASENT
	EBRASANT
AABENRTT	BARETANT
AABENSST	ABSENTAS
AABENSTT	ABSENTAT
AABENTTT	ABATTENT
	BATTANTE
	EBATTANT
AABEORRR	ARBORERA

AABEORRT	RABOTERA	**AABFFIIL**	AFFAIBLI
AABEORST	SABOTERA	**AABFFILU**	AFFUBLAI
AABEORTU	ABOUTERA	**AABFFLSU**	AFFUBLAS
AABEOSSY	ABOYASSE	**AABFFLTU**	AFFUBLAT
AABEOSTY	ABOYATES	**AABFIILR**	FAIBLIRA
AABEQRRU	BARAQUER	**AABFILMS**	FLAMBAIS
	BRAQUERA	**AABFILMT**	FLAMBAIT
AABEQRSU	BARAQUES	**AABFILOT**	BATIFOLA
AABEQRUZ	BARAQUEZ	**AABFILST**	ABLATIFS
AABEQSTU	BAQUETAS	**AABFILSU**	FABULAIS
AABEQTTU	BAQUETAT	**AABFILTU**	FABULAIT
AABERRRS	BARRERAS	**AABFILUX**	FABLIAUX
AABERRSS	BARRASSE	**AABFIOSU**	BAFOUAIS
	BRASERAS	**AABFIOTU**	BAFOUAIT
	BRASSERA	**AABFIQRU**	FABRIQUA
	SABRERAS	**AABFIRSS**	ABRASIFS
AABERRST	BARRATES	**AABFLMNT**	FLAMBANT
AABERRSV	BRAVERAS	**AABFLMOY**	FLAMBOYA
AABERRTT	BARATTER	**AABFLMRT**	FLAMBART
	RABATTRE	**AABFLNOS**	BALAFONS
	REBATTRA	**AABFLNTU**	FABULANT
AABERRUX	BARREAUX	**AABFNOTU**	BAFOUANT
AABERSSS	BRASASSE	**AABGIINS**	BAIGNAIS
	SABRASSE	**AABGIINT**	BAIGNAIT
AABERSST	BRASATES	**AABGIIRR**	BIGARRAI
	SABRATES	**AABGILLM**	GAMBILLA
	TABASSER	**AABGILSU**	BLAGUAIS
AABERSSU	ABUSERAS	**AABGILTU**	BLAGUAIT
AABERSSV	BRAVASSE	**AABGINNT**	BAIGNANT
AABERSTT	BARATTES	**AABGINST**	BASTAING
	EBATTRAS	**AABGIRRS**	BIGARRAS
	RABATTES	**AABGIRRT**	BIGARRAT
AABERSTV	BRAVATES	**AABGIRST**	GABARITS
AABERSUV	ABREUVAS	**AABGLMNU**	GALBANUM
	EBAVURAS	**AABGLNTU**	BLAGUANT
AABERTTU	ABATTEUR	**AABHHORU**	BROUHAHA
	RABATTUE	**AABHIILL**	HABILLAI
AABERTTZ	ABATTREZ	**AABHIILT**	HABILITA
	BARATTEZ	**AABHIINU**	BAUHINIA
	RABATTEZ	**AABHIIST**	HABITAIS
AABERTUV	ABREUVAT	**AABHIITT**	HABITAIT
	EBAVURAT	**AABHIITU**	HABITUAI
AABESSSS	BASASSES	**AABHILLR**	RHABILLA
AABESSST	BATASSES	**AABHILLS**	HABILLAS
	TABASSES	**AABHILLT**	HABILLAT
AABESSSU	ABUSASSE	**AABHINTT**	HABITANT
AABESSSV	BAVASSES	**AABHIORR**	ABHORRAI
AABESSSY	BAYASSES	**AABHISTT**	HABITATS
AABESSTU	ABUSATES	**AABHISTU**	HABITUAS
AABESSTZ	TABASSEZ	**AABHITTU**	HABITUAT
AABESTTU	ABATTUES	**AABHLNRS**	HALBRANS

AABHORRS	ABHORRAS
AABHORRT	ABHORRAT
AABHTUXY	BATHYAUX
AABIIISS	BIAISAIS
AABIIIST	BIAISAIT
AABIILLR	BRAILLAI
AABIILLS	BAILLAIS
AABIILLT	BAILLAIT
AABIILMN	LAMBINAI
AABIILNS	LIBANAIS
AABIILOR	ABOLIRAI
	BARIOLAI
AABIILRS	BLAIRAIS
AABIILRT	BLAIRAIT
AABIILSS	BALISAIS
AABIILST	BALISAIT
AABIIMNO	ABOMINAI
AABIINNR	BANNIRAI
AABIINSS	BASSINAI
AABIINST	BIAISANT
AABIIORT	RABIOTAI
AABIIOST	BAISOTAI
AABIIPST	BAPTISAI
AABIIRRR	BARRIRAI
AABIIRRT	ARBITRAI
	BRAIRAIT
AABIIRSS	BRAISAIS
AABIIRST	ABRITAIS
	BATIRAIS
	BRAISAIT
AABIIRTT	ABRITAIT
	BATIRAIT
AABIISSS	BAISSAIS
AABIISST	BAISSAIT
AABIJOST	JABOTAIS
AABIJOTT	JABOTAIT
AABIJRSU	ABJURAIS
AABIJRTU	ABJURAIT
AABILLNT	BAILLANT
AABILLRS	BRAILLAS
AABILLRT	BRAILLAT
AABILMNS	LAMBINAS
AABILMNT	LAMBINAT
AABILMRT	TRIMBALA
AABILMST	MALBATIS
AABILNOR	ANOBLIRA
AABILNOT	ABLATION
AABILNRS	BRANLAIS
AABILNRT	BLAIRANT
	BRANLAIT
AABILNST	BALISANT

AABILORS	ABOLIRAS
	BARIOLAS
AABILORT	BARIOLAT
AABILORU	LABOURAI
AABILOSU	ABOULAIS
AABILOTU	ABOULAIT
AABILRRT	ARBITRAL
AABIMNOS	ABOMINAS
AABIMNOT	ABOMINAT
AABIMNST	AMBIANTS
AABIMRRS	MARBRAIS
AABIMRRT	MARBRAIT
AABIMRSU	SIMARUBA
AABINNOR	ABONNIRA
AABINNOS	ABONNAIS
AABINNOT	ABONNAIT
	BATONNAI
AABINNRS	BANNIRAS
AABINORS	ABRASION
AABINQSU	BANQUAIS
AABINQTU	BANQUAIT
AABINRST	BARATINS
	BRAISANT
AABINRSU	URBANISA
AABINRTT	ABRITANT
AABINRZZ	ZANZIBAR
AABINSSS	BASSINAS
AABINSST	BAISSANT
	BASSINAT
AABIORRS	ARBORAIS
AABIORRT	ARBORAIT
AABIORRU	RABROUAI
AABIORST	RABIOTAS
	RABOTAIS
AABIORSV	BAVAROIS
AABIORTT	ABATTOIR
	RABIOTAT
	RABOTAIT
AABIORTU	ABOUTIRA
	RABOUTAI
AABIOSST	BAISOTAS
	SABOTAIS
AABIOSTT	BAISOTAT
	SABOTAIT
AABIOSTU	ABOUTAIS
AABIOTTU	ABOUTAIT
AABIPSST	BAPTISAS
AABIPSTT	BAPTISAT
AABIQRSU	BRAQUAIS
AABIQRTU	BRAQUAIT
AABIRRRS	BARRIRAS

AABIRRST	ARBITRAS
AABIRRTT	ARBITRAT
AABIRRTU	ABRUTIRA
AABIRSSS	BRASSAIS
AABIRSST	ABSTRAIS
	BRASSAIT
AABIRSTT	ABSTRAIT
	BATTRAIS
	RABATTIS
AABIRTTT	BATTRAIT
	RABATTIT
AABIRTTU	ATTRIBUA
AABJNOTT	JABOTANT
AABJNRTU	ABJURANT
AABKOOSZ	BAZOOKAS
AABLLNNO	BALLONNA
AABLLNST	BALLANTS
AABLLOTT	BALLOTTA
AABLLSST	BALLASTS
AABLLSTU	BLASTULA
AABLMNTU	AMBULANT
AABLMRSU	LABARUMS
AABLNNOS	BLASONNA
AABLNNRT	BRANLANT
AABLNOSY	BALAYONS
AABLNOTU	ABOULANT
AABLORST	ALBATROS
AABLORSU	LABOURAS
AABLORTU	LABOURAT
AABLRRSU	SABURRAL
AABMNRRT	MARBRANT
AABMORTU	MARABOUT
AABMRSSU	BRUMASSA
AABMRSTU	MASTURBA
AABNNNOT	ABONNANT
AABNNOSS	BASANONS
AABNNOST	BATONNAS
AABNNOTT	BATONNAT
AABNNQTU	BANQUANT
AABNORRT	ARBORANT
AABNORSS	ABRASONS
AABNORTT	RABOTANT
AABNOSSY	SABAYONS
AABNOSTT	ABATTONS
	SABOTANT
AABNOTTU	ABOUTANT
AABNQRTU	BRAQUANT
AABNRSST	BRASSANT
AABNSTTT	BATTANTS
AABORRSU	RABROUAS
AABORRTU	RABROUAT
AABORSTU	RABOUTAS
AABORTTU	RABOUTAT
AABRSTTU	RABATTUS
AABSSUXY	ABYSSAUX
AACCCEET	CACTACEE*
AACCCHHU	CACHUCHA
AACCCHOR	ACCROCHA
AACCCHOU	ACCOUCHA
AACCDDEI	DEDICACA
AACCDEER	ACCEDERA
AACCDEES	SACCADEE
AACCDEIN	CADENCAI
AACCDEIS	ACCEDAIS
AACCDEIT	ACCEDAIT
AACCDELO	ACCOLADE
AACCDENS	CADENCAS
AACCDENT	ACCEDANT
	CADENCAT
AACCDERR	CACARDER
AACCDERS	CACARDES
	CASCADER
AACCDERZ	CACARDEZ
AACCDESS	CASCADES
	SACCADES
AACCDESZ	CASCADEZ
AACCDIOR	ACCORDAI
AACCDIOU	ACCOUDAI
AACCDORR	RACCORDA
AACCDORS	ACCORDAS
AACCDORT	ACCORDAT
AACCDOSU	ACCOUDAS
AACCDOTU	ACCOUDAT
AACCEEER	ACERACEE*
AACCEEGS	SACCAGEE
AACCEELM	ACCLAMEE
AACCEELR	ACCELERA
AACCEELS	CAECALES
AACCEEOT	CACAOTEE
AACCEGLO	ACCOLAGE
AACCEGRS	SACCAGER
AACCEGSS	SACCAGES
AACCEGSZ	SACCAGEZ
AACCEHIR	CACHERAI
AACCEHIT	CACHETAI
AACCEHLN	CHANCELA
AACCEHMS	CACHAMES
AACCEHNR	ECHANCRA
AACCEHRR	CRACHERA
	RECRACHA
AACCEHRS	CACHERAS
AACCEHRV	CRAVACHE

AACCEHSS	CACHASSE
AACCEHST	CACHATES
	CACHETAS
AACCEHTT	CACHETAT
AACCEILM	ACCALMIE
AACCEILR	CALCAIRE
AACCEINR	CARENCAI*
AACCEIPT	ACCEPTAI
	CAPACITE
AACCEJNT	JACTANCE
AACCELMR	ACCLAMER
AACCELMS	ACCLAMES
AACCELMZ	ACCLAMEZ
AACCELNS	CANCALES
AACCELOR	ACCOLERA
	CARACOLE
AACCELRR	CARCERAL
AACCELRU	ACCULERA
AACCELSS	LACCASES
AACCENNR	CANCANER
AACCENNS	CANCANES
AACCENNZ	CANCANEZ
AACCENPR	PANCRACE
AACCENRS	CARENCAS*
AACCENRT	CARENCAT*
AACCENSV	VACANCES
AACCENTU	ACCENTUA
AACCEORT	ACCOTERA
AACCEORU	ACCOUERA
AACCEORY	CACAOYER
AACCEOST	CACAOTES
	CACATOES
AACCEPST	ACCEPTAS
AACCEPTT	ACCEPTAT
AACCERSS	CARCASSE
AACCERSU	ACCUSERA
AACCHIIN	CHICANAI
AACCHINR	CHANCIRA
AACCHINS	CHICANAS
AACCHINT	CHICANAT
AACCHIRS	CRACHAIS
AACCHIRT	CRACHAIT
AACCHLOT	CACHALOT
AACCHNRT	CRACHANT
AACCHORT	CRACHOTA
AACCHRST	CRACHATS
	SCRATCHA
AACCHRTU	CHARCUTA
AACCIILN	CALCINAI
AACCIINV	VACCINAI
AACCILLU	CALCULAI
AACCILNS	CALCINAS
AACCILNT	CALCINAT
AACCILNV	VACCINAL
AACCILOS	ACCOLAIS
AACCILOT	ACCOLAIT
AACCILSU	ACCULAIS
AACCILTU	ACCULAIT
AACCINOT	ACCOINTA
AACCINSV	VACCINAS
AACCINTV	VACCINAT
AACCIOST	ACCOSTAI
	ACCOTAIS
	CACATOIS
AACCIOSU	ACCOUAIS
AACCIOTT	ACCOTAIT
AACCIOTU	ACCOUAIT
AACCISSU	ACCUSAIS
AACCISTU	ACCUSAIT
AACCJORU	CARCAJOU
AACCLLSU	CALCULAS
AACCLLTU	CALCULAT
AACCLMUU	ACCUMULA
AACCLNOT	ACCOLANT
AACCLNTU	ACCULANT
AACCLOPU	ACCOUPLA
AACCLRSU	CARACULS
AACCNORS	CONSACRA
AACCNOSS	CONCASSA
AACCNOTT	ACCOTANT
	CONTACTA
AACCNOTU	ACCOUANT
AACCNSTU	ACCUSANT
AACCORRU	ACCOURRA
AACCORSU	CURACAOS
AACCORTU	ACCOUTRA
AACCOSST	ACCOSTAS
AACCOSTT	ACCOSTAT
	STACCATO
	TOCCATAS
AACDDINS	CANDIDAS
AACDDINT	CANDIDAT
AACDEEFR	CAFARDEE
AACDEEGL	DECALAGE
AACDEEGP	DECAPAGE
AACDEEIM	ACADEMIE
AACDEELN	DECANALE
AACDEELP	DECAPELA
AACDEELR	DECALERA
	DELACERA
AACDEELS	ESCALADE
AACDEENR	CANARDEE

AACDEEPR	DECAPERA
AACDEEPS	ESCAPADE
AACDEERV	DECAVERA
AACDEEST	ESTACADE
AACDEFHU	ECHAFAUD
AACDEFRR	CAFARDER
AACDEFRS	CAFARDES
AACDEFRU	FAUCARDE
AACDEFRZ	CAFARDEZ
AACDEGIL	DEGLACAI
AACDEGLS	DEGLACAS
AACDEGLT	DEGLACAT
AACDEGRS	CADRAGES
	CARDAGES
AACDEHHN	DEHANCHA
AACDEHIN	DECHAINA
	HACIENDA
AACDEHIR	ARACHIDE
AACDEHIT	DETACHAI
AACDEHIU	ECHAUDAI
AACDEHLN	CHALANDE
AACDEHMN	DEMANCHA
AACDEHMS	CHAMADES
AACDEHMU	DECHAUMA
AACDEHNR	DECHARNA
AACDEHNT	DECHANTA
AACDEHPR	CHAPARDE
AACDEHRS	CHARADES
AACDEHST	DETACHAS
AACDEHSU	ECHAUDAS
AACDEHTT	DETACHAT
AACDEHTU	ECHAUDAT
AACDEIIL	ACIDALIE
AACDEILM	DECLAMAI
AACDEILP	DEPLACAI
AACDEILR	CALDEIRA
	DECLARAI
	DILACERA
	RADICALE
AACDEILS	DECALAIS
	DELACAIS
	DIACLASE
AACDEILT	DECALAIT
	DELACAIT
AACDEIMP	DECAMPAI
AACDEINN	CANADIEN
AACDEINR	DERACINA
	ENCADRAI
	RADIANCE
AACDEINS	ACADIENS
AACDEINT	DECANTAI
AACDEINV	DEVANCAI
AACDEIPS	DECAPAIS
AACDEIPT	DECAPAIT
	DECAPITA
AACDEIRR	CADRERAI
	CARDERAI
	RECARDAI
AACDEIRS	ASCARIDE
AACDEIRT	DECATIRA
AACDEIRV	CAVIARDE
AACDEISS	DECAISSA
AACDEISV	DECAVAIS
AACDEITV	DECAVAIT
AACDEJNT	ADJACENT
AACDELMS	DECLAMAS
AACDELMT	DECLAMAT
AACDELNR	CALANDRE
AACDELNS	CANDELAS
	SCANDALE
AACDELNT	DECALANT
	DELACANT
AACDELPR	PLACARDE
AACDELPS	DEPLACAS
AACDELPT	DEPLACAT
AACDELQU	DECALQUA
AACDELRS	DECLARAS
AACDELRT	DECLARAT
AACDELSS	DECLASSA
AACDELSU	CAUDALES
AACDEMPS	DECAMPAS
AACDEMPT	DECAMPAT
AACDEMRS	CADRAMES
	CAMARDES
	CARDAMES
AACDENOR	CARONADE
AACDENPT	DECAPANT
AACDENRR	CANARDER
	RENCARDA
AACDENRS	CANARDES
	ENCADRAS
	SCANDERA
AACDENRT	ENCADRAT
AACDENRZ	CANARDEZ
AACDENST	DECANATS
	DECANTAS
AACDENSV	DEVANCAS
AACDENTT	DECANTAT
AACDENTV	DECAVANT
	DEVANCAT
AACDENUX	DECANAUX
AACDEOPT	DECAPOTA

AACDERRS	CADRERAS
	CARDERAS
	RECARDAS
AACDERRT	RECARDAT
AACDERSS	CADRASSE
	CARDASSE
	DECRASSA
AACDERST	CADASTRE
	CADRATES
	CARDATES
AACDERSV	CADAVRES
AACDFHRU	FAUCHARD
AACDFIII	ACIDIFIA
AACDFRSU	FAUCARDS
AACDGINR	CARDIGAN
AACDGNOS	CADOGANS
AACDGNRS	CAGNARDS
AACDHHIP	PADICHAH
AACDHILN	CHANDAIL
AACDHINP	HANDICAP
AACDHLNS	CHALANDS
AACDHMNR	MARCHAND
AACDHMRU	CHAUMARD
AACDIINR	CANDIRAI
AACDILMU	CALADIUM
AACDILNO	DIACONAL
AACDILNR	CARDINAL
AACDIMRS	CAMISARD
AACDINOT	DIACONAT
AACDINPR	PICARDAN
AACDINRR	CRAINDRA
AACDINRS	CANDIRAS
AACDINRT	RADICANT
AACDINSS	SCANDAIS
AACDINST	DISTANCA
	SCANDAIT
AACDIORU	ADOUCIRA
AACDIRUX	RADICAUX
AACDJQRU	JACQUARD
AACDLOSV	CALVADOS
AACDLPRS	PLACARDS
AACDMMNO	COMMANDA
AACDMNNO	CONDAMNA
AACDMNOR	MORDANCA
AACDNNST	SCANDANT
AACDNRRS	RANCARDS
AACDPRSU	CRAPAUDS
AACEEENR	ARENACEE
AACEEFFR	EFFACERA
AACEEFGS	FAGACEES
AACEEFLT	CALFATEE
AACEEGHN	ECHANGEA
AACEEGIN	ENCAGEAI
AACEEGIR	ACIERAGE
	AGACERIE
AACEEGLP	CAPELAGE
AACEEGLS	GALEACES
AACEEGMR	MARECAGE
AACEEGNR	AGENCERA
	CARENAGE
	ENCAGERA
	GARANCEE
AACEEGNS	ENCAGEAS
AACEEGNT	CANETAGE
	ENCAGEAT
AACEEGPS	PACAGEES
AACEEGRZ	AGACEREZ
AACEEHLP	ACALEPHE*
AACEEHNP	PANACHEE
AACEEHNR	ACHARNEE
AACEEHRR	ARRACHEE
AACEEHRT	ACHETERA
AACEEHRV	ACHEVERA
AACEEHTT	ATTACHEE
AACEEILL	ALLIACEE
AACEEILR	ECALERAI
AACEEIMR	EMACIERA
AACEEIPR	CAPEERAI
AACEEIRR	ACIERERA
AACEELMS	ECALAMES
AACEELMV	MALVACEE
AACEELMY	AMYLACEE
AACEELNR	ELANCERA
	ENLACERA
AACEELRR	LACERERA
	RECALERA
AACEELRS	ECALERAS
AACEELRT	ECARLATE
	ECARTELA
	ECLATERA
AACEELRU	LAURACEE*
AACEELSS	ECALASSE
AACEELST	ECALATES
AACEELSV	CAVALEES
AACEELTU	ACULEATE*
AACEEMNR	MENACERA
AACEEMPS	CAPEAMES
AACEEMRR	MACERERA
AACEEMST	CASEMATE
AACEENNN	CANANEEN
AACEENNO	ANONACEE*
AACEENPS	PANACEES

AACEENRR	CARENERA
AACEENRS	ARENACES
AACEENRV	ENCAVERA
AACEENSV	AVANCEES
AACEEPRS	CAPEERAS
	ESPACERA
AACEEPRY	CAPEYERA
AACEEPSS	CAPEASSE
AACEEPST	CAPEATES
AACEERRS	ECRASERA
AACEERRT	ECARTERA
AACEERTV	CRAVATEE
AACEERUV	EVACUERA
AACEERUX	EXAUCERA
AACEERVX	EXCAVERA
AACEESTT	ACETATES
AACEESTX	TAXACEES
AACEFFHU	ECHAUFFA
AACEFFIS	EFFACAIS
AACEFFIT	AFFECTAI
	EFFACAIT
AACEFFLS	ESCLAFFA
AACEFFNT	EFFACANT
AACEFFST	AFFECTAS
AACEFFTT	AFFECTAT
AACEFGHU	FAUCHAGE
AACEFGST	FACTAGES
AACEFHIR	FACHERAI
AACEFHMS	FACHAMES
AACEFHRS	FACHERAS
AACEFHRU	FAUCHERA
AACEFHSS	FACHASSE
AACEFHST	FACHATES
AACEFIIT	ACETIFIA
AACEFILS	FACIALES
AACEFINR	FARINACE
	FIANCERA
AACEFIPR	PREFACAI
AACEFISU	FAISCEAU
AACEFITT	FACETTAI
AACEFLMN	FLAMENCA
AACEFLOS	AFOCALES
AACEFLRT	CALFATER
AACEFLST	CALFATES
AACEFLTZ	CALFATEZ
AACEFNST	CAFETANS
AACEFPRS	PREFACAS
AACEFPRT	PREFACAT
AACEFRRT	REFRACTA
AACEFRSS	FRACASSE
AACEFRTT	ARTEFACT
AACEFSTT	FACETTAS
AACEFTTT	FACETTAT
AACEGGHS	GACHAGES
AACEGGLS	GLACAGES
AACEGHHS	HACHAGES
AACEGHIN	CHAINAGE
	CHANGEAI
AACEGHIR	CHARGEAI
	GACHERAI
AACEGHLM	MALGACHE
AACEGHLS	LACHAGES
AACEGHLU	CHAULAGE
AACEGHMS	GACHAMES
AACEGHNR	ARCHANGE
	CHANGERA
AACEGHNS	CHANGEAS
	GANACHES
AACEGHNT	CHANGEAT
	CHANTAGE
AACEGHRR	CHARGERA
AACEGHRS	CHARGEAS
	GACHERAS
AACEGHRT	CHARGEAT
AACEGHSS	GACHASSE
AACEGHST	GACHATES
AACEGILL	CAILLAGE
	GLACIALE
AACEGILR	ARGILACE
	GLACERAI
AACEGINR	RACINAGE
AACEGINS	AGENCAIS
AACEGINT	AGENCAIT
AACEGINU	ECANGUAI
AACEGIPZ	PACAGIEZ
AACEGIRR	GRACIERA
AACEGIST	SAGACITE
AACEGLMS	GLACAMES
	MACLAGES
AACEGLMU	MACULAGE
AACEGLNT	GLACANTE
AACEGLOR	RACOLAGE
AACEGLPS	PLACAGES
AACEGLQU	CALQUAGE
	CLAQUAGE
AACEGLRS	GLACERAS
	RACLAGES
	SARCLAGE
AACEGLRV	VERGLACA
AACEGLSS	GLACASSE
AACEGLST	GLACATES
AACEGMNP	CAMPAGNE

AACEGMOR	AMORCAGE
AACEGNNS	CANNAGES
AACEGNNT	AGENCANT
AACEGNOT	CANOTAGE
AACEGNPT	PACAGENT
AACEGNRR	GARANCER
AACEGNRS	ANCRAGES
	CARNAGES
	GARANCES
AACEGNRZ	GARANCEZ
AACEGNSU	ECANGUAS
AACEGNTU	ECANGUAT
AACEGOPT	CAPOTAGE
AACEGPQU	PACQUAGE
AACEGPRS	PARCAGES
AACEGPST	CAPTAGES
AACEGQRU	CRAQUAGE
AACEGRRU	CARGUERA
AACEGRST	TRACAGES
AACEGSSS	CASSAGES
AACEHHIR	HACHERAI
AACEHHMS	HACHAMES
AACEHHNR	HANCHERA
	HARNACHE
AACEHHRS	HACHERAS
AACEHHSS	HACHASSE
AACEHHST	HACHATES
AACEHILL	ALLECHAI
AACEHILR	CHIALERA
	HARCELAI
	LACHERAI
	RELACHAI
AACEHILV	CHEVALAI
AACEHIMN	ACHEMINA
AACEHIMR	MACHERAI
	REMACHAI
AACEHINN	ENCHAINA
AACEHINP	EPANCHAI
AACEHINR	ANARCHIE
	CHAINERA
	ECHARNAI
AACEHINS	ENSACHAI
AACEHINT	CHATAINE
	ENTACHAI
	ETANCHAI
AACEHIPP	ECHAPPAI
AACEHIPR	ECHARPAI
	RECHAPAI
AACEHIRT	CHATAIRE
	CHATIERA
	RACHETAI →
	TACHERAI
AACEHISS	ASSECHAI
AACEHIST	ACHETAIS
AACEHISV	ACHEVAIS
	AVACHIES
AACEHITT	ACHETAIT
	TACHETAI
AACEHITV	ACHEVAIT
AACEHLLS	ALLACHES
	ALLECHAS
AACEHLLT	ALLECHAT
AACEHLMR	MARECHAL
AACEHLMS	LACHAMES
AACEHLNP	PALANCHE
AACEHLNT	CHANLATE
AACEHLRS	CHARALES
	HARCELAS
	LACHERAS
	RELACHAS
AACEHLRT	HARCELAT
	RELACHAT
	TRACHEAL
AACEHLRU	CHAULERA
AACEHLSS	LACHASSE
AACEHLST	LACHATES
AACEHLSV	CHEVALAS
AACEHLSZ	CHALAZES
AACEHLTV	CHEVALAT
AACEHMMN	EMMANCHA
AACEHMMS	MACHAMES
AACEHMOR	AMOCHERA
AACEHMRR	CHAMARRE
	CHARMERA
	MARCHERA
AACEHMRS	MACHERAS
	REMACHAS
AACEHMRT	REMACHAT
AACEHMRU	CHAUMERA
AACEHMSS	MACHASSE
AACEHMST	MACHATES
	TACHAMES
AACEHMUX	CHAMEAUX
AACEHNNP	CHENAPAN
AACEHNNT	ENCHANTA
AACEHNPR	PANACHER
AACEHNPS	EPANCHAS
	PANACHES
AACEHNPT	EPANCHAT
AACEHNPZ	PANACHEZ
AACEHNRR	ACHARNER
AACEHNRS	ACHARNES →

	ECHARNAS
AACEHNRT	CANTHARE
	CHANTERA
	ECHARNAT
	RECHANTA
AACEHNRZ	ACHARNEZ
AACEHNSS	ENCHASSA
	ENSACHAS
AACEHNST	ACANTHES
	ENSACHAT
	ENTACHAS
	ETANCHAS
AACEHNTT	ACHETANT
	ENTACHAT
	ETANCHAT
AACEHNTU	CHANTEAU
AACEHNTV	ACHEVANT
AACEHORT	CAHOTERA
AACEHPPR	RECHAPPA
AACEHPPS	ECHAPPAS
AACEHPPT	ECHAPPAT
AACEHPRS	ECHARPAS
	RECHAPAS
AACEHPRT	ECHARPAT
	RECHAPAT
AACEHPST	PATACHES
AACEHPUX	CHAPEAUX
AACEHRRR	ARRACHER
AACEHRRS	ARRACHES
AACEHRRT	CATARRHE
	CHATRERA
AACEHRRZ	ARRACHEZ
AACEHRSS	CHASSERA
	RECHASSA
AACEHRST	CATHARES
	RACHETAS
	TACHERAS
AACEHRSV	HAVRESAC
AACEHRTT	ATTACHER
	RACHETAT
	RATTACHE
AACEHRTX	EXARCHAT
AACEHSSS	ASSECHAS
AACEHSST	ASSECHAT
	TACHASSE
AACEHSTT	ATTACHES
	TACHATES
	TACHETAS
AACEHTTT	TACHETAT
AACEHTTZ	ATTACHEZ
AACEHTUX	CHATEAUX
AACEIILL	ECAILLAI
AACEIILR	ECLAIRAI
AACEIIMS	EMACIAIS
AACEIIMT	EMACIAIT
AACEIIPR	RAPIECAI
AACEIIRR	CARIERAI
AACEIIRS	ACIERAIS
AACEIIRT	ACIERAIT
AACEIJLU	EJACULAI
AACEILLM	CAMELLIA
AACEILLN	ALCALINE
	ALLIANCE
	CANAILLE
AACEILLR	CAILLERA
	RACAILLE
AACEILLS	ALLIACES
	ECAILLAS
AACEILLT	CAILLETA
	ECAILLAT
AACEILMN	CALAMINE
AACEILMR	CALMERAI
	CLAMERAI
	MACLERAI
	RECLAMAI
AACEILMS	AMICALES
	CAMELIAS
AACEILMT	CALAMITE
AACEILMX	EXCLAMAI
AACEILNN	CANNELAI
AACEILNR	CALINERA
	LANCERAI
	RELANCAI
	RENACLAI
AACEILNS	ALSACIEN
	CANALISE
	ELANCAIS
	ENLACAIS
AACEILNT	ALICANTE
	CALAIENT
	ELANCAIT
	ENLACAIT
	LACAIENT
	LAITANCE
AACEILNV	ENCLAVAI
AACEILOS	ASOCIALE
AACEILOX	COAXIALE
AACEILPR	PLACERAI
	REPLACAI
AACEILPS	APICALES
	CAPELAIS
AACEILPT	CAPELAIT →

	CAPITALE
AACEILQU	ALCAIQUE
AACEILRR	CARRELAI
	RACLERAI
AACEILRS	CALERAIS
	ECLAIRAS
	LACERAIS
	RACIALES
	RECALAIS
	SCALAIRE
AACEILRT	ALACRITE
	CALERAIT
	ECLAIRAT
	LACERAIT
	LACTAIRE
	RECALAIT
AACEILRV	CALVAIRE
	CAVALIER
	CLAVAIRE
AACEILST	ECLATAIS
AACEILTT	ECLATAIT
AACEILTV	CLAVETAI
AACEILVZ	CAVALIEZ
AACEIMNP	EMANCIPA
AACEIMNR	CINERAMA
AACEIMNS	MECANISA
	MENACAIS
AACEIMNT	EMACIANT
	MENACAIT
AACEIMPR	CAMPERAI
AACEIMRS	CARIAMES
	MACERAIS
AACEIMRT	MACERAIT
AACEIMSU	CAMAIEUS*
AACEIMUX	CAMAIEUX*
AACEINNR	CANNERAI
	ENRACINA
AACEINNS	CANNAIES
AACEINNT	CANAIENT
AACEINQU	ENCAQUAI
AACEINRR	ANCRERAI
	CRANERAI
	NACRERAI
	RACINERA
	RICANERA
AACEINRS	ACARIENS
	CANERAIS
	CARENAIS
	CASANIER
	CASERNAI
	SERANCAI
AACEINRT	ACIERANT
	CANERAIT
	CARENAIT
	CARINATE*
	ENCARTAI
	TANCERAI
AACEINRV	VARIANCE
AACEINSS	AISANCES
	ENCAISSA
AACEINST	CASAIENT
AACEINSV	ENCAVAIS
AACEINTV	CAVAIENT
	CAVATINE
	ENCAVAIT
	VATICANE
AACEINUV	CANIVEAU
AACEINVZ	AVANCIEZ
AACEIPPR	APPRECIA
AACEIPRS	RAPIECAS
AACEIPRT	CAPTERAI
	RAPACITE
	RAPIECAT
AACEIPSS	ESPACAIS
AACEIPST	ESPACAIT
AACEIPSY	CAPEYAIS
AACEIPTY	CAPEYAIT
AACEIQRU	CAQUERAI
AACEIQTU	CAQUETAI
AACEIRRR	CARRERAI
AACEIRRS	CARIERAS
	SACRERAI
AACEIRRT	RETRACAI
	TRACERAI
AACEIRSS	CARESSAI
	CARIASSE
	CASERAIS
	CASSERAI
	ECRASAIS
AACEIRST	CARAITES
	CARIATES
	CASERAIT
	CATAIRES
	ECARTAIS
	ECRASAIT
AACEIRSU	CAUSERAI
	RECAUSAI
	SAUCERAI
AACEIRSV	AVARICES
	CAVERAIS
AACEIRTT	ECARTAIT
AACEIRTU	ACTUAIRE →

	AUTARCIE
AACEIRTV	ACTIVERA
	CAVERAIT
	REACTIVA
AACEISUV	EVACUAIS
AACEISUX	EXAUCAIS
AACEISVX	EXCAVAIS
AACEITUV	EVACUAIT
AACEITUX	EXAUCAIT
AACEITVX	EXCAVAIT
AACEJLOR	CAJOLERA
AACEJLSU	EJACULAS
AACEJLTU	EJACULAT
AACEJRSS	JACASSER
AACEJSSS	JACASSES
AACEJSSZ	JACASSEZ
AACELLOS	ALCALOSE
AACELLSW	WALLACES
AACELMMS	CALMAMES
	CLAMAMES
	MACLAMES
AACELMNO	AMONCELA
	MONACALE
AACELMNS	LANCAMES
AACELMNT	CALMANTE
AACELMPR	REMPLACA
AACELMPS	PLACAMES
AACELMRS	CALMERAS
	CARAMELS
	CLAMERAS
	MACLERAS
	RACLAMES
	RECLAMAS
AACELMRT	RECLAMAT
AACELMRU	MACULERA
AACELMSS	CALMASSE
	CLAMASSE
	MACLASSE
AACELMST	CALMATES
	CLAMATES
	MACLATES
AACELMSU	EMASCULA
AACELMSX	EXCLAMAS
AACELMSY	AMYLACES
AACELMTX	EXCLAMAT
AACELNNS	CANNELAS
AACELNNT	CANNELAT
	ELANCANT
	ENLACANT
AACELNPS	CAPELANS
AACELNPT	CAPELANT →
	PLACENTA
AACELNQU	CALANQUE
AACELNRS	LANCERAS
	RELANCAS
	RENACLAS
AACELNRT	LACERANT
	RECALANT
	RELANCAT
	RENACLAT
AACELNRU	CANULERA
AACELNSS	LANCASSE
AACELNST	LANCATES
AACELNSV	ENCLAVAS
AACELNTT	ECLATANT
AACELNTV	CAVALENT
	ENCLAVAT
AACELORR	RACOLERA
AACELOSV	SACOLEVA
AACELPPR	CLAPPERA
AACELPRS	PLACERAS
	REPLACAS
	SCALPERA
AACELPRT	PARACLET
	REPLACAT
AACELPSS	PASCALES
	PLACASSE
AACELPST	PLACATES
AACELQRU	CALQUERA
	CLAQUERA
	CRAQUELA
AACELQTU	CLAQUETA
AACELRRS	CARRELAS
	RACLERAS
	SARCLERA
AACELRRT	CARRELAT
AACELRSS	CLASSERA
	RACLASSE
	RECLASSA
AACELRST	RACLATES
AACELSSS	CALASSES
	LACASSES
AACELSST	LACTASES
AACELSSU	CAUSALES
AACELSTT	LACTATES
AACELSTV	CLAVETAS
AACELSTY	CATALYSE
AACELTTV	CLAVETAT
AACELTTY	CATTLEYA
AACELUVX	CLAVEAUX
AACEMMPS	CAMPAMES
AACEMMRS	MACRAMES

AACEMNNS CANNAMES
AACEMNNT MENACANT
AACEMNPS CAMPANES
AACEMNRS ANCRAMES
CRANAMES
NACRAMES
AACEMNRT MACERANT
AACEMNST TANCAMES
AACEMNUX MANCEAUX
AACEMORR AMORCERA
AACEMOST ESCAMOTA
AACEMPRS CAMPERAS
AACEMPSS CAMPASSE
AACEMPST CAMPATES
CAPTAMES
AACEMQSU CAQUAMES
MACAQUES
AACEMRRS CARRAMES
AACEMRSS MASSACRE
SACRAMES
SARCASME
AACEMRST MASCARET
TRACAMES
AACEMRSV VACARMES
AACEMRUX MACAREUX
AACEMSSS CASSAMES
AACEMSSU CAUSAMES
SAUCAMES
AACENNOU CAOUANNE
AACENNRS CANNERAS
AACENNRT CARENANT
AACENNRU NUANCERA
AACENNSS CANNASSE
AACENNST CANNATES
AACENNTV AVANCENT
ENCAVANT
AACENOPS SAPONACE
AACENORT CANOTERA
AACENPRS PANCREAS
AACENPRT PANCARTE
PARTANCE
AACENPST ESPACANT
AACENPTY CAPEYANT
AACENQSU ENCAQUAS
AACENQTU ENCAQUAT
AACENRRS ANCRERAS
CRANERAS
NACRERAS
AACENRRT CRANTERA
AACENRSS ANCRASSE
CASERNAS →
CRANASSE
CRASSANE
ENCRASSA
NACRASSE
RASANCES
SERANCAS
AACENRST ANCRATES
CASERNAT
CRANATES
ECRASANT
ENCARTAS
ENCASTRA
NACRATES
SERANCAT
TANCERAS
AACENRSU ANACRUSE
AACENRTT ECARTANT
ENCARTAT
TRACANTE
AACENRUX CARNEAUX
AACENSSS CANASSES
AACENSST CASSANTE
TANCASSE
AACENSTT CANTATES
TANCATES
AACENSTU CAUSANTE
AACENSTV VACANTES
AACENTUV EVACUANT
AACENTUX EXAUCANT
AACENTVX EXCAVANT
AACEOPRT CAPOTERA
AACEORSS COASSERA
AACEOSTV AVOCATES
AACEPQRU PACQUERA
AACEPRST CAPTERAS
AACEPRUX CARPEAUX
AACEPSST CAPTASSE
AACEPSTT CAPTATES
AACEQRRU ACQUERRA
CRAQUERA
AACEQRSU CAQUERAS
CARAQUES
SACQUERA
AACEQRTU CRAQUETA
AACEQSSU CAQUASSE
CASAQUES
AACEQSTU CAQUATES
CAQUETAS
AACEQTTU CAQUETAT
AACERRRS CARRARES
CARRERAS

AACERRSS	CARRASSE
	SACRERAS
AACERRST	CARRATES
	CASTRERA
	RETRACAS
	TRACERAS
AACERRTT	RETRACAT
	RETRACTA
AACERRTU	ARCATURE
AACERRTV	CRAVATER
AACERRUX	CARREAUX
AACERSSS	CARESSAS
	CASSERAS
	RASCASSE
	SACRASSE
AACERSST	CARESSAT
	SACRATES
	TRACASSE
AACERSSU	CAUSERAS
	EUSCARAS*
	RECAUSAS
	SAUCERAS
AACERSSV	CREVASSA
AACERSTT	TRACATES
AACERSTU	RECAUSAT
AACERSTV	CRAVATES
AACERTVZ	CRAVATEZ
AACESSSS	CASASSES
	CASSASSE
AACESSST	CASSATES
AACESSSU	CAUSASSE
	SAUCASSE
AACESSSV	CAVASSES
AACESSTU	CAUSATES
	SAUCATES
AACESSUX	CASSEAUX
AACFFHII	AFFICHAI
AACFFHIS	AFFICHAS
AACFFHIT	AFFICHAT
AACFFHIU	CHAUFFAI
AACFFHSU	CHAUFFAS
AACFFHTU	CHAUFFAT
AACFHILN	FLANCHAI
AACFHISU	FAUCHAIS
AACFHITU	FAUCHAIT
AACFHLNS	FLANCHAS
AACFHLNT	FLANCHAT
AACFHNTU	FAUCHANT
AACFIIIP	PACIFIAI
AACFIILR	CLARIFIA
AACFIILT	FACILITA
AACFIINN	FINANCAI
AACFIINR	AFRICAIN
AACFIINS	FASCINAI
	FIANCAIS
AACFIINT	FIANCAIT
AACFIIOP	OPACIFIA
AACFIIPS	PACIFIAS
AACFIIPT	PACIFIAT
AACFIIRR	FARCIRAI
AACFIIRS	SACRIFIA
	SCARIFIA
AACFILOS	FOCALISA
AACFILST	CALIFATS
AACFINNO	FACONNAI
AACFINNS	FINANCAS
AACFINNT	FIANCANT
	FINANCAT
AACFINRS	FRANCAIS
	FRANCISA
AACFINSS	FASCINAS
AACFINST	FASCINAT
AACFIRRS	FARCIRAS
AACFIRSS	FRICASSA
AACFIRSU	SURFACAI
AACFIRTU	FACTURAI
AACFISTU	CAUSATIF
AACFLMNO	MALFACON
AACFLMOU	CAMOUFLA
AACFLNOR	FORLANCA
AACFNNOS	FACONNAS
AACFNNOT	FACONNAT
AACFNORS	CARAFONS
AACFRRTU	FRACTURA
AACFRSSU	SURFACAS
AACFRSTU	FACTURAS
	SURFACAT
AACFRTTU	FACTURAT
AACGHIIU	AGUICHAI
AACGHINR	CHAGRINA
AACGHINS	ACHIGANS
AACGHIRU	GAUCHIRA
AACGHISU	AGUICHAS
AACGHITU	AGUICHAT
AACGHLTU	GALUCHAT
AACGIIMR	GRIMACAI
AACGIIRS	GRACIAIS
AACGIIRT	GRACIAIT
AACGILLN	GALLICAN
AACGILLS	GLACIALS
AACGILNN	ANGLICAN
AACGILOS	GAIACOLS

AACGILOU	COAGULAI
AACGIMRS	GRIMACAS
AACGIMRT	GRIMACAT
AACGINOS	AGACIONS
AACGINRT	GRACIANT
AACGIRSU	CARGUAIS
AACGIRTU	CARGUAIT
AACGLNST	GLACANTS
AACGLOSU	COAGULAS
AACGLOTU	COAGULAT
AACGNNOS	GASCONNA
AACGNOST	CATOGANS
AACGNOSU	GUANACOS
AACGNRTU	CARGUANT
AACHHINS	HANCHAIS
AACHHINT	HANCHAIT
AACHHIRU	HACHURAI
AACHHITU	CHAHUTAI
AACHHNNT	HANCHANT
AACHHRSU	HACHURAS
AACHHRTU	HACHURAT
AACHHSTU	CHAHUTAS
AACHHTTU	CHAHUTAT
AACHIILS	CHIALAIS
AACHIILT	CHIALAIT
AACHIIMN	MACHINAI
AACHIINS	CHAINAIS
AACHIINT	CHAINAIT
AACHIIRR	CHARRIAI
AACHIIRV	ARCHIVAI
	CHAVIRAI
AACHIIST	CHATIAIS
AACHIITT	CHATIAIT
AACHIKLP	PACHALIK
AACHILMN	MACHINAL
AACHILNP	PLANCHAI
AACHILNT	CHIALANT
AACHILOT	TALOCHAI
AACHILSU	CHAULAIS
AACHILTU	CHAULAIT
AACHIMNS	MACHINAS
AACHIMNT	MACHINAT
AACHIMOS	AMOCHAIS
	CHAMOISA
AACHIMOT	AMOCHAIT
AACHIMRS	CHARMAIS
	MARCHAIS
AACHIMRT	CHARMAIT
	MARCHAIT
AACHIMRU	MACHURAI
AACHIMSS	CHIASMAS

AACHIMSU	CHAUMAIS
AACHIMTU	CHAUMAIT
AACHINNT	CHAINANT
AACHINRT	ANTICHAR
	TRANCHAI
AACHINST	CHANTAIS
	CHATAINS
	TACHINAS
AACHINTT	CHANTAIT
	CHATIANT
AACHIOPP	ACHOPPAI
AACHIOST	CAHOTAIS
AACHIOTT	CAHOTAIT
AACHIOTY	CHATOYAI
AACHIPRT	CHAPITRA
AACHIPST	PASTICHA
AACHIRRS	ARRACHIS
	CHARRIAS
AACHIRRT	CHARRIAT
AACHIRST	CHATRAIS
AACHIRSV	ARCHIVAS
	CHAVIRAS
AACHIRTT	CHATRAIT
AACHIRTV	ARCHIVAT
	CHAVIRAT
AACHISSS	CHASSAIS
AACHISST	CHASSAIT
AACHISSU	CHAUSSAI
AACHKPSS	CHAPSKAS
AACHLNPS	PLANCHAS
AACHLNPT	PLANCHAT
AACHLNTU	CHAULANT
AACHLOST	TALOCHAS
AACHLOTT	TALOCHAT
AACHMNNO	MACHONNA
AACHMNOS	MACHAONS
AACHMNOT	AMOCHANT
AACHMNRT	CHARMANT
	MARCHANT
AACHMNTU	CHAUMANT
AACHMNTY	YACHTMAN
AACHMORT	ACHROMAT
AACHMPRT	CHAMPART
AACHMRSU	MACHURAS
AACHMRTU	MACHURAT
AACHNNOP	CHAPONNA
AACHNNOT	CHATONNA
AACHNNTT	CHANTANT
AACHNOPT	PATACHON
AACHNOTT	CAHOTANT
AACHNRST	TRANCHAS

AACHNRTT	CHATRANT
	TRANCHAT
AACHNSST	CHASSANT
AACHOPPR	APPROCHA
AACHOPPS	ACHOPPAS
AACHOPPT	ACHOPPAT
AACHORRY	CHARROYA
AACHOSTU	SOUTACHA
AACHOSTY	CHATOYAS
AACHOTTY	CHATOYAT
AACHSSSU	CHAUSSAS
AACHSSTU	CHAUSSAT
AACIIILS	LAICISAI
AACIILLR	CRAILLAI
	CRIAILLA
AACIILLS	CAILLAIS
	CISAILLA
AACIILLT	CAILLAIT
AACIILLV	VACILLAI
AACIILMN	INAMICAL
AACIILMR	CALMIRAI
AACIILNN	LANCINAI
AACIILNS	CALINAIS
AACIILNT	CALINAIT
AACIILOS	COALISAI
AACIILOV	VIOLACAI
AACIILRV	VICARIAL
AACIILSS	LAICISAS
AACIILST	LAICISAT
AACIIMNR	AMINCIRA
AACIIMRT	MATRICAI
AACIINNR	INCARNAI
AACIINPT	ANTICIPA
AACIINRR	RANCIRAI
AACIINRS	RACINAIS
	RICANAIS
AACIINRT	RACINAIT
	RICANAIT
AACIINRV	VAINCRAI
AACIINTV	VATICINA
AACIIOSS	ASSOCIAI
AACIIOTV	OCTAVIAI
AACIIPST	PACTISAI
AACIIPTV	CAPTIVAI
AACIIRST	CATIRAIS
AACIIRTT	CATIRAIT
AACIIRTV	VICARIAT
AACIISTV	ACTIVAIS
AACIITTV	ACTIVAIT
AACIJLOS	CAJOLAIS
AACIJLOT	CAJOLAIT
AACILLNS	ALCALINS
AACILLNT	CAILLANT
AACILLOS	LOCALISA
AACILLRS	CRAILLAS
AACILLRT	CRAILLAT
AACILLSV	VACILLAS
AACILLTV	VACILLAT
AACILMNO	CALOMNIA
AACILMOT	COLMATAI
AACILMRS	CALMIRAS
AACILMSU	MACULAIS
AACILMTU	MACULAIT
AACILNNO	CANONIAL
AACILNNS	LANCINAS
AACILNNT	CALINANT
	LANCINAT
AACILNOS	CALAISON
AACILNSU	CANULAIS
AACILNTU	CANULAIT
AACILOPT	CLAPOTAI
AACILORS	RACOLAIS
AACILORT	RACOLAIT
AACILOSS	COALISAS
AACILOST	COALISAT
AACILOSV	VIOLACAS
	VOCALISA
AACILOTT	CALOTTAI
AACILOTV	VIOLACAT
AACILPPS	CLAPPAIS
AACILPPT	CLAPPAIT
AACILPSS	SCALPAIS
AACILPST	SCALPAIT
AACILPSU	CAPSULAI
AACILPTU	CAPITULA
AACILQSU	CALQUAIS
	CLAQUAIS
AACILQTU	CALQUAIT
	CLAQUAIT
AACILRSS	SARCLAIS
AACILRST	SARCLAIT
AACILRTU	ARTICULA
AACILSSS	CLASSAIS
AACILSST	CLASSAIT
AACIMMNO	AMMONIAC
AACIMNNO	CAMIONNA
	MACONNAI
AACIMNOR	MACARONI
	MAROCAIN
	ROMANCAI
AACIMOPR	COMPARAI
AACIMORS	AMORCAIS

AACIMORT AMORCAIT
AACIMRST MATRICAS
AACIMRTT MATRICAT
AACINNNO ANNONCAI
CANONNAI
AACINNOR ARCONNAI
AACINNOS CANONISA
AACINNOT ACTIONNA
AACINNRS INCARNAS
AACINNRT INCARNAT
RACINANT
RICANANT
AACINNSU NUANCAIS
AACINNTU NUANCAIT
AACINOQU ACOQUINA
AACINORS OCARINAS
AACINORT RACONTAI
AACINOST CANOTAIS
AACINOTT CANOTAIT
AACINOTV VACATION
AACINPST CAPITANS
AACINPTU PANICAUT
AACINQSU CASAQUIN
AACINRRS RANCIRAS
AACINRSS CARASSIN
AACINRST CRANTAIS
AACINRSV VAINCRAS
AACINRTT CRANTAIT
AACINRUX RACINAUX
AACINTTV ACTIVANT
AACIOPST CAPOTAIS
TAPIOCAS
AACIOPTT CAPOTAIT
AACIORRY CARROYAI
AACIORSS CROASSAI
AACIORTT CAROTTAI
AACIOSSS ASSOCIAS
COASSAIS
AACIOSST ASSOCIAT
COASSAIT
AACIOSTT ASTICOTA
AACIOSTV OCTAVIAS
AACIOSUX ASOCIAUX
AACIOTTV OCTAVIAT
AACIOUXX COAXIAUX
AACIPQSU PACQUAIS
AACIPQTU PACQUAIT
AACIPRTU CAPTURAI
AACIPSST PACTISAS
AACIPSTT PACTISAT
AACIPSTV CAPTIVAS
AACIPTTV CAPTIVAT
AACIPTUX CAPITAUX
AACIQRSU CRAQUAIS
AACIQRTU CRAQUAIT
AACIQSSU SACQUAIS
AACIQSTU SACQUAIT
AACIQTTU ACQUITTA
TICTAQUA
AACIRSST CASTRAIS
AACIRSSU CUIRASSA
AACIRSTT CASTRAIT
AACJLNOT CAJOLANT
AACKLPST TALPACKS
AACLLMRY LACRYMAL
AACLLOOT ALCOOLAT
AACLMNST CALMANTS
AACLMNTU MACULANT
AACLMOPR PROCLAMA
AACLMOST COLMATAS
STOMACAL
AACLMOTT COLMATAT
AACLNNOP PALANCON
AACLNNOT CANTONAL
AACLNNOY CLAYONNA
AACLNNTU CANULANT
AACLNORT RACOLANT
AACLNOSV CAVALONS
AACLNPPT CLAPPANT
AACLNPST SCALPANT
AACLNQTU CALQUANT
CLAQUANT
AACLNRST SARCLANT
AACLNRSU CANULARS
AACLNSST CLASSANT
AACLOPST CLAPOTAS
AACLOPTT CLAPOTAT
AACLORST COALTARS
AACLOSTT CALOTTAS
AACLOTTT CALOTTAT
AACLOTTY ACOLYTAT
AACLPSSU CAPSULAS
AACLPSTU CAPSULAT
AACLRSSU CRASSULA
AACLRSTU CLAUSTRA
AACLSTUU AUSCULTA
AACMNNOS MACONNAS
AACMNNOT MACONNAT
AACMNORS MACARONS
MASCARON
ROMANCAS
AACMNORT AMORCANT →

	ROMANCAT
AACMNOUX	MONACAUX
AACMOPRS	COMPARAS
AACMOPRT	COMPARAT
AACMOPSS	COMPASSA
AACMORTT	MARCOTTA
AACNNNOR	RANCONNA
AACNNNOS	ANNONCAS
	CANONNAS
AACNNNOT	ANNONCAT
	CANONNAT
	CANTONNA
AACNNNTU	NUANCANT
AACNNORS	ARCANSON
	ARCONNAS
AACNNORT	ARCONNAT
	CARTONNA
AACNNORY	CRAYONNA
AACNNOSS	CANASSON
AACNNOSV	AVANCONS
AACNNOTT	CANOTANT
AACNNRTT	CRANTANT
AACNOPTT	CAPOTANT
AACNORRT	RACONTAR
AACNORST	RACONTAS
AACNORTT	RACONTAT
AACNOSST	COASSANT
AACNOSTT	CONSTATA
AACNPQTU	PACQUANT
AACNQRTU	CRAQUANT
AACNQSTU	SACQUANT
AACNRRST	RANCARTS
AACNRSTT	CASTRANT
	TRACANTS
AACNSSST	CASSANTS
AACNSSTU	CAUSANTS
AACOOTTU	AUTOCOAT
AACOPRUX	CAPORAUX
AACORRSS	CARROSSA
AACORRSY	CARROYAS
AACORRTY	CARROYAT
AACORSSS	CROASSAS
AACORSST	CROASSAT
AACORSTT	CAROTTAS
AACORSTU	AUTOCARS
AACORTTT	CAROTTAT
AACPRSTU	CAPTURAS
AACPRTTU	CAPTURAT
AACRSSTT	CASTRATS
AADDEERR	DERADERA
AADDEGIN	DEDAIGNA
AADDEGIR	DEGRADAI
AADDEGRS	DEGRADAS
AADDEGRT	DEGRADAT
AADDEILR	DELARDAI
AADDEILS	ALIDADES
AADDEIMN	DEMANDAI
AADDEIMS	DADAISME
AADDEINS	DANAIDES
AADDEIRR	DARDERAI
AADDEIRS	DERADAIS
AADDEIRT	DERADAIT
AADDEISV	DEVADASI
AADDELRS	DELARDAS
AADDELRT	DELARDAT
AADDEMNS	DEMANDAS
AADDEMNT	DEMANDAT
AADDEMRS	DARDAMES
AADDENOU	DEDOUANA
AADDENRT	DERADANT
AADDERRS	DARDERAS
AADDERSS	DARDASSE
AADDERST	DARDATES
AADDERSU	DAURADES
AADDIILP	DILAPIDA
AADDIINN	DANDINAI
AADDINNS	DANDINAS
AADDINNT	DANDINAT
AADDISSU	DISSUADA
AADDJNTU	ADJUDANT
AADDNRST	STANDARD
AADEEGGI	DEGAGEAI
AADEEGGR	DEGAGERA
AADEEGGS	DEGAGEAS
AADEEGGT	DEGAGEAT
AADEEGIR	DERAGEAI
AADEEGJL	GALEJADE
AADEEGJU	DEJAUGEA
AADEEGLR	REGALADE
AADEEGLV	DELAVAGE
AADEEGLY	DELAYAGE
AADEEGMN	DEMANGEA
AADEEGMT	DEMATAGE
AADEEGNP	EPANDAGE
AADEEGNR	DERANGEA
AADEEGPR	DERAPAGE
AADEEGPV	DEPAVAGE
AADEEGRR	DERAGERA
AADEEGRS	DERAGEAS
AADEEGRT	DERAGEAT
AADEEGRZ	DEGAZERA
AADEEHLR	DEHALERA

AADEEHRR ADHERERA
AADEEHRS HASARDEE
AADEEILR DELAIERA
AADEEINR ARANEIDE*
AADEEIRR DERAIERA
AADEEIRS DESAERAI
AADEEIRV EVADERAI
AADEELPR PEDALERA
AADEELRT DETALERA
AADEELRV DELAVERA
DEVALERA
AADEELRY DELAYERA
AADEEMNR AMENDERA
AADEEMNT MANDATEE
AADEEMOU AMADOUEE
AADEEMRT DEMATERA
AADEEMSS DAMASSEE
AADEEMSV EVADAMES
AADEEPRR DEPARERA
DERAPERA
AADEEPRT PETARADE
READAPTE
AADEEPRV DEPAVERA
AADEEPST ADAPTEES
AADEEQTU ADEQUATE
AADEERRS DERASERA
AADEERRT DERATERA
AADEERRY DERAYERA
AADEERSS DESAERAS
AADEERST DESAERAT
AADEERSV EVADERAS
AADEERSX DESAXERA
AADEERTT ATTARDEE
AADEERTU TARAUDEE
AADEERTX DETAXERA
AADEERUV RAVAUDEE
AADEESSV EVADASSE
AADEESTV EVADATES
AADEFFIS AFFADIES
AADEFFRT FARFADET
AADEFGIR DEGRAFAI
AADEFGLR DEFLAGRA
AADEFGRS DEGRAFAS
FARDAGES
AADEFGRT DEGRAFAT
AADEFINS FAISANDE
AADEFIRR FARDERAI
AADEFIRY DEFRAYAI
AADEFISS FADAISES
AADEFLMN FLAMANDE
AADEFLQU DEFALQUA
AADEFMRS FARDAMES
AADEFNSZ FAZENDAS
AADEFOTU AUTODAFE
AADEFRRS FARDERAS
AADEFRRU FRAUDERA
AADEFRSS FARDASSE
AADEFRST FARDATES
AADEFRSU FARAUDES
AADEFRSY DEFRAYAS
AADEFRTY DEFRAYAT
AADEFRUX FARDEAUX
AADEFSSS FADASSES
AADEFSSU DEFAUSSA
AADEGGLN GLANDAGE
AADEGGRS DRAGAGES
AADEGHRS HAGARDES
AADEGIIN DEGAINAI
AADEGIJU ADJUGEAI
AADEGINR AGRANDIE
DAIGNERA
DRAINAGE
GARDENIA
AADEGINS DEGAINAS
AADEGINT DEGAINAT
DEGANTAI
AADEGINV VIDANGEA
AADEGIRR GARDERAI
REGARDAI
AADEGISU AIGUADES
AADEGISZ DEGAZAIS
AADEGITZ DEGAZAIT
AADEGJRU ADJUGERA
AADEGJSU ADJUGEAS
AADEGJTU ADJUGEAT
AADEGLLS DALLAGES
AADEGLMY AMYGDALE
AADEGLNR GLANDERA
AADEGLOP GALOPADE
AADEGLUV GALVAUDE
AADEGMNR GENDARMA
AADEGMRS GARDAMES
AADEGMRU MADRAGUE
MARGAUDE
AADEGNST DEGANTAS
AADEGNTT DEGANTAT
AADEGNTZ DEGAZANT
AADEGORT RADOTAGE
AADEGRRS GARDERAS
REGARDAS
AADEGRRT REGARDAT
AADEGRRU DRAGUERA →

	GRADUERA
AADEGRSS	GARDASSE
AADEGRST	GARDATES
AADEHILS	DEHALAIS
AADEHILT	DEHALAIT
AADEHINP	DIAPHANE
AADEHIRR	HARDERAI
AADEHIRS	ADHERAIS
AADEHIRT	ADHERAIT
AADEHLNT	DEHALANT
AADEHMRS	HARDAMES
AADEHNRT	ADHERANT
AADEHRRS	HARDERAS
	HASARDER
AADEHRRW	HARDWARE
AADEHRSS	HARDASSE
	HASARDES
AADEHRST	HARDATES
AADEHRSZ	HASARDEZ
AADEIILN	DELAINAI
AADEIILS	IDEALISA
AADEIILT	DELAITAI
AADEIIMR	DEMARIAI
AADEIINS	DENIAISA
AADEIINT	AIDAIENT
AADEIIPR	DEPARIAI
AADEIIRR	DRAIERAI
	RADIERAI
AADEIIRS	AIDERAIS
AADEIIRT	AIDERAIT
AADEIJNT	DEJANTAI
AADEIKKN	AKKADIEN
AADEILLM	DEMAILLA
	MEDAILLA
AADEILLP	DEPAILLA
AADEILLR	DALLERAI
	DERAILLA
AADEILLS	AILLADES
AADEILLT	DETAILLA
	TAILLADE
AADEILMS	MALADIES
AADEILMV	MALADIVE
AADEILNR	ALANDIER
AADEILNS	DELAINAS
	LANDAISE
AADEILNT	DELAINAT
AADEILPR	DEPLAIRA
	LAPIDERA
	PLAIDERA
AADEILPS	PEDALAIS
AADEILPT	PEDALAIT
AADEILRR	LARDERAI
AADEILRS	RADIALES
	SALADIER
AADEILRT	DILATERA
AADEILRU	ADULAIRE
	ADULERAI
AADEILRV	VALIDERA
AADEILRZ	LEZARDAI
AADEILSS	DELAISSA
	DELASSAI
	DESSALAI
AADEILST	DELAITAS
	DETALAIS
AADEILSV	DELAVAIS
	DEVALAIS
	DEVALISA
AADEILSY	DELAYAIS
AADEILTT	DELAITAT
	DETALAIT
AADEILTV	DELAVAIT
	DEVALAIT
AADEILTY	DELAYAIT
AADEILUV	DEVALUAI
AADEIMMS	ADAMISME
AADEIMNR	AMANDIER
	DAMNERAI
	MANDERAI
	MARINADE
	RAMENDAI
AADEIMNS	ADAMIENS
	AMENDAIS
AADEIMNT	AMENDAIT
	DAMAIENT
	DIAMANTE
AADEIMNY	ADYNAMIE
AADEIMOR	AMODIERA
AADEIMQU	ADAMIQUE
AADEIMRR	ADMIRERA
	DEMARRAI
AADEIMRS	DAMERAIS
	DEMARIAS
	DESARMAI
	DISAMARE
	RADIAMES
AADEIMRT	DAMERAIT
	DEMARIAT
AADEIMST	ADAMITES
	DEMATAIS
AADEIMTT	DEMATAIT
AADEINNP	DEPANNAI
AADEINPR	EPANDRAI

AADEINPS EPANDAIS
AADEINPT EPANDAIT
INADAPTE
AADEINRR DRAINERA
RENARDAI
AADEINRS DANSERAI
AADEINRT RADAIENT
RADIANTE
AADEINRU RENAUDAI
AADEINRV VIANDERA
AADEINST ANATIDES
AADEINTT ANTIDATE
DATAIENT
AADEINTV ADVENAIT
AADEIORR ADORERAI
AADEIPRR DIAPRERA
DRAPERAI
AADEIPRS DEPARAIS
DEPARIAS
DERAPAIS
PARIADES
AADEIPRT APATRIDE
DEPARAIT
DEPARIAT
DERAPAIT
AADEIPRV DEPRAVAI
AADEIPRZ PARADIEZ
AADEIPSS DEPASSAI
AADEIPSV DEPAVAIS
AADEIPSY DEPAYSAI
AADEIPTU DEPIAUTA
AADEIPTV DEPAVAIT
AADEIPTZ ADAPTIEZ
AADEIRRS DRAIERAS
RADERAIS
RADIERAS
AADEIRRT RADERAIT
RETARDAI
TARDERAI
AADEIRRY DRAYERAI
AADEIRSS ADRESSAI
DARAISES
DERASAIS
RADIASSE
AADEIRST DATAIRES
DATERAIS
DERASAIT
DERATAIS
DERATISA
RADIATES
AADEIRSY DERAYAIS
AADEIRTT DATERAIT
DERATAIT
AADEIRTX EXTRADAI
AADEIRTY DERAYAIT
AADEISSS AIDASSES
AADEISST DIASTASE
AADEISSX DESAXAIS
AADEISTV DEVASTAI
AADEISTX DESAXAIT
DETAXAIS
AADEITTX DETAXAIT
AADEJNST DEJANTAS
AADEJNTT DEJANTAT
AADEJRRU ADJURERA
AADELLMN ALLEMAND
AADELLMS DALLAMES
AADELLRS DALLERAS
AADELLSS DALLASSE
AADELLST DALLATES
AADELMNR ALDERMAN
MALANDRE
AADELMRS LARDAMES
AADELMST DALMATES
AADELMSU ADULAMES
AADELNPT DEPLANTA
PEDALANT
AADELNSS SANDALES
AADELNSV LAVANDES
VANDALES
AADELNTT DETALANT
AADELNTV DELAVANT
DEVALANT
AADELNTY DELAYANT
AADELORS SALADERO*
AADELPPR PAPELARD
AADELPRT DEPLATRA
AADELPRU EPAULARD
AADELRRS LARDERAS
AADELRSS LARDASSE
AADELRST LARDATES
AADELRSU ADULERAS
AADELRSZ LEZARDAS
AADELRTU ADULTERA
AADELRTZ LEZARDAT
AADELSSS DELASSAS
DESSALAS
AADELSST DELASSAT
DESSALAT
AADELSSU ADULASSE
AADELSTU ADULATES
AADELSUV DEVALUAS

AADELTUV	DEVALUAT
AADEMMNS	DAMNAMES
	MANDAMES
AADEMNNT	AMENDANT
AADEMNQU	QUEMANDA
AADEMNRS	DAMNERAS
	MANDERAS
	MANSARDE
	RAMENDAS
AADEMNRT	MANDATER
	RAMENDAT
AADEMNSS	DAMNASSE
	DANSAMES
	MANDASSE
AADEMNST	DAMNATES
	MANDATES
AADEMNTT	DEMATANT
AADEMNTZ	MANDATEZ
AADEMORS	ADORAMES
AADEMORU	AMADOUER
AADEMOSU	AMADOUES
AADEMOUZ	AMADOUEZ
AADEMPRS	DRAPAMES
AADEMQRU	DEMARQUA
AADEMQSU	DEMASQUA
	DESQUAMA
AADEMRRS	DEMARRAS
AADEMRRT	DEMARRAT
AADEMRRU	MARAUDER
AADEMRSS	DAMASSER
	DESARMAS
AADEMRST	DESARMAT
	TARDAMES
AADEMRSU	MARAUDES
AADEMRSY	DRAYAMES
AADEMRTT	ADMETTRA
AADEMRUZ	MARAUDEZ
AADEMSSS	DAMASSES
AADEMSSU	MAUSSADE
AADEMSSZ	DAMASSEZ
AADENNOR	ADONNERA
AADENNPS	DEPANNAS
AADENNPT	DEPANNAT
	EPANDANT
AADENNST	ANDANTES
	DANSANTE
AADENNTV	ADVENANT
AADENPPR	APPENDRA
AADENPRR	REPANDRA
AADENPRS	EPANDRAS
	PANARDES
AADENPRT	DEPARANT
	DERAPANT
	PARADENT
AADENPTT	ADAPTENT
AADENPTV	DEPAVANT
AADENRRS	RENARDAS
AADENRRT	RENARDAT
AADENRSS	DANSERAS
	NASARDES
	SARDANES
AADENRST	DERASANT
AADENRSU	RENAUDAS
AADENRSV	VERANDAS
AADENRTT	ATTENDRA
	DERATANT
AADENRTU	DENATURA
	RENAUDAT
AADENRTV	VANTARDE
AADENRTY	DERAYANT
AADENSSS	DANSASSE
AADENSST	DANSATES
AADENSTX	DESAXANT
AADENTTX	DETAXANT
AADEOPRT	ADOPTERA
AADEOPRX	PARADOXE
AADEORRS	ADORERAS
AADEORRT	RADOTERA
AADEORSS	ADORASSE
	ADOSSERA
AADEORST	ADORATES
AADEOSUV	DESAVOUA
AADEPRRS	DRAPERAS
AADEPRRU	PARADEUR
AADEPRSS	DRAPASSE
AADEPRST	DRAPATES
AADEPRSU	PERSUADA
AADEPRSV	DEPRAVAS
AADEPRTV	DEPRAVAT
AADEPRUX	DRAPEAUX
AADEPSSS	DEPASSAS
	PASSADES
AADEPSST	DEPASSAT
AADEPSSY	DEPAYSAS
AADEPSTU	PATAUDES
AADEPSTY	DEPAYSAT
AADEQRTU	DETRAQUA
AADEQSTU	ADEQUATS
AADERRST	RETARDAS
	TARDERAS
AADERRSY	DRAYERAS
AADERRTT	ATTARDER →

	DETARTRA
	RETARDAT
AADERRTU	TARAUDER
AADERRUV	RAVAUDER
	REVAUDRA
AADERSSS	ADRESSAS
	RADASSES
AADERSST	ADRESSAT
	TARDASSE
AADERSSV	VASARDES*
AADERSSY	DRAYASSE
AADERSTT	ATTARDES
	TARDATES
AADERSTU	TARAUDES
AADERSTX	EXTRADAS
AADERSTY	DRAYATES
AADERSUV	RAVAUDES
AADERTTX	EXTRADAT
AADERTTZ	ATTARDEZ
AADERTUZ	TARAUDEZ
AADERUVZ	RAVAUDEZ
AADESSST	DATASSES
AADESSTV	DEVASTAS
AADESTTV	DEVASTAT
AADFFIIM	DIFFAMAI
AADFFIMS	DIFFAMAS
AADFFIMT	DIFFAMAT
AADFGNNO	FANDANGO
AADFIIRT	RADIATIF
AADFILMS	MALADIFS
AADFILTU	LAUDATIF
AADFIRSU	FRAUDAIS
AADFIRTU	FAUDRAIT
	FRAUDAIT
AADFLMNS	FLAMANDS
AADFNRTU	FRAUDANT
AADGIINS	DAIGNAIS
AADGIINT	DAIGNAIT
AADGIIUV	DIVAGUAI
AADGILLO	GODAILLA
AADGILLR	GAILLARD
AADGILMR	MADRIGAL
AADGILNO	DIAGONAL
AADGILNS	GLANDAIS
AADGILNT	GLANDAIT
AADGILOU	DIALOGUA
AADGILSU	SALIGAUD
AADGIMNR	MIGNARDA
AADGINNT	DAIGNANT
AADGINRR	AGRANDIR
	GRANDIRA
AADGINRS	AGRANDIS
	GARDIANS
AADGINRT	AGRANDIT
AADGIRSU	DRAGUAIS
	GRADUAIS
AADGIRTU	DRAGUAIT
	GRADUAIT
AADGISUV	DIVAGUAS
AADGITUV	DIVAGUAT
AADGLNNT	GLANDANT
AADGLNST	LANDTAGS
AADGNORU	GANDOURA
AADGNRTU	DRAGUANT
	GRADUANT
AADHIRTY	HYDRATAI
AADHRSTY	HYDRATAS
AADHRTTY	HYDRATAT
AADIIIRR	IRRADIAI
	RAIDIRAI
AADIIJNR	JARDINAI
AADIIJSU	JUDAISAI
AADIILNV	INVALIDA
AADIILPS	LAPIDAIS
	PLAIDAIS
AADIILPT	LAPIDAIT
	PLAIDAIT
AADIILST	DILATAIS
AADIILSV	VALIDAIS
AADIILSY	DIALYSAI
AADIILTT	DILATAIT
AADIILTV	VALIDAIT
AADIIMNU	MINAUDAI
AADIIMOS	AMODIAIS
AADIIMOT	AMODIAIT
AADIIMRS	ADMIRAIS
AADIIMRT	ADMIRAIT
AADIIMRU	MAUDIRAI
AADIINRS	DRAINAIS
AADIINRT	DRAINAIT
AADIINSV	VIANDAIS
AADIINTV	VIANDAIT
AADIIOPR	PARODIAI
AADIIPRS	DIAPRAIS
AADIIPRT	DIAPRAIT
AADIIRRS	IRRADIAS
	RAIDIRAS
AADIIRRT	IRRADIAT
AADIJNRS	JARDINAS
AADIJNRT	JARDINAT
AADIJRSU	ADJURAIS
AADIJRTU	ADJURAIT

AADIJSSU	JUDAISAS
AADIJSTU	JUDAISAT
AADIKNPP	KIDNAPPA
AADILLLO	ALLODIAL
AADILLOR	RODAILLA
AADILLPR	PAILLARD
AADILMNO	DOMANIAL
AADILNPR	PLAINDRA
AADILNPS	PALADINS
AADILNPT	LAPIDANT
	PLAIDANT
AADILNTT	DILATANT
AADILNTV	VALIDANT
AADILORT	IDOLATRA
AADILPPU	APPLAUDI
AADILSSY	DIALYSAS
AADILSTY	DIALYSAT
AADIMMOP	POMMADAI
AADIMNNO	AMIDONNA
AADIMNNR	MANDARIN
AADIMNOS	NOMADISA
AADIMNOT	AMODIANT
AADIMNRT	ADMIRANT
AADIMNST	DIAMANTS
AADIMNSU	MINAUDAS
AADIMNTU	ADIANTUM
	MINAUDAT
AADIMNTY	DYNAMITA
AADIMNUV	VANADIUM
AADIMORS	DIORAMAS
AADIMRRT	TRIMARDA
AADIMRSU	MAUDIRAS
	MUSARDAI
AADINNOS	ADONNAIS
AADINNOT	ADONNAIT
AADINNRT	DRAINANT
AADINNTV	VIANDANT
AADINOPS	DIAPASON
AADINORR	ANORDIRA
AADINOTT	DATATION
AADINPRT	DIAPRANT
AADINRRT	TRAINARD
AADINRST	RADIANTS
AADINRTU	TRUANDAI
AADIOPRS	DIASPORA
	PARODIAS
AADIOPRT	PARODIAT
AADIOPST	ADOPTAIS
AADIOPTT	ADOPTAIT
AADIORST	RADOTAIS
	TORSADAI
AADIORTT	RADOTAIT
AADIOSSS	ADOSSAIS
AADIOSST	ADOSSAIT
AADIRRTU	TRADUIRA
AADIRSUV	VAUDRAIS
AADIRTUV	VAUDRAIT
AADJKLNR	KANDJLAR
AADJKNRS	KANDJARS
AADJKNSS	SANDJAKS
AADJNRTU	ADJURANT
AADJNTUV	ADJUVANT
AADJSTUV	ADJUVATS
AADKKRRS	DRAKKARS
AADLMNRY	MARYLAND
AADLMNSU	LADANUMS
AADLMNUU	LAUDANUM
AADLNNOR	LARDONNA
AADLNOSU	ANDALOUS
AADLNPRT	PLANTARD
AADLOPRS	SALOPARD
AADMMOPS	POMMADAS
AADMMOPT	POMMADAT
AADMNNST	MANDANTS
AADMORST	MATADORS
AADMRSSU	MUSARDAS
AADMRSTU	MUSARDAT
AADNNNOT	ADONNANT
AADNNOPR	PARDONNA
AADNNPSU	PANDANUS
AADNNSST	DANSANTS
AADNOPRS	PARADONS
AADNOPST	ADAPTONS
AADNOPTT	ADOPTANT
AADNORST	ONDATRAS
AADNORTT	RADOTANT
AADNOSST	ADOSSANT
AADNOSTT	DANSOTTA
AADNQRTU	QUADRANT
AADNRSTU	TRUANDAS
AADNRSTV	VANTARDS
AADNRTTU	TRUANDAT
AADOPSTT	POSTDATA
AADORSST	TORSADAS
AADORSTT	TORSADAT
AADORSVY	SAVOYARD
AADRSSTT	ADSTRATS
AAEEEFFG	AFFEAGEE
AAEEEGLT	ETALAGEE
AAEEEGMN	AMENAGEE
AAEEFFGN	AFFENAGE
AAEEFFGR	AFFEAGER

AAEEFFGS	AFFEAGES
AAEEFFGZ	AFFEAGEZ
AAEEFFIR	AFFAIREE
AAEEFFLS	AFFALEES
AAEEFFMS	AFFAMEES
AAEEFFNR	EFFANERA
AAEEFFRR	EFFARERA
AAEEFGRS	AGRAFEES
AAEEFLMM	MALFAMEE
AAEEFLRR	ERAFLERA
AAEEFNRS	SAFRANEE
AAEEFPRS	PARAFEES
AAEEFRSY	FASEYERA
AAEEGGIN	ENGAGEAI
AAEEGGIR	AGREGEAI
AAEEGGJU	JAUGEAGE
AAEEGGLN	AGNELAGE
AAEEGGLR	REGALAGE
AAEEGGLS	ELAGAGES
AAEEGGMS	GAGEAMES
AAEEGGNR	ENGAGERA
	RENGAGEA
AAEEGGNS	ENGAGEAS
AAEEGGNT	ENGAGEAT
AAEEGGRR	AGREGERA
AAEEGGRS	AGREGEAS
AAEEGGRT	AGREGEAT
AAEEGGRV	AGGRAVEE
AAEEGGSS	GAGEASSE
AAEEGGST	GAGEATES
AAEEGIIR	EGAIERAI
AAEEGILL	ALLEGEAI
AAEEGILR	EGALERAI
AAEEGIMN	MENAGEAI
AAEEGIMR	EMARGEAI
AAEEGINR	AGRAINEE
	ARAIGNEE
	ENRAGEAI
AAEEGIPP	PAPEGEAI
AAEEGIPR	ARPEGEAI
AAEEGIRR	AGREERAI
	EGARERAI
AAEEGIRS	EGAIERAS
AAEEGIRT	ETAGERAI
AAEEGIRX	EXAGERAI
AAEEGIRY	EGAYERAI
AAEEGISS	ASSIEGEA
AAEEGIST	AGATISEE
	ETAGEAIS
AAEEGITT	ETAGEAIT
AAEEGJLR	GALEJERA
AAEEGJLV	JAVELAGE
AAEEGJMN	MEJANAGE
AAEEGLLR	ALLEGERA
AAEEGLLS	ALLEGEAS
AAEEGLLT	ALLEGEAT
AAEEGLMN	MELANGEA
AAEEGLMS	EGALAMES
AAEEGLRR	REGALERA
AAEEGLRS	EGALERAS
AAEEGLRT	ETALAGER
	RATELAGE
AAEEGLRU	ELAGUERA
AAEEGLSS	ALESAGES
	EGALASSE
	GALEASSE
AAEEGLST	EGALATES
	ETALAGES
AAEEGLTT	ATTELAGE
AAEEGLTZ	ETALAGEZ
AAEEGMNR	AMENAGER
	ENGAMERA
	MENAGERA
	REMANGEA
AAEEGMNS	AMENAGES
	MENAGEAS
	NAGEAMES
AAEEGMNT	MENAGEAT
AAEEGMNZ	AMENAGEZ
AAEEGMPT	ETAMPAGE
AAEEGMRR	EMARGERA
AAEEGMRS	AGREAMES
	EGARAMES
	EMARGEAS
	RAGEAMES
	RAMAGEES
AAEEGMRT	EMARGEAT
	RETAMAGE
AAEEGMRY	MAREYAGE
AAEEGMST	ETAMAGES
AAEEGMSY	EGAYAMES
AAEEGMTY	METAYAGE
AAEEGNNU	ENNUAGEA
AAEEGNRR	ARRANGEE
	ENRAGERA
AAEEGNRS	ENRAGEAS
AAEEGNRT	ENRAGEAT
	RAGEANTE
AAEEGNRY	ENRAYAGE
AAEEGNSS	ESSANGEA
	NAGEASSE
AAEEGNST	NAGEATES

AAEEGNTT	ATTAGENE
	ETAGEANT
AAEEGNTY	EGAYANTE
AAEEGOPR	AREOPAGE
AAEEGORR	AEROGARE
AAEEGPRR	ARPEGERA
AAEEGPRS	ARPEGEAS
	ASPERGEA
	PRESAGEA
AAEEGPRT	ARPEGEAT
	PARTAGEE
	RETAPAGE
AAEEGPRV	REPAVAGE
AAEEGPSY	PAGAYEES
AAEEGRRR	RAGREERA
AAEEGRRS	AGREERAS
	EGARERAS
AAEEGRRT	REGATERA
AAEEGRSS	AGREASSE
	EGARASSE
	RAGEASSE
AAEEGRST	AGREATES
	EGARATES
	ETAGERAS
	RAGEATES
AAEEGRSV	RAVAGEES
AAEEGRSX	EXAGERAS
AAEEGRSY	EGAYERAS
AAEEGRTX	EXAGERAT
AAEEGSSY	EGAYASSE
	ESSAYAGE
AAEEGSTY	EGAYATES
	ETAYAGES
AAEEHLNR	ANHELERA
AAEEHLRT	HALETERA
AAEEHLRX	EXHALERA
AAEEHMNT	ANATHEME
AAEEHNRZ	AHANEREZ
AAEEHNUV	HAVENEAU
AAEEHPPR	PARAPHEE
AAEEHRSS	HARASSEE
AAEEHRTU	HATEREAU
AAEEIIRT	ETAIERAI
AAEEILLT	ALLAITEE
AAEEILMS	MALAISEE
AAEEILNR	ALIENERA
AAEEILRR	RELAIERA
AAEEILRS	ALESERAI
	REALESAI
	SALARIEE
AAEEILRT	ETALERAI

AAEEILSS	ALAISEES*
AAEEILSV	AVALISEE
AAEEIMNR	AMARINEE
	AMENERAI
	ANEMIERA
	EMANERAI
AAEEIMNT	AIMANTEE
AAEEIMRT	ETAMERAI
AAEEINNT	ANEANTIE
AAEEINRR	ENRAIERA
AAEEINRT	AERAIENT
AAEEIPPR	APPARIEE
AAEEIPRR	REPAIERA
AAEEIPRT	EPATERAI
AAEEIPSS	APAISEES
AAEEIRRS	AERERAIS
AAEEIRRT	AERERAIT
AAEEIRRV	AVERERAI
AAEEIRSS	ESSAIERA
AAEEIRST	ETAIERAS
AAEEIRSV	AVARIEES
	EVASERAI
AAEEIRTY	ETAYERAI
AAEEIRZZ	ZEZAIERA
AAEEJLNV	ENJAVELA
AAEELLLP	PALLEALE
AAEELLRT	LATERALE
AAEELMNS	MELAENAS
AAEELMNT	AMENTALE*
AAEELMPR	EMPALERA
AAEELMRS	ALARMEES
AAEELMSS	ALESAMES
AAEELMST	ETALAMES
AAEELMSX	MALAXEES
AAEELNNP	EPANNELA
AAEELNRT	ALATERNE
AAEELNSY	ANALYSEE
AAEELNSZ	ALEZANES
AAEELPRU	EPAULERA
	LAPEREAU
AAEELPST	APETALES
AAEELRRS	RESALERA
AAEELRRT	ALERTERA
	ALTERERA
	RELATERA
AAEELRRV	RELAVERA
AAEELRRX	RELAXERA
AAEELRRY	RELAYERA
AAEELRSS	ALESERAS
	REALESAS
AAEELRST	ETALERAS →

	REALESAT
AAEELRSV	RAVALEES
AAEELRTU	LAUREATE
AAEELRTX	EXALTERA
AAEELRUV	EVALUERA
	REEVALUA
AAEELRVZ	AVALEREZ
AAEELSSS	ALESASSE
AAEELSST	ALESATES
	ETALASSE
AAEELSTT	ETALATES
AAEELSUV	AVALEUSE
AAEEMMNS	AMENAMES
	EMANAMES
AAEEMMST	ETAMAMES
AAEEMNNP	PANAMEEN
AAEEMNNS	ANAMNESE
AAEEMNRR	RAMENERA
AAEEMNRS	AMENERAS
	ARAMEENS
	EMANERAS
AAEEMNRT	ENTAMERA
AAEEMNSS	AMENASSE
	EMANASSE
AAEEMNST	AMENATES
	EMANATES
AAEEMPRR	EMPARERA
AAEEMPRT	EMPATERA
	ETAMPERA
AAEEMPST	EPATAMES
AAEEMRRR	REARMERA
AAEEMRRS	AMARREES
AAEEMRRT	RETAMERA
AAEEMRSS	RAMASSEE
AAEEMRST	ETAMERAS
AAEEMRSV	AVERAMES
AAEEMRTU	AMEUTERA
	MATEREAU
AAEEMSSS	AMASSEES
AAEEMSST	ETAMASSE
AAEEMSSV	EVASAMES
AAEEMSTT	ETAMATES
AAEEMSTY	ETAYAMES
AAEENNRX	ANNEXERA
AAEENNRZ	NAZAREEN
AAEENNTV	AVENANTE
AAEENPST	ANAPESTE
AAEENPSV	PAVANEES
AAEENPTT	EPATANTE
AAEENRRY	ENRAYERA
AAEENRSS	ASSENERA
AAEENRSV	ENVASERA
AAEENSST	SATANEES
AAEEPPST	APPATEES
AAEEPRRR	REPARERA
AAEEPRRS	SEPARERA
AAEEPRRT	RETAPERA
AAEEPRRU	APEURERA
AAEEPRRV	REPAVERA
AAEEPRRY	REPAYERA
AAEEPRST	EPATERAS
AAEEPRSX	EXASPERA
AAEEPRTT	ATTRAPEE
AAEEPSST	EPATASSE
AAEEPSTT	EPATATES
AAEEQTTU	ATTAQUEE
AAEERRRT	ARRETERA
AAEERRSV	AVERERAS
AAEERRSZ	ARASEREZ
AAEERRTU	AERATEUR
AAEERSSS	AERASSES
AAEERSSV	AVERASSE
	EVASERAS
AAEERSSY	ASSEYERA*
	ESSAYERA
AAEERSTT	STEARATE
AAEERSTV	AVERATES
AAEERSTY	ETAYERAS
AAEERYZZ	ZEZAYERA
AAEESSSV	EVASASSE
AAEESSTV	EVASATES
AAEESSTY	ETAYASSE
AAEESTTY	ETAYATES
AAEFFGIL	AFFLIGEA
AAEFFGIN	AFFINAGE
AAEFFGIR	GAFFERAI
AAEFFGMS	GAFFAMES
AAEFFGOU	AFFOUAGE
AAEFFGRS	GAFFERAS
AAEFFGSS	GAFFASSE
AAEFFGST	GAFFATES
AAEFFGTU	AFFUTAGE
AAEFFILR	AFFILERA
AAEFFILU	EFAUFILA
AAEFFILZ	AFFALIEZ
AAEFFIMR	AFFERMAI
AAEFFIMZ	AFFAMIEZ
AAEFFINR	AFFINERA
AAEFFINS	EFFANAIS
AAEFFINT	EFFANAIT
AAEFFIPR	PIAFFERA
AAEFFIRR	AFFAIRER

AAEFFIRS	AFFAIRES
	EFFARAIS
AAEFFIRT	AFFRETAI
	EFFARAIT
AAEFFIRY	EFFRAYAI
AAEFFIRZ	AFFAIREZ
AAEFFISS	AFFAISSE
AAEFFLNT	AFFALENT
AAEFFLOR	AFFOLERA
AAEFFLRU	AFFLEURA
	AFFLUERA
AAEFFMNT	AFFAMENT
AAEFFMRS	AFFERMAS
AAEFFMRT	AFFERMAT
AAEFFMRU	AFFAMEUR
AAEFFNNT	EFFANANT
AAEFFNRS	FANFARES
AAEFFNRT	EFFARANT
AAEFFRST	AFFRETAS
AAEFFRSY	EFFRAYAS
AAEFFRTT	AFFRETAT
AAEFFRTU	AFFUTERA
AAEFFRTY	EFFRAYAT
AAEFFSTT	TAFFETAS
AAEFGGOT	FAGOTAGE
AAEFGGRU	GAUFRAGE
AAEFGHLL	FELLAGHA
AAEFGHNS	AFGHANES
AAEFGIIZ	GAZEIFIA
AAEFGINR	FRANGEAI
AAEFGIRS	FRAISAGE
AAEFGIRZ	AGRAFIEZ
AAEFGIST	FAITAGES
AAEFGLLL	FLAGELLA
AAEFGLLO	FLAGEOLA
AAEFGLNS	ALFANGES
AAEFGNRR	FRANGERA
AAEFGNRS	FRANGEAS
AAEFGNRT	AGRAFENT
	FRANGEAT
AAEFGNRU	NAUFRAGE
AAEFGORT	FAGOTERA
AAEFGPPR	FRAPPAGE
AAEFGRRU	GAUFRERA
AAEFGRST	FARTAGES
AAEFIINT	ENFAITAI
AAEFIIRR	FRAIERAI
	RAREFIAI
AAEFIKKN	KAFKAIEN
AAEFILLR	FAILLERA
AAEFILLS	FASEILLA
AAEFILMR	MALFAIRE
AAEFILNR	FLANERAI
AAEFILRR	FLAIRERA
	RAFLERAI
AAEFILRS	ERAFLAIS
AAEFILRT	ALFATIER
	ERAFLAIT
	FRELATAI
AAEFILSS	FALAISES
AAEFILTT	FATALITE
AAEFIMMT	MATEFAIM
AAEFINNR	ENFARINA
AAEFINNT	ENFANTAI
	FAINEANT
	FANAIENT
AAEFINPU	PEAUFINA
AAEFINRR	FARINERA
AAEFINRS	FANERAIS
AAEFINRT	FANERAIT
AAEFINSS	FAISANES
AAEFINST	ANATIFES
	ENFAITAS
	FANATISE
AAEFINTT	ENFAITAT
AAEFINUV	AVIFAUNE
AAEFIPRR	PARFAIRE
	PARFERAI*
AAEFIPRT	PARFAITE
AAEFIPRU	EPAUFRAI
AAEFIPRZ	PARAFIEZ
AAEFIRRS	FRAIERAS
	FRAISERA
	FRASERAI*
	RAREFIAS
AAEFIRRT	FARTERAI
	RAREFIAT
	TARIFERA
AAEFIRRY	FRAYERAI
AAEFIRST	FATRASIE
AAEFIRTT	ATTIFERA
AAEFIRTU	FAUTERAI
AAEFISSY	FASEYAIS
AAEFISTY	FASEYAIT
AAEFITUX	FAITEAUX
AAEFLMMN	ENFLAMMA
AAEFLMMS	MALFAMES
AAEFLMNS	FLANAMES
AAEFLMRS	RAFLAMES
AAEFLNRS	FLANERAS
AAEFLNRT	ERAFLANT
AAEFLNRU	FALUNERA

AAEFLNSS	FLANASSE
AAEFLNST	FLANATES
AAEFLRRS	RAFLERAS
AAEFLRSS	RAFLASSE
AAEFLRST	FRELATAS
	RAFLATES
AAEFLRTT	FLATTERA
	FRELATAT
AAEFMNST	FANTASME
AAEFMRSS	FRASAMES*
AAEFMRST	FARTAMES
AAEFMRSY	FRAYAMES
AAEFMSTU	FAUTAMES
AAEFNNST	ENFANTAS
AAEFNNTT	ENFANTAT
AAEFNPRT	PARAFENT
AAEFNRSS	SAFRANES
AAEFNSSS	FANASSES
AAEFNSTY	FASEYANT
AAEFORTY	FAYOTERA
AAEFPPRR	FRAPPERA
AAEFPRRS	PARFERAS*
AAEFPRSS	PARFASSE*
AAEFPRSU	EPAUFRAS
AAEFPRTU	EPAUFRAT
AAEFRRSS	FRASERAS*
AAEFRRST	FARTERAS
AAEFRRSY	FRAYERAS
AAEFRSSS	FRASASSE*
AAEFRSST	FARTASSE
	FRASATES*
AAEFRSSU	FAUSSERA
AAEFRSSY	FRAYASSE
AAEFRSTT	FARTATES
AAEFRSTU	FAUTERAS
AAEFRSTY	FRAYATES
AAEFSSTU	FAUTASSE
AAEFSTTU	FAUTATES
AAEGGGNS	GAGNAGES
AAEGGINO	ANAGOGIE
AAEGGINR	GAGNERAI
	GRAINAGE
	REGAGNAI
AAEGGIOT	AGIOTAGE
AAEGGIRS	GAGERAIS
AAEGGIRT	GAGERAIT
AAEGGISU	AIGUAGES
AAEGGLNS	LANGAGES
AAEGGLRS	LARGAGES
AAEGGLSU	GAULAGES
AAEGGMNS	GAGNAMES
AAEGGNNR	GANGRENA
AAEGGNNT	GAGNANTE
AAEGGNRS	GAGNERAS
	REGAGNAS
AAEGGNRT	REGAGNAT
AAEGGNSS	GAGNASSE
AAEGGNST	GAGNATES
	TANGAGES
AAEGGRRV	AGGRAVER
AAEGGRST	AGREGATS
AAEGGRSV	AGGRAVES
AAEGGRTT	GRATTAGE
AAEGGRVZ	AGGRAVEZ
AAEGHIPR	AGRAPHIE
AAEGHLNP	PHALANGE
AAEGHNRU	HARANGUE
AAEGHNST	AGNATHES
AAEGIILL	EGAILLAI
AAEGIILS	EGALISAI
AAEGIIMR	AMAIGRIE
	IMAGERAI
AAEGIIMS	IMAGEAIS
AAEGIIMT	IMAGEAIT
AAEGIINN	ENGAINAI
AAEGIINR	GAINERAI
AAEGIIRR	REAGIRAI
AAEGIIRT	AGITERAI
AAEGIITT	ATTIGEAI
AAEGIJLS	GALEJAIS
AAEGIJLT	GALEJAIT
AAEGIJRU	JAUGERAI
AAEGIJSU	JAUGEAIS
AAEGIJTU	JAUGEAIT
AAEGILLM	MAILLAGE
AAEGILLP	PAGAILLE
	PAILLAGE
AAEGILLS	ALLIAGES
	EGAILLAS
	LEGALISA
AAEGILLT	EGAILLAT
	TAILLAGE
AAEGILLU	ALLEGUAI
AAEGILMN	LAMINAGE
AAEGILNO	ANALOGIE
AAEGILNP	INALPAGE
AAEGILNR	ALIGNERA
	GLANERAI
	LANGERAI
AAEGILNS	AGNELAIS
	ANGLAISE
	LAINAGES →

	LANGEAIS
AAEGILNT	AGNELAIT
	ALGINATE
	LANGEAIT
AAEGILNU	ALANGUIE
AAEGILNV	VAGINALE
AAEGILPR	PLAGIERA
AAEGILRR	ELARGIRA
	GLAIRERA
AAEGILRS	GLAISERA
	REGALAIS
AAEGILRT	REGALAIT
AAEGILRU	GAULERAI
AAEGILSS	EGALISAS
AAEGILST	EGALISAT
	LAITAGES
AAEGILSU	ELAGUAIS
AAEGILSX	GALAXIES
AAEGILTU	ELAGUAIT
AAEGILUV	AVEUGLAI
AAEGIMNR	GAMINERA
	MANGERAI
	MARINAGE
AAEGIMNS	ENGAMAIS
	GAINAMES
	MAGASINE
	MANGEAIS
AAEGIMNT	ENGAMAIT
	IMAGEANT
	MANGEAIT
AAEGIMNZ	MAGAZINE
AAEGIMOP	APOGAMIE
AAEGIMRR	ARRIMAGE
	MARGERAI
AAEGIMRS	IMAGERAS
	MARGEAIS
	MARIAGES
AAEGIMRT	MARGEAIT
AAEGIMRU	MAUGREAI
AAEGIMRZ	RAMAGIEZ
AAEGIMST	AGITAMES
	TAMISAGE
AAEGINNR	RENGAINA
AAEGINNS	ENGAINAS
AAEGINNT	ENGAINAT
AAEGINPR	EPARGNAI
	PAGINERA
AAEGINPS	PAGANISE
AAEGINPT	PAGAIENT
	PATINAGE
AAEGINRR	AGRAINER →
	AGRARIEN
	GRAINERA
	RANGERAI
AAEGINRS	AGRAINES
	ANGARIES
	GAINERAS
	GANSERAI
	NAGERAIS
	RANGEAIS
	SAIGNERA
AAEGINRT	ARGENTAI
	GANTERAI
	GARAIENT
	GARANTIE
	NAGERAIT
	RANGEAIT
	RATINAGE
	TRAINAGE
AAEGINRV	ENGRAVAI
	VARAIGNE
AAEGINRZ	AGRAINEZ
AAEGINSS	GAINASSE
AAEGINST	GAINATES
	SATINAGE
	TANISAGE
AAEGINTT	GATAIENT
AAEGINTV	GAVAIENT
AAEGINTZ	GAZAIENT
AAEGIORR	ARROGEAI
AAEGIORT	AGIOTERA
AAEGIOVY	VOYAGEAI
AAEGIPPR	EGRAPPAI
AAEGIPPS	PAPEGAIS
AAEGIPQU	APIQUAGE
AAEGIPRS	PAIRAGES
	PARIAGES
AAEGIPTZ	TAPAGIEZ
AAEGIPYZ	PAGAYIEZ
AAEGIRRS	AGRAIRES
	GARERAIS
	RAGERAIS
	RAGREAIS
	REAGIRAS
AAEGIRRT	GARERAIT
	RAGERAIT
	RAGREAIT
AAEGIRRU	ARGUERAI
	RAGUERAI
AAEGIRRV	ARRIVAGE
	GRAVERAI
AAEGIRSS	AGRESSAI

AAEGIRST	AGITERAS
	GATERAIS
	REGATAIS
AAEGIRSV	GAVERAIS
AAEGIRSZ	GAZERAIS
AAEGIRTT	ATTIGERA
	GATERAIT
	REGATAIT
AAEGIRTV	GAVERAIT
AAEGIRTZ	GAZERAIT
AAEGIRUV	VAGUERAI
AAEGIRVV	RAVIVAGE
AAEGIRVZ	RAVAGIEZ
AAEGISSS	ASSAGIES
AAEGISST	AGATISES
	AGITASSE
AAEGISTT	AGITATES
	ATTIGEAS
AAEGISVV	AVIVAGES
AAEGITTT	ATTIGEAT
AAEGJLNT	GALEJANT
AAEGJNTU	JAUGEANT
AAEGJRSU	JAUGERAS
AAEGJSTU	AJUSTAGE
	AJUTAGES
AAEGLLMU	ALLUMAGE
AAEGLLNO	ALLONGEA
AAEGLLPS	PLAGALES
AAEGLLST	TALLAGES
AAEGLLSU	ALLEGUAS
AAEGLLTU	ALLEGUAT
AAEGLMNS	GLANAMES
AAEGLMST	MALTAGES
AAEGLMSU	GAULAMES
AAEGLNNT	AGNELANT
	LANGEANT
AAEGLNOU	ANALOGUE
	LOUANGEA
AAEGLNPR	PALANGRE
AAEGLNPS	PLANAGES
AAEGLNPT	PLANTAGE
AAEGLNRS	GLANERAS
	LANGERAS
	SANGLERA
AAEGLNRT	ETRANGLA
	REGALANT
AAEGLNSS	GLANASSE
	LASAGNES
AAEGLNST	GALANTES
	GLANATES
AAEGLNTU	ELAGUANT
AAEGLNUY	LANGUEYA
AAEGLOPR	GALOPERA
AAEGLOSU	SOULAGEA
AAEGLPRT	PLATRAGE
AAEGLQSU	LAQUAGES
AAEGLRRS	REALGARS
AAEGLRRU	LARGUERA
AAEGLRSU	GAULERAS
AAEGLRUU	AUGURALE
AAEGLSSU	GAULASSE
AAEGLSTT	LATTAGES
AAEGLSTU	GAULATES
AAEGLSUV	AVEUGLAS
AAEGLTUV	AVEUGLAT
AAEGMMRS	GAMMARES
AAEGMNNT	ENGAMANT
	MANGEANT
AAEGMNOR	RAMONAGE
AAEGMNRS	MANAGERS
	MANGERAS
	MARNAGES
AAEGMNRT	MARGEANT
	RAMAGENT
AAEGMNSS	GANSAMES
AAEGMNST	GANTAMES
AAEGMNTU	AUGMENTA
AAEGMQRU	MARQUAGE
AAEGMQSU	MASQUAGE
AAEGMRRS	MARGERAS
AAEGMRRV	MARGRAVE
AAEGMRSU	ARGUAMES
	MAUGREAS
	RAGUAMES
AAEGMRSV	GRAVAMES
AAEGMRSY	MAGYARES
AAEGMRTU	AGERATUM
	MAUGREAT
AAEGMSSS	MASSAGES
AAEGMSUV	VAGUAMES
AAEGNNRT	ARGENTAN
	RANGEANT
AAEGNNST	TANNAGES
AAEGNNSV	VANNAGES
AAEGNORU	ORGANEAU
AAEGNPRS	EPARGNAS
AAEGNPRT	EPARGNAT
AAEGNPSS	PANSAGES
AAEGNPTT	TAPAGENT
AAEGNPTY	PAGAYENT
AAEGNRRR	ARRANGER
AAEGNRRS	ARRANGES →

	RANGERAS
AAEGNRRT	RAGREANT
AAEGNRRU	NARGUERA
AAEGNRRZ	ARRANGEZ
AAEGNRSS	GANSERAS
AAEGNRST	ARGENTAS
	GANTERAS
	GARANTES
	RAGEANTS
	STAGNERA
AAEGNRSU	SURNAGEA
AAEGNRSV	ENGRAVAS
AAEGNRTT	ARGENTAT
	REGATANT
AAEGNRTU	TANGUERA
AAEGNRTV	ENGRAVAT
	RAVAGENT
AAEGNRUV	VARANGUE
AAEGNSSS	GANSASSE
AAEGNSST	GANSATES
	GANTASSE
AAEGNSSU	SAUNAGES
AAEGNSTT	GANTATES
	NATTAGES
AAEGNSTY	EGAYANTS
AAEGOPPR	PROPAGEA
AAEGOPPT	PAPOTAGE
AAEGORRR	ARROGERA
AAEGORRS	ARROGEAS
	ARROSAGE
AAEGORRT	ARROGEAT
AAEGORTU	OUTRAGEA
AAEGORUV	OUVRAGEA
AAEGORVY	VOYAGERA
AAEGOSVY	VOYAGEAS
AAEGOTTU	TATOUAGE
AAEGOTVY	VOYAGEAT
AAEGPPRS	EGRAPPAS
AAEGPPRT	EGRAPPAT
AAEGPRRT	PARTAGER
AAEGPRSS	PASSAGER
AAEGPRST	PARTAGES
AAEGPRTU	PATAUGER
	PATURAGE
	TAPAGEUR
AAEGPRTZ	PARTAGEZ
AAEGPRUY	PAGAYEUR
AAEGPSSS	PASSAGES
AAEGPSSY	PAYSAGES
AAEGPSTU	PATAUGES
AAEGPTUZ	PATAUGEZ
AAEGRRSU	ARGUERAS
	RAGUERAS
AAEGRRSV	GRAVERAS
AAEGRRTT	GRATTERA
	REGRATTA
AAEGRRTU	RATURAGE
	TARGUERA
AAEGRRUU	AUGURERA
AAEGRRUV	RAVAGEUR
AAEGRSSS	AGRESSAS
	GARASSES
	SARGASSE
AAEGRSST	AGRESSAT
AAEGRSSU	ARGUASSE
	GAUSSERA
	RAGUASSE
	SAURAGES
AAEGRSSV	GRAVASSE
AAEGRSSY	GRASSEYA
AAEGRSTU	ARGUATES
	RAGUATES
AAEGRSTV	GRAVATES
AAEGRSUV	VAGUERAS
AAEGRSUZ	AZURAGES
AAEGSSST	GATASSES
AAEGSSSV	GAVASSES
AAEGSSSZ	GAZASSES
AAEGSSUV	SAUVAGES
	VAGUASSE
AAEGSTUV	VAGUATES
AAEHIINW	HAWAIIEN
AAEHILNR	INHALERA
AAEHILNS	ANHELAIS
AAEHILNT	ANHELAIT
	HALAIENT
AAEHILRS	HALERAIS
AAEHILRT	HALERAIT
AAEHILST	HALETAIS
	HIATALES
AAEHILSX	EXHALAIS
AAEHILTT	HALETAIT
AAEHILTX	EXHALAIT
AAEHINRS	SAHARIEN
AAEHINRT	HANTERAI
AAEHINRV	ENVAHIRA
AAEHINTT	HATAIENT
AAEHINTU	HAUTAINE
AAEHIPPR	HAPPERAI
AAEHIPSS	APHASIES
AAEHIPST	APATHIES
AAEHIRST	HATERAIS

AAEHIRTT	HATERAIT
AAEHITUV	HATIVEAU
AAEHLLMS	MEHALLAS
AAEHLNNT	ANHELANT
	LANTHANE
AAEHLNTT	HALETANT
AAEHLNTX	EXHALANT
AAEHLPST	ASPHALTE
AAEHLRTT	THEATRAL
AAEHLSSS	HALASSES
AAEHMNST	HANTAMES
AAEHMPPS	HAPPAMES
AAEHMRSS	SMASHERA
AAEHMRTT	MAHRATTE
AAEHNOPR	ANAPHORE
AAEHNRST	HANTERAS
AAEHNSST	HANTASSE
AAEHNSTT	HANTATES
AAEHPPRR	PARAPHER
AAEHPPRS	HAPPERAS
	PARAPHES
AAEHPPRZ	PARAPHEZ
AAEHPPSS	HAPPASSE
AAEHPPST	HAPPATES
AAEHPRRS	PHRASERA
AAEHRRSS	HARASSER
AAEHRSSS	HARASSES
AAEHRSSU	HAUSSERA
	REHAUSSA
AAEHRSSZ	HARASSEZ
AAEHSSST	HATASSES
AAEHSSTU	AETHUSAS
AAEHSSUX	EXHAUSSA
AAEIILLM	EMAILLAI
AAEIILLR	AILLERAI
	ALLIAIRE
	ALLIERAI
	ERAILLAI
AAEIILNR	LAINERAI
AAEIILNS	ALIENAIS
AAEIILNT	ALIENAIT
AAEIILNV	ALEVINAI
AAEIILRS	ASILAIRE
	LAIERAIS
	REALISAI
AAEIILRT	ALITERAI
	LAIERAIT
AAEIILSS	ASIALIES
AAEIIMNR	ANIMERAI
	MANIERAI
	REANIMAI →

	REMANIAI
AAEIIMNS	ANEMIAIS
AAEIIMNT	AIMAIENT
	ANEMIAIT
AAEIIMNX	EXAMINAI
AAEIIMRR	MARIERAI
	REMARIAI
AAEIIMRS	AIMERAIS
AAEIIMRT	AIMERAIT
AAEIIMSS	ESSAIMAI
AAEIINPS	INAPAISE
AAEIINRR	RAINERAI
AAEIINRV	AVINERAI
AAEIINSS	ASSAINIE
AAEIINST	TANAISIE
AAEIIPRR	PARIERAI
	REPAIRAI
AAEIIPRS	PAIERAIS
AAEIIPRT	PAIERAIT
AAEIIPSZ	APAISIEZ
AAEIIRRS	ARISERAI
	RAIERAIS
AAEIIRRT	RAIERAIT
AAEIIRRV	VARIERAI
AAEIIRSS	ASSIERAI
AAEIIRSV	AVISERAI
AAEIIRVV	AVIVERAI
AAEIIRVZ	AVARIIEZ
AAEIISTT	ETATISAI
	SAIETTAI
AAEIISTX	EXTASIAI
AAEIJLSV	JAVELAIS
AAEIJLTV	JAVELAIT
AAEIJNST	JASAIENT
AAEIJPPR	JAPPERAI
AAEIJPRS	JASPERAI
AAEIJRSS	JASERAIS
AAEIJRST	JASERAIT
AAEIKKMZ	KAMIKAZE
AAEILLLU	ALLELUIA
AAEILLMM	EMMAILLA
AAEILLMP	EMPAILLA
AAEILLMR	MAILLERA
	REMAILLA
AAEILLMS	AILLAMES
	ALLIAMES
	EMAILLAS
	MESALLIA
AAEILLMT	EMAILLAT
AAEILLNR	LANLAIRE
AAEILLNT	ALLAIENT →

	ENTAILLA
	TENAILLA
AAEILLPR	PAILLERA
	PALLIERA
AAEILLPT	PAILLETA
AAEILLRR	RAILLERA
	RALLIERA
AAEILLRS	AILLERAS
	ALLIERAS
	ERAILLAS
	SAILLERA
AAEILLRT	ALLAITER
	ERAILLAT
	RETAILLA
	TAILLERA
	TALLERAI
AAEILLSS	AILLASSE
	ALLIASSE
	ASSAILLE
AAEILLST	AILLATES
	ALLAITES
	ALLIATES
AAEILLTZ	ALLAITEZ
AAEILMMN	MALMENAI
AAEILMMS	LAMAISME
AAEILMMX	MAXIMALE
AAEILMNO	ANOMALIE
AAEILMNR	LAMINERA
AAEILMNS	ANIMALES
	LAINAMES
	MALSAINE
AAEILMNT	ALIMENTA
	LAMENTAI
	MATINALE
AAEILMOR	AMELIORA
AAEILMPR	LAMPERAI
	PALMAIRE
	PALMERAI
AAEILMPS	EMPALAIS
AAEILMPT	EMPALAIT
AAEILMRS	AMARILES
	AMIRALES
	MALAIRES
	MARIALES
AAEILMRT	MALTERAI
	MARITALE
	MARTELAI
	MARTIALE
AAEILMRU	MIAULERA
AAEILMRZ	ALARMIEZ
AAEILMSS	MALAISES
AAEILMST	ALITAMES
	LAMAISTE
	MALTAISE
AAEILMSV	MALAVISE
AAEILMXZ	MALAXIEZ
AAEILNNS	ANNELAIS
AAEILNNT	ALIENANT
	ANNALITE
	ANNELAIT
AAEILNPR	LAPINERA
	PLANAIRE
	PLANERAI
AAEILNPS	APLANIES
	NEPALAIS
	PENALISA
AAEILNPT	LAPAIENT
	PALATINE
	PATELINA*
AAEILNRS	LAINERAS
AAEILNRT	ALTERNAI
	LATANIER
	RALAIENT
AAEILNSS	ENLIASSA
	LAINASSE
	NASALISE
AAEILNST	AILANTES
	LAINATES
	NASALITE
	SALAIENT
AAEILNSU	AULNAIES
AAEILNSV	ALEVINAS
AAEILNTT	NATALITE
AAEILNTV	ALEVINAT
	LAVAIENT
	VALAIENT
AAEILNTY	LAYAIENT
AAEILORU	AUREOLAI
AAEILORV	AVALOIRE
AAEILPPR	APPAREIL
	PALPERAI
	RAPPELAI
AAEILPPS	APPELAIS
AAEILPPT	APPELAIT
AAEILPRR	PARLERAI
	REPARLAI
AAEILPRS	LAPERAIS
AAEILPRT	LAPERAIT
	PARIETAL
	PARTIALE
	RAPLATIE
AAEILPRU	PIAULERA

AAEILPSS	APLASIES
AAEILPST	APLATIES
	SPATIALE
AAEILPSU	EPAULAIS
AAEILPTU	EPAULAIT
AAEILQRU	LAQUERAI
AAEILQTU	ALTAIQUE
AAEILRRS	LARAIRES
	RALERAIS
	SALARIER
AAEILRRT	RALERAIT
AAEILRRV	LARVAIRE
AAEILRSS	LAISSERA
	LASSERAI
	REALISAS
	RESALAIS
	SALAIRES
	SALARIES
	SALERAIS
AAEILRST	ALERTAIS
	ALITERAS
	ALTERAIS
	RATELAIS
	REALISAT
	RELATAIS
	RESALAIT
	SALERAIT
AAEILRSU	SALUERAI
AAEILRSV	AVALISER
	LAVERAIS
	RELAVAIS
	REVALAIS
	SALIVERA
	VALSERAI
AAEILRSX	RELAXAIS
AAEILRSY	LAYERAIS
	RELAYAIS
AAEILRSZ	SALARIEZ
AAEILRTT	ALERTAIT
	ALTERAIT
	LATTERAI
	RATELAIT
	RELATAIT
AAEILRTV	LAVERAIT
	RELAVAIT
	REVALAIT
AAEILRTX	RELAXAIT
AAEILRTY	LAYERAIT
	RELAYAIT
AAEILRUV	AVEULIRA
AAEILRVV	VALVAIRE

AAEILRVZ	RAVALIEZ
AAEILSST	ALITASSE
AAEILSSU	SAULAIES
AAEILSSV	AVALISES
AAEILSTT	ALITATES
	ATTELAIS
AAEILSTV	TAVELAIS
AAEILSTX	EXALTAIS
AAEILSUV	EVALUAIS
AAEILSVZ	AVALISEZ
AAEILTTT	ATTELAIT
AAEILTTV	TAVELAIT
AAEILTTX	EXALTAIT
AAEILTUV	EVALUAIT
AAEILTVX	LAXATIVE
AAEIMMMR	MAMMAIRE
AAEIMMNS	ANIMAMES
	MANIAMES
AAEIMMPU	EMPAUMAI
AAEIMMRS	MARIAMES
AAEIMMST	AMATIMES
AAEIMNNP	EMPANNAI
	PANAMIEN
AAEIMNNT	ANEMIANT
	ANNAMITE
AAEIMNOT	ANATOMIE
AAEIMNPT	PAMAIENT
AAEIMNQU	MANIAQUE
AAEIMNRR	AMARINER
	MARINERA
	MARNERAI
	MARRAINE
	RANIMERA
AAEIMNRS	AMARINES
	ANIMERAS
	MANIERAS
	RAINAMES
	RAMENAIS
	REANIMAS
	REMANIAS
AAEIMNRT	AIMANTER
	ARMAIENT
	MATERNAI
	MATINERA
	RAMAIENT
	RAMENAIT
	REANIMAT
	REMANIAT
	RENTAMAI
AAEIMNRZ	AMARINEZ
AAEIMNSS	ANIMASSE →

	MANIASSE
AAEIMNST	AIMANTES
	AMANITES
	AMIANTES
	ANIMATES
	ENTAMAIS
	MAINATES
	MANIATES
AAEIMNSU	AMENUISA
AAEIMNSV	AVINAMES
AAEIMNSX	EXAMINAS
AAEIMNTT	ENTAMAIT
	MATAIENT
AAEIMNTX	EXAMINAT
AAEIMNTZ	AIMANTEZ
AAEIMPPR	EPAMPRAI
AAEIMPRR	RAMPERAI
AAEIMPRS	EMPARAIS
	PAMERAIS
	PARIAMES
	PARSEMAI
AAEIMPRT	EMPARAIT
	PAMERAIT
AAEIMPRU	PAUMERAI
AAEIMPST	EMPATAIS
	ESTAMPAI
	ETAMPAIS
AAEIMPTT	EMPATAIT
	EMPATTAI
	ETAMPAIT
AAEIMRRR	AMERRIRA
	ARRIMERA
	MARRERAI
AAEIMRRS	ARMERAIS
	MARIERAS
	RAMERAIS
	REARMAIS
	REMARIAS
AAEIMRRT	ARMERAIT
	RAMERAIT
	REARMAIT
	REMARIAT
	TRAMERAI
AAEIMRRU	AMURERAI
AAEIMRRZ	AMARRIEZ
AAEIMRSS	ARISAMES
	MARIASSE
	MASSERAI
AAEIMRST	MAESTRIA
	MARIATES
	MATERAIS →
	RETAMAIS
	TAMISERA
AAEIMRSU	AMUSERAI
AAEIMRSV	VARIAMES
AAEIMRTT	MATERAIT
	RETAMAIT
	TREMATAI
AAEIMRTU	AMIRAUTE
	MATERIAU
	RAMEUTAI
AAEIMRTZ	AMATIREZ
AAEIMSSS	AIMASSES
	ESSAIMAS
AAEIMSST	AMATISSE
	ESSAIMAT
AAEIMSSV	AVISAMES
AAEIMSSZ	AMASSIEZ
AAEIMSTT	AMATITES
AAEIMSTU	AMEUTAIS
AAEIMSTV	ATAVISME
AAEIMSUV	MAUVAISE
AAEIMSVV	AVIVAMES
AAEIMTTU	AMEUTAIT
AAEINNPT	PANAIENT
AAEINNRT	ANEANTIR
	ENTRAINA
	TANNERAI
AAEINNRU	ANNUAIRE
AAEINNRV	VANNERAI
AAEINNST	ANEANTIS
	ANTENAIS
AAEINNSX	ANNEXAIS
AAEINNTT	ANEANTIT
AAEINNTX	ANNEXAIT
AAEINORT	AERATION
AAEINPPR	NAPPERAI
AAEINPPS	PAPAINES
AAEINPPT	ANTIPAPE
AAEINPRR	PARRAINE
	RAPINERA
AAEINPRS	PANERAIS
	PANSERAI
AAEINPRT	ARPENTAI
	PANERAIT
	PARAIENT
	PATINERA
	RAPAIENT
	TREPANAI
AAEINPST	APAISENT
	SAPAIENT
AAEINPTT	PATENTAI →

	PATIENTA
	TAPAIENT
AAEINPTV	PAVAIENT
AAEINPTY	PAYAIENT
AAEINPVZ	PAVANIEZ
AAEINRRR	NARRERAI
AAEINRRS	RAINERAS
AAEINRRT	RATINERA
	RENAITRA
	TRAINERA
AAEINRRV	NAVRERAI
	RAVINERA
AAEINRSS	RAINASSE
AAEINRST	ARTISANE
	RAINATES
	RASAIENT
	SATINERA
	TANISERA
AAEINRSU	SAUNERAI
AAEINRSV	AVINERAS
AAEINRSY	ENRAYAIS
AAEINRTT	NATTERAI
	RATAIENT
	RATATINE
	TARAIENT
AAEINRTU	AURAIENT
	TRAINEAU
AAEINRTV	AVARIENT
	ENTRAVAI
	VANTERAI
	VARIANTE
AAEINRTY	ENRAYAIT
	RAYAIENT
AAEINSSS	ASSENAIS
AAEINSST	ASSENAIT
	ENTASSAI
AAEINSSV	AVINASSE
	ENVASAIS
AAEINSTT	TETANISA
AAEINSTV	AVINATES
	ENVASAIT
	SAVAIENT
AAEINTTT	ATTENTAI
	TATAIENT
AAEINTTU	ATTENUAI
AAEINTTX	TAXAIENT
AAEIOPRV	EVAPORAI
AAEIORRT	ARATOIRE
AAEIORTU	OUATERAI
AAEIORUV	AVOUERAI
AAEIPPRR	APPARIER →
	PREPARAI
	RAPPARIE
AAEIPPRS	APPARIES
AAEIPPRT	APPRETAI
AAEIPPRU	APPUIERA
AAEIPPRZ	APPARIEZ
AAEIPPTZ	APPATIEZ
AAEIPQRU	APIQUERA
AAEIPRRS	ASPIRERA
	PARERAIS
	PARIERAS
	RAPERAIS
	REPAIRAS
	REPARAIS
AAEIPRRT	PARAITRE
	PARERAIT
	PIRATERA
	RAPATRIE
	RAPERAIT
	REPAIRAT
	REPAITRA
	REPARAIT
AAEIPRRU	APURERAI
AAEIPRSS	PARAISSE
	PARESSAI
	PARIASSE
	PASSERAI
	REPASSAI
	SAPERAIS
	SEPARAIS
AAEIPRST	PARASITE
	PARIATES
	RAPIATES
	RETAPAIS
	SAPERAIT
	SATRAPIE
	SEPARAIT
	TAPERAIS
AAEIPRSU	APEURAIS
	PAUSERAI
AAEIPRSV	PAVERAIS
	REPAVAIS
AAEIPRSX	APRAXIES
AAEIPRSY	PAYERAIS
	REPAYAIS
AAEIPRTT	RETAPAIT
	TAPERAIT
AAEIPRTU	APEURAIT
AAEIPRTV	PAVERAIT
	REPAVAIT
AAEIPRTX	EXPATRIA

AAEIPRTY	PAYERAIT
	REPAYAIT
AAEIPSST	ASEPTISA
AAEIPSSU	PAISSEAU
AAEIPSTT	APATITES
AAEIQRRU	ARQUERAI
AAEIQRSU	SAQUERAI
AAEIQRTU	ETARQUAI
	TAQUERAI
AAEIQRUV	VAQUERAI
AAEIQTUV	ATAVIQUE
AAEIQTUX	ATAXIQUE
AAEIRRRS	ARRISERA
AAEIRRRV	ARRIVERA
AAEIRRSS	ARISERAS
	RASERAIS
	RASSIERA
AAEIRRST	ARRETAIS
	RASERAIT
	RATERAIS
	TARERAIS
AAEIRRSU	SAURERAI
AAEIRRSV	RAVISERA
	VARIERAS
AAEIRRSY	RAYERAIS
AAEIRRTT	ARRETAIT
	ATTERRAI
	ATTIRERA
	RATERAIT
	TARERAIT
	TRAITERA
AAEIRRTV	AVERTIRA
AAEIRRTX	EXTRAIRA
AAEIRRTY	RAYERAIT
AAEIRRUZ	AZURERAI
AAEIRRVV	RAVIVERA
AAEIRRZZ	RAZZIERA
AAEIRSSS	ARISASSE
	ASSIERAS
	RASSASIE
	SASSERAI
AAEIRSST	ARISATES
	ESSARTAI
	TASSERAI
AAEIRSSV	AVISERAS
	REVASSAI
	VARIASSE
AAEIRSSY	RESSAYAI
AAEIRSTT	ATTISERA
	TATERAIS
AAEIRSTU	SAUTERAI
AAEIRSTV	VARIATES
AAEIRSTX	TAXERAIS
AAEIRSUV	SAUVERAI
AAEIRSVV	AVIVERAS
AAEIRTTT	TATERAIT
AAEIRTTX	TAXERAIT
AAEIRTUV	AVIATEUR
AAEISSST	ASTASIES
AAEISSSU	SAUSSAIE
AAEISSSV	AVISASSE
AAEISSSY	ASSEYAIS
	ESSAYAIS
AAEISSTT	ETATISAS
	SAIETTAS
AAEISSTV	AVISATES
AAEISSTX	EXTASIAS
AAEISSTY	ASSEYAIT
	ESSAYAIT
AAEISSUV	VAISSEAU
AAEISSUX	AISSEAUX
AAEISSVV	AVIVASSE
AAEISSXZ	AXASSIEZ
AAEISTTT	ATTESTAI
	ETATISAT
	SAIETTAT
AAEISTTX	EXTASIAT
AAEISTVV	AVIVATES
AAEISYZZ	ZEZAYAIS
AAEITYZZ	ZEZAYAIT
AAEJLNTV	JAVELANT
AAEJMORR	MAJORERA
AAEJMPPS	JAPPAMES
AAEJMPSS	JASPAMES
AAEJNRSS	JASERANS
AAEJNRTU	JAUNATRE
AAEJORRU	AJOURERA
AAEJORTU	AJOUTERA
AAEJPPRS	JAPPERAS
AAEJPPSS	JAPPASSE
AAEJPPST	JAPPATES
AAEJPRSS	JASPERAS
AAEJPSSS	JASPASSE
AAEJPSST	JASPATES
AAEJRSTU	AJUSTERA
	REAJUSTA
AAEJSSSS	JASASSES
AAEKKOST	KAKATOES
AAEKRSSU	ESKUARAS
	EUSKARAS
AAELLMRU	ALLUMERA
AAELLMST	TALLAMES

AAELLNST	ALLANTES
AAELLORU	ALLOUERA
AAELLPST	PASTELLA
AAELLPUX	PALLEAUX
AAELLRST	TALLERAS
AAELLSSS	ALLASSES
AAELLSST	TALLASSE
AAELLSTT	TALLATES
AAELMMNS	MALMENAS
AAELMMNT	MALMENAT
AAELMMPS	LAMPAMES
	PALMAMES
AAELMMST	MALTAMES
AAELMNOR	ANORMALE
AAELMNOS	ANOMALES
AAELMNPS	PLANAMES
AAELMNPT	EMPALANT
	LAMPANTE
AAELMNRT	ALARMENT
AAELMNRU	LAMANEUR
AAELMNST	LAMENTAS
	MALSEANT
AAELMNTT	LAMENTAT
AAELMNTX	MALAXENT
AAELMORS	AMORALES
AAELMPPS	PALPAMES
AAELMPRS	LAMPERAS
	PALMARES
	PALMERAS
	PARLAMES
AAELMPSS	LAMPASSE
	PALMASSE
AAELMPST	LAMPATES
	PALMATES
AAELMQSU	LAQUAMES
AAELMRST	MALTERAS
	MARTELAS
AAELMRTT	MARTELAT
AAELMRUX	MALAXEUR
AAELMSSS	LASSAMES
AAELMSST	MALTASES
	MALTASSE
AAELMSSU	SALUAMES
AAELMSSV	VALSAMES
AAELMSSY	AMYLASES
AAELMSTT	LATTAMES
	MALTATES
AAELNNNT	ANNELANT
AAELNNOT	ETALONNA
AAELNNRT	LANTERNA
AAELNNRU	ANNULERA
AAELNOST	ATONALES
AAELNPPT	APPELANT
AAELNPQU	PALANQUE
AAELNPRS	PLANERAS
AAELNPRT	PARENTAL
	PARLANTE
	PLANTERA
	PRENATAL
	REPLANTA
AAELNPSS	PLANASSE
AAELNPST	PLANATES
	PLATANES
AAELNPSV	PANSLAVE
AAELNPTU	EPAULANT
AAELNRST	ALTERNAS
	RESALANT
AAELNRSY	ANALYSER
AAELNRTT	ALERTANT
	ALTERANT
	ALTERNAT
	RATELANT
	RELATANT
AAELNRTV	RAVALENT
	RELAVANT
	REVALANT
AAELNRTX	RELAXANT
AAELNRTY	RELAYANT
AAELNSST	LASSANTE
AAELNSSY	ANALYSES
AAELNSTT	ATLANTES
	TANTALES
AAELNSTY	ANALYSTE
AAELNSYZ	ANALYSEZ
AAELNTTT	ATTELANT
AAELNTTV	TAVELANT
AAELNTTX	EXALTANT
AAELNTUV	EVALUANT
AAELOPRS	SALOPERA
AAELORRU	AURORALE
AAELORSS	ASSOLERA
AAELORSU	AUREOLAS
	SAOULERA
AAELORTU	AUREOLAT
AAELOSTU	ALOUATES
AAELOSTX	OXALATES
AAELPPRS	PALPERAS
	RAPPELAS
AAELPPRT	RAPPELAT
AAELPPSS	PALPASSE
AAELPPST	PALPATES
AAELPQRU	PLAQUERA

AAELPRRS	PARLERAS
	REPARLAS
AAELPRRT	PLATRERA
	REPARLAT
	REPLATRA
AAELPRSS	PARLASSE
	PRELASSA
AAELPRST	PALASTRE
	PALATRES
	PARLATES
	SALPETRA
AAELPRSY	PARALYSE
AAELPSSS	LAPASSES
AAELPTUX	PLATEAUX
AAELQRSU	LAQUERAS
AAELQRTU	TALQUERA
AAELQSSU	LAQUASSE
AAELQSTU	LAQUATES
AAELQSUV	VALAQUES
AAELRRUV	RAVALEUR
AAELRSSS	LASSERAS
	RALASSES
AAELRSST	ASTRALES
AAELRSSU	SALUERAS
AAELRSSV	VALSERAS
AAELRSTT	LATTERAS
AAELRSTU	AUSTRALE
	LAUREATS
AAELRSTV	LAVARETS
AAELRSTZ	LAZARETS
AAELRSUV	AVALEURS
AAELRTUX	LATERAUX
AAELRUZZ	ZARZUELA
AAELSSSS	LASSASSE
	SALASSES
AAELSSST	LASSATES
AAELSSSU	SALUASSE
AAELSSSV	LAVASSES
	VALSASSE
	VASSALES
AAELSSSY	LAYASSES
AAELSSTT	LATTASSE
AAELSSTU	SALUATES
AAELSSTV	VALSATES
AAELSTTT	LATTATES
AAEMMNRS	MARNAMES
AAEMMORT	MATAMORE
AAEMMPRS	RAMPAMES
AAEMMPSU	EMPAUMAS
	PAUMAMES
AAEMMPTU	EMPAUMAT
AAEMMRRS	MARRAMES
AAEMMRSS	MARASMES
AAEMMRST	TRAMAMES
AAEMMRSU	AMURAMES
AAEMMSSS	MASSAMES
AAEMMSSU	AMUSAMES
AAEMNNPS	EMPANNAS
AAEMNNPT	EMPANNAT
AAEMNNRT	RAMENANT
AAEMNNST	TANNAMES
AAEMNNSV	VANNAMES
AAEMNNTT	ENTAMANT
AAEMNORR	RAMONERA
AAEMNORU	ENAMOURA
AAEMNOSZ	AMAZONES
AAEMNPPS	NAPPAMES
AAEMNPRS	PARMESAN
AAEMNPRT	EMPARANT
	RAMPANTE
AAEMNPSS	PANSAMES
AAEMNPTT	EMPATANT
	ETAMPANT
AAEMNQRU	MANQUERA
AAEMNRRS	MARNERAS
	MARRANES
	NARRAMES
AAEMNRRT	AMARRENT
	MARRANTE
	REARMANT
AAEMNRSS	MARNASSE
AAEMNRST	MARNATES
	MATERNAS
	RENTAMAS
AAEMNRSV	NAVRAMES
AAEMNRTT	MATERNAT
	RENTAMAT
	RETAMANT
AAEMNSST	AMASSENT
AAEMNSSU	SAUNAMES
AAEMNSTT	NATTAMES
AAEMNSTU	AMUSANTE
AAEMNSTV	VANTAMES
AAEMNTTU	AMEUTANT
AAEMNTUX	MANTEAUX
AAEMORST	AROMATES
AAEMORSU	AMAUROSE
AAEMORTY	ATERMOYA
AAEMOSTU	OUATAMES
AAEMOSUV	AVOUAMES
AAEMOTTU	AUTOMATE
AAEMPPRS	EPAMPRAS

AAEMPPRT	EPAMPRAT
AAEMPRRS	RAMPERAS
AAEMPRSS	PARSEMAS
	RAMPASSE
AAEMPRST	PARSEMAT
	RAMPATES
AAEMPRSU	APURAMES
	PAUMERAS
AAEMPRTU	AMPUTERA
AAEMPRUX	RAMPEAUX
AAEMPSSS	PAMASSES
	PASSAMES
AAEMPSST	ESTAMPAS
AAEMPSSU	PAUMASSE
	PAUSAMES
AAEMPSTT	EMPATTAS
	ESTAMPAT
AAEMPSTU	PAUMATES
AAEMPTTT	EMPATTAT
AAEMQRRU	MARQUERA
	REMARQUA
AAEMQRSU	ARQUAMES
	MARASQUE
	MASQUERA
AAEMQRTU	MARQUETA
	MATRAQUE
AAEMQSSU	SAQUAMES
AAEMQSTU	TAQUAMES
AAEMQSUV	VAQUAMES
AAEMRRRS	MARRERAS
AAEMRRSS	MARRASSE
	RAMASSER
AAEMRRST	MARATRES
	MARRATES
	TRAMERAS
AAEMRRSU	AMURERAS
AAEMRRTU	ARMATEUR
	ARMATURE
AAEMRSSS	ARMASSES
	MASSERAS
	RAMASSES
AAEMRSST	TRAMASSE
AAEMRSSU	AMASSEUR
	AMURASSE
	AMUSERAS
	ASSUMERA
	SAURAMES
AAEMRSSZ	RAMASSEZ
AAEMRSTT	TRAMATES
	TREMATAS
AAEMRSTU	AMATEURS →
	AMURATES
	RAMEUTAS
	SAUMATRE
AAEMRSUZ	AZURAMES
AAEMRTTT	TREMATAT
AAEMRTTU	RAMEUTAT
AAEMRTUX	MARTEAUX
AAEMSSSS	MASSASSE
	SASSAMES
AAEMSSST	MASSATES
	MATASSES
	TASSAMES
AAEMSSSU	AMUSASSE
AAEMSSTU	AMUSATES
	SAUTAMES
AAEMSSUV	SAUVAMES
AAENNNOR	ANONNERA
AAENNNTT	TANNANTE
AAENNNTX	ANNEXANT
AAENNOPU	PAONNEAU
AAENNORT	ANNOTERA
AAENNPSY	PAYSANNE
AAENNPTV	PAVANENT
AAENNPUX	PANNEAUX
AAENNRST	TANNERAS
AAENNRSV	VANNERAS
AAENNRTV	NAVRANTE
AAENNRTY	ENRAYANT
AAENNSST	ASSENANT
	TANNASSE
AAENNSSV	VANNASSE
AAENNSTT	TANNATES
AAENNSTV	AVENANTS
	ENVASANT
	VANNATES
AAENNTTT	ATTENANT
AAENNUVX	VANNEAUX
AAENOPRT	ANATROPE
AAENPPRS	NAPPERAS
AAENPPRT	APPARENT
AAENPPSS	NAPPASSE
AAENPPST	NAPPATES
AAENPPTT	APPATENT
AAENPRRT	REPARANT
AAENPRSS	PANSERAS
AAENPRST	ARPENTAS
	SEPARANT
	TREPANAS
AAENPRTT	ARPENTAT
	RETAPANT
	TREPANAT

AAENPRTU	APEURANT
AAENPRTV	PARAVENT
	REPAVANT
AAENPRTY	REPAYANT
AAENPSSS	PANASSES
	PANSASSE
AAENPSST	PANSATES
	PASSANTE
AAENPSTT	EPATANTS
	PATENTAS
	TAPANTES
AAENPSTY	PAYANTES
AAENPTTT	PATENTAT
AAENQRTU	QUARANTE
AAENQRUV	NAVARQUE
AAENRRRS	NARRERAS
AAENRRSS	NARRASSE
AAENRRST	NARRATES
	RANATRES
AAENRRSV	NAVRERAS
AAENRRTT	ARRETANT
	ENTARTRA
AAENRRTW	WARRANTE
AAENRRTY	RENTRAYA
AAENRSST	RASANTES
AAENRSSU	SAUNERAS
AAENRSSV	NAVRASSE
AAENRSTT	NATTERAS
	TARTANES
AAENRSTU	URANATES
AAENRSTV	ENTRAVAS
	NAVRATES
	VANTERAS
AAENRSUX	ARSENAUX
AAENRTTV	ENTRAVAT
AAENRTUV	AVENTURA
AAENSSST	ENTASSAS
AAENSSSU	SAUNASSE
AAENSSTT	ENTASSAT
	NATTASSE
AAENSSTU	SAUNATES
AAENSSTV	SAVANTES
	VANTASSE
AAENSSTX	AXASSENT
AAENSSTY	ASSEYANT
	ESSAYANT
AAENSTTT	ATTENTAS
	NATTATES
AAENSTTU	ATTENUAS
AAENSTTV	VANTATES
AAENTTTT	ATTENTAT
AAENTTTU	ATTENUAT
AAENTYZZ	ZEZAYANT
AAEOPPRS	APPOSERA
AAEOPPRT	PAPOTERA
AAEOPRST	APOSTERA
AAEOPRSV	EVAPORAS
AAEOPRTT	TAPOTERA
AAEOPRTV	EVAPORAT
AAEOPSTT	APOSTATE
AAEORRRS	ARROSERA
AAEORRTV	AVORTERA
AAEORSTT	AEROSTAT
AAEORSTU	OUATERAS
AAEORSUV	AVOUERAS
AAEORTTU	TATOUERA
AAEOSSTU	OUATASSE
AAEOSSUV	AVOUASSE
AAEOSTTU	OUATATES
AAEOSTTZ	AZOTATES
AAEOSTUV	AVOUATES
AAEPPRRS	PREPARAS
AAEPPRRT	PREPARAT
AAEPPRRU	REAPPARU
AAEPPRRV	VARAPPER
AAEPPRST	APPRETAS
	PARAPETS
AAEPPRSU	APPARUES
AAEPPRSV	VARAPPES
AAEPPRSY	PAPAYERS
AAEPPRTT	APPRETAT
AAEPPRVZ	VARAPPEZ
AAEPPSTU	PAPAUTES
AAEPQRRU	PARQUERA
AAEPQRTU	PARQUETA
	PATRAQUE
AAEPQSTU	PATAQUES
AAEPRRSU	APURERAS
AAEPRRTT	ATTRAPER
	RATTRAPE
AAEPRRTU	PATURERA
AAEPRSSS	PARASSES
	PARESSAS
	PASSERAS
	RAPASSES
	REPASSAS
AAEPRSST	PARESSAT
	REPASSAT
	SATRAPES
	TREPASSA
AAEPRSSU	APURASSE
	PAUSERAS

AAEPRSTT ATTRAPES
AAEPRSTU APURATES
AAEPRTTZ ATTRAPEZ
AAEPSSSS PASSASSE
SAPASSES
AAEPSSST PASSATES
TAPASSES
AAEPSSSU PAUSASSE
AAEPSSSV PAVASSES
AAEPSSSY PAYASSES
AAEPSSTU PAUSATES
AAEQRRSU ARQUERAS
AAEQRRTU TRAQUERA
AAEQRSSU ARQUASSE
SAQUERAS
AAEQRSTU ARQUATES
ETARQUAS
TAQUERAS
TARASQUE
AAEQRSUV VAQUERAS
AAEQRTTU ATTAQUER
ETARQUAT
AAEQSSSU SAQUASSE
AAEQSSTU SAQUATES
TAQUASSE
AAEQSSUV VAQUASSE
AAEQSTTU ATTAQUES
TAQUATES
AAEQSTUV VAQUATES
AAEQTTUZ ATTAQUEZ
AAERRRTU RATURERA
AAERRSST TERRASSA
AAERRSSU ASSURERA
REASSURA
SAURERAS
AAERRSTT ATTERRAS
TARTARES
AAERRSTU RESTAURA
SATURERA
AAERRSTV TRAVERSA
AAERRSUZ AZURERAS
AAERRTTT ATTERRAT
TARTRATE
AAERRTUV VAUTRERA
AAERSSSS RASASSES
RESSASSA
SASSERAS
AAERSSST ESSARTAS
RATASSES
TARASSES
TASSERAS
AAERSSSU SAURASSE
AAERSSSV REVASSAS
AAERSSSY RAYASSES
RESSAYAS
AAERSSTT ESSARTAT
AAERSSTU RESSAUTA
SAURATES
SAUTERAS
AAERSSTV REVASSAT
AAERSSTY RESSAYAT
AAERSSUV SAUVERAS
AAERSSUZ AZURASSE
AAERSTTU STATUERA
AAERSTUZ AZURATES
AAERTTUX TAXATEUR
AAERTUUX TAUREAUX
AAESSSSS SASSASSE
AAESSSST SASSATES
TASSASSE
AAESSSTT TASSATES
TATASSES
AAESSSTU SAUTASSE
AAESSSTX TAXASSES
AAESSSUV SAUVASSE
AAESSTTT ATTESTAS
AAESSTTU SAUTATES
AAESSTUV SAUVATES
AAESSTUX TASSEAUX
AAESTTTT ATTESTAT
AAFFGIIR AGRIFFAI
AAFFGIRS AGRIFFAS
AAFFGIRT AGRIFFAT
AAFFIIIL AFFILIAI
AAFFIILS AFFILAIS
AFFILIAS
FALSIFIA
AAFFIILT AFFILAIT
AFFILIAT
AAFFIILU FAUFILAI
AAFFIIMR AFFIRMAI
AAFFIINR RAFFINAI
AAFFIINS AFFINAIS
AAFFIINT AFFINAIT
AAFFIIPS PIAFFAIS
AAFFIIPT PIAFFAIT
AAFFILNT AFFILANT
AAFFILOR AFFRIOLA
RAFFOLAI
AAFFILOS AFFOLAIS
AAFFILOT AFFOLAIT
AAFFILSU AFFLUAIS →

	FAUFILAS
AAFFILTU	AFFLUAIT
	FAUFILAT
AAFFIMRS	AFFIRMAS
AAFFIMRT	AFFIRMAT
AAFFINNT	AFFINANT
AAFFINPT	PIAFFANT
AAFFINRS	RAFFINAS
AAFFINRT	RAFFINAT
AAFFIRTU	AFFRUITA
AAFFISTU	AFFUTAIS
AAFFITTU	AFFUTAIT
AAFFITUU	AFFUTIAU
AAFFLNOS	AFFALONS
AAFFLNOT	AFFOLANT
AAFFLNTU	AFFLUANT
AAFFLORS	RAFFOLAS
AAFFLORT	RAFFOLAT
AAFFMNOS	AFFAMONS
AAFFNNOR	FANFARON
AAFFNORT	AFFRONTA
AAFFNTTU	AFFUTANT
AAFGGORS	FOGGARAS
AAFGHNRS	HARFANGS
AAFGIIMN	MAGNIFIA
AAFGIIRT	GRATIFIA
AAFGIITU	FATIGUAI
AAFGINNT	FAIGNANT
AAFGINTT	FATIGANT
AAFGIOST	FAGOTAIS
AAFGIOTT	FAGOTAIT
AAFGIRSU	GAUFRAIS
AAFGIRTU	GAUFRAIT
AAFGISTU	FATIGUAS
AAFGITTU	FATIGUAT
AAFGLNOR	FLAGORNA
AAFGLNRT	FLAGRANT
AAFGNORS	AGRAFONS
AAFGNOTT	FAGOTANT
AAFGNRTU	GAUFRANT
AAFIIILS	SALIFIAI
AAFIIIMR	RAMIFIAI
AAFIIINP	PANIFIAI
AAFIIIRT	RATIFIAI
AAFIIIRU	AURIFIAI
AAFIILLM	FAMILIAL
AAFIILLR	FAILLIRA
AAFIILLS	FAILLAIS
AAFIILLT	FAILLAIT
AAFIILMP	AMPLIFIA
AAFIILNP	PLANIFIA
AAFIILPR	PARFILAI
AAFIILQU	QUALIFIA
AAFIILRS	FLAIRAIS
AAFIILRT	FLAIRAIT
AAFIILSS	SALIFIAS
AAFIILST	SALIFIAT
AAFIIMRS	RAMIFIAS
AAFIIMRT	RAMIFIAT
AAFIINPS	PANIFIAS
AAFIINPT	PANIFIAT
AAFIINRS	FARINAIS
AAFIINRT	FARINAIT
AAFIINSS	FINASSAI
AAFIIRSS	FRAISAIS
AAFIIRST	FRAISAIT
	RATIFIAS
	TARIFAIS
AAFIIRSU	AURIFIAS
AAFIIRTT	RATIFIAT
	TARIFAIT
AAFIIRTU	AURIFIAT
AAFIISTT	ATTIFAIS
AAFIITTT	ATTIFAIT
AAFILLNT	FAILLANT
AAFILLOU	FOUAILLA
AAFILNQU	FLANQUAI
AAFILNRT	FLAIRANT
AAFILNSU	FALUNAIS
AAFILNTU	FALUNAIT
AAFILORT	FOLATRAI
AAFILPRS	PARFILAS
AAFILPRT	PARFILAT
AAFILSTT	FLATTAIS
AAFILSTU	SULFATAI
AAFILSTX	LAXATIFS
AAFILTTT	FLATTAIT
AAFIMNNT	INFAMANT
AAFIMPRU	PARFUMAI
AAFINNRT	FARINANT
AAFINOPR	PROFANAI
AAFINRRT	NARRATIF
AAFINRST	FRAISANT
AAFINRTT	TARIFANT
AAFINSSS	FINASSAS
AAFINSST	FINASSAT
AAFINTTT	ATTIFANT
AAFIORSV	FAVORISA
AAFIOSTY	FAYOTAIS
AAFIOTTY	FAYOTAIT
	FAYOTTAI*
AAFIPPRS	FRAPPAIS

AAFIPPRT	FRAPPAIT
AAFIPRST	PARFAITS
AAFIQRTU	TRAFIQUA
AAFISSSU	FAUSSAIS
AAFISSTU	FAUSSAIT
AAFLMNST	FLAMANTS
AAFLMORU	MAROUFLA
AAFLNNOP	PLAFONNA
AAFLNNTU	FALUNANT
AAFLNQSU	FLANQUAS
AAFLNQTU	FLANQUAT
AAFLNTTT	FLATTANT
AAFLORST	FOLATRAS
AAFLORTT	FOLATRAT
AAFLSSTU	SULFATAS
AAFLSTTU	SULFATAT
AAFMPRSU	PARFUMAS
AAFMPRTU	PARFUMAT
AAFNOPRS	PARAFONS
	PROFANAS
AAFNOPRT	PROFANAT
AAFNOTTY	FAYOTANT
AAFNPPRT	FRAPPANT
AAFNSSTU	FAUSSANT
AAFOPPTU	PATAPOUF
AAFOSTTY	FAYOTTAS*
AAFOTTTY	FAYOTTAT*
AAGGIUZZ	ZIGZAGUA
AAGGNNNN	GNANGNAN
AAGGNNST	GAGNANTS
AAGHKMNY	GYMKHANA
AAGIIIMN	IMAGINAI
AAGIIIRR	AIGRIRAI
AAGIIISU	AIGUISAI
AAGIILLR	GRAILLAI
AAGIILLU	AIGUILLA
AAGIILNS	ALIGNAIS
	SIGNALAI
AAGIILNT	ALIGNAIT
AAGIILPR	GLAPIRAI
AAGIILPS	PLAGIAIS
AAGIILPT	PLAGIAIT
AAGIILRS	GLAIRAIS
AAGIILRT	GLAIRAIT
	GLATIRAI
AAGIILSS	GLAISAIS
AAGIILST	GLAISAIT
AAGIILSU	AIGUAILS*
AAGIIMNS	GAMINAIS
	IMAGINAS
AAGIIMNT	GAMINAIT →
	IMAGINAT
AAGIIMRR	AMAIGRIR
	MAIGRIRA
AAGIIMRS	AMAIGRIS
AAGIIMRT	AMAIGRIT
AAGIINNV	INVAGINA
AAGIINOR	AGONIRAI*
AAGIINOS	AGONISAI
AAGIINPS	PAGINAIS
AAGIINPT	PAGINAIT
AAGIINRR	GARNIRAI
AAGIINRS	GRAINAIS
AAGIINRT	GRAINAIT
	GRANITAI
	GRATINAI
AAGIINRV	VINAIGRA
AAGIINSS	ASSIGNAI
	SAIGNAIS
AAGIINST	SAIGNAIT
AAGIINUV	NAVIGUAI
AAGIIOST	AGIOTAIS
AAGIIOTT	AGIOTAIT
AAGIIPPR	AGRIPPAI
AAGIIRRS	AIGRIRAS
AAGIIRRV	GRAVIRAI
AAGIIRSS	GRAISSAI
AAGIIRSV	VAGIRAIS
AAGIIRTV	GRAVITAI
	VAGIRAIT
AAGIISSS	AGISSAIS
AAGIISST	AGISSAIT
AAGIISSU	AIGUISAS
AAGIISTU	AIGUISAT
AAGIKLNO	KAOLIANG
AAGILLOU	GOUAILLA
AAGILLPS	GASPILLA
AAGILLRS	GRAILLAS
AAGILLRT	GRAILLAT
AAGILLUZ	ALGUAZIL
AAGILMNO	MAGNOLIA
AAGILMNR	MARGINAL
AAGILNNO	GALONNAI
AAGILNNT	ALIGNANT
AAGILNPT	PLAGIANT
AAGILNRT	GLAIRANT
AAGILNRU	ALANGUIR
	GRANULAI
	LANGUIRA
	RALINGUA
AAGILNSS	SANGLAIS
	SIGNALAS

AAGILNST	GLAISANT
	SANGLAIT
	SIGNALAT
AAGILNSU	ALANGUIS
AAGILNTU	ALANGUIT
AAGILOPS	GALOPAIS
AAGILOPT	GALOPAIT
AAGILPRS	GLAPIRAS
AAGILPST	PLAGIATS
AAGILRST	GLATIRAS
AAGILRSU	LARGUAIS
AAGILRTU	LARGUAIT
	LIGATURA
AAGILSTT	SAGITTAL
AAGIMNNT	GAMINANT
AAGIMNSS	MAGASINS
AAGIMORT	MARGOTAI
AAGINNOT	AGNATION
AAGINNOZ	GAZONNAI
AAGINNPT	PAGINANT
AAGINNRT	GRAINANT
AAGINNST	SAIGNANT
AAGINNTV	NAVIGANT
AAGINORS	AGONIRAS*
	ORGANISA
AAGINOSS	AGONISAS
	ANGOISSA
AAGINOST	AGONISAT
AAGINOTT	AGIOTANT
AAGINPPR	PARPAING
AAGINRRS	GARNIRAS
AAGINRRT	GARANTIR
AAGINRSS	SANGRIAS
AAGINRST	GARANTIS
	GRANITAS
	GRATINAS
AAGINRSU	GUARANIS
	NARGUAIS
AAGINRTT	GARANTIT
	GRANITAT
	GRATINAT
AAGINRTU	NARGUAIT
AAGINRUU	INAUGURA
AAGINSSS	AGASSINS
	ASSIGNAS
AAGINSST	AGISSANT
	ASSIGNAT
	STAGNAIS
AAGINSTT	STAGNAIT
AAGINSTU	TANGUAIS
AAGINSUV	NAVIGUAS →
	SAUVAGIN
AAGINTTU	TANGUAIT
AAGINTUV	NAVIGUAT
AAGINUVX	VAGINAUX
AAGIORTV	RAVIGOTA
AAGIPPRS	AGRIPPAS
AAGIPPRT	AGRIPPAT
AAGIRRSV	GRAVIRAS
AAGIRSSS	GRAISSAS
AAGIRSST	GRAISSAT
AAGIRSTT	GRATTAIS
AAGIRSTU	TARGUAIS
AAGIRSTV	GRAVITAS
AAGIRSUU	AUGURAIS
AAGIRTTT	GRATTAIT
AAGIRTTU	TARGUAIT
AAGIRTTV	GRAVITAT
AAGIRTUU	AUGURAIT
AAGISSSU	GAUSSAIS
AAGISSTU	GAUSSAIT
AAGJNNOR	JARGONNA
AAGKLNRS	KANGLARS
AAGLLOPY	POLYGALA
AAGLNNOS	GALONNAS
AAGLNNOT	GALONNAT
AAGLNNST	SANGLANT
AAGLNOPT	GALOPANT
AAGLNOST	SANGLOTA
AAGLNOSV	GALVANOS
AAGLNRSU	GRANULAS
AAGLNRTU	GRANULAT
	LARGUANT
AAGLOSSS	AGLOSSAS
AAGLRSTU	GASTRULA
AAGMNORT	MARTAGON
AAGMORST	MARGOTAS
AAGMORTT	MARGOTAT
	MARGOTTA
AAGNNOPR	PARANGON
AAGNNOSZ	GAZONNAS
AAGNNOTZ	GAZONNAT
AAGNNRTU	NARGUANT
AAGNNSTT	STAGNANT
AAGNNTTU	TANGUANT
AAGNOPST	PATAGONS
AAGNOPSY	PAGAYONS
AAGNORRT	ARROGANT
AAGNORSU	OURAGANS
AAGNRTTT	GRATTANT
AAGNRTTU	TARGUANT
AAGNRTUU	AUGURANT

AAGNSSTU	GAUSSANT
AAGORRTT	GARROTTA
AAGRUUUX	AUGURAUX
AAHIILNN	ANNIHILA
AAHIILNS	INHALAIS
AAHIILNT	INHALAIT
AAHIIRRT	TRAHIRAI
AAHIIRRU	AHURIRAI
AAHIISSS	HAISSAIS
AAHIISST	HAISSAIT
AAHILLLS	HALLALIS
AAHILNNT	INHALANT
AAHILNOT	ANTIHALO
AAHILNRT	HILARANT
AAHILPRS	HARPAILS
AAHILPSV	PAHLAVIS
AAHIMNOS	MAHONIAS
AAHIMNSU	HUMANISA
AAHIMSSS	SMASHAIS
AAHIMSST	SMASHAIT
AAHINNOS	AHANIONS
AAHINPRS	PIRANHAS
AAHINSST	HAISSANT
AAHINSTU	HAUTAINS
AAHIOPRT	ATROPHIA
AAHIORSU	SAHRAOUI
AAHIOSTU	SOUHAITA
AAHIPRSS	PHRASAIS
AAHIPRST	PHRASAIT
AAHIPSXY	ASPHYXIA
AAHIRRST	TRAHIRAS
AAHIRRSU	AHURIRAS
AAHISSSU	HAUSSAIS
AAHISSTU	HAUSSAIT
AAHKMOTW	TOMAHAWK
AAHLMSTU	THALAMUS
AAHMNORT	MARATHON
AAHMNSST	SMASHANT
AAHNNOPR	HARPONNA
AAHNNOSS	HOSANNAS
AAHNOPRS	PHARAONS
AAHNPRST	PHRASANT
AAHNSSTU	HAUSSANT
AAIIILLP	PIAILLAI
AAIIILRV	AVILIRAI
AAIIIRSS	SAISIRAI
AAIIJLLR	JAILLIRA
AAIIJNOT	AJOINTAI
AAIIJNPS	JASPINAI
AAIIJNRU	JAUNIRAI
AAIILLMR	RIMAILLA
AAIILLMS	MAILLAIS
AAIILLMT	MAILLAIT
AAIILLNP	PINAILLA
AAIILLNS	NASILLAI
AAIILLPS	PAILLAIS
	PALLIAIS
	PIAILLAS
AAIILLPT	PAILLAIT
	PALLIAIT
	PIAILLAT
AAIILLRS	RAILLAIS
	RALLIAIS
	SAILLIRA
AAIILLRT	RAILLAIT
	RALLIAIT
	TIRAILLA
AAIILLSS	ASSAILLI
AAIILLST	SAILLAIT
	TAILLAIS
AAIILLTT	TAILLAIT
AAIILMNS	LAMINAIS
	MILANAIS
AAIILMNT	LAMINAIT
AAIILMSS	ASSIMILA
AAIILMSU	MIAULAIS
AAIILMTU	MIAULAIT
AAIILNPR	PRALINAI
AAIILNPS	LAPINAIS
AAIILNPT	LAPINAIT
	PLATINAI
AAIILNRU	ALUNIRAI
AAIILNST	LATINISA
AAIILOSV	OVALISAI
AAIILPPT	PALPITAI
AAIILPRR	PRAIRIAL
AAIILPRS	PALIRAIS
	PLAIRAIS
AAIILPRT	PALIRAIT
	PLAIRAIT
AAIILPSS	PALISSAI
	PLAISAIS
AAIILPST	PLAISAIT
AAIILPSU	PIAULAIS
AAIILPTU	PIAULAIT
AAIILRRV	RAVILIRA
AAIILRSS	SALIRAIS
AAIILRST	SALIRAIT
AAIILRSV	AVILIRAS
	RIVALISA
AAIILRSZ	ALIZARIS
AAIILRTT	ATTIRAIL

AAIILSSS	LAISSAIS
AAIILSST	LAISSAIT
AAIILSSU	LAIUSSAI
AAIILSSV	SALIVAIS
	SLAVISAI
AAIILSTV	SALIVAIT
AAIIMMSX	MAXIMISA
AAIIMNRS	MARINAIS
	RANIMAIS
AAIIMNRT	MARINAIT
	RANIMAIT
AAIIMNST	AMNISTIA
	MATINAIS
AAIIMNTT	MATINAIT
AAIIMORR	ARMORIAI
AAIIMOST	ATOMISAI
AAIIMRRS	ARRIMAIS
AAIIMRRT	ARRIMAIT
AAIIMRST	MAITRISA
	MATIRAIS
AAIIMRSU	AMUIRAIS
AAIIMRTT	MATIRAIT
AAIIMRTU	AMUIRAIT
AAIIMSST	TAMISAIS
AAIIMSTT	TAMISAIT
AAIINNRT	NANTIRAI
AAIINNSS	NAISSAIN
AAIINNST	TANNISAI
AAIINOPT	PIANOTAI
AAIINOSV	AVOISINA
AAIINOTU	OUATINAI
AAIINOTV	AVIATION
AAIINPQU	PANIQUAI
AAIINPRS	RAPINAIS
AAIINPRT	RAPINAIT
AAIINPST	PATINAIS
AAIINPTT	PATINAIT
AAIINQTU	TAQUINAI
AAIINRSS	ASSAINIR
AAIINRST	NAITRAIS
	RATINAIS
	TRAINAIS
AAIINRSV	RAVINAIS
AAIINRTT	NAITRAIT
	NITRATAI
	RATINAIT
	TARTINAI
	TRAINAIT
AAIINRTV	RAVINAIT
AAIINSSS	ASSAINIS
	NAISSAIS
AAIINSST	ASSAINIT
	NAISSAIT
	SATINAIS
	TANISAIS
AAIINSTT	SATINAIT
	TANISAIT
AAIIOPST	PATOISAI
AAIIOPSV	PAVOISAI
AAIIOPTY	APITOYAI
AAIIORSS	ASSOIRAI
AAIIPQSU	APIQUAIS
AAIIPQTU	APIQUAIT
AAIIPRRT	PARTIRAI
AAIIPRSS	ASPIRAIS
AAIIPRST	ASPIRAIT
	PAITRAIS
	PATIRAIS
	PIRATAIS
	TAPIRAIS
AAIIPRTT	PAITRAIT
	PATIRAIT
	PIRATAIT
	TAPIRAIT
AAIIPSSS	PAISSAIS
AAIIPSST	PAISSAIT
	TAPISSAI
AAIIQSTU	ASTIQUAI
AAIIRRSS	ARRISAIS
	RASSIRAI*
AAIIRRST	ARRISAIT
	TARIRAIS
	TRAIRAIS
AAIIRRSV	ARRIVAIS
	RAVIRAIS
AAIIRRTT	TARIRAIT
	TRAIRAIT
AAIIRRTV	ARRIVAIT
	RAVIRAIT
AAIIRSSS	SAISIRAS
AAIIRSST	RATISSAI
	SATIRISA
AAIIRSSV	RAVISAIS
AAIIRSTT	ATTIRAIS
	TRAITAIS
AAIIRSTV	RAVISAIT
AAIIRSVV	RAVIVAIS
AAIIRSZZ	RAZZIAIS
AAIIRTTT	ATTIRAIT
	ATTITRAI
	TRAITAIT
AAIIRTVV	RAVIVAIT

AAIIRTZZ	RAZZIAIT
AAIISSST	ASSISTAI
AAIISSTT	ATTISAIS
AAIISTTT	ATTISAIT
AAIJLNNO	JALONNAI
AAIJLOSU	JALOUSAI
AAIJMORS	MAJORAIS
AAIJMORT	MAJORAIT
AAIJNOPS	JAPONAIS
AAIJNORU	AJOURNAI
AAIJNOST	AJOINTAS
AAIJNOTT	AJOINTAT
AAIJNPSS	JASPINAS
AAIJNPST	JASPINAT
AAIJNRSU	JAUNIRAS
AAIJORSU	AJOURAIS
AAIJORTU	AJOURAIT
	RAJOUTAI
AAIJOSTU	AJOUTAIS
AAIJOTTU	AJOUTAIT
AAIJPRRU	PARJURAI
AAIJRSTU	RAJUSTAI
AAIJSSTU	AJUSTAIS
AAIJSTTU	AJUSTAIT
AAIKPPRS	PAPRIKAS
AAIKSSTV	SVASTIKA
AAILLLUV	ALLUVIAL
AAILLMNT	MAILLANT
AAILLMOR	AMOLLIRA
AAILLMQU	MAQUILLA
AAILLMRU	RALLUMAI
AAILLMSU	ALLUMAIS
AAILLMTU	ALLUMAIT
AAILLNPT	PAILLANT
	PALLIANT
AAILLNRT	RAILLANT
	RALLIANT
AAILLNSS	NASILLAS
AAILLNST	INSTALLA
	NASILLAT
	SAILLANT
AAILLNTT	TAILLANT
AAILLNTV	VAILLANT
AAILLOSU	ALLOUAIS
AAILLOTU	ALLOUAIT
AAILLSTU	SAUTILLA
AAILMNNT	LAMANTIN
	LAMINANT
AAILMNPT	IMPLANTA
AAILMNPU	MANIPULA
AAILMNSS	MALSAINS
AAILMNST	STAMINAL
	TALISMAN
AAILMNTU	MIAULANT
AAILMORR	ARMORIAL
AAILMORS	MORALISA
AAILMORY	LARMOYAI
AAILMRST	TRAMAILS
AAILMTUZ	AZIMUTAL
AAILNNOT	LAITONNA
	NATIONAL
	TALONNAI
AAILNNPT	LAPINANT
	PLANTAIN
AAILNNSU	ANNULAIS
AAILNNTU	ANNULAIT
AAILNOPT	TALAPOIN*
AAILNORT	NOTARIAL
	RATIONAL
AAILNOSS	SALAISON
AAILNOSV	AVALIONS
AAILNPQU	PLANQUAI
AAILNPRS	PRALINAS
AAILNPRT	PRALINAT
AAILNPST	PALATINS
	PLAISANT
	PLANTAIS
	PLATINAS
AAILNPTT	PLANTAIT
	PLATINAT
AAILNPTU	PIAULANT
AAILNRSU	ALUNIRAS
AAILNSST	LAISSANT
AAILNSTV	SALIVANT
AAILOPRS	POLARISA
AAILOPRV	VARLOPAI
AAILOPSS	SALOPAIS
AAILOPST	SALOPAIT
AAILORSV	AVALOIRS*
	VALORISA
AAILORTU	AUTORAIL
AAILOSSS	ASSOLAIS
AAILOSST	ASSOLAIT
AAILOSSU	SAOULAIS
AAILOSSV	OVALISAS
AAILOSTT	TOTALISA
AAILOSTU	SAOULAIT
AAILOSTV	OVALISAT
AAILPPQU	APPLIQUA
AAILPPST	PALPITAS
AAILPPTT	PALPITAT
AAILPQSU	PLAQUAIS

AAILPQTU PLAQUAIT
AAILPRRT RAPLATIR
AAILPRST PLATRAIS
RAPLATIS
AAILPRTT PLATRAIT
RAPLATIT
AAILPSSS PALISSAS
AAILPSST PALISSAT
AAILQSTU TALQUAIS
AAILQTTU TALQUAIT
AAILRSTV TRAVAILS
AAILSSSU LAIUSSAS
AAILSSSV SLAVISAS
AAILSSTU LAIUSSAT
AAILSSTV SLAVISAT
AAIMMNTX MAXIMANT
AAIMMOSS ASSOMMAI
AAIMMRSU SAMARIUM
AAIMMUXX MAXIMAUX
AAIMNNOR MARONNAI
AAIMNNOY MONNAYAI
AAIMNNRT MARINANT
RANIMANT
AAIMNNTT MATINANT
AAIMNORS RAMONAIS
ROMANISA
AAIMNORT RAMONAIT
TAMANOIR
AAIMNQSU MANQUAIS
AAIMNQTU MANQUAIT
AAIMNRRT ARRIMANT
AAIMNRST TAMARINS
AAIMNSTT TAMISANT
AAIMNTUX MATINAUX
AAIMOPUY PAUMOYAI
AAIMORRS ARMORIAS
AAIMORRT AMORTIRA
ARMORIAT
AAIMORST MORTAISA
AAIMORSU SAMOURAI
AAIMOSST ATOMISAS
AAIMOSTT ATOMISAT
AAIMOTUZ MAZOUTAI
AAIMPSTU AMPUTAIS
AAIMPTTU AMPUTAIT
AAIMQRSU MARQUAIS
AAIMQRTU MARQUAIT
AAIMQRUU AQUARIUM
AAIMQSSU MASQUAIS
AAIMQSTU MASQUAIT
MASTIQUA
AAIMRSSS RAMASSIS
AAIMRSSU SAMURAIS
AAIMRSUU SAUMURAI
AAIMRTUX MARITAUX
MARTIAUX
AAIMSSSU ASSUMAIS
AAIMSSTU ASSUMAIT
AAINNNOS ANONNAIS
AAINNNOT ANONNAIT
AAINNORS RAISONNA
AAINNORT RATIONNA
AAINNORY RAYONNAI
AAINNOST ANNOTAIS
AAINNOSV SAVONNAI
AAINNOTT ANNOTAIT
NATATION
TATONNAI
AAINNPRT RAPINANT
AAINNPTT PATINANT
AAINNRRV NAVARRIN
AAINNRST NANTIRAS
AAINNRSV NAVARINS
NIRVANAS
AAINNRTT RATINANT
TRAINANT
AAINNRTV RAVINANT
AAINNSST NAISSANT
TANNISAS
AAINNSTT SATINANT
TANISANT
TANNISAT
AAINOPPT APPOINTA
APPONTAI
AAINOPSS APAISONS
AAINOPST PIANOTAS
AAINOPTT PIANOTAT
AAINORSS ARASIONS
AAINORSV AVARIONS
AAINORTT NOTARIAT
AAINOSTU OUATINAS
AAINOTTU OUATINAT
AAINOTTX TAXATION
AAINOTUY NOYAUTAI
AAINPQSU PANIQUAS
AAINPQTU APIQUANT
PANIQUAT
AAINPRRS PARRAINS
AAINPRST ASPIRANT
PARTISAN
AAINPRTT PIRATANT
AAINPSST PAISSANT

AAINQRTU	QUATRAIN
AAINQSTU	SQUATINA
	TAQUINAS
AAINQTTU	TAQUINAT
AAINRRSS	SARRASIN
AAINRRST	ARRISANT
	TRANSIRA
AAINRRTV	ARRIVANT
AAINRSST	ARTISANS
AAINRSSV	SAVARINS
AAINRSTT	NITRATAS
	TARTINAS
	TRANSITA
AAINRSTU	INSTAURA
AAINRSTV	RAVISANT
	VARIANTS
AAINRTTT	ATTIRANT
	NITRATAT
	TARTINAT
	TRAITANT
AAINRTVV	RAVIVANT
AAINRTZZ	RAZZIANT
AAINSSSS	ASSASSIN
AAINSTTT	ATTISANT
AAIOPPRR	APPAROIR
AAIOPPRT	APPORTAI
AAIOPPSS	APPOSAIS
AAIOPPST	APPOSAIT
	PAPOTAIS
AAIOPPTT	PAPOTAIT
AAIOPRSV	VAPORISA
AAIOPSST	APOSTAIS
	PATOISAS
	POTASSAI
AAIOPSSV	PAVOISAS
AAIOPSTT	APOSTAIT
	PATOISAT
	TAPOTAIS
AAIOPSTU	AUTOPSIA
AAIOPSTV	PAVOISAT
AAIOPSTY	APITOYAS
AAIOPTTT	TAPOTAIT
AAIOPTTY	APITOYAT
AAIORRSS	ARROSAIS
	RASSOIRA
AAIORRST	ARROSAIT
AAIORSSS	ASSOIRAS
AAIORSTU	AUTORISA
AAIORSTV	AVORTAIS
AAIORSUV	SAVOURAI
AAIORTTV	AVORTAIT
AAIOSSSY	ASSOYAIS
AAIOSSTY	ASSOYAIT
AAIOSTTU	TATOUAIS
AAIOTTTU	TATOUAIT
AAIPPRUV	APPAUVRI
AAIPPSUY	APPUYAIS
AAIPPTUY	APPUYAIT
AAIPQRSU	PARQUAIS
AAIPQRTU	PARQUAIT
	PRATIQUA
AAIPRRST	PARTIRAS
AAIPRSTU	PATURAIS
AAIPRSUY	SURPAYAI
AAIPRTTU	PATURAIT
AAIPRTUX	PARTIAUX
AAIPSSST	TAPISSAS
AAIPSSTT	TAPISSAT
AAIPSTUX	SPATIAUX
AAIQRSTU	TRAQUAIS
AAIQRTTU	TRAQUAIT
AAIQSSSU	QUASSIAS
AAIQSSTU	ASTIQUAS
AAIQSTTU	ASTIQUAT
AAIRRSSS	RASSIRAS*
AAIRRSSU	RASSURAI
AAIRRSTU	RATURAIS
AAIRRTTU	RATURAIT
AAIRSSST	RATISSAS
AAIRSSSU	ASSURAIS
AAIRSSTT	RATISSAT
AAIRSSTU	ASSURAIT
	SATURAIS
AAIRSTTT	ATTITRAS
	ATTRAITS
	ATTRISTA
AAIRSTTU	SATURAIT
AAIRSTUV	VAUTRAIS
AAIRSTUX	SURTAXAI
AAIRTTTT	ATTITRAT
AAIRTTUV	VAUTRAIT
AAISSSST	ASSISTAS
AAISSSTT	ASSISTAT
AAISSSTV	VASISTAS
AAISSTTU	STATUAIS
AAISTTTU	STATUAIT
AAITTUUY	TUYAUTAI
AAJLNNOS	JALONNAS
AAJLNNOT	JALONNAT
AAJLOSSU	JALOUSAS
AAJLOSTU	JALOUSAT
AAJMNORT	MAJORANT

AAJMORST	MAJORATS
AAJMORUX	MAJORAUX
AAJNORSU	AJOURNAS
AAJNORTU	AJOURANT
	AJOURNAT
AAJNOTTU	AJOUTANT
AAJNSTTU	AJUSTANT
AAJOISSU	SAPAJOUS
AAJORSTU	RAJOUTAS
AAJORTTU	RAJOUTAT
AAJPRRSU	PARJURAS
AAJPRRTU	PARJURAT
AAJRSSTU	RAJUSTAS
AAJRSTTU	RAJUSTAT
AAKKLRSU	KARAKULS
AAKLNNOX	KLAXONNA
AAKLNOSY	ANKYLOSA
AAKMRSUZ	MAZURKAS
AAKNNSTU	NUNATAKS
AALLMNTU	ALLUMANT
AALLMRSU	RALLUMAS
AALLMRTU	RALLUMAT
AALLNOTU	ALLOUANT
AALMMNOS	AMMONALS
AALMNORS	ALARMONS
AALMNOSX	MALAXONS
AALMNOTU	AUTOMNAL
AALMNPST	LAMPANTS
AALMNSTU	ALUMNATS
AALMOPRS	LAMPAROS
AALMORSY	LARMOYAS
AALMORTY	LARMOYAT
AALMRSTU	MARSAULT
AALNNNTU	ANNULANT
AALNNOPT	PANTALON
AALNNOST	TALONNAS
AALNNOTT	TALONNAT
AALNNPTT	PLANTANT
AALNOPRT	PATRONAL
AALNOPST	SALOPANT
AALNORSV	RAVALONS
AALNOSST	ASSOLANT
AALNOSTU	SAOULANT
AALNPQSU	PLANQUAS
AALNPQTU	PLANQUAT
	PLAQUANT
AALNPRST	PARLANTS
AALNPRSU	LUPANARS
AALNPRTT	PLATRANT
AALNQTTU	TALQUANT
AALNSSST	LASSANTS
AALNSTTU	SULTANAT
AALOPRSS	PARASOLS
AALOPRST	PASTORAL
AALOPRSV	VARLOPAS
AALOPRTV	VARLOPAT
AALRSSTU	AUSTRALS
AAMMNNOR	MARMONNA
AAMMORTT	MARMOTTA
AAMMOSSS	ASSOMMAS
AAMMOSST	ASSOMMAT
AAMNNOPT	TAMPONNA
AAMNNORS	MARONNAS
AAMNNORT	MARONNAT
	RAMONANT
AAMNNOSY	MONNAYAS
AAMNNOTU	MANTOUAN
AAMNNOTY	ANONYMAT
	MONNAYAT
AAMNNQTU	MANQUANT
AAMNORRS	AMARRONS
AAMNORUX	ANORMAUX
AAMNOSSS	AMASSONS
AAMNPRST	RAMPANTS
AAMNPTTU	AMPUTANT
AAMNQRTU	MARQUANT
AAMNQSTU	MASQUANT
AAMNRRST	MARRANTS
AAMNRSTU	TRANSMUA
AAMNSSTU	AMUSANTS
	ASSUMANT
AAMOPSUY	PAUMOYAS
AAMOPTUY	PAUMOYAT
AAMORSSV	SAMOVARS
AAMOSTUZ	MAZOUTAS
AAMOTTUZ	MAZOUTAT
AAMRSSUU	SAUMURAS
AAMRSTUU	SAUMURAT
AAMRSTWY	TRAMWAYS
AANNNNOT	ANONNANT
AANNNOTT	ANNOTANT
AANNNSTT	TANNANTS
AANNOPRT	PATRONNA
AANNOPSV	PAVANONS
AANNORSY	RAYONNAS
AANNORTY	RAYONNAT
AANNOSST	ASSONANT
AANNOSSV	SAVONNAS
AANNOSTT	TATONNAS
AANNOSTV	SAVONNAT
AANNOTTT	TATONNAT
AANNRSTV	NAVRANTS

AANOOPPX	OPOPANAX
AANOPPST	APPATONS
	APPONTAS
	APPOSANT
AANOPPTT	APPONTAT
	PAPOTANT
AANOPRTT	PATRONAT
AANOPSTT	APOSTANT
AANOPTTT	TAPOTANT
AANORRST	ARROSANT
AANORTTV	AVORTANT
AANOSSTY	ASSOYANT
AANOSTUY	NOYAUTAS
AANOTTTU	TATOUANT
AANOTTUY	NOYAUTAT
AANPPTUY	APPUYANT
AANPQRTU	PARQUANT
AANPRSTT	PARTANTS
AANPRTTU	PATURANT
AANPSSST	PASSANTS
AANQRTTU	TRAQUANT
AANRRSTW	WARRANTS
AANRRTTU	RATURANT
AANRSSTT	TRANSATS
AANRSSTU	ASSURANT
AANRSTTU	SATURANT
AANRTTUV	VAUTRANT
AANSTTTU	STATUANT
AAOPPRRT	RAPPORTA
AAOPPRST	APPORTAS
AAOPPRTT	APPORTAT
AAOPPRUV	APPROUVA
AAOPRSTT	PASTORAT
AAOPRTTU	ATTROUPA
AAOPSSST	POTASSAS
AAOPSSTT	APOSTATS
	POTASSAT
AAORRUUX	AURORAUX
AAORSSUV	SAVOURAS
AAORSTUV	SAVOURAT
AAPRSSSU	SURPASSA
AAPRSSUY	SURPAYAS
AAPRSTUY	SURPAYAT
AAQRTTUU	QUARTAUT
AARRSSSU	RASSURAS
AARRSSTU	RASSURAT
AARSSTUU	SURSAUTA
AARSSTUX	SURTAXAS
AARSTTUX	SURTAXAT
AARSTUUX	AUSTRAUX
AASTTUUY	TUYAUTAS
AATTTUUY	TUYAUTAT
ABBCEERU	BARBECUE
ABBCEHIR	BARBICHE
ABBCEHMO	BAMBOCHE
ABBCEHOU	BABOUCHE
ABBCELRS	SCRABBLE*
ABBCEMNO	BOMBANCE
ABBDEINO	DEBOBINA
ABBDEMOR	BOMBARDE
ABBDEORU	DEBOURBA
ABBDIILR	DRIBBLAI
ABBDILRS	DRIBBLAS
ABBDILRT	DRIBBLAT
ABBEEELR	BARBELEE
ABBEEERS	EBARBEES
ABBEEIIL	BILABIEE
ABBEEIRZ	EBARBIEZ
ABBEEISU	EBAUBIES
ABBEELRS	BARBELES
ABBEENRT	EBARBENT
ABBEEORS	ABSORBEE
ABBEERRU	BABEURRE
	EBARBURE
ABBEERRZ	BARBEREZ
ABBEERTT	BARBETTE
ABBEESSS	ABBESSES
ABBEGINO	BOBINAGE
ABBEHRRU	RHUBARBE
ABBEIILS	BILABIES
ABBEIIMR	IMBIBERA
ABBEILLR	BABILLER
	BARBILLE
ABBEILLS	BABILLES
ABBEILLZ	BABILLEZ
ABBEILMR	BRIMBALE
ABBEILOS	BABIOLES
ABBEILTU	BALBUTIE
ABBEIMNO	EMBOBINA
ABBEIMNS	BAMBINES
ABBEIMOR	BOMBERAI
ABBEINOR	BOBINERA
ABBEIORR	EBARBOIR
ABBEIRRS	BARBIERS
ABBEJORU	JOUBARBE
ABBELOPR	PROBABLE
ABBELSUV	BUVABLES
ABBEMMOS	BOMBAMES
ABBEMORS	BOMBERAS
ABBEMORU	EMBOURBA
ABBEMOSS	BOMBASSE
ABBEMOST	BOMBATES

ABBENORS	EBARBONS
ABBEORRS	ABSORBER
ABBEORRT	BARBOTER
ABBEORSS	ABSORBES
ABBEORST	BARBOTES
ABBEORSZ	ABSORBEZ
ABBEORTT	BARBOTTE
ABBEORTZ	BARBOTEZ
ABBEORUZ	BARBOUZE
ABBIIIMS	IMBIBAIS
ABBIIIMT	IMBIBAIT
ABBIIMNT	IMBIBANT
ABBIINOS	BOBINAIS
ABBIINOT	BOBINAIT
ABBILNOU	OBNUBILA
ABBINNOT	BOBINANT
ABBINORS	BARBIONS
ABBINORT	BARBOTIN
ABBINOSU	BABOUINS
ABBLOOUU	BOUBOULA
ABCCEHOS	CABOCHES
ABCCELLY	CYCLABLE
ABCCELSU	BUCCALES
ABCCHHIK	BAKCHICH
ABCCHNOO	CABOCHON
ABCCKLOS	COLBACKS
ABCCMOSU	SUCCOMBA
ABCDEEEL	DEBACLEE*
ABCDEEHU	DEBAUCHE
ABCDEELR	DEBACLER
ABCDEELS	DEBACLES
ABCDEELU	EDUCABLE
ABCDEELZ	DEBACLEZ
ABCDEEOR	BOCARDEE
ABCDEHIU	DEBUCHAI
ABCDEHOR	DEBROCHA
ABCDEHOU	DEBOUCHA
ABCDEHSU	DEBUCHAS
ABCDEHTU	DEBUCHAT
ABCDEIIS	BIACIDES
ABCDELOU	DEBOUCLA
ABCDEORR	BOCARDER
	BROCARDE
ABCDEORS	BOCARDES
ABCDEORZ	BOCARDEZ
ABCDHNRU	CHADBURN
ABCDIRRS	BRISCARD
ABCDORRS	BROCARDS
ABCDOSUU	BOUCAUDS
ABCEEEEN	EBENACEE*
ABCEEEHR	HERBACEE
ABCEEEHU	EBAUCHEE
ABCEEERX	EXACERBE
ABCEEESS	SEBACEES
ABCEEGHS	BECHAGES
ABCEEGOR	BOCAGERE
ABCEEGOU	ECOBUAGE
ABCEEHIR	BECHERAI
	EBRECHAI
ABCEEHLM	BECHAMEL
ABCEEHLS	CHABLEES
ABCEEHMR	CHAMBREE
ABCEEHMS	BECHAMES
ABCEEHMU	EMBAUCHE
	MAUBECHE
ABCEEHNR	BERNACHE
	BRANCHEE
	EBRANCHE
ABCEEHNS	BANCHEES
ABCEEHOU	ABOUCHEE
ABCEEHRS	BECHERAS
	EBRECHAS
	HERBACES
ABCEEHRT	EBRECHAT
ABCEEHRU	EBAUCHER
ABCEEHRZ	BACHEREZ
ABCEEHSS	BECHASSE
ABCEEHST	BECHATES
ABCEEHSU	EBAUCHES
ABCEEHUZ	EBAUCHEZ
ABCEEILR	CABLERIE
	CALIBREE
	CELEBRAI
ABCEEIRR	BERCERAI
	BICARREE
ABCEEIRS	BESACIER
ABCEEIRT	ACERBITE
	BACTERIE
ABCEEIRU	RUBIACEE*
ABCEEJOS	JACOBEES
ABCEEJST	ABJECTES
ABCEELMS	EMBACLES
ABCEELNR	BERNACLE
ABCEELOT	CLABOTEE
ABCEELOV	EVOCABLE
ABCEELRR	CEREBRAL
ABCEELRS	CELEBRAS
ABCEELRT	BRACELET
	CELEBRAT
ABCEELRZ	BACLEREZ
	CABLEREZ
ABCEELSS	SECABLES

ABCEELSU	BACLEUSE
	BASCULEE
ABCEEMQU	EMBECQUA
ABCEEMRS	BERCAMES
	CAMBREES
ABCEENOU	BOUCANEE
ABCEENRT	BERCANTE
	CABERNET
ABCEENSS	ABSENCES
ABCEEORT	BECOTERA
ABCEEORU	ECOBUERA
ABCEEOSS	CABOSSEE
ABCEEQTU	BECQUETA
ABCEERRS	BECARRES
	BERCERAS
ABCEERRU	CARBUREE
ABCEERRZ	CABREREZ
ABCEERSS	BERCASSE
ABCEERST	BERCATES
	BRACTEES
ABCEERUX	BERCEAUX
ABCEESSS	BECASSES
ABCEESUX	BUXACEES
ABCEFILO	BIFOCALE
ABCEFINO	BONIFACE
ABCEGHOR	BROCHAGE
ABCEGHOU	BOUCHAGE
ABCEGILR	CRIBLAGE
ABCEGLOS	BLOCAGES
ABCEGLOU	BOUCLAGE
ABCEGORS	BOCAGERS
ABCEHIIR	BICHERAI
ABCEHILN	BLANCHIE
ABCEHILZ	CHABLIEZ
ABCEHIMS	BICHAMES
ABCEHINZ	BANCHIEZ
ABCEHIOT	COHABITE
ABCEHIQU	BACHIQUE
ABCEHIRS	BICHERAS
ABCEHIRU	BUCHERAI
ABCEHISS	BICHASSE
ABCEHIST	BICHATES
ABCEHLMO	CHOMABLE
ABCEHLNS	BLANCHES
ABCEHLNT	BLANCHET
	CHABLENT
ABCEHLSU	CHASUBLE
ABCEHMOR	EMBROCHA
ABCEHMOU	EMBOUCHA
ABCEHMRR	CHAMBRER
ABCEHMRS	CHAMBRES
ABCEHMRU	REMBUCHA
ABCEHMRZ	CHAMBREZ
ABCEHMSU	BUCHAMES
ABCEHNNT	BANCHENT
ABCEHNRR	BRANCHER
ABCEHNRS	BRANCHES
ABCEHNRU	BRANCHUE
ABCEHNRZ	BRANCHEZ
ABCEHORR	BROCHERA
ABCEHORT	BACHOTER
ABCEHORU	ABOUCHER
	BOUCHERA
	REBOUCHA
ABCEHORV	BAVOCHER
ABCEHOSS	BASOCHES
ABCEHOST	BACHOTES
ABCEHOSU	ABOUCHES
ABCEHOSV	BAVOCHES
ABCEHOTT	BACHOTTE
ABCEHOTZ	BACHOTEZ
ABCEHOUZ	ABOUCHEZ
ABCEHOVZ	BAVOCHEZ
ABCEHRSU	BUCHERAS
ABCEHRTU	TREBUCHA
ABCEHSSU	BUCHASSE
ABCEHSTU	BUCHATES
ABCEIILV	VICIABLE
ABCEIINS	BISCAIEN
ABCEIIST	BASICITE
ABCEIJNO	BAJOCIEN
	JACOBINE
ABCEIJOT	OBJECTAI
ABCEILLS	BACILLES
ABCEILLV	CLIVABLE
ABCEILLY	BEYLICAL
ABCEILOR	CABRIOLE
ABCEILOS	SOCIABLE
ABCEILPS	BIPLACES
ABCEILRR	CALIBRER
	CRIBLERA
ABCEILRS	CABLIERS
	CALIBRES
ABCEILRZ	CALIBREZ
ABCEILSS	SCIABLES
ABCEILST	CABLISTE
	CELIBATS
ABCEILTU	CUBITALE
ABCEILTY	BEYLICAT
ABCEIMNR	CAMBRIEN
ABCEIMRZ	CAMBRIEZ
ABCEIMST	CAMBISTE

ABCEINNO	BACONIEN
ABCEINOT	CABOTINE
ABCEINRS	CINABRES
ABCEINRU	INCUBERA
ABCEINST	CABINETS
ABCEINSU	CUBAINES
ABCEINSY	BISCAYEN
ABCEINTU	CUBAIENT
ABCEIORT	ABRICOTE
ABCEIOST	BECOTAIS
ABCEIOSU	ECOBUAIS
ABCEIOTT	BECOTAIT
ABCEIOTU	ECOBUAIT
ABCEIOTZ	CABOTIEZ
ABCEIRRS	BICARRES
	CRABIERS
ABCEIRSU	CUBERAIS
ABCEIRTU	CUBERAIT
ABCEISSS	ABSCISSE
ABCEISUX	SCABIEUX
ABCEJLOT	OBJECTAL
ABCEJOST	OBJECTAS
ABCEJOTT	OBJECTAT
ABCELLRU	BRUCELLA
ABCELMOR	COMBLERA
ABCELMSY	CYMBALES
ABCELOPS	PLACEBOS
ABCELOPU	COUPABLE
ABCELORT	CLABOTER
ABCELORU	BOUCLERA
ABCELORY	CROYABLE
ABCELOST	CLABOTES
	OBSTACLE
ABCELOSV	VOCABLES
ABCELOTZ	CLABOTEZ
ABCELRSU	BACLEURS
	BASCULER
	CURABLES
ABCELRUU	ELUCUBRA
ABCELSSU	BASCULES
ABCELSUZ	BASCULEZ
ABCEMNOR	ENCOMBRA
ABCEMNRT	CAMBRENT
ABCEMOTT	COMBATTE
ABCEMRRU	CAMBRURE
ABCEMSSU	CAMBUSES
ABCENNOR	BRACONNE
ABCENORS	CARBONES
ABCENORT	BROCANTE
ABCENORU	BOUCANER
ABCENOSS	ABSCONSE
ABCENOSU	BOUCANES
ABCENOTT	BECOTANT
	CABOTENT
ABCENOTU	ECOBUANT
ABCENOUZ	BOUCANEZ
ABCENRSU	BUCRANES
ABCEOPUU	BEAUCOUP
ABCEORRU	COURBERA
	RECOURBA
ABCEORSS	CABOSSER
	ESCOBARS
ABCEORST	ESCARBOT
ABCEORSU	CAROUBES
ABCEORTU	CABOTEUR
ABCEORUX	CORBEAUX
ABCEOSSS	CABOSSES
ABCEOSSZ	CABOSSEZ
ABCERRRU	CARBURER
ABCERRSU	CARBURES
ABCERRUZ	CARBUREZ
ABCERSUX	SCABREUX
ABCERTUU	CUBATURE
ABCESSSU	CUBASSES
ABCFIMOT	COMBATIF
ABCFIOUX	BIFOCAUX
ABCHILNR	BLANCHIR
ABCHILNS	BLANCHIS
ABCHILNT	BLANCHIT
ABCHINNO	BICHONNA
ABCHINOR	BRONCHAI
ABCHINOS	BACHIONS
ABCHIORS	BROCHAIS
ABCHIORT	BROCHAIT
ABCHIOSU	BOUCHAIS
ABCHIOTU	BOUCHAIT
ABCHLNOS	CHABLONS
ABCHLNOU	BALUCHON
ABCHNNOS	BANCHONS
ABCHNORS	BRONCHAS
	CHARBONS
ABCHNORT	BROCHANT
	BRONCHAT
ABCHNOTU	BOUCHANT
ABCHNRSU	BRANCHUS
ABCHORTU	TARBOUCH
ABCIILOR	BRICOLAI
ABCIILRS	CRIBLAIS
ABCIILRT	CRIBLAIT
ABCIILSS	BASILICS
ABCIIMNO	COMBINAI
	INCOMBAI

ABCIINSU	INCUBAIS
ABCIINTU	INCUBAIT
ABCIISTU	BISCUITA
ABCIJNOS	JACOBINS
ABCILLOT	CABILLOT
ABCILMOS	COMBLAIS
ABCILMOT	COMBLAIT
ABCILNOS	BACLIONS
	CABLIONS
ABCILNRT	CRIBLANT
ABCILORS	BRICOLAS
ABCILORT	BRICOLAT
ABCILOSU	BOUCLAIS
ABCILOTU	BOUCLAIT
ABCILTUU	CULBUTAI
ABCIMMSU	CAMBIUMS
ABCIMNOS	COMBINAS
	INCOMBAS
ABCIMNOT	COMBINAT
	INCOMBAT
ABCIMOSU	CAMBOUIS
ABCINNTU	INCUBANT
ABCINORS	CABRIONS
ABCINOST	CABOTINS
ABCINRSU	RUBICANS
ABCIORST	ABRICOTS
ABCIORSU	CARIBOUS
	COURBAIS
ABCIORTU	COURBAIT
ABCIOSUV	BIVOUACS
ABCITUUX	CUBITAUX
ABCLMMUY	CYMBALUM
ABCLMNOT	COMBLANT
ABCLNOTU	BOUCLANT
ABCLOOTU	CABOULOT
ABCLOSUU	BOUSCULA
ABCLSTUU	CULBUTAS
ABCLTTUU	CULBUTAT
ABCMNORS	CAMBRONS
ABCMOTTU	COMBATTU
ABCNOOST	CABOTONS
ABCNORTU	COURBANT
ABCOOTTY	BOYCOTTA
ABCORRST	BROCARTS
ABCORTUU	COURBATU
ABCOSTUU	BOUCAUTS
ABDDEEEN	DEBANDEE
ABDDEEER	DEBARDEE
ABDDEENR	DEBANDER
ABDDEENS	DEBANDES
ABDDEENZ	DEBANDEZ
ABDDEEOR	DEROBADE
ABDDEERR	DEBARDER
ABDDEERS	DEBARDES
ABDDEERZ	DEBARDEZ
ABDDEIIR	DEBRIDAI
ABDDEINO	DEBONDAI
ABDDEIOR	DEBORDAI
ABDDEIRS	DEBRIDAS
ABDDEIRT	DEBRIDAT
ABDDELOU	DEDOUBLA
ABDDENOS	DEBONDAS
ABDDENOT	DEBONDAT
ABDDEORS	DEBORDAS
ABDDEORT	DEBORDAT
ABDDHOSU	BOUDDHAS
ABDEEELL	DEBALLEE
ABDEEELR	DELABREE
ABDEEELY	DEBLAYEE
ABDEEEMR	EMBARDEE
ABDEEERY	DEBRAYEE
ABDEEEST	DEBATEES
ABDEEGIN	DEBINAGE
ABDEEGIT	DEBITAGE
ABDEEGRS	BEDEGARS
ABDEEHIT	THEBAIDE
ABDEEHRS	DESHERBA
ABDEEILN	ENDIABLE
ABDEEILR	DELIBERA
ABDEEILS	DEBLAIES
ABDEEINR	BANDIERE
	DEBINERA
ABDEEINS	BEDAINES
ABDEEIQU	ABDIQUEE
ABDEEIRR	BRADERIE
ABDEEIRS	DEBRAIES
ABDEEIRT	DEBITERA
ABDEEIRU	DAUBIERE
ABDEEIST	DEBATIES
	DIABETES
ABDEEITZ	DEBATIEZ
ABDEELLR	DEBALLER
ABDEELLS	DEBALLES
ABDEELLZ	DEBALLEZ
ABDEELMU	DEAMBULE
	DEMEUBLA
ABDEELNP	PENDABLE
ABDEELNU	DENEBULA
ABDEELNV	VENDABLE
ABDEELPR	PERDABLE
ABDEELRR	DELABRER
ABDEELRS	DELABRES

ABDEELRY DEBLAYER
ABDEELRZ DELABREZ
ABDEELSS DESSABLE
ABDEELSY DEBLAYES
ABDEELYZ DEBLAYEZ
ABDEEMMR DEMEMBRA
ABDEENRS BADERNES
BENARDES
ABDEENRZ BANDEREZ
ABDEENTT DEBATENT
ABDEEORR DEROBERA
ABDEEORS ABORDEES
ADSORBEE
OBSEDERA
SABORDEE
ABDEEORU RADOUBEE
ABDEEOSU ADOUBEES
ABDEEQRU DEBARQUE
ABDEERRY DEBRAYER
ABDEERRZ BARDEREZ
BRADEREZ
ABDEERST DEBATERS
ABDEERSU BRADEUSE
ABDEERSV ADVERBES
ABDEERSY DEBRAYES
ABDEERTT DEBATTRE
ABDEERTU DEBUTERA
ABDEERUZ DAUBEREZ
ABDEERYZ DEBRAYEZ
ABDEESSU DESABUSE
ABDEESTT DEBATTES
ABDEESUU DAUBEUSE
ABDEETTU DEBATTUE
ABDEETTZ DEBATTEZ
ABDEFIIR DEFIBRAI
ABDEFIRS DEFIBRAS
ABDEFIRT DEFIBRAT
ABDEGGRS BEGGARDS
ABDEGHOS BOGHEADS
ABDEGIIR BRIDGEAI
ABDEGILN BLINDAGE
ABDEGINO BADIGEON
ABDEGINR BRIGANDE
ABDEGIRR BRIDGERA
ABDEGIRS BRIDGEAS
BRIGADES
ABDEGIRT BRIDGEAT
ABDEGLOU DOUBLAGE
ABDEGORS BORDAGES
ABDEGORU BOURGADE
ABDEGRSU BEGUARDS

ABDEHITU HABITUDE
THIBAUDE
ABDEIILT DEBILITA
ABDEIIMO AMIBOIDE
ABDEIINS DEBINAIS
ABDEIINT DEBINAIT
ABDEIINZ BADINIEZ
ABDEIIOS DEBOISAI
ABDEIIOT DEBOITAI
ABDEIIRR BRIDERAI
ABDEIIRT DIATRIBE
ABDEIIST DEBITAIS
ABDEIITT DEBITAIT
ABDEILNR BLINDERA
ABDEILOU DEBOULAI
ABDEILSU AUDIBLES
ABDEIMRS BRIDAMES
BRIMADES
ABDEINNO BEDONNAI
ABDEINNT BADINENT
DEBINANT
ABDEINNU DANUBIEN
ABDEINOZ ABONDIEZ
ABDEINRS BRANDIES
ABDEINTT DEBITANT
ABDEIORR BORDERAI
BRODERAI
REBORDAI
ABDEIORS DEROBAIS
ABDEIORT DEROBAIT
ABDEIORU BAUDROIE
BOUDERAI
ABDEIORZ ABORDIEZ
ABDEIOSS BADOISES
DEBOISAS
OBSEDAIS
ABDEIOST DEBOISAT
DEBOITAS
OBSEDAIT
ABDEIOTT DEBOITAT
DEBOTTAI
ABDEIOTU DEBOUTAI
ABDEIOUZ ADOUBIEZ
ABDEIQRU ABDIQUER
ABDEIQSU ABDIQUES
ABDEIQUZ ABDIQUEZ
ABDEIRRS BRIARDES
BRIDERAS
ABDEIRRU BAUDRIER
ABDEIRSS BRIDASSE
ABDEIRST BRIDATES

ABDEIRSU	RIBAUDES
ABDEISSS	BIDASSES
ABDEISST	BASTIDES
ABDEISTT	DEBATTIS
ABDEISTU	DEBUTAIS
ABDEITTT	DEBATTIT
ABDEITTU	DEBUTAIT
ABDEJORS	JOBARDES
ABDELMOP	DEPLOMBA
ABDELMOR	LOMBARDE
ABDELOQU	DEBLOQUA
ABDELORU	BALOURDE
	DOUBLERA
	REDOUBLA
ABDELOSS	DOSABLES
ABDELOSU	DEBOULAS
	SOUDABLE
ABDELOTU	DEBOULAT
ABDELOXY	OXYDABLE
ABDELRSU	DURABLES
ABDEMNOR	DENOMBRA
ABDEMNOS	ABDOMENS
ABDEMORS	BORDAMES
	BRODAMES
ABDEMOSU	BOUDAMES
ABDEMRSU	BERMUDAS
ABDENNOS	BEDONNAS
ABDENNOT	ABONDENT
	BEDONNAT
ABDENORT	ABORDENT
	DEROBANT
ABDENOST	DEBATONS
	OBSEDANT
ABDENOTU	ADOUBENT
ABDENTTU	DEBUTANT
ABDEOQUU	DEBOUQUA
ABDEORRS	ADSORBER
	BORDERAS
	BRODERAS
	REBORDAS
	SABORDER
ABDEORRT	REBORDAT
ABDEORRU	BOURRADE
	DEBOURRA
	RADOUBER
ABDEORSS	ADSORBES
	BORDASSE
	BRODASSE
	SABORDES
ABDEORST	BORDATES
	BRODATES
ABDEORSU	ABSOUDRE
	BOUDERAS
	DEBOURSA
	RADOUBES
ABDEORSZ	ADSORBEZ
	BEZOARDS*
	SABORDEZ
ABDEORUX	BORDEAUX
ABDEORUZ	RADOUBEZ
ABDEOSSU	BOUDASSE
ABDEOSTT	DEBOTTAS
ABDEOSTU	BOUDATES
	BOUTADES
	DEBOUTAS
ABDEOTTT	DEBOTTAT
ABDEOTTU	DEBOUTAT
ABDEPRSY	BRADYPES
ABDEQSUU	DEBUSQUA
ABDERRSU	BRADEURS
ABDERSSU	ABSURDES
ABDERSUU	DAUBEURS
ABDESTTU	DEBATTUS
ABDFIRRU	FURIBARD
ABDGINRS	BRIGANDS
ABDHIIRY	HYBRIDAI
ABDHIRSY	HYBRIDAS
ABDHIRTY	HYBRIDAT
ABDIILNS	BLINDAIS
ABDIILNT	BLINDAIT
ABDIINOR	BONDIRAI
ABDIINOU	BOUDINAI
ABDILLRS	BILLARDS
ABDILNNT	BLINDANT
ABDILNOR	BLONDIRA
ABDILOOS	DIABOLOS
ABDILOST	TABLOIDS
ABDILOSU	DOUBLAIS
ABDILOTU	DOUBLAIT
ABDILRZZ	BLIZZARD
ABDINNOS	BADINONS
	BANDIONS
ABDINORS	BARDIONS
	BONDIRAS
	BRADIONS
ABDINOST	BASTIDON
ABDINOSU	BOUDINAS
	DAUBIONS
ABDINOTU	BOUDINAT
ABDLLORS	BOLLARDS
ABDLMORS	LOMBARDS
ABDLNOTU	DOUBLANT

ABDLORRU	ROUBLARD
ABDLORSU	BALOURDS
	LOUBARDS*
ABDNNOOS	ABONDONS
ABDNNORS	BRANDONS
ABDNOORS	ABORDONS
ABDNOOSU	ADOUBONS
ABDOORSU	SUBODORA
ABEEEGHR	HEBERGEA
	HERBAGEE
ABEEEGRS	ABREGEES
ABEEEGSY	BEGAYEES
ABEEEHRT	HEBETERA
ABEEEILN	BALEINEE
ABEEEJMN	ENJAMBEE
ABEEELLM	EMBALLEE
ABEEELMV	EMBLAVEE
ABEEELNR	EBRANLEE
ABEEELNS	ENSABLEE
ABEEELOR	ELABOREE
ABEEELST	BATELEES
	ETABLEES
ABEEEMMU	EMBAUMEE
ABEEEMRR	EMBARREE
ABEEEMRS	EMBRASEE
ABEEEMRT	EMBETERA
ABEEEMRY	EMBRAYEE
ABEEENNS	SABEENNE
ABEEENST	ABSENTEE
ABEEEQTU	BAQUETEE
ABEEERSS	EBRASEES
ABEEERUV	ABREUVEE
	EBAVUREE
ABEEFFLU	AFFUBLEE
ABEEFIIT	BEATIFIE
ABEEFLMS	FLAMBEES
ABEEFLSU	FABULEES*
ABEEFOSU	BAFOUEES
ABEEFRRZ	BAFREREZ
ABEEFRSU	BAFREUSE
ABEEGGIS	GABEGIES
ABEEGGNO	ENGOBAGE
ABEEGGOR	GOBERGEA
ABEEGGRS	GERBAGES
ABEEGHRR	HERBAGER
ABEEGHRS	HERBAGES
ABEEGHRZ	HERBAGEZ
ABEEGINR	ENGERBAI
ABEEGINS	BAIGNEES
ABEEGINT	BEGAIENT
ABEEGIRR	BIGARREE →
	GERBERAI
ABEEGIRV	VERBIAGE
ABEEGIRZ	ABREGIEZ
ABEEGITU	BEGUETAI
ABEEGIYZ	BEGAYIEZ
ABEEGJLU	JUGEABLE
ABEEGLLL	GLABELLE
ABEEGLLO	LOGEABLE
ABEEGLLR	REGLABLE
ABEEGLLS	GABELLES
ABEEGLOR	ROBELAGE
ABEEGLRS	ALBERGES
	ALGEBRES
ABEEGLRU	BEUGLERA
ABEEGLRZ	GALBEREZ
ABEEGLSU	BLAGUEES
	GUEABLES
ABEEGMOR	OMBRAGEE
ABEEGMRS	GERBAMES
ABEEGMTT	GAMBETTE
ABEEGNOR	ENGOBERA
	ENROBAGE
ABEEGNRS	ENGERBAS
ABEEGNRT	ABREGENT
	ENGERBAT
ABEEGNTY	BEGAYENT
ABEEGORS	ABROGEES
ABEEGRRS	GERBERAS
ABEEGRSS	GERBASSE
ABEEGRST	GERBATES
ABEEGRSU	AUBERGES
ABEEGRUV	BREUVAGE
ABEEGRUZ	BAGUEREZ
ABEEGSTU	BEGUETAS
ABEEGTTU	BAGUETTE
	BEGUETAT
ABEEHILL	HABILLEE
ABEEHILR	HABLERIE
ABEEHILT	HABILETE
ABEEHIMS	EBAHIMES
ABEEHINR	ENHERBAI
ABEEHINT	THEBAINE
ABEEHIRX	EXHIBERA
ABEEHIRZ	EBAHIREZ
ABEEHISS	EBAHISSE
ABEEHIST	EBAHITES
	HABITEES
	HEBETAIS
ABEEHITT	HEBETAIT
ABEEHITU	HABITUEE
ABEEHLNR	HALBRENE

ABEEHLSU HABLEUSE
ABEEHNRS ENHERBAS
ABEEHNRT ENHERBAT
ABEEHNTT HEBETANT
ABEEHORR ABHORREE
ABEEHORU HOBEREAU
ABEEIIRZ BAIERIEZ*
ABEEIJMR JAMBIERE
ABEEIKLT BAKELITE
ABEEILLR BRAILLEE
LIBERALE
REBELLAI
ABEEILLS ABEILLES
BAILLEES
ISABELLE
ABEEILMR REMBLAIE
ABEEILMU AMEUBLIE
ABEEILNN BIENNALE
ABEEILNS ABELIENS
BALEINES
ABEEILNT BELAIENT
ABEEILNU BANLIEUE
ABEEILNV ENVIABLE
ABEEILOR BARIOLEE
ABEEILPX EXPIABLE
ABEEILRR BRELERAI
LIBERERA
ABEEILRS BELERAIS
BLAIREES
BLESERAI
SABLIERE
ABEEILRT BATELIER
BELERAIT
ETIRABLE
RETABLIE
ABEEILSS BALISEES
ABEEILST BESTIALE
ETABLIES
ABEEILTV EVITABLE
ABEEILTZ ETABLIEZ
ABEEIMNO ABOMINEE
ABEEIMRS EMBRAIES
ABEEIMRU EMBUERAI
ABEEIMRV EMBREVAI
ABEEIMRZ ABIMEREZ
ABEEIMST ABETIMES
EMBETAIS
ABEEIMTT EMBETAIT
ABEEINNR BANNIERE
ABEEINPU AUBEPINE
ABEEINRR BERNERAI
ABEEINSS BASSINEE
SESBANIE
ABEEIORR OBERERAI
ABEEIORS AEROBIES
ABEEIORT RABIOTEE
ABEEIORZ ABOIEREZ
ABEEIOST BAISOTEE
ABEEIPST BAPTISEE
ABEEIRRR BARRIERE
ABEEIRRT ARBITREE
ABEEIRRZ ZEBRERAI
ABEEIRSS BRAISEES
ABEEIRST ABRITEES
BETISERA
REBATIES
ABEEIRSZ BAISEREZ
BASERIEZ
EBRASIEZ
ABEEIRTT BATTERIE
ABEEIRTV BREVETAI
ABEEIRTZ ABETIREZ
BARETIEZ
BATERIEZ
ABEEIRVZ BAVERIEZ
ABEEIRYZ BAYERIEZ
ABEEISSS BAISSEES
ABEEISST ABETISSE
ABEEISSZ BEASSIEZ
ABEEISTT ABETITES
ABEEISTU BISEAUTE
ABEEITTZ EBATTIEZ
ABEEJLRZ JABLEREZ
ABEEJMNR ENJAMBER
ABEEJMNS ENJAMBES
ABEEJMNZ ENJAMBEZ
ABEEJMOR JAMBOREE
ABEEJMTT JAMBETTE
ABEEJNSU BEJAUNES
ABEEJOST JABOTEES*
ABEEJRSU ABJUREES
ABEELLLS LABELLES
ABEELLMR EMBALLER
REMBALLE
ABEELLMS EMBALLES
ABEELLMZ EMBALLEZ
ABEELLRS REBELLAS
ABEELLRT BELLATRE
REBELLAT
ABEELLRZ BALLEREZ
ABEELLSS BASELLES
SABELLES

ABEELMRS	BRELAMES
	SEMBLERA
ABEELMRU	MEUBLERA
	REMEUBLA
	REMUABLE
ABEELMRV	EMBLAVER
	REMBLAVE
ABEELMRY	REMBLAYE
ABEELMRZ	AMBLEREZ
	BLAMEREZ
ABEELMSS	ASSEMBLE
	BLESAMES
ABEELMSU	AMBLEUSE
ABEELMSV	EMBLAVES
ABEELMTT	METTABLE
ABEELMVZ	EMBLAVEZ
ABEELNPR	PRENABLE
ABEELNRR	EBRANLER
ABEELNRS	BRANLEES
	EBRANLES
	ENSABLER
ABEELNRT	RENTABLE
ABEELNRZ	EBRANLEZ
ABEELNSS	ENSABLES
ABEELNST	BELANTES
	TENABLES
ABEELNSZ	ENSABLEZ
ABEELNTT	ETABLENT
ABEELOPR	OPERABLE
ABEELOPT	PELOBATE
ABEELORR	ELABORER
ABEELORS	BOREALES
	ELABORES
ABEELORU	EBOULERA
	LABOUREE
ABEELORZ	ELABOREZ
ABEELOSU	ABOULEES
ABEELQRU	QUERABLE
ABEELRRS	BRELERAS
ABEELRRT	BLATERER
ABEELRSS	BLESERAS
	BLESSERA
	BRELASSE
ABEELRST	ABLERETS
	BLATERES
	BRELATES
	RETABLES
ABEELRSV	BALEVRES
	VERBALES
ABEELRSZ	BLASEREZ
	SABLEREZ
ABEELRTU	BATELEUR
	BLEUATRE
	BLEUTERA
ABEELRTZ	BLATEREZ
	TABLEREZ
ABEELSSS	BELASSES
	BLESASSE
ABEELSST	BLESATES
ABEELSSU	SABLEUSE
ABEELSTT	ABLETTES
	BATELETS
	TESTABLE
ABEELTTT	TABLETTE
ABEEMMNR	MEMBRANE
ABEEMMRR	REMEMBRA
ABEEMMRU	EMBAUMER
ABEEMMSU	EMBAUMES
	EMBUAMES
ABEEMMUZ	EMBAUMEZ
ABEEMNRS	BERNAMES
ABEEMNTT	EMBETANT
ABEEMORS	OBERAMES
ABEEMPST	BAPTEMES
ABEEMQRU	EMBARQUE
ABEEMRRR	EMBARRER
	REMBARRE
ABEEMRRS	EMBARRES
	EMBRASER
	MARBREES
ABEEMRRY	EMBRAYER
ABEEMRRZ	AMBREREZ
	BRAMEREZ
	EMBARREZ
ABEEMRSS	EMBRASES
	EMBRASSE
ABEEMRSU	EMBUERAS
ABEEMRSV	EMBREVAS
ABEEMRSY	EMBRAYES
ABEEMRSZ	EMBRASEZ
	ZEBRAMES
ABEEMRTT	AMBRETTE
	EMBATTRE
ABEEMRTV	EMBREVAT
ABEEMRYZ	EMBRAYEZ
ABEEMSSU	EMBUASSE
ABEEMSTT	EMBATTES
ABEEMSTU	EMBUATES
ABEEMTTU	EMBATTUE
ABEEMTTZ	EMBATTEZ
ABEENNOR	REABONNE
ABEENNOS	ABONNEES

ABEENNOT BATONNEE
ABEENNRT BANNERET
ABEENNTT BANNETTE
ABEENORR ENROBERA
ABEENOTZ BENZOATE
ABEENQTU BANQUETE
ABEENRRS BERNERAS
ABEENRSS BERNASSE
BRESSANE
ABEENRST ABSENTER
BASERENT
BASTERNE
BERNATES
EBRASENT
ABEENRSU RUBANEES
ABEENRTT BARETENT
BATERENT
ABEENRTV BAVERENT
ABEENRTY BAYERENT
ABEENSST ABSENTES
BEASSENT
ABEENSTU ABSTENUE
ABEENSTZ ABSENTEZ
ABSTENEZ
ABEENTTT EBATTENT
ABEEORRS ARBOREES
OBERERAS
ABEEORRU EBROUERA
RABROUEE
ABEEORSS OBERASSE
ABEEORST BORATEES
OBERATES
RABOTEES
ABEEORTU EBOUTERA
RABOUTEE
ABEEOSST SABOTEES
ABEEOSTU ABOUTEES
ABEEOSUY ABOYEUSE
ABEEPRSU BEAUPRES
ABEEQRSU BRAQUEES
ABEEQRTU BAQUETER
ABEEQSTU BAQUETES
ABEEQTTU BAQUETTE
ABEEQTUZ BAQUETEZ
ABEERRRU BEURRERA
ABEERRRZ BARREREZ
ABEERRSU EBRASURE
ABEERRSZ BRASEREZ
SABREREZ
ZEBRERAS
ABEERRTT BARRETTE →
REBATTRE
ABEERRTU REBUTERA
ABEERRUV ABREUVER
EBAVURER
ABEERRVZ BRAVEREZ
ABEERSSS BRASSEES
ABEERSSZ ZEBRASSE
ABEERSTT REBATTES
ABEERSTV BREVETAS
ABEERSTZ ZEBRATES
ABEERSUV ABREUVES
EBAVURES
ABEERSUZ ABUSEREZ
ABEERTTU REBATTUE
ABEERTTV BREVETAT
ABEERTTZ EBATTREZ
REBATTEZ
ABEERUVZ ABREUVEZ
EBAVUREZ
ABEESSSS BASSESSE
ABEESSST ASBESTES
BETASSES
SEBASTES
ABEESSTT BASSETTE
ABEESSUV BAVEUSES
ABEESTTU BATTEUSE
EBATTUES
ABEESTTV BAVETTES
ABEFFGIS BIFFAGES
ABEFFIIR BIFFERAI
REBIFFAI
ABEFFIMS BIFFAMES
ABEFFIRS BIFFERAS
REBIFFAS
ABEFFIRT REBIFFAT
ABEFFISS BIFFASSE
ABEFFIST BIFFATES
ABEFFLRU AFFUBLER
BLUFFERA
ABEFFLSU AFFUBLES
ABEFFLUZ AFFUBLEZ
ABEFFORU BOUFFERA
ABEFIIIT BETIFIAI
ABEFIINT BIENFAIT
ABEFIIRU RUBEFIAI
ABEFIIST BETIFIAS
ABEFIITT BETIFIAT
ABEFILMO FLAMBOIE
ABEFILMZ FLAMBIEZ
ABEFILOR FARIBOLE
ABEFILOT BATIFOLE

ABEFILRS	FABLIERS
	FRIABLES
ABEFILUZ	FABULIEZ
ABEFINNR	FIBRANNE
ABEFIOUZ	BAFOUIEZ
ABEFIQRU	FABRIQUE
ABEFIRSU	RUBEFIAS
ABEFIRTU	RUBEFIAT
ABEFLMNT	FLAMBENT
ABEFLMOY	FLAMBOYE
ABEFLMRU	FLAMBEUR
ABEFLNTU	FABULENT
ABEFLORU	BAROUFLE
ABEFLUUX	FABULEUX
ABEFNOTU	BAFOUENT
ABEFORSU	ESBROUFA
ABEFRRSU	BAFREURS
ABEFRSTU	FAUBERTS
ABEGGRSU	GRABUGES
ABEGIILO	OBLIGEAI
ABEGIILR	BIGLERAI
ABEGIIMR	REGIMBAI
ABEGIIMS	BIGAMIES
ABEGIINS	ESBIGNAI
ABEGIINZ	BAIGNIEZ
ABEGIISU	BISAIGUE
ABEGILLM	GAMBILLE
ABEGILMS	BIGLAMES
ABEGILNO	ENGLOBAI
ABEGILNS	BENGALIS
ABEGILNT	TANGIBLE
ABEGILOR	OBLIGERA
ABEGILOS	OBLIGEAS
ABEGILOT	OBLIGEAT
ABEGILRS	BIGLERAS
ABEGILSS	BIGLASSE
ABEGILST	BIGLATES
ABEGILSU	BEUGLAIS
ABEGILTU	BEUGLAIT
ABEGILUZ	BLAGUIEZ
ABEGIMNS	INGAMBES
ABEGIMRS	REGIMBAS
ABEGIMRT	REGIMBAT
	TIMBRAGE
ABEGIMSU	AMBIGUES
	GAMBUSIE
ABEGIMTU	BITUMAGE
ABEGINNT	BAIGNENT
ABEGINOR	EBORGNAI
ABEGINOS	BEGONIAS
	BESOGNAI →
	ENGOBAIS
ABEGINOT	ENGOBAIT
	GOBAIENT
ABEGINRU	BAIGNEUR
	BURINAGE
ABEGINSS	ESBIGNAS
ABEGINST	ESBIGNAT
ABEGIORS	GOBERAIS
ABEGIORT	GOBERAIT
ABEGIORU	BOUGERAI
ABEGIORZ	ABROGIEZ
ABEGIOSS	BOISAGES
ABEGIOSU	BOUGEAIS
ABEGIOTU	BOUGEAIT
ABEGIRRR	BIGARRER
ABEGIRRS	BIGARRES
ABEGIRRU	BRIGUERA
ABEGIRRZ	BIGARREZ
ABEGIRSU	BAGUIERS
ABEGIRSV	VIBRAGES
ABEGIRTU	BRUITAGE
ABEGISUU	SUBAIGUE
ABEGITUZ	BIZUTAGE
ABEGLLOS	GLOBALES
ABEGLMOP	PLOMBAGE
ABEGLNOS	BAGNOLES
	ENGLOBAS
ABEGLNOT	ENGLOBAT
ABEGLNOU	BOULANGE
ABEGLNTU	BEUGLANT
	BLAGUENT
ABEGLOSU	BELOUGAS
	GABELOUS
ABEGLOTU	GALOUBET
ABEGLRSU	BRULAGES
	BULGARES
ABEGLRUU	BLAGUEUR
ABEGLSTU	BLUTAGES
ABEGMORR	OMBRAGER
ABEGMORS	EMBARGOS
	OMBRAGES
ABEGMORZ	OMBRAGEZ
ABEGNNOT	ENGOBANT
ABEGNORS	BORNAGES
	EBORGNAS
ABEGNORT	ABROGENT
	EBORGNAT
ABEGNORZ	BRONZAGE
ABEGNOSS	BESOGNAS
ABEGNOST	BESOGNAT
ABEGNOSY	BEGAYONS

ABEGNOTU	BOUGEANT
ABEGNRSU	BUGRANES
ABEGORRU	BOURRAGE
ABEGORSS	BROSSAGE
ABEGORSU	BOUGERAS
	SUBROGEA
ABEGORSY	BROYAGES
ABEGORTU	BROUTAGE
ABEGOSSS	BOSSAGES
	GOBASSES
ABEGRRSU	GARBURES
ABEGRRUV	BURGRAVE
ABEGSTTU	BUTTAGES
ABEHIILN	INHABILE
ABEHIILT	HABILITE
ABEHIIMP	AMPHIBIE
ABEHIINR	HIBERNAI
	INHIBERA
ABEHIINT	INHABITE
ABEHIISX	EXHIBAIS
ABEHIITX	EXHIBAIT
ABEHIITZ	HABITIEZ
ABEHILLR	HABILLER
	RHABILLE
ABEHILLS	HABILLES
ABEHILLZ	HABILLEZ
ABEHILNR	HIBERNAL
ABEHILTU	HABITUEL
ABEHIMNR	BRAHMINE
ABEHINRS	HIBERNAS
ABEHINRT	HIBERNAT
ABEHINST	ABSINTHE
	THEBAINS
ABEHINTT	HABITENT
ABEHINTX	EXHIBANT
ABEHIORU	BIHOREAU
ABEHIOST	ISOBATHE
ABEHIRTU	HABITUER
ABEHISTU	HABITUES
ABEHITUZ	HABITUEZ
ABEHLRSU	HABLEURS
ABEHORRR	ABHORRER
ABEHORRS	ABHORRES
ABEHORRZ	ABHORREZ
ABEHRSTU	HAUBERTS
ABEIIILR	BILIAIRE
ABEIIISZ	BIAISIEZ
ABEIILLL	LIBELLAI
ABEIILLS	BAILLIES
ABEIILLV	BAILLIVE
ABEIILLZ	BAILLIEZ
ABEIILMR	BLEMIRAI
	LIMBAIRE
ABEIILMT	IMITABLE
ABEIILNT	BILAIENT
ABEIILPS	PAISIBLE
ABEIILRR	LIBRAIRE
ABEIILRS	BALISIER
	BILERAIS
	IRISABLE
	LIBERAIS
ABEIILRT	BILERAIT
	LIBERAIT
ABEIILRU	BLEUIRAI
ABEIILRZ	BLAIRIEZ
ABEIILST	TIBIALES
ABEIILSU	BISAIEUL
ABEIILSZ	BALISIEZ
ABEIIMNR	NIMBERAI
ABEIIMNS	AMIBIENS
ABEIIMOT	EMBOITAI
ABEIIMQU	IAMBIQUE
ABEIIMRR	BRIMERAI
ABEIINNT	BINAIENT
ABEIINRS	BENIRAIS
	BINAIRES
	BINERAIS
ABEIINRT	BENIRAIT
	BINERAIT
	INABRITE
ABEIINST	BIAISENT
	BISAIENT
ABEIINTT	TIBETAIN
ABEIIORR	BROIERAI
ABEIIORS	BOISERAI
	OBEIRAIS
	REBOISAI
ABEIIORT	BOITERAI
	OBEIRAIT
ABEIIORV	OBVIERAI
ABEIIPRT	BIPARTIE
ABEIIRRS	BRISERAI
ABEIIRRV	VIBRERAI
ABEIIRSS	BAISSIER
	BISERAIS
	BISSERAI
ABEIIRST	BISERAIT
ABEIIRSZ	BRAISIEZ
ABEIIRTU	EBRUITAI
ABEIIRTZ	ABRITIEZ
	BATIRIEZ
ABEIISST	BETISAIS

ABEIISSZ	BAISSIEZ
ABEIISTT	BETISAIT
ABEIJLOR	JABLOIRE
ABEIJLRU	JUBILERA
ABEIJMNN	BENJAMIN
ABEIJMRS	JAMBIERS
ABEIJOTZ	JABOTIEZ
ABEIJRUZ	ABJURIEZ
ABEIKLSS	SKIABLES
ABEIKNST	BEATNIKS
ABEILLLS	LIBELLAS
ABEILLLT	LIBELLAT
ABEILLNT	BAILLENT
ABEILLOS	ISOLABLE
ABEILLPS	PLIABLES
ABEILLQU	BEQUILLA
ABEILLRR	BRAILLER
	BRILLERA
ABEILLRS	BRAILLES
	BRESILLA
ABEILLRT	BARILLET
ABEILLRU	BAILLEUR
	BULLAIRE
ABEILLRV	LIVRABLE
ABEILLRZ	BRAILLEZ
ABEILLST	BASTILLE
ABEILMMU	IMMUABLE
ABEILMNR	LAMBINER
ABEILMNS	LAMBINES
	MINABLES
ABEILMNU	ALBUMINE
ABEILMNZ	LAMBINEZ
ABEILMOR	LOMBAIRE
ABEILMOS	ABOLIMES
ABEILMOV	AMOVIBLE
ABEILMRS	BLEMIRAS
	REMBLAIS
ABEILMRT	TREMBLAI
	TRIMBALE
ABEILMRU	AMEUBLIR
ABEILMSS	SEMBLAIS
ABEILMST	SEMBLAIT
	TIMBALES
ABEILMSU	AMEUBLIS
	MEUBLAIS
	SIMBLEAU
ABEILMTU	AMEUBLIT
	MEUBLAIT
ABEILNOS	ANOBLIES
ABEILNOT	LOBAIENT
ABEILNRT	BLAIRENT →
	LIBERANT
ABEILNRZ	BRANLIEZ
ABEILNST	BALISENT
	INSTABLE
ABEILNSU	INUSABLE
ABEILNTV	BIVALENT
ABEILORR	BARIOLER
ABEILORS	BARIOLES
	LOBAIRES
	LOBERAIS
ABEILORT	LOBERAIT
	OBLITERA
	ORBITALE
ABEILORU	BOULERAI
	EBLOUIRA
	OUBLIERA
ABEILORZ	ABOLIREZ
	BARIOLEZ
ABEILOSS	ABOLISSE
	BOSSELAI
ABEILOST	ABOLITES
ABEILOSU	ABOULIES
	BOULAIES
	EBOULAIS
ABEILOTT	BOTTELAI
ABEILOTU	EBOULAIT
ABEILOUZ	ABOULIEZ
ABEILPRU	PUBLIERA
ABEILPSS	PASSIBLE
ABEILRRT	RETABLIR
ABEILRRU	BRULERAI
ABEILRSS	SABLIERS
ABEILRST	RETABLIS
	TABLIERS
	TRIBALES
ABEILRSU	BALISEUR
	BLEUIRAS
ABEILRTT	BLETTIRA
	RETABLIT
ABEILRTU	BLUTERAI
ABEILRUX	LIBERAUX
ABEILSSS	BILASSES
	BLESSAIS
ABEILSST	BALISTES
	BLESSAIT
ABEILSSU	BASILEUS
ABEILSTU	BLEUTAIS
ABEILSVV	BIVALVES
	VIVABLES
ABEILTTU	BLEUTAIT
ABEIMMNS	NIMBAMES

ABEIMMRS BRIMAMES
ABEIMMRU EMBRUMAI
ABEIMNNS BANNIMES
ABEIMNOR ABOMINER
ABEIMNOS ABOMINES
ABEIMNOZ ABOMINEZ
ABEIMNRS NIMBERAS
ABEIMNRT BRAIMENT
ABEIMNSS NIMBASSE
ABEIMNST NIMBATES
ABEIMNTT BATIMENT
ABEIMORR OMBRERAI
ABEIMORT REMBOITA
RETOMBAI
TOMBERAI
ABEIMOSS BOISAMES
EMBOSSAI
ABEIMOST BOITAMES
EMBOITAS
MOABITES
ABEIMOSV OBVIAMES
ABEIMOTT EMBOITAT
ABEIMOTZ MOZABITE
ABEIMPST BAPTISME
ABEIMRRR MARBRIER
ABEIMRRS BARRIMES
BRIMERAS
ABEIMRRT TIMBRERA
ABEIMRRU BRUMAIRE
ABEIMRRZ MARBRIEZ
ABEIMRSS BRIMASSE
BRISAMES
ABEIMRST BRIMATES
ABEIMRSU BAUMIERS
ABEIMRSV VIBRAMES
ABEIMRTU BITUMERA
ABEIMSSS BISSAMES
ABEIMSTT BATTIMES
EMBATTIS
ABEIMSTZ MZABITES
ABEIMTTT EMBATTIT
ABEINNNZ BAZINNEN
ABEINNOR BARONNIE
RABONNIE
ABEINNOS ABONNIES
ABEINNOT BETONNAI
ABEINNOZ ABONNIEZ
ABEINNRZ BANNIREZ
ABEINNSS BANNISSE
ABEINNST BANNITES
ABEINNUX BIENNAUX
ABEINORR BORNERAI
ABEINORS BAIERONS*
BORAINES
ENROBAIS
SNOBERAI
ABEINORT BAIERONT*
ENROBAIT
ROBAIENT
ABEINOST ANTEBOIS
OBTENAIS
ABEINOSV OBVENAIS
ABEINOTT OBTENAIT
ABEINOTV OBVENAIT
ABEINOTX BOXAIENT
ABEINQRU BANQUIER
ABEINQSU BANQUISE
BASQUINE
ABEINQUZ BANQUIEZ
ABEINRRU BRUINERA
BURINERA
RUBANIER
ABEINRSS BASSINER
ABEINRST ABSTENIR
BRAISENT
ABEINRSU URBAINES
URBANISE
ABEINRTT ABRITENT
BATIRENT
ABEINRTU BUTANIER
BUTINERA
URBANITE
ABEINRTV VIBRANTE
ABEINRTY BARYTINE
ABEINSSS BASSINES
BINASSES
ABEINSST ABSTIENS
BAISSENT
BASSINET
ABEINSSY ABYSSINE
ABEINSSZ BASSINEZ
ABEINSTT ABSTIENT
BETISANT
ABEINTTU BUTAIENT
TUBAIENT
ABEINTUV BUVAIENT
ABEIORRS BROIERAS
RESORBAI
ROBERAIS
ABEIORRT RABIOTER
ROBERAIT
ABEIORRU EBOURRAI

ABEIORRZ	ARBORIEZ
ABEIORSS	BOISERAS
	BOSSERAI
	ISOBARES
	REBOISAS
ABEIORST	BAISOTER
	BOITERAS
	RABIOTES
	REBOISAT
	SABOTIER
ABEIORSU	EBROUAIS
ABEIORSV	OBSERVAI
	OBVIERAS
ABEIORSX	BOXERAIS
ABEIORTT	BOTTERAI
ABEIORTU	BOUTERAI
	EBROUAIT
ABEIORTV	ABORTIVE
ABEIORTX	BOXERAIT
ABEIORTZ	RABIOTEZ
	RABOTIEZ
ABEIOSSS	BOISASSE
ABEIOSST	BAISOTES
	BOISATES
	BOITASSE
ABEIOSSU	BOISSEAU
ABEIOSSV	OBVIASSE
ABEIOSTT	BOITATES
ABEIOSTU	EBOUTAIS
ABEIOSTV	OBVIATES
ABEIOSTZ	BAISOTEZ
	SABOTIEZ
ABEIOTTU	EBOUTAIT
ABEIOTUZ	ABOUTIEZ
ABEIPRST	BAPTISER
ABEIPSST	BAPTISES
ABEIPSTT	BAPTISTE
ABEIPSTZ	BAPTISEZ
ABEIQRRU	BARRIQUE
	BRIQUERA
ABEIQRSU	BISQUERA
	RABIQUES
ABEIQRTU	BRIQUETA
ABEIQRUZ	BRAQUIEZ
ABEIQSSU	BASIQUES
ABEIRRRT	ARBITRER
ABEIRRRZ	BARRIREZ
ABEIRRSS	BARRISSE
	BRASIERS
	BRISERAS
ABEIRRST	ARBITRES →
	BARRITES
ABEIRRSU	BEURRAIS
ABEIRRSV	VIBRERAS
ABEIRRSZ	BIZARRES
ABEIRRTU	BEURRAIT
	BRUITERA
	RETRIBUA
ABEIRRTZ	ARBITREZ
ABEIRSSS	BISSERAS
	BRISASSE
ABEIRSST	BRISATES
ABEIRSSV	VIBRASSE
ABEIRSSZ	BRASSIEZ
ABEIRSTT	REBATTIS
ABEIRSTU	ABRUTIES
	BUTERAIS
	EBRUITAS
	REBUTAIS
	TUBAIRES
	TUBERAIS
ABEIRSTV	VIBRATES
ABEIRSTY	SYBARITE
ABEIRTTT	REBATTIT
ABEIRTTU	ATTRIBUE
	BUTERAIT
	BUTTERAI
	EBRUITAT
	REBUTAIT
	TITUBERA
	TUBERAIT
ABEIRTTZ	BATTRIEZ
ABEIRTUZ	BIZUTERA
ABEISSSS	BISASSES
	BISSASSE
ABEISSST	BATISSES
	BISSATES
ABEISSTT	BATISTES
	BATTISSE
ABEISSTZ	BATISSEZ
ABEISSUV	ABUSIVES
ABEISTTT	BATTITES
ABEISTUX	BAUXITES
	BESTIAUX
ABEJLOSU	JOUABLES
ABEJMOOR	JEROBOAM
ABEJNOTT	JABOTENT
ABEJNRTU	ABJURENT
ABEJORSY	BAJOYERS
ABEJRSTU	JUBARTES
ABELLNNO	BALLONNE
ABELLOPY	PLOYABLE

ABELLOST	BALLOTES
ABELLOSU	LOUABLES
ABELLOSV	SOLVABLE
	VOLABLES
ABELLOTT	BALLOTTE
ABELLSSY	SYLLABES
ABELMNST	SEMBLANT
ABELMNSU	ALBUMENS
ABELMNTU	MEUBLANT
ABELMOPR	PLOMBERA
ABELMOPS	PALOMBES
ABELMOPY	AMBLYOPE
ABELMOST	TOMBALES
ABELMOSU	ALBUMOSE
	BOULAMES
	MABOULES
ABELMRST	TREMBLAS
ABELMRSU	AMBLEURS
	BRULAMES
ABELMRTT	TREMBLAT
ABELMSTU	BLUTAMES
ABELNNOS	BLASONNE
ABELNNRT	BRANLENT
ABELNOPR	PLANORBE
ABELNOST	ETABLONS
	NOTABLES
ABELNOTU	ABOULENT
	EBOULANT
ABELNRTU	BRULANTE
ABELNSST	BLESSANT
ABELNTTU	BLEUTANT
ABELOPRT	PORTABLE
ABELOPST	POTABLES
ABELOQRU	BLOQUERA
ABELORRU	BOURRELA
	LABOURER
ABELORST	SORTABLE
ABELORSU	BLOUSERA
	BOULERAS
	LABOURES
	ROUABLES
ABELORUV	OUVRABLE
ABELORUZ	LABOUREZ
ABELOSSS	BOSSELAS
	LOBASSES
ABELOSST	BOSSELAT
ABELOSSU	ABSOLUES
	BOULASSE
ABELOSSV	ABSOLVES
ABELOSTT	BOTTELAS
ABELOSTU	BOULATES
ABELOSTV	BAVOLETS
ABELOSVZ	ABSOLVEZ
ABELOTTT	BOTTELAT
ABELOUUX	BOULEAUX
ABELRRSU	BRULERAS
ABELRSSU	BRULASSE
	SABLEURS
	SALUBRES
ABELRSTU	BALUSTRE
	BLUTERAS
	BRULATES
	BRUTALES
ABELSSTU	BLUTASSE
ABELSTTU	BLUTATES
ABEMMORS	OMBRAMES
ABEMMOST	TOMBAMES
ABEMMRSU	EMBRUMAS
ABEMMRTU	EMBRUMAT
ABEMNORS	BORNAMES
ABEMNOSS	SNOBAMES
ABEMNOTT	TOMBANTE
ABEMNRRT	MARBRENT
ABEMOQUU	EMBOUQUA
ABEMORRS	OMBRERAS
	SOMBRERA
ABEMORRU	EMBOURRA
ABEMORSS	OMBRASSE
ABEMORST	BROMATES
	OMBRATES
	RETOMBAS
	TOMBERAS
ABEMORSY	BROYAMES
ABEMORTT	RETOMBAT
ABEMOSSS	BOSSAMES
	EMBOSSAS
ABEMOSST	EMBOSSAT
	TOMBASSE
ABEMOSTT	BOTTAMES
	ETAMBOTS
	TOMBATES
ABEMOSTU	BOUTAMES
ABEMOTUX	TOMBEAUX
ABEMQSUU	EMBUSQUA
ABEMRRRU	MARBREUR
	MARBRURE
ABEMRRSU	MARRUBES
ABEMRSSU	BRUMASSE
ABEMRSTU	MASTURBE
ABEMSTTU	BUTTAMES
	EMBATTUS
ABENNNOT	ABONNENT →

	BANNETON
ABENNORS	BARONNES
ABENNORT	BATONNER
	ENROBANT
ABENNOST	BATONNES
	BETONNAS
ABENNOTT	BATONNET
	BETONNAT
	OBTENANT
ABENNOTV	OBVENANT
ABENNOTZ	BATONNEZ
ABENNQTU	BANQUENT
ABENNRTU	BRUNANTE
ABENOPRT	PROBANTE
ABENORRS	BORNERAS
ABENORRT	ARBORENT
ABENORRZ	BRONZERA
ABENORSS	BASERONS
	BORNASSE
	EBRASONS
	SNOBERAS
ABENORST	BARETONS
	BARONETS
	BASERONT
	BATERONS
	BORNATES
ABENORSV	BAVERONS
ABENORSY	BAYERONS
ABENORTT	BATERONT
	BETATRON
	RABOTENT
ABENORTU	EBROUANT
ABENORTV	BAVERONT
	BEVATRON
ABENORTY	BAYERONT
ABENOSSS	BONASSES
	SNOBASSE
ABENOSST	SNOBATES
ABENOSTT	EBATTONS
	SABOTENT
ABENOTTU	ABOUTENT
	EBOUTANT
ABENQRTU	BRAQUENT
ABENQSTU	BANQUETS
ABENRRTU	BEURRANT
	BRUNATRE
ABENRSSS	BRESSANS
ABENRSST	BRASSENT
ABENRTTU	REBUTANT
ABENRTUY	BRUYANTE
ABENSSTU	ABSTENUS
ABEOPQTU	PAQUEBOT
ABEOQRSU	BAROQUES
ABEORRRU	BOURRERA
	RABROUER
ABEORRSS	BRASEROS
	BROSSERA
	RESORBAS
ABEORRST	RESORBAT
ABEORRSU	EBOURRAS
	RABROUES
ABEORRTU	BROUTERA
	EBOURRAT
	OBTURERA
	RABOTEUR
	RABOUTER
ABEORRUU	BOURREAU
ABEORRUV	BRAVOURE
ABEORRUZ	RABROUEZ
ABEORSSS	BOSSERAS
	ROBASSES
ABEORSSU	ARBOUSES
	BOSSUERA
ABEORSSV	OBSERVAS
ABEORSSY	BROYASSE
ABEORSTT	BOTTERAS
ABEORSTU	BOUTERAS
	RABOUTES
	SABOTEUR
ABEORSTV	OBSERVAT
ABEORSTY	BROYATES
ABEORSUY	ABOYEURS
ABEORTTU	BROUETTA
	TABOURET
ABEORTUX	RABOTEUX
ABEORTUZ	RABOUTEZ
ABEOSSSS	BOSSASSE
ABEOSSST	BOSSATES
ABEOSSSX	BOXASSES
ABEOSSTT	BOTTASSE
ABEOSSTU	ABSOUTES
	BOUTASSE
ABEOSTTT	BOTTATES
ABEOSTTU	BOUTATES
ABEPRRTU	PERTURBA
ABEPRSTU	ABRUPTES
ABEQRSTU	BRAQUETS
ABEQRSUU	BUSQUERA
ABEQSSTU	BASQUETS
ABERRRSU	BARREURS
ABERRSSU	BRASSEUR
	BRASURES →

	SABREURS
ABERSSTU	ABSTRUSE
	ARBUSTES
ABERSTTU	BATTEURS
	BATTURES
	BUTTERAS
	REBATTUS
ABERTTUY	BUTYRATE
ABESSSTU	BUTASSES
	TUBASSES
ABESSTTU	BUTTASSE
ABESTTTU	BUTTATES
ABFFILSU	BLUFFAIS
ABFFILTU	BLUFFAIT
ABFFIORU	BOUFFIRA
ABFFIOSU	BOUFFAIS
ABFFIOTU	BOUFFAIT
ABFFLNTU	BLUFFANT
ABFFNOTU	BOUFFANT
ABFGORUU	FAUBOURG
ABFIIINO	BONIFIAI
ABFIILRU	LUBRIFIA
ABFIINOS	BONIFIAS
ABFIINOT	BONIFIAT
ABFILSTU	FLIBUSTA
ABFINORS	BAFRIONS
ABFIORRU	FOURBIRA
ABFIORST	ABORTIFS
ABFIQRUU	BIFURQUA
ABFIRSTU	ARBUSTIF
ABFLLOOT	FOOTBALL
ABFLMNOS	FLAMBONS
ABFLNOSU	FABULONS
ABFNOOSU	BAFOUONS
ABGGNOOT	TOBOGGAN
ABGIINNO	BIGNONIA
ABGIINOR	BIGORNAI
ABGIIRSU	BRIGUAIS
ABGIIRTU	BRIGUAIT
ABGILNOS	GALBIONS
ABGILOST	GALIBOTS
ABGINNOS	BAIGNONS
ABGINORS	BIGORNAS
ABGINORT	BIGORNAT
ABGINOSU	BAGUIONS
ABGINRTU	BRIGUANT
ABGINSST	BASTINGS
ABGIORRU	RABOUGRI
ABGISSUU	SUBAIGUS
ABGJSUUU	SUBJUGUA
ABGLMOOS	LOMBAGOS

ABGLMOSU	LUMBAGOS
ABGLNORS	BARLONGS
ABGLNOSU	BLAGUONS
ABGLNOUW	BUNGALOW
ABGNNOOU	BOUGONNA
ABGNORSU	BOUGRANS
ABGNOSTU	BOUGNATS
ABHIIINS	INHIBAIS
ABHIIINT	INHIBAIT
ABHIINNT	INHIBANT
ABHIIOPR	PROHIBAI
ABHINOST	HABITONS
ABHIOPRS	PROHIBAS
ABHIOPRT	PROHIBAT
ABHIOSTU	HAUTBOIS
ABIIJLSU	JUBILAIS
ABIIJLTU	JUBILAIT
ABIILLMR	MILLIBAR
ABIILLOT	BOITILLA
ABIILLRS	BRILLAIS
ABIILLRT	BRILLAIT
ABIILMOS	MOBILISA
ABIILMSU	SUBLIMAI
ABIILNOT	LIBATION
ABIILNST	SIBILANT
ABIILOQU	BILOQUAI
	OBLIQUAI
ABIILOSS	BLAISOIS
ABIILOSU	OUBLIAIS
ABIILOTU	OUBLIAIT
ABIILPSU	PUBLIAIS
ABIILPTU	PUBLIAIT
ABIIMNOS	ABIMIONS
ABIIMNOT	AMBITION
ABIIMQRU	IMBRIQUA
ABIIMRST	TIMBRAIS
ABIIMRTT	TIMBRAIT
ABIIMSTU	BITUMAIS
ABIIMTTU	BITUMAIT
ABIINOSS	BAISIONS
	BIAISONS
	SAINBOIS*
ABIINOST	ANTIBOIS
	OBSTINAI
ABIINRRU	BRUNIRAI
ABIINRSU	BURINAIS
ABIINRTU	BRUINAIT
	BURINAIT
	TURBINAI
ABIINSTU	BUTINAIS
ABIINTTU	BUTINAIT

ABIIPRST	BIPARTIS
ABIIQRSU	BRIQUAIS
ABIIQRTU	BRIQUAIT
ABIIQSSU	BISQUAIS
ABIIQSTU	BISQUAIT
ABIIRRSU	BRUIRAIS
ABIIRRTU	BRUIRAIT
ABIIRSSU	SUBIRAIS
ABIIRSTU	BRUITAIS
	SUBIRAIT
ABIIRTTU	BRUITAIT
ABIISTTU	TITUBAIS
ABIISTUZ	BIZUTAIS
ABIITTTU	TITUBAIT
ABIITTUZ	BIZUTAIT
ABIJLNOS	JABLIONS
ABIJLNTU	JUBILANT
ABIJLORS	JABLOIRS
ABILLNOS	BAILLONS
	BALLIONS
ABILLNRT	BRILLANT
ABILLORU	BROUILLA
ABILLOSU	BOUSILLA
ABILMNOS	AMBLIONS
	BLAMIONS
ABILMOPS	PLOMBAIS
ABILMOPT	PLOMBAIT
ABILMSSU	SUBLIMAS
ABILMSTU	SUBLIMAT
ABILNOOR	ALIBORON
ABILNOOT	OBLATION
ABILNORS	BLAIRONS
	ROSALBIN
ABILNOSS	BALISONS
	BLASIONS
	SABLIONS
ABILNOST	TABLIONS
ABILNOTU	ABLUTION
	OUBLIANT
ABILNOUX	NOBLIAUX
ABILNPSU	SUBALPIN
ABILNPTU	PUBLIANT
ABILNRTU	TRIBUNAL
ABILOQSU	BILOQUAS
	BLOQUAIS
	OBLIQUAS
ABILOQTU	BILOQUAT
	BLOQUAIT
	OBLIQUAT
ABILORSV	BOLIVARS
ABILORTT	BLOTTIRA

ABILORTU	TROUBLAI
ABILOSSU	BLOUSAIS
ABILOSTU	BLOUSAIT
ABIMNORS	AMBRIONS
	BRAMIONS
ABIMNRTT	TIMBRANT
ABIMNTTU	BITUMANT
ABIMORRV	VROMBIRA
ABIMORSS	ASSOMBRI
	SOMBRAIS
ABIMORST	SOMBRAIT
ABINNORR	RABONNIR
ABINNORS	RABONNIS
ABINNORT	RABONNIT
ABINNRTU	BRUINANT
	BURINANT
ABINNTTU	BUTINANT
ABINNTYZ	BYZANTIN
ABINOORY	BORNOYAI
ABINOOSY	ABOYIONS
ABINOQUU	BOUQUINA
ABINORRS	BARRIONS
ABINORRT	BRAIRONT
ABINORSS	BRAISONS
	BRASIONS
	SABRIONS
ABINORST	ABRITONS
	BATIRONS
ABINORSU	SUBORNAI
ABINORSV	BRAVIONS
ABINORSZ	BRONZAIS
ABINORTT	BATIRONT
ABINORTZ	BRONZAIT
ABINOSSS	BAISSONS
ABINOSST	BASTIONS
	OBSTINAS
ABINOSSU	ABUSIONS
ABINOSTT	BATTIONS
	OBSTINAT
ABINQRTU	BRIQUANT
ABINQSTU	BISQUANT
ABINRRSU	BRUNIRAS
ABINRSSS	BRASSINS
ABINRSST	BRISANTS
ABINRSTU	TURBINAS
ABINRSTV	VIBRANTS
ABINRTTU	BRUITANT
	TRIBUNAT
	TURBINAT
ABINSSSY	ABYSSINS
ABINTTTU	TITUBANT

ABINTTUZ	BIZUTANT
ABIOORST	ROBOTISA
ABIORRSU	BOURRAIS
ABIORRTU	BOURRAIT
ABIORSSS	BROSSAIS
ABIORSST	BROSSAIT
ABIORSTT	BATTOIRS
ABIORSTU	BROUTAIS
	OBSTRUAI
	OBTURAIS
ABIORSTV	VIBRATOS
ABIORTTU	BROUTAIT
	OBTURAIT
ABIORTUU	BOUTURAI
ABIORTUX	ORBITAUX
ABIOSSSU	BOSSUAIS
ABIOSSTU	BOSSUAIT
ABIQRSUU	BRUSQUAI
ABIQSSUU	BUSQUAIS
ABIQSTUU	BUSQUAIT
ABIRTTTU	ATTRIBUT
ABISSSTU	SUBSISTA
ABJNOOST	JABOTONS
ABJNORSU	ABJURONS
ABLLSSUY	SYLLABUS
ABLMNOPT	PLOMBANT
ABLMOOST	TOMBOLAS
ABLNNOOU	BOULONNA
ABLNNORS	BRANLONS
ABLNOOSU	ABOULONS
ABLNOQTU	BLOQUANT
ABLNOSTU	BLOUSANT
ABLNRSTU	BRULANTS
ABLOOTTU	BOULOTTA
ABLORSTU	TROUBLAS
ABLORTTU	TROUBLAT
ABMNORRS	MARBRONS
ABMNORST	SOMBRANT
ABMNOSTT	TOMBANTS
ABMORSTU	TAMBOURS
ABNNNOOS	ABONNONS
ABNNOOTU	BOUTONNA
ABNNOQSU	BANQUONS
ABNNORTZ	BRONZANT
ABNOORRS	ARBORONS
ABNOORST	RABOTONS
ABNOORSY	BORNOYAS
ABNOORTY	BORNOYAT
ABNOOSST	SABOTONS
ABNOOSTU	ABOUTONS
ABNOPRST	PROBANTS
ABNOQRSU	BRAQUONS
ABNORRTU	BOURRANT
ABNORSSS	BRASSONS
ABNORSST	BROSSANT
ABNORSSU	SUBORNAS
ABNORSTT	BATTRONS
ABNORSTU	SUBORNAT
ABNORSTY	BARYTONS
ABNORTTT	BATTRONT
ABNORTTU	BROUTANT
	OBTURANT
ABNORTUU	RUNABOUT
ABNOSSTU	BOSSUANT
ABNQSTUU	BUSQUANT
ABNRSTUY	BRUYANTS
ABORSSTU	OBSTRUAS
ABORSTTU	OBSTRUAT
ABORSTUU	BOUTURAS
ABORTTUU	BOUTURAT
ABQRSSUU	BRUSQUAS
ABQRSTUU	BRUSQUAT
ABRSSTTU	SUBSTRAT
ACCCEHOR	ACCROCHE
ACCCEHOU	ACCOUCHE
ACCCELRY	CYCLECAR
ACCCEOSU	COACCUSE
ACCCNOOT	CONCOCTA
ACCCORRS	RACCROCS
ACCDDEEI	DEDICACE
ACCDEEEN	CADENCEE
ACCDEEIZ	ACCEDIEZ
ACCDEELR	DECERCLA
ACCDEENR	CADENCER
ACCDEENS	CADENCES
ACCDEENT	ACCEDENT
ACCDEENZ	CADENCEZ
ACCDEEOR	ACCORDEE
ACCDEEOU	ACCOUDEE
ACCDEESU	CADUCEES
ACCDEHIO	DECOCHAI
ACCDEHOR	DECROCHA
ACCDEHOS	DECOCHAS
ACCDEHOT	DECOCHAT
ACCDEHOU	DECOUCHA
ACCDEINO	CONCEDAI
	DECOINCA
ACCDEINT	ACCIDENT
ACCDEISU	SUCCEDAI
ACCDEITU	CADUCITE
ACCDENOS	ACCEDONS
	CONCEDAS

ACCDENOT	CONCEDAT
ACCDEORR	ACCORDER
	RACCORDE
ACCDEORS	ACCORDES
	COCARDES
ACCDEORU	ACCOUDER
ACCDEORZ	ACCORDEZ
ACCDEOSU	ACCOUDES
ACCDEOUZ	ACCOUDEZ
ACCDESSU	SUCCEDAS
ACCDESTU	SUCCEDAT
ACCDHIRU	ARCHIDUC
ACCDHLOR	CLOCHARD
ACCDIINO	COINCIDA
ACCDNOOR	CONCORDA
ACCDORRS	RACCORDS
ACCEEEHN	ECHEANCE
ACCEEEHT	CACHETEE
ACCEEEIR	ERICACEE*
ACCEEELR	ACCELERE
ACCEEENR	CARENCEE*
ACCEEEPT	ACCEPTEE
ACCEEERT	CRETACEE
ACCEEFFI	EFFICACE
ACCEEGLR	CERCLAGE
ACCEEGOR	ECORCAGE
ACCEEHIN	CHICANEE
ACCEEHIX	CACHEXIE
ACCEEHLN	CHANCELE
ACCEEHLS	CALECHES
ACCEEHMP	CAMPECHE
ACCEEHNR	ECHANCRE
ACCEEHRR	RECRACHE
ACCEEHRS	CACHERES*
	CRACHEES
ACCEEHRT	CACHETER
	CETERACH
ACCEEHRW	CAWCHERE
ACCEEHRZ	CACHEREZ
ACCEEHST	CACHETES
ACCEEHTT	CACHETTE
ACCEEHTZ	CACHETEZ
ACCEEILM	CALCEMIE
ACCEEILN	CALCINEE
ACCEEILS	ECCLESIA
ACCEEIMS	MICACEES
ACCEEINV	VACCINEE
ACCEEIRT	CIRCAETE
ACCEEJNO	JONCACEE*
ACCEELLU	CALCULEE
ACCEELNR	ENCERCLA
ACCEELNS	CENACLES
ACCEELOS	ACCOLEES
ACCEELRR	CERCLERA
	RECERCLA
ACCEELSU	ACCULEES
ACCEENOR	CORNACEE*
ACCEENRR	CARENCER*
ACCEENRS	CARENCES
	CREANCES
ACCEENRZ	CARENCEZ*
ACCEENST	ACESCENT
ACCEENTU	ACCENTUE
ACCEEORR	ECORCERA
ACCEEOST	ACCOSTEE
	ACCOTEES
ACCEEOSU	ACCOUEES
ACCEEPRT	ACCEPTER
ACCEEPST	ACCEPTES
ACCEEPTZ	ACCEPTEZ
ACCEERST	CRETACES
ACCEERUX	CERCEAUX
ACCEESSU	ACCUSEES
ACCEFIIL	CALCIFIE
ACCEFIST	FACTICES
ACCEGHIL	CLICHAGE
ACCEGHOU	COUCHAGE
ACCEGINO	COINCAGE
ACCEGOSU	COCUAGES
ACCEHHIR	CHERCHAI
ACCEHHIS	CHECHIAS
ACCEHHRS	CHERCHAS
ACCEHHRT	CHERCHAT
ACCEHILR	CLICHERA
ACCEHILS	CALICHES
ACCEHINO	ENCOCHAI
ACCEHINR	CHICANER
ACCEHINS	CANICHES
	CHICANES
ACCEHINZ	CHICANEZ
ACCEHIOR	COCHERAI
	ECORCHAI
ACCEHIRZ	CRACHIEZ
ACCEHISV	VISCACHE
ACCEHLOR	CLOCHERA
ACCEHMOS	COCHAMES
ACCEHNNO	CHACONNE
ACCEHNOS	ENCOCHAS
ACCEHNOT	ENCOCHAT
ACCEHNRS	CHANCRES
ACCEHNRT	CRACHENT
ACCEHNUX	CHANCEUX

ACCEHORR	CROCHERA
ACCEHORS	COCHERAS
	ECORCHAS
ACCEHORT	CRACHOTE
	CROCHETA
	ECORCHAT
ACCEHORU	COUCHERA
	RECOUCHA
ACCEHOSS	COCHASSE
	SACOCHES
ACCEHOST	COCHATES
ACCEHPSU	CAPUCHES
ACCEHRRU	CRACHEUR
ACCEHRST	SCRATCHE
ACCEHRSW	CAWCHERS
ACCEHRTU	CATCHEUR
	CHARCUTE
ACCEIILN	LICENCIA
ACCEIILR	ECLAIRCI
ACCEILLR	CLERICAL
ACCEILLU	CALICULE
ACCEILNR	CALCINER
ACCEILNS	CALCINES
ACCEILNU	CANICULE
ACCEILNV	CLAVECIN
ACCEILNZ	CALCINEZ
ACCEILOZ	ACCOLIEZ
ACCEILQU	CALCIQUE
ACCEILRS	CERCLAIS
ACCEILRT	CERCLAIT
ACCEILRU	CRUCIALE
ACCEILRV	CERVICAL
ACCEILRY	RECYCLAI
ACCEILST	CALCITES
ACCEILSU	ACCUEILS
ACCEILUZ	ACCULIEZ
ACCEIMOS	CACOSMIE
ACCEINOR	COINCERA
ACCEINOS	COCAINES
ACCEINOT	ACCOINTE
	OCCITANE
ACCEINPU	CAPUCINE
ACCEINRV	VACCINER
ACCEINSV	VACCINES
ACCEINVZ	VACCINEZ
ACCEIORR	ACCROIRE
ACCEIORS	CORIACES
	ECORCAIS
	SCORIACE
ACCEIORT	ECORCAIT
ACCEIOTZ	ACCOTIEZ
ACCEIOUZ	ACCOUIEZ
ACCEIPRS	CAPRICES
ACCEIQSU	CACIQUES
ACCEIRST	ACTRICES
	CACTIERS
ACCEISST	ACCESSIT
ACCEISUZ	ACCUSIEZ
ACCELLOT	COLLECTA
ACCELLRU	CALCULER
ACCELLSU	CALCULES
ACCELLUZ	CALCULEZ
ACCELMNY	CYCLAMEN
ACCELMUU	ACCUMULE
ACCELNOS	CALECONS
ACCELNOT	ACCOLENT
ACCELNOV	CONCLAVE
ACCELNRT	CERCLANT
ACCELNSY	CYCLANES
ACCELNTU	ACCULENT
ACCELOOS	COLOCASE
ACCELOPU	ACCOUPLE
ACCELOST	CACOLETS
ACCELRSY	RECYCLAS
ACCELRTY	RECYCLAT
ACCELSSU	SACCULES
ACCEMMNO	COMMENCA
ACCEMMOR	COMMERCA
ACCEMOPT	COMPACTE
ACCEMRSU	ACCRUMES
ACCENNOR	CONCERNA
ACCENNOT	CONNECTA
ACCENORS	CONSACRE
ACCENORT	CONCERTA
	CONCRETA
	ECORCANT
ACCENORV	CONCEVRA
ACCENORY	CROYANCE
ACCENOSS	CONCASSE
ACCENOSV	CAVECONS
	CONCAVES
ACCENOTT	ACCOTENT
	CONTACTE
ACCENOTU	ACCOUENT
ACCENSTU	ACCUSENT
ACCEOPRU	OCCUPERA
	REOCCUPA
ACCEORST	ACCORTES
	ACCOSTER
ACCEORSU	ACCOURES
ACCEORTU	ACCOUTRE
ACCEORUU	ACCOURUE

ACCEORUZ	ACCOUREZ
ACCEOSSS	COCASSES
ACCEOSST	ACCOSTES
ACCEOSTZ	ACCOSTEZ
ACCERSSU	ACCRUSSE
ACCERSTU	ACCRUTES
	CRUSTACE
ACCFIIOU	COCUFIAI
ACCFIIRU	CRUCIFIA
ACCFIIST	SICCATIF
ACCFIOSU	COCUFIAS
ACCFIOTU	COCUFIAT
ACCGIKNR	CRACKING
ACCGINOT	COTIGNAC
ACCHHHIS	HACHISCH*
ACCHHOSU	CHAOUCHS
ACCHHOTU	CHUCHOTA
ACCHIILS	CLICHAIS
ACCHIILT	CLICHAIT
ACCHIIOR	RICOCHAI
ACCHIIOT	CHICOTAI
ACCHILNT	CLICHANT
ACCHILOS	CLOCHAIS
ACCHILOT	CLOCHAIT
ACCHINOS	CACHIONS
ACCHINRS	CRACHINS
ACCHIORR	CRACHOIR
ACCHIORS	CROCHAIS
	RICOCHAS
ACCHIORT	CROCHAIT
	RICOCHAT
ACCHIOST	CHICOTAS
ACCHIOSU	CAUCHOIS
	COUCHAIS
ACCHIOTT	CHICOTAT
ACCHIOTU	COUCHAIT
ACCHLNOT	CLOCHANT
ACCHLOOT	CHOCOLAT
ACCHNNOO	COCHONNA
ACCHNOPU	CAPUCHON
ACCHNORS	CRACHONS
ACCHNORT	CROCHANT
ACCHNOTU	COUCHANT
ACCHRSST	SCRATCHS
ACCIILMO	COMICIAL
ACCIILNO	CONCILIA
ACCIILRU	CIRCULAI
ACCIINOS	COINCAIS
ACCIINOT	COINCAIT
ACCIKLOT	COCKTAIL
ACCIKRRS	CARRICKS
ACCILMOP	ACCOMPLI
ACCILMSU	CALCIUMS
ACCILORT	CORTICAL
ACCILORU	OCCLURAI
ACCILOST	CALICOTS
ACCILOSU	OCCLUAIS
ACCILOTU	OCCLUAIT
	OCCULTAI
ACCILRSU	CIRCULAS
ACCILRTU	CIRCULAT
ACCINNOT	COINCANT
ACCINNOV	CONVAINC
ACCINOOS	OCCASION
ACCINOST	OCCITANS
ACCINPSU	CAPUCINS
ACCIOORT	ACCOTOIR
ACCIOPRU	ACCROUPI
ACCIOPSU	OCCUPAIS
ACCIOPTU	OCCUPAIT
ACCIORRU	ACCOURIR
ACCIRRTT	TRICTRAC
ACCIRUUX	CRUCIAUX
ACCLLNOY	CYCLONAL
ACCLNOOS	ACCOLONS
ACCLNORU	CONCLURA
ACCLNOSU	ACCULONS
ACCLNOTU	OCCLUANT
ACCLOORT	COLCOTAR
ACCLORSU	OCCLURAS
ACCLOSTU	OCCULTAS
ACCLOTTU	OCCULTAT
ACCMOPST	COMPACTS
ACCMRSUU	CURCUMAS
ACCNOOST	ACCOTONS
ACCNOOSU	ACCOUONS
ACCNOPTU	OCCUPANT
ACCNOSSU	ACCUSONS
ACCNOSTT	CONTACTS
ACCORSUU	ACCOURUS
ACCORTUU	ACCOURUT
ACDDEEER	DECAEDRE
	DECEDERA
ACDDEEGO	DECODAGE
ACDDEEIR	DECIDERA
ACDDEEIS	DECEDAIS
ACDDEEIT	DECEDAIT
ACDDEENT	DECADENT
	DECEDANT
ACDDEEOP	DECAPODE*
ACDDEEOR	DECODERA
ACDDEIIS	DECIDAIS →

	DIACIDES
ACDDEIIT	DECIDAIT
ACDDEINS	CANDIDES
ACDDEINT	DECIDANT
ACDDEIOR	DECORDAI
ACDDEIOS	DECODAIS
ACDDEIOT	DECODAIT
ACDDENOT	DECODANT
ACDDEORS	DECORDAS
ACDDEORT	DECORDAT
ACDDEORU	DECOUDRA
ACDDHKOS	HADDOCKS
ACDDIORS	DISCORDA
ACDDKOPS	PADDOCKS
ACDEEEGL	DEGLACEE
ACDEEEGP	DEPECAGE
ACDEEEHT	DETACHEE
ACDEEEHU	ECHAUDEE
ACDEEELM	DECLAMEE
ACDEEELP	DECAPELE
	DEPLACEE
ACDEEELR	DECELERA
	DECLAREE
ACDEEELS	DECALEES
	DELACEES
ACDEEEMP	DECAMPEE*
ACDEEENR	ENCADREE
ACDEEENT	DECANTEE
ACDEEENV	DEVANCEE
ACDEEEPR	DEPECERA
ACDEEEPS	DECAPEES
ACDEEERR	RECARDEE
	RECEDERA
ACDEEERX	EXCEDERA
ACDEEESV	DECAVEES
ACDEEFIL	DEFICELA
ACDEEFIN	DEFIANCE
ACDEEGHR	DECHARGE
ACDEEGIL	DECILAGE
ACDEEGLR	DEGLACER
ACDEEGLS	DEGLACES
ACDEEGLZ	DEGLACEZ
ACDEEGNO	DECAGONE
ACDEEGRU	DECRUAGE
ACDEEGUV	DECUVAGE
ACDEEHHN	DEHANCHE
ACDEEHIN	DECHAINE
ACDEEHIP	DEPECHAI
ACDEEHLN	CHALDEEN
ACDEEHMN	DEMANCHE
ACDEEHMR	DEMARCHE
ACDEEHMU	DECHAUME
ACDEEHNR	DECHARNE
ACDEEHNT	DECHANTE
ACDEEHPS	DEPECHAS
ACDEEHPT	DEPECHAT
ACDEEHRS	ECHARDES
ACDEEHRT	DETACHER
ACDEEHRU	ECHAUDER
ACDEEHSS	DESSECHA
ACDEEHST	DETACHES
ACDEEHSU	ECHAUDES
ACDEEHTZ	DETACHEZ
ACDEEHUZ	ECHAUDEZ
ACDEEIIR	IRIDACEE*
ACDEEILM	CAMELIDE*
	DECIMALE
	MEDICALE
ACDEEILR	DILACERE
ACDEEILS	DECELAIS
ACDEEILT	DECELAIT
	DELECTAI
	DELICATE
	DIALECTE
ACDEEILU	ACIDULEE
ACDEEILZ	DECALIEZ
	DELACIEZ
ACDEEIMR	DECIMERA
ACDEEIMS	CADMIEES
ACDEEINO	OCEANIDE
ACDEEINR	DECERNAI
	DERACINE
ACDEEINT	CEDAIENT
ACDEEINU	AUDIENCE
ACDEEINV	DEVIANCE
ACDEEIPR	DEPRECIA
	EPICARDE
	PRECEDAI
ACDEEIPS	DEPECAIS
	DIPSACEE*
ACDEEIPT	DECAPITE
	DEPECAIT
ACDEEIPZ	DECAPIEZ
ACDEEIRR	DECRIERA
ACDEEIRS	CEDERAIS
	CEDRAIES
	RECEDAIS
ACDEEIRT	CEDERAIT
	DECRETAI
	EDICTERA
	RECEDAIT
ACDEEIRV	DECEVRAI

ACDEEISS	DECAISSE
ACDEEIST	DECATIES
ACDEEISV	DECEVAIS
ACDEEISX	EXCEDAIS
ACDEEITT	DETECTAI
ACDEEITV	DECEVAIT
ACDEEITX	EXCEDAIT
ACDEEIVZ	DECAVIEZ
ACDEELLS	DESCELLA
ACDEELMR	DECLAMER
ACDEELMS	DECLAMES
ACDEELMZ	DECLAMEZ
ACDEELNN	DECENNAL
ACDEELNS	CALENDES
ACDEELNT	DECALENT
	DECELANT
	DELACENT
ACDEELOP	DECAPOLE
ACDEELOR	DECOLERA
ACDEELPR	DEPLACER
ACDEELPS	DEPLACES
ACDEELPZ	DEPLACEZ
ACDEELQU	DECALQUE
ACDEELRR	DECLARER
ACDEELRS	DECLARES
ACDEELRU	RECULADE
ACDEELRZ	DECLAREZ
ACDEELSS	DECLASSE
ACDEELST	DELECTAS
ACDEELTT	DELECTAT
ACDEEMPR	DECAMPER
ACDEEMPS	DECAMPES
ACDEEMPZ	DECAMPEZ
ACDEENNT	TENDANCE
ACDEENOR	ANDROCEE
ACDEENOT	ANECDOTE
ACDEENPT	DECAPENT
	DEPECANT
ACDEENRR	CENDRERA
	ENCADRER
	RENCARDE
ACDEENRS	CERDANES
	DECERNAS
	ENCADRES
ACDEENRT	DECANTER
	DECENTRA
	DECERNAT
	RECEDANT
ACDEENRV	DEVANCER
ACDEENRZ	ENCADREZ
ACDEENSS	SCANDEES
ACDEENST	CEDANTES
	DECANTES
ACDEENSU	SADUCEEN
ACDEENSV	DEVANCES
ACDEENTV	DECAVENT
	DECEVANT
ACDEENTX	EXCEDANT
ACDEENTZ	DECANTEZ
ACDEENVZ	DEVANCEZ
ACDEEOPT	DECAPOTE
ACDEEORR	DECORERA
ACDEEORT	OCTAEDRE
ACDEEOST	ESTOCADE
ACDEEOSU	ESCOUADE
ACDEEPRS	PRECEDAS
ACDEEPRT	PRECEDAT
ACDEEPRU	DRUPACEE
ACDEERRR	RECARDER
ACDEERRS	CARDERES
	RECARDES
ACDEERRU	DECRUERA
ACDEERRZ	CADREREZ
	CARDEREZ
	RECARDEZ
ACDEERSS	DECRASSE
	ESCADRES
ACDEERST	DECRETAS
ACDEERSU	CARDEUSE
	DECREUSA
ACDEERSV	DECEVRAS
ACDEERTT	DECRETAT
ACDEERUV	DECUVERA
ACDEESSS	CEDASSES
ACDEESTT	CADETTES
	DETECTAS
ACDEETTT	DETECTAT
ACDEFFIO	DECOIFFA
ACDEFFOR	DECOFFRA
ACDEFHIR	DEFRICHA
ACDEFIII	ACIDIFIE
ACDEFIJT	ADJECTIF
ACDEFINO	DEFONCAI
	FECONDAI
ACDEFITU	EDUCATIF
ACDEFNOR	DEFRONCA
ACDEFNOS	DEFONCAS
	FACONDES
	FECONDAS
ACDEFNOT	DEFONCAT
	FECONDAT
ACDEFOSU	FOUCADES

ACDEGHIU	DEGAUCHI
ACDEGINO	CONGEDIA
ACDEGIRS	DISGRACE
ACDEGORS	CORDAGES
ACDEHIIN	DENICHAI
ACDEHIIR	DECHIRAI
ACDEHIJU	DEJUCHAI
ACDEHIMN	DIMANCHE
ACDEHIMS	SCHIEDAM
ACDEHINS	DENICHAS
ACDEHINT	DENICHAT
ACDEHIOR	DECHOIRA*
	DEROCHAI
ACDEHIRS	DECHIRAS
ACDEHIRT	DECHIRAT
	THRIDACE
ACDEHJSU	DEJUCHAS
ACDEHJTU	DEJUCHAT
ACDEHLMY	CHLAMYDE
ACDEHMOR	MORDACHE
ACDEHMRS	DRACHMES
ACDEHNOR	RONDACHE
ACDEHNST	DECHANTS
ACDEHOPR	POCHARDE
ACDEHOPS	POCHADES
ACDEHORS	DEROCHAS
ACDEHORT	DEROCHAT
ACDEHORU	DOUCHERA
ACDEHOST	CATHODES
ACDEHRSU	RECHAUDS
ACDEIILN	DECLINAI
ACDEIILU	ELUCIDAI
ACDEIIMS	DECIMAIS
ACDEIIMT	DECIMAIT
ACDEIINN	INCENDIA
ACDEIINR	ACRIDIEN*
	CEINDRAI
	CNIDAIRE*
ACDEIINT	ACTINIDE*
	CITADINE
ACDEIIRR	DECRIRAI
ACDEIIRS	DECRIAIS
ACDEIIRT	CREDITAI
	DECRIAIT
	DICTERAI
	TRIACIDE
ACDEIIRV	RECIDIVA
ACDEIISS	ASCIDIES
ACDEIIST	ACIDITES
	EDICTAIS
ACDEIITT	EDICTAIT
ACDEILLO	DECOLLAI
ACDEILNS	DECLINAS
ACDEILNT	DECLINAT
ACDEILOR	CORDELAI
	CORDIALE
	DECLORAI*
ACDEILOT	COTIDALE
ACDEILOU	DECLOUAI
	DECOULAI
ACDEILPS	PLACIDES
ACDEILPU	DECUPLAI
ACDEILRU	RADICULE
ACDEILSS	DISCALES
ACDEILST	DELICATS
ACDEILSU	ACIDULES
	ELUCIDAS
ACDEILTU	ELUCIDAT
ACDEIMNS	CANDIMES
ACDEIMNT	DECIMANT
ACDEIMST	DICTAMES
ACDEIMUX	DECIMAUX
	MEDICAUX
ACDEINNO	DECONNAI
	DENONCAI
ACDEINOR	DECORNAI
	ENCORDAI
ACDEINOS	DONACIES
	SECONDAI
ACDEINOT	CODAIENT
ACDEINPR	PINCARDE
ACDEINRR	CRAINDRE
ACDEINRS	CEINDRAS
	CENDRAIS
	DISCERNA
	RESCINDA
	SCINDERA
ACDEINRT	CENDRAIT
	DECINTRA
	DECRIANT
	DICENTRA
	TRIDACNE
ACDEINRZ	CANDIREZ
ACDEINSS	CANDISSE
ACDEINST	CANDITES
	DISTANCE
ACDEINSZ	SCANDIEZ
ACDEINTT	EDICTANT
ACDEIOPR	PROCEDAI
ACDEIOPS	DIASCOPE
ACDEIOPU	DECOUPAI
ACDEIORR	CORDERAI →

	RECORDAI
ACDEIORS	CODERAIS
	CROISADE
	DECORAIS
	DECROISA
	ISOCARDE
	SARCOIDE
ACDEIORT	CAROTIDE
	CODERAIT
	DECORAIT
ACDEIORU	COUDERAI
	COUDRAIE
	RADOUCIE
ACDEIOSS	ACIDOSES
ACDEIOSU	ADOUCIES
ACDEIOSX	OXACIDES
ACDEIOXY	OXYACIDE
ACDEIPRS	DECRISPA
	PICARDES
ACDEIPRT	PREDICAT
ACDEIPSS	SPADICES
ACDEIRRS	CRIARDES
	DECRIRAS
ACDEIRST	CARDITES
	CREDITAS
	DICTERAS
ACDEIRSU	DECRUAIS
	DECRUSAI
ACDEIRTT	CREDITAT
ACDEIRTU	DECRUAIT
ACDEIRUV	DECUIVRA
ACDEISST	DICTASSE
ACDEISTT	DICTATES
ACDEISUV	DECUVAIS
ACDEITUV	DECUVAIT
ACDEKPRS	SPARDECK
ACDELLOS	DECOLLAS
ACDELLOT	DECOLLAT
ACDELNOS	CELADONS
	DECALONS
	DELACONS
ACDELOOR	DECOLORA
ACDELOPU	DECOUPLA
ACDELORS	CORDELAS
	DECLORAS*
ACDELORT	CORDELAT
ACDELORU	EDULCORA
ACDELOSU	DECLOUAS
	DECOULAS
ACDELOTU	DECLOUAT
	DECOULAT
ACDELPSU	DECUPLAS
ACDELPTU	DECUPLAT
ACDELSTY	DACTYLES
ACDEMMNO	COMMANDE
ACDEMNNO	CONDAMNE
ACDEMNOR	DORMANCE
	MORDANCE
ACDEMOPT	DECOMPTA
ACDEMORS	CORDAMES
ACDEMORY	MYOCARDE
ACDEMOSU	COUDAMES
ACDEMSSU	MUSCADES
ACDEMSTU	MUSCADET
ACDENNOS	CONDENSA
	DECONNAS
	DENONCAS
ACDENNOT	DECONNAT
	DENONCAT
ACDENNRT	CENDRANT
ACDENNST	SCANDENT
ACDENOPS	DECAPONS
ACDENORS	DECORNAS
	ENCORDAS
	ESCADRON
ACDENORT	DECORANT
	DECORNAT
	ENCORDAT
ACDENOSS	SECONDAS
ACDENOST	SECONDAT
ACDENOSV	DECAVONS
ACDENRRS	RENCARDS
ACDENRSU	CANDEURS
ACDENRTU	DECRUANT
ACDENTUV	DECUVANT
ACDEOPRS	PROCEDAS
ACDEOPRT	PROCEDAT
ACDEOPRU	CROUPADE
ACDEOPSU	DECOUPAS
ACDEOPTU	DECOUPAT
ACDEORRS	CORDERAS
	RECORDAS
ACDEORRT	RECORDAT
ACDEORRU	RECOUDRA
ACDEORSS	CORDASSE
	COSSARDE
ACDEORST	CORDATES
	TOCARDES
ACDEORSU	COUARDES
	COUDERAS
ACDEORTT	DECROTTA
ACDEORUX	CORDEAUX

ACDEOSSS	CODASSES
ACDEOSSU	COUDASSE
ACDEOSTU	COUDATES
ACDEPRSU	DRUPACES
ACDEPRTY	DECRYPTA
ACDEQSUU	AQUEDUCS
	CADUQUES
ACDERRSU	CADREURS
	CARDEURS
ACDERSSU	DECRUSAS
ACDERSTU	DECRUSAT
ACDESSSU	DUCASSES
ACDFIIIO	CODIFIAI
ACDFIILU	DULCIFIA
ACDFIIOS	CODIFIAS
ACDFIIOT	CODIFIAT
ACDFORRS	FROCARDS
ACDGINNS	DANCINGS
ACDGOSUZ	GAZODUCS
ACDHINPR	PINCHARD
ACDHINSW	SANDWICH
ACDHIOSU	DOUCHAIS
ACDHIOTU	DOUCHAIT
ACDHIRRS	RICHARDS
ACDHMNOU	MANDCHOU
ACDHMORU	MOUCHARD
ACDHNORS	CHARDONS
ACDHNORU	CHAUDRON
ACDHNOTU	DOUCHANT
ACDHOPRS	POCHARDS
ACDIIISU	SUICIDAI
ACDIINNS	INDICANS
ACDIINSS	SCINDAIS
ACDIINST	CITADINS
	SCINDAIT
ACDIIORU	DOUCIRAI
ACDIIORV	DIVORCAI
ACDIIOSS	DISSOCIA
ACDIIRRU	DURCIRAI
ACDIIRTU	TRUCIDAI
ACDIISSU	SUICIDAS
ACDIISTU	DISCUTAI
	SUICIDAT
ACDILLOU	CAUDILLO
ACDILNRY	CYLINDRA
ACDILNSY	SYNDICAL
ACDILPSU	DISCULPA
ACDIMMSU	CADMIUMS
ACDIMNOT	COMTADIN
ACDIMNSU	MUSCADIN
	SCANDIUM
ACDIMORU	MORICAUD
ACDIMRSS	SMICARDS
ACDINNST	SCINDANT
ACDINORS	CADRIONS
	CARDIONS
ACDINORU	CONDUIRA
	CORNIAUD
ACDINPRS	PINCARDS
ACDINSTY	SYNDICAT
ACDIOORR	CORRODAI
ACDIOOUY	COUDOYAI
ACDIOPRS	PICADORS
ACDIORRS	CORRIDAS
ACDIORRU	RADOUCIR
ACDIORSU	COUDRAIS
	DOUCIRAS
	RADOUCIS
ACDIORSV	DIVORCAS
ACDIORTU	COUDRAIT
	RADOUCIT
ACDIORTV	DIVORCAT
ACDIORUX	CORDIAUX
ACDIOTUX	COTIDAUX
ACDIRRSU	DURCIRAS
ACDIRSSU	CUISSARD
ACDIRSTU	TRUCIDAS
ACDIRTTU	TRUCIDAT
ACDISSTU	DISCUTAS
ACDISTTU	DISCUTAT
ACDLMRUU	CUMULARD
ACDLOORT	DOCTORAL
ACDLOSTY	DACTYLOS
ACDMMNOO	COMMANDO
ACDNNOOR	CORDONNA
ACDNNOSS	SCANDONS
ACDNORRS	CORNARDS
ACDOORRS	CORRODAS
ACDOORRT	CORRODAT
ACDOORTT	DOCTORAT
ACDOOSUY	COUDOYAS
ACDOOTUY	COUDOYAT
ACDOQRSU	COQUARDS
ACDORSSS	COSSARDS
ACDORTUU	COURTAUD
ACDOSSTU	COSTAUDS
ACEEEFFS	EFFACEES
ACEEEFFT	AFFECTEE
ACEEEFIN	FAIENCEE
ACEEEFIR	CAFEIERE
ACEEEFPR	PREFACEE
ACEEEFTT	FACETTEE

ACEEEGHN	ECHANGEE
ACEEEGLN	ELEGANCE
ACEEEGMR	ECREMAGE
ACEEEGNN	ENGEANCE
ACEEEGNS	AGENCEES
	ENCAGEES
ACEEEGNU	ECANGUEE
ACEEEGPR	RECEPAGE
ACEEEHLL	ALLECHEE
ACEEEHLP	CEPHALEE
ACEEEHLR	HARCELEE
	RELACHEE
ACEEEHLV	CHEVALEE
	ECHEVELA
ACEEEHMR	EMECHERA
	REMACHEE
ACEEEHNP	EPANCHEE
ACEEEHNR	ECHARNEE
ACEEEHNS	ENSACHEE
ACEEEHNT	ECHEANTE
	ENTACHEE
	ETANCHEE
ACEEEHPP	ECHAPPEE
ACEEEHPR	ECHARPEE
	RECHAPEE
ACEEEHRT	RACHETEE
ACEEEHSS	ASSECHEE
ACEEEHST	ACHETEES
ACEEEHSV	ACHEVEES
ACEEEHTT	TACHETEE
ACEEEHUV	ECHEVEAU
ACEEEILL	ECAILLEE
ACEEEILR	ECLAIREE
ACEEEIMS	EMACIEES
ACEEEIPR	RAPIECEE
ACEEEIRS	ACIEREES
ACEEEJLU	EJACULEE
ACEEEJRT	EJECTERA
ACEEELLV	CLAVELEE
ACEEELMN	LEMNACEE*
ACEEELMR	RECLAMEE
ACEEELMX	EXCLAMEE
ACEEELNN	CANNELEE
ACEEELNR	RELANCEE
ACEEELNS	ELANCEES
	ENLACEES
ACEEELNV	ENCLAVEE
ACEEELOS	OLEACEES
ACEEELPR	REPLACEE
ACEEELPS	CAPELEES
ACEEELRR	CARRELEE →
	RECELERA
ACEEELRS	CEREALES
	LACEREES
	RECALEES
ACEEELRT	ECARTELE
ACEEELRZ	ECALEREZ
ACEEELST	ECLATEES
ACEEELTV	CLAVETEE
ACEEEMNS	MENACEES
ACEEEMRR	ECREMERA
ACEEEMRS	MACEREES
ACEEENQU	ENCAQUEE
ACEEENRS	CARENEES
	CASERNEE
	SERANCEE
ACEEENRT	ENCARTEE
ACEEENSV	ENCAVEES
ACEEEPRR	RECEPERA
ACEEEPRS	ESCARPEE
	RESCAPEE
ACEEEPRZ	CAPEEREZ
ACEEEPSS	ESPACEES
ACEEERRR	RECREERA
ACEEERRT	ECRETERA
	RETRACEE
ACEEERRX	EXECRERA
	EXERCERA
ACEEERSS	CARESSEE
	ECRASEES
ACEEERST	ECARTEES
ACEEESST	SETACEES
ACEEESSU	CASEEUSE
ACEEESTT	TESTACEE
ACEEESTU	ACETEUSE
ACEEESUV	EVACUEES
ACEEESUX	EXAUCEES
ACEEESVX	EXCAVEES
ACEEFFHI	AFFICHEE
ACEEFFHU	CHAUFFEE
	ECHAUFFE
ACEEFFIZ	EFFACIEZ
ACEEFFLS	ESCLAFFE
ACEEFFNT	EFFACENT
ACEEFFRT	AFFECTER
ACEEFFRU	EFFACURE
ACEEFFST	AFFECTES
ACEEFFTU	EFFECTUA
ACEEFFTZ	AFFECTEZ
ACEEFGHL	FLECHAGE
ACEEFGIL	FICELAGE
ACEEFHIR	FACHERIE

ACEEFHLR	FLECHERA
ACEEFHMR	MACHEFER
ACEEFHRZ	FACHEREZ
ACEEFHSU	FACHEUSE
	FAUCHEES
ACEEFIIP	PACIFIEE
ACEEFIIT	ACETIFIE
ACEEFILM	MALEFICE
ACEEFILO	FOLIACEE
ACEEFIMN	MEFIANCE
ACEEFIMS	CAFEISME
ACEEFINN	FINANCEE
ACEEFINS	CAFEINES
	FAIENCES
	FASCINEE
	FIANCEES
ACEEFIRS	CAFEIERS
ACEEFIRT	CAFETIER
ACEEFISS	FASCIEES
ACEEFIST	FACETIES
ACEEFLRU	FECULERA
ACEEFNNO	FACONNEE
ACEEFNNS	ENFANCES
ACEEFPRR	PREFACER
ACEEFPRS	PREFACES
ACEEFPRZ	PREFACEZ
ACEEFRRT	REFRACTE
ACEEFRSU	FARCEUSE
	SURFACEE
ACEEFRTT	FACETTER
ACEEFRTU	FACTUREE
ACEEFSTT	FACETTES
ACEEFTTZ	FACETTEZ
ACEEGHHR	HERCHAGE
ACEEGHIU	AGUICHEE
ACEEGHLS	LECHAGES
ACEEGHMS	MECHAGES
ACEEGHNR	ECHANGER
	GRENACHE
	RECHANGE
ACEEGHNS	CHANGEES
	ECHANGES
ACEEGHNZ	ECHANGEZ
ACEEGHOU	ECHOUAGE
	GOUACHEE
ACEEGHRR	RECHARGE
ACEEGHRS	CHARGEES
ACEEGHRU	GAUCHERE
ACEEGHRZ	GACHEREZ
ACEEGHSS	SECHAGES
ACEEGHSU	GACHEUSE
ACEEGHTT	GACHETTE
ACEEGILR	GLACERIE
	GLACIERE
ACEEGILS	CISELAGE
ACEEGIMR	GRIMACEE*
ACEEGIMS	ECIMAGES
ACEEGINZ	AGENCIEZ
	ENCAGIEZ
ACEEGIRR	GERCERAI
ACEEGIRS	GRACIEES
ACEEGLLS	SCELLAGE
ACEEGLOU	COAGULEE
ACEEGLRV	VERGLACE
ACEEGLRZ	GLACEREZ
ACEEGLSU	ECLUSAGE
ACEEGLUV	CUVELAGE
ACEEGMRS	GERCAMES
ACEEGMSU	ECUMAGES
ACEEGNNT	AGENCENT
	ENCAGENT
	TANGENCE
ACEEGNRS	CRENAGES
	ENCRAGES
	GERANCES
ACEEGNRT	CENTRAGE
ACEEGNRU	ECANGUER
ACEEGNSU	CAGNEUSE
	ECANGUES
ACEEGNUV	ENCUVAGE
ACEEGNUZ	ECANGUEZ
ACEEGPRS	CREPAGES
	PERCAGES
ACEEGRRS	GERCERAS
ACEEGRRU	RECURAGE
ACEEGRSS	GERCASSE
ACEEGRST	GERCATES
ACEEGRSU	CARGUEES
	CREUSAGE
	ECURAGES
ACEEGRTT	GARCETTE
ACEEGRTU	CURETAGE
ACEEHHNS	HANCHEES
ACEEHHRR	HERCHERA
ACEEHHRU	HACHUREE
ACEEHHRZ	HACHEREZ
ACEEHHTT	HACHETTE
ACEEHHTU	CHAHUTEE
ACEEHILL	ACHILLEE
ACEEHILR	ECHALIER
	LECHERAI
ACEEHIMN	ACHEMINE →

	MACHINEE
ACEEHIMP	EMPECHAI
ACEEHIMR	MECHERAI
ACEEHIMS	EMECHAIS
ACEEHIMT	EMECHAIT
ACEEHINN	ENCHAINE
ACEEHINR	ECHINERA
ACEEHINS	CHAINEES
	CHENAIES
ACEEHINV	CHEVAINE
	INACHEVE
ACEEHIPR	EPARCHIE
	PECHERAI
	REPECHAI
ACEEHIRR	CHARRIEE
ACEEHIRS	SECHERAI
ACEEHIRT	CHATIERE
ACEEHIRV	ARCHIVEE
	CHAVIREE
	VACHERIE
ACEEHIST	CHATIEES
ACEEHITZ	ACHETIEZ
ACEEHIVZ	ACHEVIEZ
ACEEHJRS	JACHERES
ACEEHLLM	CHAMELLE
ACEEHLLP	CHAPELLE
ACEEHLLR	ALLECHER
	HARCELLE
ACEEHLLS	ALLECHES
ACEEHLLZ	ALLECHEZ
ACEEHLMS	LECHAMES
ACEEHLNS	SENECHAL
ACEEHLOT	ECHALOTE
	TALOCHEE
ACEEHLPT	CHAPELET
ACEEHLRR	HARCELER
	RELACHER
ACEEHLRS	HARCELES
	LECHERAS
	RELACHES
ACEEHLRT	HALECRET
ACEEHLRV	CHEVALER
ACEEHLRZ	HARCELEZ
	LACHEREZ
	RELACHEZ
ACEEHLSS	LECHASSE
ACEEHLST	LACHETES
	LECHATES
ACEEHLSU	CHAULEES
	LACHEUSE
ACEEHLSV	CHEVALES
ACEEHLTT	CHATELET
ACEEHLTV	CHEVALET
ACEEHLVZ	CHEVALEZ
ACEEHMMN	EMMANCHE
ACEEHMMS	MECHAMES
ACEEHMNT	EMECHANT
	MECHANTE
ACEEHMOS	AMOCHEES
ACEEHMPR	CAMPHREE
ACEEHMPS	EMPECHAS
	PECHAMES
ACEEHMPT	EMPECHAT
ACEEHMRR	REMACHER
ACEEHMRS	CHARMEES
	MARCHEES
	MECHERAS
	REMACHES
ACEEHMRU	CHREMEAU
	MACHUREE
ACEEHMRZ	MACHEREZ
	REMACHEZ
ACEEHMSS	MECHASSE
	SECHAMES
ACEEHMST	MECHATES
ACEEHMSU	CHAUMEES
ACEEHMTT	MACHETTE
ACEEHNNT	ENCHANTE
ACEEHNPR	EPANCHER
	PENCHERA
ACEEHNPS	EPANCHES
ACEEHNPZ	EPANCHEZ
ACEEHNRR	ECHARNER
ACEEHNRS	ARCHEENS
	ECHARNES
	ENSACHER
ACEEHNRT	ENTACHER
	ETANCHER
	RECHANTE
	TRACHEEN
	TRANCHEE
ACEEHNRV	REVANCHE
ACEEHNRZ	ECHARNEZ
ACEEHNSS	AESCHNES
	ENCHASSE
	ENSACHES
ACEEHNST	CHANTEES
	ECHEANTS
	ENTACHES
	ETANCHES
ACEEHNSZ	ENSACHEZ
ACEEHNTT	ACHETENT

ACEEHNTV	ACHEVENT
ACEEHNTZ	ENTACHEZ
	ETANCHEZ
ACEEHNUX	CHENEAUX
ACEEHORU	ECHOUERA
ACEEHOST	CAHOTEES
ACEEHPPR	ECHAPPER
	RECHAPPE
ACEEHPPS	ECHAPPES
ACEEHPPZ	ECHAPPEZ
ACEEHPRR	ECHARPER
	PERCHERA
	PRECHERA
	RECHAPER
ACEEHPRS	ECHARPES
	PECHERAS
	RECHAPES
	REPECHAS
ACEEHPRT	REPECHAT
ACEEHPRZ	ECHARPEZ
	RECHAPEZ
ACEEHPSS	PECHASSE
ACEEHPST	PECHATES
ACEEHPTY	TYPHACEE*
ACEEHRRS	CHARREES
ACEEHRRT	RACHETER
ACEEHRRV	REVERCHA
ACEEHRSS	ASSECHER
	ECHARSES
	ESCHARES
	RECHASSE
	SECHERAS
ACEEHRST	CHATREES
	HECTARES
	RACHETES
	TRACHEES
ACEEHRSV	VACHERES
ACEEHRTT	CATHETER
	TACHETER
ACEEHRTU	ACHETEUR
ACEEHRTV	CHEVRETA
ACEEHRTZ	RACHETEZ
	TACHEREZ
ACEEHRUV	CHEVREAU
ACEEHSSS	ASSECHES
	CHASSEES
	ECHASSES
	SECHASSE
ACEEHSST	SECHATES
ACEEHSSU	CHAUSSEE
ACEEHSSZ	ASSECHEZ

ACEEHSTT	CHASTETE
	TACHETES
ACEEHTTT	TACHETTE
ACEEHTTV	VACHETTE
ACEEHTTZ	TACHETEZ
ACEEIILL	LILIACEE
ACEEIILN	LACINIEE
ACEEIILS	LAICISEE
ACEEIILT	TILIACEE*
ACEEIIMR	ECIMERAI
ACEEIIMZ	EMACIIEZ
ACEEIIPR	EPICERAI
ACEEIIRR	ECRIERAI
ACEEIIRS	ACIERIES
	CERISAIE
ACEEIIRZ	ACIERIEZ
ACEEIJST	EJECTAIS
ACEEIJTT	EJECTAIT
ACEEILLR	ECAILLER
ACEEILLS	CAILLEES
	ECAILLES
ACEEILLT	CAILLETE
ACEEILLX	EXCELLAI
	LEXICALE
ACEEILLZ	ECAILLEZ
ACEEILMN	CAMELINE
ACEEILNP	CAPELINE
	EPINCELA
ACEEILNR	CRENELAI
ACEEILNS	CALINEES
	LINACEES
	SELACIEN*
ACEEILNT	CELAIENT
	ETINCELA
ACEEILNU	ENUCLEAI
	LEUCANIE
ACEEILNZ	ELANCIEZ
	ENLACIEZ
ACEEILOP	ALOPECIE
ACEEILOS	COALISEE
ACEEILOV	OLIVACEE
	VIOLACEE
ACEEILPS	SPECIALE
ACEEILPZ	CAPELIEZ
ACEEILRR	ECLAIRER
ACEEILRS	CELERAIS
	CISELERA
	ECLAIRES
	ESCALIER
	LACERIES
	RECELAIS

ACEEILRT	CELERAIT
	RECELAIT
ACEEILRU	ECULERAI
ACEEILRZ	CALERIEZ
	ECLAIREZ
	LACERIEZ
	RECALIEZ
ACEEILSV	VESICALE
ACEEILTZ	ECLATIEZ
ACEEIMMS	ECIMAMES
ACEEIMNP	EMANCIPE
ACEEIMNR	CARMINEE
	EMINCERA
ACEEIMNS	MECANISE
ACEEIMNT	CEMENTAI
	EMACIENT
ACEEIMNU	ACUMINEE
ACEEIMNZ	MENACIEZ
ACEEIMPS	EPICAMES
ACEEIMRR	CAMERIER
	CREMERAI
	REMERCIA
ACEEIMRS	ECIMERAS
	ECREMAIS
	ECRIAMES
ACEEIMRT	ECREMAIT
	MATRICEE
ACEEIMRU	ECUMERAI
ACEEIMRZ	MACERIEZ
ACEEIMSS	ECIMASSE
ACEEIMST	ECIMATES
ACEEINNN	ANCIENNE
ACEEINNO	OCEANIEN
ACEEINNR	ENRACINE
	INCARNEE
	NARCEINE
ACEEINNS	ENCENSAI
ACEEINNT	CENTAINE
ACEEINPR	EPINCERA
ACEEINPS	CAPESIEN
	SAPIENCE
ACEEINPT	EPINCETA
	PATIENCE
ACEEINRR	CERNERAI
	CRANERIE
	CRENERAI
	ENCRERAI
ACEEINRS	CESARIEN
	RACINEES
	RECENSAI
ACEEINRT	ACIERENT →
	CENTIARE
	CERTAINE
	CREAIENT
	CREATINE
	CTENAIRE
	NECTAIRE
ACEEINRV	EVINCERA
ACEEINRZ	CANERIEZ
	CARENIEZ
ACEEINSS	CASEINES
	ENCAISSE
ACEEINST	CINEASTE
ACEEINSU	ACINEUSE
ACEEINTT	TENACITE
ACEEINTX	INEXACTE
ACEEINUX	INEXAUCE
ACEEINVZ	ENCAVIEZ
ACEEIOPR	ECOPERAI
ACEEIOPS	OPIACEES
ACEEIORU	ECOEURAI
ACEEIOSS	ASSOCIEE
ACEEIOTV	OCTAVIEE*
ACEEIPPR	APPRECIE
ACEEIPRR	CREPERAI
	PERCERAI
	PRECAIRE
	RAPIECER
ACEEIPRS	EPICERAS
	RAPIECES
	RECEPAIS
ACEEIPRT	RECEPAIT
ACEEIPRU	APIECEUR
	EPUCERAI
	PEAUCIER
ACEEIPRX	EXCIPERA
ACEEIPRZ	RAPIECEZ
ACEEIPSS	EPICASSE
ACEEIPST	CAPITEES
	EPICATES
ACEEIPSZ	ESPACIEZ
ACEEIPTV	CAPTIVEE
ACEEIPTX	EXCEPTAI
ACEEIPYZ	CAPEYIEZ
ACEEIQRU	ACQUIERE
ACEEIQTU	ACETIQUE
ACEEIRRR	CARRIERE
	RECRIERA*
	REECRIRA
ACEEIRRS	CREERAIS
	ECRIERAS
	RECREAIS

ACEEIRRT CREERAIT
RECITERA
RECREAIT
RETERCAI
TERCERAI
TIERCERA
ACEEIRRU ECURERAI
ACEEIRRV CREVERAI
RECEVRAI
ACEEIRRZ CARIEREZ
ACEEIRSS CESSERAI
ECRIASSE
ACEEIRST ECRETAIS
ECRIATES
SECRETAI
SECTAIRE
ACEEIRSU CAUSERIE
SAUCIERE
ACEEIRSV RECEVAIS
ACEEIRSX EXCISERA
EXECRAIS
EXERCAIS
ACEEIRSZ CASERIEZ
ECRASIEZ
ACEEIRTT ECRETAIT
ACEEIRTU ECRITEAU
ACEEIRTV CREATIVE
REACTIVE
RECEVAIT
VERACITE
ACEEIRTX EXCITERA
EXCRETAI
EXECRAIT
EXERCAIT
ACEEIRTZ ECARTIEZ
ACEEIRVZ CAVERIEZ
ACEEISTV ACTIVEES
ACEEITUX EXECUTAI
ACEEIUVZ EVACUIEZ
ACEEIUXZ EXAUCIEZ
ACEEIVXZ EXCAVIEZ
ACEEJLOS CAJOLEES
ACEEJLRU EJACULER
ACEEJLSU EJACULES
ACEEJLUZ EJACULEZ
ACEEJNTT EJECTANT
ACEELLMN MANCELLE
ACEELLMS ALMELECS
CAMELLES
ACEELLNN CANNELLE
ACEELLNO LANCEOLE
ACEELLNS NACELLES
ACEELLPR CARPELLE
PARCELLE
ACEELLPS CAPELLES
CAPSELLE
ACEELLRR CARRELLE
ACEELLRS SARCELLE
SCELLERA
ACEELLSU CALLEUSE
ACEELLSV CLAVELES
ACEELLSX EXCELLAS
ACEELLTU ACTUELLE
ACEELLTX EXCELLAT
ACEELMNO AMONCELE
CAMELEON
ACEELMNT LACEMENT
ACEELMOT CAMELOTE
COLMATEE
ACEELMPR REMPLACE
ACEELMRR RECLAMER
ACEELMRS RECLAMES
ACEELMRX EXCLAMER
ACEELMRZ CALMEREZ
CLAMEREZ
MACLEREZ
RECLAMEZ
ACEELMSU ECULAMES
EMASCULE
MACULEES
ULMACEES
ACEELMSX EXCLAMES
ACEELMXZ EXCLAMEZ
ACEELNNR CANNELER
ACEELNNS CANNELES
ACEELNNT ELANCENT
ENLACENT
ACEELNNZ CANNELEZ
ACEELNOR LECANORE
OLECRANE
ACEELNPT PENTACLE
ACEELNRR RELANCER
RENACLER
ACEELNRS CRENELAS
RELANCES
RENACLES
ACEELNRT CALERENT
CENTRALE
CRENELAT
LACERENT
RECALENT
RECELANT

ACEELNRV	ENCLAVER
ACEELNRZ	LANCEREZ
	RELANCEZ
	RENACLEZ
ACEELNSS	SCALENES
ACEELNST	LATENCES
ACEELNSU	CANULEES*
	ENUCLEAS
	LANCEUSE
ACEELNSV	ENCLAVES
	VALENCES
ACEELNTT	ECLATENT
	LANCETTE
ACEELNTU	ENUCLEAT
ACEELNVZ	ENCLAVEZ
ACEELOPS	ESCALOPE
ACEELORR	RECOLERA
ACEELORS	ESCAROLE
	RACOLEES
ACEELORT	ECOLATRE
ACEELORU	ECOULERA
ACEELORY	CALOYERE
ACEELOSV	SACOLEVE
ACEELOTT	CALOTTEE
ACEELPRR	REPLACER
ACEELPRS	PERCALES
	REPLACES
ACEELPRZ	PLACEREZ
	REPLACEZ
ACEELPSS	SCALPEES
ACEELPST	CAPELETS
ACEELPSU	CAPSULEE
	PLACEUSE
ACEELPTT	PLACETTE
ACEELPTU	PULTACEE
ACEELQRU	CRAQUELE
ACEELQSU	CALQUEES
	CLAQUEES
ACEELQTU	CLAQUETE
ACEELRRR	CARRELER
ACEELRRS	CARRELES
ACEELRRT	CARRELET
ACEELRRU	RECULERA
	ULCERERA
ACEELRRZ	CARRELEZ
	RACLEREZ
ACEELRSS	RECLASSE
	SARCLEES
ACEELRST	RECTALES
	SCELERAT
ACEELRSU	ECALURES →
	ECLUSERA
	ECULERAS
	RACLEUSE
ACEELRSV	CERVELAS
ACEELRSY	CLAYERES
ACEELRTT	RACLETTE
ACEELRTU	ECLATEUR
ACEELRTV	CLAVETER
ACEELSSS	CELASSES
	CLASSEES
ACEELSST	CELESTAS
ACEELSSU	ECULASSE
	LACEUSES
ACEELSSV	ESCLAVES
ACEELSTU	CAUTELES
	ECULATES
ACEELSTV	CLAVETES
ACEELTTV	CLAVETTE
ACEELTVZ	CLAVETEZ
ACEEMMOT	AMMOCETE
ACEEMMRS	CREMAMES
ACEEMMSU	ECUMAMES
ACEEMNNO	MACONNEE
ACEEMNNT	MENACENT
ACEEMNOR	ROMANCEE
ACEEMNRS	CERNAMES
	CRENAMES
	ENCRAMES
ACEEMNRT	ECREMANT
	MACERENT
	MECREANT
ACEEMNST	CEMENTAS
	MECENATS
ACEEMNTT	CEMENTAT
ACEEMNTU	ECUMANTE
ACEEMOPR	COMPAREE
ACEEMOPS	ECOPAMES
ACEEMORS	AMORCEES
	MORACEES
ACEEMOST	ESCAMOTE
ACEEMPRS	CREPAMES
	PERCAMES
ACEEMPRZ	CAMPEREZ
ACEEMPSU	CAMPEUSE
	EPUCAMES
ACEEMRRS	CREMERAS
ACEEMRSS	CREMASSE
ACEEMRST	CREMATES
	TERCAMES
ACEEMRSU	ECUMERAS
	ECURAMES →

	MACREUSE
ACEEMRSV	CREVAMES
ACEEMRTY	MYRTACEE*
ACEEMSSS	CESSAMES
ACEEMSSU	ECUMASSE
	MUSACEES
ACEEMSTU	ECUMATES
ACEENNNO	ANNONCEE
	CANONNEE
ACEENNOR	ARCONNEE
	ENONCERA
ACEENNRT	CANERENT
	CARENENT
ACEENNRZ	CANNEREZ
ACEENNSS	ENCENSAS
ACEENNST	ENCENSAT
ACEENNSU	CANNEUSE
	NUANCEES
ACEENNTV	ENCAVENT
ACEENORR	ECORNERA
ACEENORT	CAROTENE
	RACONTEE
ACEENOST	ACETONES
ACEENPRT	PERCANTE
	RECEPANT
ACEENPST	ESPACENT
ACEENPTY	CAPEYENT
ACEENQRU	ENCAQUER
ACEENQSU	ENCAQUES
ACEENQUZ	ENCAQUEZ
ACEENRRS	CASERNER
	CERNERAS
	CRENERAS
	ENCRERAS
	SERANCER
ACEENRRT	CENTRERA
	ENCARTER
	RECREANT
ACEENRRZ	ANCREREZ
	CRANEREZ
	NACREREZ
ACEENRSS	CASERNES
	CERNASSE
	CRENASSE
	ENCRASSE
	RECENSAS
	SERANCES
ACEENRST	ANCETRES
	CASERENT
	CERNATES
	CRANTEES →

	CRENATES
	ECRASENT
	ENCARTES
	ENCASTRE
	ENCRATES
	RECENSAT
ACEENRSU	CRANEUSE
ACEENRSV	CAVERNES
ACEENRSZ	CASERNEZ
	SERANCEZ
ACEENRTT	ECARTENT
	ECRETANT
	ENTRACTE
ACEENRTU	CENTAURE
ACEENRTV	CAVERENT
	CREVANTE
	RECEVANT
ACEENRTX	EXCENTRA
	EXECRANT
	EXERCANT
ACEENRTZ	ENCARTEZ
	TANCEREZ
ACEENRUV	ENCUVERA
ACEENRUX	CERNEAUX
	CRENEAUX
ACEENSST	CESSANTE
	SECANTES
ACEENSTT	CANETTES
ACEENSTU	CUTANEES
ACEENTUV	EVACUENT
ACEENTUX	EXAUCENT
ACEENTVX	EXCAVENT
ACEEOPRR	PORRACEE
ACEEOPRS	ECOPERAS
	PORACEES
ACEEOPSS	ECOPASSE
ACEEOPST	CAPOTEES
	ECOPATES
ACEEORRT	ACROTERE
ACEEORRU	ECROUERA
ACEEORSS	ECOSSERA
	ROSACEES
ACEEORST	ROTACEES
ACEEORSU	ECOEURAS
	SECOUERA
ACEEORTT	CAROTTEE
ACEEORTU	ECOEURAT
	ECOUTERA
ACEEOTTV	AVOCETTE
ACEEPQSU	PACQUEES
ACEEPRRS	CREPERAS →

	PERCERAS
ACEEPRRU	RECUPERA
ACEEPRRV	PERCEVRA
ACEEPRSS	CREPASSE
	ESCARPES
	PERCASSE
	RESCAPES
ACEEPRST	CREPATES
	ESPARCET
	PERCATES
	RESPECTA
ACEEPRSU	APERCUES
	EPUCERAS
ACEEPRTT	CARPETTE
ACEEPRTU	CAPTUREE
ACEEPRTZ	CAPTEREZ
ACEEPSSU	EPUCASSE
ACEEPSTU	EPUCATES
ACEEPSTX	EXCEPTAS
ACEEPTTX	EXCEPTAT
ACEEQRTU	CAQUETER
	CRAQUETE
ACEEQRUZ	ACQUEREZ
	CAQUEREZ
ACEEQSSU	CASQUEES
	SACQUEES
ACEEQTTU	CAQUETTE
ACEEQTUZ	CAQUETEZ
ACEERRRT	RETRACER
ACEERRRU	RECURERA
ACEERRRZ	CARREREZ
ACEERRSS	CARESSER
	ESCARRES
ACEERRST	CRATERES
	RETERCAS
	RETRACES
	TERCERAS
ACEERRSU	CREUSERA
	ECRASEUR
	ECURERAS
	RECAUSER
	RECREUSA
	RECUSERA
ACEERRSV	CREVERAS
	RECEVRAS
ACEERRSZ	SACREREZ
ACEERRTT	RETERCAT
	RETRACTE
	TRACERET
ACEERRTU	CREATEUR
	CREATURE →
	ECARTEUR
	ERUCTERA
	REACTEUR
ACEERRTZ	RETRACEZ
	TRACEREZ
ACEERSSS	CARESSES
	CESSERAS
	CREASSES
ACEERSST	CASTREES
	CERASTES
	SECRETAS
	TERCASSE
ACEERSSU	ECURASSE
	RECAUSES
ACEERSSV	CREVASSE
ACEERSSZ	CARESSEZ
	CASSEREZ
ACEERSTT	SECRETAT
	TERCATES
	TRACTEES
ACEERSTU	CAUTERES
	ECURATES
	RUTACEES
	SECATEUR
	TRACEUSE
ACEERSTV	CREVATES
ACEERSTX	EXCRETAS
ACEERSUX	EXCUSERA
ACEERSUY	CRAYEUSE
ACEERSUZ	CAUSEREZ
	RECAUSEZ
	SAUCEREZ
ACEERTTX	EXCRETAT
ACEERTUX	EXACTEUR
ACEERUVX	CERVEAUX
ACEESSSS	CESSASSE
ACEESSST	CESSATES
ACEESSSU	CASSEUSE
ACEESSTT	CASSETTE
	TESTACES
ACEESSUU	CAUSEUSE
ACEESTTU	CAUSETTE
ACEESTUX	EXECUTAS
ACEETTUX	EXECUTAT
ACEFFFIT	AFFECTIF
ACEFFGOR	COFFRAGE
ACEFFHIR	AFFICHER
ACEFFHIS	AFFICHES
ACEFFHIZ	AFFICHEZ
ACEFFHRU	CHAUFFER
ACEFFHSU	CHAUFFES

ACEFFHUZ	CHAUFFEZ
ACEFFIOR	COIFFERA
	EFFORCAI
	RECOIFFA
ACEFFIOS	ESCOFFIA
ACEFFNOR	ENCOFFRA
ACEFFNOS	EFFACONS
ACEFFORR	COFFRERA
ACEFFORS	EFFORCAS
ACEFFORT	EFFORCAT
ACEFGITU	FUGACITE
ACEFGNOS	FONCAGES
ACEFGORS	FORCAGES
ACEFHIIR	FICHERAI
ACEFHILR	FLECHIRA
ACEFHILS	FLECHAIS
ACEFHILT	FLECHAIT
ACEFHIMS	FICHAMES
ACEFHINR	FRANCHIE
ACEFHINT	FICHANTE
ACEFHIRS	FICHERAS
	FRAICHES
ACEFHISS	FICHASSE
ACEFHIST	FICHATES
ACEFHIUZ	FAUCHIEZ
ACEFHLNR	FLANCHER
ACEFHLNS	FLANCHES
ACEFHLNT	FLANCHET
	FLECHANT
ACEFHLNZ	FLANCHEZ
ACEFHLSU	FALUCHES
ACEFHLUX	FLACHEUX
ACEFHNOT	FANTOCHE
ACEFHNRS	FRANCHES
ACEFHNTU	FAUCHENT
ACEFHORU	FAROUCHE
ACEFHRUU	FAUCHEUR
ACEFHSTU	FAUCHETS
ACEFHUUX	FAUCHEUX
ACEFIIKO	COKEFIAI
ACEFIILL	FILICALE*
ACEFIILR	CLARIFIE
ACEFIILS	FICELAIS
ACEFIILT	FACILITE
	FELICITA
	FICELAIT
ACEFIINT	INFECTAI
ACEFIINZ	FIANCIEZ
ACEFIIOP	OPACIFIE
ACEFIIPR	PACIFIER
ACEFIIPS	PACIFIES →
	SPECIFIA
ACEFIIPZ	PACIFIEZ
ACEFIIRS	FICAIRES
	SACRIFIE
	SCARIFIE
ACEFIIRT	ARTIFICE
	CERTIFIA
	RECTIFIA
ACEFIKOS	COKEFIAS
ACEFIKOT	COKEFIAT
ACEFILLU	FAUCILLE
ACEFILNT	FICELANT
ACEFILOS	FOCALISE
	FOLIACES
ACEFILSS	FISCALES
ACEFILSU	FECULAIS
ACEFILTU	FECULAIT
ACEFIMRS	FARCIMES
ACEFIMSS	FASCISME
ACEFINNO	ENFONCAI
ACEFINNR	FINANCER
	FRANCIEN
ACEFINNS	FINANCES
ACEFINNT	FIANCENT
ACEFINNZ	FINANCEZ
ACEFINOR	CONFERAI
	CONFIERA
	FONCERAI
ACEFINRS	FASCINER
	FRANCISE
ACEFINSS	FASCINES
ACEFINST	INFECTAS
ACEFINSZ	FASCINEZ
ACEFINTT	INFECTAT
ACEFIORR	FORCERAI
ACEFIORV	VOCIFERA
ACEFIRRZ	FARCIREZ
ACEFIRSS	FARCISSE
	FRICASSE
ACEFIRST	CREATIFS
	FARCITES
	REACTIFS
ACEFIRTU	FAUTRICE
ACEFISST	FASCISTE
ACEFITUX	FACTIEUX
ACEFLMNO	FLAMENCO
ACEFLMOU	CAMOUFLE
ACEFLNOR	FORLANCE
ACEFLNTU	FECULANT
ACEFLSTU	FACULTES
ACEFMNOS	FONCAMES

ACEFMORS	FORCAMES
ACEFNNOR	FACONNER
	RENFONCA
ACEFNNOS	ENFONCAS
	FACONNES
ACEFNNOT	ENFONCAT
ACEFNNOZ	FACONNEZ
ACEFNORR	FRONCERA
	RENFORCA
ACEFNORS	CONFERAS
	FONCERAS
ACEFNORT	CONFERAT
ACEFNOSS	CONFESSA
	FONCASSE
ACEFNOST	FONCATES
ACEFOPST	POSTFACE
ACEFORRS	FORCERAS
ACEFORSS	FORCASSE
ACEFORST	FORCATES
ACEFRRSU	FARCEURS
	SURFACER
ACEFRRTU	FACTURER
	FRACTURE
ACEFRSSU	SURFACES
ACEFRSTU	FACTEURS
	FACTURES
ACEFRSUZ	SURFACEZ
ACEFRTUZ	FACTUREZ
ACEGHINN	INCHANGE
ACEGHINR	CHAGRINE
	RECHIGNA
ACEGHINS	CHINAGES
ACEGHINZ	CHANGIEZ
ACEGHIOP	PIOCHAGE
ACEGHIRR	CHIRAGRE
ACEGHIRU	AGUICHER
ACEGHIRZ	CHARGIEZ
ACEGHISU	AGUICHES
	GAUCHIES
ACEGHIUZ	AGUICHEZ
ACEGHLNY	LYNCHAGE
ACEGHLOS	GALOCHES
ACEGHLOU	GOULACHE
ACEGHLSU	SCHLAGUE
ACEGHMOR	CHROMAGE
ACEGHMOS	CHOMAGES
ACEGHMOU	MOUCHAGE
ACEGHNNT	CHANGENT
ACEGHNOR	CHAROGNE
ACEGHNRT	CHARGENT
ACEGHNRU	CHANGEUR

ACEGHORS	ROCHAGES
ACEGHORV	GAVROCHE
ACEGHOSU	GOUACHES
ACEGHRRU	CHARGEUR
ACEGHRSU	GACHEURS
	GAUCHERS
ACEGIILN	GALICIEN
ACEGIILR	GICLERAI
ACEGIIMN	MAGICIEN
ACEGIINO	NEGOCIAI
ACEGIINS	CEIGNAIS
ACEGIINT	CEIGNAIT
ACEGIIRS	GRECISAI
ACEGIIRZ	GRACIIEZ
ACEGILLO	COLLIGEA
ACEGILMS	GICLAMES
ACEGILMU	MUCILAGE
ACEGILNO	CONGELAI
ACEGILNR	CINGLERA
	CLEARING
	CLIGNERA
ACEGILOR	AGRICOLE
ACEGILOX	COXALGIE
ACEGILRS	GICLERAS
	GLACIERS
	GRACILES
ACEGILSS	GICLASSE
ACEGILST	GICLATES
ACEGILSV	CLIVAGES
ACEGIMRR	GRIMACER
ACEGIMRS	GRIMACES
ACEGIMRZ	GRIMACEZ
ACEGINNO	ENGONCAI
ACEGINNT	CEIGNANT
ACEGINOP	COPINAGE
ACEGINOR	COGNERAI
	CONGREAI
ACEGINOS	NEGOCIAS
ACEGINOT	NEGOCIAT
ACEGINPS	PINCAGES
ACEGINRR	GRINCERA
ACEGINRS	CRAIGNES
	RINCAGES
ACEGINRT	CINTRAGE
	GRACIENT
ACEGINRZ	CRAIGNEZ
ACEGINSZ	ZINCAGES
ACEGIOPS	COPIAGES
ACEGIOPT	PICOTAGE
ACEGIORR	CORRIGEA
ACEGIORT	COGITERA

ACEGIQRU	GRECQUAI
ACEGIRSS	GRECISAS
ACEGIRST	GRECISAT
ACEGIRUV	CUIVRAGE
ACEGIRUX	GRACIEUX
ACEGIRUZ	CARGUIEZ
ACEGKOST	STOCKAGE
ACEGLLOS	COLLAGES
ACEGLMOU	GLAUCOME
ACEGLNOO	COLONAGE
ACEGLNOS	CONGELAS
ACEGLNOT	CONGELAT
ACEGLOPU	COUPLAGE
ACEGLORU	COAGULER
ACEGLOSU	CAGOULES
	CLOUAGES
	COAGULES
	COULAGES
ACEGLOTU	CLOUTAGE
ACEGLOUZ	COAGULEZ
ACEGLRSU	GLACURES
ACEGMNOP	COMPAGNE
ACEGMNOS	COGNAMES
ACEGMOPT	COMPTAGE
ACEGNNOR	GARCONNE
	RENCOGNA
ACEGNNOS	AGENCONS
	ENGONCAS
	GASCONNE
ACEGNNOT	ENGONCAT
ACEGNOPS	PONCAGES
ACEGNORS	CAROGNES
	COGNERAS
	CONGREAS
	CORNAGES
ACEGNORT	COGERANT
	CONGREAT
ACEGNORU	GOURANCE
ACEGNOSS	COGNASSE
ACEGNOST	COGNATES
	CONTAGES
ACEGNOSY	CONGAYES
ACEGNOTT	CAGNOTTE
ACEGNRTU	CARGUENT
ACEGOPSU	COUPAGES
ACEGORSS	CORSAGES
ACEGORST	ESCARGOT
ACEGORSU	CAROUGES
	COURAGES
ACEGORTU	COURTAGE
ACEGOSTT	COTTAGES

ACEGQRSU	GRECQUAS
ACEGQRTU	GRECQUAT
ACEGRSTU	TRUCAGES
ACEGSSTU	STUCAGES
ACEHHINZ	HANCHIEZ
ACEHHIOR	HOCHERAI
ACEHHIOU	HOUAICHE
ACEHHIRS	HERCHAIS
	HERSCHAI
ACEHHIRT	HERCHAIT
ACEHHIRU	HUCHERAI
ACEHHMOS	HOCHAMES
ACEHHMSU	HUCHAMES
ACEHHNNT	HANCHENT
ACEHHNRT	HERCHANT
ACEHHORS	HOCHERAS
ACEHHOSS	HOCHASSE
ACEHHOST	HOCHATES
ACEHHOSU	HOUACHES
ACEHHRRU	HACHURER
ACEHHRSS	HERSCHAS
ACEHHRST	HERSCHAT
ACEHHRSU	HACHURES
	HUCHERAS
ACEHHRTU	CHAHUTER
ACEHHRUZ	HACHUREZ
ACEHHSSU	HUCHASSE
ACEHHSTU	CHAHUTES
	HUCHATES
ACEHHTUZ	CHAHUTEZ
ACEHIILM	ALCHIMIE
ACEHIILR	LICHERAI
ACEHIILZ	CHIALIEZ
ACEHIIMN	CHEMINAI
ACEHIIMS	CHEMISAI
ACEHIINR	CHAINIER
	CHINERAI
	NICHERAI
ACEHIINS	ECHINAIS
ACEHIINT	CHIAIENT
	ECHINAIT
	ENTICHAI
ACEHIINZ	CHAINIEZ
ACEHIIOR	CHOIERAI
ACEHIIPR	CHIPERAI
ACEHIIRR	CHERIRAI
ACEHIIRS	CHAISIER
	CHIERAIS
ACEHIIRT	CHIERAIT
ACEHIITZ	CHATIIEZ
ACEHIJNO	JONCHAIE

ACEHIJNT	JACINTHE
ACEHIJRU	JUCHERAI
ACEHILLV	CHEVILLA
ACEHILMS	LICHAMES
ACEHILNT	CHIALENT
ACEHILNV	CHEVALIN
ACEHILOS	ACHOLIES
ACEHILPR	ARCHIPEL
ACEHILPU	EPLUCHAI
	PELUCHAI
ACEHILRS	LICHERAS
ACEHILRU	CHIALEUR
ACEHILSS	LICHASSE
ACEHILST	HALICTES
	LICHATES
ACEHILUV	VEHICULA
ACEHILUZ	CHAULIEZ
ACEHIMNR	MACHINER
ACEHIMNS	CHEMINAS
	CHINAMES
	MACHINES
	NICHAMES
ACEHIMNT	CHEMINAT
ACEHIMNU	CHAUMINE
ACEHIMNZ	MACHINEZ
ACEHIMOP	EMPOCHAI
ACEHIMOR	CHOMERAI
	MACHOIRE
ACEHIMOS	CHAMOISE
ACEHIMOZ	AMOCHIEZ
ACEHIMPR	RECHAMPI
ACEHIMPS	CHIPAMES
ACEHIMRS	CHARISME
ACEHIMRZ	CHARMIEZ
	MARCHIEZ
ACEHIMSS	CHEMISAS
	CHIASMES
ACEHIMST	CHEMISAT
	TACHISME
ACEHIMTU	HUMECTAI
ACEHIMUZ	CHAUMIEZ
ACEHINNO	CHANOINE
ACEHINNT	CHAINENT
	ECHINANT
ACEHINOR	ENROCHAI
ACEHINPS	PENCHAIS
ACEHINPT	PENCHAIT
ACEHINRR	CHARNIER
ACEHINRS	ARCHINES
	CHINERAS
	NICHERAS
ACEHINRT	CHANTIER
ACEHINRU	CHAINEUR
ACEHINRV	VACHERIN
ACEHINSS	CHINASSE
	NICHASSE
ACEHINST	CHINATES
	ENTICHAS
	NICHATES
ACEHINTT	CHATIENT
	ENTICHAT
ACEHINTZ	CHANTIEZ
ACEHINUV	CHAUVINE
ACEHIOPP	ECHOPPAI
ACEHIOPR	CHOPERAI
	PIOCHERA
	POCHERAI
ACEHIORR	CHARROIE
	ROCHERAI
ACEHIORS	CHOIERAS
ACEHIORT	COHERITA
ACEHIOST	CHATOIES
ACEHIOSU	ECHOUAIS
ACEHIOTU	ECHOUAIT
ACEHIOTZ	CAHOTIEZ
ACEHIPRS	CHARPIES
	CHIPERAS
	PERCHAIS
	PRECHAIS
ACEHIPRT	CHAPITRE
	PERCHAIT
	PRECHAIT
ACEHIPSS	CHIPASSE
ACEHIPST	CHIPATES
	PASTICHE
	PISTACHE
	SCAPHITE
ACEHIQRU	CHIQUERA
ACEHIRRR	CHARRIER
ACEHIRRS	CHARRIES
	CHERIRAS
ACEHIRRT	TRICHERA
ACEHIRRU	RUCHERAI
ACEHIRRV	ARCHIVER
	CHAVIRER
ACEHIRRZ	CHARRIEZ
ACEHIRST	CHARITES
	CHISTERA
	CITHARES
ACEHIRSV	ARCHIVES
	CHAVIRES
ACEHIRTU	CHUTERAI →

	RECHUTAI
ACEHIRTZ	CHATRIEZ
ACEHIRVZ	ARCHIVEZ
	CHAVIREZ
ACEHISSS	CHASSIES
	CHIASSES
ACEHISSZ	CHASSIEZ
ACEHISTT	TACHISTE
ACEHJMSU	JUCHAMES
ACEHJNOR	JONCHERA
ACEHJRSU	JUCHERAS
ACEHJSSU	JUCHASSE
ACEHJSTU	JUCHATES
ACEHKRSS	KASCHERS*
ACEHLNPR	PLANCHER
ACEHLNPS	PLANCHES
ACEHLNPZ	PLANCHEZ
ACEHLNRS	CHARNELS
ACEHLNRY	LYNCHERA
ACEHLNTU	CHAULENT
ACEHLOPU	CHALOUPE
ACEHLORS	CHOLERAS
	CHORALES
ACEHLORT	CHLORATE
	TALOCHER
ACEHLORU	LOUCHERA
ACEHLOST	TALOCHES
ACEHLOTZ	TALOCHEZ
ACEHLPSU	EPLUCHAS
	PELUCHAS
ACEHLPTU	EPLUCHAT
	PELUCHAT
ACEHLRSU	CHALEURS
	LACHEURS
ACEHMMOS	CHOMAMES
ACEHMNNO	MACHONNE
ACEHMNOR	ROMANCHE
ACEHMNOS	HAMECONS
ACEHMNOT	AMOCHENT
	MANCHOTE
ACEHMNRT	CHARMENT
	MARCHENT
ACEHMNST	MECHANTS
ACEHMNTU	CHAUMENT
ACEHMNTY	YACHTMEN*
ACEHMOPR	REMPOCHA
ACEHMOPS	CHOPAMES
	EMPOCHAS
	POCHAMES
ACEHMOPT	EMPOCHAT
ACEHMORR	CHROMERA
ACEHMORS	CHOMERAS
	ROCHAMES
ACEHMORT	CHROMATE
	TRACHOME
ACEHMORU	MOUCHERA
ACEHMOSS	CHOMASSE
ACEHMOST	CHOMATES
ACEHMOSY	CHOYAMES
ACEHMOTT	CHAMOTTE
ACEHMOTU	MOUCHETA
ACEHMPRS	CAMPHRES
ACEHMRRU	CHARMEUR
	MACHURER
	MARCHEUR
ACEHMRSU	MACHURES
	RUCHAMES
ACEHMRUZ	MACHUREZ
ACEHMSTU	CHUTAMES
	HUMECTAS
ACEHMSTY	ECTHYMAS
ACEHMTTU	HUMECTAT
ACEHNNOP	CHAPONNE
ACEHNNOS	ECHANSON
ACEHNNOT	CHATONNE
ACEHNNPT	PENCHANT
ACEHNNTT	CHANTENT
ACEHNOPR	CHAPERON
ACEHNORS	ENROCHAS
ACEHNORT	ARCHONTE
	ENROCHAT
	TACHERON
ACEHNOST	ACHETONS
ACEHNOSV	ACHEVONS
ACEHNOTT	CAHOTENT
ACEHNOTU	ECHOUANT
ACEHNPRT	PERCHANT
	PRECHANT
ACEHNRRS	RANCHERS
ACEHNRRT	TRANCHER
ACEHNRST	TRANCHES
ACEHNRSU	CHARNUES
ACEHNRSV	CHANVRES
ACEHNRTT	CHATRENT
	TRANCHET
ACEHNRTU	CHANTEUR
ACEHNRTZ	TRANCHEZ
ACEHNSST	CHASSENT
ACEHOPPR	ACHOPPER
	APPROCHE
	CHOPPERA
ACEHOPPS	ACHOPPES →

	ECHOPPAS
ACEHOPPT	ECHOPPAT
ACEHOPPZ	ACHOPPEZ
ACEHOPRR	REPROCHA
ACEHOPRS	CHOPERAS
	POCHERAS
ACEHOPSS	CHOPASSE
	POCHASSE
ACEHOPST	CHOPATES
	PATOCHES
	POCHATES
	POTACHES
ACEHOQRU	CHOQUERA
ACEHORRS	ARROCHES
	ROCHERAS
ACEHORRT	TORCHERA
ACEHORRY	CHARROYE
ACEHORSS	ROCHASSE
ACEHORST	ROCHATES
ACEHORTU	RETOUCHA
	TOUCHERA
ACEHORTV	CHEVROTA
ACEHORTY	CHATOYER
ACEHOSSU	ESSOUCHA
ACEHOSSY	CHOYASSE
ACEHOSTU	SOUTACHE
ACEHOSTY	CHOYATES
ACEHOTUU	TOUCHEAU
ACEHOTUX	CAHOTEUX
ACEHOTYZ	CHATOYEZ
ACEHPPSS	SCHAPPES
ACEHQSUU	QUECHUAS
ACEHRRST	CHARTERS
ACEHRRSU	CHARRUES
	RUCHERAS
ACEHRRUU	RAUCHEUR
ACEHRSSU	CHASSEUR
	CHAUSSER
	RUCHASSE
ACEHRSTU	CHUTERAS
	RECHUTAS
	RUCHATES
ACEHRTTU	RECHUTAT
ACEHRTTY	TRACHYTE
ACEHRTUU	AUTRUCHE
ACEHSSSU	CHAUSSES
ACEHSSTU	CHUTASSE
ACEHSSUZ	CHAUSSEZ
ACEHSTTU	CHUTATES
ACEIIILR	CILIAIRE
ACEIIIRV	VICIERAI
ACEIIJNT	INJECTAI
ACEIIKLN	NICKELAI
ACEIILLR	CILLERAI
	CRIAILLE
ACEIILLS	CISAILLE
ACEIILLZ	CAILLIEZ
ACEIILNS	LACINIES
	SALICINE
ACEIILNV	VICINALE
ACEIILNZ	CALINIEZ
ACEIILPS	ECLIPSAI
ACEIILRS	LAICISER
ACEIILRT	LICITERA
ACEIILRV	CLIVERAI
ACEIILSS	CISELAIS
	ECLISSAI
	LAICISES
ACEIILST	CISELAIT
	LAICISTE
	LAICITES
	SILICATE
ACEIILSZ	LAICISEZ
ACEIILTV	CALVITIE
ACEIIMNS	AMINCIES
	EMINCAIS
ACEIIMNT	CIMENTAI
	EMINCAIT
ACEIIMNX	MEXICAIN
ACEIIMRS	ESCRIMAI
ACEIIMSS	CIMAISES
ACEIIMSV	CIVAISME
	VICIAMES
ACEIINNR	INCINERA
	RACINIEN
ACEIINPR	PINCERAI
ACEIINPS	EPINCAIS
ACEIINPT	ANTICIPE
	EPINCAIT
ACEIINRR	RINCERAI
ACEIINRS	ICARIENS
	INCISERA
ACEIINRT	CIRAIENT
	CRIAIENT
	INCITERA
ACEIINRV	ECRIVAIN
ACEIINRZ	RACINIEZ
	RICANIEZ
ACEIINST	ACTINIES
	CANITIES
	SCIAIENT
ACEIINSV	EVINCAIS

ACEIINTT	CITAIENT
ACEIINTV	EVINCAIT
	INACTIVE
	VATICINE
ACEIIOPR	COPIERAI
	RECOPIAI
ACEIIORX	EXCORIAI
ACEIIPRR	CREPIRAI
ACEIIPRS	PRECISAI
ACEIIPRT	CREPITAI
ACEIIPSX	EXCIPAIS
ACEIIPTX	EXCIPAIT
ACEIIQRU	ICAQUIER
ACEIIRRR	RECRIRAI
ACEIIRRS	CIRERAIS
	CRIERAIS
	ECRIRAIS
	RECRIAIS
ACEIIRRT	CIRERAIT
	CRIERAIT
	ECRIRAIT
	RECRIAIT
ACEIIRRU	RECUIRAI
ACEIIRSS	CAISSIER
	SCIERAIS
	SICAIRES
ACEIIRST	CITERAIS
	RECITAIS
	SCIERAIT
	TIERCAIS
ACEIIRSV	ECRIVAIS
	VICAIRES
	VICIERAS
ACEIIRTT	CITERAIT
	RECITAIT
	TIERCAIT
ACEIIRTU	CUITERAI
ACEIIRTV	ECRIVAIT
ACEIIRTZ	CATIRIEZ
ACEIISSU	ECUISSAI
ACEIISSV	VICIASSE
ACEIISSX	EXCISAIS
ACEIISTV	VICIATES
ACEIISTX	EXCISAIT
	EXCITAIS
ACEIITTV	ACTIVITE
ACEIITTX	EXCITAIT
ACEIITVV	VIVACITE
ACEIITVZ	ACTIVIEZ
ACEIJLOZ	CAJOLIEZ
ACEIJNRR	JERRICAN
ACEIJNST	INJECTAS
ACEIJNTT	INJECTAT
ACEIJQRU	JACQUIER
ACEIKLNS	NICKELAS
ACEIKLNT	NICKELAT
ACEIKMST	CAKTISME
ACEILLLV	CALVILLE
ACEILLMS	CILLAMES
ACEILLNO	ENCOLLAI
ACEILLNT	CAILLENT
ACEILLOR	COLLERAI
	RECOLLAI
	ROCAILLE
ACEILLOS	LOCALISE
	SALICOLE
ACEILLOT	COLLETAI
	LOCALITE
	TEOCALLI
ACEILLRR	CRAILLER
ACEILLRS	CILLERAS
	CRAILLES
ACEILLRV	VACILLER
ACEILLRZ	CRAILLEZ
ACEILLSS	CILLASSE
	SCELLAIS
ACEILLST	CILLATES
	SCELLAIT
ACEILLSV	VACILLES
ACEILLVZ	VACILLEZ
ACEILMMS	CALMIMES
ACEILMMU	IMMACULE
ACEILMNO	CALOMNIE
ACEILMNS	MANICLES
ACEILMOR	MORCELAI
ACEILMOS	CAMISOLE
ACEILMRS	CARLISME
	MIRACLES
ACEILMRU	MIRACULE
ACEILMRZ	CALMIREZ
ACEILMSS	CALMISSE
ACEILMST	CALMITES
ACEILMSU	MUSICALE
ACEILMSV	CLIVAMES
ACEILMUZ	MACULIEZ
ACEILNNR	LANCINER
ACEILNNS	LANCINES
ACEILNNT	CALINENT
ACEILNNU	LUCANIEN
ACEILNNV	VICENNAL
ACEILNNZ	LANCINEZ
ACEILNOR	CALIORNE* →

	ENCLORAI
ACEILNOS	ANCOLIES
	ECALIONS
	ONCIALES
ACEILNOU	ENCLOUAI
	LIONCEAU
ACEILNPS	CALEPINS
	PELICANS
	PINACLES
ACEILNPU	PANICULE
ACEILNQU	CLANIQUE
ACEILNRS	CARLINES
	CLARINES
	LANCIERS
ACEILNSS	SANICLES
ACEILNST	CISELANT
ACEILNSU	LUISANCE
	SANICULE
ACEILNTU	CULAIENT
	INACTUEL
ACEILNUV	NAVICULE
ACEILNUZ	CANULIEZ
ACEILOPR	PICOLERA
ACEILOPS	APICOLES
ACEILOPT	CAPITOLE
ACEILOQU	AQUICOLE
ACEILORR	CARRIOLE
	CORRELAI
ACEILORS	CALORIES
	COALISER
	ECLORAIS*
	RECOLAIS
	SCOLAIRE
ACEILORT	ECLORAIT
	RECOLAIT
	RECOLTAI
ACEILORU	CLOUERAI
	COULERAI
	ECROULAI
	OCULAIRE
ACEILORV	VIOLACER
ACEILORZ	RACOLIEZ
ACEILOSS	COALISES
	ECLOSAIS*
	SOCIALES
ACEILOST	ECLOSAIT*
	TEOCALIS
ACEILOSU	ECOULAIS
ACEILOSV	AVICOLES
	OLIVACES
	VIOLACES →
	VOCALISE
ACEILOSX	SAXICOLE
ACEILOSZ	COALISEZ
ACEILOTU	ECOULAIT
ACEILOTV	LOCATIVE
ACEILOVZ	VIOLACEZ
ACEILPPZ	CLAPPIEZ
ACEILPRS	CLAPIERS
	PICARELS
	PLACIERS
	SPIRACLE
ACEILPRT	TRIPLACE
ACEILPSS	ECLIPSAS
ACEILPST	ECLIPSAT
ACEILPSU	SPECULAI
ACEILPSZ	SCALPIEZ
ACEILPTU	CAPITULE
ACEILQSU	QUISCALE
ACEILQTU	CLIQUETA
	LACTIQUE
ACEILQUZ	CALQUIEZ
	CLAQUIEZ
ACEILRSS	CLARISSE
	CLISSERA
ACEILRST	ARTICLES
	CARLISTE
	CLAIRETS
	RECITALS
ACEILRSU	CULERAIS
	CURIALES
	RECULAIS
	ULCERAIS
ACEILRSV	CLAVIERS
	CLIVERAS
	VISCERAL
ACEILRSZ	SARCLIEZ
ACEILRTU	ARTICULE
	CULERAIT
	RECULAIT
	ULCERAIT
ACEILRTV	VERTICAL
ACEILRUU	AURICULE
ACEILRUX	EXCLURAI
ACEILSSS	ECLISSAS
ACEILSST	ECLISSAT
ACEILSSU	ECLUSAIS
ACEILSSV	CLIVASSE
	LASCIVES
ACEILSSZ	CLASSIEZ
ACEILSTT	TACTILES
ACEILSTU	ALUCITES →

	ECLUSAIT
ACEILSTV	CLAVISTE
	CLIVATES
ACEILSUV	CUVELAIS
ACEILSUX	EXCLUAIS
ACEILTUV	CUVELAIT
ACEILTUX	EXCLUAIT
ACEILUXX	LEXICAUX
ACEIMMNP	PEMMICAN
ACEIMMOR	COMMERAI
ACEIMNNO	CAMIONNE
ACEIMNNT	EMINCANT
ACEIMNOS	EMACIONS
	SEMONCAI
ACEIMNPS	PINCAMES
ACEIMNRS	CARMINES
	RANCIMES
	RINCAMES
ACEIMNRT	MERCANTI
ACEIMNST	CIMENTAS
ACEIMNSU	ACUMINES
ACEIMNTT	CIMENTAT
ACEIMOPS	COPIAMES
ACEIMORZ	AMORCIEZ
ACEIMOSU	ACOUSMIE
ACEIMQSU	ACQUIMES
ACEIMRRT	MATRICER
ACEIMRSS	ESCRIMAS
	RACISMES
ACEIMRST	ESCRIMAT
	MATRICES
ACEIMRTZ	MATRICEZ
ACEIMSSU	CAESIUMS
ACEIMSSY	CYMAISES
ACEIMSTT	TACTISME
ACEIMSTU	CUITAMES
ACEINNOR	ENCORNAI
	RENONCAI
ACEINNOS	CANONISE
	ENONCAIS
ACEINNOT	ACTIONNE
	ENONCAIT
ACEINNPT	EPINCANT
ACEINNRR	INCARNER
ACEINNRS	CRANIENS
	INCARNES
ACEINNRT	RACINENT
	RICANENT
ACEINNRU	NUANCIER
ACEINNRZ	INCARNEZ
ACEINNST	CANTINES →
	INSTANCE
ACEINNSU	NUISANCE
ACEINNTV	EVINCANT
ACEINNUZ	NUANCIEZ
ACEINOPR	COPINERA
	PIONCERA
	PONCERAI
	RAIPONCE
ACEINOPS	CAPEIONS
ACEINOQU	ACOQUINE
ACEINORR	CORNERAI
	RACORNIE
ACEINORS	ACIERONS
	ECORNAIS
	NECROSAI
	SCENARIO
ACEINORT	CANOTIER
	CONTERAI
	CREATION
	ECORNAIT
	OCRAIENT
	REACTION
ACEINORU	COUINERA
ACEINORV	CONVIERA
ACEINOTT	ACTINOTE
	COTAIENT
ACEINOTX	EXACTION
ACEINOTZ	CANOTIEZ
ACEINPRS	CAPRINES
	CARPIENS
	ESCARPIN
	PINCERAS
ACEINPRU	INAPERCU
ACEINPSS	PINCASSE
ACEINPST	INSPECTA
	PINCATES
	PITANCES
ACEINPTX	EXCIPANT
ACEINPUX	PINCEAUX
ACEINQTU	CANTIQUE
ACEINRRS	CARNIERS
	RINCERAS
ACEINRRT	CINTRERA
	RECRIANT
ACEINRRU	RICANEUR
ACEINRRZ	RANCIREZ
ACEINRSS	ARSENICS
	NARCISSE
	RANCISSE
	RINCASSE
ACEINRST	CENTRAIS →

	CERTAINS
	CRAINTES
	CRIANTES
	RANCITES
	RINCATES
ACEINRSU	CENSURAI
ACEINRTT	CATIRENT
	CENTRAIT
	RECITANT
	TIERCANT
ACEINRTU	CEINTURA
	CURAIENT
ACEINRTV	ECRIVANT
	NAVICERT
ACEINRTZ	CRANTIEZ
ACEINRUX	RINCEAUX
ACEINRVZ	VAINCREZ
ACEINSST	CASSETIN
	CASTINES
ACEINSTT	INTACTES
ACEINSTU	CUISANTE
	SUCAIENT
ACEINSTV	VESICANT
ACEINSTX	EXCISANT
	INEXACTS
ACEINSUV	ENCUVAIS
	VAINCUES
ACEINTTV	ACTIVENT
ACEINTTX	EXCITANT
ACEINTUV	CUVAIENT
	ENCUVAIT
ACEIOOPR	COOPERAI
ACEIOORT	COTOIERA
ACEIOPRR	PICORERA
	PROCREAI
ACEIOPRS	APERCOIS
	COPIERAS
	RECOPIAS
ACEIOPRT	APERCOIT
	PICOTERA
	RECOPIAT
ACEIOPRU	COUPERAI
	RECOUPAI
ACEIOPSS	COPIASSE
ACEIOPST	COPIATES
	OPACITES
ACEIOPTZ	CAPOTIEZ
ACEIOQTU	COQUETAI
ACEIORRS	CARROIES
	CORSAIRE
	CORSERAI →

	CROISERA
	OCRERAIS
ACEIORRT	OCRERAIT
ACEIORRU	ECROUIRA
ACEIORSS	ASSOCIER
	COSSERAI
ACEIORST	CAIROTES
	CORSETAI
	COTERAIS
	COTISERA
	ESCORTAI
ACEIORSU	ECROUAIS
	SOUCIERA
ACEIORSX	EXCORIAS
	EXORCISA
ACEIORTT	ATROCITE
	COTERAIT
ACEIORTU	COUTERAI
	ECOURTAI
	ECROUAIT
	ECROUTAI
ACEIORTV	OCTAVIER
	VORACITE
ACEIORTX	EXCORIAT
ACEIORUV	COUVERAI
ACEIOSSS	ASSOCIES
	ECOSSAIS
ACEIOSST	ECOSSAIT
ACEIOSSU	SECOUAIS
ACEIOSSZ	ASSOCIEZ
	COASSIEZ
ACEIOSTT	ASTICOTE
ACEIOSTU	ECOUTAIS
	SECOUAIT
ACEIOSTV	OCTAVIES
ACEIOSTX	COEXISTA
ACEIOTTU	ECOUTAIT
ACEIOTVZ	OCTAVIEZ
ACEIPQUZ	PACQUIEZ
ACEIPRRS	CAPRIERS
	CREPIRAS
	CRISPERA
ACEIPRSS	PRECISAS
ACEIPRST	CREPITAS
	PACTISER
	PATRICES
	PICRATES
	PRECISAT
ACEIPRTT	CREPITAT
ACEIPRTU	PERCUTAI
ACEIPRTV	CAPTIVER

ACEIPSST	PACTISES
ACEIPSSU	AUSPICES
ACEIPSTV	CAPTIVES
ACEIPSTZ	PACTISEZ
ACEIPSUX	SPACIEUX
	SPECIAUX
ACEIPTUX	CAPITEUX
	CAPTIEUX
ACEIPTVZ	CAPTIVEZ
ACEIQRRU	ACQUERIR
ACEIQRSU	ACQUIERS
ACEIQRTU	ACQUIERT
	ARCTIQUE
ACEIQRUZ	CRAQUIEZ
ACEIQSSU	ACQUISES
	ACQUISSE
ACEIQSTU	ACQUITES
ACEIQSUZ	SACQUIEZ
ACEIQTTU	ACQUITTE
	TACTIQUE
	TICTAQUE
ACEIRRRS	CARRIERS
	RECRIRAS
ACEIRRSS	CRASSIER
	CRISSERA
ACEIRRST	CARTIERS
ACEIRRSU	CURERAIS
	RECUIRAS
	RECURAIS
	SUCRERAI
ACEIRRTU	CURERAIT
	RECRUTAI
	RECURAIT
ACEIRRUV	CUIVRERA
ACEIRSSS	CASSIERS
	CIRASSES
	CRIASSES
ACEIRSST	CARISTES
	RACISTES
ACEIRSSU	CREUSAIS
	CUIRASSE
	RECUSAIS
	SAUCIERS
	SECURISA
	SUCERAIS
ACEIRSTT	CITRATES
ACEIRSTU	CREUSAIT
	CUITERAS
	CURETAIS
	ERUCTAIS
	RAUCITES →
	RECUSAIT
	SUCERAIT
ACEIRSTZ	CASTRIEZ
ACEIRSUV	CUVERAIS
ACEIRSUX	SCARIEUX
ACEIRTTU	CITATEUR
	CURETAIT
	ERUCTAIT
ACEIRTTV	TRACTIVE
ACEIRTUV	ACTIVEUR
	CURATIVE
	CUVERAIT
ACEISSSS	SCIASSES
ACEISSST	CATISSES
	CITASSES
ACEISSSU	ECUISSAS
	SAUCISSE
ACEISSTT	STATICES
ACEISSTU	CASUISTE
	CUITASSE
	ECUISSAT
ACEISSTV	CAVISTES
ACEISSTZ	CATISSEZ
ACEISSUU	CUISSEAU
ACEISSUX	EXCUSAIS
ACEISTTU	CUITATES
ACEISTUV	VACUITES
ACEISTUX	EXCUSAIT
ACEISUVX	VESICAUX
ACEJLNOT	CAJOLENT
ACEJLORU	CAJOLEUR
ACEJNRRY	JERRYCAN*
ACEJQSTU	JACQUETS
ACEKORST	STOCKERA
ACELLLRU	CELLULAR
ACELLMOS	CALOMELS
	COLLAMES
ACELLNOS	ENCOLLAS
ACELLNOT	COLLANTE
	ENCOLLAT
ACELLNST	SCELLANT
ACELLOOS	ALCOOLES
ACELLOPU	COUPELLA
ACELLORS	COLLERAS
	RECOLLAS
ACELLORT	RECOLLAT
ACELLOSS	COLLASSE
ACELLOST	COLLATES
	COLLETAS
ACELLOSY	ALCOYLES
ACELLOTT	COLLETAT

ACELLPSS	SCALPELS
ACELMNTU	MACULENT
ACELMOPR	PROCLAME
ACELMOPT	COMPLETA
ACELMORS	MORCELAS
ACELMORT	COLMATER
	MORCELAT
ACELMORY	CLAYMORE*
ACELMOST	CAMELOTS
	COLMATES
	COMTALES
ACELMOSU	CLOUAMES
	COULAMES
ACELMOTZ	COLMATEZ
ACELMRSU	CLAMEURS
	MUSCLERA
ACELMRUU	CUMULERA
ACELMSTU	CALUMETS
ACELNNOS	ELANCONS
	ENLACONS
ACELNNOY	CLAYONNE
ACELNNTU	CANULENT
ACELNOOR	CORONALE
ACELNOPS	CAPELONS
ACELNORS	CALERONS
	ENCLORAS
	LACERONS
	RECALONS
ACELNORT	CALERONT
	LACERONT
	RACOLENT
	RECOLANT
ACELNOST	ECLATONS
	ECLOSANT*
ACELNOSU	ENCLOUAS
ACELNOSV	ESCLAVON
ACELNOTU	COULANTE
	ECOULANT
	ENCLOUAT
ACELNPPT	CLAPPENT
ACELNPST	SCALPENT
ACELNPTU	CENTUPLA
ACELNQTU	CALQUENT
	CLAQUENT
ACELNRST	SARCLENT
ACELNRSU	LANCEURS
	LUCARNES
ACELNRTU	RECULANT
	ULCERANT
ACELNSST	CLASSENT
ACELNSTU	ECLUSANT
ACELNTUV	CUVELANT
ACELNTUX	EXCLUANT
ACELNUUX	LACUNEUX
ACELOOPR	ACROPOLE
ACELOORR	COLORERA
ACELOPPU	POPULACE
ACELOPRS	POLACRES*
ACELOPRT	CLAPOTER
	PECTORAL
ACELOPRU	COUPLERA
ACELOPST	CLAPOTES
	PACTOLES
ACELOPTZ	CLAPOTEZ
ACELOQRU	CLOQUERA
ACELOQSU	CLOAQUES
	LOQUACES
ACELORRS	CORRELAS
ACELORRT	CORRELAT
	RECTORAL
ACELORRU	CROULERA
	RACOLEUR
ACELORSS	SCAROLES
	SCLEROSA
ACELORST	CROTALES
	RECOLTAS
ACELORSU	CLOUERAS
	COULERAS
	ECROULAS
ACELORSY	CALOYERS
ACELORTT	CALOTTER
	RECOLTAT
ACELORTU	CLOUTERA
	COLATURE
	ECROULAT
ACELOSST	COSTALES
	LACTOSES
ACELOSSU	CLOUASSE
	COULASSE
ACELOSTT	ALCOTEST
	CALOTTES
ACELOSTU	CLOUATES
	COULATES
	COUTELAS
ACELOSTY	ACOLYTES
ACELOSUV	VACUOLES
ACELOSUX	CLOSEAUX
ACELOTTZ	CALOTTEZ
ACELPRST	SPECTRAL
ACELPRSU	CAPSULER
	CRAPULES
	PLACEURS →

	SURPLACE
ACELPSSU	CAPSULES
	SPECULAS
ACELPSTU	CAPULETS
	PECULATS
	PULTACES
	SPECULAT
	TAPECULS
ACELPSUZ	CAPSULEZ
ACELQRUU	CLAQUEUR
ACELRRSU	CRURALES
	RACLEURS
	RACLURES
ACELRSSU	CLASSEUR
ACELRSTU	CLAUSTRE
	LACUSTRE
ACELRSUX	EXCLURAS
ACELSSSU	CULASSES
ACELSTUU	AUSCULTE
ACEMMNOT	COMMENTA
ACEMMORS	COMMERAS
ACEMMORT	COMMERAT
ACEMMORU	COMMUERA
ACEMNNOR	MACONNER
ACEMNNOS	MACONNES
	MENACONS
ACEMNNOZ	MACONNEZ
ACEMNOOT	ECONOMAT
ACEMNOPS	COMPENSA
	PONCAMES
ACEMNORR	ROMANCER
ACEMNORS	CORNAMES
	MACERONS
	ROMANCES
ACEMNORT	AMORCENT
ACEMNORZ	ROMANCEZ
ACEMNOSS	SEMONCAS
ACEMNOST	CONTAMES
	SEMONCAT
ACEMNOUV	MOUVANCE
ACEMNOUX	MONCEAUX
ACEMNRST	CREMANTS
ACEMNRUU	MANUCURE
ACEMNSTU	ECUMANTS
ACEMOPRR	COMPARER
ACEMOPRS	COMPARES
	COMPARSE
ACEMOPRT	COMPTERA
	RECOMPTA
ACEMOPRZ	COMPAREZ
ACEMOPSS	COMPASSE
ACEMOPST	ACOMPTES
	ESCOMPTA
ACEMOPSU	COUPAMES
ACEMOQRU	COQUEMAR
ACEMORRU	MACROURE*
ACEMORSS	CORSAMES
	SARCOMES
ACEMORTT	MARCOTTE
ACEMORUX	MORCEAUX
ACEMOSSS	COSSAMES
ACEMOSST	ESTOMACS
ACEMOSTT	MASCOTTE
ACEMOSTU	COUTAMES
ACEMOSUV	COUVAMES
ACEMOTUX	COMATEUX
ACEMPRSU	CAMPEURS
ACEMRSSU	SUCRAMES
ACENNNOR	ANNONCER
	CANONNER
	RANCONNE
ACENNNOS	ANNONCES
	CANONNES
ACENNNOT	CANTONNE
	ENONCANT
ACENNNOZ	ANNONCEZ
	CANONNEZ
ACENNNTU	NUANCENT
ACENNOPS	CAPONNES
ACENNORR	ARCONNER
ACENNORS	ARCONNES
	CANERONS
	CARENONS
	ENCORNAS
	RENONCAS
ACENNORT	CANERONT
	CARTONNE
	ECORNANT
	ENCORNAT
	RENONCAT
ACENNORY	CRAYONNE
ACENNORZ	ARCONNEZ
ACENNOST	CANETONS
	ETANCONS
ACENNOSV	ENCAVONS
ACENNOTT	CANOTENT
	CONTENTA
ACENNOTV	COVENANT
ACENNRSU	CANNEURS
	RANCUNES
ACENNRTT	CENTRANT
	CRANTENT

ACENNTUV	ENCUVANT
ACENOOST	TACONEOS
ACENOPRS	PONCERAS
ACENOPRT	PORTANCE
ACENOPSS	ESPACONS
	PONCASSE
ACENOPST	PONCATES
ACENOPSY	CAPEYONS
ACENOPTT	CAPOTENT
ACENOPTU	COUPANTE
ACENOPUX	PONCEAUX
ACENORRS	CORNERAS
ACENORRT	CONTRERA
	RACONTER
ACENORRU	ENCOURRA
	RANCOEUR
ACENORSS	CASERONS
	CORNASSE
	ECRASONS
	NARCOSES
	NECROSAS
ACENORST	CASERONT
	CENSORAT
	CONTERAS
	CORNATES
	ECARTONS
	NECROSAT
	RACONTES
ACENORSU	NAUCORES
ACENORSV	CAVERONS
	CONSERVA
	CONVERSA
ACENORTU	CANOTEUR
	COURANTE
	ECROUANT
	ENCROUTA
	OUTRANCE
ACENORTV	CAVERONT
ACENORTY	CROYANTE
ACENORTZ	RACONTEZ
ACENOSST	COASSENT
	CONTASSE
	ECOSSANT
	TOSCANES
ACENOSSY	CYANOSES
ACENOSTT	CONSTATE
	CONTATES
	CONTESTA
	TOCANTES
ACENOSTU	SECOUANT
ACENOSTV	CENTAVOS
ACENOSUV	EVACUONS
ACENOSUX	EXAUCONS
ACENOSVX	EXCAVONS
ACENOSVY	VOYANCES
ACENOTTU	COUTANTE
	ECOUTANT
ACENPQTU	PACQUENT
ACENPRST	PERCANTS
ACENQRTU	CRAQUENT
ACENQSTU	SACQUENT
ACENRRST	RENCARTS
ACENRRSU	CRANEURS
ACENRRTU	RECURANT
ACENRSSU	CENSURAS
ACENRSTT	CASTRENT
ACENRSTU	CENSURAT
	CREUSANT
	RECUSANT
	SUCRANTE
ACENRSTV	CREVANTS
ACENRSUY	CYANURES
ACENRTTU	CURETANT
	ERUCTANT
ACENRTUX	CENTRAUX
ACENSSST	CESSANTS
ACENSTUX	EXCUSANT
ACEOOPPS	APOCOPES
ACEOOPRS	COOPERAS
ACEOOPRT	COOPERAT
	COOPTERA
ACEOORRU	ROCOUERA
ACEOORST	CREOSOTA
ACEOPRRS	PORRACES
	PROCREAS
ACEOPRRT	PROCREAT
ACEOPRRU	PARCOURE
ACEOPRST	SARCOPTE
ACEOPRSU	COUPERAS
	RECOUPAS
ACEOPRSY	CARYOPSE
	COPAYERS
ACEOPRTU	RECOUPAT
ACEOPRUU	POURCEAU
ACEOPSSU	COUPASSE
ACEOPSTU	COUPATES
ACEOQRRU	CROQUERA
ACEOQRSU	ESCROQUA
ACEOQSSU	COSAQUES
ACEOQSTU	COQUETAS
ACEOQTTU	COQUETAT
ACEORRRU	RECOURRA

ACEORRRY	CARROYER
ACEORRSS	CARROSSE
	CORSERAS
	CROASSER
	CROSSERA
ACEORRSU	SECOURRA
ACEORRTT	CAROTTER
	CROTTERA
	RECTORAT
ACEORRUV	RECOUVRA
ACEORRYZ	CARROYEZ
ACEORSSS	CORSASSE
	COSSERAS
	CROASSES
	OCRASSES
ACEORSST	CORSATES
	CORSETAS
	ESCORTAS
ACEORSSZ	CROASSEZ
ACEORSTT	CAROTTES
	CORSETAT
	ESCORTAT
ACEORSTU	COUTERAS
	ECOURTAS
	ECROUTAS
	SUCOTERA
ACEORSUV	COUVERAS
ACEORTTU	ECOURTAT
	ECROUTAT
ACEORTTZ	CAROTTEZ
ACEORTUU	COAUTEUR
ACEOSSSS	COSSASSE
ACEOSSST	COSSATES
	COTASSES
ACEOSSTU	COUTASSE
ACEOSSUV	COUVASSE
ACEOSTTU	COUTATES
ACEOSTUV	COUVATES
ACEOTUUX	COUTEAUX
ACEPRRSS	SCRAPERS
ACEPRRTU	CAPTURER
ACEPRSTU	CAPTURES
	PERCUTAS
ACEPRTTU	PERCUTAT
ACEPRTUZ	CAPTUREZ
ACEPSSTU	SUSPECTA
ACERRRSU	CARRURES
ACERRSSU	SUCRERAS
ACERRSTU	RECRUTAS
	SCRUTERA
	TRACEURS

ACERRTTU	RECRUTAT
	TRACTEUR
ACERRTUU	CURATEUR
ACERSSSU	CASSEURS
	CASSURES
	CURASSES
	SUCRASES
	SUCRASSE
ACERSSTU	SUCRATES
ACERSSUU	CAUSEURS
ACERSSUX	CRASSEUX
ACERSTUU	CRUAUTES
ACESSSSU	SUCASSES
ACESSSUV	CUVASSES
ACFFHIIR	CHIFFRAI
ACFFHIRS	CHIFFRAS
ACFFHIRT	CHIFFRAT
ACFFIIIO	OFFICIAI
ACFFIILO	OFFICIAL
ACFFIIOS	COIFFAIS
	OFFICIAS
ACFFIIOT	COIFFAIT
	OFFICIAT
ACFFIIRT	FRICATIF
ACFFIITT	FACTITIF
ACFFILOT	OLFACTIF
ACFFINOT	COIFFANT
ACFFIORS	COFFRAIS
ACFFIORT	COFFRAIT
ACFFNORT	COFFRANT
ACFHIIOS	CHOSIFIA
ACFHIIRR	FRAICHIR
ACFHIIRS	FRAICHIS
ACFHIIRT	FRAICHIT
ACFHINOS	FACHIONS
ACFHINOU	CHAFOUIN
ACFHINRR	FRANCHIR
ACFHINRS	FRANCHIS
ACFHINRT	FRANCHIT
ACFHINST	FICHANTS
ACFHIORU	FOURCHAI
ACFHISSU	FUCHSIAS
ACFHNNOS	FANCHONS
ACFHNOSU	FAUCHONS
ACFHORSU	FAROUCHS
	FOURCHAS
ACFHORTU	FOUCHTRA
	FOURCHAT
ACFHORUU	CHAUFOUR
ACFIINNO	CONFINAI
ACFIINOR	CONFIRAI

ACFIINOS	CONFIAIS
ACFIINOT	CONFIAIT
ACFIINRT	CRAINTIF
ACFIINST	INACTIFS
ACFIIORR	FORCIRAI
ACFIIORT	FRICOTAI
ACFILLOU	FLOCULAI
ACFILNOU	CONFLUAI
ACFILOST	LOCATIFS
ACFILRTU	LUCRATIF
ACFIMNOR	CONFIRMA
ACFIMNRU	FRANCIUM
ACFINNOS	CONFINAS
	FIANCONS
ACFINNOT	CONFIANT
	CONFINAT
ACFINORS	CONFIRAS
	FRONCAIS
ACFINORT	FRACTION
	FRONCAIT
ACFINOST	FACTIONS
ACFIOPRT	PROACTIF
ACFIORRS	FORCIRAS
ACFIORST	FRICOTAS
ACFIORTT	FRICOTAT
ACFIOSTV	VOCATIFS
ACFIRSTT	TRACTIFS
ACFIRSTU	CURATIFS
ACFLLOSU	FLOCULAS
ACFLLOTU	FLOCULAT
ACFLNNOO	FLOCONNA
ACFLNOSU	CONFLUAS
ACFLNOTU	CONFLUAT
ACFMNOOR	CONFORMA
ACFMOTTU	FACTOTUM
ACFNNORT	FRONCANT
ACFNOORT	CONFORTA
ACGHINOP	PIGNOCHA
ACGHINOS	GACHIONS
ACGHINRS	CHAGRINS
ACGHINTY	YACHTING
ACGHLOSU	GOULASCH
ACGIILNS	CINGLAIS
	CLIGNAIS
ACGIILNT	CINGLAIT
	CLIGNAIT
ACGIINRS	CRAIGNIS
	GRINCAIS
ACGIINRT	CRAIGNIT
	GRINCAIT
ACGIIOST	COGITAIS
ACGIIOTT	COGITAIT
ACGILNNT	CINGLANT
	CLIGNANT
ACGILNOS	GLACIONS
ACGILNOT	CLIGNOTA
ACGIMNPS	CAMPINGS
ACGINNOS	CONSIGNA
ACGINNRT	GRINCANT
ACGINORS	GRACIONS
ACGINOST	COTINGAS
ACGINOTT	COGITANT
ACGIOORS	GRACIOSO
ACGJLNOU	CONJUGAL
ACGJNOUU	CONJUGUA
ACGLMOUU	COAGULUM
ACGNORSU	CARGUONS
ACGOORUU	COUGOUAR
ACHHINOS	HACHIONS
ACHHIORS	HACHOIRS
ACHHNNOS	HANCHONS
ACHIIKMS	KAMICHIS
ACHIINST	CHIANTIS
ACHIINTU	CHUINTAI
ACHIIOPS	PIOCHAIS
ACHIIOPT	CHIPOTAI
	PIOCHAIT
ACHIIORS	CHOIRAIS*
	CHOISIRA
ACHIIORT	CHOIRAIT*
ACHIIQSU	CHIQUAIS
ACHIIQTU	CHIQUAIT
ACHIIRST	TRICHAIS
ACHIIRTT	TRICHAIT
ACHIJNOS	JONCHAIS
ACHIJNOT	JONCHAIT
ACHILNOP	PALICHON
ACHILNOS	CHIALONS
	LACHIONS
ACHILNSY	LYNCHAIS
ACHILNTY	LYNCHAIT
ACHILOSU	LOUCHAIS
ACHILOTU	LOUCHAIT
ACHILSTT	SCHLITTA
ACHIMNOP	CHAMPION
ACHIMNOS	MACHIONS
ACHIMNSS	CHAMSINS
ACHIMORS	CHROMAIS
	CHROMISA
ACHIMORT	CHROMAIT
	TRICHOMA
ACHIMOSU	MOUCHAIS

ACHIMOTU MOUCHAIT
ACHINNOS CHAINONS
ACHINOPR PROCHAIN
ACHINOPT PIOCHANT
ACHINORU CHOURINA
ACHINOSS SACHIONS
ACHINOST CHATIONS
TACHIONS
ACHINQTU CHIQUANT
ACHINRTT TRICHANT
ACHINSTU CHUINTAS
ACHINSUV CHAUVINS
ACHINTTU CHUINTAT
ACHIOPPS CHOPPAIS
ACHIOPPT CHOPPAIT
ACHIOPST CHIPOTAS
ACHIOPTT CHIPOTAT
ACHIOQSU CHOQUAIS
ACHIOQTU CHOQUAIT
ACHIORRS CHARROIS
ACHIORSS CHASSOIR
ACHIORST CHARIOTS
HARICOTS
TORCHAIS
ACHIORTT TORCHAIT
ACHIOSTU TOUCHAIS
ACHIOTTU TOUCHAIT
ACHIQSUU QUICHUAS
ACHJNNOT JONCHANT
ACHLLNOU ALLUCHON
ACHLLORS CHLORALS
ACHLMMSS SCHLAMMS
ACHLNNTY LYNCHANT
ACHLNOSU CHAULONS
ACHLNOTU LOUCHANT
ACHLOPTT POTLATCH
ACHLORRU CHLORURA
ACHMNNOS MANCHONS
ACHMNOOS AMOCHONS
ACHMNORS CHARMONS
MARCHONS
ACHMNORT CHROMANT
ACHMNOST MANCHOTS
ACHMNOSU CHAUMONS
ACHMNOTU MOUCHANT
ACHNNOSS CHANSONS
ACHNNOST CHANTONS
ACHNOOST CAHOTONS
ACHNOPPT CHOPPANT
ACHNOQTU CHOQUANT
ACHNORRS CHARRONS
ACHNORST CHATRONS
ACHNORTT TORCHANT
ACHNOSSS CHASSONS
ACHNOSSU CHAUSSON
ACHNOTTU TOUCHANT
ACHOPRSY HYPOCRAS
ACHOTUUX TOUCHAUX
ACIIILNN INCLINAI
ACIIILST LICITAIS
ACIIILSV CIVILISA
ACIIILTT LICITAIT
ACIIIMMS IMMISCAI
ACIIIMNT CATIMINI
ACIIINSS INCISAIS
ACIIINST INCISAIT
INCITAIS
ACIIINSU CUISINAI
ACIIINTT INCITAIT
ACIILLOS OSCILLAI
ACIILMNU CULMINAI
ACIILMOP COMPILAI
ACIILMOT COMITIAL
ACIILNNS INCLINAS
ACIILNNT INCLINAT
ACIILNOP CLOPINAI
ACIILNOT COLTINAI
ACIILNOU INOCULAI
ACIILNPU INCULPAI
ACIILNRU INCLURAI
ACIILNSU INCLUAIS
ACIILNTT LICITANT
ACIILNTU INCLUAIT
ACIILOOR COLORIAI
ACIILOPS PICOLAIS
ACIILOPT PICOLAIT
ACIILORT CLOITRAI
ACIILSSS CLISSAIS
ACIILSST CLISSAIT
ACIILTUV CULTIVAI
ACIIMMSS IMMISCAS
ACIIMMST IMMISCAT
ACIIMNTU ACTINIUM
ACIIMORS CRAMOISI
ACIIMRSS CASIMIRS
ACIINNOT INACTION
ACIINNST INCISANT
ACIINNTT INCITANT
ACIINNUV INVAINCU
ACIINOPS COPINAIS
PIONCAIS
ACIINOPT COPINAIT →

	PIONCAIT
ACIINORR	NOIRCIRA
ACIINORS	CARIIONS
ACIINOSU	COUINAIS
	COUSINAI
ACIINOSV	CONVIAIS
ACIINOTT	CITATION
ACIINOTU	COUINAIT
ACIINOTV	CONVIAIT
	NOVICIAT
ACIINRRS	INSCRIRA
ACIINRST	CINTRAIS
ACIINRTT	CINTRAIT
ACIINRUV	INCURVAI
ACIINSSU	CUISINAS
ACIINSTU	CUISINAT
ACIINUVX	VICINAUX
ACIIOPRS	PICORAIS
ACIIOPRT	PICORAIT
ACIIOPST	PICOTAIS
ACIIOPTT	PICOTAIT
ACIIORRS	CROIRAIS
ACIIORRT	CROIRAIT
	CROITRAI
ACIIORSS	CROISAIS
ACIIORST	COTIRAIS
	CROISAIT
ACIIORTT	COTIRAIT
	TRICOTAI
ACIIORTV	VICTORIA
ACIIOSST	COTISAIS
ACIIOSSU	SOUCIAIS
ACIIOSTT	COTISAIT
ACIIOSTU	SOUCIAIT
ACIIPRSS	CRISPAIS
ACIIPRST	CRISPAIT
ACIIQRTU	CRITIQUA
ACIIRSSS	CRISSAIS
ACIIRSST	CRISSAIT
	SACRISTI
ACIIRSUV	CUIVRAIS
ACIIRTUV	CUIVRAIT
ACIISSTU	SUSCITAI
ACIJNORU	CONJURAI
ACIJNRSU	CISJURAN
ACIKOSST	STOCKAIS
ACIKOSTT	STOCKAIT
ACILLNOO	COLONIAL
ACILLNOR	CARILLON
	CORALLIN
ACILLNOS	CAILLONS
ACILLOQU	COQUILLA
ACILLOSS	OSCILLAS
ACILLOST	CAILLOTS
	OSCILLAT
ACILLOUX	CAILLOUX
ACILMNOS	CALMIONS
	CLAMIONS
	LIMACONS
	MACLIONS
ACILMNSU	CULMINAS
	MASCULIN
ACILMNTU	CULMINAT
ACILMOPS	COMPILAS
	COMPLAIS
ACILMOPT	COMPILAT
	COMPLAIT
ACILMOTV	VICOMTAL
ACILMSSU	MUSCLAIS
ACILMSTU	MUSCLAIT
ACILMSUU	CUMULAIS
ACILMTUU	CUMULAIT
ACILNNOS	CALINONS
	LANCIONS
ACILNNTU	INCLUANT
ACILNOOS	COLONISA
	CONSOLAI
ACILNOOT	LOCATION
ACILNOOV	CONVOLAI
ACILNOPS	CLOPINAS
	PLACIONS
	SALPICON
ACILNOPT	CLOPINAT
	PICOLANT
ACILNORS	CLAIRONS
	RACLIONS
ACILNOSS	CALISSON
ACILNOST	CALOTINS
	COLTINAS
ACILNOSU	INOCULAS
ACILNOTT	COLTINAT
ACILNOTU	INOCULAT
ACILNPSU	INCULPAS
	INSCULPA
ACILNPTU	INCULPAT
ACILNQUU	INCULQUA
ACILNRSU	INCLURAS
ACILNSST	CLISSANT
ACILNSUV	VULCAINS
ACILOORS	COLORAIS
	COLORIAS
ACILOORT	COLORAIT →

COLORIAT
ACILOPRT TROPICAL
ACILOPST CLAPOTIS
ACILOPSU COUPLAIS
ACILOPTU CAPITOUL
COUPLAIT
ACILOQRU CLAQUOIR
ACILOQSU CLOQUAIS
ACILOQTU CLOQUAIT
ACILORRS RACLOIRS
SARCLOIR
ACILORSS SALICORS*
ACILORST CLOITRAS
ACILORSU CROULAIS
ACILORTT CLOITRAT
ACILORTU CLOTURAI
CROULAIT
ACILOSSU COULISSA
ACILOSTU CLOUTAIS
ACILOTTU CLOUTAIT
CULOTTAI
ACILPRTU PICTURAL
ACILPSST PLASTICS
ACILPSTU SCULPTAI
ACILRTUV CULTIVAR
ACILSTUV CULTIVAS
ACILTTUV CULTIVAT
ACIMMNOU COMMUNIA
ACIMMOPR COMPRIMA
ACIMMOSU COMMUAIS
ACIMMOTU COMMUAIT
COMMUTAI
ACIMNOOR ACROMION
ACIMNOPS CAMPIONS
ACIMNOSS MOCASSIN
ACIMNOSU CONSUMAI
ACIMNPSU PANICUMS
ACIMOOPS COMPOSAI
ACIMOORR AMORCOIR
ACIMOPRT COMPATIR
ACIMOPST COMPATIS
COMPTAIS
TAMPICOS
ACIMOPTT COMPATIT
COMPTAIT
ACIMOSST MASSICOT
ACIMOSTT COMITATS
ACIMOSTU COSTUMAI
ACIMRSSU MUSCARIS
ACIMSUUX MUSICAUX
ACINNNOS CANNIONS

ACINNOOT CONNOTAI
COTONNAI
ACINNOPT COPINANT
PIONCANT
ACINNORS ANCRIONS
CRANIONS
NACRIONS
RACINONS
RICANONS
ACINNOSS SCANSION
ACINNOST SANCTION
TANCIONS
ACINNOTU CONTINUA
COUINANT
ACINNOTV CONVIANT
ACINNRTT CINTRANT
ACINOOTT COTATION
ACINOOTV CONVOITA
VOCATION
ACINOOVY CONVOYAI
ACINOPRS CONSPIRA
ACINOPRT PICORANT
ACINOPST CAPITONS
CAPTIONS
CONSTIPA
ACINOPSU CONSPUAI
ACINOPSY SYNCOPAI
ACINOPTT PICOTANT
ACINOPTU PONCTUAI
ACINOQSU CAQUIONS
ACINORRR RACORNIR
ACINORRS CARRIONS
RACORNIS
ACINORRT RACORNIT
ACINORSS SACRIONS
ACINORST CATIRONS
CONTRAIS
CROISANT
TRACIONS
ACINORTT CATIRONT
CONTRAIT
TRACTION
ACINOSSS CAISSONS
CASSIONS
ACINOSST CONSISTA
ACINOSSU CAUSIONS
COUSINAS
SAUCIONS
ACINOSTT COTISANT
ACINOSTU CAUTIONS
COUSINAT →

	SOUCIANT
ACINOSTV	ACTIVONS
ACINOSUV	COUVAINS
	CUVAISON
ACINPRST	CRISPANT
ACINRSST	CRISSANT
	SANSCRIT
ACINRSTU	INCRUSTA
ACINRSUV	INCURVAS
ACINRTTU	URTICANT
ACINRTUV	CUIVRANT
	INCURVAT
ACINSSTU	CUISANTS
ACIOOPST	COOPTAIS
ACIOOPTT	COOPTAIT
ACIOORRY	CORROYAI
ACIOORSU	ROCOUAIS
ACIOORTU	ROCOUAIT
ACIOORTY	OCTROYAI
ACIOOSTY	COTOYAIS
ACIOOTTY	COTOYAIT
ACIOPRRU	CROUPIRA
	PROCURAI
ACIOQRSU	CARQUOIS
	CROQUAIS
ACIOQRTU	CROQUAIT
ACIORRST	CROITRAS
	TRACOIRS
ACIORRSU	COURRAIS
ACIORRTU	COURRAIT
ACIORRUV	COUVRIRA
ACIORSSS	CROSSAIS
ACIORSST	CROSSAIT
ACIORSTT	CROTTAIS
	TRICOTAS
ACIORSTU	COURTISA
ACIORSUV	COUVRAIS
ACIORTTT	CROTTAIT
	TRICOTAT
ACIORTUV	COUVRAIT
ACIOSSTT	ASTICOTS
ACIOSSTU	SUCOTAIS
ACIOSTTU	SUCOTAIT
ACIRSSTU	SCRUTAIS
ACIRSTTU	SCRUTAIT
ACIRSTUX	CRISTAUX
ACISSSTU	SUSCITAS
ACISSTTU	SUSCITAT
ACJLNOOS	CAJOLONS
ACJNNORU	JURANCON
ACJNORSU	CONJURAS
ACJNORTU	CONJURAT
ACKNOSTT	STOCKANT
ACLLNOST	COLLANTS
ACLLOOQU	COLLOQUA
ACLLOOSS	COLOSSAL
ACLLRTUU	CULTURAL
ACLMMNOU	COMMUNAL
ACLMNOSU	MACULONS
ACLMNSTU	MUSCLANT
ACLMNTUU	CUMULANT
ACLMOOPT	COMPLOTA
ACLMOPSU	COMPULSA
ACLNNOPS	PLANCONS
ACLNNOPT	PLANCTON
ACLNNOSU	CANULONS
ACLNOORS	RACOLONS
ACLNOORT	COLORANT
	CONTROLA
ACLNOOSS	CONSOLAS
ACLNOOST	COLONATS
	CONSOLAT
ACLNOOSV	CONVOLAS
ACLNOOTV	CONVOLAT
ACLNOPPS	CLAPPONS
ACLNOPSS	SCALPONS
ACLNOPSY	SYNCOPAL
ACLNOPTU	COUPLANT
ACLNOQSU	CALQUONS
	CLAQUONS
ACLNOQTU	CLOQUANT
ACLNORSS	SARCLONS
ACLNORTU	CROULANT
ACLNOSSS	CLASSONS
ACLNOSTU	CONSULAT
	CONSULTA
	COULANTS
ACLNOSUV	CONVULSA
ACLNOTTU	CLOUTANT
ACLOOPRR	CORPORAL
ACLOOPRT	COLPORTA
ACLOORUU	ROUCOULA
ACLORSTU	CLOTURAS
ACLORTTU	CLOTURAT
ACLOSTTU	CULOTTAS
ACLOTTTU	CULOTTAT
ACLPSSTU	SCULPTAS
ACLPSTTU	SCULPTAT
ACMMNOOS	CONSOMMA
ACMMNOTU	COMMUANT
ACMMOSTU	COMMUTAS
ACMMOTTU	COMMUTAT

ACMNOORR	CORMORAN
ACMNOORS	AMORCONS
ACMNOPRS	CRAMPONS
ACMNOPTT	COMPTANT
ACMNOSSU	CONSUMAS
ACMNOSTU	CONSUMAT
ACMNOTUX	CONTUMAX
ACMOOPRT	COMPORTA
ACMOOPSS	COMPOSAS
ACMOOPST	COMPOSAT
	COMPOSTA
ACMOPRSU	COMPARUS
ACMOPRTU	COMPARUT
ACMOSSTU	COSTUMAS
ACMOSTTU	COSTUMAT
ACNNNOSU	NUANCONS
ACNNOOPR	PRONONCA
ACNNOORU	COURONNA
ACNNOOST	CANOTONS
	CONNOTAS
	COTONNAS
ACNNOOTT	CONNOTAT
	COTONNAT
ACNNORST	CRANTONS
ACNNORTT	CONTRANT
ACNNOSTT	CONSTANT
ACNOOPST	CAPOTONS
ACNOOPTT	COOPTANT
ACNOOQUV	CONVOQUA
ACNOORST	CARTOONS
ACNOORTU	ROCOUANT
ACNOORUX	CORONAUX
ACNOOSSS	COASSONS
ACNOOSVY	CONVOYAS
ACNOOTTY	COTOYANT
ACNOOTVY	CONVOYAT
ACNOPQSU	PACQUONS
ACNOPSSU	CONSPUAS
ACNOPSSY	SYNCOPAS
ACNOPSTU	CONSPUAT
	COUPANTS
	PONCTUAS
ACNOPSTY	SYNCOPAT
ACNOPTTU	PONCTUAT
ACNOQRSU	CRAQUONS
ACNOQRTU	CROQUANT
ACNOQSSU	SACQUONS
ACNORSST	CASTRONS
	CROSSANT
ACNORSTT	CONTRATS
ACNORSTU	COURANTS
ACNORSTY	CROYANTS
ACNORTTT	CROTTANT
ACNORTUV	COUVRANT
ACNOSSTT	CONSTATS
ACNOSTTU	COUTANTS
	SUCOTANT
ACNRSSTU	SUCRANTS
ACNRSTTU	SCRUTANT
ACOORRSY	CORROYAS
ACOORRTY	CORROYAT
ACOORSTY	OCTROYAS
ACOORTTY	OCTROYAT
ACOPRRSU	PARCOURS
	PROCURAS
ACOPRRTU	PARCOURT
	PROCURAT
ACOPRRUU	PARCOURU
ACOPRSUU	SURCOUPA
ACOQRSTU	COQUARTS
ACORRSTT	TROCARTS
ACORSTTY	CRYOSTAT
ADDEEEGR	DEGRADEE
ADDEEELR	DELARDEE
ADDEEEMN	DEMANDEE
ADDEEFNR	DEFENDRA
ADDEEGIN	DEDAIGNE
ADDEEGIV	DEVIDAGE
ADDEEGOR	DEDORAGE
ADDEEGRR	DEGRADER
ADDEEGRS	DEGRADES
ADDEEGRZ	DEGRADEZ
ADDEEHLY	ALDEHYDE
ADDEEIIR	DEDIERAI
ADDEEIMR	DEMERDAI
ADDEEIMS	DEDIAMES
	DIADEMES
ADDEEINN	DANDINEE
ADDEEINO	ADENOIDE
ADDEEIRR	DERIDERA
ADDEEIRS	DEDIERAS
ADDEEIRV	DEVIDERA
ADDEEIRZ	DERADIEZ
ADDEEISS	DEDIASSE
ADDEEIST	DEDIATES
ADDEELRR	DELARDER
ADDEELRS	DELARDES
ADDEELRZ	DELARDEZ
ADDEEMNR	DEMANDER
ADDEEMNS	DEMANDES
ADDEEMNZ	DEMANDEZ
ADDEEMOR	DEMODERA

ADDEEMRS	DEMERDAS
ADDEEMRT	DEMERDAT
ADDEENOU	DEDOUANE
ADDEENPR	DEPENDRA
	PENDARDE
ADDEENRT	DERADENT
	DETENDRA
	ETENDARD
ADDEENRU	DENUDERA
ADDEEORR	DEDORERA
	DERODERA
ADDEERRZ	DARDEREZ
ADDEGLPU	PUDDLAGE
ADDEHITY	HYDATIDE
ADDEIILP	DILAPIDE
ADDEIIRS	DEDIRAIS
	DERIDAIS
ADDEIIRT	DEDIRAIT
	DERIDAIT
ADDEIIRU	DEDUIRAI
ADDEIISS	DEDISAIS
ADDEIIST	DEDISAIT
ADDEIISV	DEVIDAIS
ADDEIITV	ADDITIVE
	DEVIDAIT
ADDEILNO	DODELINA
ADDEIMOS	DEMODAIS
ADDEIMOT	DEMODAIT
ADDEIMRS	DEMIARDS
ADDEINNO	DONDAINE
ADDEINNR	DANDINER
ADDEINNS	DANDINES
ADDEINNZ	DANDINEZ
ADDEINOR	ANDROIDE
ADDEINRT	DERIDANT
ADDEINST	DEDISANT
ADDEINSU	DENUDAIS
ADDEINTU	DENUDAIT
ADDEINTV	DEVIDANT
ADDEIOQU	DIADOQUE
ADDEIORS	DEDORAIS
	DERODAIS
ADDEIORT	DEDORAIT
	DERODAIT
ADDEIRSU	DEDUIRAS
ADDEISSU	DISSUADE
ADDELOOR	ELDORADO
ADDELPRU	PUDDLERA
ADDEMNOT	DEMODANT
ADDEMNSY	DANDYSME
ADDEMORR	DEMORDRA
ADDENNTU	DENUDANT
ADDENORS	DERADONS
	RONDADES
ADDENORT	DEDORANT
	DERODANT
ADDENPRS	PENDARDS
ADDEORRT	DETORDRA
ADDEOSSU	DESSOUDA
ADDEOSXY	DESOXYDA
ADDFIIST	ADDITIFS
ADDHIJJS	HADJDJIS
ADDIINOT	ADDITION
ADDILPSU	PUDDLAIS
ADDILPTU	PUDDLAIT
ADDINNNO	DINDONNA
ADDINNOR	ORDINAND
ADDINORS	DARDIONS
ADDLNPTU	PUDDLANT
ADDLORUU	LOURDAUD
ADDORSSS	DOSSARDS
ADDORSSU	SOUDARDS
ADEEEERS	DESAEREE
ADEEEFGR	DEGRAFEE
ADEEEFLR	FEDERALE
ADEEEFRR	DEFERERA
	FEDERERA
	REDEFERA
ADEEEFRY	DEFRAYEE
ADEEEGGS	DEGAGEES
ADEEEGIN	DEGAINEE
ADEEEGLM	DEMELAGE
ADEEEGLR	DEGELERA
ADEEEGLT	DETELAGE
ADEEEGMN	DEMENAGE
ADEEEGNR	DEGENERA
	DERANGEE
ADEEEGNT	DEGANTEE
	ETENDAGE
ADEEEGRR	REGARDEE
ADEEEGRT	DETERGEA
ADEEEGSZ	DEGAZEES
ADEEEHLS	DEHALEES
ADEEEHPS	DEPHASEE
ADEEEHRX	EXHEREDA
	HEXAEDRE
ADEEEILN	DELAINEE
ADEEEILT	DELAITEE
ADEEEIMR	DEMARIEE
ADEEEIPR	DEPARIEE
ADEEEJNT	DEJANTEE
ADEEELMR	DEMELERA

ADEEELRZ	LEZARDEE
ADEEELSS	DELASSEE
	DESSALEE
ADEEELSV	DELAVEES
	DEVALEES
ADEEELSY	DELAYEES
ADEEELUV	DEVALUEE
ADEEEMNR	DEMENERA
	RAMENDEE
ADEEEMNS	AMENDEES
ADEEEMRR	DEMARREE
ADEEEMRS	DESARMEE
ADEEEMRU	EMERAUDE
ADEEEMST	DEMATEES
ADEEENNP	DEPANNEE
ADEEENNS	ENNEADES
ADEEENRS	SERENADE
ADEEENRT	EDENTERA
ADEEEPRS	DEPAREES
ADEEEPRV	DEPRAVEE
ADEEEPSS	DEPASSEE
ADEEEPSV	DEPAVEES
ADEEEPSY	DEPAYSEE
ADEEERRS	DESAERER
ADEEERRT	RETARDEE
ADEEERSS	ADRESSEE
	DERASEES
	DESAERES
ADEEERST	DERATEES
ADEEERSY	DERAYEES
ADEEERSZ	DESAEREZ
ADEEERTX	ADEXTREE
	EXTRADEE
ADEEERVZ	EVADEREZ
ADEEESSX	DESAXEES
ADEEESTV	DEVASTEE
ADEEESTX	DETAXEES
ADEEFFIM	DIFFAMEE
ADEEFFIS	AFFIDEES
ADEEFGIL	DEFILAGE
ADEEFGLR	DEFLAGRE
ADEEFGNS	FENDAGES
ADEEFGRR	DEGRAFER
ADEEFGRS	DEGRAFES
ADEEFGRZ	DEGRAFEZ
ADEEFIIR	DEFIERAI
	DEIFIERA
	EDIFIERA
	REEDIFIA
ADEEFILL	DEFAILLE
ADEEFILN	ALFENIDE →
	ENFILADE
ADEEFILR	DEFERLAI
	DEFILERA
ADEEFIMS	DEFIAMES
ADEEFINR	FREDAINE
ADEEFINT	DEFIANTE
ADEEFIQU	DEFEQUAI
ADEEFIRR	DEFERRAI
ADEEFIRS	DEFERAIS
	DEFIERAS
	DEFRAIES
	FEDERAIS
	REDEFAIS
ADEEFIRT	DEFERAIT
	FEDERAIT
	REDEFAIT
ADEEFISS	DEFIASSE
ADEEFIST	DEFAITES
	DEFIATES
ADEEFLNS	DESENFLA
ADEEFLOS	FEODALES
ADEEFLQU	DEFALQUE
ADEEFLRS	DEFERLAS
ADEEFLRT	DEFERLAT
ADEEFNRR	REFENDRA
ADEEFNRT	DEFERANT
	FEDERANT
ADEEFQSU	DEFEQUAS
ADEEFQTU	DEFEQUAT
ADEEFRRS	DEFERRAS
	FERRADES
ADEEFRRT	DEFERRAT
ADEEFRRY	DEFRAYER
ADEEFRRZ	FARDEREZ
ADEEFRSU	FRAUDEES
ADEEFRSY	DEFRAYES
ADEEFRUV	DEFAVEUR
ADEEFRUX	FEDERAUX
ADEEFRYZ	DEFRAYEZ
ADEEFSSS	DEFASSES
ADEEFSSU	DEFAUSSE
ADEEGGIN	ENDIGAGE
ADEEGGIZ	DEGAGIEZ
ADEEGGNT	DEGAGENT
ADEEGGOR	DEGORGEA
ADEEGIIR	REDIGEAI
ADEEGIJU	DEJUGEAI
ADEEGILN	LEGENDAI
ADEEGILO	DELOGEAI
ADEEGILP	DEPILAGE
	DEPLIAGE

ADEEGILR	DEREGLAI
ADEEGILS	DEGELAIS
ADEEGILT	DEGELAIT
	DELITAGE
ADEEGILU	DELEGUAI
ADEEGIMN	DEMINAGE
ADEEGIMR	DEGERMAI
ADEEGINP	DEPEIGNA
ADEEGINR	DEGAINER
	DEGARNIE
ADEEGINS	DEGAINES
ADEEGINV	VIDANGEE
ADEEGINZ	DEGAINEZ
ADEEGIOR	DEROGEAI
ADEEGIRR	DIGERERA
	GARDERIE
	REDIGERA
ADEEGIRS	REDIGEAS
ADEEGIRT	REDIGEAT
	TRAGEDIE
ADEEGIRV	DEGREVAI
	DIVERGEA
ADEEGIRZ	DERAGIEZ
ADEEGISV	DEVISAGE
	EVIDAGES
ADEEGIZZ	DEGAZIEZ
ADEEGJRU	DEJAUGER
	DEJUGERA
ADEEGJSU	ADJUGEES
	DEJAUGES
	DEJUGEAS
ADEEGJTU	DEJUGEAT
ADEEGJUZ	DEJAUGEZ
ADEEGLMO	MODELAGE
ADEEGLNS	GLANDEES
	LEGENDAS
ADEEGLNT	DEGELANT
	LEGENDAT
ADEEGLOP	LAGOPEDE
ADEEGLOR	DELOGERA
ADEEGLOS	DELOGEAS
ADEEGLOT	DELOGEAT
ADEEGLRS	DEREGLAS
ADEEGLRT	DEREGLAT
ADEEGLRU	DEGLUERA
ADEEGLSU	DELEGUAS
ADEEGLTU	DELEGUAT
	DELUTAGE
ADEEGLUU	DEGUEULA
ADEEGMNO	EMONDAGE
ADEEGMNR	DEMANGER →
	GENDARME
ADEEGMNS	DEMANGES
ADEEGMNZ	DEMANGEZ
ADEEGMRS	DEGERMAS
ADEEGMRT	DEGERMAT
ADEEGNNR	ENGENDRA
ADEEGNNV	VENDANGE
ADEEGNOY	DENOYAGE
ADEEGNPS	PENDAGES
ADEEGNRR	DERANGER
ADEEGNRS	DERANGES
	GRENADES
ADEEGNRT	DEGANTER
	DERAGENT
ADEEGNRZ	DERANGEZ
ADEEGNST	DEGANTES
ADEEGNTZ	DEGANTEZ
	DEGAZENT
ADEEGOPT	DEPOTAGE
ADEEGORR	DEROGERA
ADEEGORS	DEROGEAS
ADEEGORT	DEGOTERA
	DEROGEAT
ADEEGRRR	REGARDER
ADEEGRRS	REGARDES
ADEEGRRZ	GARDEREZ
	REGARDEZ
ADEEGRSS	DRESSAGE
ADEEGRSU	DRAGUEES
	GARDEUSE
	GRADUEES
ADEEGRSV	DEGREVAS
ADEEGRTV	DEGREVAT
ADEEGRUV	DEVERGUA
ADEEHILZ	DEHALIEZ
ADEEHINR	ENHARDIE
ADEEHIPS	DIPHASEE
ADEEHIRR	DIARRHEE
ADEEHIRZ	ADHERIEZ
ADEEHIST	DIATHESE
ADEEHISV	ADHESIVE
ADEEHLNT	DEHALENT
ADEEHMNO	DAHOMEEN
ADEEHNRT	ADHERENT
ADEEHOPX	HEXAPODE
ADEEHPSS	DEPHASES
ADEEHRRZ	HARDEREZ
ADEEHRTY	HYDRATEE
ADEEIILN	DELINEAI
	ENLAIDIE
ADEEIILR	DELIERAI →

	ELIDERAI
ADEEIILS	IDEALISE
ADEEIILT	IDEALITE
ADEEIIMR	REMEDIAI
ADEEIINR	DENIERAI
ADEEIINS	DENIAISE
ADEEIIPX	EXPEDIAI
ADEEIIRR	IRRADIEE
ADEEIIRS	DIESERAI
ADEEIIRT	EDITERAI
	REEDITAI
ADEEIIRV	DEVIERAI
	EVIDERAI
ADEEIIRZ	AIDERIEZ
ADEEIITT	ATTIEDIE
ADEEIJNR	JARDINEE
ADEEIJNU	DEJEUNAI
ADEEIJST	DEJETAIS
	JADEITES
ADEEIJTT	DEJETAIT
ADEEILLL	DIALLELE
ADEEILLM	DEMAILLE
	DEMIELLA
	MEDAILLE
ADEEILLO	OEILLADE
ADEEILLP	DEPAILLE
ADEEILLR	DERAILLE
ADEEILLT	DETAILLE
ADEEILMP	PELAMIDE
ADEEILMS	DELIAMES
	DEMELAIS
	ELIDAMES
	MEDIALES
ADEEILMT	DEMELAIT
ADEEILMV	MEDIEVAL
ADEEILNN	ANNELIDE*
ADEEILNR	DELAINER
ADEEILNS	DELAINES
	DELINEAS
ADEEILNT	DELAIENT
	DELINEAT
	DENTELAI
ADEEILNV	DENIVELA
ADEEILNZ	DELAINEZ
ADEEILPR	DEPILERA
	DEPLAIRE
	DEPLIERA
	PEDALIER
ADEEILPS	DEPLAISE
	LAPIDEES
	PELIADES →
	PLAIDEES
	PLEIADES
ADEEILPZ	PEDALIEZ
ADEEILQU	DELIAQUE
ADEEILRR	DELIRERA
	LADRERIE
ADEEILRS	DELIERAS
	ELIDERAS
	SIDERALE
ADEEILRT	DELAITER
	DELITERA
ADEEILRU	ELUDERAI
ADEEILSS	DELAISSE
	DELIASSE
	ELIDASSE
ADEEILST	DELAITES
	DELESTAI
	DELIATES
	DETELAIS
	DILATEES
	ELIDATES
ADEEILSV	DEVALISE
	VALIDEES
ADEEILSY	DIALYSEE
ADEEILTT	DETELAIT
ADEEILTZ	DELAITEZ
	DETALIEZ
ADEEILVZ	DELAVIEZ
	DEVALIEZ
ADEEILYZ	DELAYIEZ
ADEEIMMR	EMMERDAI
ADEEIMNP	PANDEMIE
ADEEIMNR	ADERMINE
	DEMINERA
	MENDIERA
ADEEIMNS	DEMENAIS
	DENIAMES
	MEDIANES
ADEEIMNT	DEMENAIT
	MEDIANTE
ADEEIMNZ	AMENDIEZ
ADEEIMOS	AMODIEES
ADEEIMOT	DIATOMEE*
ADEEIMRR	DEMARIER
ADEEIMRS	ADMIREES
	DEMARIES
	READMISE
	REMEDIAS
ADEEIMRT	DEMERITA
	DIAMETRE
	MEDITERA →

	REMEDIAT
ADEEIMRU	DEMEURAI
ADEEIMRZ	DAMERIEZ
	DEMARIEZ
ADEEIMSS	DIESAMES
ADEEIMST	EDITAMES
	MEDIATES
ADEEIMSV	DEVIAMES
	EVIDAMES
ADEEIMTZ	DEMATIEZ
ADEEINNT	DENANTIE
	ENDENTAI
ADEEINNV	ADVIENNE
ADEEINOR	ANEROIDE
	DENOIERA
ADEEINPR	PEINARDE
ADEEINPS	DEPENSAI
ADEEINPZ	EPANDIEZ
ADEEINRS	DENIERAS
	DRAINEES
ADEEINRT	AIDERENT
	DENTAIRE
	DERAIENT
	ENTRAIDE
	ETEINDRA
	ETENDRAI
ADEEINRV	DEVINERA
	VEINARDE
ADEEINRX	INDEXERA
ADEEINSS	DENIASSE
ADEEINST	ADENITES
	ANDESITE
	DENIATES
	DETENAIS
	EDENTAIS
	ETENDAIS
ADEEINSV	DEVENAIS
ADEEINTT	DETENAIT
	EDENTAIT
	ENDETTAI
	ETENDAIT
ADEEINTV	DEVAIENT
	DEVENAIT
	DEVIANTE
ADEEIOPR	PARODIEE
ADEEIORR	ERODERAI
ADEEIORS	ARDOISEE
	AROIDEES
ADEEIORV	DEVOIERA
ADEEIPPR	PIPERADE
ADEEIPRR	DEPARIER →
	DEPERIRA
	DRAPERIE
	DRAPIERE
ADEEIPRS	DEPARIES
	DIAPREES
ADEEIPRT	DEPARTIE
	DEPETRAI
	DEPITERA
	PEDIATRE
ADEEIPRZ	DEPARIEZ
	DERAPIEZ
ADEEIPSU	ADIPEUSE
ADEEIPSX	EXPEDIAS
ADEEIPTU	DEPIAUTE
ADEEIPTX	EXPEDIAT
ADEEIPVZ	DEPAVIEZ
ADEEIRRS	DESIRERA
	RESIDERA
	SIDERERA
ADEEIRRT	DETERRAI
	DETIRERA
ADEEIRRV	DERIVERA
	DEVIRERA
ADEEIRRZ	DRAIEREZ
	RADERIEZ
	RADIEREZ
ADEEIRSS	DIESERAS
ADEEIRST	ASTERIDE*
	DATERIES
	DERATISE
	DESERTAI
	EDITERAS
	REEDITAS
ADEEIRSU	RADIEUSE
ADEEIRSV	DEVERSAI
	DEVIERAS
	DEVISERA
	EVIDERAS
ADEEIRSZ	DERASIEZ
ADEEIRTT	REEDITAT
ADEEIRTU	ETUDIERA
ADEEIRTV	DEVETIRA
ADEEIRTZ	DATERIEZ
	DERATIEZ
ADEEIRYZ	DERAYIEZ
ADEEISSS	DIESASSE
ADEEISST	DIESATES
	EDITASSE
	TIEDASSE
ADEEISSV	DEVIASSE
	EVIDASSE

ADEEISTT	DETESTAI
	EDITATES
ADEEISTV	DEVETAIS
	DEVIATES
	EVIDATES
	SEDATIVE
ADEEISXZ	DESAXIEZ
ADEEITTV	DEVETAIT
ADEEITXZ	DETAXIEZ
ADEEJMRU	MUDEJARE*
ADEEJNRT	DEJANTER
ADEEJNST	DEJANTES
ADEEJNSU	DEJEUNAS
ADEEJNTT	DEJETANT
ADEEJNTU	DEJEUNAT
ADEEJNTZ	DEJANTEZ
ADEEJORU	DEJOUERA
ADEEJRSU	ADJUREES
ADEELLOY	DELOYALE
ADEELLRZ	DALLEREZ
ADEELLSS	DESSELLA
ADEELMNR	ALDERMEN
ADEELMNT	DEMELANT
ADEELMOR	MODELERA
	REMODELA
ADEELMPY	PELAMYDE
ADEELMSU	DEMUSELA
	ELUDAMES
ADEELNOR	LEONARDE
ADEELNPT	DEPLANTE
	PEDALENT
ADEELNPU	PALUDEEN
ADEELNST	DENTALES
	DENTELAS
ADEELNTT	DENTELAT
	DETALENT
	DETELANT
ADEELNTV	DELAVENT
	DEVALENT
ADEELNTY	DELAYENT
ADEELOPR	LEOPARDE
ADEELORS	DESOLERA
ADEELPPU	DEPEUPLA
	PEUPLADE
ADEELPRT	DEPLATRE
ADEELPRU	PEDALEUR
ADEELRRU	RUDERALE
ADEELRRZ	LARDEREZ
	LEZARDER
ADEELRSS	DELASSER
	DESSALER
ADEELRSU	ELUDERAS
ADEELRSZ	LEZARDES
ADEELRTU	ADULTERE
	DELATEUR
	DELEATUR
	DELUTERA
ADEELRUV	DEVALUER
ADEELRUZ	ADULEREZ
ADEELRZZ	LEZARDEZ
ADEELSSS	DELASSES
	DESSALES
ADEELSST	DELESTAS
ADEELSSU	ELUDASSE
ADEELSSZ	DELASSEZ
	DESSALEZ
ADEELSTT	DELESTAT
ADEELSTU	ELUDATES
ADEELSUV	DEVALUES
ADEELUVZ	DEVALUEZ
ADEEMMOP	POMMADEE
ADEEMMRS	EMMERDAS
ADEEMMRT	EMMERDAT
ADEEMMSS	MESDAMES
ADEEMNNS	MANDEENS
ADEEMNNT	AMENDENT
	DEMENANT
ADEEMNOR	EMONDERA
ADEEMNOS	ADENOMES
ADEEMNOT	NEMATODE*
ADEEMNQU	QUEMANDE
ADEEMNRR	RAMENDER
ADEEMNRS	MEANDRES
	RAMENDES
ADEEMNRT	DAMERENT
ADEEMNRV	MEVENDRA*
ADEEMNRZ	DAMNEREZ
	MANDEREZ
	RAMENDEZ
ADEEMNTT	DEMATENT
ADEEMORR	MODERERA
ADEEMORS	ERODAMES
ADEEMPRT	DETREMPA
ADEEMQRU	DEMARQUE
ADEEMQSU	DEMASQUE
	DESQUAME
ADEEMRRR	DEMARRER
ADEEMRRS	DEMARRES
	DESARMER
ADEEMRRZ	DEMARREZ
ADEEMRSS	DESARMES
	MEDERSAS

ADEEMRST	READMETS
ADEEMRSU	DEMEURAS
	MEDUSERA
ADEEMRSZ	DESARMEZ
ADEEMRTT	ADMETTRE
	DEMETTRA
ADEEMRTU	DEMEURAT
ADEEMSTT	ADMETTES
ADEEMTTZ	ADMETTEZ
ADEENNOS	ADONNEES
ADEENNPR	DEPANNER
ADEENNPS	DEPANNES
ADEENNPT	EPANDENT
	PENDANTE
ADEENNPZ	DEPANNEZ
ADEENNRS	ANDRENES
ADEENNRT	ENTENDRA
ADEENNST	ENDENTAS
ADEENNTT	DETENANT
	EDENTANT
	ENDENTAT
	ETENDANT
	TENDANTE
ADEENNTV	DEVENANT
ADEENORT	DENOTERA
	DETONERA
ADEENORU	DENOUERA
ADEENORY	AERODYNE
ADEENPPR	APPENDRE
ADEENPPS	APPENDES
ADEENPPU	APPENDUE
ADEENPPZ	APPENDEZ
ADEENPRR	EPRENDRA
	REPANDRE
	REPENDRA*
ADEENPRS	REPANDES
ADEENPRT	DEPARENT
	DERAPENT
	PERDANTE
ADEENPRU	EPANDEUR
	REPANDUE
ADEENPRZ	EPANDREZ
	REPANDEZ
ADEENPSS	DEPENSAS
ADEENPST	DEPENSAT
	PEDANTES
ADEENPSU	EPANDUES
	PENAUDES
ADEENPTV	DEPAVENT
ADEENRRR	RENARDER
ADEENRRS	RENARDES

ADEENRRT	RADERENT
	RETENDRA
ADEENRRU	ENDURERA
	RENAUDER
ADEENRRV	REVENDRA
ADEENRRZ	RENARDEZ
ADEENRST	DERASENT
	ETENDRAS
ADEENRSU	RENAUDES
ADEENRSZ	DANSEREZ
ADEENRTT	ATTENDRE
	DATERENT
	DERATENT
ADEENRTU	DENATURE
	TRUANDEE
ADEENRTY	DERAYENT
ADEENRUZ	RENAUDEZ
ADEENSSU	DANSEUSE
ADEENSTT	ATTENDES
	ENDETTAS
ADEENSTX	DESAXENT
ADEENSTY	ASYNDETE
ADEENSUV	ADVENUES
ADEENTTT	ENDETTAT
ADEENTTU	ATTENDUE
ADEENTTV	DEVETANT
	VENDETTA
ADEENTTX	DETAXENT
ADEENTTZ	ATTENDEZ
ADEEOPRS	DEPOSERA
ADEEOPRT	DEPOTERA
ADEEOPST	ADOPTEES
ADEEORRR	REDORERA
ADEEORRS	ERODERAS
ADEEORRV	DEVORERA
ADEEORRZ	ADOREREZ
ADEEORSS	ERODASSE
ADEEORST	ERODATES
	TORSADEE
ADEEORUV	DEVOUERA
ADEEOSSS	ADOSSEES
ADEEOSUV	DESAVOUE
ADEEPRRR	REPERDRA
ADEEPRRU	DEPURERA
	PERDREAU
ADEEPRRV	DEPRAVER
ADEEPRRZ	DRAPEREZ
ADEEPRSS	DEPASSER
	SAPERDES
ADEEPRST	DEPARTES
	DEPETRAS

ADEEPRSU	PERSUADE
ADEEPRSV	DEPRAVES
ADEEPRSY	DEPAYSER
ADEEPRTT	DEPETRAT
ADEEPRTU	DEPUTERA
ADEEPRTZ	DEPARTEZ
ADEEPRVZ	DEPRAVEZ
ADEEPSSS	DEPASSES
ADEEPSSY	DEPAYSES
ADEEPSSZ	DEPASSEZ
ADEEPSYZ	DEPAYSEZ
ADEEQRTU	DETRAQUE
ADEEQRUU	EDUQUERA
	REEDUQUA
ADEERRRT	RETARDER
ADEERRSS	ADRESSER
	DESSERRA
	DRESSERA
	REDRESSA
ADEERRST	DETERRAS
	RETARDES
ADEERRTT	DETARTRE
	DETERRAT
ADEERRTV	VERDATRE
ADEERRTX	EXTRADER
ADEERRTZ	RETARDEZ
	TARDEREZ
ADEERRUY	DERAYURE
ADEERRYZ	DRAYEREZ
ADEERSSS	ADRESSES
ADEERSST	DESASTRE
	DESERTAS
	ESTRADES
ADEERSSV	ADVERSES
	DEVERSAS
ADEERSSZ	ADRESSEZ
ADEERSTT	DESERTAT
ADEERSTV	DEVASTER
	DEVERSAT
ADEERSTX	ADEXTRES
	EXTRADES
ADEERSUX	EXSUDERA
	SERDEAUX
ADEERTXZ	EXTRADEZ
ADEESSTT	DETESTAS
ADEESSTV	DEVASTES
ADEESTTT	DETESTAT
ADEESTTW	DEWATTES
ADEESTVZ	DEVASTEZ
ADEESUVX	DESAVEUX
ADEFFGIR	GRIFFADE

ADEFFIIR	DIFFERAI
ADEFFIMR	DIFFAMER
ADEFFIMS	DIFFAMES
ADEFFIMZ	DIFFAMEZ
ADEFFIRS	DIFFERAS
ADEFFIRT	DIFFERAT
ADEFFNOR	EFFONDRA
	OFFRANDE
ADEFGIRU	DEFIGURA
ADEFGLNO	DEGONFLA
ADEFHISS	ADHESIFS
ADEFIIIS	DEIFIAIS
	EDIFIAIS
ADEFIIIT	DEIFIAIT
	EDIFIAIT
ADEFIILL	DEFAILLI
ADEFIILS	DEFILAIS
ADEFIILT	DEFILAIT
ADEFIINO	INFEODAI
ADEFIINR	DEFINIRA
	FEINDRAI
ADEFIINT	DEIFIANT
	EDIFIANT
ADEFIIPR	DEFRIPAI
ADEFIIRS	DEFRISAI
ADEFILLN	FENDILLA
ADEFILNR	FILANDRE
ADEFILNT	DEFILANT
ADEFILOR	DEFLORAI
ADEFILOU	DEFOULAI
ADEFIMOR	DEFORMAI
ADEFIMRS	SEFARDIM
ADEFINOR	FONDERAI
ADEFINOS	INFEODAS
ADEFINOT	INFEODAT
ADEFINRS	FEINDRAS
	FENDRAIS
	FRIANDES
ADEFINRT	FENDRAIT
ADEFINST	DEFIANTS
ADEFINSU	FINAUDES
ADEFINTV	ADVENTIF
ADEFIORS	FOIRADES
ADEFIPRS	DEFRIPAS
ADEFIPRT	DEFRIPAT
ADEFIRRS	FARDIERS
ADEFIRSS	DEFRISAS
ADEFIRST	DEFRISAT
ADEFIRTU	DEFRUITA
ADEFIRUZ	FRAUDIEZ
ADEFISST	SEDATIFS

ADEFLMMR	FLEMMARD
ADEFLORS	DEFLORAS
ADEFLORT	DEFLORAT
ADEFLORU	FALOURDE
ADEFLOSU	DEFOULAS
ADEFLOTU	DEFOULAT
ADEFMNOS	FONDAMES
ADEFMORS	DEFORMAS
ADEFMORT	DEFORMAT
ADEFNNOR	FREDONNA
ADEFNNOT	FONDANTE
ADEFNNST	FENDANTS
ADEFNOPR	PARFONDE
ADEFNORR	FRONDERA
	REFONDRA
ADEFNORS	FONDERAS
ADEFNORU	DEFOURNA
ADEFNOSS	FONDASSE
ADEFNOST	FONDATES
ADEFNRTU	FRAUDENT
ADEFOQRU	DEFROQUA
ADEFRRUU	FRAUDEUR
ADEFRSUY	FUYARDES
ADEGGINR	GEIGNARD
ADEGGINU	GUINDAGE
ADEGGISU	GUIDAGES
ADEGHORU	HOURDAGE
ADEGIIIR	DIRIGEAI
ADEGIILT	ALGIDITE
	DIGITALE
ADEGIIMR	DEMAIGRI
ADEGIINR	DENIGRAI
	GEINDRAI
ADEGIINS	DESIGNAI
ADEGIINU	ENDIGUAI
ADEGIINZ	DAIGNIEZ
ADEGIIOS	DEGOISAI
ADEGIIRR	DIRIGERA
ADEGIIRS	DEGRISAI
	DIGERAIS
	DIRIGEAS
ADEGIIRT	DIGERAIT
	DIRIGEAT
ADEGIIRU	GUIDERAI
ADEGIIRV	DEGIVRAI
ADEGIISU	DEGUISAI
ADEGIJNO	ADJOIGNE
ADEGIJUZ	ADJUGIEZ
ADEGILLO	GODAILLE
ADEGILLR	GRILLADE
ADEGILNR	DRAGLINE
ADEGILNZ	GLANDIEZ
ADEGILOR	RIGOLADE
ADEGILOU	DIALOGUE
ADEGILSS	GLISSADE
ADEGILSU	DEGLUAIS
ADEGILTU	DEGLUAIT
ADEGIMMO	DEGOMMAI
ADEGIMMR	DIGRAMME
ADEGIMNR	MIGNARDE
ADEGIMSU	GUIDAMES
ADEGINNR	GRENADIN
ADEGINNT	DAIGNENT
ADEGINOS	DIAGNOSE
	GANOIDES
ADEGINOT	GODAIENT
ADEGINPS	PIGNADES
ADEGINRR	DEGARNIR
ADEGINRS	DEGARNIS
	DENIGRAS
	GARDIENS
	GEINDRAS
	GRANDIES
ADEGINRT	DEGARNIT
	DENIGRAT
	DIGERANT
	GRADIENT
ADEGINRU	GUINDERA
ADEGINRV	VIDANGER
ADEGINSS	DESIGNAS
ADEGINST	DESIGNAT
ADEGINSU	ENDIGUAS
	NIGAUDES
ADEGINSV	VIDANGES
ADEGINTU	ENDIGUAT
ADEGINUU	GUINDEAU
ADEGINVZ	VIDANGEZ
ADEGIORR	DRAGEOIR
ADEGIORS	GODERAIS
ADEGIORT	DOIGTERA
	GODERAIT
ADEGIOSS	DEGOISAS
ADEGIOST	DEGOISAT
	DEGOTAIS
ADEGIOTT	DEGOTAIT
	DEGOTTAI
ADEGIOTU	DEGOUTAI
ADEGIQRU	QUADRIGE
ADEGIRSS	DEGRISAS
ADEGIRST	DEGRISAT
ADEGIRSU	GUIDERAS
ADEGIRSV	DEGIVRAS →

	GRAVIDES
ADEGIRTV	DEGIVRAT
ADEGIRUV	DIVAGUER
ADEGIRUZ	DRAGUIEZ
	GRADUIEZ
ADEGISSU	DEGUISAS
	GUIDASSE
ADEGISTU	DEGUISAT
	DEGUSTAI
	GUIDATES
ADEGISUV	DIVAGUES
ADEGIUUX	GUIDEAUX
ADEGIUVZ	DIVAGUEZ
ADEGJNTU	ADJUGENT
ADEGLNNT	GLANDENT
ADEGLNOS	GOELANDS
ADEGLNTU	DEGLUANT
ADEGLRSU	GRADUELS
ADEGLRUU	GUEULARD
ADEGMMOS	DEGOMMAS
	DOMMAGES
ADEGMMOT	DEGOMMAT
ADEGMOPT	DOMPTAGE
ADEGMORU	GOURMADE
ADEGNNOR	DRAGONNE
ADEGNORR	GRONDERA
ADEGNORS	DRAGEONS
ADEGNOSS	SONDAGES
ADEGNOST	TONDAGES
ADEGNOSZ	DEGAZONS
ADEGNOTT	DEGOTANT
ADEGNRRU	GRANDEUR
ADEGNRST	GRANDETS
ADEGNRTU	DRAGUENT
	GRADUENT
ADEGOPPR	DROPPAGE
ADEGOPRS	PODAGRES
ADEGOPRU	POUDRAGE
ADEGORRU	DROGUERA
ADEGORSS	DEGROSSA
ADEGORST	TORDAGES
ADEGORUU	ROUGEAUD
ADEGOSSS	GODASSES
ADEGOSSU	SOUDAGES
ADEGOSTT	DEGOTTAS
ADEGOSTU	DEGOUTAS
ADEGOTTT	DEGOTTAT
ADEGOTTU	DEGOUTAT
	DEGOUTTA
ADEGPRSU	GUEPARDS
ADEGRRSU	GARDEURS
ADEGRRUU	DRAGUEUR
ADEGSSTU	DEGUSTAS
ADEGSTTU	DEGUSTAT
ADEHIINP	APHIDIEN*
ADEHIKLV	KHEDIVAL
ADEHIKTV	KHEDIVAT
ADEHILOP	HAPLOIDE
ADEHILOY	HYALOIDE
ADEHILSU	DESHUILA
ADEHIMST	MAHDISTE
ADEHINOS	ADHESION
ADEHINPS	DAPHNIES
ADEHINPU	DAUPHINE
ADEHINRR	ENHARDIR
ADEHINRS	ENHARDIS
ADEHINRT	ENHARDIT
ADEHIPSS	DIPHASES
ADEHIPSY	DIAPHYSE
ADEHIRRY	HYDRAIRE*
ADEHISTY	THYIADES
ADEHLLNO	HOLLANDE
ADEHLLPY	PHYLLADE
ADEHLNOS	DEHALONS
ADEHLNRW	LANDWEHR
ADEHLNST	SHETLAND
ADEHLOPS	PHOLADES
ADEHNORS	ADHERONS
ADEHNRSY	ANHYDRES
ADEHOPRS	RHAPSODE
ADEHORRU	HOURDERA
ADEHRRTY	HYDRATER
ADEHRSSU	HUSSARDE
ADEHRSTY	HYDRATES
ADEHRTYZ	HYDRATEZ
ADEIIIRT	TIEDIRAI
ADEIILMT	DELIMITA
ADEIILNR	ENLAIDIR
ADEIILNS	ENLAIDIS
ADEIILNT	ENLAIDIT
ADEIILNV	INVALIDE
ADEIILOR	IODLERAI
ADEIILOV	DEVOILAI
ADEIILPS	DEPILAIS
	DEPLIAIS
ADEIILPT	DEPILAIT
	DEPLIAIT
ADEIILPZ	LAPIDIEZ
	PLAIDIEZ
ADEIILRS	DELIRAIS
ADEIILRT	DELIRAIT
ADEIILRU	DILUERAI

ADEIILRV	DELIVRAI
ADEIILST	DELITAIS
ADEIILTT	DELITAIT
ADEIILTV	VALIDITE
ADEIILTZ	DILATIEZ
ADEIILVZ	VALIDIEZ
ADEIIMMT	IMMEDIAT
ADEIIMNS	DEMINAIS
	DIAMINES
	MENDIAIS
ADEIIMNT	DEMINAIT
	MENDIAIT
ADEIIMOZ	AMODIIEZ
ADEIIMPR	DEPRIMAI
ADEIIMPV	IMPAVIDE
ADEIIMRS	MEDIRAIS
	RAIDIMES
ADEIIMRT	MEDIRAIT
ADEIIMRZ	ADMIRIEZ
ADEIIMSS	MEDISAIS
ADEIIMST	MEDISAIT
	MEDITAIS
ADEIIMTT	MEDITAIT
ADEIINNT	DINAIENT
ADEIINOT	IDEATION
ADEIINPR	PEINDRAI
ADEIINRS	DINERAIS
	DRAISINE
ADEIINRT	DINERAIT
	DIRAIENT
	RIDAIENT
	TEINDRAI
	TIENDRAI
ADEIINRU	ENDUIRAI
ADEIINRV	RENVIDAI
	VIENDRAI
ADEIINRZ	DRAINIEZ
ADEIINSS	DESSINAI
ADEIINST	DESTINAI
	DISAIENT
ADEIINSV	DEVINAIS
ADEIINSX	INDEXAIS
ADEIINSZ	DIZAINES
ADEIINTV	DEVINAIT
	VIDAIENT
ADEIINTX	INDEXAIT
ADEIINVZ	VIANDIEZ
ADEIIPQU	DEPIQUAI
ADEIIPRR	PREDIRAI
ADEIIPRS	PRESIDAI
ADEIIPRT	RAPIDITE →
	TREPIDAI
ADEIIPRU	REPUDIAI
ADEIIPRZ	DIAPRIEZ
ADEIIPST	DEPISTAI
	DEPITAIS
	SAPIDITE
ADEIIPTT	DEPITAIT
ADEIIRRR	IRRADIER
ADEIIRRS	IRRADIES
	REDIRAIS
	RIDERAIS
ADEIIRRT	REDIRAIT
	RIDERAIT
ADEIIRRU	REDUIRAI
ADEIIRRV	DRIVERAI
	VERDIRAI
ADEIIRRZ	IRRADIEZ
	RAIDIREZ
ADEIIRSS	DESIRAIS
	RAIDISSE
	REDISAIS
	RESIDAIS
	SIDERAIS
ADEIIRST	ARIDITES
	DESIRAIT
	DETIRAIS
	DISTRAIE
	RAIDITES
	REDISAIT
	RESIDAIT
	SIDERAIT
	TIEDIRAS
ADEIIRSU	SEDUIRAI
ADEIIRSV	DERIVAIS
	DEVIRAIS
	DIVISERA
	VIDERAIS
ADEIIRTT	ATTIEDIR
	DETIRAIT
ADEIIRTV	DERIVAIT
	DEVIRAIT
	VIDERAIT
ADEIISSS	DESSAISI
ADEIISST	DESISTAI
ADEIISSV	DEVISAIS
	DEVISSAI
ADEIISTT	ATTIEDIS
ADEIISTU	ETUDIAIS
ADEIISTV	AVIDITES
	DEVISAIT
ADEIITTT	ATTIEDIT

ADEIITTU	ETUDIAIT
ADEIITUV	AUDITIVE
ADEIJLOR	JODLERAI
ADEIJMSU	JUDAISME
ADEIJNOT	ADJOINTE
ADEIJNRR	JARDINER
ADEIJNRS	JARDINES
ADEIJNRT	JARDINET
ADEIJNRZ	JARDINEZ
ADEIJOSU	DEJOUAIS
ADEIJOTU	DEJOUAIT
ADEIJQUU	JUDAIQUE
ADEIJRSU	JUDAISER
ADEIJRUZ	ADJURIEZ
ADEIJSSU	JUDAISES
ADEIJSUZ	JUDAISEZ
ADEIKNPP	KIDNAPPE
ADEILLMN	MANDILLE
ADEILLNP	PENDILLA
ADEILLOR	RODAILLE
ADEILLPR	PILLARDE
ADEILLRS	DRAILLES
	RALLIDES
ADEILLSS	DESSILLA
ADEILLSY	DYSLALIE
ADEILMNO	LIMONADE
	MONDIALE
ADEILMNS	LIMANDES
ADEILMOR	DEMOLIRA
ADEILMOS	IODLAMES
	MODELAIS
ADEILMOT	MODALITE
	MODELAIT
ADEILMOU	DEMOULAI
ADEILMPU	DEPLUMAI
ADEILMSU	DILUAMES
	DUALISME
ADEILNOR	LAIDERON
	ORDINALE
ADEILNOT	DELATION
ADEILNPR	PLAINDRE
ADEILNPT	DEPILANT
	DEPLIANT
	LAPIDENT
	PLAIDENT
ADEILNPU	PALUDINE
ADEILNRS	LANDIERS
ADEILNRT	DELIRANT
ADEILNTT	DELITANT
	DILATENT
ADEILNTV	VALIDENT
ADEILOPR	DEPLORAI
	DEPOLIRA
ADEILOPY	DEPLOYAI
ADEILORR	LARDOIRE
ADEILORS	IODLERAS
	ORDALIES
	SOLDERAI
ADEILORT	IDOLATRE
ADEILORU	ALOURDIE
	DEROULAI
ADEILOSS	DESOLAIS
	DESSOLAI
	IODLASSE
ADEILOST	DESOLAIT
	DIASTOLE
	IODLATES
ADEILOSV	DEVOILAS
ADEILOSX	OXALIDES
ADEILOTT	DOTALITE
ADEILOTV	DEVOILAT
	DEVOLTAI
ADEILPPU	DEPULPAI
ADEILPRU	PALUDIER
	PLAIDEUR
	PRELUDAI
ADEILPSS	DEPLISSA
ADEILRSU	DILUERAS
	LAIDEURS
ADEILRSV	DELIVRAS
ADEILRSX	RIXDALES
ADEILRSY	DIALYSER
ADEILRTV	DELIVRAT
ADEILSSU	DILUASSE
ADEILSSY	DIALYSES
ADEILSTU	DELUTAIS
	DILUATES
	DUALISTE
	DUALITES
ADEILSYZ	DIALYSEZ
ADEILTTU	ALTITÚDE
	DELUTAIT
	LATITUDE
ADEIMMNO	DENOMMAI
ADEIMMSU	MAUDIMES
ADEIMNNO	AMIDONNE
	MONDAINE
ADEIMNNT	DEMINANT
	MENDIANT
ADEIMNOR	DOMINERA
	MONDERAI
ADEIMNOS	DOMAINES →

	EMONDAIS
	NOMADISE
ADEIMNOT	AMODIENT
	DEMONTAI
	EMONDAIT
ADEIMNRT	ADMIRENT
ADEIMNRU	DEMUNIRA
	MINAUDER
ADEIMNST	MEDISANT
ADEIMNSU	MINAUDES
ADEIMNTT	MEDITANT
ADEIMNTY	DYNAMITE
ADEIMNUZ	MINAUDEZ
ADEIMORS	MODERAIS
ADEIMORT	MEDIATOR
	MODERAIT
ADEIMORU	EMOUDRAI
ADEIMOST	MASTOIDE
ADEIMPRS	DEPRIMAS
ADEIMPRT	DEPRIMAT
ADEIMPRY	PYRAMIDE
ADEIMRRS	MADRIERS
ADEIMRRT	TRIMARDE
ADEIMRSV	DRIVAMES
ADEIMRSY	MYDRIASE
	MYRIADES
ADEIMRUZ	MAUDIREZ
ADEIMSSS	ADMISSES
	SADISMES
ADEIMSSU	MAUDISSE
	MEDUSAIS
ADEIMSTU	MAUDITES
	MEDUSAIT
ADEINNOR	DONNERAI
	INONDERA
	REDONNAI
ADEINNOS	ANODINES
ADEINNOT	DETONNAI
ADEINNOZ	ADONNIEZ
ADEINNRT	DENANTIR
	DRAINENT
ADEINNST	DENANTIS
ADEINNTT	DENANTIT
ADEINNTV	DEVINANT
	VIANDENT
ADEINNTX	INDEXANT
ADEINOOR	ONDOIERA
ADEINOPR	PONDERAI
ADEINOPT	ANTIPODE
	DEPOINTA
	DOPAIENT
ADEINOQU	ANODIQUE
ADEINORR	ARRONDIE
ADEINORS	AIDERONS
	DERAISON
	SARDOINE
	SONDERAI
ADEINORT	AIDERONT
	DETRONAI
	DORAIENT
	RODAIENT
ADEINORU	DOUANIER
	NOIRAUDE
ADEINOSS	DANOISES
	ENDOSSAI
ADEINOST	DENOTAIS
	DETONAIS
	DOSAIENT
	SEDATION
ADEINOSU	DENOUAIS
	SAOUDIEN
	SOUDAINE
ADEINOSV	EVADIONS
	VANDOISE
ADEINOSY	DENOYAIS
ADEINOTT	ANTIDOTE
	DENOTAIT
	DETONAIT
	DOTAIENT
ADEINOTU	DENOUAIT
	DOUAIENT
ADEINOTY	DENOYAIT
ADEINOUZ	DOUZAINE
ADEINPPS	APPENDIS
ADEINPPT	APPENDIT
ADEINPRR	PRENDRAI
ADEINPRS	EPINARDS
	PEINARDS
	PEINDRAS
	PENDRAIS
	REPANDIS
ADEINPRT	DIAPRENT
	PENDRAIT
	REPANDIT
ADEINPSS	DISPENSA
ADEINPST	PINTADES
ADEINPTT	DEPITANT
ADEINPTU	DUPAIENT
ADEINQUU	QUINAUDE
ADEINRRS	RENDRAIS
ADEINRRT	RENDRAIT
ADEINRRU	INDURERA

ADEINRSS	SARDINES
ADEINRST	DESIRANT
	REDISANT
	RESIDANT
	SIDERANT
	TEINDRAS
	TENDRAIS
	TIENDRAS
ADEINRSU	DESUNIRA
	ENDUIRAS
	ENDURAIS
ADEINRSV	RENVIDAS
	VEINARDS
	VENDRAIS
	VIENDRAS
ADEINRTT	ATTENDRI
	DETIRANT
	TENDRAIT
ADEINRTU	DURAIENT
	ENDURAIT
	RUDENTAI
ADEINRTV	DERIVANT
	DEVIRANT
	RENVIDAT
	VENDRAIT
ADEINSSS	DESSINAS
	DINASSES
ADEINSST	DESSINAT
	DESTINAS
ADEINSTT	ATTENDIS
	DESTINAT
	DISTANTE
ADEINSTV	DEVIANTS
	DEVISANT
ADEINSTY	DYNASTIE
ADEINTTT	ATTENDIT
ADEINTTU	ETUDIANT
ADEIOPRR	PARODIER
ADEIOPRS	DOPERAIS
	PARODIES
	PODAIRES
	RAPSODIE
ADEIOPRT	DEPORTAI
	DOPERAIT
	PAROTIDE
ADEIOPRV	POIVRADE
ADEIOPRZ	PARODIEZ
ADEIOPSS	ADIPOSES
	DEPOSAIS
	POSSEDAI
ADEIOPST	DEPOSAIT →
	DEPOTAIS
ADEIOPTT	DEPOTAIT
ADEIOPTV	ADOPTIVE
ADEIOPTZ	ADOPTIEZ
ADEIOQUZ	ZODIAQUE
ADEIORRS	DESARROI
	DORERAIS
	REDORAIS
	RODERAIS
ADEIORRT	DORERAIT
	REDORAIT
	RODERAIT
ADEIORRU	RUDOIERA
ADEIORRY	DRAYOIRE
ADEIORSS	ARDOISES
	DOSERAIS
ADEIORST	ADROITES
	DOSERAIT
	DOTERAIS
ADEIORSU	DOUAIRES
	DOUERAIS
	SOUDERAI
ADEIORSV	AVODIRES
	DEVORAIS
ADEIORTT	DOTERAIT
ADEIORTU	DEROUTAI
	DETOURAI
	DOUERAIT
	DOUTERAI
	REDOUTAI
ADEIORTV	DEVORAIT
ADEIORTZ	RADOTIEZ
ADEIORVY	VERDOYAI
ADEIORXY	OXYDERAI
ADEIOSSS	DESOSSAI
ADEIOSSZ	ADOSSIEZ
ADEIOSTU	SAOUDITE
ADEIOSUV	DEVOUAIS
	VAUDOISE
ADEIOSVY	DEVOYAIS
ADEIOTUV	DEVOUAIT
ADEIOTVY	DEVOYAIT
ADEIPQSU	DEPIQUAS
ADEIPQTU	DEPIQUAT
ADEIPRRS	DRAPIERS
	PERDRAIS
	PREDIRAS
ADEIPRRT	DEPARTIR
	PERDRAIT
ADEIPRRU	DIAPRURE
ADEIPRSS	DISPERSA →

	PRESIDAS
ADEIPRST	DEPARTIS
	PRESIDAT
	TREPIDAS
ADEIPRSU	DEPURAIS
	DISPARUE
	DUPERAIS
	REPUDIAS
ADEIPRTT	DEPARTIT
	TREPIDAT
ADEIPRTU	DEPURAIT
	DUPERAIT
	REPUDIAT
ADEIPSST	DEPISTAS
ADEIPSTT	DEPISTAT
ADEIPSTU	DEPUTAIS
ADEIPTTU	APTITUDE
	DEPUTAIT
ADEIQRSU	DARIQUES
ADEIQSSU	DISSEQUA
	SADIQUES
ADEIQSUU	EDUQUAIS
ADEIQTUU	EDUQUAIT
ADEIRRSU	DURERAIS
	RAIDEURS
	REDUIRAS
ADEIRRSV	DRIVERAS
	VERDIRAS
ADEIRRTU	DETRUIRA
	DURERAIT
	TRADUIRE
ADEIRSSS	DRESSAIS
	RASSIEDS
	RIDASSES
ADEIRSST	DISSERTA
	DRESSAIT
ADEIRSSU	SEDUIRAS
ADEIRSSV	DRIVASSE
ADEIRSTT	DATTIERS
ADEIRSTU	TAURIDES
	TRADUISE
ADEIRSTV	DRIVATES
	TARDIVES
ADEIRSUX	SIDERAUX
ADEIRTTU	TRADUITE
ADEIRTUU	AUDITEUR
ADEIRUVZ	VAUDRIEZ
ADEISSST	DESISTAS
ADEISSSU	ASSIDUES
ADEISSSV	DEVISSAS
	VIDASSES
ADEISSTT	DESISTAT
ADEISSTV	DEVISSAT
ADEISSUX	EXSUDAIS
ADEISTTU	DESTITUA
ADEISTUX	EXSUDAIT
ADEITTTU	ATTITUDE
ADEJLMOS	JODLAMES
ADEJLORS	JODLERAS
ADEJLOSS	JODLASSE
ADEJLOST	JODLATES
ADEJMRSU	MUDEJARS
ADEJNORU	JOURNADE
ADEJNOTU	DEJOUANT
ADEJNRSU	JURANDES
ADEJNRTU	ADJURENT
ADELLNRU	NULLARDE
ADELLOPU	DEPOLLUA
ADELLRSU	DALLEURS
ADELMNNO	MALDONNE
ADELMNOR	MANDORLE
ADELMNOS	MANDOLES
ADELMNOT	MODELANT
ADELMORU	MODULERA
ADELMOSS	SOLDAMES
ADELMOSU	DEMOULAS
ADELMOSV	MOLDAVES
ADELMOTU	DEMOULAT
ADELMPSU	DEPLUMAS
ADELMPTU	DEPLUMAT
ADELMRSU	MULARDES
ADELNNOR	LARDONNE
ADELNOPR	PONDERAL
ADELNOPS	PEDALONS
ADELNORS	LEONARDS
ADELNORU	ONDULERA
ADELNOST	DESOLANT
	DETALONS
ADELNOSV	DELAVONS
	DEVALONS
ADELNOSY	DELAYONS
	SYNODALE
ADELNTTU	DELUTANT
ADELOPRS	DEPLORAS
	LEOPARDS
ADELOPRT	DEPLORAT
ADELOPRU	PALOURDE
	POULARDE
ADELOPSY	DEPLOYAS
ADELOPTY	DEPLOYAT
ADELORSS	DORSALES
	SOLDERAS

ADELORSU	DEROULAS
	ROULADES
	SOULARDE
ADELORTU	DEROULAT
ADELOSSS	DESSOLAS
	SOLDASSE
ADELOSST	DESSOLAT
	SOLDATES
ADELOSSU	DESSOULA
ADELOSTV	DEVOLTAS
ADELOSUU	SOULAUDE
ADELOTTV	DEVOLTAT
ADELOUXY	DELOYAUX
ADELPPSU	DEPULPAS
ADELPPTU	DEPULPAT
ADELPRRU	PLEURARD
ADELPRSU	PRELUDAS
ADELPRTU	PRELUDAT
ADELRSTU	DELUSTRA
ADEMMNOS	DENOMMAS
	MONDAMES
ADEMMNOT	DENOMMAT
ADEMMOPR	POMMADER
ADEMMOPS	POMMADES
ADEMMOPZ	POMMADEZ
ADEMNNOR	NORMANDE
ADEMNNOS	AMENDONS
	DONNAMES
ADEMNNOT	EMONDANT
ADEMNORS	DAMERONS
	MONDERAS
	ROMANDES
ADEMNORT	DAMERONT
	DEMONTRA
	DORMANTE
	MODERANT
	MORDANTE
ADEMNOSS	MONDASSE
	SONDAMES
ADEMNOST	DEMATONS
	DEMONTAS
	MONDATES
ADEMNOTT	DEMONTAT
ADEMNRSU	DURAMENS
ADEMNSTU	MEDUSANT
ADEMOORT	MODERATO
ADEMOPRT	DETROMPA
	DOMPTERA
ADEMORRR	REMORDRA
ADEMORRU	REMOUDRA
ADEMORSU	EMOUDRAS
ADEMORTU	MOUTARDE
ADEMOSSU	SOUDAMES
ADEMOSTU	DOUTAMES
ADEMOSXY	OXYDAMES
ADEMRRSU	MADRURES
	MUSARDER
ADEMRSSU	MUSARDES
ADEMRSUZ	MUSARDEZ
ADENNNOT	ADONNENT
	DONNANTE
ADENNOOT	ANODONTE
ADENNOPR	PARDONNE
ADENNOPS	EPANDONS
ADENNORS	DONNERAS
	REDONNAS
ADENNORT	REDONNAT
ADENNOSS	DONNASSE
ADENNOST	DETONNAS
	DONNATES
ADENNOTT	DENOTANT
	DETONANT
	DETONNAT
ADENNOTU	DENOUANT
ADENNOTY	DENOYANT
ADENNPST	PENDANTS
ADENNRTU	ENDURANT
ADENNSTT	TENDANTS
ADENOORT	ODORANTE
ADENOOST	ODONATES
ADENOPRR	REPONDRA
ADENOPRS	DEPARONS
	DERAPONS
	PANDORES
	PONDERAS
ADENOPRT	PONDERAT
ADENOPSS	ESPADONS
ADENOPST	DEPOSANT
ADENOPSV	DEPAVONS
ADENOPTT	ADOPTENT
	DEPOTANT
ADENORRS	RADERONS
ADENORRT	RADERONT
	REDORANT
	RETONDRA
ADENORSS	DERASONS
	RENDOSSA
	SONDERAS
ADENORST	DATERONS
	DERATONS
	DETRONAS
	TADORNES →

	TORNADES
ADENORSY	DERAYONS
ADENORTT	DATERONT
	DETRONAT
	RADOTENT
	TORDANTE
ADENORTU	DETOURNA
	DONATEUR
ADENORTV	DEVORANT
ADENORUX	RONDEAUX
ADENOSSS	ENDOSSAS
	SONDASSE
ADENOSST	ADOSSENT
	ENDOSSAT
	SONDATES
ADENOSSX	DESAXONS
ADENOSTT	DANSOTTE
ADENOSTU	SOUDANTE
ADENOSTX	DETAXONS
ADENOTUV	DEVOUANT
ADENOTVY	DEVOYANT
ADENOTXY	OXYDANTE
ADENPPRR	RAPPREND
ADENPPRS	APPRENDS
ADENPPSU	APPENDUS
ADENPRRS	PRENDRAS
ADENPRST	PERDANTS
ADENPRSU	REPANDUS
ADENPRTU	DEPURANT
ADENPTTU	DEPUTANT
ADENQTUU	EDUQUANT
ADENRRTU	TRUANDER
ADENRSST	DRESSANT
ADENRSSU	DANSEURS
ADENRSTU	RUDENTAS
	TRUANDES
ADENRTTU	RUDENTAT
ADENRTUZ	TRUANDEZ
ADENSSTY	DYNASTES
ADENSTTU	ATTENDUS
ADENSTUX	EXSUDANT
ADEOOPSS	APODOSES
ADEOORRT	TOREADOR
ADEOPPRU	POUPARDE
ADEOPRRU	POUDRERA
ADEOPRST	DEPORTAS
ADEOPRTT	DEPORTAT
ADEOPSSS	DOPASSES
	POSSEDAS
ADEOPSST	POSSEDAT
ADEOPSTT	DESPOTAT →

	PODESTAT
	POSTDATE
ADEOQRTU	TOQUARDE
ADEOQSTU	TOQUADES
ADEORRRT	RETORDRA
ADEORRSS	DROSERAS
	DROSSERA
ADEORRST	DARTROSE
	ROADSTER
	TORSADER
ADEORRSU	RESOUDRA
ADEORRTU	RADOTEUR
ADEORSSS	DORASSES
	RODASSES
ADEORSST	TORSADES
ADEORSSU	RESSOUDA
	SOUDERAS
ADEORSTU	DEROUTAS
	DETOURAS
	DOUTERAS
	OUTARDES
	REDOUTAS
ADEORSTX	EXTRADOS
ADEORSTZ	TORSADEZ
ADEORSVY	VERDOYAS
ADEORSXY	OXYDERAS
ADEORTTU	DEROUTAT
	DETOURAT
	REDOUTAT
ADEORTVY	VERDOYAT
ADEOSSSS	DESOSSAS
	DOSASSES
ADEOSSST	DESOSSAT
	DOTASSES
ADEOSSSU	DOUASSES
	SOUDASSE
ADEOSSTU	DOUTASSE
	SOUDATES
ADEOSSXY	OXYDASES
	OXYDASSE
ADEOSTTU	DOUTATES
ADEOSTXY	OXYDATES
ADEPSSSU	DUPASSES
ADERRUUX	RUDERAUX
ADERSSSU	DURASSES
ADERSSTW	STEWARDS
ADERSSUY	DASYURES
ADERSTUU	RUSTAUDE
ADESSTUX	EXSUDATS
ADFFIISU	DIFFUSAI
ADFFIORS	SOIFFARD

ADFFISSU	DIFFUSAS
ADFFISTU	DIFFUSAT
ADFIIIIN	NIDIFIAI
ADFIIIMO	MODIFIAI
ADFIIINS	NIDIFIAS
ADFIIINT	NIDIFIAT
ADFIIMOS	MODIFIAS
ADFIIMOT	MODIFIAT
ADFIISTU	AUDITIFS
ADFILMNO	MANIFOLD
ADFILNNR	FLANDRIN
ADFILRRS	RIFLARDS
ADFINORS	FARDIONS
	FONDRAIS
	FRONDAIS
ADFINORT	FONDRAIT
	FRONDAIT
ADFINORU	FOUINARD
ADFIOPST	ADOPTIFS
ADFLNOPS	PLAFONDS
ADFLORSU	FOULARDS
ADFLORTT	FLOTTARD
ADFNNORT	FRONDANT
ADFNNOST	FONDANTS
ADFNOPRS	PARFONDS
ADFNOPRU	PARFONDU
ADFNORSU	FRAUDONS
ADFOORUY	FOUDROYA
ADGGINRU	GUIGNARD
ADGGNORR	GROGNARD
ADGHILOS	HIDALGOS
ADGIIINN	INDIGNAI
ADGIILLO	GODILLAI
ADGIINNS	INDIGNAS
ADGIINNT	INDIGNAT
ADGIINSU	GUINDAIS
ADGIINTU	GUINDAIT
ADGIIOST	DOIGTAIS
ADGIIOTT	DOIGTAIT
ADGIITUX	DIGITAUX
ADGILLOS	GODILLAS
ADGILLOT	GODILLAT
ADGILNOO	GONDOLAI
ADGILOOS	SOLIDAGO
ADGILORR	RIGOLARD
ADGILUUV	DIVULGUA
ADGIMNRS	MIGNARDS
ADGIMRSU	GRIMAUDS
ADGINNOR	RAGONDIN
ADGINNOS	DAIGNONS
ADGINNST	STANDING

ADGINNTU	GUINDANT
ADGINOPR	POIGNARD
ADGINORS	GARDIONS
	GRONDAIS
	ORGANDIS
ADGINORT	GRONDAIT
ADGINORU	RIGAUDON
ADGINOTT	DOIGTANT
ADGINRRS	RINGARDS
ADGIOPRU	PRODIGUA
ADGIORSU	DROGUAIS
ADGIORTU	DROGUAIT
ADGIRRSS	GRISARDS
ADGLNNOS	GLANDONS
ADGLNOOS	GONDOLAS
ADGLNOOT	GONDOLAT
ADGMNORS	DROGMANS
ADGMNORU	GOURMAND
ADGNNOOR	GODRONNA
ADGNNORT	GRONDANT
ADGNOOPS	PAGODONS
ADGNORSU	DRAGUONS
	GRADUONS
ADGNORTU	DROGUANT
ADHINORS	HARDIONS
ADHINPSU	DAUPHINS
ADHIORSU	HOURDAIS
ADHIORTU	HOURDAIT
ADHNORTU	HOURDANT
ADHOOPRS	HOSPODAR
ADHORSSU	HOUSARDS
ADHRSSSU	HUSSARDS
ADIIILQU	LIQUIDAI
ADIIIMNT	INTIMIDA
ADIIIMNU	DIMINUAI
ADIIINQU	INDIQUAI
ADIIINRU	INDUIRAI
ADIIINSV	DIVINISA
ADIIIORR	ROIDIRAI
ADIIIPSS	DISSIPAI
ADIIISSV	DIVISAIS
ADIIISTV	DIVISAIT
ADIIJNOR	JOINDRAI
ADIILLMR	MILLIARD
ADIILLST	DISTILLA
ADIILQSU	LIQUIDAS
ADIILQTU	LIQUIDAT
ADIIMNOR	AMOINDRI
ADIIMNOS	DOMINAIS
ADIIMNOT	DOMINAIT
ADIIMNRT	DIRIMANT

ADIIMNSU	DIMINUAS
ADIIMNTU	DIMINUAT
ADIIMORR	DORMIRAI
ADIINNOS	INONDAIS
ADIINNOT	INONDAIT
	NIDATION
ADIINORR	NORDIRAI
ADIINORS	OINDRAIS*
	RADIIONS
ADIINORT	OINDRAIT*
ADIINOSS	DISSONAI
ADIINOTU	AUDITION
ADIINQSU	INDIQUAS
ADIINQTU	INDIQUAT
ADIINRSU	INDUIRAS
	INDURAIS
ADIINRTU	INDURAIT
ADIINSTV	DIVISANT
ADIIOPSS	DISPOSAI
ADIIORRS	ROIDIRAS
ADIIORRU	OURDIRAI
ADIIPSSS	DISSIPAS
ADIIPSST	DISSIPAT
ADIIPSTU	DISPUTAI
ADIIQRTU	QUARTIDI
ADIIRSST	DISTRAIS
ADIIRSTT	DISTRAIT
ADIJNORS	JOINDRAS
ADIJNOST	ADJOINTS
ADILLMNR	MANDRILL
ADILLMOR	MORDILLA
ADILLMPU	PALLIDUM
ADILLNOR	ARDILLON
ADILLNOS	DALLIONS
ADILLPRS	PILLARDS
ADILMOSU	MODULAIS
ADILMOTU	MODULAIT
ADILNOPS	LAPIDONS
	PLAIDONS
ADILNORS	LARDIONS
ADILNOST	DILATONS
ADILNOSU	ADULIONS
	ONDULAIS
ADILNOSV	VALIDONS
ADILNOTU	ONDULAIT
ADILOOPR	POLAROID
ADILOORT	DORLOTAI
ADILOQSU	DISLOQUA
ADILORRU	ALOURDIR
ADILORSU	ALOURDIS
ADILORTU	ALOURDIT
ADILRSTU	STRIDULA
ADIMNNOS	DAMNIONS
	MANDIONS
	MONDAINS
ADIMNNOT	DOMINANT
ADIMNNRS	MANDRINS
ADIMNOOS	AMODIONS
ADIMNORS	ADMIRONS
ADIMNOUX	MONDIAUX
ADIMOORR	MORDORAI
ADIMOPST	DOMPTAIS
ADIMOPTT	DOMPTAIT
ADIMORRS	DORMIRAS
	MIRADORS
	MORDRAIS
ADIMORRT	MORDRAIT
ADIMORSU	MOUDRAIS
ADIMORTU	MOUDRAIT
ADIMRRST	TRIMARDS
ADINNNOT	INONDANT
ADINNOOR	ORDONNAI
ADINNOOT	DONATION
ADINNORS	DRAINONS
ADINNORT	ORDINANT
ADINNOSS	DANSIONS
ADINNOSV	VIANDONS
ADINNRTU	INDURANT
ADINOOPT	ADOPTION
ADINOORS	ADORIONS
ADINOOSY	ONDOYAIS
ADINOOTT	DOTATION
ADINOOTY	ONDOYAIT
ADINOPRS	DIAPRONS
	DRAPIONS
	PONDRAIS
ADINOPRT	PONDRAIT
ADINOPSS	SPONDIAS
ADINORRR	ARRONDIR
ADINORRS	ARRONDIS
	NORDIRAS
ADINORRT	ARRONDIT
ADINORST	INTRADOS
	TARDIONS
	TONDRAIS
ADINORSU	NOIRAUDS
ADINORSY	DRAYIONS
ADINORTT	TONDRAIT
ADINORUX	ORDINAUX
ADINOSSS	DISSONAS
ADINOSST	DISSONAT
ADINOSSU	SOUDAINS

ADINOSTU	SUDATION
ADINOSUV	DOUVAINS
ADINOSUX	SAINDOUX
ADINOSUZ	DOUZAINS
ADINQSUU	QUINAUDS
ADINQSUY	SYNDIQUA
ADINRUUX	DIURNAUX
ADINSSTT	DISTANTS
ADIOOSUY	SOUDOYAI
ADIOPRRU	PRODUIRA
ADIOPRSS	POISSARD
ADIOPRSU	POUDRAIS
ADIOPRTU	POUDRAIT
ADIOPSSS	DISPOSAS
ADIOPSST	DISPOSAT
ADIORRST	TORDRAIS
ADIORRSU	OURDIRAS
ADIORRTT	TORDRAIT
ADIORSSS	DROSSAIS
ADIORSST	DROSSAIT
ADIORSSU	ASSOURDI
ADIORSTT	STRADIOT
ADIORSUV	VOUDRAIS
ADIORSUY	RUDOYAIS
ADIORTUV	VOUDRAIT
ADIORTUY	RUDOYAIT
ADIPRSST	PISTARDS
ADIPRSSU	DISPARUS
	PUISARDS
ADIPRSTU	DISPARUT
ADIPSSTU	DISPUTAS
ADIPSTTU	DISPUTAT
ADIRSTTU	TRADUITS
ADJNORSU	ADJURONS
ADLLLORS	LOLLARDS
ADLLNRSU	NULLARDS
ADLMNOTU	MODULANT
ADLMPRSU	PLUMARDS
ADLNNOTU	ONDULANT
ADLNOPRT	PORTLAND
ADLOORST	DORLOTAS
ADLOORTT	DORLOTAT
ADLORSSU	SOULARDS
ADLOSSUU	SOULAUDS
ADMMOPRS	POMMARDS
ADMNNORS	NORMANDS
ADMNOPTT	DOMPTANT
ADMNORST	DORMANTS
	MORDANTS
ADMOORRS	MORDORAS
ADMOORRT	MORDORAT
ADMORSTU	MOUTARDS
ADNNNOOS	ADONNONS
ADNNNOST	DONNANTS
ADNNOORS	ORDONNAS
ADNNOORT	ORDONNAT
ADNNOOTY	ONDOYANT
ADNOOPST	ADOPTONS
ADNOORST	ODORANTS
	RADOTONS
ADNOOSSS	ADOSSONS
ADNOPRSU	PANDOURS
ADNOPRTU	POUDRANT
ADNORSST	DROSSANT
ADNORSTT	TORDANTS
ADNORSTU	TOUNDRAS
ADNORSUV	VAUDRONS
ADNORTUV	VAUDRONT
ADNORTUY	RUDOYANT
ADNOSSTU	SOUDANTS
ADNOSTXY	OXYDANTS
ADNOSUXY	SYNODAUX
ADOOPRUY	POUDROYA
ADOOSSUY	SOUDOYAS
ADOOSTUY	SOUDOYAT
ADOPPRSU	POUPARDS
ADOQRSTU	TOQUARDS
ADORRSSS	ROSSARDS
ADORSUXY	SUROXYDA
ADRSSTUU	RUSTAUDS
AEEEEGRX	EXAGEREE
AEEEELRS	REALESEE
AEEEFFMR	AFFERMEE
AEEEFFNS	EFFANEES
AEEEFFRS	EFFAREES
AEEEFFRT	AFFRETEE
AEEEFFRY	EFFRAYEE
AEEEFINT	ENFAITEE
AEEEFIRR	AERIFERE
	RAREFIEE
AEEEFLRS	ERAFLEES
AEEEFLRT	FRELATEE
AEEEFNNT	ENFANTEE
AEEEFPRU	EPAUFREE
AEEEFRRR	REFERERA
AEEEFSSY	FASEYEES
AEEEGGIP	PIEGEAGE
AEEEGGNR	EGRENAGE
	REENGAGE
	REGAGNEE
	RENGAGEE
AEEEGGNS	ENGAGEES

AEEEGGRS AGREGEES
AEEEGILL EGAILLEE
AEEEGILS EGALISEE
AEEEGIMR EMERGEAI
AEEEGINN ENGAINEE
ENNEIGEA
AEEEGINS AGENESIE
AEEEGIRZ EGAIEREZ
AEEEGISS ASSIEGEE
AEEEGLLS ALLEGEES
AEEEGLLU ALLEGUEE
AEEEGLMN MELANGEE
AEEEGLNR GENERALE
AEEEGLNS AGNELEES
AEEEGLNT ELEGANTE
AEEEGLNV ENLEVAGE
AEEEGLRR REGELERA
AEEEGLRS REGALEES
AEEEGLRV RELEVAGE
AEEEGLRZ EGALEREZ
AEEEGLSU ELAGUEES
AEEEGLSV ELEVAGES
AEEEGLTV VEGETALE
AEEEGLUV AVEUGLEE
AEEEGMMN EMMENAGE
AEEEGMNR MENAGERE
REMANGEE
AEEEGMNS MENAGEES
AEEEGMPS EMPESAGE
AEEEGMRR EMERGERA
AEEEGMRS EMARGEES
EMERGEAS
AEEEGMRT EMERGEAT
AEEEGNNU ENNUAGEE
AEEEGNPR EPARGNEE
AEEEGNRR EGRENERA
REGENERA
AEEEGNRS ENRAGEES
AEEEGNRT ARGENTEE
RENEGATE
AEEEGNRV ENGRAVEE
AEEEGNSS ESSANGEE
AEEEGPPR EGRAPPEE
AEEEGPRR REPERAGE
AEEEGPRS ARPEGEES
ASPERGEE
PEAGERES*
PRESAGEE
AEEEGRRR REGREERA
AEEEGRRS RAGREEES
AEEEGRRX EXAGERER
AEEEGRRZ AGREEREZ
EGAREREZ
AEEEGRSS AGRESSEE
AEEEGRST ETAGERES
AEEEGRSX EXAGERES
AEEEGRTV VEGETERA
AEEEGRTZ ETAGEREZ
AEEEGRXZ EXAGEREZ
AEEEGRYZ EGAYEREZ
AEEEGSTT ETETAGES
AEEEHLSX EXHALEES
AEEEHNQU HAQUENEE
AEEEHNST ATHENEES
AEEEHPRS APHERESE
AEEEILLM EMAILLEE
AEEEILLR ERAILLEE
AEEEILNS ALIENEES
AEEEILNV ALEVINEE
AEEEILRS REALISEE
AEEEILRT ETALIERE
AEEEILRV ELEVERAI
AEEEIMNR MANIEREE
REANIMEE
REMANIEE
AEEEIMNS ANEMIEES
AEEEIMNX EXAMINEE
AEEEIMRR REMARIEE
AEEEINNR AERIENNE
AEEEINRS ARSENIEE
AEEEIRRR ARRIEREE
AEEEIRRZ AERERIEZ
AEEEIRTT ETETERAI
AEEEIRTZ ETAIEREZ
AEEEISTT ETATISEE
SAIETTEE
AEEEISTX EXTASIEE
AEEEJLNV ENJAVELE
AEEEJLSV JAVELEES
AEEEJRRT JARRETEE
AEEEKKPS KEEPSAKE
AEEELLLM LAMELLEE
AEEELLOV ALVEOLEE
AEEELLPR EPELLERA
AEEELMMN MALMENEE
AEEELMMR EMMELERA
AEEELMNT LAMENTEE
MANTELEE
AEEELMPS EMPALEES
EPELAMES
AEEELMRT MARTELEE
AEEELMSV ELEVAMES

AEEELNNP	EPANNELE
AEEELNNS	ANNELEES
AEEELNRT	ALTERNEE
AEEELNRV	ENLEVERA
AEEELORU	AUREOLEE
AEEELPPR	RAPPELEE
AEEELPPS	APPELEES
AEEELPSS	EPELASSE
AEEELPST	EPELATES
AEEELPSU	EPAULEES
AEEELRRS	REALESER
AEEELRRV	RELEVERA
	REVELERA
AEEELRSS	REALESES
	RESALEES
AEEELRST	ALERTEES
	ALTEREES
	RATELEES
	RELATEES
AEEELRSV	ELEVERAS
	RELAVEES
AEEELRSX	RELAXEES
AEEELRSY	RELAYEES
AEEELRSZ	ALESEREZ
	REALESEZ
AEEELRTZ	ETALEREZ
AEEELRUV	REEVALUE
AEEELSSU	ALESEUSE
AEEELSSV	ELEVASSE
AEEELSTT	ATTELEES
AEEELSTV	ELEVATES
	TAVELEES
AEEELSTX	EXALTEES
AEEELSUV	EVALUEES
AEEEMMNR	EMMENERA
AEEEMMPU	EMPAUMEE
AEEEMMRT	METAMERE
AEEEMNNP	EMPANNEE
AEEEMNRS	RAMENEES
AEEEMNRT	MATERNEE
	RENTAMEE
AEEEMNRX	REEXAMEN
AEEEMNRZ	AMENEREZ
	EMANEREZ
AEEEMNST	ENTAMEES
AEEEMPPR	EPAMPREE
AEEEMPRS	EMPAREES
	EMPESERA
	PARSEMEE
AEEEMPST	EMPATEES
	ESTAMPEE →
	ETAMPEES
AEEEMPTT	EMPATTEE
AEEEMRRS	REARMEES
AEEEMRST	RETAMEES
AEEEMRTT	TREMATEE*
AEEEMRTU	RAMEUTEE
AEEEMRTY	METAYERE
AEEEMRTZ	ETAMEREZ
AEEEMSTT	ETETAMES
AEEEMSTU	AMEUTEES
AEEENNRR	ENRENERA
AEEENNSX	ANNEXEES
AEEENPRS	PANEREES
AEEENPRT	ARPENTEE
	TREPANEE
AEEENPSX	EXPANSEE
AEEENPTT	PATENTEE
AEEENRRT	AERERENT
AEEENRRV	ENERVERA
	VENERERA
AEEENRSY	ENRAYEES
AEEENRTT	ENTETERA
AEEENRTV	ENTRAVEE
	EVENTERA
AEEENSSS	ASSENEES
AEEENSST	ENTASSEE
AEEENSSV	ENVASEES
AEEENTTU	ATTENUEE
AEEEOPRV	EVAPOREE
AEEEPPRR	PREPAREE
AEEEPPRT	APPRETEE
AEEEPRRR	REPERERA
AEEEPRRS	ESPERERA
	REPAREES
AEEEPRRT	REPETERA
AEEEPRSS	REPASSEE
	SEPAREES
AEEEPRST	RETAPEES
AEEEPRSU	APEUREES
AEEEPRSV	REPAVEES
AEEEPRSX	EXASPERE
AEEEPRSY	REPAYEES
AEEEPRTU	EPEAUTRE
AEEEPRTZ	EPATEREZ
AEEEPSTU	EPATEUSE
AEEEQRTU	ETARQUEE
AEEERRRV	REVERERA
AEEERRST	ARRETEES
AEEERRTT	ATTERREE
AEEERRVZ	AVEREREZ
AEEERSST	ESSARTEE

AEEERSSY	RESSAYEE
AEEERSTT	ETETERAS
AEEERSVZ	EVASEREZ
AEEERTYZ	ETAYEREZ
AEEESSSY	ESSAYEES
AEEESSTT	ETETASSE
AEEESSUX	ASEXUEES
AEEESTTT	ATTESTEE
	ETETATES
AEEFFFIR	FIEFFERA
AEEFFGGR	GREFFAGE
AEEFFGIL	AFFLIGEE
	EFFILAGE
AEEFFGIR	AGRIFFEE
AEEFFGNR	EFFRANGE
AEEFFGRR	GREFFERA
	REGREFFA
AEEFFGRZ	GAFFEREZ
AEEFFGSU	GAFFEUSE
AEEFFIIL	AFFILIEE
AEEFFILR	EFFILERA
AEEFFILS	AFFILEES
AEEFFILU	EFAUFILE
	FAUFILEE
AEEFFIMN	EFFEMINA
AEEFFIMR	AFFERMIE
	AFFIRMEE
AEEFFINR	RAFFINEE
AEEFFINS	AFFINEES
AEEFFINZ	EFFANIEZ
AEEFFIPS	PIAFFEES*
AEEFFIRS	EFFRAIES
AEEFFIRZ	EFFARIEZ
AEEFFISX	AFFIXEES
AEEFFLOS	AFFOLEES
AEEFFLRU	AFFLEURE
	EFFLEURA
	FARFELUE
AEEFFMRR	AFFERMER
AEEFFMRS	AFFERMES
AEEFFMRZ	AFFERMEZ
AEEFFNNT	EFFANENT
AEEFFNRT	AFFERENT
	EFFARENT
AEEFFORT	ETOFFERA
AEEFFRRT	AFFRETER
AEEFFRRY	EFFRAYER
AEEFFRST	AFFRETES
AEEFFRSU	AFFREUSE
AEEFFRSY	EFFRAYES
AEEFFRTZ	AFFRETEZ
AEEFFRYZ	EFFRAYEZ
AEEFFSTU	AFFUTEES
AEEFGGOR	FORGEAGE
AEEFGIIZ	GAZEIFIE
AEEFGILN	ENFILAGE
AEEFGILR	LEGIFERA
AEEFGILT	FILETAGE
AEEFGIMS	FIGEAMES
AEEFGINR	FREINAGE
AEEFGISS	FIGEASSE
AEEFGIST	FIGEATES
AEEFGITU	FATIGUEE
AEEFGLLL	FLAGELLE
AEEFGLLO	FLAGEOLE
AEEFGLRU	FLEURAGE
AEEFGLSU	FUSELAGE
AEEFGMNU	ENFUMAGE
AEEFGMOR	FROMAGEE
AEEFGMRS	FERMAGES
AEEFGNRS	FRANGEES
AEEFGNSU	FANGEUSE
AEEFGNTU	ENFUTAGE
AEEFGOST	FAGOTEES
AEEFGRRS	FERRAGES
AEEFGRST	FREGATES
AEEFGRSU	GAUFREES
AEEFGRTT	FRETTAGE
AEEFGRTU	FEUTRAGE
	FURETAGE
AEEFIILS	SALIFIEE
AEEFIIMR	MEFIERAI
	RAMIFIEE
AEEFIINP	PANIFIEE
AEEFIIRT	FAITIERE
	RATIFIEE
AEEFIIRU	AURIFIEE
AEEFILLS	FAILLEES
	FASEILLE
AEEFILNR	ENFILERA
	ENFLERAI
	FLANERIE
	LANIFERE
AEEFILNT	FELAIENT
AEEFILPR	PARFILEE
AEEFILRR	FERLERAI
	REFILERA
AEEFILRS	ALIFERES
	FELERAIS
	FERALIES
	FERIALES
	FLAIREES

AEEFILRT	FELERAIT
	FILETERA
	REFLETAI
AEEFILRU	FEULERAI
AEEFILRZ	ERAFLIEZ
AEEFIMMS	MEFIAMES
AEEFIMNR	ENFERMAI
AEEFIMNT	MEFIANTE
AEEFIMRR	FERMERAI
	REFERMAI
AEEFIMRS	MEFIERAS
AEEFIMSS	MEFIASSE
AEEFIMST	MEFIATES
AEEFINNR	ENFARINE
AEEFINPU	PEAUFINE
AEEFINRR	ENFERRAI
	FREINERA
	INFERERA
	REFRENAI
AEEFINRS	FARINEES
	FRENAIES
AEEFINRT	ENFAITER
	FEINTERA
	FENETRAI
	FERAIENT
	FIENTERA
AEEFINRV	ENFIEVRA
AEEFINRZ	FANERIEZ
AEEFINST	ENFAITES
AEEFINTT	FETAIENT
AEEFINTU	INFATUEE
AEEFINTX	ANTEFIXE
AEEFINTZ	ENFAITEZ
AEEFIPRR	PREFERAI
AEEFIQRU	AQUIFERE
AEEFIRRR	FERRERAI
	RAREFIER
AEEFIRRS	RAREFIES
	REFERAIS
AEEFIRRT	FRETERAI
	REFERAIT
AEEFIRRU	AURIFERE
AEEFIRRZ	FRAIEREZ
	RAREFIEZ
AEEFIRSS	FESSERAI
	FRAISEES
AEEFIRST	ESTAFIER
	FETERAIS
	REFAITES
	TARIFEES
AEEFIRTT	FETERAIT
AEEFIRUV	FAUVERIE
AEEFISSU	FAISEUSE
AEEFISTT	ATTIFEES
AEEFISYZ	FASEYIEZ
AEEFLLLN	FLANELLE
AEEFLMMN	ENFLAMME
AEEFLMMS	FLAMMEES
AEEFLMNS	ENFLAMES
AEEFLMOR	FEMORALE
AEEFLMRS	FERLAMES
AEEFLMSU	FEULAMES
AEEFLNQU	FLANQUEE
AEEFLNRR	RENFLERA
AEEFLNRS	ENFLERAS
	FALERNES
AEEFLNRT	ERAFLENT
AEEFLNRU	ENFLEURA
AEEFLNRZ	FLANEREZ
AEEFLNSS	ENFLASSE
AEEFLNST	ENFLATES
AEEFLNSU	FALUNEES
	FLANEUSE
AEEFLOST	FOETALES
AEEFLRRS	FERLERAS
AEEFLRRT	FRELATER
AEEFLRRU	ERAFLURE
	FLEURERA
	REFLUERA
AEEFLRRZ	RAFLEREZ
AEEFLRSS	FERLASSE
AEEFLRST	FERLATES
	FRELATES
	REFLETAS
AEEFLRSU	FEULERAS
AEEFLRTT	REFLETAT
AEEFLRTZ	FRELATEZ
AEEFLSSS	FELASSES
AEEFLSSU	FEULASSE
AEEFLSTT	FLATTEES
AEEFLSTU	FEULATES
	SULFATEE
AEEFMMRS	FERMAMES
AEEFMNRR	RENFERMA
AEEFMNRS	ENFERMAS
AEEFMNRT	ENFERMAT
	FERMANTE
	FERMENTA
AEEFMNRU	ENFUMERA
AEEFMPRU	PARFUMEE
AEEFMRRS	FERMERAS
	FERRAMES →

	REFERMAS
AEEFMRRT	REFERMAT
AEEFMRSS	FERMASSE
AEEFMRST	FERMATES
	FRETAMES
AEEFMSSS	FESSAMES
AEEFMSSU	FAMEUSES
AEEFNNRT	ENFANTER
	FANERENT
AEEFNNST	ENFANTES
AEEFNNTZ	ENFANTEZ
AEEFNOPR	PROFANEE
AEEFNORS	AERONEFS
AEEFNRRS	ENFERRAS
	REFRENAS
AEEFNRRT	ENFERRAT
	REFERANT
	REFRENAT
AEEFNRST	FENETRAS
AEEFNRTT	FENETRAT
AEEFNSST	NEFASTES
AEEFNSSU	FANEUSES
	FAUNESSE
AEEFNSTY	FASEYENT
AEEFPPRS	FRAPPEES
AEEFPRRS	PREFERAS
AEEFPRRT	PREFERAT
AEEFPRRU	EPAUFRER
AEEFPRRZ	PARFEREZ*
AEEFPRSU	EPAUFRES
AEEFPRUZ	EPAUFREZ
AEEFRRRS	FERRERAS
AEEFRRSS	FERRASSE
AEEFRRST	FERRATES
	FRETERAS
AEEFRRSU	REFUSERA
AEEFRRSY	FRAYERES
AEEFRRSZ	FRASEREZ*
AEEFRRTT	FRETTERA
AEEFRRTU	FEUTRERA
	FURETERA
	REFUTERA
AEEFRRTZ	FARTEREZ
AEEFRRYZ	FRAYEREZ
AEEFRSSS	FESSERAS
	REFASSES
AEEFRSST	FRETASSE
AEEFRSTT	FRETATES
AEEFRTUZ	FAUTEREZ
AEEFSSSS	FESSASSE
AEEFSSST	FESSATES →
	FETASSES
AEEFSSSU	FAUSSEES
AEEFSSTU	FAUSSETE
AEEFTTUV	FAUVETTE
AEEGGHOP	GEOPHAGE
AEEGGILN	NEGLIGEA
AEEGGINP	PEIGNAGE
AEEGGINR	GAGNERIE
AEEGGINZ	ENGAGIEZ
AEEGGIOR	EGORGEAI
AEEGGIRR	GREGAIRE
AEEGGIRS	EGRISAGE
	GAGERIES
AEEGGIRU	EGRUGEAI
AEEGGIRZ	AGREGIEZ
	GAGERIEZ
AEEGGLNU	ENGLUAGE
AEEGGLRS	REGLAGES
AEEGGMMS	GEMMAGES
AEEGGNNR	ENGRANGE
	GANGRENE
AEEGGNNT	ENGAGENT
AEEGGNOR	ENGORGEA
AEEGGNOZ	GAZOGENE
AEEGGNRR	REGAGNER
	RENGAGER
AEEGGNRS	GRANGEES
	GRENAGES
	REGAGNES
	RENGAGES
AEEGGNRT	AGREGENT
	GAGERENT
AEEGGNRZ	GAGNEREZ
	REGAGNEZ
	RENGAGEZ
AEEGGNSU	GAGNEUSE
AEEGGORR	EGORGERA
	REGORGEA
AEEGGORS	EGORGEAS
AEEGGORT	EGORGEAT
	ERGOTAGE
AEEGGRRU	EGRUGERA
AEEGGRSU	EGRUGEAS
	GAGEURES
AEEGGRTU	EGRUGEAT
AEEGGSSU	GAGEUSES
AEEGHILR	HELIGARE
AEEGHIRT	HERITAGE
AEEGHLNO	HALOGENE
AEEGHMPR	GRAPHEME
AEEGHNNS	GHANEENS

AEEGHNOX	HEXAGONE
AEEGHRSS	HERSAGES
AEEGIILV	LEVIGEAI
AEEGIIMN	IMAGINEE
AEEGIIMR	IMAGERIE
AEEGIINR	GAINERIE
AEEGIINT	NEIGEAIT
AEEGIIPR	PIEGERAI
AEEGIIPS	PIEGEAIS
AEEGIIPT	PIEGEAIT
AEEGIIRR	ERIGERAI
AEEGIIRS	ERIGEAIS
	SIEGERAI
AEEGIIRT	ERIGEAIT
AEEGIIRU	AIGUERIE*
	AIGUIERE
AEEGIIRX	EXIGERAI
AEEGIISS	SIEGEAIS
AEEGIIST	SIEGEAIT
AEEGIISU	AIGUISEE
AEEGIISX	EXIGEAIS
AEEGIITX	EXIGEAIT
AEEGIJLZ	GALEJIEZ
AEEGIJMU	MEJUGEAI
AEEGILLL	ILLEGALE
AEEGILLN	GALILEEN
	NIELLAGE
AEEGILLR	ALLERGIE
	EGAILLER
	GALLERIE
AEEGILLS	EGAILLES
	LEGALISE
AEEGILLT	LEGALITE
	TEILLAGE
AEEGILLZ	ALLEGIEZ
	EGAILLEZ
AEEGILMP	EMPILAGE
AEEGILNN	AGNELINE
AEEGILNP	PELAGIEN
AEEGILNR	ALGERIEN
	GALERIEN
	GRENELAI
	LANIGERE
	REGALIEN
AEEGILNS	ALIGNEES
	ENSILAGE
	GENIALES
	INEGALES
	SIGNALEE
AEEGILNT	GELAIENT
	GELATINE →
	GENITALE
AEEGILNV	EVANGILE
	NIVELAGE
AEEGILNZ	AGNELIEZ
AEEGILOR	RELOGEAI
AEEGILPS	PLAGIEES
AEEGILQU	GAELIQUE
AEEGILRR	GRELERAI
	REGLERAI
	RELARGIE
AEEGILRS	EGALISER
	ELARGIES
	GALERIES
	GELERAIS
	GLAIREES
	LISERAGE
	REGELAIS
	RELIAGES
AEEGILRT	AIGRELET
	GELERAIT
	REGELAIT
AEEGILRU	LEGUERAI
	RELEGUAI
AEEGILRV	LEVIGERA
AEEGILRZ	REGALIEZ
AEEGILSS	EGALISES
	GLAISEES
AEEGILST	EGALITES
AEEGILSV	LEVIGEAS
AEEGILSZ	EGALISEZ
AEEGILTV	LEVIGEAT
AEEGILUU	EGUEULAI
AEEGILUZ	ELAGUIEZ
AEEGIMMR	GEMMERAI
	IMMERGEA
AEEGIMNR	GEMINERA
	GERMAINE
	GRAMINEE
AEEGIMNS	MAGNESIE
AEEGIMNT	GAIEMENT
AEEGIMNZ	ENGAMIEZ
	MENAGIEZ
AEEGIMOX	EXOGAMIE*
AEEGIMPS	PIGEAMES
AEEGIMRR	EMIGRERA
	GERMERAI
AEEGIMRS	REAGIMES
	REMISAGE
	SIMAGREE
AEEGIMRT	ERMITAGE
AEEGIMRZ	EMARGIEZ →

	IMAGEREZ
AEEGINNR	ARGIENNE
	ENGAINER
	ENGRENAI
	RENGAINE
AEEGINNS	ENGAINES
	ENSEIGNA
AEEGINNT	ANTIGENE
	GENAIENT
	GENTIANE
	NEIGEANT
AEEGINNV	ANGEVINE
AEEGINNZ	ENGAINEZ
AEEGINOP	EPONGEAI
AEEGINOR	NAGEOIRE
AEEGINPR	PEIGNERA
AEEGINPS	PAGINEES
AEEGINPT	PIEGEANT
AEEGINRR	GRENERAI
	INGERERA
	REGARNIE
	REGNERAI
AEEGINRS	EGRENAIS
	GENERAIS
	GRAINEES*
AEEGINRT	EGRENAIT
	ERIGEANT
	GANTERIE
	GANTIERE
	GENERAIT
	GERAIENT
	GRANITEE
	GRATINEE
	GREAIENT
	REGENTAI
AEEGINRV	VENGERAI
AEEGINRZ	ENRAGIEZ
	GAINEREZ
	NAGERIEZ
AEEGINSS	ASSIGNEE
	SAIGNEES
AEEGINST	SIEGEANT
AEEGINSV	ENVISAGE
	VENGEAIS
AEEGINTT	ATTEIGNE
AEEGINTV	NEGATIVE
	VENGEAIT
AEEGINTX	EXIGEANT
AEEGIPPR	AGRIPPEE
AEEGIPQU	EQUIPAGE
AEEGIPRS	PIEGERAS
AEEGIPRT	ETRIPAGE
AEEGIPRZ	ARPEGIEZ
AEEGIPSS	PIGEASSE
AEEGIPST	PEAGISTE
	PIGEATES
AEEGIRRS	EGRISERA
	ERIGERAS
	GERERAIS
	GREERAIS
	REGREAIS
AEEGIRRT	GERERAIT
	GREERAIT
	REGREAIT
AEEGIRRU	AGUERRIE
AEEGIRRV	GREVERAI
AEEGIRRZ	GARERIEZ
	RAGERIEZ
	RAGREIEZ
	REAGIREZ
AEEGIRSS	ASSIEGER
	GRAISSEE
	REAGISSE
	SIEGERAS
AEEGIRST	ETIRAGES
	GATERIES
	REAGITES
AEEGIRSV	VIAGERES
AEEGIRSX	EXIGERAS
AEEGIRSZ	GAZIERES
AEEGIRTT	AIGRETTE
AEEGIRTV	RIVETAGE
AEEGIRTZ	AGITEREZ
	GATERIEZ
	GAZETIER
	REGATIEZ
AEEGIRVZ	GAVERIEZ
AEEGIRZZ	GAZERIEZ
AEEGISSS	ASSIEGES
AEEGISSZ	ASSIEGEZ
AEEGISTT	SAGITTEE
AEEGISTV	ESTIVAGE
	EVITAGES
	VEGETAIS
AEEGISUU	AGUEUSIE
AEEGITTV	VEGETAIT
AEEGJLMU	JUMELAGE
AEEGJLNT	GALEJENT
AEEGJMRU	MEJUGERA
AEEGJMSU	JUGEAMES
	MEJUGEAS
AEEGJMTU	MEJUGEAT

AEEGJPRU	PREJUGEA
AEEGJRUZ	JAUGEREZ
AEEGJSSU	JUGEASSE
AEEGJSTU	JUGEATES
AEEGLLMR	MARGELLE
AEEGLLMS	GAMELLES
AEEGLLNO	ALLOGENE
	ALLONGEE
AEEGLLNS	AGNELLES
AEEGLLNT	ALLEGENT
AEEGLLOR	GLAREOLE
AEEGLLPR	PELLAGRE
AEEGLLRS	ALLEGRES
AEEGLLRU	ALLEGUER
AEEGLLRV	GRAVELLE
AEEGLLST	STELLAGE
AEEGLLSU	ALLEGUES
AEEGLLSZ	GAZELLES
AEEGLLUZ	ALLEGUEZ
AEEGLMNR	MELANGER
AEEGLMNS	MELANGES
AEEGLMNZ	MELANGEZ
AEEGLMOS	LOGEAMES
AEEGLMOT	MOLETAGE
AEEGLMOU	EMOULAGE
AEEGLMPR	PERMAGEL
	REMPLAGE
AEEGLMRS	GRELAMES
	REGLAMES
AEEGLMRU	MEUGLERA
AEEGLMSU	LEGUAMES
	LUGEAMES
	MEULAGES
AEEGLNNO	GALONNEE
AEEGLNOT	ENTOLAGE
AEEGLNOU	LOUANGEE
AEEGLNPU	EPAGNEUL
AEEGLNRS	GRENELAS
AEEGLNRT	ETRANGLE
	GRENELAT
	REGALENT
	REGELANT
AEEGLNRU	ENGLUERA
	GRANULEE
AEEGLNRY	LARYNGEE
AEEGLNRZ	GLANEREZ
	LANGEREZ
AEEGLNSS	SANGLEES
AEEGLNST	AGNELETS
	ELEGANTS
AEEGLNSU	GLANEUSE
AEEGLNTT	GANTELET
AEEGLNTU	ELAGUENT
AEEGLNUU	ENGUEULA
	UNGUEALE
AEEGLNUY	LANGUEYE
AEEGLOPS	GALOPEES
AEEGLOPT	PELOTAGE
AEEGLORR	RELOGERA
AEEGLORS	RELOGEAS
AEEGLORT	RELOGEAT
AEEGLOSS	LOGEASSE
AEEGLOST	LOGEATES
AEEGLOSU	SOULAGEE
AEEGLRRS	GRELERAS
	REGLERAS
AEEGLRSS	GRELASSE
	LARGESSE
	REGLASSE
AEEGLRST	GRELATES
	REGLATES
AEEGLRSU	LARGUEES
	LEGUERAS
	RELEGUAS
AEEGLRTT	LETTRAGE
AEEGLRTU	RELEGUAT
AEEGLRUU	ELAGUEUR
	GUEULERA
AEEGLRUV	AVEUGLER
AEEGLRUZ	GAULEREZ
AEEGLSSS	GELASSES
AEEGLSST	LESTAGES
AEEGLSSU	GALEUSES
	LEGUASSE
	LUGEASSE
AEEGLSTT	GALETTES
AEEGLSTU	LEGUATES
	LUGEATES
AEEGLSUU	EGUEULAS
AEEGLSUV	AVEUGLES
AEEGLTUU	EGUEULAT
AEEGLUVZ	AVEUGLEZ
AEEGMMMS	GEMMAMES
AEEGMMNR	ENGRAMME
AEEGMMRS	GEMMERAS
	GERMAMES
AEEGMMSS	GEMMASSE
AEEGMMST	GEMMATES
AEEGMNNT	ENGAMENT
	MENAGENT
AEEGMNRR	REMANGER
AEEGMNRS	GRENAMES →

	MENAGERS
	REGNAMES
	REMANGES
AEEGMNRT	AGREMENT
	EMARGENT
AEEGMNRU	MANGEURE
AEEGMNRZ	MANGEREZ
	REMANGEZ
AEEGMNSS	MESANGES
AEEGMNST	SAGEMENT
	SEGMENTA
AEEGMNSU	MANGEUSE
AEEGMNTU	AUGMENTE
AEEGMOOS	AEGOSOME
AEEGMOTT	EMOTTAGE
AEEGMPRT	TREMPAGE
AEEGMRRS	GERMERAS
AEEGMRRU	MAUGREER
AEEGMRRZ	MARGEREZ
AEEGMRSS	GERMASSE
	MESSAGER
AEEGMRST	GERMATES
	METRAGES
AEEGMRSU	MARGEUSE
	MAUGREES
	MESURAGE
	REMUAGES
	URGEAMES*
AEEGMRSV	GREVAMES
AEEGMRUZ	MAUGREEZ
AEEGMSSS	MESSAGES
AEEGMSTU	MUSAGETE
AEEGNNOW	WAGONNEE
AEEGNNOY	ENNOYAGE
AEEGNNOZ	GAZONNEE
AEEGNNPS	PENNAGES
AEEGNNRR	RENGRENA
AEEGNNRS	ENGRENAS
	GARENNES
AEEGNNRT	EGRENANT
	ENGRENAT
	ENRAGENT
	NAGERENT
	REGNANTE
AEEGNNRU	ENNUAGER
AEEGNNST	GENANTES
AEEGNNSU	ENNUAGES
AEEGNNTT	TANGENTE
AEEGNNTV	VENGEANT
AEEGNNUZ	ENNUAGEZ
AEEGNOPR	EPONGERA

AEEGNOPS	EPONGEAS
AEEGNOPT	EPONGEAT
AEEGNORS	ORANGEES
AEEGNORU	ENGOUERA
AEEGNOST	ETAGEONS
AEEGNOTU	AUTOGENE
AEEGNPRR	EPARGNER
AEEGNPRS	EPARGNES
AEEGNPRT	ARPEGENT
AEEGNPRZ	EPARGNEZ
AEEGNRRS	GRENERAS
	REGNERAS
AEEGNRRT	ARGENTER
	ETRANGER
	GARERENT
	RAGERENT
	RAGREENT
	REGREANT
	RENTRAGE
AEEGNRRV	ENGRAVER
AEEGNRRZ	RANGEREZ
AEEGNRSS	ESSANGER
	GRENASSE
	REGNASSE
AEEGNRST	ARGENTES
	ETRANGES
	GERANTES
	GRENATES
	REGENTAS
	REGNATES
	RENEGATS
AEEGNRSU	NAGUERES*
	NARGUEES
AEEGNRSV	ENGRAVES
	VENGERAS
AEEGNRSZ	GANSEREZ
AEEGNRTT	GATERENT
	REGATENT
	REGENTAT
AEEGNRTU	NEGATEUR
AEEGNRTV	GAVERENT
AEEGNRTZ	ARGENTEZ
	GANTEREZ
	GAZERENT
AEEGNRUV	ENVERGUA
AEEGNRUX	GENERAUX
AEEGNRVZ	ENGRAVEZ
AEEGNSSS	ESSANGES
	GENASSES
AEEGNSSU	NAGEUSES
AEEGNSSZ	ESSANGEZ

AEEGNSTV	VENTAGES
AEEGNSUU	NUAGEUSE
AEEGNSUX	EXSANGUE
AEEGNTTV	VEGETANT
AEEGOPPR	PROPAGEE
AEEGOPRT	POTAGERE
	PROTEGEA
AEEGORRS	ARROGEES
AEEGORRT	ERGOTERA
AEEGORSS	ESSORAGE
AEEGORSU	ORAGEUSE
AEEGORTU	AUTOGERE
	OUTRAGEE
AEEGORUV	OUVRAGEE
AEEGPPRR	EGRAPPER
AEEGPPRS	EGRAPPES
AEEGPPRZ	EGRAPPEZ
AEEGPRRS	ASPERGER
	PRESAGER
AEEGPRSS	ASPERGES
	PRESAGES
	PRESSAGE
AEEGPRSZ	ASPERGEZ
	PRESAGEZ
AEEGPRUX	EXPURGEA
AEEGPSTY	GYPAETES
AEEGRRSS	AGRESSER
	REGRESSA
	SERRAGES
AEEGRRST	TERRAGES
AEEGRRSV	GREVERAS
AEEGRRTT	REGRATTE
	REGRETTA
AEEGRRTU	GUETRERA
AEEGRRUZ	ARGUEREZ
	RAGUEREZ
AEEGRRVZ	GRAVEREZ
AEEGRSSS	AGRESSES
	GERASSES
	GREASSES
AEEGRSST	AGRESTES
	GEASTERS
	TRESSAGE
AEEGRSSU	RAGEUSES
	RESSUAGE
	URGEASSE*
AEEGRSSV	GREVASSE
	SERVAGES
	SEVRAGES
AEEGRSSY	GRASSEYE
AEEGRSSZ	AGRESSEZ
AEEGRSTT	GRATTEES
	STRATEGE
AEEGRSTU	TARGUEES
	URGEATES*
AEEGRSTV	GREVATES
AEEGRSUU	AUGUREES
AEEGRSUX	GERSEAUX
AEEGRTTT	TARGETTE
AEEGRTTU	GUETTERA
AEEGRUVZ	VAGUEREZ
AEEGSSSS	SAGESSES
AEEGSSSU	GAUSSEES
AEEGSSTU	GATEUSES
AEEGSSUY	ESSUYAGE
AEEGSSUZ	GAZEUSES
AEEGSTTZ	GAZETTES
AEEGSTUV	ETUVAGES
AEEGSUVV	VEUVAGES
AEEGTUVX	VEGETAUX
AEEHIIRT	HETAIRIE
AEEHILMS	HIEMALES
AEEHILNS	HALEINES
	INHALEES
AEEHILNT	HELAIENT
AEEHILNZ	ANHELIEZ
AEEHILPR	PARHELIE
AEEHILPS	APHELIES
AEEHILQU	HELIAQUE
AEEHILRS	HELERAIS
AEEHILRT	HELERAIT
AEEHILRZ	HALERIEZ
AEEHILST	HELIASTE
AEEHILTZ	HALETIEZ
AEEHILXZ	EXHALIEZ
AEEHIMNT	HEMATINE
AEEHIMPT	EMPATHIE
AEEHIMST	ATHEISME
	HEMATIES
AEEHIMTT	HEMATITE
AEEHINNT	ATHENIEN
AEEHINPP	EPIPHANE
AEEHINPR	HEPARINE
AEEHINST	ASTHENIE
AEEHINSU	HAINEUSE
AEEHINSV	ENVAHIES
AEEHIPPT	EPITAPHE
AEEHIPRT	THERAPIE
AEEHIPTT	HEPATITE
AEEHIRRS	HERSERAI
AEEHIRRT	HERITERA
AEEHIRST	ETHERISA →

	HESITERA
	HETAIRES
	HETRAIES
AEEHIRTZ	HATERIEZ
AEEHLMRT	THERMALE
AEEHLMRU	HUMERALE
AEEHLNNT	ANHELENT
AEEHLNOP	ANOPHELE
AEEHLNPS	PHALENES
AEEHLNPT	ELEPHANT
AEEHLNRT	HALERENT
AEEHLNTT	HALETENT
AEEHLNTX	EXHALENT
AEEHLPRS	PHALERES
AEEHLRST	HALTERES
AEEHLSSS	HELASSES
AEEHLSTT	ATHLETES
	HATELETS
AEEHMMOT	HEMATOME
AEEHMNST	METHANES
AEEHMOPT	APOTHEME
AEEHMORT	ATHEROME
AEEHMOST	HEMATOSE
AEEHMPSS	EMPHASES
AEEHMRSS	HERSAMES
AEEHMRUX	EXHUMERA
AEEHMSTU	MATHEUSE
AEEHNNOT	OENANTHE
AEEHNNRS	RHENANES
AEEHNNRT	ANTHRENE
AEEHNPRS	PHANERES
AEEHNPRT	PANTHERE
AEEHNPSS	SAPHENES
AEEHNPST	PHENATES
AEEHNRST	ANTHERES
AEEHNRTT	HATERENT
AEEHNRTZ	HANTEREZ
AEEHNSST	ANTHESES
AEEHNSTV	HAVENETS
AEEHPPRZ	HAPPEREZ
AEEHPSTU	APHTEUSE
AEEHRRSS	HERSERAS
AEEHRRTU	HEURTERA
AEEHRRUV	VARHEURE
AEEHRSSS	HERSASSE
AEEHRSST	HERSATES
AEEHRSSU	REHAUSSE
AEEHRSTT	THEATRES
AEEHRSUX	EXHAURES
AEEHSSSU	HAUSSEES
AEEHSSTU	HAUTESSE

AEEHSSUV	HAVEUSES
AEEHSSUX	EXHAUSSE
AEEIIKNS	AKINESIE
AEEIILLV	EVEILLAI
AEEIILMR	ELIMERAI
AEEIILNR	ENLIERAI
	LAINIERE
	LINEAIRE
AEEIILNZ	ALIENIEZ
AEEIILPR	EPILERAI
AEEIILRR	REELIRAI
	RELIERAI
AEEIILRT	LAITERIE
	LAITIERE
AEEIILRX	EXILERAI
AEEIILRZ	LAIERIEZ
AEEIIMNN	INANIMEE
AEEIIMNT	EMIAIENT
AEEIIMNZ	ANEMIIEZ
AEEIIMPT	EMPIETAI
AEEIIMRS	EMERISAI
	EMIERAIS
	MAISERIE*
AEEIIMRT	EMIERAIT
	METAIRIE
AEEIIMRZ	AIMERIEZ
AEEIIMTT	EMIETTAI
AEEIINPP	EPEPINAI
AEEIINPR	EPINERAI
	PEINERAI
	PINERAIE
AEEIINPS	EPINAIES
AEEIINPT	EPIAIENT
AEEIINRR	RENIERAI
AEEIINRT	EREINTAI
AEEIINRV	ENVIERAI
	VEINERAI
AEEIIPPR	PEPIERAI
AEEIIPRR	EPIERRAI
AEEIIPRS	EPIAIRES
	EPIERAIS
	PAIERIES
AEEIIPRT	EPIERAIT
	PIETERAI
AEEIIPRX	EXPIERAI
AEEIIPRZ	PAIERIEZ
AEEIIPSS	EPAISSIE
AEEIIRRS	SERIERAI
AEEIIRRT	ETIRERAI
	REITERAI
	RETIAIRE

AEEIIRRZ	RAIERIEZ
AEEIIRTV	EVITERAI
AEEIJLNV	JAVELINE
AEEIJLVZ	JAVELIEZ
AEEIJMRU	MIJAUREE
AEEIJNOT	AJOINTEE
AEEIJNRU	JEUNERAI
	RAJEUNIE
AEEIJNTT	JETAIENT
AEEIJRST	REJETAIS
AEEIJRSZ	JASERIEZ
AEEIJRTT	JETTERAI
	REJETAIT
AEEIKNRT	KERATINE
AEEIKRTT	KERATITE
AEEILLMM	EMMAILLE
	EMMIELLA
AEEILLMP	EMPAILLE
AEEILLMR	EMAILLER
	REMAILLE
AEEILLMS	EMAILLES
	MAILLEES
	MESALLIE
AEEILLMZ	EMAILLEZ
AEEILLNR	NIELLERA
AEEILLNS	LINEALES
AEEILLNT	ENTAILLE
	TENAILLE
AEEILLNV	VANILLEE
AEEILLPR	PAREILLE
AEEILLPS	PAILLEES
	PALLIEES
AEEILLPT	PAILLETE
	PELLETAI
AEEILLRR	ERAILLER
AEEILLRS	AIRELLES
	ARILLEES
	ERAILLES
	RAILLEES
	RALLIEES
	SELLERAI
AEEILLRT	RETAILLE
	TEILLERA
AEEILLRV	REVAILLE
	REVEILLA
	VEILLERA
	VIELLERA
AEEILLRZ	AILLEREZ
	ALLIEREZ
	ERAILLEZ
AEEILLSS	AISSELLE
AEEILLST	TAILLEES
AEEILLSV	EVEILLAS
AEEILLTT	LETALITE
AEEILLTV	EVEILLAT
AEEILLUV	ELUVIALE
AEEILMMS	ELIMAMES
	EMMELAIS
AEEILMMT	EMMELAIT
AEEILMNN	MALIENNE
	MELANINE
AEEILMNR	MINERALE
AEEILMNS	ENLIAMES
	LAMINEES
	SEMINALE
AEEILMNT	ALIMENTE
	MELAIENT
AEEILMOR	AMELIORE
AEEILMPR	EMPERLAI
	EMPILERA
	PARMELIE
AEEILMPS	EPILAMES
AEEILMPZ	EMPALIEZ
AEEILMRS	ELIMERAS
	MELERAIS
	REALISME
	RELIAMES
AEEILMRT	MALTERIE
	MATERIEL
	MELERAIT
AEEILMRU	MEULERAI
AEEILMSS	ELIMASSE
	SEISMALE
AEEILMST	ELIMATES
AEEILMSX	EXILAMES
AEEILNNS	SALIENNE
AEEILNNT	ALIENENT
AEEILNNZ	ANNELIEZ
AEEILNOS	LEONAISE
AEEILNPR	PERINEAL
	PRALINEE
AEEILNPS	PENALISE
	PINEALES
AEEILNPT	PATELINE
	PELAIENT
	PENALITE
	PLANEITE
	PLATINEE
AEEILNRS	ARLESIEN
	ENLIERAS
	ENLISERA
	ENSILERA →

	LANIERES
	LESINERA
AEEILNRT	INALTERE
	RALENTIE
	RELAIENT
AEEILNRV	ALEVINER
AEEILNRZ	LAINEREZ
AEEILNSS	ENLIASSE
	SALESIEN
AEEILNST	ENLIATES
	LESAIENT
AEEILNSU	LAINEUSE
AEEILNSV	ALEVINES
	AVELINES
	ENLEVAIS
	VASELINE
AEEILNSX	ALEXINES
AEEILNTV	ENLEVAIT
	EVENTAIL
	LEVAIENT
	VELAIENT
	VENALITE
AEEILNVZ	ALEVINEZ
AEEILOPS	OPALISEE
AEEILORS	SOLEAIRE
AEEILORT	AEROLITE
	ETIOLERA
	ETOILERA
AEEILORV	VARIOLEE
AEEILOSV	OVALISEE
AEEILPPZ	APPELIEZ
AEEILPRR	PERLERAI
	REPLIERA
AEEILPRS	EPILERAS
	ESPALIER
	PALIERES
	PARELIES
	PELERAIS
	SPIRALEE
AEEILPRT	PELERAIT
AEEILPRV	PRELEVAI
AEEILPRZ	LAPERIEZ
AEEILPSS	EPILASSE
	PALISSEE
AEEILPST	EPILATES
AEEILPUZ	EPAULIEZ
AEEILRRS	LISERERA
	REALISER
	REELIRAS
	RELIERAS
AEEILRRT	ARTERIEL →
	RATELIER
AEEILRRZ	RALERIEZ
AEEILRSS	LESERAIS
	REALISES
	RELIASSE
	SALIERES
AEEILRST	ALTIERES
	ATELIERS
	ERISTALE
	ETALIERS
	LESERAIT
	LESTERAI
	REALISTE
	REALITES
	RELIATES
AEEILRSU	AURELIES*
AEEILRSV	LAVERIES
	LEVERAIS
	RELEVAIS
	REVELAIS
	VELAIRES
	VELERAIS
AEEILRSX	EXILERAS
AEEILRSZ	REALISEZ
	RESALIEZ
	SALERIEZ
AEEILRTT	ALTERITE
	LATERITE
AEEILRTU	ALEURITE
	TAULIERE
AEEILRTV	LEVERAIT
	RELATIVE
	RELEVAIT
	REVELAIT
	VELERAIT
AEEILRTY	LAYETIER
AEEILRTZ	ALERTIEZ
	ALITEREZ
	ALTERIEZ
	RATELIEZ
	RELATIEZ
AEEILRVZ	LAVERIEZ
	RELAVIEZ
	REVALIEZ
AEEILRXZ	RELAXIEZ
AEEILRYZ	LAYERIEZ
	RELAYIEZ
AEEILSSS	LAISSEES
AEEILSSV	SLAVISEE
AEEILSSX	EXILASSE
AEEILSTT	AILETTES

AEEILSTU	LAITEUSE
AEEILSTV	ESTIVALE
	TELEVISA
AEEILSTX	EXILATES
AEEILSUV	AVEULIES
AEEILTTZ	ATTELIEZ
AEEILTVZ	TAVELIEZ
AEEILTXZ	EXALTIEZ
AEEILUVZ	EVALUIEZ
AEEIMMNR	REMMENAI
AEEIMMNS	EMMENAIS
AEEIMMNT	EMMENAIT
AEEIMMRT	MARMITEE
AEEIMNNR	ARMENIEN
AEEIMNNT	ANEMIENT
	MENAIENT
AEEIMNNV	ENVENIMA
AEEIMNOX	ANOXEMIE
AEEIMNPS	EPINAMES
	PEINAMES
AEEIMNPT	PAIEMENT
AEEIMNQU	ANEMIQUE
AEEIMNRR	MARNIERE
	REANIMER
	REMANIER
AEEIMNRS	MANIERES
	MARINEES
	MENERAIS
	RANIMEES
	REANIMES
	REMANIES
	RENIAMES
AEEIMNRT	AIMERENT
	MENERAIT
AEEIMNRU	ENUMERAI
AEEIMNRX	EXAMINER
AEEIMNRZ	ANIMEREZ
	MANIEREZ
	RAMENIEZ
	REANIMEZ
	REMANIEZ
AEEIMNSS	AMNESIES
	SEMAINES
AEEIMNST	AISEMENT
	AMENITES
	ETAMINES
	MATINEES
	SEMAIENT
	STAMINEE
AEEIMNSU	AMENUISE
AEEIMNSV	ENVIAMES →
	VEINAMES
AEEIMNSX	EXAMINES
AEEIMNTT	TANTIEME
AEEIMNTZ	ENTAMIEZ
AEEIMNUV	MAUVEINE
AEEIMNXZ	EXAMINEZ
AEEIMORR	ARMORIEE
AEEIMORT	ATERMOIE
AEEIMOST	ATOMISEE
AEEIMOTZ	AZOTEMIE
AEEIMPPS	PEPIAMES
AEEIMPQU	EPIMAQUE
AEEIMPRR	EMPIERRA
	EMPIRERA
	PERIMERA
AEEIMPRT	EMPETRAI
	REMPIETA
	TEMPERAI
AEEIMPRZ	EMPARIEZ
	PAMERIEZ
AEEIMPSS	EMPESAIS
AEEIMPST	EMPESAIT
	EMPESTAI
	EMPIETAS
	PIETAMES
AEEIMPSX	EXPIAMES
AEEIMPSY	IMPAYEES
AEEIMPTT	EMPIETAT
	TEMPETAI
AEEIMPTX	EXEMPTAI
AEEIMPTZ	EMPATIEZ
	ETAMPIEZ
AEEIMRRR	REMARIER
AEEIMRRS	AMERRIES*
	ARRIMEES
	REMARIES
	REMISERA
AEEIMRRT	MERITERA
	METRERAI
AEEIMRRU	REMUERAI
AEEIMRRZ	ARMERIEZ
	MARIEREZ
	RAMERIEZ
	REARMIEZ
	REMARIEZ
AEEIMRSS	AREISMES
	EMERISAS
	ESSAIMER
	MAIRESSE
	MESSIERA
	RESSEMAI →

	SEMERAIS
	SERIAMES
AEEIMRST	EMERISAT
	ESTIMERA
	ETIRAMES
	MATIERES
	SEMERAIT
AEEIMRSU	MARIEUSE
AEEIMRTT	EMETTRAI
AEEIMRTZ	MATERIEZ
	RETAMIEZ
AEEIMSSS	EMIASSES
	ESSAIMES
AEEIMSST	TAMISEES
AEEIMSSZ	ESSAIMEZ
AEEIMSTT	EMETTAIS
	EMIETTAS
	ETATISME
AEEIMSTV	EVITAMES
AEEIMTTT	EMETTAIT
	EMIETTAT
AEEIMTUZ	AMEUTIEZ
AEEINNNT	ANTIENNE
AEEINNOS	OASIENNE
AEEINNPS	PAIENNES
AEEINNRS	ANSERINE
	ARIENNES
	ENRENAIS
AEEINNRT	ENRAIENT
	ENRENAIT
	ENTERINA
	ENTRAINE
	ETRENNAI
	TANNERIE
AEEINNRU	ANEURINE
	ENNUIERA
AEEINNRV	VANNERIE
AEEINNST	TANNISEE
AEEINNTT	ENTAIENT
	TENAIENT
AEEINNTV	VENAIENT
AEEINNTX	ANNEXITE
AEEINNUV	NEUVAINE
AEEINNXZ	ANNEXIEZ
AEEINOPU	EPANOUIE
AEEINORT	NOTARIEE
AEEINORU	ENOUERAI
AEEINORV	ENVOIERA
AEEINORX	ANOREXIE
	EXONERAI
AEEINOTU	OUATINEE
AEEINOUV	EVANOUIE
	INAVOUEE
AEEINPPS	EPEPINAS
AEEINPPT	EPEPINAT
AEEINPQU	PANIQUEE
AEEINPRS	EPINERAS
	EPRENAIS
	PEINERAS
	PENSERAI
	RAPINEES
	REPENSAI
AEEINPRT	EPRENAIT
	PANETIER
	PANTIERE
	PENETRAI
	REPAIENT
AEEINPRZ	PANERIEZ
AEEINPSS	EPINASSE
	PEINASSE
AEEINPST	EPINATES
	PATINEES
	PEINATES
	PESAIENT
AEEINPTT	PATIENTE
	PETAIENT
AEEINPTU	TAUPINEE
AEEINQTU	ENQUETAI
	TAQUINEE
AEEINRRS	ENSERRAI
	INSERERA
	REINSERA
	RENIERAS
	RESINERA
	SERINERA
AEEINRRT	ENTERRAI
	ENTRERAI
	ERRAIENT
	RENAITRE
	RENTERAI
	RENTRAIE
	TERNAIRE
AEEINRRV	ENIVRERA
	ENVERRAI
AEEINRRZ	RAINEREZ
AEEINRSS	ARSENIES
	RENAISSE
	RENIASSE
AEEINRST	ARSENITE
	ARTESIEN
	ENTERAIS
	EREINTAS →

	ETERNISA
	RATINEES
	RENIATES
	RETENAIS
	SERAIENT
	STEARINE
	TANIERES
	TRAINEES
AEEINRSU	EURASIEN
AEEINRSV	ENERVAIS
	ENVIERAS
	RAVINEES
	REVENAIS
	VEINERAS
	VENERAIS
AEEINRTT	ENTERAIT
	EREINTAT
	NATTIERE
	NITRATEE
	RAINETTE
	RENETTAI
	RETENAIT
	TARTINEE
	TEINTERA
	TENTERAI
AEEINRTU	ETERNUAI
AEEINRTV	ENERVAIT
	EVENTRAI
	INVETERA
	REVAIENT
	REVENAIT
	VANTERIE
	VENERAIT
AEEINRVZ	AVINEREZ
AEEINRYZ	ENRAYIEZ
AEEINSSS	AINESSES
AEEINSST	ESSAIENT
	SATINEES
	TANISEES
AEEINSSU	SANIEUSE
AEEINSSV	ENVIASSE
	VANISEES
	VEINASSE
	VESANIES
AEEINSSZ	ASSENIEZ
AEEINSTT	ANISETTE
	ENTETAIS
	ESTAIENT*
	SAINTETE
	TETANIES
	TETANISE
AEEINSTV	ENVIATES
	EVENTAIS
	NAIVETES
	VEINATES
AEEINSTX	ANXIETES
AEEINSTY	SEYAIENT
AEEINSUX	ANXIEUSE
AEEINSVZ	ENVASIEZ
AEEINTTT	ATTEINTE
	ENTETAIT
	TETAIENT
AEEINTTV	EVENTAIT
	VETAIENT
AEEINTUX	EXTENUAI
AEEINTVX	VEXAIENT
AEEINTZZ	ZEZAIENT
AEEIOPRR	OPERERAI
AEEIOPSV	PAVOISEE
AEEIOPTY	APITOYEE
AEEIORRS	ROSERAIE
AEEIORRT	TOREERAI
AEEIORSS	OSERAIES
AEEIORTU	OUATERIE
AEEIPPRS	PEPIERAS
	PRIAPEES
AEEIPPRT	PAPETIER
AEEIPPRU	PAUPIERE
AEEIPPSS	APEPSIES
	PEPIASSE
AEEIPPST	PEPIATES
AEEIPQRU	EQUIPERA
AEEIPQSU	APIQUEES
AEEIPRRR	REPAIRER
AEEIPRRS	EPIERRAS
	RAPERIES
	RAPIERES
	REPAIRES
	REPERAIS
AEEIPRRT	EPIERRAT
	ETRIPERA
	PRETERAI
	REPAITRE
	REPARTIE
	REPERAIT
AEEIPRRU	EPURERAI
AEEIPRRX	EXPIRERA
AEEIPRRZ	PARERIEZ
	PARIEREZ
	RAPERIEZ
	REPAIREZ
	REPARIEZ

AEEIPRSS ASPIREES
EPISSERA
ESPERAIS
PAIRESSE
PARESIES
PESERAIS
PESSAIRE
REPAISSE
AEEIPRST ASPERITE
ESPERAIT
PESERAIT
PESTERAI
PETERAIS
PIETERAS
REPETAIS
AEEIPRSU EPUISERA
PARIEUSE
AEEIPRSX EXPIERAS
AEEIPRSZ SAPERIEZ
SEPARIEZ
AEEIPRTT PETERAIT
REPETAIT
AEEIPRTU TAUPIERE
AEEIPRTX EXPATRIE
AEEIPRTZ RETAPIEZ
TAPERIEZ
AEEIPRUV VIPEREAU
AEEIPRUZ APEURIEZ
AEEIPRVZ PAVERIEZ
REPAVIEZ
AEEIPRXY APYREXIE
AEEIPRYZ PAYERIEZ
REPAYIEZ
AEEIPSSS ASEPSIES
EPAISSES
EPIASSES
AEEIPSST ASEPTISE
PIETASSE
TAPISSEE
AEEIPSSX EXPIASSE
AEEIPSTT PIETATES
AEEIPSTX EXPIATES
AEEIQRRU AREQUIER
EQUARRIE
AEEIQRSU AREIQUES
RESEQUAI
AEEIQRTU QUETERAI
AEEIQSTU ASTIQUEE
AEEIQTTU ETATIQUE
ETIQUETA
AEEIQTUU EQUEUTAI

AEEIRRRS ARRIERES
ERRERAIS
SERRERAI
AEEIRRRT ERRERAIT
RETIRERA
TERRERAI
AEEIRRRV REVERRAI
AEEIRRSS ARRISEES*
SERIERAS
AEEIRRST ARETIERS
ETIRERAS
RATIERES
REITERAS
RESTERAI
STERERAI
TARIERES
TERSERAI
AEEIRRSV ARRIVEES
RAVIERES
RESERVAI
REVERAIS
REVERSAI
REVISERA
SEVRERAI
VERSERAI
AEEIRRSZ ARISEREZ
RASERIEZ
AEEIRRTT ARTERITE
ATTERRIE*
REITERAT
RETRAITE
AEEIRRTV REVERAIT
REVETIRA
AEEIRRTX EXTRAIRE
AEEIRRTZ ARRETIEZ
RATERIEZ
TARERIEZ
AEEIRRVZ VARIEREZ
AEEIRRYZ RAYERIEZ
AEEIRSSS RESSAIES
SERIASSE
AEEIRSST ASTERIES
ESTERAIS*
ETIRASSE
RATISSEE
SERIATES
AEEIRSSU AUSSIERE
ESSUIERA
AEEIRSSV ASSERVIE
RAVISEES
VASIERES →

	VESSERAI
AEEIRSSZ	ASSIEREZ
	REASSIEZ
AEEIRSTT	ARIETTES
	ATTIREES
	ESTERAIT*
	ETATISER
	ETIRATES
	SAIETTER
	TESTERAI
	TETERAIS
	TRAITEES
AEEIRSTU	ESTUAIRE
	SAUTERIE
AEEIRSTV	AVERTIES
	EVITERAS
	REVETAIS
	SAVETIER
	VARIETES
AEEIRSTX	EXISTERA
	EXTASIER
	EXTRAIES
AEEIRSTZ	ZESTERAI
AEEIRSVV	RAVIVEES
AEEIRSVX	VEXERAIS
AEEIRSVZ	AVISEREZ
AEEIRSZZ	RAZZIEES
AEEIRTTT	ATTITREE
	TETERAIT
AEEIRTTV	REVETAIT
AEEIRTTX	EXTRAITE
AEEIRTTZ	TATERIEZ
AEEIRTUV	ETUVERAI
	EVERTUAI
AEEIRTUZ	ZIEUTERA
AEEIRTVX	VEXERAIT
AEEIRTXZ	TAXERIEZ
AEEIRVVZ	AVIVEREZ
AEEISSST	ASSISTEE
AEEISSTT	ASSIETTE
	ATTISEES
	ETATISES
	SAIETTES
	SATIETES
AEEISSTV	EVITASSE
AEEISSTX	EXTASIES
AEEISSVV	EVASIVES
AEEISSYZ	ASSEYIEZ
	ESSAYIEZ
AEEISTTT	ETATISTE
	STEATITE
AEEISTTV	EVITATES
AEEISTTZ	ETATISEZ
	SAIETTEZ
AEEISTXZ	EXTASIEZ
AEEIYZZZ	ZEZAYIEZ
AEEJLLSV	JAVELLES
AEEJLNNO	JALONNEE
AEEJLNOR	ENJOLERA
AEEJLOSU	JALOUSEE
AEEJLRSU	SURJALEE
AEEJLRUV	JAVELEUR
AEEJMNSU	JEUNAMES
AEEJMORS	MAJOREES
AEEJMRSU	MAJEURES
AEEJMSST	MAJESTES
AEEJNORU	AJOURNEE
AEEJNRST	JASERENT
AEEJNRSU	JEUNERAS
AEEJNRTT	REJETANT
AEEJNSSU	JEUNASSE
AEEJNSTU	JEUNATES
AEEJNTTU	JAUNETTE
AEEJORRU	REJOUERA
AEEJORSU	AJOUREES
AEEJORTU	RAJOUTEE
AEEJOSTU	AJOUTEES
AEEJPPRZ	JAPPEREZ
AEEJPPSU	JAPPEUSE
AEEJPRRU	PARJUREE
AEEJPRSZ	JASPEREZ
AEEJQTTU	JAQUETTE
AEEJRRST	JARRETES
AEEJRSTT	JETTERAS
AEEJRSTU	RAJUSTEE
	REAJUSTE
AEEJSSST	JETASSES
AEEJSSSU	JASEUSES
AEEJSSTU	AJUSTEES
AEEKORST	KERATOSE
AEEKPRSS	SPEAKERS
AEEKRSSU	EUSKERAS
AEELLLMO	MALLEOLE
AEELLLMS	LAMELLES
AEELLLQU	LAQUELLE
AEELLMMS	MAMELLES
AEELLMNU	MANUELLE
AEELLMPU	PAUMELLE
AEELLMRS	MARELLES
AEELLMRU	RALLUMEE
AEELLMSS	SELLAMES
AEELLMSU	ALLUMEES

AEELLMTT MALLETTE
AEELLNNS ANNELLES
AEELLNNU ANNUELLE
AEELLNNV VANNELLE
AEELLNRT ALLERENT
AEELLNTV VANTELLE
AEELLOSU ALLOUEES
AEELLOSV ALVEOLES
AEELLPPR RAPPELLE
AEELLPPS APPELLES
AEELLPRU PLEURALE
AEELLPST PASTELLE
PATELLES
PELLETAS
AEELLPTT PELLETAT
AEELLQRU QUERELLA
AEELLRSS SELLERAS
AEELLRST RATELLES
AEELLRTZ TALLEREZ
AEELLSSS SELLASSE
AEELLSST SELLATES
AEELLSTT ATTELLES
AEELLSTV TAVELLES
AEELLSUV VALLEUSE
AEELLSVV VELLAVES
AEELMMNO MELANOME
MELOMANE
AEELMMNR MALMENER
AEELMMNS MALMENES
AEELMMNT EMMELANT
EMMENTAL
AEELMMNZ MALMENEZ
AEELMMSU MAMELUES
MEULAMES
AEELMNOS MELANOSE
AEELMNPT EMPALENT
LAPEMENT
AEELMNRT LAMENTER
MATERNEL
RALEMENT
AEELMNRU NUMERALE
AEELMNST LAMENTES
MANTELES
MENTALES
SALEMENT
AEELMNTT MANTELET
AEELMNTV LAVEMENT
AEELMNTZ LAMENTEZ
AEELMNUV MALVENUE
AEELMOPU AMPOULEE
AEELMOSU MAUSOLEE
AEELMOTT MATELOTE
AEELMPRS EMPERLAS
PERLAMES
AEELMPRT EMPERLAT
EMPLATRE
AEELMPRZ LAMPEREZ
PALMEREZ
AEELMPST MEPLATES
AEELMPTT PALMETTE
AEELMRRT MARTELER
AEELMRST MARTELES
AEELMRSU MEULERAS
AEELMRTZ MALTEREZ
MARTELEZ
AEELMRUX MERLEAUX
AEELMSSS MELASSES
AEELMSST LESTAMES
AEELMSSU MEULASSE
AEELMSTU MEULATES
AEELMTTU AMULETTE
AEELNNOT ETALONNE
TALONNEE
AEELNNRT LANTERNE
AEELNNST ANNELETS
AEELNNSU ANNULEES
AEELNNTV ENLEVANT
AEELNORR ENROLERA
AEELNORT ENTOLERA
AEELNORU ALEURONE
AEELNORV ENVOLERA
AEELNPQU PLANQUEE
AEELNPRS EPERLANS
AEELNPRT LAPERENT
PATERNEL
REPLANTE
AEELNPRZ PLANEREZ
AEELNPST PLANETES
PLANTEES
AEELNPSZ PLANEZES
AEELNPTU EPAULENT
AEELNRRT ALTERNER
RALERENT
AEELNRST ALTERNES
RESALENT
SALERENT
STERNALE
AEELNRSV VERNALES
AEELNRTT ALERTENT
ALTERENT
RELATENT
AEELNRTV LAVERENT →

	RELAVENT
	RELEVANT
	REVALENT
	REVELANT
	VENTRALE
AEELNRTX	RELAXENT
AEELNRTY	LAYERENT
	RELAYENT
AEELNRTZ	ALTERNEZ
AEELNSTT	LATENTES
AEELNTTX	EXALTENT
AEELNTUV	EVALUENT
AEELOPRT	PELOTERA
AEELOPRV	VARLOPEE
AEELOPSS	SALOPEES
AEELORRT	TOLERERA
AEELORRU	AUREOLER
	RELOUERA
AEELORRV	REVOLERA
AEELORST	OESTRALE
AEELORSU	AUREOLES
AEELORSZ	AZEROLES
AEELORUV	EVOLUERA
AEELORUZ	AUREOLEZ
AEELOSSS	ASSOLEES
AEELOSSU	SAOULEES
AEELOTTU	ALOUETTE
AEELPPRR	RAPPELER
AEELPPRS	RAPPELES
AEELPPRU	PEUPLERA
	REPEUPLA
AEELPPRZ	PALPEREZ
	RAPPELEZ
AEELPQSU	PLAQUEES
AEELPRRR	REPARLER
AEELPRRS	PERLERAS
	REPARLES
AEELPRRT	REPLATRE
AEELPRRU	PLEURERA
AEELPRRZ	PARLEREZ
	REPARLEZ
AEELPRSS	PERLASSE
	PRELASSE
	RELAPSES
AEELPRST	ALPESTRE
	PALESTRE
	PERLATES
	PLATREES
	SALPETRE
AEELPRSU	PARLEUSE
AEELPRSV	PRELEVAS →

	PREVALES
	VESPERAL
AEELPRTV	PRELEVAT
AEELPRUV	PREVALUE
AEELPRVZ	PREVALEZ
AEELPSSS	PELASSES
AEELPSTT	PALETTES
	PELTASTE
AEELPTTU	PAULETTE
AEELQRUZ	LAQUEREZ
AEELQSTU	TALQUEES
AEELQSUU	LAQUEUSE
AEELRRRU	LEURRERA
AEELRRSV	REVERSAL
AEELRRTU	RATELEUR
	URETERAL
	URETRALE
AEELRSST	LESTERAS
AEELRSSU	RALEUSES
AEELRSSZ	LASSEREZ
AEELRSUV	REVALUES
	SURELEVA
AEELRSUZ	SALUEREZ
AEELRSVZ	VALSEREZ
AEELRTTV	LEVRETTA
AEELRTTZ	LATTEREZ
AEELRTUV	TAVELURE
AEELRTUX	EXULTERA
AEELRTUZ	ZELATEUR
AEELSSSS	LESASSES
AEELSSST	ALTESSES
	LESTASSE
AEELSSSV	LEVASSES
	VELASSES
AEELSSTT	LESTATES
AEELSSTV	VESTALES
AEELSSUV	LAVEUSES
	VALSEUSE
AEELSTTU	ALUETTES
AEELSTTV	LAVETTES
AEELSTTY	LAYETTES
AEEMMNNT	EMMENANT
AEEMMNRS	REMMENAS
AEEMMNRT	ARMEMENT
	REMMENAT
AEEMMORR	REMEMORA
AEEMMOSS	ASSOMMEE
AEEMMPRU	EMPAUMER
AEEMMPSU	EMPAUMES
AEEMMPUZ	EMPAUMEZ
AEEMMRRU	EMMURERA

AEEMMRST	METRAMES
AEEMMRSU	REMUAMES
AEEMMRTU	AMERTUME
AEEMNNOS	ANEMONES
AEEMNNOY	MONNAYEE
AEEMNNPR	EMPANNER
AEEMNNPS	EMPANNES
AEEMNNPZ	EMPANNEZ
AEEMNNRT	RAMENENT
	REMANENT
AEEMNNTT	ENTAMENT
	MANNETTE
AEEMNORS	RAMONEES
	ROMANEES
AEEMNORU	ENAMOURE
AEEMNOSU	ENOUAMES
	SAUMONEE
AEEMNPRT	APREMENT
	EMPARENT
	PAMERENT
	PAREMENT
AEEMNPSS	PENSAMES
AEEMNPST	EMPESANT
	SAPEMENT
AEEMNPTT	EMPATENT
	ETAMPENT
AEEMNPTV	PAVEMENT
AEEMNQSU	MANQUEES
AEEMNRRS	RAMENERS
AEEMNRRT	ARMERENT
	MATERNER
	RAMERENT
	RAREMENT
	REARMENT
	RENTAMER
AEEMNRRU	REMUNERA
AEEMNRRZ	MARNEREZ
AEEMNRST	ENTRAMES
	MATERNES
	RENTAMES
AEEMNRSU	ENUMERAS
	MARNEUSE
AEEMNRTT	MATERENT
	RETAMENT
AEEMNRTU	ENUMERAT
	REMUANTE
AEEMNRTZ	MATERNEZ
	RENTAMEZ
AEEMNSSS	MENASSES
AEEMNSST	MESSEANT
AEEMNSTT	MANETTES →
	TENTAMES
AEEMNTTT	EMETTANT
AEEMNTTU	AMEUTENT
AEEMOPRS	OPERAMES
AEEMOPRT	AMETROPE
	EMPOTERA
AEEMOPUY	PAUMOYEE
AEEMORST	TOREAMES
AEEMORTT	EMOTTERA
AEEMORTY	ATERMOYE
AEEMOSTT	STEATOME
AEEMPPRR	EPAMPRER
AEEMPPRS	EPAMPRES
AEEMPPRZ	EPAMPREZ
AEEMPRRS	PARSEMER
AEEMPRRT	RETREMPA
	TREMPERA
AEEMPRRZ	RAMPEREZ
AEEMPRSS	ASPERMES
	EMPRESSA
	PARSEMES
AEEMPRST	EMPETRAS
	ESTAMPER
	PRETAMES
	TEMPERAS
AEEMPRSU	EPURAMES
	SERAPEUM
AEEMPRSZ	PARSEMEZ
AEEMPRTT	EMPATTER
	EMPETRAT
	TEMPERAT
AEEMPRTU	ETAMPEUR
AEEMPRUZ	PAUMEREZ
AEEMPSST	EMPESTAS
	ESTAMPES
	PESTAMES
AEEMPSTT	EMPATTES
	EMPESTAT
	TEMPETAS
AEEMPSTU	AMPUTEES
AEEMPSTX	EXEMPTAS
AEEMPSTZ	ESTAMPEZ
AEEMPTTT	TEMPETAT
AEEMPTTX	EXEMPTAT
AEEMPTTZ	EMPATTEZ
AEEMQRRU	REMARQUE
AEEMQRSU	MARQUEES
AEEMQRTU	MARQUETE
AEEMQSSU	MASQUEES
AEEMQSTU	QUETAMES
AEEMQTTU	MAQUETTE

AEEMRRRZ	MARRERAZ
AEEMRRSS	SERRAMES
AEEMRRST	METRERAS
	TERRAMES
AEEMRRSU	MESURERA
	REMUERAS
	RESUMERA
AEEMRRTT	REMETTRA
	TREMATER
AEEMRRTU	RAMEUTER
	RETAMEUR
AEEMRRTZ	TRAMEREZ
AEEMRRUY	MAREYEUR
AEEMRRUZ	AMUREREZ
AEEMRSSS	RESSEMAS
AEEMRSST	MASSETER
	METRASSE
	RESSEMAT
	RESTAMES
	STEAMERS
	STERAMES
	TERSAMES
AEEMRSSU	ARMEUSES
	MESUSERA
	RAMEUSES
	REMUASSE
AEEMRSSV	SEVRAMES
	VERSAMES
AEEMRSSZ	MASSEREZ
AEEMRSTT	EMETTRAS
	METRATES
	RAMETTES
	TREMATES
AEEMRSTU	ETAMEURS
	ETAMURES
	RAMEUTES
	REMUATES
	TRAMEUSE
AEEMRSTY	METAYERS
AEEMRSUU	SAUMUREE
AEEMRSUZ	AMUSEREZ
AEEMRTTZ	TREMATEZ
AEEMRTUZ	RAMEUTEZ
AEEMSSSS	SEMASSES
AEEMSSSU	ASSUMEES
	MASSEUSE
AEEMSSSV	VESSAMES
AEEMSSTT	MASSETTE
	TESTAMES
AEEMSSTZ	ZESTAMES
AEEMSSUU	AMUSEUSE
AEEMSTTU	AMUSETTE
AEEMSTTZ	MAZETTES
AEEMSTUV	ETUVAMES
AEENNNOS	ANONNEES
AEENNNPT	PANTENNE
AEENNNRT	ENRENANT
AEENNNST	ANTENNES
AEENNNTX	ANNEXENT
AEENNOPR	EPERONNA
AEENNORT	ETONNERA
AEENNORY	RAYONNEE
AEENNOST	ANNOTEES
AEENNOSV	SAVONNEE
AEENNPPR	APPRENNE
AEENNPRT	EPRENANT
	PANERENT
	PRENANTE
AEENNPST	PANTENES
	PENSANTE
	PENTANES
AEENNRST	ETRENNAS
AEENNRSU	SURANNEE
AEENNRSY	ARYENNES
AEENNRTT	ENTRANTE
	ETRENNAT
	RETENANT
AEENNRTV	ENERVANT
	REVENANT
	VENERANT
AEENNRTY	ENRAYENT
AEENNRTZ	TANNEREZ
AEENNRVZ	VANNEREZ
AEENNSST	ASSENENT
AEENNSTT	TENANTES*
AEENNSTV	ENVASENT
AEENNTTT	ENTETANT
	TENTANTE
AEENNTTV	EVENTANT
AEENORRS	AERERONS
AEENORRT	AERERONT
AEENORRU	ENROUERA
	RENOUERA
AEENORRV	RENOVERA
AEENORSU	ENOUERAS
AEENORSX	EXONERAS
AEENORTX	EXONERAT
AEENOSSU	ENOUASSE
AEENOSTU	ENOUATES
AEENOTUY	NOYAUTEE
AEENPPRZ	APPRENEZ
	NAPPEREZ

AEENPQTU	PETANQUE
AEENPRRT	ARPENTER
	PARERENT
	RAPERENT
	REPARENT
	REPERANT
	TREPANER
AEENPRSS	PENSERAS
	PERSANES
	REPENSAS
AEENPRST	ARPENTES
	ESPERANT
	PARENTES
	PATERNES
	PENETRAS
	PRESENTA
	REPENSAT
	SAPERENT
	SEPARENT
	SERPENTA
	TREPANES
AEENPRSZ	PANSEREZ
AEENPRTT	PATENTER
	PENETRAT
	REPETANT
	RETAPENT
	TAPERENT
AEENPRTU	APEURENT
AEENPRTV	PAVERENT
	REPAVENT
AEENPRTY	PAYERENT
	PRYTANEE
	REPAYENT
AEENPRTZ	ARPENTEZ
	TREPANEZ
AEENPRUV	PARVENUE
AEENPRVZ	PARVENEZ
AEENPSSS	PENSASSE
AEENPSST	PENSATES
	PESANTES
AEENPSSX	EXPANSES
AEENPSTT	PATENTES
	SEPTANTE
AEENPTTZ	PATENTEZ
AEENQRRU	ENQUERRA
AEENQRSU	ENARQUES
AEENQRTU	QUATERNE
AEENQSTU	ENQUETAS
AEENQTTU	ENQUETAT
AEENRRRT	RENTRERA
AEENRRRV	RENVERRA
AEENRRRZ	NARREREZ
AEENRRSS	ENSERRAS
AEENRRST	ENSERRAT
	ENTERRAS
	ENTRERAS
	ERRANTES
	RASERENT
	RENTERAS
AEENRRSV	ENVERRAS
	RENVERSA
AEENRRTT	ARRETENT
	ENTARTRE
	ENTERRAT
	RATERENT
	TARERENT
AEENRRTV	ENTRAVER
	REVERANT
AEENRRTY	RAYERENT
	RENTRAYE
AEENRRUY	ENRAYURE
AEENRRVZ	NAVREREZ
AEENRSST	ENTASSER
	ENTRASSE
	REASSENT
	RENTASSE
AEENRSTT	ENTRATES
	RENETTAS
	RENTATES
	RESTANTE
	TENTERAS
AEENRSTU	ETERNUAS
	SENATEUR
AEENRSTV	ENTRAVES
	EVENTRAS
	SERVANTE
	TAVERNES
	VETERANS
AEENRSUZ	SAUNEREZ
AEENRTTT	ATTENTER
	RENETTAT
	TATERENT
AEENRTTU	ATTENUER
	ETERNUAT
AEENRTTV	EVENTRAT
	REVETANT
AEENRTTX	EXTERNAT
	TAXERENT
AEENRTTZ	NATTEREZ
AEENRTUV	AVENTURE
AEENRTVZ	ENTRAVEZ
	VANTEREZ

AEENSSST	ENTASSES
AEENSSSV	VANESSES
AEENSSTT	TENTASSE
AEENSSTY	ASSEYENT
	ESSAYENT
	SAYNETES
	SEYANTES
AEENSSTZ	ENTASSEZ
AEENSTTT	ATTENTES
	TENTATES
AEENSTTU	ATTENUES
AEENSTTV	NAVETTES
AEENSTUX	EXTENUAS
AEENSTVX	VEXANTES
AEENSUUX	NAUSEEUX
AEENTTTZ	ATTENTEZ
AEENTTUX	EXTENUAT
AEENTTUZ	ATTENUEZ
AEENTYZZ	ZEZAYENT
AEEOPPRT	APPORTEE
AEEOPPSS	APPOSEES
AEEOPRRR	PERORERA
AEEOPRRS	OPERERAS
	REPOSERA
AEEOPRRV	EVAPORER
AEEOPRSS	OPERASSE
AEEOPRST	OPERATES
	PROTEASE
AEEOPRSU	EPOUSERA
AEEOPRSV	EVAPORES
AEEOPRSX	EXPOSERA
AEEOPRTU	ETOUPERA
AEEOPRVZ	EVAPOREZ
AEEOPSST	APOSTEES
	POTASSEE
AEEOPSTT	TAPOTEES
AEEOQRUV	EVOQUERA
AEEORRSS	ARROSEES
	ESSORERA
AEEORRST	TOREERAS
AEEORRUV	OEUVRERA
AEEORSST	TOREASSE
AEEORSTT	TAROTEES
	TOREATES
AEEORSUV	SAVOUREE
AEEORTUZ	OUATEREZ
AEEORUVZ	AVOUEREZ
AEEOSSTT	STEATOSE
AEEOSTTU	TATOUEES
AEEPPRRR	PREPARER
AEEPPRRS	PREPARES
AEEPPRRT	APPRETER
	PERPETRA
AEEPPRRZ	PREPAREZ
AEEPPRST	APPRETES
AEEPPRTU	PERPETUA
AEEPPRTZ	APPRETEZ
AEEPPSSS	PAPESSES
AEEPPSUY	APPUYEES
AEEPQRSU	EPARQUES
	PARQUEES
AEEPQRTU	PARQUETE
AEEPQSSU	SAPEQUES
AEEPQSTU	PASTEQUE
AEEPRRRT	PARTERRE
AEEPRRSS	PARESSER
	PRESSERA
	REPASSER
AEEPRRST	PRETERAS
	REPARTES
AEEPRRSU	EPURERAS
	REPARUES*
AEEPRRSV	PRESERVA
AEEPRRTU	APERTURE
AEEPRRTZ	REPARTEZ
AEEPRRUZ	APUREREZ
AEEPRSSS	PARESSES
	REPASSES
AEEPRSST	PESTERAS
	PRETASSE
	TREPASSE
AEEPRSSU	EPURASSE
	RAPEUSES
AEEPRSSZ	PARESSEZ
	PASSEREZ
	REPASSEZ
AEEPRSTT	PRETATES
AEEPRSTU	EPATEURS
	EPURATES
	PATUREES*
AEEPRSTZ	TRAPEZES
AEEPRSUY	SURPAYEE
AEEPRSUZ	PAUSEREZ
AEEPRTTX	PRETEXTA
AEEPRTUV	PAUVRETE
AEEPSSSS	PESASSES
AEEPSSST	PESTASSE
	PETASSES
AEEPSSTT	PESTATES
AEEPSSTU	PATEUSES
	TAPEUSES
AEEPSSUY	PAYEUSES

AEEPSTTT	TAPETTES
AEEQRRRU	REQUERRA
AEEQRRSU	ESQUARRE
AEEQRRTU	ETARQUER
AEEQRRUZ	ARQUEREZ
AEEQRSSU	RESEQUAS
AEEQRSTU	ETARQUES
	QUETERAS
	RESEQUAT
	TRAQUEES
AEEQRSUX	EXARQUES
AEEQRSUZ	SAQUEREZ
AEEQRTTU	RAQUETTE
AEEQRTUU	EQUATEUR
	QUEUTERA
AEEQRTUZ	ETARQUEZ
	TAQUEREZ
AEEQRUVZ	VAQUEREZ
AEEQSSTU	QUETASSE
AEEQSSUU	AQUEUSES
AEEQSTTU	QUETATES
AEEQSTUU	EQUEUTAS
AEEQSTUZ	AZTEQUES
AEEQTTUU	EQUEUTAT
AEERRRSS	RESSERRA
	SERRERAS
AEERRRST	TERRERAS
AEERRRSV	REVERRAS
AEERRRTT	ATTERRER
AEERRSSS	ERRASSES
	SERRASSE
AEERRSST	ESSARTER
	RESTERAS
	SERRATES
	STERERAS
	TERRASSE
	TERSERAS
	TRESSERA
AEERRSSU	RASSUREE
	REASSURE
	RESSUERA
AEERRSSV	RESERVAS
	REVASSER
	REVERSAS
	SEVRERAS
	VERSERAS
AEERRSSY	RESSAYER
AEERRSTT	ATTERRES
	SARRETTE
	TARTREES
	TERRATES
AEERRSTU	RATUREES
	RESTAURE
AEERRSTV	RESERVAT
	REVERSAT
	TRAVERSE
	VERATRES
AEERRSUZ	SAURERERZ
AEERRTTZ	ATTERREZ
AEERRTUX	TERREAUX
AEERRUZZ	AZURERERZ
AEERSSSS	RESSASSE
AEERSSST	ESSARTES
	RESTASSE
	STERASSE
	TERSASSE
AEERSSSU	ASSUREES
	RASEUSES
AEERSSSV	REVASSES
	SEVRASSE
	VERSASSE
	VESSERAS
AEERSSSY	RASSEYES
	RESSAYES
AEERSSSZ	SASSEREZ
AEERSSTT	RASETTES
	RESTATES
	STATERES
	STERATES
	TERSATES
	TESTERAS
AEERSSTU	AUSTERES
	RESSAUTE
	SATUREES
AEERSSTV	SEVRATES
	VERSATES
AEERSSTW	SWEATERS
AEERSSTZ	ESSARTEZ
	TASSEREZ
	ZESTERAS
AEERSSUV	EVASURES
	VAREUSES
AEERSSUY	ESSAYEUR
AEERSSVZ	REVASSEZ
AEERSSYZ	RASSEYEZ
	RESSAYEZ
AEERSTTT	ATTESTER
AEERSTUV	ETUVERAS
	EVERTUAS
	VAUTREES
AEERSTUX	SURTAXEE
AEERSTUY	TRAYEUSE

AEERSTUZ	SAUTEREZ
AEERSUVX	VERSEAUX
AEERSUVZ	SAUVEREZ
AEERTTUV	EVERTUAT
AEERTTUX	TRETEAUX
AEERTUVX	VEXATEUR
AEERTXYZ	EXTRAYEZ
AEESSSST	ESTASSES*
AEESSSSV	VESSASSE
AEESSSTT	ASSETTES
	TESTASSE
	TETASSES
AEESSSTV	VESSATES
AEESSSTZ	ZESTASSE
AEESSSUV	VASEUSES
AEESSSVX	VEXASSES
AEESSTTT	ATTESTES
	TASSETTE
	TESTATES
AEESSTTU	STATUEES
AEESSTTZ	ZESTATES
AEESSTUU	SAUTEUSE
AEESSTUV	ETUVASSE
	SAUVETES
AEESTTTZ	ATTESTEZ
AEESTTUV	ETUVATES
	SAUVETTE
AEETTUUY	TUYAUTEE
AEFFFIIS	FIEFFAIS
AEFFFIIT	FIEFFAIT
AEFFFINT	FIEFFANT
AEFFGILR	AFFLIGER
AEFFGILS	AFFLIGES
AEFFGILZ	AFFLIGEZ
AEFFGIRR	AGRIFFER
	GRIFFERA
AEFFGIRS	AGRIFFES
	GREFFAIS
AEFFGIRT	GREFFAIT
AEFFGIRZ	AGRIFFEZ
AEFFGNRT	GREFFANT
AEFFGRSU	GAFFEURS
	SUFFRAGE
AEFFIILR	AFFILIER
AEFFIILS	AFFILIES
	EFFILAIS
	FALSIFIE
AEFFIILT	EFFILAIT
AEFFIILZ	AFFILIEZ
AEFFIINT	AFFINITE
AEFFIINZ	AFFINIEZ

AEFFIIPZ	PIAFFIEZ
AEFFIIRT	EFFRITAI
AEFFILNT	AFFILENT
	EFFILANT
AEFFILOR	AFFRIOLE
AEFFILOZ	AFFOLIEZ
AEFFILRS	SIFFLERA
AEFFILRU	FAUFILER
AEFFILSU	FAUFILES
AEFFILUZ	AFFLUIEZ
	FAUFILEZ
AEFFIMPR	EMPIFFRA
AEFFIMRR	AFFERMIR
	AFFIRMER
	RAFFERMI
AEFFIMRS	AFFERMIS
	AFFIRMES
AEFFIMRT	AFFERMIT
AEFFIMRZ	AFFIRMEZ
AEFFINNT	AFFINENT
AEFFINOS	OFFENSAI
AEFFINPT	PIAFFENT
AEFFINRR	RAFFINER
AEFFINRS	RAFFINES
AEFFINRU	AFFINEUR
AEFFINRZ	RAFFINEZ
AEFFIORR	FORFAIRE
AEFFIOSS	ASSOIFFE
AEFFIOST	ETOFFAIS
AEFFIOTT	ETOFFAIT
AEFFIOTU	ETOUFFAI
AEFFIPRU	PIAFFEUR
AEFFIRST	EFFRITAS
AEFFIRSU	SUIFFERA
AEFFIRTT	EFFRITAT
AEFFIRTU	AFFRUITE
AEFFITUZ	AFFUTIEZ
AEFFLMSU	MAFFLUES
AEFFLNOT	AFFOLENT
AEFFLNTU	AFFLUENT
AEFFLORR	RAFFOLER
AEFFLORS	RAFFOLES
AEFFLORZ	RAFFOLEZ
AEFFLRSU	FARFELUS
AEFFNNOS	EFFANONS
AEFFNORS	EFFARONS
AEFFNORT	AFFRONTE
AEFFNOSS	OFFENSAS
AEFFNOST	OFFENSAT
AEFFNOTT	ETOFFANT
AEFFNTTU	AFFUTENT

AEFFOPRU	POUFFERA
AEFFOSTU	ETOUFFAS
AEFFOTTU	ETOUFFAT
AEFFRRTU	TRUFFERA
AEFFRSTU	STAFFEUR
AEFFRTUU	AFFUTEUR
AEFFTUUX	TUFFEAUX
AEFGGLNO	GONFLAGE
AEFGIIIL	GELIFIAI
AEFGIILN	AIGLEFIN
	INFLIGEA
AEFGIILR	GIFLERAI
AEFGIILS	GELIFIAS
AEFGIILT	GELIFIAT
AEFGIIMN	MAGNIFIE
AEFGIINR	AIGREFIN
AEFGIINS	FEIGNAIS
AEFGIINT	FEIGNAIT
AEFGIIRS	FIGERAIS
AEFGIIRT	FIGERAIT
	GRATIFIE
AEFGIIRU	REFUGIAI
AEFGIIST	FASTIGIE
AEFGILMS	GIFLAMES
AEFGILNR	FRINGALE
AEFGILRS	FRAGILES
	GIFLERAS
AEFGILRT	FILTRAGE
AEFGILSS	GIFLASSE
AEFGILST	GIFLATES
AEFGIMNU	FUMAGINE
AEFGINNR	FRANGINE
AEFGINNT	FEIGNANT
AEFGINRZ	FRANGIEZ
AEFGINST	NEGATIFS
AEFGIORR	FORGERAI
AEFGIORS	FORGEAIS
AEFGIORT	FAGOTIER
	FORGEAIT
AEFGIORU	FOUGERAI
AEFGIOSU	FOUGEAIS
AEFGIOTU	FOUGEAIT
AEFGIOTZ	FAGOTIEZ
AEFGIPSU	APIFUGES
AEFGIRRU	FIGURERA
	GAUFRIER
AEFGIRSS	AGRESSIF
AEFGIRSU	REFUGIAS
AEFGIRTT	FRITTAGE
AEFGIRTU	FATIGUER
	REFUGIAT
AEFGIRUZ	GAUFRIEZ
AEFGISTU	FATIGUES
	FUSTIGEA
AEFGITUZ	FATIGUEZ
AEFGLNOR	FLAGORNE
	GONFLERA
	REGONFLA
AEFGLOSU	FOULAGES
AEFGLOTT	FLOTTAGE
AEFGLRSU	FRUGALES
AEFGMNRT	FRAGMENT
AEFGMORR	FROMAGER
AEFGMORS	FORMAGES
	FROMAGES
AEFGNNOT	FONTANGE
AEFGNNRT	FRANGENT
AEFGNORT	FORGEANT
	FREGATON
AEFGNOTT	FAGOTENT
AEFGNOTU	FOUGEANT
AEFGNRTU	GAUFRENT
AEFGORRS	FORGERAS
AEFGORRU	FOURRAGE
AEFGORSU	FOUGERAS
	SOUFRAGE
AEFGORTT	FROTTAGE
AEFGOSSU	FOUGASSE
AEFGRRUU	GAUFREUR
	GAUFRURE
AEFGRSTU	GERFAUTS
AEFHIKLS	KHALIFES
AEFHILLN	FELLAHIN*
AEFIIILN	LENIFIAI
AEFIIIRV	VERIFIAI
AEFIILLS	FAILLIES
	FILIALES
AEFIILLT	FAILLITE
AEFIILLU	FEUILLAI
AEFIILLZ	FAILLIEZ
AEFIILMP	AMPLIFIE
AEFIILMR	FAMILIER
	FILMERAI
AEFIILNP	PLANIFIE
AEFIILNR	RENFILAI
	RENIFLAI
AEFIILNS	ENFILAIS
	LENIFIAS
AEFIILNT	ENFILAIT
	FILAIENT
	FINALITE
	LENIFIAT

AEFIILOR	FOLIAIRE
AEFIILOX	EXFOLIAI
AEFIILQU	LIQUEFIA
	QUALIFIE
AEFIILRS	FILAIRES
	FILERAIS
	REFILAIS
	SALIFIER
AEFIILRT	FILERAIT
	REFILAIT
	TREFILAI
AEFIILRZ	FLAIRIEZ
AEFIILSS	SALIFIES
AEFIILST	FILETAIS
AEFIILSZ	SALIFIEZ
AEFIILTT	FILETAIT
AEFIIMNS	FEMINISA
	INFAMIES
AEFIIMRR	FREMIRAI
	FRIMAIRE
	RAMIFIER
AEFIIMRS	RAMIFIES
AEFIIMRZ	RAMIFIEZ
AEFIIMTU	TUMEFIAI
AEFIINPR	PANIFIER
AEFIINPS	PANIFIES
AEFIINPZ	PANIFIEZ
AEFIINRS	FREINAIS
	INFERAIS
	RIFAINES
AEFIINRT	FREINAIT
	INFERAIT
AEFIINRU	ENFUIRAI
	REUNIFIA
	UNIFIERA
AEFIINRZ	FARINIEZ
AEFIINST	FEINTAIS
	FIENTAIS
	INFESTAI
AEFIINTT	FEINTAIT
	FIENTAIT
AEFIINTX	FIXAIENT
AEFIIORR	FOIRERAI
AEFIIPRR	FRIPERAI
AEFIIPRT	APERITIF
	PETRIFIA
AEFIIPRX	PREFIXAI
AEFIIRRS	FRAISIER
	FRISERAI
AEFIIRRT	RATIFIER
	TERRIFIA
AEFIIRRU	AURIFIER
AEFIIRST	RATIFIES
AEFIIRSU	AURIFIES
AEFIIRSV	VERIFIAS
	VERSIFIA
AEFIIRSX	FIXERAIS
AEFIIRSZ	FRAISIEZ
AEFIIRTT	ITERATIF
AEFIIRTV	VERIFIAT
AEFIIRTX	FIXERAIT
AEFIIRTZ	RATIFIEZ
	TARIFIEZ
AEFIIRUZ	AURIFIEZ
AEFIISSZ	FIASSIEZ
AEFIITTZ	ATTIFIEZ
AEFIITVX	FIXATIVE
AEFIJORT	FORJETAI
AEFILLMS	FAMILLES
AEFILLNT	FAILLENT
AEFILLOU	FOUAILLE
AEFILLRT	FRETILLA
AEFILLSU	FEUILLAS
AEFILLTU	FEUILLAT
	FUTAILLE
AEFILLUV	FLUVIALE
AEFILMMS	FILMAMES
AEFILMNS	FLAMINES
AEFILMNT	FILAMENT
AEFILMOR	ALIFORME
	EMORFILA
AEFILMRS	FILMERAS
AEFILMSS	FILMASSE
AEFILMST	FILMATES
AEFILNNR	INFERNAL
AEFILNNT	ENFILANT
AEFILNOT	LOFAIENT
	OLEFIANT
AEFILNRS	RENFILAS
	RENFLAIS
	RENIFLAS
AEFILNRT	FLAIRENT
	REFILANT
	RENFILAT
	RENFLAIT
	RENIFLAT
AEFILNRU	INFLUERA
AEFILNST	FILANTES
AEFILNTT	FILETANT
AEFILNUZ	FALUNIEZ
AEFILOPR	PALEFROI
AEFILORR	FROLERAI

AEFILORS	LOFERAIS
	SOLFIERA
AEFILORT	LOFERAIT
AEFILORU	FLOUERAI
	FOULERAI
	REFOULAI
AEFILOSX	EXFOLIAS
AEFILOTX	EXFOLIAT
AEFILPPR	FLIPPERA
AEFILPRR	PARFILER
AEFILPRS	PARFILES
	PERSIFLA
AEFILPRX	PREFIXAL
AEFILPRZ	PARFILEZ
AEFILRRT	FILTRERA
	FLETRIRA
	FLIRTERA
AEFILRRU	FLEURIRA
AEFILRST	RELATIFS
	TREFILAS
AEFILRSU	FLEURAIS
	REFLUAIS
AEFILRTT	TREFILAT
AEFILRTU	FILATEUR
	FILATURE
	FLEURAIT
	FLUTERAI
	REFLUAIT
AEFILSSS	FILASSES
AEFILSSU	FUSELAIS
AEFILSTU	FUSELAIT
AEFILSTV	FESTIVAL
AEFILTTZ	FLATTIEZ
AEFILTUU	FAUTEUIL
AEFIMNOT	FOMENTAI
AEFIMNST	MEFIANTS
AEFIMNSU	ENFUMAIS
AEFIMNTU	ENFUMAIT
	FUMAIENT
AEFIMORR	FORMERAI
	REFORMAI
AEFIMORS	FOIRAMES
AEFIMORT	FORMIATE
AEFIMPRS	FRIPAMES
	PARFIMES*
AEFIMRRS	FREMIRAS
AEFIMRSS	FRISAMES
AEFIMRSU	FUMERAIS
AEFIMRTU	FUMERAIT
AEFIMSTU	TUMEFIAS
AEFIMSUV	FAUVISME
AEFIMTTU	TUMEFIAT
AEFINNNT	ENFANTIN
AEFINNOS	FENAISON
AEFINNOT	FONTAINE
AEFINNRT	FARINENT
	FREINANT
	INFERANT
AEFINNST	INFANTES
AEFINNSZ	FANZINES
AEFINNTT	FEINTANT
	FIENTANT
AEFINORS	FORAINES
AEFINORT	FORAIENT
AEFINORU	ENFOUIRA
	FOUINERA
AEFINPSX	EXPANSIF
AEFINQUU	FAUNIQUE
AEFINRRS	REFRAINS
AEFINRSS	FINASSER
AEFINRST	FRAISENT
	FRISANTE
AEFINRSU	ENFUIRAS
	INFUSERA
AEFINRTT	TARIFENT
AEFINRUX	FARINEUX
AEFINSSS	FINASSES
AEFINSST	FIASSENT
	INFESTAS
AEFINSSZ	FINASSEZ
AEFINSTT	INFESTAT
AEFINSTU	FUSAIENT
	FUTAINES
	INFATUES
AEFINSUY	ENFUYAIS
AEFINTTT	ATTENTIF
	ATTIFENT
AEFINTUY	ENFUYAIT
	FUYAIENT
AEFIOPRR	PERFORAI
	PROFERAI
AEFIORRS	FOIRERAS
	FORERAIS
	ORFRAIES
AEFIORRT	FORERAIT
	TORREFIA
AEFIORSS	FOIRASSE
AEFIORST	FOIRATES
AEFIORSV	FAVORISE
AEFIORTV	FAVORITE
AEFIOSTU	FOUTAISE
AEFIOSTY	FESTOYAI

AEFIOTTU	FOUETTAI
AEFIOTYZ	FAYOTIEZ
AEFIPPRZ	FRAPPIEZ
AEFIPRRS	FRIPERAS
AEFIPRSS	FRIPASSE
	PARFISSE*
AEFIPRST	FRIPATES
	PARFITES*
AEFIPRSX	PREFIXAS
AEFIPRTU	PUTREFIA
AEFIPRTX	PREFIXAT
AEFIPSTU	STUPEFIA
AEFIQRTU	TRAFIQUE
AEFIQSSU	FIASQUES
AEFIRRSS	FRISERAS
AEFIRRSU	FRAISEUR
	FRAISURE
	SURFAIRE
	SURFERAI
AEFIRSSS	FRISASSE
AEFIRSST	FRISATES
AEFIRSSU	FAISEURS
	FUSERAIS
	REFUSAIS
AEFIRSTT	FRETTAIS
AEFIRSTU	FEUTRAIS
	FURETAIS
	FUSERAIT
	REFUSAIT
	REFUTAIS
	SURFAITE
AEFIRTTT	FRETTAIT
AEFIRTTU	FEUTRAIT
	FURETAIT
	REFUTAIT
AEFIRTUX	FIXATEUR
AEFISSSX	FIXASSES
AEFISSUZ	FAUSSIEZ
AEFISTTT	ATTIFETS
AEFISTTU	FATUITES
AEFISTUV	FAUTIVES
AEFJORST	FORJETAS
AEFJORTT	FORJETAT
AEFLLORS	FLORALES
	FLOREALS*
AEFLMORS	FROLAMES
AEFLMORU	MAROUFLE
AEFLMOSU	FLOUAMES
	FOULAMES
AEFLMSTU	FLUTAMES
AEFLNNOP	PLAFONNE
AEFLNNRT	RENFLANT
AEFLNNTU	FALUNENT
AEFLNORR	RONFLERA
AEFLNORS	ERAFLONS
	FORLANES
AEFLNORT	FRONTALE
AEFLNORU	RENFLOUA
AEFLNOTU	FOULANTE
AEFLNQRU	FLANQUER
AEFLNQSU	FLANQUES
AEFLNQUZ	FLANQUEZ
AEFLNRSU	FLANEURS
AEFLNRTU	FLEURANT
	REFLUANT
AEFLNSTU	FUSELANT
AEFLNTTT	FLATTENT
AEFLORRS	FROLERAS
AEFLORRT	FOLATRER
AEFLORSS	FROLASSE
AEFLORST	FOLATRES
	FROLATES
AEFLORSU	FARLOUSE
	FLOUERAS
	FOULERAS
	REFOULAS
AEFLORTT	FLOTTERA
AEFLORTU	REFOULAT
AEFLORTZ	FOLATREZ
AEFLOSSS	LOFASSES
AEFLOSSU	FLOUASSE
	FOULASSE
AEFLOSTU	FLOUATES
	FOULATES
AEFLQSSU	FLASQUES
AEFLRSTU	FLUTERAS
	SULFATER
AEFLRTTU	FLATTEUR
AEFLSSTU	FLUTASSE
	SULFATES
AEFLSTTU	FLUTATES
AEFLSTUZ	SULFATEZ
AEFLTUUX	FLUTEAUX
AEFMMORS	FORMAMES
AEFMNNTU	ENFUMANT
AEFMNOST	FANTOMES
	FOMENTAS
AEFMNOTT	FOMENTAT
AEFMNRST	FERMANTS
AEFMNSTU	FUMANTES
AEFMOPRR	PREFORMA
AEFMORRS	FORMERAS →

	REFORMAS
AEFMORRT	REFORMAT
AEFMORSS	FORMASSE
AEFMORST	FORMATES
AEFMORUX	FEMORAUX
AEFMPRRU	PARFUMER
AEFMPRSU	PARFUMES
AEFMPRUZ	PARFUMEZ
AEFMSSSU	FUMASSES
AEFNNORS	FANERONS
AEFNNORT	FANERONT
AEFNNORU	ENFOURNA
AEFNNOST	FESTONNA
AEFNNTUY	ENFUYANT
AEFNOPRR	PROFANER
AEFNOPRS	PROFANES
AEFNOPRZ	PROFANEZ
AEFNORST	ASTRONEF
AEFNORSU	ENSOUFRA
AEFNORTU	FRONTEAU
AEFNORUU	FOURNEAU
AEFNOSSY	FASEYONS
AEFNOTTY	FAYOTENT
AEFNPPRT	FRAPPENT
AEFNQRSU	FRANQUES
AEFNRSTU	REFUSANT
AEFNRTTT	FRETTANT
AEFNRTTU	FEUTRANT
	FURETANT
	REFUTANT
AEFNSSTU	FAUSSENT
	FUSANTES
AEFNSTUY	FUYANTES
AEFOPRRS	PERFORAS
	PROFERAS
AEFOPRRT	PERFORAT
	PROFERAT
AEFOPRSS	PROFESSA
AEFORRRU	FOURRERA
AEFORRSU	SOUFRERA
AEFORRTT	FROTTERA
AEFORRTU	FERROUTA
AEFORRUU	FOURREAU
AEFORSSS	FORASSES
AEFORSTW	SOFTWARE
AEFORTTY	FAYOTTER*
AEFOSSTY	FESTOYAS
AEFOSTTU	FOUETTAS
AEFOSTTY	FAYOTTES*
	FESTOYAT
AEFOTTTU	FOUETTAT
AEFOTTYZ	FAYOTTEZ*
AEFPPRRU	FRAPPEUR
AEFQRSSU	FRASQUES
AEFRRSSU	SURFERAS
AEFRRSUY	FRAYEURS
AEFRSSSU	SURFASSE
AEFRSTTU	TARTUFES
AEFRSTUU	FAUTEURS
AEFSSSSU	FUSASSES
AEFSSSTU	FAUSSETS
AEFSTUUX	FASTUEUX
AEGGIINS	GEIGNAIS
AEGGIINT	GEIGNAIT
AEGGILLR	GRILLAGE
AEGGILNS	LIGNAGES
AEGGILOR	RIGOLAGE
AEGGILOT	LIGOTAGE
AEGGIMRS	GRIMAGES
AEGGINNT	GEIGNANT
AEGGINRR	GRIGNERA
AEGGINRU	GUIGNERA
AEGGINSZ	ZINGAGES
AEGGINTU	GUNITAGE
AEGGIORR	GORGERAI
AEGGIORS	GORGEAIS
AEGGIORT	GIGOTERA
	GORGEAIT
AEGGIPPR	GRIPPAGE
AEGGIPSU	GUIPAGES
AEGGIRRU	GARRIGUE
	GRUGERAI
AEGGIRSU	GRUGEAIS
	SUGGERAI
AEGGIRSV	GIVRAGES
AEGGIRTU	GRUGEAIT
AEGGISST	GAGISTES
AEGGIUZZ	ZIGZAGUE
AEGGMMOS	GOMMAGES
AEGGNORR	GROGNERA
AEGGNORS	GAGERONS
	ROGNAGES
AEGGNORT	GAGERONT
	GORGEANT
AEGGNRST	GANGSTER
AEGGNRSU	GAGNEURS
AEGGNRTU	GRUGEANT
AEGGOPRU	GROUPAGE
AEGGORRS	GORGERAS
AEGGORST	GARGOTES
AEGGPRUY	PYGARGUE
AEGGRRSU	GRUGERAS

AEGGRSSU	SUGGERAS
AEGGRSTU	SUGGERAT
AEGHILNR	NARGHILE
AEGHILRT	LITHARGE
AEGHILSU	HUILAGES
AEGHINPS	SPHAIGNE
AEGHIPRS	GRAPHIES
AEGHIPRT	GRAPHITE
AEGHKNUX	KHAGNEUX
AEGHLSTW	THALWEGS
AEGHMMOS	HOMMAGES
AEGHMNSZ	MAGHZENS
AEGHNORR	HONGRERA
AEGHNPRY	PHRYGANE
AEGHNRUX	HARGNEUX
AEGHNSTU	SHUNTAGE
AEGIIIMT	MITIGEAI
AEGIIINN	INGENIAI
AEGIILLU	AIGUILLE
AEGIILMO	LIMOGEAI
AEGIILMT	LEGITIMA
AEGIILNN	ENLIGNAI
AEGIILNO	ELOIGNAI
AEGIILNP	EPINGLAI
AEGIILNU	ELINGUAI
AEGIILNZ	ALIGNIEZ
AEGIILOV	VOLIGEAI
AEGIILPZ	PLAGIIEZ
AEGIILRU	LIGUERAI
AEGIILRV	GRIVELAI
AEGIILRZ	GLAIRIEZ
AEGIILST	AGILITES
AEGIILSZ	GLAISIEZ
AEGIIMNR	IMAGINER
	MIGRAINE
AEGIIMNS	GEMINAIS
	IMAGINES
AEGIIMNT	GEMINAIT
AEGIIMNZ	GAMINIEZ
	IMAGINEZ
AEGIIMOS	ISOGAMIE
AEGIIMRR	GRIMERAI
AEGIIMRS	AIGRIMES
	EMIGRAIS
	GEMIRAIS
	IMAGIERS
	MAIGRIES
	MEGIRAIS
AEGIIMRT	EMIGRAIT
	GEMIRAIT
	MEGIRAIT →
	MITIGERA
AEGIIMSS	MEGISSAI
AEGIIMST	MITIGEAS
AEGIIMTT	MITIGEAT
AEGIINNR	NIGERIAN
AEGIINNS	INGENIAS
AEGIINNT	INGENIAT
AEGIINNV	INVAGINE
AEGIINPS	PEIGNAIS
AEGIINPT	PEIGNAIT
AEGIINPZ	PAGINIEZ
AEGIINRS	GAINIERS
	INGERAIS
	RESIGNAI
	SIGNERAI
	SINGERAI
AEGIINRT	INGERAIT
	INTEGRAI
AEGIINRV	VINAIGRE
AEGIINRZ	GRAINIEZ
AEGIINSS	SINGEAIS
AEGIINST	GISAIENT
	SINGEAIT
	TEIGNAIS
AEGIINSZ	SAIGNIEZ
AEGIINTT	GITAIENT
	TEIGNAIT
AEGIINTV	VAGINITE
AEGIIOTZ	AGIOTIEZ
AEGIIPRS	PIGERAIS
AEGIIPRT	PIGERAIT
AEGIIPRU	GUIPERAI
AEGIIRRS	GRISERAI
	REGIRAIS
AEGIIRRT	REGIRAIT
AEGIIRRU	GUERIRAI
AEGIIRRV	GIVRERAI
AEGIIRRZ	AIGRIREZ
AEGIIRSS	AIGRISSE
	EGRISAIS
AEGIIRST	AIGRITES
	EGRISAIT
	GITERAIS
AEGIIRSU	AIGUISER
AEGIIRTT	GITERAIT
AEGIIRVZ	VAGIRIEZ
AEGIISSU	AIGUISES
AEGIISSZ	AGISSIEZ
AEGIISUZ	AIGUISEZ
AEGIITTZ	ATTIGIEZ
AEGIJNUU	ENJUGUAI

AEGIJRSU	JUGERAIS
AEGIJRTU	JUGERAIT
AEGILLMS	MILLAGES
	SMILLAGE
AEGILLNU	ANGUILLE
	LINGUALE
AEGILLOS	EGOSILLA
	GALLOISE
AEGILLOU	GOUAILLE
	OUILLAGE
AEGILLPS	GASPILLE
	PILLAGES
AEGILLQU	GALLIQUE
AEGILLRR	GRAILLER
	GRILLERA
AEGILLRS	GRAILLES
	GRESILLA
AEGILLRU	GUERILLA
AEGILLRV	VRILLAGE
AEGILLRZ	GRAILLEZ
AEGILLSS	SILLAGES
AEGILLST	GAILLETS
	TILLAGES
AEGILLSU	GLAIEULS
AEGILLSV	VILLAGES
AEGILLUX	ILLEGAUX
AEGILMNO	LIMONAGE
AEGILMNR	GERMINAL
	MALINGRE
	MANGLIER
AEGILMNS	MALIGNES
AEGILMNT	LIGAMENT
AEGILMOR	LIMOGERA
AEGILMOS	LIMOGEAS
AEGILMOT	LIMOGEAT
AEGILMPS	GLAPIMES
AEGILMRU	GRUMELAI
AEGILMST	GLATIMES
AEGILMSU	LIGUAMES
	MEUGLAIS
AEGILMSY	MYALGIES
AEGILMTU	MEUGLAIT
AEGILNNO	AIGLONNE
AEGILNNS	ENLIGNAS
AEGILNNT	ALIGNENT
	ENLIGNAT
AEGILNOP	PLONGEAI
AEGILNOR	LONGERAI
	REGIONAL
AEGILNOS	EGALIONS
	ELOIGNAS
	LONGEAIS
AEGILNOT	ELOIGNAT
	LEGATION
	LONGEAIT
AEGILNOZ	GAZOLINE
AEGILNPS	EPINGLAS
	PLAIGNES
AEGILNPT	EPINGLAT
	PLAGIENT
AEGILNPZ	PLAIGNEZ
AEGILNRS	SANGLIER
	SIGNALER
AEGILNRT	GLAIRENT
	INTEGRAL
	TRIANGLE
AEGILNRU	GRANULIE
	LANGUIER
	NARGUILE
	RALINGUE
AEGILNRY	YEARLING
AEGILNSS	LEASINGS
	SIGNALES
AEGILNST	ANTIGELS
	GLAISENT
AEGILNSU	ELINGUAS
	ENGLUAIS
AEGILNSZ	SANGLIEZ
	SIGNALEZ
AEGILNTU	ELINGUAT
	ENGLUAIT
AEGILOOP	APOLOGIE
AEGILOPU	EPILOGUA
AEGILOPZ	GALOPIEZ
AEGILORR	RIGOLERA
AEGILORS	ALGEROIS
	GLOSERAI
	LOGERAIS
AEGILORT	GRATIOLE
	LIGOTERA
	LOGERAIT
AEGILORV	VIROLAGE
	VOLIGERA
AEGILOST	ALIGOTES
	GALIOTES
	OTALGIES
	SILOTAGE
	TOILAGES
AEGILOSU	GAULOISE
AEGILOSV	OGIVALES
	VOILAGES
	VOLIGEAS

AEGILOTV	VOLIGEAT
	VOLTIGEA
AEGILPPR	GRIPPALE
AEGILPRZ	GLAPIREZ
AEGILPSS	GLAPISSE
	PLISSAGE
AEGILPST	GLAPITES
	PLAGISTE
AEGILQSU	ALGIQUES
AEGILRRR	RELARGIR
AEGILRRS	RELARGIS
AEGILRRT	RELARGIT
AEGILRSS	GLISSERA
AEGILRSU	LIGUERAS
	LUGERAIS
	SURGELAI
AEGILRSV	GRIVELAS
AEGILRTU	LIGATURE
	LUGERAIT
AEGILRTV	GRIVELAT
AEGILRTZ	GLATIREZ
AEGILRUV	VULGAIRE
AEGILRUX	ARGILEUX
	GLAIREUX
AEGILRUZ	LARGUIEZ
AEGILSSS	LISSAGES
AEGILSST	GLATISSE
AEGILSSU	LIGUASSE
AEGILSTT	GLATITES
AEGILSTU	LIGUATES
AEGILSUU	GUEULAIS
AEGILSUX	GLAISEUX
AEGILTUU	GUEULAIT
AEGIMMNO	ENGOMMAI
AEGIMMOR	GOMMERAI
AEGIMMRS	GRIMAMES
AEGIMNNT	GAMINENT
	GEMINANT
AEGIMNOP	EMPOIGNA
AEGIMNOR	MORIGENA
AEGIMNOS	AGONIMES*
	ANGIOMES
	IMAGEONS
AEGIMNOT	TEMOIGNA
AEGIMNPR	IMPREGNA
AEGIMNPT	PIGMENTA
AEGIMNRS	GARNIMES
	GERMAINS
AEGIMNRT	EMIGRANT
	MIGRANTE
AEGIMNRU	GERANIUM →
	MANGUIER
	MERINGUA
	RAMINGUE
AEGIMNSS	SIGNAMES
AEGIMNTU	MINUTAGE
AEGIMORS	MOIRAGES
AEGIMOSS	ISOGAMES
AEGIMPRR	GRIMPERA
	REGRIMPA
AEGIMPRS	PRIMAGES
AEGIMPSU	GUIPAMES
AEGIMQSU	MAGIQUES
AEGIMRRS	GRIMERAS
AEGIMRRU	MAIGREUR
AEGIMRSS	GRIMASSE
	GRISAMES
AEGIMRST	GRIMATES
	MAGISTER
AEGIMRSU	GUISARME
AEGIMRSV	GIVRAMES
	GRAVIMES
AEGIMRUX	GREMIAUX
AEGIMSSS	MEGISSAS
AEGIMSST	GATISMES
	MEGISSAT
AEGIMSTT	STIGMATE
AEGIMUUV	GUIMAUVE
AEGINNOP	PIGEONNA
AEGINNOT	NEGATION
AEGINNPT	PAGINENT
	PEIGNANT
AEGINNRS	ENGRAINS
AEGINNRT	ARGENTIN
	GRAINENT
	INGERANT
AEGINNST	SAIGNENT
	SINGEANT
AEGINNSU	SANGUINE
AEGINNSV	ANGEVINS
AEGINNTT	TEIGNANT
AEGINNUX	ANGINEUX
AEGINOPT	POINTAGE
AEGINORR	IGNORERA
	ROGNERAI
	RONGERAI
AEGINORS	AGONISER
	AGREIONS
	EGARIONS
	ORGANISE
	RONGEAIS
	SOIGNERA →

	SONGERAI
AEGINORT	ORGANITE
	RONGEAIT
AEGINORZ	AGONIREZ*
AEGINOSS	AGNOSIES
	AGONISES
	AGONISSE*
	ANGOISSE
	SONGEAIS
AEGINOST	AGONITES*
	ETAGIONS
	GANTOISE
	SONGEAIT
AEGINOSU	ENGOUAIS
	SAGOUINE
AEGINOSY	EGAYIONS
AEGINOSZ	AGONISEZ
AEGINOTT	AGIOTENT
AEGINOTU	ENGOUAIT
AEGINOXY	OXYGENAI
AEGINPRT	TREPIGNA
AEGINPRU	REPUGNAI
AEGINRRR	REGARNIR
AEGINRRS	REGARNIS
AEGINRRT	GRANITER
	GRATINER
	REGARNIT
AEGINRRU	RUGINERA
AEGINRRZ	GARNIREZ
AEGINRSS	ASSIGNER
	GARNISSE
	RESIGNAS
	SERINGAS
	SIGNERAS
	SINGERAS
AEGINRST	EGRISANT
	GANTIERS
	GARNITES
	GRANITES
	GRATINES
	GRISANTE
	INGRATES
	INTEGRAS
	RESIGNAT
	SERINGAT
	TRANSIGE
AEGINRSU	INSURGEA
	SAIGNEUR
AEGINRTT	INTEGRAT
AEGINRTV	VAGIRENT
AEGINRTZ	GRANITEZ →
	GRATINEZ
AEGINRUU	INAUGURE
AEGINRUV	NAVIGUER
AEGINRUZ	NARGUIEZ
	ZINGUERA
AEGINSSS	ASSIGNES
	SIGNASSE
AEGINSST	AGISSENT
	GISANTES
	SIGNATES
	TIGNASSE
	TSIGANES
AEGINSSU	USINAGES
AEGINSSZ	ASSIGNEZ
AEGINSTZ	STAGNIEZ
	TZIGANES
AEGINSUV	NAVIGUES
AEGINTTT	ATTIGENT
AEGINTUX	GENITAUX
AEGINTUZ	TANGUIEZ
AEGINUVX	VIGNEAUX
AEGINUVZ	NAVIGUEZ
AEGIOPRS	PRAGOISE
AEGIOPRT	PARIGOTE
AEGIOQRU	ORGIAQUE
AEGIORRU	GOURERAI
AEGIORRV	REVIGORA
AEGIORRZ	ARROGIEZ
AEGIORST	AGRIOTES
	ERGOTAIS
AEGIORTT	ERGOTAIT
AEGIORTU	AGIOTEUR
	AUTOGIRE
	GOUTERAI
AEGIORTV	RAVIGOTE
AEGIORUV	VOGUERAI
AEGIORVY	GOYAVIER
AEGIOTTU	EGOUTTAI
AEGIOVYZ	VOYAGIEZ
AEGIPPRR	AGRIPPER
	GRIPPERA
AEGIPPRS	AGRIPPES
AEGIPPRZ	AGRIPPEZ
AEGIPQSU	PIQUAGES
AEGIPRRU	PURGERAI
AEGIPRSU	GUIPERAS
	PURGEAIS
AEGIPRTU	PURGEAIT
AEGIPSST	PISTAGES
AEGIPSSU	GUIPASSE
	PUISAGES

AEGIPSTU	GUIPATES
AEGIQRTU	TRAGIQUE
AEGIRRRU	AGUERRIR
AEGIRRSS	GRAISSER
	GRISERAS
AEGIRRST	GRISATRE
AEGIRRSU	AGUERRIS
	AIGREURS
	GUERIRAS
	URGERAIS*
AEGIRRSV	GIVRERAS
	GRAVIERS
AEGIRRTU	AGUERRIT
	URGERAIT
AEGIRRTV	GRAVITER
AEGIRRVZ	GRAVIREZ
AEGIRSSS	GRAISSES
	GRISASSE
AEGIRSST	GRISATES
AEGIRSSU	SARIGUES
AEGIRSSV	GIVRASSE
	GRAVISSE
AEGIRSSZ	GRAISSEZ
AEGIRSTT	GASTRITE
	TITRAGES
AEGIRSTU	ARGUTIES
	GUETRAIS
	GUITARES
	TARGUIES
AEGIRSTV	GIVRATES
	GRAVITES
	VITRAGES
AEGIRSUU	SURAIGUE
AEGIRTTU	GRATUITE
	GUETRAIT
AEGIRTTZ	GRATTIEZ
AEGIRTUZ	TARGUIEZ
AEGIRTVZ	GRAVITEZ
AEGIRUUZ	AUGURIEZ
AEGISSST	GITASSES
	TISSAGES
AEGISSSV	VAGISSES
	VISSAGES
AEGISSTT	SAGITTES
AEGISSUZ	GAUSSIEZ
AEGISSVZ	VAGISSEZ
AEGISTTU	GUETTAIS
AEGITTTU	GUETTAIT
AEGJLNOR	JONGLERA
AEGJLNOS	GALEJONS
AEGJLRUU	JUGULERA
AEGJNNOR	JARGONNE
AEGJNOSU	JAUGEONS
AEGJNSUU	ENJUGUAS
AEGJNTUU	ENJUGUAT
AEGJRSUU	JAUGEURS
AEGLLNOR	ALLONGER
	RALLONGE
AEGLLNOS	ALLONGES
AEGLLNOZ	ALLONGEZ
AEGLLORS	ALLEGROS
AEGLLOTT	GLOTTALE
AEGLMMOR	GROMMELA
AEGLMNTU	MEUGLANT
AEGLMOPY	POLYGAME
AEGLMOSS	GLOSAMES
AEGLMOSU	MOULAGES
AEGLMPSU	PLUMAGES
AEGLMRSU	GRUMELAS
AEGLMRTU	GRUMELAT
AEGLNNOR	GALONNER
AEGLNNOS	AGNELONS
	GALONNES
	LANGEONS
AEGLNNOT	LONGEANT
AEGLNNOZ	GALONNEZ
AEGLNNST	SANGLENT
AEGLNNTU	ENGLUANT
AEGLNOPR	PLONGERA
AEGLNOPS	ESPAGNOL
	PLONGEAS
AEGLNOPT	GALOPENT
	PLONGEAT
AEGLNORR	LORGNERA
AEGLNORS	LONGERAS
	REGALONS
AEGLNORT	ROTANGLE
AEGLNORU	LOUANGER
AEGLNOSS	LOSANGES
AEGLNOST	ANGELOTS
	SANGLOTE
AEGLNOSU	ELAGUONS
	LOUANGES
AEGLNOUZ	LOUANGEZ
AEGLNRRU	GRANULER
AEGLNRSU	GLANEURS
	GLANURES
	GRANULES
AEGLNRSY	LARYNGES
AEGLNRTU	LARGUENT
AEGLNRUU	LANGUEUR
AEGLNRUZ	GRANULEZ

AEGLNSTU	GLUANTES
AEGLNTUU	GUEULANT
AEGLNUUX	ANGULEUX
AEGLOOPU	APOLOGUE
AEGLOPPU	POPULAGE
AEGLOPRS	PERGOLAS
AEGLOPRU	GALOPEUR
AEGLOPSY	PLOYAGES
AEGLORSS	GLOSERAS
AEGLORSU	ROULAGES
	SOULAGER
AEGLORTT	GRELOTTA
AEGLORTU	ARGOULET
AEGLOSSS	GLOSASSE
AEGLOSST	GLOSATES
AEGLOSSU	SOULAGES
AEGLOSTV	VOLTAGES
AEGLOSUZ	SOULAGEZ
AEGLQSUU	GLAUQUES
AEGLRRSU	LARGEURS
AEGLRSSU	SURGELAS
AEGLRSTU	LUSTRAGE
	SURGELAT
AEGLSTUV	VULGATES*
AEGMMMOS	GOMMAMES
AEGMMNOO	MONOGAME
AEGMMNOS	ENGOMMAS
AEGMMNOT	ENGOMMAT
AEGMMORS	GOMMERAS
AEGMMOSS	GOMMASSE
AEGMMOST	GOMMATES
AEGMNNOS	ENGAMONS
	MANGEONS
AEGMNNOT	MONTAGNE
AEGMNOOR	AGRONOME
AEGMNORS	MARENGOS
	MARGEONS
	ROGNAMES
AEGMNORV	MANGROVE
AEGMNOST	MAGNETOS
	MONTAGES
AEGMNRSU	MANGEURS
AEGMNRTU	ARGUMENT
AEGMNSSY	GYMNASES
AEGMNSTU	AUGMENTS
AEGMNSTY	GYMNASTE
	SYNTAGME
AEGMOPPS	POMPAGES
AEGMORRT	MARGOTER
AEGMORSS	ORGASMES
AEGMORST	MARGOTES

AEGMORSU	GOURAMES
AEGMORTT	MARGOTTE
AEGMORTZ	MARGOTEZ
AEGMOSTU	GOUTAMES
AEGMOSUV	VOGUAMES
AEGMRRSU	MARGEURS
AEGMRUUX	GRUMEAUX
AEGNNORS	NAGERONS
	RANGEONS
AEGNNORT	NAGERONT
	RONGEANT
AEGNNORZ	GAZONNER
AEGNNOST	ESTAGNON
	NEGATONS
	SONGEANT
	TONNAGES
AEGNNOSZ	GAZONNES
AEGNNOTU	ENGOUANT
AEGNNOTW	WAGONNET
AEGNNOZZ	GAZONNEZ
AEGNNPRT	PREGNANT
AEGNNRST	REGNANTS
AEGNNRTU	NARGUENT
AEGNNSTT	STAGNENT
	TANGENTS
AEGNNTTU	TANGUENT
AEGNOPRS	SPORANGE
AEGNORRS	GARERONS
	ORANGERS
	RAGERONS
	RAGREONS
	ROGNERAS
	RONGERAS
AEGNORRT	ARROGENT
	GARERONT
	GRATERON
	RAGERONT
AEGNORSS	ENGROSSA
	ROGNASSE
	SONGERAS
AEGNORST	ESTRAGON
	GATERONS
	REGATONS
	ROGNATES
AEGNORSU	AUGERONS
AEGNORSV	GAVERONS
AEGNORSZ	GAZERONS
AEGNORTT	EGROTANT
	ERGOTANT
	GATERONT
AEGNORTU	GOURANTE →

	TOURNAGE
AEGNORTV	GAVERONT
AEGNORTZ	GAZERONT
AEGNORUV	GOUVERNA
AEGNOSXY	OXYGENAS
AEGNOTVY	VOYAGENT
AEGNOTXY	OXYGENAT
AEGNPRST	TREPANGS
AEGNPRSU	REPUGNAS
AEGNPRTU	PURGEANT
	REPUGNAT
AEGNRRSU	SURNAGER
AEGNRSSU	SURNAGES
AEGNRSUU	SAUGRENU
AEGNRSUZ	SURNAGEZ
AEGNRTTT	GRATTENT
AEGNRTTU	GUETRANT
	TARGUENT
AEGNRTUU	AUGURENT
AEGNSSSU	SANGSUES
AEGNSSTU	GAUSSENT
AEGNTTTU	GUETTANT
AEGNUUUX	UNGUEAUX
AEGOOPRR	PROROGEA
AEGOORUY	ROUGEOYA
AEGOPPRR	PROPAGER
AEGOPPRS	PROPAGES
AEGOPPRZ	PROPAGEZ
AEGOPPST	STOPPAGE
AEGOPRRU	GROUPERA
	REGROUPA
AEGOPRST	PORTAGES
	POTAGERS
AEGOPSST	GESTAPOS
	POSTAGES
AEGOPSSU	POUSSAGE
AEGORRSU	GOURERAS
AEGORRSY	ARGYROSE
AEGORRTT	GARROTTE
AEGORRTU	OUTRAGER
	ROUERGAT
AEGORRUV	OUVRAGER
AEGORRUY	GUERROYA
AEGORSSU	GOURASSE
AEGORSTU	GOURATES
	GOUTERAS
	OUTRAGES
	ROUTAGES
AEGORSUV	OUVRAGES
	VOGUERAS
AEGORTTU	GOUTTERA
AEGORTUZ	OUTRAGEZ
AEGORUVY	VOYAGEUR
AEGORUVZ	OUVRAGEZ
AEGOSSTU	GOUTASSE
AEGOSSUV	VOGUASSE
AEGOSTTU	EGOUTTAS
	GOUTATES
AEGOSTTV	GAVOTTES
AEGOSTUV	VOGUATES
AEGOTTTU	EGOUTTAT
AEGPRRSU	PURGERAS
AEGQRTUU	TRUQUAGE
AEGRRSUV	GRAVEURS
	GRAVURES
AEGRRTTU	GRATTEUR
	GRATTURE
AEGRSSST	GRASSETS
AEGSSTUU	AUGUSTES
AEHIILNN	ANNIHILE
AEHIILNZ	INHALIEZ
AEHIILRS	HILAIRES
AEHIILRT	HILARITE
AEHIILRU	HUILERAI
AEHIILST	LITHIASE
AEHIILSW	SWAHILIE
AEHIIMNT	THIAMINE
AEHIINNR	HENNIRAI
AEHIINRV	HIVERNAI
AEHIINST	HAITIENS
AEHIINTU	HUITAINE
AEHIIRSS	HERISSAI
	HISSERAI
AEHIIRST	HERITAIS
AEHIIRTT	HERITAIT
AEHIISST	HESITAIS
AEHIISSZ	HAISSIEZ
AEHIISTT	HESITAIT
AEHILLNP	PHALLINE
AEHILLRS	HALLIERS
AEHILMSU	HUILAMES
AEHILNNT	INHALENT
AEHILNRV	HIVERNAL
AEHILNSY	HYALINES
AEHILNTZ	ZENITHAL
AEHILOSU	SOUAHELI
AEHILPSY	PHYSALIE
AEHILRRU	HURLERAI
AEHILRSU	HUILERAS
AEHILSSU	HUILASSE
AEHILSTU	HUILATES
AEHILSTY	HYALITES

AEHIMNOR	HARMONIE
AEHIMNRU	ENRHUMAI
	INHUMERA
AEHIMNST	ANTHEMIS
AEHIMNSU	HUMAINES
	HUMANISE
AEHIMNTU	HUMAIENT
	HUMANITE
AEHIMPSS	SAPHISME
AEHIMRST	TRAHIMES
AEHIMRSU	AHURIMES
	HUMERAIS
AEHIMRTU	HUMERAIT
AEHIMRTY	ARYTHMIE
AEHIMSSS	HISSAMES
AEHIMSSZ	SMASHIEZ
AEHIMSTY	ATHYMIES
AEHIMSUX	EXHUMAIS
AEHIMTUX	EXHUMAIT
AEHINNRS	HENNIRAS
AEHINOPS	APHONIES
AEHINORT	THONAIRE
AEHINOTU	HOUAIENT
AEHINPRS	SERAPHIN
AEHINRSV	HIVERNAS
AEHINRTT	HERITANT
AEHINRTV	HIVERNAT
AEHINRUY	HAINUYER*
AEHINSST	HAISSENT
	HANTISES
AEHINSTT	HESITANT
	THEATINS
AEHINTTU	HUITANTE
AEHIOPRT	ATROPHIE
AEHIOQTU	HOQUETAI
AEHIORRS	HORAIRES
AEHIORST	THEORISA
AEHIORSU	HOUERAIS
AEHIORTU	HOUERAIT
AEHIORTX	EXHORTAI
AEHIOSSU	HOUSSAIE
AEHIOSTU	SOUHAITE
AEHIPQSU	SAPHIQUE
AEHIPRRT	PHRATRIE
AEHIPRST	HARPISTE
	TRIPHASE
AEHIPRSZ	PHRASIEZ
AEHIPSXY	ASPHYXIE
AEHIRRTT	ARTHRITE
AEHIRRTZ	TRAHIREZ
AEHIRRUZ	AHURIREZ
AEHIRSSS	HERISSAS
	HISSERAS
AEHIRSST	HERISSAT
	TRAHISSE
AEHIRSSU	AHURISSE
	HAUSSIER
AEHIRSTT	TRAHITES
AEHIRSTU	AHURITES
	HEURTAIS
AEHIRTTU	HEURTAIT
AEHISSSS	HISSASSE
AEHISSST	HISSATES
AEHISSUZ	HAUSSIEZ
	HUASSIEZ
AEHKMNSZ	MAKHZENS
AEHLLPSY	APHYLLES
AEHLLRUU	HULULERA
AEHLLSTT	TALLETHS
AEHLMNOT	METHANOL
AEHLMNPY	NYMPHALE
AEHLMORU	HUMORALE
AEHLMPPT	PAMPHLET
AEHLMRSU	HURLAMES
	MALHEURS
AEHLNNOS	ANHELONS
AEHLNORS	HALERONS
AEHLNORT	HALERONT
AEHLNOST	HALETONS
AEHLNOSX	EXHALONS
AEHLNPRS	SHRAPNEL
AEHLNRTU	HURLANTE
AEHLRRSU	HURLERAS
AEHLRSSU	HURLASSE
AEHLRSTU	HURLATES
AEHMMOSS	HOMMASSE
AEHMNNOS	MAHONNES
AEHMNOTX	XANTHOME
AEHMNPSY	NYMPHEAS
AEHMNRSU	ENRHUMAS
AEHMNRTU	ENRHUMAT
AEHMNSST	SMASHENT
AEHMNTUX	EXHUMANT
AEHMOPRS	AMORPHES
	AMPHORES
AEHMRRTY	RYTHMERA
AEHMRSST	HAMSTERS
AEHMRTUX	THERMAUX
AEHMRUUX	HUMERAUX
AEHMSSSU	HUMASSES
AEHNNNOT	HANNETON
AEHNNOPR	HARPONNE

AEHNNOPT	PANTHEON
AEHNNPRU	NENUPHAR
AEHNNRUY	HANNUYER*
AEHNOORR	HONORERA
AEHNOPST	PHAETONS
AEHNORST	HATERONS
AEHNORTT	HATERONT
AEHNPRST	PHRASENT
AEHNRSTU	SHUNTERA
AEHNRTTU	HEURTANT
AEHNSSTU	HAUSSENT
	HUASSENT
AEHOORST	SHOOTERA
AEHOPPRS	PROPHASE
AEHOPPSY	APOPHYSE
AEHOPRST	EPHORATS
AEHOQSTU	HOQUETAS
AEHOQTTU	HOQUETAT
AEHORRST	ARTHROSE
AEHORSTT	RHEOSTAT
AEHORSTX	EXHORTAS
AEHORTTX	EXHORTAT
AEHOSSSU	HOUASSES
AEHOSUUX	HOUSEAUX
AEHPRRSU	PHRASEUR
AEHRSTUU	HAUTEURS
AEIIILMN	ELIMINAI
AEIIILMR	MILIAIRE
AEIIILNT	INITIALE
AEIIILRS	RESILIAI
AEIIIMRT	IMITERAI
AEIIINPT	PIETINAI
AEIIINRT	INITIERA
AEIIIRRS	IRISERAI
AEIIJLLR	REJAILLI
AEIIJLLS	JAILLIES*
AEIIJMNS	JAINISME
AEIIJNOT	EJOINTAI
AEIIJRSS	JERSIAIS
AEIIKNRS	IRAKIENS
AEIIKNST	KAINITES
	SKIAIENT
AEIIKRSS	SKIERAIS
AEIIKRST	SKIERAIT
AEIILLLM	LIMAILLE
AEIILLLS	LILIALES
AEIILLMN	LIMINALE
AEIILLMR	RIMAILLE
AEIILLMZ	MAILLIEZ
AEIILLNP	PINAILLE
AEIILLNS	NIELLAIS
AEIILLNT	INTAILLE
	NIELLAIT
AEIILLPR	PIAILLER
	PILLERAI
	RIPAILLE
AEIILLPS	PIAILLES
AEIILLPT	PETILLAI
AEIILLPZ	PAILLIEZ
	PALLIIEZ
	PIAILLEZ
AEIILLRT	ETRILLAI
	TILLERAI
	TIRAILLE
AEIILLRZ	RAILLIEZ
	RALLIIEZ
AEIILLSS	SAILLIES
AEIILLST	TEILLAIS
AEIILLSV	VEILLAIS
	VIELLAIS
AEIILLTT	TEILLAIT
AEIILLTV	VEILLAIT
	VETILLAI
	VIELLAIT
AEIILLTZ	TAILLIEZ
AEIILMMN	MINIMALE
AEIILMNS	ELIMINAS
AEIILMNT	ELIMINAT
	LIMAIENT
AEIILMNZ	LAMINIEZ
AEIILMPR	EMPLIRAI
	IMPERIAL
	REMPILAI
AEIILMPS	EMPILAIS
AEIILMPT	EMPILAIT
AEIILMRS	LIMERAIS
AEIILMRT	LIMERAIT
	LIMITERA
	MILITERA
AEIILMSS	ASSIMILE
AEIILMSV	AVILIMES
AEIILMUZ	MIAULIEZ
AEIILNNS	ANILINES
AEIILNOT	ENTOILAI
AEIILNOV	ENVOILAI
AEIILNPT	PILAIENT
	PLIAIENT
AEIILNPZ	LAPINIEZ
AEIILNRS	LAINIERS
	LINAIRES
	SALINIER
AEIILNRT	LIRAIENT

AEIILNSS	ENLISAIS
	ENSILAIS
	LESINAIS
AEIILNST	ENLISAIT
	ENSILAIT
	ITALIENS
	LATINISE
	LESINAIT
	LISAIENT
	LITANIES
	SALINITE
AEIILNSV	NIVELAIS
	VILAINES
AEIILNSZ	AZILIENS
AEIILNTT	LATINITE
	LITAIENT
AEIILNTV	NIVELAIT
	VENTILAI
AEIILOPR	PLOIERAI
AEIILORS	ISOLERAI
AEIILORU	IOULERAI*
AEIILORV	VIOLERAI
	VOILERAI
AEIILOSS	OISELAIS
AEIILOST	ETIOLAIS
	ETOILAIS
	OISELAIT
AEIILOSV	OLIVAIES
AEIILOTT	ETIOLAIT
	ETOILAIT
AEIILOTV	VIOLETAI
AEIILPRS	PILAIRES
	PILERAIS
	PLIERAIS
	REPLIAIS
AEIILPRT	PILERAIT
	PLIERAIT
	REPLIAIT
AEIILPRZ	PALIRIEZ
	PLAIRIEZ
AEIILPSZ	PLAISIEZ
AEIILPUZ	PIAULIEZ
AEIILQSU	ILIAQUES
	LIASIQUE
AEIILQTU	ITALIQUE
AEIILRRS	RELIRAIS
AEIILRRT	RELIRAIT
AEIILRRU	RELUIRAI
	RUILERAI
AEIILRRV	LIVRERAI
AEIILRSS	ALISIERS →
	LISERAIS
	LISSERAI
	RELISAIS
	RESILIAS
AEIILRST	LAITIERS
	LISERAIT
	LITERAIS
	RELISAIT
	RESILIAT
AEIILRSV	RAVILIES
	RIVALISE
	VIRELAIS
AEIILRSZ	SALIRIEZ
AEIILRTT	LITERAIT
AEIILRTV	RIVALITE
	TRIVIALE
AEIILRVZ	AVILIREZ
AEIILSSV	AVILISSE
	LESSIVAI
AEIILSSZ	LAISSIEZ
	LIASSIEZ
AEIILSTV	AVILITES
AEIILSVZ	SALIVIEZ
AEIILTTV	VITALITE
AEIIMMNS	ANIMISME
	MAINMISE
AEIIMMNT	MIMAIENT
AEIIMMRS	MIMERAIS
AEIIMMRT	MARITIME
	MIMERAIT
AEIIMMST	IMITAMES
AEIIMMSX	MAXIMISE
AEIIMNNR	ARMINIEN
AEIIMNNS	INANIMES
	INSEMINA
AEIIMNNT	MAINTIEN
	MINAIENT
AEIIMNPT	PIMENTAI
AEIIMNRR	MARINIER
AEIIMNRS	MINERAIS
AEIIMNRT	INTIMERA
	MENTIRAI
	MINERAIT
	MIRAIENT
	RIMAIENT
	TERMINAI
AEIIMNRZ	MARINIEZ
	RANIMIEZ
AEIIMNSS	MISAINES
AEIIMNST	AMNISTIE
	ANIMISTE →

	MISAIENT
	MITAINES
AEIIMNSU	MENUISAI
AEIIMNSX	XIMENIAS
AEIIMNTT	ANTIMITE
	MITAIENT
AEIIMNTV	VITAMINE
AEIIMNTX	MIXAIENT
AEIIMNTZ	MATINIEZ
AEIIMORR	MOIRERAI
AEIIMORS	MOISERAI
AEIIMOSS	SIAMOISE
AEIIMPRR	PRIMAIRE
	PRIMERAI
	REPRIMAI
AEIIMPRS	EMPIRAIS
	IMPAIRES
	MEPRISAI
	PERIMAIS
AEIIMPRT	EMPIRAIT
	IMPARITE
	IMPARTIE
	IMPETRAI
	PERIMAIT
	PRIMATIE
AEIIMPRX	EXPRIMAI
AEIIMRRS	MIRERAIS
	RIMERAIS
AEIIMRRT	MIRERAIT
	RIMERAIT
	TRIMERAI
AEIIMRRZ	ARRIMIEZ
AEIIMRSS	IRISAMES
	MISERAIS
	REMISAIS
AEIIMRST	IMITERAS
	MAITRISE
	MERITAIS
	MISERAIT
	MITERAIS
	REMISAIT
AEIIMRSX	MIXERAIS
AEIIMRTT	MERITAIT
	MITERAIT
AEIIMRTX	MIXERAIT
AEIIMRTZ	MATIRIEZ
AEIIMRUZ	AMUIRIEZ
AEIIMSSS	SAISIMES
AEIIMSST	ESTIMAIS
	IMITASSE
	METISSAI
AEIIMSTT	ESTIMAIT
	IMITATES
AEIIMSTZ	TAMISIEZ
AEIINNRS	IRANIENS
AEIINNRT	INTERNAI
AEIINNRV	INNERVAI
AEIINNSS	ASINIENS
AEIINNST	INANITES
	INSANITE
AEIINNTT	INTENTAI
AEIINNTV	INVENTAI
	VINAIENT
AEIINOPR	OPINERAI
AEIINOPS	EPIAISON
AEIINOPT	EPOINTAI
AEIINORS	IONISERA
	NOIERAIS
AEIINORT	NOIERAIT
	ORIENTAI
AEIINOSV	AVOISINE
AEIINPPR	NIPPERAI
AEIINPPT	PIPAIENT
AEIINPRS	ASPIRINE
	PARISIEN
AEIINPRT	PINTERAI
	PRIAIENT
	RIPAIENT
AEIINPRZ	RAPINIEZ
AEIINPSS	SINAPISE
AEIINPST	PIANISTE
	PIETINAS
AEIINPTT	PIETINAT
AEIINPTZ	PATINIEZ
AEIINQRS	IRAQIENS
AEIINQRU	QUINAIRE
AEIINQTU	INQUIETA
AEIINRRT	RIRAIENT
	TERNIRAI
AEIINRRU	REUNIRAI
	RUINERAI
	URINAIRE
	URINERAI
AEIINRRV	RIVERAIN
	VERNIRAI
AEIINRSS	INSERAIS
	RAISINES
	RESINAIS
	SERINAIS
AEIINRST	INSERAIT
	RESINAIT
	SENTIRAI →

	SERINAIT
AEIINRSU	USINERAI
AEIINRSV	ENIVRAIS
	INVERSAI
	VINAIRES
	VINERAIS
AEIINRTT	TINTERAI
	TIRAIENT
	TRIAIENT
AEIINRTU	UNITAIRE
AEIINRTV	ENIVRAIT
	INVITERA
	RIVAIENT
	VINERAIT
	VIRAIENT
AEIINRTZ	NAITRIEZ
	RATINIEZ
	TRAINIEZ
AEIINRVZ	RAVINIEZ
AEIINSSS	SAISINES
AEIINSSZ	NAISSIEZ
	NIASSIEZ
AEIINSTT	TEINTAIS
AEIINSTV	VISAIENT
AEIINSTZ	SATINIEZ
	TANISIEZ
AEIINSZZ	ZIZANIES
AEIINTTT	TEINTAIT
AEIINTTV	NATIVITE
AEIINTVV	VIVAIENT
AEIIOPST	APITOIES
	POETISAI
AEIIORST	TOISERAI
AEIIPPRS	PIPERAIS
AEIIPPRT	PIPERAIT
AEIIPQRU	PIQUERAI
	REPIQUAI
AEIIPQSU	EQUIPAIS
AEIIPQTU	EQUIPAIT
	PIQUETAI
AEIIPQUZ	APIQUIEZ
AEIIPRRS	PERIRAIS
	PRAIRIES
	PRIERAIS
	PRISERAI
	REPRISAI
	RESPIRAI
	RIPERAIS
AEIIPRRT	PERIRAIT
	PETRIRAI
	PRIERAIT →

	RIPERAIT
AEIIPRRU	RIPUAIRE
AEIIPRRV	PRIVERAI
AEIIPRSS	EPAISSIR
	PISSERAI
AEIIPRST	ETRIPAIS
	PISTERAI
AEIIPRSU	PUISERAI
AEIIPRSX	EXPIRAIS
AEIIPRSZ	ASPIRIEZ
AEIIPRTT	ETRIPAIT
AEIIPRTX	EXPIRAIT
	EXTIRPAI
AEIIPRTZ	PAITRIEZ
	PATIRIEZ
	PIRATIEZ
	TAPIRIEZ
AEIIPRUV	VIPERIAU
AEIIPRVV	VIVIPARE
AEIIPRZZ	PIZZERIA
AEIIPSSS	EPAISSIS
	EPISSAIS
AEIIPSST	EPAISSIT
	EPISSAIT
AEIIPSSU	EPUISAIS
AEIIPSSZ	PAISSIEZ
AEIIPSTU	EPUISAIT
AEIIQRTU	ETRIQUAI
	TIQUERAI
AEIIQSSU	ISIAQUES
AEIIQSUV	ESQUIVAI
AEIIQTUV	VIATIQUE
AEIIRRRT	IRRITERA
AEIIRRSS	IRISERAS
AEIIRRST	RETIRAIS
	SERTIRAI
	STRIERAI
	TIRERAIS
	TRIERAIS
AEIIRRSV	RIVERAIS
	SERVIRAI
	VIRERAIS
AEIIRRSZ	ARRISIEZ
AEIIRRTT	RETIRAIT
	TIRERAIT
	TITRERAI
	TRIERAIT
AEIIRRTV	RIVERAIT
	TREVIRAI
	VIRERAIT
	VITRERAI

AEIIRRTW	REWRITAI
AEIIRRTZ	TARIRIEZ
	TRAIRIEZ
AEIIRRVV	REVIVRAI
AEIIRRVZ	ARRIVIEZ
	RAVIRIEZ
AEIIRSSS	IRISASSE
	RESSAISI
AEIIRSST	IRISATES
	RESISTAI
	RETISSAI
	SATIRISE
	TISSERAI
AEIIRSSV	REVISAIS
	SEVIRAIS
	VISERAIS
	VISSERAI
AEIIRSSZ	SAISIREZ
AEIIRSTU	SITUERAI
AEIIRSTV	REVISAIT
	RIVETAIS
	SEVIRAIT
	VETIRAIS
	VISERAIT
	VISITERA
AEIIRSVV	REVIVAIS
AEIIRSVZ	RAVISIEZ
AEIIRTTV	RIVETAIT
	VETIRAIT
AEIIRTTZ	ATTIRIEZ
	TRAITIEZ
AEIIRTVV	REVIVAIT
AEIIRVVZ	RAVIVIEZ
AEIIRZZZ	RAZZIIEZ
AEIISSSS	SAISISSE
AEIISSST	SAISITES
AEIISSTX	EXISTAIS
AEIISTTX	EXISTAIT
AEIISTTZ	ATTISIEZ
AEIISTUZ	ZIEUTAIS
AEIITTUZ	ZIEUTAIT
AEIJLMSU	JUMELAIS
AEIJLMTU	JUMELAIT
AEIJLNOS	ENJOLAIS
AEIJLNOT	ENJOLAIT
AEIJLNOV	ENJOLIVA
AEIJLOSU	JALOUSIE
AEIJLOSV	JOVIALES
AEIJMNSU	JAUNIMES
AEIJMORT	MAJORITE
	MIJOTERA
AEIJMORZ	MAJORIEZ
AEIJNORT	AJOINTER
AEIJNOST	AJOINTES
	EJOINTAS
AEIJNOTT	EJOINTAT
AEIJNOTU	JOUAIENT
AEIJNOTZ	AJOINTEZ
AEIJNPRS	JASPINER
AEIJNPSS	JASPINES
AEIJNPSZ	JASPINEZ
AEIJNRRU	RAJEUNIR
AEIJNRSU	RAJEUNIS
AEIJNRSV	JANVIERS*
AEIJNRTU	JURAIENT
	RAJEUNIT
AEIJNRUZ	JAUNIREZ
AEIJNSSU	JAUNISSE
AEIJNSTU	JAUNITES
AEIJNTTU	JUTAIENT
AEIJOPRT	PROJETAI
AEIJORRU	REJOUIRA
AEIJORSU	JOUERAIS
	REJOUAIS
AEIJORTU	JOUERAIT
	JOUTERAI
	REJOUAIT
AEIJORUZ	AJOURIEZ
AEIJOTUZ	AJOUTIEZ
AEIJQRSU	JAQUIERS
AEIJRRSU	JURERAIS
AEIJRRTU	JURERAIT
AEIJRSTU	JUTERAIS
	SURJETAI
AEIJRTTU	JUTERAIT
AEIJSSTU	ASSUJETI*
AEIJSTUZ	AJUSTIEZ
AEIKKOPR	KAPOKIER
AEIKLORT	KOLATIER
AEIKLRVY	VALKYRIE
AEIKLSST	LAKISTES
AEIKMNST	KANTISME
AEIKNNST	KANTIENS
AEIKNSTY	ENKYSTAI
AEIKSSSS	SKIASSES
AEILLLOV	VOLAILLE
AEILLMNS	MANILLES
AEILLMNT	MAILLENT
	MANTILLE
AEILLMOR	MARIOLLE
	RAMOLLIE
AEILLMOS	AMOLLIES

AEILLMPP	PAMPILLE
AEILLMPS	PILLAMES
AEILLMQU	MAQUILLE
AEILLMRS	ARMILLES
	RAMILLES
AEILLMRU	MAILLURE
	MURAILLE
AEILLMRV	VERMILLA
AEILLMST	MAILLETS
	TILLAMES
AEILLMSX	MAXILLES
AEILLMUZ	ALLUMIEZ
AEILLNNO	LANOLINE
AEILLNNT	NIELLANT
AEILLNPT	PAILLENT
	PALLIENT
AEILLNRS	NASILLER
AEILLNRT	RAILLENT
	RALLIENT
AEILLNSS	NASILLES
AEILLNST	INSTALLE
	SAILLENT
AEILLNSV	VANILLES
AEILLNSZ	NASILLEZ
AEILLNTT	TAILLENT
	TEILLANT
AEILLNTV	VAILLENT
	VEILLANT
	VIELLANT
AEILLOPT	PAILLOTE
AEILLOPU	EPOUILLA
AEILLORS	OLLAIRES
AEILLORU	OUILLERA
AEILLOSU	OUAILLES
AEILLOTV	VOLATILE
AEILLOUZ	ALLOUIEZ
AEILLPPS	PAPILLES
AEILLPRS	PAILLERS
	PILLERAS
AEILLPSS	PILLASSE
AEILLPST	PAILLETS
	PASTILLE
	PETILLAS
	PILLATES
AEILLPTT	PETILLAT
AEILLPUV	PLUVIALE
AEILLPUX	PAILLEUX
AEILLRRT	TRILLERA
AEILLRRU	RAILLEUR
AEILLRRV	VRILLERA
AEILLRST	ETRILLAS →
	TILLERAS
	TRAILLES
AEILLRSU	AILLEURS
AEILLRTT	ETRILLAT
	LITTERAL
AEILLRTU	TAILLEUR
AEILLRUU	ULULERAI
AEILLSST	TILLASSE
AEILLSTT	TILLATES
AEILLSTU	SAUTILLE
AEILLSTV	VETILLAS
AEILLSUV	ALLUSIVE
AEILLTTV	VETILLAT
AEILMMOP	POMMELAI
AEILMMOR	IMMOLERA
	IMMORALE
	MEMORIAL
AEILMMPU	EMPLUMAI
AEILMNNO	NEMALION
	NOMINALE
AEILMNNT	LAMINENT
AEILMNNU	ENLUMINA
	MANUELIN
AEILMNOS	MONIALES
AEILMNOU	MALOUINE
AEILMNPS	PLANISME
AEILMNPT	EMPILANT
	IMPLANTE
AEILMNPU	MANIPULE
AEILMNRT	TERMINAL
AEILMNRU	LAMINEUR
AEILMNST	ALIMENTS
	SMALTINE
AEILMNSU	ALUMINES
	ALUNIMES
AEILMNTU	MIAULENT
AEILMNUX	LAMINEUX
AEILMOPR	LAMPROIE
AEILMOPT	OPTIMALE
AEILMOPY	EMPLOYAI
AEILMORS	LARMOIES
	MARIOLES
	MOLAIRES
	MORALISE
AEILMORT	MORALITE
AEILMORU	MOULERAI
AEILMOSS	ISOLAMES
AEILMOST	LATOMIES
	MOLESTAI
	MOLETAIS
AEILMOSU	EMOULAIS →

	IOULAMES*
AEILMOSV	VIOLAMES
	VOILAMES
AEILMOTT	MOLETAIT
AEILMOTU	EMOULAIT
AEILMPRR	REMPLIRA
AEILMPRS	EMPLIRAS
	PALMIERS
	REMPILAS
AEILMPRT	REMPILAT
AEILMPRU	PLUMERAI
AEILMPST	LAMPISTE
	PALMISTE
AEILMQSU	MALIQUES
AEILMQUY	AMYLIQUE
AEILMRRS	LARMIERS
AEILMRST	MITRALES
	TREMAILS
AEILMRSU	RUILAMES
	SIMULERA
	ULMAIRES
AEILMRSV	LIVRAMES
AEILMRTU	MUTILERA
AEILMRUU	MIAULEUR
AEILMRUV	VELARIUM
AEILMSSS	LIMASSES
	LISSAMES
	SISMALES
AEILMSSU	MUSELAIS
AEILMSSV	SLAVISME
AEILMSSX	LAXISMES
AEILMSTU	MUSELAIT
AEILNNOS	ALIENONS
AEILNNOT	LAITONNE
AEILNNPT	LAPINENT
AEILNNRT	TRIENNAL
AEILNNST	ENLISANT
	ENSILANT
	LESINANT
AEILNNTV	LEVANTIN
	NIVELANT
	VALENTIN
AEILNNUZ	ANNULIEZ
AEILNOPP	PANOPLIE
AEILNOPS	OPALINES
AEILNOPT	ANTILOPE
AEILNOPU	POULAINE
AEILNORR	LORRAINE
AEILNORS	AILERONS
	ENROLAIS
	INSOLERA →
	LAIERONS
	NOLISERA
AEILNORT	ENROLAIT
	LAIERONT
	LAITERON
	ORIENTAL
	RELATION
	RENTOILA
AEILNORU	ENROULAI
	OURALIEN
AEILNOSS	ALESIONS
AEILNOST	ENTOILAS
	ENTOLAIS
	ETALIONS
	ISOLANTE
	LAOTIENS
	OISELANT
AEILNOSV	ENVOILAS
	ENVOLAIS
AEILNOTT	ENTOILAT
	ENTOLAIT
	ETIOLANT
	ETOILANT
	TONALITE
AEILNOTU	LOUAIENT
AEILNOTV	ENVOILAT
	ENVOLAIT
	LOVAIENT
	VIOLENTA
	VOLAIENT
AEILNPPR	PREALPIN
AEILNPRR	PRALINER
AEILNPRS	PRALINES
AEILNPRT	PALIRENT
	PLATINER
	REPLIANT
AEILNPRZ	PRALINEZ
AEILNPSS	SPINALES
AEILNPST	PATELINS
	PLAINTES
	PLAISENT
	PLATINES
	PLIANTES
AEILNPSU	PAULIENS
AEILNPTU	NUPTIALE
	PIAULENT
AEILNPTY	PTYALINE
AEILNPTZ	PLANTIEZ
	PLATINEZ
AEILNPUV	PLEUVINA
AEILNQRU	ARLEQUIN

AEILNRRT	RALENTIR
AEILNRST	LATRINES
	LISERANT
	RALENTIS
	RELISANT
	SALIRENT
AEILNRSU	LAINEURS
	LUNAIRES
	ULNAIRES
AEILNRSV	ELINVARS
AEILNRTT	RALENTIT
AEILNRTU	LUTINERA
AEILNRUZ	ALUNIREZ
AEILNSST	LAISSENT
	LIASSENT
AEILNSSU	ALUNISSE
AEILNSTU	ALUNITES
	LUISANTE
	NAUTILES
AEILNSTV	SALIVENT
	VENTILAS
AEILNTTU	LUTAIENT
AEILNTTV	VENTILAT
AEILNTUX	LINTEAUX
	LUXAIENT
AEILNUVV	UNIVALVE
AEILOPRR	PAROLIER
	REPOLIRA
AEILOPRS	PLOIERAS
	POLAIRES
	POLARISE
	SPOLIERA
AEILOPRT	PELOTARI
	PILORETA
	POLARITE
AEILOPRU	LOUPERAI
AEILOPRX	EXPLORAI
AEILOPRY	REPLOYAI
AEILOPSS	OPALISES
	PALOISES
AEILOPST	PELOTAIS
AEILOPSX	EXPLOSAI
AEILOPSZ	SALOPIEZ
AEILOPTT	PELOTAIT
AEILOPTX	EXPLOITA
AEILOQTU	ALIQUOTE
AEILOQUX	OXALIQUE
AEILORRU	LOURERAI
	OURLERAI
	ROULERAI
AEILORRV	REVALOIR →
	VIROLERA
AEILORSS	ALESOIRS
	ISOLERAS
	SOLAIRES
AEILORST	TOLERAIS
AEILORSU	IOULERAS*
	LOUERAIS
	RELOUAIS
	SOULERAI
AEILORSV	LOVERAIS
	OVALISER
	REVOLAIS
	VALORISE
	VARIOLES
	VIOLERAS
	VOILERAS
	VOLERAIS
AEILORTT	TOLERAIT
AEILORTU	LOUERAIT
	RELOUAIT
AEILORTV	LOVERAIT
	OLIVATRE
	REVOLAIT
	REVOLTAI
	TRAVIOLE
	VIOLATRE
	VOLERAIT
	VOLTAIRE
	VOLTERAI
AEILORUV	LOUVERAI
	OVULAIRE
AEILORVV	VOLVAIRE
AEILOSSS	ISOLASSE
AEILOSST	ISOLATES
AEILOSSU	IOULASSE*
AEILOSSV	OVALISES
	VIOLASSE
	VOILASSE
AEILOSSZ	ASSOLIEZ
AEILOSTT	TOTALISE
AEILOSTU	IOULATES*
AEILOSTV	VIOLATES
	VIOLETAS
	VOILATES
	VOLETAIS
AEILOSUV	EVOLUAIS
	SOLIVEAU
	SOULEVAI
AEILOSUZ	SAOULIEZ
AEILOSVZ	OVALISEZ
AEILOTTT	TOTALITE

AEILOTTV	VIOLETAT
	VOLETAIT
AEILOTUV	EVOLUAIT
	LOUVETAI
	VELOUTAI
AEILPPQU	APPLIQUE
AEILPPRT	PALPITER
AEILPPRU	PULPAIRE
AEILPPST	PALPITES
AEILPPSU	PEUPLAIS
	SUPPLEAI
AEILPPTU	PEUPLAIT
AEILPPTZ	PALPITEZ
AEILPQRU	REPLIQUA
AEILPQUX	EXPLIQUA
AEILPQUZ	PLAQUIEZ
AEILPRRT	PLATRIER
	TRIPLERA
AEILPRSS	PALISSER
	PLISSERA
	REPLISSA
	SPIRALES
AEILPRST	PARTIELS
	PILASTRE
	TRIPALES
AEILPRSU	PALIURES
	PARULIES
	PLEURAIS
AEILPRTU	PLEURAIT
AEILPRTZ	PLATRIEZ
AEILPSSS	PALISSES
	PILASSES
	PLIASSES
AEILPSST	ALPISTES
	PLASTIES
AEILPSSZ	PALISSEZ
AEILPSTU	PAULISTE
AEILPSUX	EXPULSAI
AEILPTUV	PLEUVAIT
AEILQRTU	RELIQUAT
AEILQRUU	RELUQUAI
AEILQSSU	SALIQUES
AEILQSTU	QUALITES
	TEQUILAS
AEILQSUU	AULIQUES
AEILQTUZ	TALQUIEZ
AEILQUUV	EQUIVALU
AEILRRSU	LAURIERS
	LEURRAIS
	RELUIRAS
	RUILERAS
AEILRRSV	LIVRERAS
AEILRRTU	LEURRAIT
	RUTILERA
AEILRSSS	LISSERAS
AEILRSSU	LAIUSSER
	RUILASSE
	RUISSELA
AEILRSSV	LIVRASSE
	SLAVISER
AEILRSTT	TALITRES
AEILRSTU	LUTERAIS
	RESULTAI*
	RUILATES
	TAULIERS
AEILRSTV	LEVIRATS
	LIVRATES
AEILRSTY	STYLERAI
AEILRSUV	REVULSAI
AEILRSUX	LUXERAIS
AEILRTTU	LUTERAIT
	LUTTERAI
AEILRTUX	LUXERAIT
AEILRTUZ	LAZURITE
AEILRUVV	VULVAIRE
AEILSSSS	LISSASSE
	SALISSES
AEILSSST	LISSATES
	LITASSES
AEILSSSU	LAIUSSES
AEILSSSV	LESSIVAS
	SLAVISES
AEILSSSZ	SALISSEZ
AEILSSTT	ALTISTES
AEILSSTV	LESSIVAT
	SLAVISTE
AEILSSTX	LAXISTES
AEILSSUZ	LAIUSSEZ
AEILSSVZ	SLAVISEZ
AEILSTUX	EXULTAIS
	LISTEAUX
AEILSTVY	VILAYETS
AEILTTUX	EXULTAIT
AEILTUUX	TUILEAUX
AEILUUVX	ELUVIAUX
AEIMMNNT	IMMANENT
AEIMMNOR	NOMMERAI
	RENOMMAI
AEIMMNOT	AMMONITE
AEIMMOPR	POMMERAI
AEIMMORS	MEMORISA
	MOIRAMES →

	SOMMAIRE
	SOMMERAI
AEIMMOSS	MAOISMES
	MOISAMES
	MOSAISME
AEIMMOST	ATOMISME
AEIMMPRS	PRIMAMES
AEIMMRST	MARMITES
	TRIMAMES
AEIMMRSU	EMMURAIS
AEIMMRSX	MARXISME
AEIMMRTU	EMMURAIT
	IMMATURE
AEIMMSSS	MIMASSES
AEIMNNOS	AMENIONS
	ANEMIONS
	EMANIONS
	MONNAIES
	ONANISME
AEIMNNRT	MARINENT
	RANIMENT
AEIMNNSS	NANISMES
AEIMNNST	MANNITES
	NANTIMES
AEIMNNSU	UNANIMES
AEIMNNTT	MATINENT
AEIMNNTU	MAINTENU
AEIMNOOP	OPIOMANE
AEIMNOPR	PROMENAI
AEIMNOPS	OPINAMES
AEIMNOPT	PTOMAINE
AEIMNORR	MINORERA
AEIMNORS	AIMERONS
	MORAINES
	ROMAINES
	ROMANISE
AEIMNORT	AIMERONT
	MARONITE
	MONTERAI
	REMONTAI
AEIMNORU	AUMONIER
	ROUMAINE
AEIMNORZ	RAMONIEZ
AEIMNOSS	ANOSMIES
AEIMNOST	ETAMIONS
	MONETISA
AEIMNOTT	TOMAIENT
AEIMNOTZ	MONAZITE
AEIMNOUX	MOINEAUX
AEIMNPPS	NIPPAMES
AEIMNPPT	PIMPANTE
AEIMNPRT	EMPIRANT
	PERIMANT
AEIMNPST	PIMENTAS
	PINTAMES
AEIMNPTT	PIMENTAT
AEIMNPTU	EMPUANTI
AEIMNQRU	RAMEQUIN
AEIMNQSU	MANIQUES
	NAQUIMES
AEIMNQTU	MANTIQUE
AEIMNQUZ	MANQUIEZ
AEIMNRRS	MERRAINS
AEIMNRRT	ARRIMENT
AEIMNRRU	RUMINERA
AEIMNRST	MARTIENS
	MENTIRAS
	MINARETS
	REMISANT
	TERMINAS
AEIMNRSU	MANIEURS
	RUINAMES
	SURMENAI
	URANISME
	URINAMES
AEIMNRSX	MARXIENS
AEIMNRTT	MARTINET
	MATIRENT
	MERITANT
	TERMINAT
AEIMNRTU	AMUIRENT
	MINUTERA
	MURAIENT
	MUTINERA
AEIMNRTV	VRAIMENT
AEIMNRUX	MINERAUX
AEIMNSSS	MINASSES
AEIMNSST	MANTISSE
	STAMINES
AEIMNSSU	MENUISAS
	USINAMES
AEIMNSSZ	NAZISMES
AEIMNSTT	ESTIMANT
	TAMISENT
	TINTAMES
AEIMNSTU	MENUISAT
	MUSAIENT
	NAUTISME
AEIMNSUX	SEMINAUX
AEIMNTTU	MUTAIENT
AEIMOOPR	POMOIERA*
AEIMOPPR	POMPERAI

AEIMOPRS	IMPOSERA
	REIMPOSA
AEIMOPRT	EMPORTAI
	REMPOTAI
AEIMOPSS	EMPOISSA
AEIMOPST	EMPOTAIS
	ESTOMPAI
AEIMOPSU	PAUMOIES
AEIMOPTT	EMPOTAIT
AEIMOQRU	MOQUERAI
AEIMOQSU	MOSAIQUE
AEIMOQTU	ATOMIQUE
AEIMORRR	ARMORIER
AEIMORRS	ARMOIRES
	ARMORIES
	MOIRERAS
AEIMORRZ	ARMORIEZ
AEIMORSS	ARMOISES
	MOIRASSE
	MOISERAS
AEIMORST	AMORTIES
	ATOMISER
	MOIRATES
	MORTAISE
	TOMERAIS
AEIMORTT	MOTTERAI
	OMETTRAI
	TOMERAIT
AEIMORTV	MOTIVERA
AEIMORUV	EMOUVRAI
AEIMOSSS	MOISASSE
AEIMOSST	ATOMISES
	MAOISTES
	MATOISES
	MOISATES
	MOSAISTE
	TAOISMES
	TOISAMES
AEIMOSSU	EMOUSSAI
AEIMOSTT	ATOMISTE
	EMOTTAIS
	OMETTAIS
AEIMOSTZ	ATOMISEZ
AEIMOSUV	EMOUVAIS
AEIMOTTT	EMOTTAIT
	OMETTAIT
AEIMOTUV	EMOUVAIT
AEIMPPRS	APPRIMES
AEIMPPSS	PAPISMES
AEIMPQSU	PIQUAMES
AEIMPRRS	PRIMERAS →
	REPRIMAS
AEIMPRRT	REPRIMAT
AEIMPRSS	MEPRISAS
	PRIMASSE
	PRISAMES
AEIMPRST	IMPETRAS
	MEPRISAT
	PARTIMES
	PRIMATES
	TREMPAIS
AEIMPRSU	PRESUMAI
AEIMPRSV	PRIVAMES
	VAMPIRES
AEIMPRSX	EXPRIMAS
AEIMPRTT	IMPETRAT
	TREMPAIT
AEIMPRTU	IMPUTERA
	PERMUTAI
	PRIMAUTE
AEIMPRTX	EXPRIMAT
AEIMPSSS	IMPASSES
	PISSAMES
AEIMPSST	PISTAMES
AEIMPSSU	PUISAMES
AEIMPTUZ	AMPUTIEZ
AEIMQRSU	MARISQUE
	MARQUISE
AEIMQRUZ	MARQUIEZ
AEIMQSSU	MASSIQUE
AEIMQSTU	MASTIQUE
	TIQUAMES
AEIMQSUU	ESQUIMAU
AEIMQSUZ	MASQUIEZ
AEIMRRRU	ARMURIER
	ARRIMEUR
AEIMRRSS	SIMARRES
AEIMRRST	TRIMERAS
AEIMRRSU	MARIEURS
	MURERAIS
AEIMRRTU	MURERAIT
AEIMRSSS	MASSIERS
	MIRASSES
	RASSIMES
	RIMASSES
AEIMRSST	MARISTES
	STRIAMES
	TRIMASSE
	TSARISME
AEIMRSSU	MESURAIS
	MUSERAIS
	RESUMAIS →

	SURSEMAI
AEIMRSTT	METTRAIS
	TITRAMES
	TRIMATES
AEIMRSTU	MESURAIT
	MURIATES
	MUSERAIT
	MUTERAIS
	RESUMAIT
	TAMISEUR
AEIMRSTV	VITRAMES
AEIMRSTX	MARXISTE
AEIMRTTT	METTRAIT
AEIMRTTU	MATURITE
	MUTERAIT
AEIMSSSS	MISASSES
AEIMSSST	MATISSES
	METISSAS
	MITASSES
	TISSAMES
AEIMSSSU	AMUISSES
	MESUSAIS
AEIMSSSV	MASSIVES
	VISSAMES
AEIMSSSX	MIXASSES
AEIMSSTT	MASTITES
	METISSAT
AEIMSSTU	AUTISMES
	MESUSAIT
	SITUAMES
AEIMSSTZ	MATISSEZ
AEIMSSUX	SEISMAUX
AEIMSSUZ	AMUISSEZ
	ASSUMIEZ
	MUASSIEZ
AEINNNOT	ENTONNAI
AEINNNOX	ANNEXION
AEINNNOZ	ANONNIEZ
AEINNOPR	PIONNERA
AEINNOPS	ESPIONNA
	SAPONINE
AEINNORS	RAISONNE
	RESONNAI
	SONNERAI
AEINNORT	ORNAIENT
	RATIONNE
	TONNERAI
AEINNORV	INNOVERA
AEINNOSS	SENONAIS
AEINNOST	ETONNAIS
	SONATINE
AEINNOSV	VENAISON
AEINNOTT	ETONNAIT
	NOTAIENT
AEINNOTU	NOUAIENT
AEINNOTV	NOVAIENT
AEINNOTY	NOYAIENT
AEINNOTZ	ANNOTIEZ
AEINNPRT	RAPINENT
AEINNPTT	PATINENT
AEINNQTU	TANNIQUE
AEINNRST	ENTRAINS
	INSERANT
	INTERNAS
	RESINANT
	SERINANT
	TANNISER
AEINNRSV	INNERVAS
	VANNIERS
AEINNRTT	INTERNAT
	RATINENT
	TARENTIN
	TRAINENT
	TRENTAIN
AEINNRTV	ENIVRANT
	INNERVAT
	RAVINENT
AEINNRTY	TYRANNIE
AEINNRTZ	NANTIREZ
AEINNSST	NAISSENT
	NANTISSE
	NIASSENT
	TANNISES
AEINNSTT	INSTANTE
	INTENTAS
	NANTITES
	SATINENT
	TANISENT
	TANTINES
AEINNSTU	ANNUITES
AEINNSTV	INVENTAS
AEINNSTZ	TANNISEZ
AEINNSUY	ENNUYAIS
AEINNTTT	INTENTAT
	TANTINET
	TEINTANT
AEINNTTV	INVENTAT
AEINNTUY	ENNUYAIT
AEINOPPT	APPOINTE
AEINOPRR	PRONERAI
AEINOPRS	OPINERAS
	PAIERONS

AEINOPRT ATROPINE
PAIERONT
PIANOTER
POINTERA
PONTERAI
POTINERA
AEINOPRU EPANOUIR
AEINOPSS OPINASSE
AEINOPST EPATIONS
EPOINTAS
OPINATES
PIANOTES
POSAIENT
AEINOPSU EPANOUIS
AEINOPTT EPOINTAT
OPTAIENT
TOPAIENT
AEINOPTU EPANOUIT
POINTEAU
AEINOPTZ PIANOTEZ
AEINOQTU ATONIQUE
EQUATION
AEINORRS ORNERAIS
RAIERONS
AEINORRT NOIRATRE
ORNERAIT
RAIERONT
TRONERAI
AEINORRY ENRAYOIR
AEINORST NOTAIRES
NOTARIES
NOTERAIS
ORIENTAS
SENORITA
TENORISA
AEINORSU ENROUAIS
NOUERAIS
OUARINES*
RENOUAIS
AEINORSV AVERIONS
AVERSION
NOVERAIS
OVARIENS
RENOVAIS
VERAISON
AEINORSX AXERIONS
AEINORTT NOTERAIT
ORIENTAT
ROTAIENT
AEINORTU ENROUAIT
ENTOURAI →
NOUERAIT
OUATINER
RENOUAIT
ROUAIENT
AEINORTV NOVERAIT
ORVIETAN
RENOVAIT
AEINORUV EVANOUIR
AEINORVY RENVOYAI
AEINOSST ASSOIENT
AEINOSSV EVASIONS
AEINOSTU AOUTIENS
OUATINES
AEINOSTX SOIXANTE
AEINOSTY ETAYIONS
AEINOSUV EVANOUIS
INAVOUES
AEINOSVY ENVOYAIS
AEINOTTU TOUAIENT
AEINOTTV VOTAIENT
AEINOTTY NETTOYAI
AEINOTUV ENVOUTAI
EVANOUIT
VOUAIENT
AEINOTUZ OUATINEZ
AEINOTVX VEXATION
AEINOTVY ENVOYAIT
VOYAIENT
AEINPPRS NIPPERAS
AEINPPRT APPRENTI
AEINPPSS NIPPASSE
AEINPPST APPENTIS
NIPPATES
AEINPPTU APPUIENT
AEINPQRU PANIQUER
AEINPQSU PANIQUES
AEINPQTU APIQUENT
EQUIPANT
PIQUANTE
AEINPQUZ PANIQUEZ
AEINPRRV PARVENIR
AEINPRST ASPIRENT
PINASTRE
PINTERAS
SPIRANTE
AEINPRSU UNIPARES
AEINPRSV EPARVINS
PARVIENS
AEINPRTT ETRIPANT
PATIRENT
PIRATENT →

	TAPIRENT
AEINPRTU	PATINEUR
	PEINTURA
AEINPRTV	PARVIENT
AEINPRTX	EXPIRANT
AEINPSSS	PINASSES
AEINPSST	EPISSANT
	PAISSENT
	PINTASSE
	SEPTAINS
AEINPSSU	PUNAISES
AEINPSTT	PATIENTS
	PINTATES
AEINPSTU	EPUISANT
	PETUNIAS
AEINQRSU	RENAQUIS
AEINQRTU	RENAQUIT
	TAQUINER
AEINQRUU	URANIQUE
AEINQSSU	NAQUISSE
	NASIQUES
	QUASSINE
AEINQSTU	ANTIQUES
	ESQUINTA
	NAQUITES
	TAQUINES
AEINQSUV	VAINQUES
AEINQTTU	EQUITANT
	QUANTITE
AEINQTUU	NAUTIQUE
AEINQTUZ	TAQUINEZ
AEINQUVZ	VAINQUEZ
AEINRRST	ARRISENT
	RENTRAIS
	TERNIRAS
	TERRAINS
AEINRRSU	RAINURES
	REUNIRAS
	RUINERAS
	SURINERA
	URINERAS
AEINRRSV	VERNIRAS
AEINRRTT	NITRATER
	RENTRAIT
	RETIRANT
	TARIRENT
	TARTINER
AEINRRTU	TRAINEUR
AEINRRTV	ARRIVENT
	RAVIRENT
AEINRRUV	NERVURAI
AEINRSST	ASSIRENT
	ASTREINS
	SENTIRAS
	TARSIENS
	TRANSIES
	TSARINES
AEINRSSU	RUINASSE
	SAUNIERS
	SAURIENS
	URINASSE
	USINERAS
AEINRSSV	INVERSAS
	VERNISSA
AEINRSSY	ASSYRIEN
AEINRSTT	ASTREINT
	ENTRAITS
	NATTIERS
	NITRATES
	TARTINES
	TINTERAS
	TRANSITE
AEINRSTU	INSTAURE
	RUINATES
	RUSAIENT
	SATINEUR
	SATURNIE
	SUINTERA
	TAURINES
	URANITES
	URINATES
AEINRSTV	INVERSAT
	RAVISENT
	REVISANT
AEINRSTZ	TZARINES
AEINRSUV	ENSUIVRA
	VAURIENS
AEINRSUZ	SUZERAIN
AEINRTTT	ATTIRENT
	TRAITENT
AEINRTTV	RIVETANT
AEINRTTZ	NITRATEZ
	TARTINEZ
AEINRTVV	RAVIVENT
	REVIVANT
AEINRTZZ	RAZZIENT
AEINSSSU	USINASSE
AEINSSSV	VINASSES
AEINSSTT	TINTASSE
AEINSSTU	USINATES
AEINSTTT	ATTEINTS
	ATTISENT →

	INTESTAT
	TINTATES
AEINSTTV	ESTIVANT
AEINSTTX	EXISTANT
AEINSTUV	SUIVANTE
AEINSTVV	VIVANTES
AEINTTUU	AUTUNITE
AEINTTUZ	ZIEUTANT
AEINTUVX	VANITEUX
AEIOORRT	ORATOIRE
AEIOPPRS	PREPOSAI
AEIOPPSZ	APPOSIEZ
AEIOPPTZ	PAPOTIEZ
AEIOPQRU	POQUERAI
AEIOPRRS	PERORAIS
AEIOPRRT	PERORAIT
	PORTERAI
	REPORTAI
AEIOPRRV	POIVRERA
	PREVOIRA
AEIOPRSS	PAROISSE
	PASSOIRE
	POISSERA
	POSERAIS
	REPOSAIS
AEIOPRST	ESTROPIA
	OPTERAIS
	PATOISER
	POSERAIT
	POSTERAI
	REPOSAIT
	SAPOTIER
	TOPERAIS
AEIOPRSU	PAROUSIE
	SOUPERAI
AEIOPRSV	APIVORES
	OVIPARES
	PAVOISER
	VAPORISE
AEIOPRTT	OPTERAIT
	PATRIOTE
	TOPERAIT
AEIOPRTU	RETOUPAI
AEIOPRTV	PIVOTERA
AEIOPRTX	EXPORTAI
AEIOPRTY	APITOYER
AEIOPRUV	EPROUVAI
AEIOPRUX	ORIPEAUX
	POIREAUX
AEIOPSST	PATOISES
	POETISAS
AEIOPSSU	ASSOUPIE
	EPOUSAIS
	SOUPESAI
AEIOPSSV	PAVOISES
AEIOPSSX	EXPOSAIS
AEIOPSTT	POETISAT
AEIOPSTU	AUTOPSIE
	EPOUSAIT
	ETOUPAIS
AEIOPSTX	EXPOSAIT
AEIOPSTY	APITOYES
AEIOPSTZ	APOSTIEZ
	PATOISEZ
AEIOPSVZ	PAVOISEZ
AEIOPTTU	ETOUPAIT
AEIOPTTV	OPTATIVE
AEIOPTTZ	TAPOTIEZ
AEIOPTYZ	APITOYEZ
AEIOQRRU	ROQUERAI
AEIOQRTU	AORTIQUE
	TOQUERAI
AEIOQRUV	REVOQUAI
AEIOQSSU	SEQUOIAS
AEIOQSUV	EVOQUAIS
AEIOQSUZ	AZOIQUES
AEIOQTUV	EVOQUAIT
AEIOQTUZ	AZOTIQUE
AEIORRRT	ARRETOIR
AEIORRSS	RASSEOIR
	ROSAIRES
	ROSSERAI
	SARROISE
AEIORRST	ROTERAIS
	SIROTERA
AEIORRSU	ROUERAIS
AEIORRSZ	ARROSIEZ
AEIORRTT	ROTERAIT
AEIORRTU	OUTRERAI
	ROUERAIT
	ROUTERAI
	TROUERAI
AEIORRUV	OUVRERAI
	ROUVRAIE
AEIORSSS	ESSORAIS
	RASSOIES
AEIORSST	AORISTES
	ASSORTIE
	ESSORAIT
	TOISERAS
AEIORSSU	OSSUAIRE
AEIORSSZ	ASSOIREZ

AEIORSTT	AORTITES
AEIORSTU	AUTORISE
	TOUERAIS
AEIORSTV	OVARITES
	VOTERAIS
AEIORSUV	OEUVRAIS
	VOUERAIS
AEIORSVY	REVOYAIS
AEIORTTU	AUTORITE
	TOUERAIT
	TUTOIERA
AEIORTTV	ROTATIVE
	VOTERAIT
AEIORTUV	OEUVRAIT
	VOUERAIT
	VOUTERAI
AEIORTUZ	AZOTURIE
AEIORTVV	VIVOTERA
AEIORTVY	REVOYAIT
AEIORTVZ	AVORTIEZ
AEIOSSST	TOISASSE
AEIOSSSZ	OSASSIEZ
AEIOSSTT	TAOISTES
	TOISATES
AEIOSSTZ	OTASSIEZ
AEIOSSUV	ASSOUVIE
AEIOSSYZ	ASSOYIEZ
AEIOSTTZ	AZOTITES
AEIOTTUZ	TATOUIEZ
AEIPPPRU	PUPIPARE
AEIPPRRS	RAPPRISE
	REAPPRIS
AEIPPRRT	REAPPRIT
AEIPPRSS	APPRISES
	APPRISSE
AEIPPRST	APPRITES
AEIPPSSS	PIPASSES
AEIPPSST	PAPISTES
AEIPPSTT	APPETITS
AEIPPUYZ	APPUYIEZ
AEIPQRRU	PARQUIER*
AEIPQRSU	PIQUERAS
	REPIQUAS
AEIPQRTU	PRATIQUE
	REPIQUAT
AEIPQRUZ	PARQUIEZ
AEIPQSSU	PIQUASSE
AEIPQSTU	PIQUATES
	PIQUETAS
AEIPQTTU	PIQUETAT
AEIPQTUY	ATYPIQUE
AEIPRRRT	REPARTIR
AEIPRRRU	PARURIER
AEIPRRSS	PRISERAS
	REPRISAS
	RESPIRAS
AEIPRRST	PETRIRAS
	REPARTIS
	REPRISAT
	RESPIRAT
AEIPRRSU	PARIEURS
	PRESURAI
AEIPRRSV	PRIVERAS
AEIPRRTT	REPARTIT
AEIPRRTZ	PARTIREZ
AEIPRSSS	PISSERAS
	PRESSAIS
	PRIASSES
	PRISASSE
	RIPASSES
AEIPRSST	PARTISSE
	PERSISTA
	PIASTRES
	PISTERAS
	PRESSAIT
	PRISATES
	TAPISSER
AEIPRSSU	PUISERAS
	SURPAIES
AEIPRSSV	PRIVASSE
AEIPRSTT	PARTITES
AEIPRSTU	PSAUTIER
	TAUPIERS
AEIPRSTV	PRIVATES
AEIPRSTX	EXTIRPAS
AEIPRTTX	EXTIRPAT
AEIPRTUV	PRIVAUTE
	VITUPERA
AEIPRTUZ	PATURIEZ
AEIPSSSS	PISSASSE
AEIPSSST	PATISSES
	PISSATES
	PISTASSE
	TAPISSES
AEIPSSSU	PUISASSE
AEIPSSSV	PASSIVES
AEIPSSTT	PISTATES
AEIPSSTU	PUISATES
AEIPSSTZ	PATISSEZ
	TAPISSEZ
AEIPSSUZ	PUASSIEZ*
AEIPTTUV	PUTATIVE

AEIQRRRU EQUARRIR
AEIQRRSU EQUARRIS
RISQUERA
AEIQRRTU EQUARRIT
QUARTIER
TRIQUERA
AEIQRRUV VRAQUIER
AEIQRSSU QUASSIER
AEIQRSTU ASTIQUER
ETRIQUAS
TIQUERAS
AEIQRSUY SYRIAQUE
AEIQRTTU ETRIQUAT
QUITTERA
AEIQRTUZ TRAQUIEZ
AEIQSSSU ESQUISSA
AEIQSSTU ASTIQUES
TIQUASSE
AEIQSSUV ESQUIVAS
AEIQSTTU ATTIQUES
STATIQUE
TIQUATES
AEIQSTUU QUEUTAIS
AEIQSTUV ESQUIVAT
AEIQSTUZ ASTIQUEZ
AEIQTTUU QUEUTAIT
AEIQTUUV EQUIVAUT
AEIQUUVX EQUIVAUX
AEIRRRTT ATTERRIR
AEIRRSST RATISSER
SERTIRAS
STRIERAS
TARSIERS
TRISSERA
AEIRRSSU REUSSIRA
RUSERAIS
AEIRRSSV ASSERVIR
SERVIRAS
AEIRRSSZ RASSIREZ*
AEIRRSTT ATTERRIS
RETRAITS
TITRERAS
TRAITRES
AEIRRSTU RUSERAIT
AEIRRSTV TREVIRAS
VITRERAS
AEIRRSTW REWRITAS
AEIRRSUU USURAIRE
AEIRRSVV REVIVRAS
AEIRRTTT ATTERRIT
ATTITRER
AEIRRTTU TRAITEUR
AEIRRTTV TREVIRAT
AEIRRTTW REWRITAT
AEIRRTUZ RATURIEZ
AEIRSSSS RASSISES
RASSISSE
SARISSES
AEIRSSST ASSISTER
RASSITES
RATISSES
RESISTAS
RETISSAS
STRIASSE
TARISSES
TIRASSES
TISSERAS
TRESSAIS
TRIASSES
AEIRSSSU RESSUAIS
AEIRSSSV ASSERVIS
RAVISSES
RIVASSES
VIRASSES
VISSERAS
AEIRSSTT ARTISTES
RESISTAT
RETISSAT
STRIATES
TITRASSE
TRESSAIT
TSARISTE
AEIRSSTU RESSUAIT
SITUERAS
AEIRSSTV ASSERVIT
VITRASSE
AEIRSSTZ RATISSEZ
TARISSEZ
AEIRSSUU RUISSEAU
AEIRSSUY RESSUYAI
AEIRSSUZ ASSURIEZ
RUASSIEZ
AEIRSSVZ RAVISSEZ
AEIRSTTT ATTITRES
ATTRISTE
TITRATES
AEIRSTTU RESTITUA
AEIRSTTV TRAVESTI
VITRATES
AEIRSTTX EXTRAITS
AEIRSTUZ AZURITES
SATURIEZ

AEIRTTTZ	ATTITREZ
AEIRTTUU	TUTEURAI
AEIRTUVZ	VAUTRIEZ
AEISSSSS	ASSISSES
AEISSSST	ASSISTES
	TISSASSE
AEISSSSV	VISASSES
	VISSASSE
AEISSSTT	TISSATES
AEISSSTU	SITUASSE
AEISSSTV	VISSATES
AEISSSTZ	ASSISTEZ
AEISSSUY	ESSUYAIS
AEISSSUZ	SUASSIEZ
	USASSIEZ
AEISSTTU	SITUATES
AEISSTUV	SUAVITES
AEISSTUY	ESSUYAIT
AEISSTUZ	TUASSIEZ
AEISTTUZ	STATUIEZ
AEISTUVX	ESTIVAUX
AEJLMNTU	JUMELANT
AEJLNNOR	JALONNER
AEJLNNOS	JALONNES
AEJLNNOT	ENJOLANT
AEJLNNOZ	JALONNEZ
AEJLNOSV	JAVELONS
AEJLORSU	JALOUSER
AEJLOSSU	JALOUSES
AEJLOSTV	JAVELOTS
AEJLOSUZ	AZULEJOS
	JALOUSEZ
AEJMNORT	MAJORENT
AEJMOSTU	JOUTAMES
AEJNORRU	AJOURNER
AEJNORSS	JASERONS
AEJNORST	JASERONT
AEJNORSU	AJOURNES
	SEJOURNA
AEJNORTU	AJOURENT
	REJOUANT
AEJNORUZ	AJOURNEZ
AEJNOTTU	AJOUTENT
AEJNSTTU	AJUSTENT
AEJNSTUV	JUVENATS
AEJOPRST	PROJETAS
AEJOPRTT	PROJETAT
AEJORRTU	RAJOUTER
AEJORSSS	JAROSSES
AEJORSSU	JAROUSSE
AEJORSTU	JOUTERAS →
	RAJOUTES
AEJORTUX	JOUXTERA
AEJORTUZ	RAJOUTEZ
AEJOSSSU	JOUASSES
AEJOSSTU	JOUTASSE
AEJOSTTU	JOUTATES
AEJPPRSU	JAPPEURS
AEJPRRRU	PARJURER
AEJPRRSU	PARJURES
AEJPRRUZ	PARJUREZ
AEJPRSSU	JASPURES
AEJRRSTU	RAJUSTER
AEJRSSSU	JURASSES
AEJRSSTU	RAJUSTES
	SURJETAS
AEJRSTTU	SURJETAT
AEJRSTUU	AJUSTEUR
AEJRSTUZ	RAJUSTEZ
AEJSSSTU	JUTASSES
AEKKMNOO	KAKEMONO
AEKLMMOU	MAMELOUK
AEKLNNOX	KLAXONNE
AEKLNOSY	ANKYLOSE
AEKNSSTY	ENKYSTAS
AEKNSTTY	ENKYSTAT
AELLMNOS	MOSELLAN
AELLMNTU	ALLUMENT
AELLMOSS	MOLLASSE
AELLMOST	METALLOS
AELLMRRU	RALLUMER
AELLMRSU	RALLUMES
AELLMRUU	ALLUMEUR
AELLMRUZ	RALLUMEZ
AELLMSUU	ULULAMES
AELLMSWX	MAXWELLS
AELLNNOV	VALLONNE
AELLNNOW	WALLONNE
AELLNOTU	ALLOUENT
AELLNPTU	PLANTULE
AELLOOPS	PALEOSOL
AELLOOST	OLEOLATS
AELLOPRU	POLLUERA
AELLPRSU	PLURALES
AELLRSTU	LUSTRALE
AELLRSUU	ULULERAS
AELLSSUU	ULULASSE
AELLSTUU	ULULATES
AELLSUVV	VALVULES
AELMMNOS	MAMELONS
AELMMOPS	POMMELAS
AELMMOPT	POMMELAT

AELMMOSU	MOULAMES	**AELMSSTY**	STYLAMES
AELMMPRU	REMPLUMA	**AELMSTTU**	LUTTAMES
AELMMPSU	EMPLUMAS	**AELNNNOS**	ANNELONS
	PLUMAMES	**AELNNNTU**	ANNULENT
AELMMPTU	EMPLUMAT	**AELNNOOP**	NAPOLEON
AELMNOPS	EMPALONS	**AELNNORT**	ENROLANT
	PALEMONS		TALONNER
AELMNORS	NORMALES	**AELNNOST**	TALONNES
AELMNOST	LAMENTOS	**AELNNOTT**	ENTOLANT
	TELAMONS	**AELNNOTV**	ENVOLANT
AELMNOTT	MOLETANT	**AELNNOTZ**	TALONNEZ
AELMNOTU	EMOULANT	**AELNNPTT**	PLANTENT
AELMNSTU	MUSELANT	**AELNOPPS**	APPELONS
AELMNSUV	MALVENUS	**AELNOPRS**	LAPERONS
AELMOOPT	OMOPLATE		PALERONS
AELMOPRT	TEMPORAL	**AELNOPRT**	LAPERONT
AELMOPRY	REMPLOYA	**AELNOPST**	POLENTAS
AELMOPSU	AMPOULES		SALOPENT
	LOUPAMES	**AELNOPSU**	EPAULONS
AELMOPSY	EMPLOYAS	**AELNOPTT**	PELOTANT
	PLOYAMES	**AELNORRS**	RALERONS
AELMOPTY	EMPLOYAT	**AELNORRT**	RALERONT
AELMORRY	LARMOYER	**AELNORSS**	RESALONS
AELMORSU	LOURAMES		SALERONS
	MOULERAS	**AELNORST**	ALERTONS
	OURLAMES		ALTERONS
	ROULAMES		RATELONS
AELMORTU	MALOTRUE		RELATONS
AELMORTZ	MERZLOTA		SALERONT
AELMORUV	VERMOULA	**AELNORSU**	ENROULAS
AELMORYZ	LARMOYEZ	**AELNORSV**	LAVERONS
AELMOSSS	MOLASSES		RELAVONS
AELMOSST	MALTOSES		REVALONS
	MOLESTAS	**AELNORSX**	RELAXONS
AELMOSSU	MOULASSE	**AELNORSY**	LAYERONS
	SOULAMES		RELAYONS
AELMOSTT	MALTOTES	**AELNORTT**	TOLERANT
	MATELOTS	**AELNORTU**	ALENTOUR
	MOLESTAT		ENROULAT
AELMOSTU	MOULATES		RELOUANT
AELMOSTV	VOLTAMES		ROULANTE
AELMOSUV	LOUVAMES	**AELNORTV**	LAVERONT
AELMPRSU	AMPLEURS		REVOLANT
	PALMURES	**AELNORTY**	LAYERONT
	PLUMERAS	**AELNOSST**	ASSOLENT
AELMPRSY	LAMPYRES	**AELNOSSU**	SOULANES
AELMPSSU	PLUMASSE	**AELNOSTT**	ATTELONS
AELMPSTU	PLUMATES	**AELNOSTU**	SAOULENT
AELMPUUX	PLUMEAUX	**AELNOSTV**	TAVELONS
AELMQSUU	SQUAMULE		VOLANTES
AELMRSTU	MULATRES	**AELNOSTX**	EXALTONS

AELNOSUV	EVALUONS
AELNOTTV	VOLETANT
AELNOTUV	EVOLUANT
AELNPPTU	PEUPLANT
AELNPQRU	PLANQUER
AELNPQSU	PLANQUES
AELNPQTU	PLAQUENT
AELNPQUZ	PLANQUEZ
AELNPRSU	PLANEURS
AELNPRTT	PLATRENT
AELNPRTU	PLANTEUR
	PLEURANT
AELNPSTY	PENALTYS
AELNPTTU	PETULANT
AELNPTUV	PLEUVANT
AELNQTTU	TALQUENT
AELNRRSU	SURRENAL
AELNRRTU	LEURRANT
AELNRSTU	NATURELS
AELNRSUU	NEURULAS
AELNRTUV	VALURENT
AELNSSTU	SULTANES
AELNTTUX	EXULTANT
AELOORSS	AEROSOLS
AELOORTZ	ZOOLATRE
AELOPQSU	POLAQUES*
AELOPRRV	VARLOPER
AELOPRST	PARLOTES
AELOPRSU	LOUPERAS
AELOPRSV	VARLOPES
AELOPRSX	EXPLORAS
AELOPRSY	REPLOYAS
AELOPRTV	PREVOTAL
AELOPRTX	EXPLORAT
AELOPRTY	REPLOYAT
AELOPRVZ	VARLOPEZ
AELOPSST	POSTALES
AELOPSSU	LOUPASSE
AELOPSSX	EXPLOSAS
AELOPSSY	PLOYASSE
AELOPSTT	PALETOTS
	PALOTTES
AELOPSTU	LOUPATES
AELOPSTX	EXPLOSAT
AELOPSTY	PLOYATES
AELOQSUV	SLOVAQUE
AELORRST	ROSTRALE
AELORRSU	LOURERAS
	OURLERAS
	ROULERAS
AELORSSU	LOURASSE →
	OURLASSE
	ROULASSE
	SOULERAS
AELORSTU	LOURATES
	OURLATES
	ROULATES
AELORSTV	REVOLTAS
	VOLTERAS
AELORSUV	LOUVERAS
AELORTTV	REVOLTAT
AELORUUX	ROULEAUX
AELOSSSU	LOUASSES
	SOULASSE
AELOSSSV	LOVASSES
	VOLASSES
AELOSSTU	SOULATES
AELOSSTV	SOLVATES
	VOLTASSE
AELOSSUV	LOUVASSE
	SOULEVAS
AELOSTTV	VOLTATES
AELOSTUV	LOUVATES
	LOUVETAS
	SOULEVAT
	VELOUTAS
AELOSTUY	AUTOLYSE
	LOYAUTES
AELOTTUV	LOUVETAT
	VELOUTAT
AELPPRSU	PALPEURS
AELPPSSU	SUPPLEAS
AELPPSTU	SEPTUPLA
	SUPPLEAT
AELPPUUX	PAPULEUX
AELPQRUU	PLAQUEUR
AELPRRST	PRELARTS
AELPRRSU	PARLEURS
AELPRSST	SPALTERS
AELPRSTU	PALUSTRE
AELPRSUV	PREVALUS
AELPRTUV	PREVALUT
AELPRTUX	PLATREUX
AELPRUUX	PLEURAUX
AELPSSTU	SPATULES
AELPSSUX	EXPULSAS
AELPSTUX	EXPULSAT
	SEXTUPLA
AELQRSUU	LAQUEURS
	RELUQUAS
AELQRTUU	RELUQUAT
AELQSUUX	AUXQUELS

AELQTUUX	TALQUEUX
AELRRSTU	LUSTRERA
AELRSSTU	RESULTAS*
AELRSSTY	STYLERAS
AELRSSUV	REVULSAS
	VALSEURS
AELRSTTU	LUTTERAS
	RESULTAT*
AELRSTUU	SUTURALE
AELRSTUV	LEVRAUTS
	REVULSAT
AELSSSTU	LUTASSES
AELSSSTY	STYLASSE
AELSSSUV	VALUSSES
AELSSSUX	LUXASSES
AELSSTTU	LUTTASSE
AELSSTTY	STYLATES
AELSTTTU	LUTTATES
AEMMMNOS	NOMMAMES
AEMMMOPS	POMMAMES
AEMMMOSS	SOMMAMES
AEMMNNOO	MONOMANE
AEMMNNOR	MARMONNE
AEMMNOPR	PRENOMMA
AEMMNORS	NOMMERAS
	RENOMMAS
AEMMNORT	RENOMMAT
AEMMNOSS	NOMMASSE
AEMMNOST	MONTAMES
	NOMMATES
AEMMNRTU	EMMURANT
AEMMOPPS	POMPAMES
AEMMOPRS	POMMERAS
AEMMOPSS	POMMASSE
AEMMOPST	POMMATES
AEMMOPUX	POMMEAUX
AEMMOQSU	MOQUAMES
AEMMORSS	ASSOMMER
	SOMMERAS
AEMMORTT	MARMOTTE
AEMMOSSS	ASSOMMES
	SOMMASSE
AEMMOSST	SOMMATES
AEMMOSSZ	ASSOMMEZ
AEMMOSTT	MOTTAMES
AEMNNOPT	TAMPONNE
AEMNNORR	MARONNER
AEMNNORS	MARONNES
	MARONNES
	RAMENONS
	SERMONNA
AEMNNORT	RAMONENT
AEMNNORY	MONNAYER
AEMNNORZ	MARONNEZ
AEMNNOSS	SONNAMES
AEMNNOST	ENTAMONS
	MANETONS
	TONNAMES
AEMNNOSY	ANONYMES
	MONNAYES
AEMNNOTT	MONTANTE
AEMNNOTY	ANTONYME
AEMNNOYZ	MONNAYEZ
AEMNNQTU	MANQUENT
AEMNOOPU	EPOUMONA
AEMNOOTT	OTTOMANE
AEMNOOTU	AUTONOME
AEMNOPRS	EMPARONS
	PAMERONS
	PROMENAS
	PRONAMES
AEMNOPRT	PAMERONT
	PROMENAT
AEMNOPRY	PARONYME
	PYROMANE
AEMNOPST	EMPATONS
	ETAMPONS
	PONTAMES
AEMNOPTT	EMPOTANT
AEMNOQRU	MONARQUE
AEMNOQSU	MANOQUES
AEMNORRS	ARMERONS
	RAMERONS
	REARMONS
AEMNORRT	ARMERONT
	MONTRERA
	RAMERONT
	REMONTRA
AEMNORRU	RAMONEUR
AEMNORST	MATERONS
	MATRONES
	MONTERAS
	REMONTAS
	RETAMONS
	TRONAMES
AEMNORTT	MATERONT
	REMONTAT
AEMNORTU	MOURANTE
	NUMEROTA
AEMNORYY	YEOMANRY
AEMNOSST	MONTASSE
AEMNOSSU	SAUMONES

AEMNOSTT	MONTATES
AEMNOSTU	AMEUTONS
	AUTOMNES
AEMNOTTT	EMOTTANT
	OMETTANT
AEMNOTUV	EMOUVANT
	MOUVANTE
AEMNOTUY	AUTONYME
AEMNPRSU	SUPERMAN
AEMNPRTT	TREMPANT
AEMNPRTU	EMPRUNTA
AEMNPTTU	AMPUTENT
AEMNQRTU	MARQUENT
AEMNQSTU	MASQUENT
AEMNRRSU	MARNEURS
AEMNRSST	SARMENTS
AEMNRSSU	SURMENAS
AEMNRSTT	TRANSMET
AEMNRSTU	MESURANT
	REMUANTS
	RESUMANT
	SURMENAT
	TRANSMUE
AEMNRUUX	NUMERAUX
AEMNSSTU	ASSUMENT
	MESUSANT
	MUASSENT
AEMOOSST	MAESTOSO
AEMOPPRS	PAMPEROS
	POMPERAS
AEMOPPSS	POMPASSE
AEMOPPST	POMPATES
AEMOPQSU	POQUAMES
AEMOPRRT	REMPORTA
	TROMPERA
AEMOPRST	EMPORTAS
	PORTAMES
	REMPOTAS
AEMOPRTT	EMPORTAT
	REMPOTAT
	TROMPETA
AEMOPRUY	PAUMOYER
AEMOPSST	ESTOMPAS
	POSTAMES
AEMOPSSU	SOUPAMES
AEMOPSTT	ESTOMPAT
AEMOPSUY	PAUMOYES
AEMOPUYZ	PAUMOYEZ
AEMOQRRU	REMORQUA
AEMOQRSU	MOQUERAS
	ROQUAMES
AEMOQSSU	MOQUASSE
AEMOQSTU	MOQUATES
	TOQUAMES
AEMORSSS	MASSORES
	MORASSES
	ROSSAMES
AEMORSST	MAESTROS
AEMORSSU	MOUSSERA
AEMORSTT	MAROTTES
	MOTTERAS
	OMETTRAS
AEMORSTU	MAROUTES
	OUTRAMES
	ROUTAMES
	TROUAMES
AEMORSUV	EMOUVRAS
	OUVRAMES
AEMORSUY	ROYAUMES
AEMORTUZ	MAZOUTER
AEMORUUX	AMOUREUX
AEMOSSST	TOMASSES
AEMOSSSU	EMOUSSAS
AEMOSSTT	MOTTASSE
	STOMATES
AEMOSSTU	EMOUSSAT
AEMOSSUU	MOUSSEAU
AEMOSTTT	MOTTATES
AEMOSTUV	VOUTAMES
AEMOSTUZ	MAZOUTES
AEMOTUZZ	MAZOUTEZ
AEMPRRST	REMPARTS
AEMPRSSU	PRESUMAS
AEMPRSTU	PERMUTAS
	PRESUMAT
AEMPRTTU	PERMUTAT
AEMQRRUU	MARQUEUR
AEMQSUUX	SQUAMEUX
AEMRRSTU	TRAMEURS
AEMRRSTY	MARTYRES
AEMRRSUU	SAUMURER
AEMRSSSU	MASSEURS
	MURASSES
	SURSEMAS
AEMRSSTU	SURSEMAT
AEMRSSUU	AMUSEURS
	SAUMURES
AEMRSUUZ	SAUMUREZ
AEMRTUUX	TRUMEAUX
AEMSSSSU	MUSASSES
AEMSSSTU	MUTASSES
AEMSSSUU	AUMUSSES

AENNNNOT	ANONNENT
AENNNOPT	PANNETON
AENNNOST	ENTONNAS
	SONNANTE
AENNNOSX	ANNEXONS
AENNNOTT	ANNOTENT
	ENTONNAT
	ETONNANT
	TONNANTE
AENNNTUY	ENNUYANT
AENNOPPR	NAPPERON
AENNOPRS	PANERONS
AENNOPRT	PANERONT
	PATRONNE
AENNOPST	PANETONS
	SPONTANE
AENNORRY	RAYONNER
AENNORSS	RESONNAS
	SONNERAS
AENNORST	RESONNAT
	TONNERAS
AENNORSU	ROUANNES
AENNORSV	SAVONNER
AENNORSY	ENRAYONS
	RAYONNES
AENNORTT	TATONNER
AENNORTU	ENROUANT
	RENOUANT
AENNORTV	RENOVANT
AENNORYZ	RAYONNEZ
AENNOSSS	ASSENONS
	SONNASSE
AENNOSST	SONNATES
	TONNASSE
AENNOSSV	ENVASONS
	SAVONNES
AENNOSSX	SAXONNES
AENNOSTT	TATONNES
	TONNATES
AENNOSVZ	SAVONNEZ
AENNOTTZ	TATONNEZ
AENNOTUX	TONNEAUX
AENNOTVY	ENVOYANT
AENNPRST	PRENANTS
AENNPSST	PENSANTS
AENNRRTT	RENTRANT
AENNRSSU	SURANNES
AENNRSTT	ENTRANTS
AENNRSTU	TANNEURS
AENNRSUV	VANNEURS
	VANNURES
AENNSTTT	TENTANTS
AENNSTUX	STANNEUX
AENOPPRS	PANORPES
	PROPANES
AENOPPRT	APPONTER
AENOPPST	APPONTES
	APPOSENT
AENOPPTT	PAPOTENT
AENOPPTZ	APPONTEZ
AENOPRRS	PARERONS
	PRONERAS
	RAPERONS
	REPARONS
AENOPRRT	PARERONT
	PERORANT
	RAPERONT
AENOPRSS	PRONASSE
	SAPERONS
	SEPARONS
AENOPRST	PONTERAS
	PRONATES
	REPOSANT
	RETAPONS
	SAPERONT
	TAPERONS
AENOPRSU	APEURONS
AENOPRSV	PAVERONS
	REPAVONS
AENOPRSY	PAYERONS
	REPAYONS
AENOPRTT	PORTANTE
	TAPERONT
AENOPRTV	PAVERONT
AENOPRTY	PAYERONT
AENOPSST	PONTASSE
AENOPSTT	APOSTENT
	PONTATES
AENOPSTU	EPOUSANT
AENOPSTX	EXPOSANT
AENOPTTT	POTENTAT
	TAPOTENT
AENOPTTU	ETOUPANT
AENOQTTU	TOQUANTE
AENOQTUV	EVOQUANT
AENORRSS	RASERONS
AENORRST	ARRETONS
	ARROSENT
	RASERONT
	RATERONS
	TARERONS
	TRONERAS

AENORRSY	RAYERONS
AENORRTT	RATERONT
	TARERONT
AENORRTU	RETOURNA
	TOURNERA
AENORRTY	RAYERONT
AENORSSS	ORNASSES
AENORSST	ESSORANT
	TRONASSE
AENORSTT	SORTANTE
	TATERONS
	TRONATES
AENORSTU	ENTOURAS
AENORSTX	TAXERONS
AENORSVY	RENVOYAS
AENORTTT	TATERONT
AENORTTU	ENTOURAT
AENORTTV	AVORTENT
AENORTTX	TAXERONT
AENORTTY	ATTORNEY
AENORTUV	OEUVRANT
	OUVRANTE
AENORTUY	NOYAUTER
AENORTVY	RENVOYAT
	REVOYANT
AENOSSST	NOTASSES
	OSASSENT
AENOSSSU	NOUASSES
AENOSSSV	NOVASSES
AENOSSSY	ASSEYONS
	ESSAYONS
	NOYASSES
AENOSSTT	OTASSENT
AENOSSTU	SOUTANES
AENOSTTV	VOTANTES
AENOSTTY	NETTOYAS
AENOSTUV	ENVOUTAS
AENOSTUY	NOYAUTES
AENOSTVY	VOYANTES
AENOSYZZ	ZEZAYONS
AENOTTTU	TATOUENT
AENOTTTY	NETTOYAT
AENOTTUV	ENVOUTAT
AENOTUYZ	NOYAUTEZ
AENOUUVX	NOUVEAUX
AENPQRTU	PARQUENT
AENPRRTU	PARURENT
AENPRSST	PRESSANT
AENPRSTT	PATTERNS
	TRANSEPT
AENPRSTY	PRYTANES
AENPRSUV	PARVENUS
AENPRTTU	PATURENT
AENPRTUU	PUANTEUR
AENPRUUX	PRUNEAUX
AENPSSSY	SYNAPSES
AENPSSTU	PUASSENT*
AENQRTTU	TRAQUENT
AENQTTUU	QUEUTANT
AENRRSUV	NERVURAS
AENRRTTU	RATURENT
AENRRTUV	NERVURAT
AENRSSTT	RESTANTS
	TRESSANT
AENRSSTU	ASSURENT
	RESSUANT
	RUASSENT
	SATURNES
AENRSSTV	SERVANTS
	VERSANTS
AENRSTTU	SATURENT
AENRSTUX	STERNAUX
AENRTTUV	VAUTRENT
AENRTUVX	VENTRAUX
AENSSSTU	SUASSENT
	USASSENT
AENSSTTU	SUSTENTA
	TUASSENT
AENSSTTX	SEXTANTS
AENSSTUY	ESSUYANT
AENSSTXY	SYNTAXES
AENSTTTU	STATUENT
AEOOPPRS	OPPOSERA
AEOOPRRT	AEROPORT
AEOORTZZ	ZOZOTERA
AEOPPRRS	PROSPERA
AEOPPRRT	APPORTER
	RAPPORTE
AEOPPRSS	OPPRESSA
	PREPOSAS
AEOPPRST	APPORTES
	PREPOSAT
	STOPPERA
AEOPPRTZ	APPORTEZ
AEOPPRUV	APPROUVE
AEOPPSSU	SOUPAPES
AEOPQRSU	POQUERAS
AEOPQSSU	POQUASSE
AEOPQSTU	POQUATES
AEOPRRST	PORTERAS
	REPORTAS
AEOPRRTT	REPORTAT

AEOPRRUV	PROUVERA
	REPROUVA
AEOPRSST	PORTASSE
	POSTERAS
	POTASSER
	PROTASES
AEOPRSSU	POUSSERA
	REPOUSSA
	SOUPERAS
AEOPRSTT	PORTATES
	PROSTATE
	PROTESTA
AEOPRSTU	RETOUPAS
	ROUSPETA
AEOPRSTX	EXPORTAS
AEOPRSUV	EPROUVAS
AEOPRTTU	ATTROUPE
	RETOUPAT
AEOPRTTX	EXPORTAT
AEOPRTUU	TROUPEAU
AEOPRTUV	EPROUVAT
AEOPRUVX	VAPOREUX
AEOPSSSS	POSASSES
AEOPSSST	OPTASSES
	POSTASSE
	POTASSES
	TOPASSES
AEOPSSSU	SOUPASSE
	SOUPESAS
AEOPSSTT	POSTATES
AEOPSSTU	SOUPATES
	SOUPESAT
AEOPSSTZ	POTASSEZ
AEOQRRSU	ROQUERAS
AEOQRRTU	RETORQUA
	TROQUERA
AEOQRSSU	ROQUASSE
AEOQRSTU	ROQUATES
	TOQUERAS
AEOQRSUU	SOUQUERA
AEOQRSUV	REVOQUAS
AEOQRTUV	REVOQUAT
AEOQRTUX	EXTORQUA
AEOQRTUZ	QUATORZE
AEOQSSTU	TOQUASSE
AEOQSTTU	TOQUATES
AEORRRSU	ARROSEUR
AEORRSSS	ROSSERAS
AEORRSST	ROSATRES
AEORRSTU	ORATEURS
	OUTRERAS →
	ROUTERAS
	TROUERAS
AEORRSUV	OUVRERAS
	SAVOURER
AEORRTTT	TROTTERA
AEORRTTU	ROTATEUR
AEORRTUV	AVORTEUR
	RETROUVA
	TROUVERA
AEORSSSS	ROSSASSE
AEORSSST	ROSSATES
	ROTASSES
AEORSSSU	ROUASSES
AEORSSTT	STAROSTE
AEORSSTU	OSSATURE
	OUTRASSE
	ROUTASSE
	SOURATES
	TOUSSERA
	TROUASSE
AEORSSUV	OUVRASSE
	SAVOURES
AEORSSYZ	RASSOYEZ
AEORSTTU	OUTRATES
	ROUTATES
	TOASTEUR
	TROUATES
AEORSTUV	OUVRATES
	VOUTERAS
AEORSTUX	OESTRAUX
AEORSTUY	ROYAUTES
AEORSUVZ	SAVOUREZ
AEORTTUU	TATOUEUR
	TOURTEAU
AEORUUVX	OUVREAUX
AEOSSSTU	TOUASSES
AEOSSSTV	VOTASSES
AEOSSSUV	VOUASSES
AEOSSTUV	VOUTASSE
AEOSSUUV	VOUSSEAU
AEOSTTUV	VOUTATES
AEPPRRTU	TRAPPEUR
AEPQRRUU	PARQUEUR
AEPQRSTU	PARQUETS
AEPRRSSU	PRESSURA
	PRESURAS
AEPRRSTU	PRESURAT
AEPRRSUU	USURPERA
AEPRRSUY	SURPAYER
AEPRSSSU	PARUSSES
	PASSEURS →

	SURPASSE
AEPRSSTU	PASTEURS
AEPRSSUY	SURPAYES
AEPRSTUV	PAUVRETS
AEPRSUYZ	SURPAYEZ
AEQRRTUU	TRAQUEUR
	TRUQUERA
AEQRSTTU	SQUATTER
	TRAQUETS
AEQRSTUU	STUQUERA
AERRRSSU	RASSURER
AERRSSSU	RASSURES
AERRSSTT	STARTERS
AERRSSUU	ASSUREUR
AERRSSUZ	RASSUREZ
AERRSTTU	TRUSTERA
AERRSTUU	SUTURERA
AERRSTUX	SURTAXER
AERRSTUY	TRAYEURS
AERRTTUX	TARTREUX
AERRTUUX	URETRAUX
AERSSSST	STRASSES
AERSSSSU	RUSASSES
	SASSEURS
AERSSSTU	RESSAUTS
AERSSSUY	RESSUYAS
AERSSTTU	STATURES
AERSSTUU	SAUTEURS
	SURSAUTE
AERSSTUX	SURTAXES
AERSSTUY	RESSUYAT
AERSSUUV	SAUVEURS
AERSTTUU	TUTEURAS
AERSTUXZ	SURTAXEZ
AERTTTUU	TUTEURAT
AERTTUUY	TUYAUTER
AESTTUUY	TUYAUTES
AETTUUYZ	TUYAUTEZ
AFFGIIRS	GRIFFAIS
AFFGIIRT	GRAFFITI
	GRIFFAIT
AFFGINOS	GAFFIONS
AFFGINRT	GRIFFANT
AFFIILOR	AFFILOIR
AFFIILSS	SIFFLAIS
AFFIILST	SIFFLAIT
AFFIINOR	AFFINOIR
AFFIIORR	OFFRIRAI
AFFIIORT	FORTIFIA
AFFIIRSU	SUFFIRAI
AFFIISSU	SUIFFAIS
AFFIISTU	SUIFFAIT
AFFIISTX	FIXATIFS
AFFILNOS	AFFILONS
AFFILNST	SIFFLANT
AFFILNSU	INSUFFLA
AFFILOST	SIFFLOTA
AFFILOSU	SOUFFLAI
AFFILSUX	SUFFIXAL
AFFIMORT	FORMATIF
AFFIMSST	MASTIFFS
AFFINNOS	AFFINONS
AFFINOPS	PIAFFONS
AFFINOSU	AFFUSION
AFFINRSU	RUFFIANS
AFFINSTU	SUIFFANT
AFFIOPSU	POUFFAIS
AFFIOPTU	POUFFAIT
AFFIORRS	OFFRIRAS
AFFIORST	FORFAITS
AFFIRSSU	SUFFIRAS
AFFIRSTU	TRUFFAIS
AFFIRTTU	TRUFFAIT
AFFLNOOS	AFFOLONS
AFFLNOSU	AFFLUONS
AFFLOSSU	SOUFFLAS
AFFLOSTU	SOUFFLAT
AFFLRRUU	FURFURAL
AFFNOPTU	POUFFANT
AFFNORST	AFFRONTS
	OFFRANTS*
AFFNOSTU	AFFUTONS
AFFNRTTU	TRUFFANT
AFFOQSUU	OFFUSQUA
	SUFFOQUA
AFGIIILN	LIGNIFIA
AFGIIINS	SIGNIFIA
AFGIILNO	FIGNOLAI
AFGIILNU	FLINGUAI
AFGIILOR	GLORIFIA
AFGIINOR	GOINFRAI
AFGIINRU	FRINGUAI
AFGIIRSU	FIGURAIS
AFGIIRTU	FIGURAIT
AFGILNOS	FIGNOLAS
	GONFLAIS
AFGILNOT	FIGNOLAT
	GONFLAIT
AFGILNSU	FLINGUAS
AFGILNTU	FLINGUAT
AFGILRUU	FULGURAI
AFGINNRS	FRANGINS

AFGINNRT	FRINGANT
AFGINORS	GOINFRAS
AFGINORT	GOINFRAT
AFGINOST	FAGOTINS
AFGINRSU	FRINGUAS
AFGINRTU	FIGURANT
	FRINGUAT
AFGIORRU	GAUFROIR
AFGIORUU	FOURGUAI
AFGIPRTU	PURGATIF
AFGISTTU	GUSTATIF
AFGLNNOO	GONFALON
AFGLNNOT	GONFLANT
AFGLRSUU	FULGURAS
AFGLRTUU	FULGURAT
AFGNNNOO	GONFANON
AFGNOOST	FAGOTONS
AFGNORSU	GAUFRONS
AFGORSUU	FOURGUAS
AFGORTUU	FOURGUAT
AFHIIORR	HORRIFIA
AFHIMNSU	HAFNIUMS
AFIIIIVV	VIVIFIAI
AFIIIMMO	MOMIFIAI
AFIIIMNR	INFIRMAI
AFIIIMTT	IMITATIF
AFIIINOT	NOTIFIAI
	TONIFIAI
AFIIINRS	FINIRAIS
AFIIINRT	FINIRAIT
	NITRIFIA
AFIIINSU	UNIFIAIS
AFIIINTU	UNIFIAIT
AFIIIOSS	OSSIFIAI
AFIIIPRU	PURIFIAI
AFIIIRTV	VITRIFIA
AFIIISVV	VIVIFIAS
AFIIITVV	VIVIFIAT
AFIIJSTU	JUSTIFIA
AFIILLOU	FOUILLAI
AFIILLSU	FUSILLAI
AFIILMNU	FULMINAI
AFIILNPT	PLAINTIF
AFIILNRT	INFILTRA
AFIILNSU	INFLUAIS
AFIILNTU	INFLUAIT
AFIILOOT	FOLIOTAI
AFIILOPR	PROFILAI
AFIILORS	FOIRAILS*
AFIILOSS	SOLFIAIS
AFIILOST	SOLFIAIT
AFIILOTU	FILOUTAI
AFIILPPS	FLIPPAIS
AFIILPPT	FLIPPAIT
AFIILRSS	FRAISILS
AFIILRST	FILTRAIS
	FLIRTAIS
AFIILRSU	SURFILAI
AFIILRTT	FILTRAIT
	FLIRTAIT
AFIILSSS	SALSIFIS
AFIIMMOS	MOMIFIAS
AFIIMMOT	MOMIFIAT
AFIIMNOR	INFORMAI
AFIIMNRS	INFIRMAS
AFIIMNRT	INFIRMAT
AFIIMORT	MORTIFIA
AFIIMSTY	MYSTIFIA
AFIINNOS	SAINFOIN
AFIINNTU	UNIFIANT
AFIINOPT	PONTIFIA
AFIINOSS	FAISIONS
AFIINOST	NOTIFIAS
	TONIFIAS
AFIINOSU	FOUINAIS
AFIINOTT	NOTIFIAT
	TONIFIAT
AFIINOTU	FOUINAIT
AFIINOTX	FIXATION
AFIINSSU	INFUSAIS
AFIINSTU	INFUSAIT
AFIIOPRT	PROFITAI
AFIIORSS	FROISSAI
AFIIORSU	FOUIRAIS
AFIIORTU	FOUIRAIT
AFIIOSSS	OSSIFIAS
AFIIOSST	OSSIFIAT
AFIIPRSU	PURIFIAS
AFIIPRTT	PARTITIF
AFIIPRTU	PURIFIAT
AFIIPRTV	PRIVATIF
AFIIRSSU	FISSURAI
	RUSSIFIA
AFIISSST	SATISFIS
AFIISSTT	SATISFIT
AFILLNOS	FAILLONS
AFILLOSU	FOUILLAS
AFILLOTU	FOUILLAT
AFILLSSU	ALLUSIFS
	FUSILLAS
AFILLSTU	FUSILLAT
AFILMNSU	FULMINAS

AFILMNTU	FULMINAT
AFILMOOR	FORMOLAI
AFILMORU	FORMULAI
AFILNNOS	FLANIONS
AFILNNTU	INFLUANT
AFILNORS	FLAIRONS
	RAFLIONS
	RONFLAIS
AFILNORT	FRONTAIL
	RONFLAIT
AFILNOST	OLIFANTS
	SOLFIANT
AFILNPPT	FLIPPANT
AFILNRTT	FILTRANT
	FLIRTANT
AFILOOST	FOLIOTAS
AFILOOTT	FOLIOTAT
AFILOPRS	PROFILAS
AFILOPRT	PROFILAT
AFILOSTT	FLOTTAIS
AFILOSTU	FILOUTAS
AFILOTTT	FLOTTAIT
AFILOTTU	FILOUTAT
AFILPSTU	PULSATIF
AFILRSSU	SURFILAS
AFILRSTT	FILTRATS
AFILRSTU	SURFILAT
AFILRSUU	SULFURAI
AFILUUVX	FLUVIAUX
AFIMNORS	INFORMAS
AFIMNORT	INFORMAT
	NORMATIF
AFIMNOSU	FUMAISON
AFINNOOS	FOISONNA
AFINNORS	FARINONS
	INFRASON
AFINNOSU	FUSIONNA
AFINNOTU	FOUINANT
AFINNSTU	INFUSANT
AFINOQRU	FORNIQUA
AFINORRU	FOURNIRA
AFINORSS	FRAISONS
	FRASIONS*
AFINORST	FARTIONS
	TARIFONS
AFINORSY	FRAYIONS
AFINOSSS	FASSIONS
AFINOSTT	ATTIFONS
AFINOSTU	FAUTIONS
AFINRSST	FRISANTS
AFIOPRST	PROFITAS
AFIOPRTT	PORTATIF
	PROFITAT
AFIOPSTT	OPTATIFS
AFIORRST	RAIFORTS
AFIORRSU	FOURRAIS
AFIORRTU	FOURRAIT
AFIORSSS	FROISSAS
AFIORSST	FROISSAT
AFIORSSU	SOUFRAIS
AFIORSTT	FRISOTTA
	FROTTAIS
	ROTATIFS
AFIORSTU	FOUTRAIS
	SOUFRAIT
AFIORTTT	FROTTAIT
AFIORTTU	FOUTRAIT
AFIPSTTU	PUTATIFS
AFIRRSTU	FRUSTRAI
AFIRSSSU	FISSURAS
AFIRSSTU	FISSURAT
	SURFAITS
AFLMOORS	FORMOLAS
AFLMOORT	FORMOLAT
AFLMORSU	FORMULAS
AFLMORSW	WOLFRAMS
AFLMORTU	FORMULAT
AFLNNORT	RONFLANT
AFLNNOSU	FALUNONS
AFLNOSTT	FLATTONS
AFLNOSTU	FOULANTS
AFLNOTTT	FLOTTANT
AFLRSSUU	SULFURAS
AFLRSTUU	SULFURAT
AFMNORST	FORMANTS
AFNOOSTY	FAYOTONS
AFNOPPRS	FRAPPONS
AFNORRST	FORTRANS
AFNORRTU	FOURRANT
AFNORSTU	SOUFRANT
AFNORTTT	FROTTANT
AFNORTUX	FRONTAUX
AFNOSSSU	FAUSSONS
AFOORUVY	FOURVOYA
AFRRSSTU	FRUSTRAS
AFRRSTTU	FRUSTRAT
AGGIILNV	GINGIVAL
AGGIINRS	GRIGNAIS
AGGIINRT	GRIGNAIT
AGGIINSU	GUIGNAIS
AGGIINTU	GUIGNAIT
AGGIIOST	GIGOTAIS

AGGIIOTT	GIGOTAIT
AGGILNNO	GANGLION
AGGINNOS	GAGNIONS
AGGINNRT	GRIGNANT
AGGINNTU	GUIGNANT
AGGINORS	GROGNAIS
AGGINORT	GRIGNOTA
	GROGNAIT
AGGINOTT	GIGOTANT
AGGNNORT	GROGNANT
AGHINORS	HONGRAIS
AGHINORT	HONGRAIT
AGHINSSV	SHAVINGS
AGHMORSY	HYGROMAS
AGHNNORT	HONGRANT
AGHNOORY	HONGROYA
AGIIIMMR	IMMIGRAI
AGIIIRRU	IRRIGUAI
AGIIJNOS	JOIGNAIS
AGIIJNOT	JOIGNAIT
AGIILLRS	GRILLAIS
AGIILLRT	GRILLAIT
AGIILNNU	INGUINAL
AGIILNOR	ORIGINAL
AGIILNPS	PLAIGNIS
AGIILNPT	PLAIGNIT
AGIILNRV	VIRGINAL
AGIILNTV	VIGILANT
AGIILORS	RIGOLAIS
AGIILORT	RIGOLAIT
AGIILOST	LIGOTAIS
AGIILOTT	LIGOTAIT
AGIILRUV	VIRGULAI
AGIILSSS	GLISSAIS
AGIILSST	GLISSAIT
AGIIMMRS	IMMIGRAS
AGIIMMRT	IMMIGRAT
AGIIMNOS	IMAGIONS
AGIIMNOT	MIGNOTAI
AGIIMORT	MAIGRIOT
AGIIMPRS	GRIMPAIS
AGIIMPRT	GRIMPAIT
AGIIMRSU	MUGIRAIS
AGIIMRTU	MUGIRAIT
AGIINNOS	GAINIONS
AGIINNRT	TRAINING
AGIINORS	AGIRIONS
	IGNORAIS
AGIINORT	GIRATION
	IGNORAIT
AGIINORV	GIRAVION
AGIINOSS	SOIGNAIS
AGIINOST	AGITIONS
	SOIGNAIT
AGIINRSU	RUGINAIS
AGIINRTU	INTRIGUA
	RUGINAIT
AGIINSUZ	ZINGUAIS
AGIINTUZ	ZINGUAIT
AGIIORRU	ROUGIRAI
AGIIPPRS	GRIPPAIS
AGIIPPRT	GRIPPAIT
AGIIRRSU	IRRIGUAS
	RUGIRAIS
	SURGIRAI
AGIIRRTU	IRRIGUAT
	RUGIRAIT
AGIJLNOS	JONGLAIS
AGIJLNOT	JONGLAIT
AGIJLSUU	JUGULAIS
AGIJLTUU	JUGULAIT
AGIJNNOT	JOIGNANT
AGIJNOSU	JAUGIONS
AGIKNORR	KORRIGAN
AGIKNPRS	PARKINGS
AGIKNRST	KARTINGS
AGILLMSU	GALLIUMS
AGILLNOR	GRAILLON
AGILLNRT	GRILLANT
AGILLOPU	GOUPILLA
AGILLORS	GRISOLLA
AGILLORU	GROUILLA
AGILNNNP	PLANNING
AGILNNOP	PANGOLIN
AGILNNOS	ALIGNONS
	GLANIONS
	LANGIONS
	SALIGNON
AGILNOPS	GALOPINS
	PLAGIONS
AGILNORS	GLAIRONS
	LORGNAIS
AGILNORT	LORGNAIT
	RIGOLANT
AGILNOSS	GLAISONS
AGILNOSU	GAULIONS
	SOULIGNA
AGILNOTT	LIGOTANT
AGILNRSU	GALURINS
AGILNSST	GLISSANT
AGILNSTU	NILGAUTS
AGILNUUX	LINGUAUX

AGILOOST	TOGOLAIS
AGILOPST	GALIPOTS
AGILORSS	GIRASOLS
AGILORST	LARIGOTS
AGILOSSU	GLOUSSAI
AGILPSTU	PUGILATS
AGILRSUV	VIRGULAS
AGILRTUV	VIRGULAT
AGIMNNOS	GAMINONS
	MANGIONS
AGIMNORS	MARGIONS
AGIMNORT	MARGOTIN
AGIMNOST	MIGNOTAS
AGIMNOTT	MIGNOTAT
AGIMNPRT	GRIMPANT
	TRAMPING
AGIMNRST	MIGRANTS
AGIMORST	MARIGOTS
AGIMORSU	GOURAMIS
AGINNOPS	PAGINONS
AGINNOPT	POIGNANT
AGINNORS	GARNISON
	GRAINONS
	GRISONNA
	ORGANSIN
	RANGIONS
AGINNORT	IGNORANT
AGINNOSS	GANSIONS
	SAIGNONS
AGINNOST	GANTIONS
	SOIGNANT
AGINNRTU	RUGINANT
AGINNSSU	SANGUINS
AGINNTUZ	ZINGUANT
AGINOOST	AGIOTONS
AGINOPRV	PROVIGNA
AGINORSU	ARGOUSIN
	ARGUIONS
	RAGUIONS
AGINORSV	GRAVIONS
	VAGIRONS
AGINORTV	VAGIRONT
AGINORUX	ORIGNAUX
AGINOSSS	AGISSONS
AGINOSSU	SAGOUINS
AGINOSUV	VAGUIONS
AGINPPRS	GRAPPINS
AGINPPRT	GRIPPANT
AGINPRST	TRIPANGS
AGINRSST	GRISANTS
AGINSTUU	AUGUSTIN

AGIOPRST	PARIGOTS
AGIOPRSU	GROUPAIS
	PRAGUOIS
AGIOPRTU	GROUPAIT
AGIORRSS	GROSSIRA
AGIORRSU	ROUGIRAS
AGIORRTT	GRATTOIR
AGIORSST	AGROSTIS
AGIOSTTU	GOUTTAIS
AGIOTTTU	GOUTTAIT
AGIPPRUX	GRIPPAUX
AGIRRSSU	SURGIRAS
AGIRSSUU	SURAIGUS
AGIRSTTU	GRATUITS
AGJLNNOT	JONGLANT
AGJLNTUU	JUGULANT
AGJNNOOU	GOUJONNA
AGLNNORT	LORGNANT
AGLNNOSS	SANGLONS
AGLNOOPS	GALOPONS
AGLNORSU	LARGUONS
AGLNOSST	SANGLOTS
AGLOSSSU	GLOUSSAS
AGLOSSTU	GLOUSSAT
AGLOTTUX	GLOTTAUX
AGLRTTUU	GUTTURAL
AGMNORST	ANGSTROM
AGMNSSTU	MUSTANGS
AGNNORSU	NARGUONS
AGNNOSST	STAGNONS
AGNNOSTU	TANGUONS
AGNOORST	ROGATONS
AGNOPRTU	GROUPANT
AGNORSTT	GRATTONS
AGNORSTU	TARGUONS
AGNORSUU	AUGURONS
AGNOSSSU	GAUSSONS
AGNOTTTU	GOUTTANT
AGORSTTY	GYROSTAT
AGOSSTUU	GOUSSAUT
AHIIILMU	HUMILIAI
AHIILMSU	HUMILIAS
AHIILMTU	HUMILIAT
AHIILOST	HALIOTIS
AHIILSSW	SWAHILIS
AHIIMNNU	INHUMAIN
AHIIMNSU	INHUMAIS
AHIIMNTU	INHUMAIT
AHIINNOR	HONNIRAI
AHIINORS	HAIRIONS
AHIINSTU	HUITAINS

AHIIORST	HISTORIA
AHIKMNSS	KHAMSINS
AHILLMTU	THALLIUM
AHILLNOS	HAILLONS
AHILLSUU	HULULAIS
AHILLTUU	HULULAIT
AHILNNOS	INHALONS
AHILPSST	THLASPIS
AHILPSSY	PHYSALIS
AHIMNNTU	INHUMANT
AHIMNRTU	MATHURIN
AHIMOPRT	TRIOMPHA
AHIMRSTY	RYTHMAIS
AHIMRTTY	RYTHMAIT
AHINNOPS	SIPHONNA
AHINNORS	HONNIRAS
AHINNOST	HANTIONS
AHINOORS	HONORAIS
AHINOORT	HONORAIT
AHINOPPS	HAPPIONS
AHINORSS	HORSAINS
AHINORST	TRAHISON
AHINOSSS	HAISSONS
AHINOSSU	HOUSSINA
AHINSSTU	SHUNTAIS
AHINSTTU	SHUNTAIT
AHIOOSST	SHOOTAIS
AHIOOSTT	SHOOTAIT
AHIOPTUX	HOPITAUX
AHIORRUV	HOURVARI
AHIOSSTU	SOUHAITS
AHLLNTUU	HULULANT
AHLMNOOR	HORMONAL
AHLNOPST	NAPHTOLS
AHLNRSTU	HURLANTS
AHMMMOTU	MAMMOUTH
AHMNOSSS	SMASHONS
AHMNPUXY	NYMPHAUX
AHMNRTTY	RYTHMANT
AHMORUUX	HUMORAUX
AHNNOORT	HONORANT
AHNNSTTU	SHUNTANT
AHNOOSTT	SHOOTANT
AHNOPRSS	PHRASONS
AHNORSSX	SAXHORNS
AHNOSSSU	HAUSSONS
AHOOPRSS	SOPHORAS
AHOPSSSU	POUSSAHS
AIIIINST	INITIAIS
AIIIINTT	INITIAIT
AIIIJNRU	INJURIAI

AIIILLTT	TITILLAI
AIIILMST	LIMITAIS
	MILITAIS
AIIILMTT	LIMITAIT
	MILITAIT
AIIILRSV	VIRILISA
AIIILSTU	UTILISAI
AIIIMMNS	MINIMISA
AIIIMMPR	IMPRIMAI
AIIIMNST	INTIMAIS
AIIIMNTT	INTIMAIT
AIIIMORS	MOISIRAI
AIIIMORT	MIROITAI
	MOITIRAI
AIIIMRSS	SAIMIRIS
AIIINNSU	INSINUAI
AIIINNTT	INITIANT
AIIINORS	IRONISAI
AIIINOSS	IONISAIS
AIIINOST	IONISAIT
AIIINOSV	VOISINAI
AIIINPRS	INSPIRAI
AIIINSST	INSISTAI
AIIINSTV	INVITAIS
AIIINTTV	INVITAIT
AIIINTUX	INITIAUX
AIIIPTTU	PITUITAI
AIIIRRST	IRRITAIS
AIIIRRTT	IRRITAIT
AIIISSTV	VISITAIS
AIIISTTV	VISITAIT
AIIJMOST	MIJOTAIS
AIIJMOTT	MIJOTAIT
AIIJNRSU	INJURIAS
AIIJNRTU	INJURIAT
AIIJORSU	JOUIRAIS
AIIJORTU	JOUIRAIT
AIILLLOS	AILLOLIS
AIILLLUV	ILLUVIAL
AIILLMNU	ILLUMINA
AIILLMOR	MOLLIRAI
AIILLMOU	MOUILLAI
AIILLNOS	AILLIONS
	ALLIIONS
AIILLNST	INSTILLA
AIILLORT	TAILLOIR
AIILLORU	ROUILLAI
AIILLOSU	OUILLAIS
	SOUILLAI
AIILLOTU	OUILLAIT
	OUTILLAI →

	TOUILLAI
AIILLRST	TRILLAIS
AIILLRSV	VRILLAIS
AIILLRTT	TRILLAIT
AIILLRTV	VRILLAIT
AIILLSTT	TITILLAS
AIILLTTT	TITILLAT
AIILMMOS	IMMOLAIS
AIILMMOT	IMMOLAIT
AIILMNOR	LAMINOIR
AIILMNOS	MALINOIS
	MONILIAS
AIILMNOU	MOULINAI
AIILMNTT	LIMITANT
	MILITANT
AIILMNUX	LIMINAUX
AIILMOPR	IMPLORAI
AIILMPQU	IMPLIQUA
AIILMPSU	IMPULSAI
AIILMSSU	SIMULAIS
AIILMSTU	MUTILAIS
	SIMULAIT
	STIMULAI
AIILMTTU	MUTILAIT
AIILNNOP	PILONNAI
AIILNNOS	LAINIONS
AIILNNOT	LOINTAIN
AIILNOPR	RIPOLINA
AIILNOPU	POULINAI
AIILNOSS	INSOLAIS
	LIAISONS
	NOLISAIS
AIILNOST	ALITIONS
	INSOLAIT
	NOLISAIT
AIILNOSU	NIAOULIS
AIILNQSU	AQUILINS
AIILNSTU	INSULTAI
	LUSITAIN
	LUTINAIS
AIILNTTU	INTITULA
	LUTINAIT
AIILOPRS	POLIRAIS
AIILOPRT	POITRAIL
	POLIRAIT
AIILOPSS	SPOLIAIS
AIILOPST	PILOTAIS
	POLITISA
	SPOLIAIT
AIILOPTT	PILOTAIT
AIILORSS	RISSOLAI
AIILORST	LOTIRAIS
AIILORSV	VIROLAIS
AIILORTT	LOTIRAIT
AIILORTV	VIROLAIT
	VITRIOLA
AIILPPSU	SUPPLIAI
AIILPRSS	PLAISIRS
AIILPRST	TRIPLAIS
AIILPRTT	TRIPLAIT
AIILPSSS	PLISSAIS
AIILPSST	PLISSAIT
AIILPSTU	STIPULAI
AIILRSTU	RUTILAIS
AIILRTTU	RUTILAIT
AIILSSST	TASSILIS
AIILSSTU	UTILISAS
AIILSSTY	STYLISAI
AIILSTTU	UTILISAT
AIIMMNSU	IMMUNISA
AIIMMNUX	MINIMAUX
AIIMMPRS	IMPRIMAS
AIIMMPRT	IMPRIMAT
AIIMNNOS	ANIMIONS
	MANIIONS
AIIMNNOT	MITONNAI
AIIMNNST	MAINTINS
AIIMNNTT	INTIMANT
	MAINTINT
AIIMNORS	MARIIONS
	MINORAIS
AIIMNORT	MINORAIT
AIIMNRSU	MUNIRAIS
	RUMINAIS
AIIMNRTU	MUNIRAIT
	RUMINAIT
AIIMNSTU	MINUTAIS
	MUTINAIS
AIIMNTTU	MINUTAIT
	MUTINAIT
AIIMOPPR	OPPRIMAI
AIIMOPRT	IMPORTAI
AIIMOPSS	IMPOSAIS
AIIMOPST	IMPOSAIT
	OPTIMISA
AIIMORSS	MOISIRAS
AIIMORST	MIROITAS
	MOITIRAS
AIIMORSV	VOMIRAIS
AIIMORTT	MIROITAT
AIIMORTV	VOMIRAIT
AIIMOSTV	MOTIVAIS

AIIMOTTV	MOTIVAIT
AIIMPRRT	IMPARTIR
AIIMPRST	IMPARTIS
AIIMPRTT	IMPARTIT
AIIMPSTU	IMPUTAIS
AIIMPTTU	IMPUTAIT
AIIMQSUU	MUSIQUAI
AIIMRRSU	MURIRAIS
AIIMRRTU	MURIRAIT
AIIMRUVV	VIVARIUM
AIINNOPS	PIONNAIS
AIINNOPT	PIONNAIT
AIINNORS	RAINIONS
AIINNOST	IONISANT
	TISONNAI
AIINNOSV	AVINIONS
	INNOVAIS
	INVASION
	VISIONNA
AIINNOTV	INNOVAIT
AIINNSSU	INSINUAS
AIINNSTU	INSINUAT
AIINNTTV	INVITANT
AIINOOSZ	OZONISAI
AIINOPRS	PARIIONS
AIINOPST	POINTAIS
	POTINAIS
	TAPINOIS
AIINOPTT	POINTAIT
	POTINAIT
AIINOQUV	INVOQUAI
AIINORRS	RAIRIONS
AIINORSS	ARISIONS
	IRONISAS
AIINORST	IRONISAT
	TAIRIONS
AIINORSV	VARIIONS
AIINOSST	TAISIONS
AIINOSSV	AVISIONS
	VOISINAS
AIINOSTV	VOISINAT
AIINOSVV	AVIVIONS
AIINPRSS	INSPIRAS
AIINPRST	INSPIRAT
	SPRINTAI
AIINPRSU	PUNIRAIS
AIINPRTU	PUNIRAIT
	PURITAIN
AIINQRTU	TRINQUAI
AIINQSUV	VAINQUIS
AIINQTUV	VAINQUIT
AIINRRTT	IRRITANT
AIINRSSU	SURINAIS
AIINRSTU	SURINAIT
AIINSSST	INSISTAS
AIINSSSU	UNISSAIS
AIINSSTT	INSISTAT
AIINSSTU	SUINTAIS
	UNISSAIT
AIINSTTU	INSTITUA
	SUINTAIT
AIINSTTV	VISITANT
AIIOPRST	RIPOSTAI
AIIOPRSU	SOUPIRAI
AIIOPRSV	POIVRAIS
AIIOPRTT	TRIPOTAI
AIIOPRTV	POIVRAIT
AIIOPSSS	POISSAIS
AIIOPSST	POISSAIT
AIIOPSTV	PIVOTAIS
AIIOPTTV	PIVOTAIT
AIIORRSS	ROSIRAIS
AIIORRST	ROSIRAIT
	ROTIRAIS
	SORTIRAI
AIIORRSU	ROUIRAIS
	SOURIRAI
AIIORRTT	ROTIRAIT
AIIORRTU	ROUIRAIT
AIIORRUV	OUVRIRAI
AIIORSST	SIROTAIS
AIIORSSU	SOURIAIS
AIIORSTT	ATTISOIR
	SIROTAIT
AIIORSTU	SOURIAIT
	SOUTIRAI
AIIORTUV	VOITURAI
AIIOSTVV	VIVOTAIS
AIIOTTVV	VIVOTAIT
AIIPRRTT	TRIPARTI
AIIPRSST	SAPRISTI
AIIPSTTU	PITUITAS
AIIPTTTU	PITUITAT
AIIQRSSU	RISQUAIS
AIIQRSTU	RISQUAIT
	TRIQUAIS
AIIQRTTU	TRIQUAIT
AIIQSTTU	QUITTAIS
AIIQTTTU	QUITTAIT
AIIRRSSU	SURIRAIS
AIIRRSTU	SURIRAIT
AIIRRSUV	SURVIRAI

AIIRRTTU	TRITURAI
AIIRSSST	TRISSAIS
AIIRSSTT	TRISSAIT
AIIRSSUV	SUIVRAIS
AIIRSTUV	SUIVRAIT
AIIRSTVZ	VIZIRATS
AIIRTUVX	TRIVIAUX
AIJKKNOU	KINKAJOU
AIJMNOTT	MIJOTANT
AIJNOOTY	JOINTOYA
AIJNOPPS	JAPPIONS
AIJNOPSS	JASPIONS
AIJOSTUX	JOUXTAIS
AIJOTTUX	JOUXTAIT
AIKKOSUZ	ZAKOUSKI
AIKLOTTW	KILOWATT
AIKNRSST	SANSKRIT
AIKPRRST	PRAKRITS
AILLLPUU	PULLULAI
AILLMNNO	MANILLON
AILLMNOS	MAILLONS
AILLMORR	RAMOLLIR
AILLMORS	MOLLIRAS
	RAMOLLIS
AILLMORT	RAMOLLIT
AILLMOST	MAILLOTS
AILLMOSU	MOUILLAS
AILLMOTU	MOUILLAT
AILLMPSU	PALLIUMS
AILLNNOS	SILLONNA
AILLNNOV	VANILLON
AILLNOPP	PAPILLON
AILLNOPS	PAILLONS
	PALLIONS
AILLNOPV	PAVILLON
AILLNORS	RAILLONS
	RALLIONS
AILLNOST	TAILLONS
	TALLIONS
AILLNOSU	ALLUSION
AILLNOTT	TATILLON
AILLNOTU	OUILLANT
AILLNRTT	TRILLANT
AILLNRTV	VRILLANT
AILLOPRT	TORPILLA
AILLOPRU	ROUPILLA
AILLOPSU	POLLUAIS
AILLOPTU	POLLUAIT
	TOUPILLA
AILLORSU	ROUILLAS
AILLORTT	LITTORAL →
	TORTILLA
AILLORTU	ROUILLAT
AILLOSSU	SOUILLAS
AILLOSTU	OUTILLAS
	SOUILLAT
	TOUILLAS
AILLOSTV	VOLATILS
AILLOTTU	OUTILLAT
	TOUILLAT
AILLRSTU	ILLUSTRA
AILMMNOT	IMMOLANT
AILMNNOS	LAMINONS
AILMNOOR	MONORAIL
AILMNOOS	SOMNOLAI
AILMNOPS	LAMPIONS
	PALMIONS
AILMNOST	MALTIONS
AILMNOSU	MALOUINS
	MIAULONS
	MOULINAS
AILMNOTU	MOULINAT
AILMNSTU	SIMULANT
AILMNTTU	MUTILANT
AILMOPRS	IMPLORAS
AILMOPRT	IMPLORAT
AILMORSU	SOLARIUM
AILMORUU	MOULURAI
AILMPSSU	IMPULSAS
AILMPSTU	IMPULSAT
AILMRSST	MISTRALS
AILMSSTU	STIMULAS
AILMSTTU	STIMULAT
AILNNOOT	LOTIONNA
AILNNOPS	LAPINONS
	PILONNAS
	PLANIONS
AILNNOPT	PILONNAT
AILNNOST	INSOLANT
	NOLISANT
AILNNOSU	LUNAISON
AILNNOSY	LYONNAIS
AILNNTTU	LUTINANT
AILNOOPS	POLONAIS
AILNOPPS	PALPIONS
AILNOPRS	PALIRONS
	PARLIONS
	PLAIRONS
	PLANOIRS
AILNOPRT	PALIRONT
	PLAIRONT
	PLANTOIR

AILNOPSS	PALISSON
	PLAISONS
AILNOPST	SPOLIANT
AILNOPSU	PIAULONS
	POULAINS
	POULINAS
AILNOPTT	PILOTANT
AILNOPTU	POULINAT
AILNOQSU	AQUILONS
	LAQUIONS
	QUINOLAS
AILNORRS	LORRAINS
AILNORSS	SALIRONS
AILNORST	SALIRONT
AILNORTV	VIROLANT
AILNOSSS	LAISSONS
	LASSIONS
AILNOSST	ISOLANTS
AILNOSSU	SALUIONS
AILNOSSV	SALIVONS
	VALSIONS
AILNOSTT	LATTIONS
AILNOSTV	ANTIVOLS
AILNOSUV	AVULSION
AILNOSVY	SYNOVIAL
AILNOTUX	LUXATION
AILNPRST	TRIPLANS
AILNPRTT	TRIPLANT
AILNPSST	PLISSANT
AILNPSUU	NAUPLIUS
AILNPSUV	PLUVIANS
AILNRTTU	RUTILANT
AILNSSTU	INSULTAS
	LUISANTS
AILNSSVY	SYLVAINS
AILNSTTU	INSULTAT
AILOOUVY	LOUVOYAI
AILOPRRS	PARLOIRS
AILOPRST	PORTAILS
AILOPRSU	SPORULAI
AILOPRTT	ALTIPORT
AILOPSSU	ASSOUPLI
AILOPSTU	POSTULAI
AILORSSS	RISSOLAS
AILORSST	RISSOLAT
AILORSTV	LIVAROTS
AILORSUV	SURVOLAI
AILPPSSU	SUPPLIAS
AILPPSTU	SUPPLIAT
AILPSSTU	STIPULAS
AILPSTTU	STIPULAT
AILPUUVX	PLUVIAUX
AILRSSTU	LUSTRAIS
AILRSTTU	LUSTRAIT
AILSSSTY	STYLISAS
AILSSTTY	STYLISAT
AIMMMNOU	AMMONIUM
AIMMMSUX	MAXIMUMS
AIMMNORT	MARMITON
AIMMORUX	IMMORAUX
AIMMRRUU	MURMURAI
AIMMRSUU	MASURIUM
AIMNNORS	MARINONS
	MARNIONS
	RANIMONS
AIMNNORT	MINORANT
AIMNNOSS	MANSIONS
AIMNNOST	MATINONS
	MITONNAS
AIMNNOTT	MITONNAT
AIMNNOUX	NOMINAUX
AIMNNRTU	RUMINANT
AIMNNTTU	MINUTANT
	MUTINANT
AIMNOOPS	PAMOISON
AIMNOOST	SOMATION
	TOMAISON
AIMNOPRS	RAMPIONS
AIMNOPST	IMPOSANT
AIMNOPSU	PAUMIONS
AIMNOQRU	MAROQUIN
AIMNORRS	ARRIMONS
	MARRIONS
	ROMARINS
AIMNORST	ARTIMONS
	MATIRONS
	MONTRAIS
	TRAMIONS
AIMNORSU	AMUIRONS
	AMURIONS
	MARSOUIN
	ROUMAINS
AIMNORTT	MATIRONT
	MONTRAIT
	TRAMINOT
AIMNORTU	AMUIRONT
AIMNOSSS	MASSIONS
AIMNOSST	TAMISONS
AIMNOSSU	AMUSIONS
AIMNOSTU	MANITOUS
	TINAMOUS
AIMNOTTU	MUTATION

AIMNOTTV	MOTIVANT
AIMNPPST	PIMPANTS
AIMNPTTU	IMPUTANT
AIMNRSST	TRANSMIS
AIMNRSTT	TRANSMIT
AIMNRSUU	URANIUMS
AIMNSSTU	TSUNAMIS
AIMOOPSY	POMOYAIS*
AIMOOPTY	POMOYAIT*
AIMOORST	MOTORISA
AIMOPPRS	OPPRIMAS
AIMOPPRT	OPPRIMAT
AIMOPRRS	ROMPRAIS
AIMOPRRT	ROMPRAIT
AIMOPRST	IMPORTAS
	TROMPAIS
AIMOPRTT	IMPORTAT
	TROMPAIT
AIMOPTUX	OPTIMAUX
AIMOQRRU	MARQUOIR
AIMORRSU	MOURRAIS
AIMORRTU	MOURRAIT
AIMORSUV	MOUVRAIS
AIMORTUV	MOUVRAIT
AIMOSSSU	MOUSSAIS
AIMOSSTU	MOUSSAIT
AIMPPRSU	SUPPRIMA
AIMQSSUU	MUSIQUAS
AIMQSTUU	MUSIQUAT
AINNNOPT	PIONNANT
AINNNOST	TANNIONS
AINNNOSV	VANNIONS
AINNNOTV	INNOVANT
AINNOOSU	NOUAISON
AINNOOTT	NOTATION
AINNOOTV	NOVATION
AINNOPPS	NAPPIONS
AINNOPRS	RAPINONS
AINNOPSS	PANSIONS
AINNOPST	PATINONS
	PISTONNA
AINNOPTT	POINTANT
	POTINANT
AINNORRS	NARRIONS
AINNORRU	NOURRAIN
AINNORST	NAITRONS
	RATINONS
	TRAINONS
AINNORSV	NAVRIONS
	RAVINONS
AINNORTT	NAITRONT
AINNOSSS	NAISSONS
AINNOSST	SATINONS
	TANISONS
	TISONNAS
AINNOSSU	SAUNIONS
AINNOSTT	NATTIONS
	TISONNAT
AINNOSTV	VANTIONS
AINNOTTU	NUTATION
AINNRSTU	SATURNIN
	SURINANT
AINNSSTT	INSTANTS
AINNSSTU	UNISSANT
AINNSTTU	SUINTANT
AINOORSS	ORAISONS
	SONORISA
AINOORTT	ROTATION
AINOOSSZ	OZONISAS
AINOOSTU	OUATIONS
AINOOSTV	OVATIONS
AINOOSTZ	OZONISAT
AINOOSUV	AVOUIONS
AINOOTTV	VOTATION
AINOPPST	APPOINTS
AINOPQSU	APIQUONS
AINOPRSS	ASPIRONS
AINOPRST	PAITRONS
	PARTIONS
	PATIRONS
	PIRATONS
	TAPIRONS
AINOPRSU	APURIONS
AINOPRTT	PAITRONT
	PATIRONT
	TAPIRONT
AINOPRTU	PARUTION
AINOPRTV	POIVRANT
AINOPSSS	PAISSONS
	PASSIONS
AINOPSST	PATISSON
	POISSANT
AINOPSSU	PAUSIONS
AINOPSTU	OPUNTIAS
AINOPTTV	PIVOTANT
AINOQRSU	ARQUIONS
	NARQUOIS
AINOQRTU	TRONQUAI
AINOQSSU	SAQUIONS
AINOQSTU	TAQUIONS
AINOQSUV	INVOQUAS
	VAQUIONS

AINOQTUV	INVOQUAT
AINORRRU	NOURRIRA
AINORRSS	ARRISONS
AINORRST	TARIRONS
	TRAIRONS
AINORRSV	ARRIVONS
	RAVIRONS
AINORRTT	TARIRONT
	TRAIRONT
AINORRTV	RAVIRONT
AINORSSU	SAURIONS
AINORSSV	RAVISONS
AINORSTT	ATTIRONS
	NASITORT
	SIROTANT
	TRAITONS
AINORSTU	SOURIANT
	TONSURAI
	TOURNAIS
AINORSTY	TRAYIONS
AINORSUZ	AZURIONS
AINORSVV	RAVIVONS
AINORSZZ	RAZZIONS
AINORTTT	TROTTINA
AINORTTU	TONITRUA
	TOURNAIT
AINOSSSS	SASSIONS
AINOSSST	TASSIONS
AINOSSTT	ATTISONS
	STATIONS
AINOSSTU	SAUTIONS
AINOSSUV	SAUVIONS
AINOTTVV	VIVOTANT
AINPQSSU	PASQUINS
AINPQSTU	PIQUANTS
AINPRSST	SPIRANTS
	SPRINTAS
AINPRSTT	SPRINTAT
AINPRSTU	PATURINS
AINPSSTU	PUISSANT
AINPTUUX	NUPTIAUX
AINQRSTU	INQUARTS
	RISQUANT
	TRINQUAS
AINQRTTU	TRINQUAT
	TRIQUANT
AINQTTTU	QUITTANT
AINQTUUX	QUINTAUX
AINRSSTT	TRANSITS
	TRISSANT
AINSSTUV	SUIVANTS
AIOOORRT	ORATORIO
AIOOPPRS	PROPOSAI
AIOOPPSS	OPPOSAIS
AIOOPPST	OPPOSAIT
AIOORRRS	ARROSOIR
AIOOSTZZ	ZOZOTAIS
AIOOTTZZ	ZOZOTAIT
AIOOUVVY	VOUVOYAI
AIOPPSST	STOPPAIS
AIOPPSSU	SUPPOSAI
AIOPPSTT	STOPPAIT
AIOPRRRU	POURRIRA
AIOPRRST	PRIORATS
AIOPRRSU	POURRAIS
AIOPRRTT	PORTRAIT
AIOPRRTU	POURRAIT
AIOPRSST	RIPOSTAS
AIOPRSSU	ASSOUPIR
	SOUPIRAS
AIOPRSTT	RIPOSTAT
	TRIPOTAS
AIOPRSTU	SOUPIRAT
AIOPRSUV	PROUVAIS
AIOPRTTT	TRIPOTAT
AIOPRTUV	PROUVAIT
AIOPSSSU	ASSOUPIS
	POUSSAIS
AIOPSSTU	ASSOUPIT
	POUSSAIT
AIOQRSTU	TAQUOIRS
	TROQUAIS
AIOQRTTU	TROQUAIT
AIOQSSUU	SOUQUAIS
AIOQSTUU	SOUQUAIT
AIORRRUV	ROUVRIRA
AIORRSST	ASSORTIR
	RASSORTI
	SORTIRAS
AIORRSSU	ROUSSIRA
	SOURIRAS
AIORRSUV	OUVRIRAS
	ROUVRAIS
AIORRTTU	TORTURAI
AIORRTUV	ROUVRAIT
AIORSSST	ASSORTIS
AIORSSTT	ASSORTIT
AIORSSTU	SAUTOIRS
	SOUTIRAS
	TROUSSAI
AIORSSUV	ASSOUVIR
AIORSTTT	TROTTAIS

AIORSTTU	SOUTIRAT
AIORSTUV	TROUVAIS
	VOITURAS
AIORTTTT	TROTTAIT
AIORTTUV	TROUVAIT
	VOITURAT
AIOSSSTU	TOUSSAIS
AIOSSSUV	ASSOUVIS
AIOSSTTU	AUSSITOT
	TOUSSAIT
AIOSSTUV	ASSOUVIT
AIOSTTUY	TUTOYAIS
AIOTTTUY	TUTOYAIT
AIPPRSUU	SUPPURAI
AIPPSTUU	SUPPUTAI
AIPRSSUU	USURPAIS
AIPRSTUU	USURPAIT
AIQRSTUU	RUSTIQUA
	TRUQUAIS
AIQRTTUU	TRUQUAIT
AIQSSTUU	STUQUAIS
AIQSTTUU	STUQUAIT
AIRRSSUU	SUSURRAI
AIRRSSUV	SURVIRAS
AIRRSTTU	TRITURAS
AIRRSTUV	SURVIRAT
AIRRSUVV	SURVIVRA
AIRRTTTU	TRITURAT
AIRSSTTU	TRUSTAIS
AIRSSTUU	SUTURAIS
AIRSTTTU	TRUSTAIT
AIRSTTUU	SUTURAIT
AJMNOORS	MAJORONS
AJNOORSU	AJOURONS
AJNOOSTU	AJOUTONS
AJNORUUX	JOURNAUX
AJNOSSTU	AJUSTONS
AJNOTTUX	JOUXTANT
AKLOPSUV	VOLAPUKS
AKNNOSSU	NANSOUKS
ALLLPSUU	PULLULAS
ALLLPTUU	PULLULAT
ALLMNOSU	ALLUMONS
ALLMNPSU	PULLMANS
ALLNOOSU	ALLOUONS
ALLNOPTU	POLLUANT
ALLNRTUU	LANTURLU
ALLOOSTX	AXOLOTLS
ALMMNSUU	MUSULMAN
ALMMORST	MALSTROM
ALMNNOOP	MONOPLAN
ALMNOOSS	SOMNOLAS
ALMNOOST	SOMNOLAT
ALMORSTU	MALOTRUS
ALMORSUU	MOULURAS
	SURMOULA
ALMORTUU	MOULURAT
ALNNNOSU	ANNULONS
ALNNOPST	PLANTONS
ALNOOPSS	SALOPONS
ALNOORST	ORTOLANS
ALNOOSSS	ASSOLONS
ALNOOSSU	SAOULONS
ALNOPQSU	PLAQUONS
ALNOPRST	PLASTRON
	PLATRONS
ALNOPRTU	PORTULAN
ALNOQSTU	TALQUONS
ALNORSTU	ROULANTS
	ULTRASON
ALNOSSSY	ALYSSONS
ALNOSSTV	SOLVANTS
ALNRSTTU	LUSTRANT
ALOORTTU	ROULOTTA
ALOOSUVY	LOUVOYAS
ALOOTUVY	LOUVOYAT
ALOPPRSU	PROPULSA
ALOPRSSU	SPORULAS
ALOPRSTU	POSTURAL
	SPORULAT
ALOPSSTU	POSTULAS
ALOPSTTU	POSTULAT
ALOQRRSU	RORQUALS
ALORSSUV	SURVOLAS
ALORSTUV	SURVOLAT
	SURVOLTA
ALRSTUUX	LUSTRAUX
AMMNORSU	SURNOMMA
AMMRRSUU	MURMURAS
AMMRRTUU	MURMURAT
AMNNOOPP	POMPONNA
AMNNOORS	RAMONONS
AMNNOOTU	MOUTONNA
AMNNOPTY	TYMPANON
AMNNOQSU	MANQUONS
AMNNORTT	MONTRANT
AMNNOSTT	MONTANTS
AMNOOPTY	POMOYANT*
AMNOOSTT	OTTOMANS
AMNOPRTT	TROMPANT
AMNOPSTU	AMPUTONS
	PANTOUMS

AMNOQRSU	MARQUONS
AMNOQSSU	MASQUONS
AMNORSTU	MOURANTS
	SURMONTA
AMNOSSSU	ASSUMONS
AMNOSSTU	MOUSSANT
AMNOSTUV	MOUVANTS
AMOOPSTT	POTAMOTS
ANNNNOOS	ANONNONS
ANNNOORR	RONRONNA
ANNNOOST	ANNOTONS
ANNNOSST	SONNANTS
ANNNOSTT	TONNANTS
ANNOOPPU	POUPONNA
ANNORTTU	TOURNANT
ANOOOPPX	OPOPONAX
ANOOPPSS	APPOSONS
ANOOPPST	OPPOSANT
	PAPOTONS
ANOOPRSS	SOPRANOS
ANOOPSST	APOSTONS
ANOOPSTT	TAPOTONS
ANOORRSS	ARROSONS
ANOORSTV	AVORTONS
ANOORTUY	TOURNOYA
ANOOSSSY	ASSOYONS
ANOOSTTU	TATOUONS
ANOOTTZZ	ZOZOTANT
ANOPPSTT	STOPPANT
ANOPPSUY	APPUYONS
ANOPQRSU	PARQUONS
ANOPRSTT	PORTANTS
ANOPRSTU	PATURONS
ANOPRTTU	POURTANT
ANOPRTUV	PROUVANT
ANOPSSTU	POUSSANT
ANOQRSTU	TRAQUONS
	TRONQUAS
ANOQRTTU	TRONQUAT
	TROQUANT
ANOQSTUU	SOUQUANT
ANORRSTU	RATURONS
ANORRTUV	ROUVRANT
ANORSSSU	ASSURONS
ANORSSTT	SORTANTS
ANORSSTU	SATURONS
	TONSURAS
ANORSTTU	TONSURAT
ANORSTUV	OUVRANTS
	VAUTRONS
ANORTTTT	TROTTANT

ANORTTUV	TROUVANT
ANOSSTTU	STATUONS
	TOUSSANT
ANOTTTUY	TUTOYANT
ANPRSTUU	USURPANT
ANQRTTUU	TRUQUANT
ANQSTTUU	STUQUANT
ANRSTTTU	TRUSTANT
ANRSTTUU	SUTURANT
AOOPPRSS	PROPOSAS
AOOPPRST	PROPOSAT
AOOPPSST	POSTPOSA
AOOPQRUV	PROVOQUA
AOORRSST	SORORATS
AOOSSTTU	TOUSSOTA
AOOSUVVY	VOUVOYAS
AOOTUVVY	VOUVOYAT
AOPPRRST	RAPPORTS
AOPPRSTU	SUPPORTA
AOPPSSSU	SUPPOSAS
AOPPSSTU	SUPPOSAT
AOQRSTUU	QUATUORS
AORRSTTU	TORTURAS
AORRSTUX	ROSTRAUX
AORRTTTU	TORTURAT
AORSSSTU	TROUSSAS
AORSSTTU	TROUSSAT
AORSTUUV	VAUTOURS
APPRRSUU	PURPURAS
APPRSSUU	SUPPURAS
APPRSTUU	SUPPURAT
APPSSTUU	SUPPUTAS
APPSTTUU	SUPPUTAT
ARRSSSUU	SUSURRAS
ARRSSTUU	SUSURRAT
ARSSSTUU	SURSAUTS
ARSTUUUX	SUTURAUX
BBCEEHOS	BOBECHES
BBCERRSU	SCRUBBER
BBDEEILR	DRIBBLEE
BBDEEINO	DEBOBINE
BBDEEORU	DEBOURBE
BBDEILRR	DRIBBLER
BBDEILRS	DRIBBLES
BBDEILRZ	DRIBBLEZ
BBEEERRS	BERBERES
BBEEIIMS	IMBIBEES
BBEEIIRR	BERIBERI
BBEEILOS	BILOBEES
BBEEIMNO	EMBOBINE
BBEEIMRS	IMBERBES

BBEEINOS	BOBINEES
BBEELNOU	BOULBENE
BBEELSUU	BULBEUSE
BBEEMORU	EMBOURBE
BBEEMORZ	BOMBEREZ
BBEIIIMZ	IMBIBIEZ
BBEIILLS	BISBILLE
BBEIILQU	BIBLIQUE
BBEIIMNT	IMBIBENT
BBEIINOZ	BOBINIEZ
BBEILLLU	BULBILLE
BBEILNOU	OBNUBILE
BBEILOST	BIBELOTS
BBEINNOT	BOBINENT
BBEINORS	BIBERONS
BBEINORU	BOBINEUR
BBEIORRU	BOURBIER
BBELOOUU	BOUBOULE
BBENNNOO	BONBONNE
BBEORUUX	BOURBEUX
BBIIMNOS	IMBIBONS
BBIINOOR	BOBINOIR
BBIKOTUZ	KIBBOUTZ
BBIMNOOS	BOMBIONS
BBINNOOS	BOBINONS
BBNOORSU	BOURBONS
BCCEILSY	BICYCLES
BCCEMOSU	SUCCOMBE
BCCESSUU	SUCCUBES
BCCHHORT	BORCHTCH
BCCINNOU	CONCUBIN
BCCIOORS	BROCCIOS
BCCIORSU	OBSCURCI
BCDEEEHU	DEBUCHEE
BCDEEEMR	DECEMBRE
BCDEEHOR	DEBROCHE
BCDEEHOU	DEBOUCHE
BCDEEHRU	DEBUCHER
BCDEEHSU	DEBUCHES
BCDEEHUZ	DEBUCHEZ
BCDEEILR	CREDIBLE
BCDEEILS	DECIBELS
BCDEELOU	DEBOUCLE
BCDEHIOS	BIDOCHES
BCDFIKOR	BICKFORD
BCDINORU	RUBICOND
BCEEEEHR	EBRECHEE
BCEEEELR	CELEBREE
BCEEEFIN	BENEFICE
BCEEEHRR	EBRECHER
BCEEEHRS	EBRECHES
BCEEEHRT	BRETECHE
BCEEEHRZ	BECHEREZ
	EBRECHEZ
BCEEEHSU	BECHEUSE
BCEEEJOT	OBJECTEE
BCEEELRR	CELEBRER
BCEEELRS	CELEBRES
BCEEELRT	CELEBRET
BCEEELRZ	CELEBREZ
BCEEEMQU	EMBECQUE
BCEEEOST	BECOTEES
BCEEEOSU	ECOBUEES
BCEEEQSU	BECQUEES
BCEEEQTU	BECQUETE
BCEEERRS	CERBERES
BCEEERRZ	BERCEREZ
BCEEERSU	BERCEUSE
BCEEFGIU	BECFIGUE
BCEEFHIL	BIFLECHE
BCEEGHIR	GREBICHE
BCEEGIRS	ICEBERGS
BCEEHIMP	PIMBECHE
BCEEHIOR	BRIOCHEE
BCEEHIQU	BECHIQUE
BCEEHIRZ	BICHEREZ
BCEEHITT	BICHETTE
BCEEHMOR	EMBROCHE
BCEEHMOU	EMBOUCHE
BCEEHMRU	REMBUCHE
BCEEHMSU	EMBUCHES
BCEEHORS	BROCHEES
BCEEHORU	BOUCHERE
	REBOUCHE
BCEEHOSU	BOUCHEES
BCEEHRST	BRECHETS
BCEEHRSU	BECHEURS
BCEEHRTU	TREBUCHE
BCEEHRUZ	BUCHEREZ
BCEEHSUU	BUCHEUSE
BCEEHTTU	BUCHETTE
BCEEIILM	IMBECILE
BCEEILRS	CRIBLEES
BCEEILSS	BESICLES
	CESSIBLE
BCEEIMNO	COMBINEE
BCEEINOR	NECROBIE
BCEEINOT	CENOBITE
BCEEINSU	INCUBEES
BCEEIOTZ	BECOTIEZ
BCEEIOUZ	ECOBUIEZ
BCEEIRSU	ECUBIERS

BCEEIRUZ	CUBERIEZ
BCEEJORT	OBJECTER
BCEEJOST	OBJECTES
BCEEJOTZ	OBJECTEZ
BCEELMOS	COMBLEES
BCEELOSU	BOUCLEES
BCEELRUU	ELUCUBRE
BCEELTUU	CULBUTEE
BCEEMNOR	ENCOMBRE
BCEENOSS	OBSCENES
BCEENOTT	BECOTENT
BCEENOTU	ECOBUENT
BCEENRTU	CUBERENT
BCEEORRU	RECOURBE
BCEEORSU	COURBEES
BCEEQSTU	BECQUETS
BCEERRSU	BERCEURS
BCEFIIJT	BIJECTIF
BCEFIJOT	OBJECTIF
BCEFIKST	BIFTECKS
BCEGILOO	COOBLIGE
BCEHINNO	BICHONNE
	BONNICHE
BCEHINOS	BECHIONS
BCEHINRU	CHERUBIN
BCEHIORS	BECHOIRS
	BRIOCHES
BCEHIORZ	BROCHIEZ
BCEHIOUZ	BOUCHIEZ
BCEHNORR	BRONCHER
BCEHNORS	BRONCHES
BCEHNORT	BROCHENT
BCEHNORU	BUCHERON
BCEHNORZ	BRONCHEZ
BCEHNOTU	BOUCHENT
BCEHORRU	BROCHEUR
	BROCHURE
BCEHORST	BROCHETS
BCEHORSU	BOUCHERS
BCEHRSUU	BUCHEURS
BCEIILMS	MISCIBLE
BCEIILRZ	CRIBLIEZ
BCEIINUZ	INCUBIEZ
BCEIIORS	CIBOIRES
BCEIISTU	BISCUITE
BCEILLOY	COLLYBIE
BCEILMOZ	COMBLIEZ
BCEILNOS	BINOCLES
BCEILNRT	CRIBLENT
BCEILOOR	BICOLORE
BCEILORR	BRICOLER
BCEILORS	BRICOLES
BCEILORU	BOUCLIER
BCEILORZ	BRICOLEZ
BCEILOSU	CIBOULES
BCEILOUZ	BOUCLIEZ
BCEILRRU	CRIBLEUR
	CRIBLURE
BCEIMNOR	COMBINER
	INCOMBER
BCEIMNOS	COMBINES
	INCOMBES
BCEIMNOZ	COMBINEZ
	INCOMBEZ
BCEIMORS	MICROBES
BCEIMSSU	CUBISMES
BCEINNTU	INCUBENT
BCEINOQU	COQUEBIN
BCEINORS	BERCIONS
	BICORNES
BCEINOSY	INOCYBES
BCEINRSU	BRUCINES
BCEIOQSU	BICOQUES
BCEIORUZ	COURBIEZ
BCEIOSTT	BISCOTTE
BCEIQSUU	CUBIQUES
BCEISSTU	CUBISTES
BCELMNOT	COMBLENT
BCELMOOS	COLOMBES
BCELNOTU	BOUCLENT
BCELOSUU	BOUSCULE
BCELRTUU	CULBUTER
BCELSTUU	CULBUTES
BCELTUUZ	CULBUTEZ
BCEMORSY	CORYMBES
BCENOOST	BECOTONS
BCENOOSU	ECOBUONS
BCENORSU	CUBERONS
BCENORTU	COURBENT
	CUBERONT
BCEOORST	OCTOBRES*
BCEOOSTT	BOSCOTTE
BCEOOTTY	BOYCOTTE
BCEORRUU	COURBURE
BCEORSSU	OBSCURES
BCHIINOR	BRIOCHIN
BCHIINOS	BICHIONS
BCHIISSU	HIBISCUS
BCHIKOSU	CHIBOUKS
BCHINOSU	BUCHIONS
BCHIOORR	BROCHOIR
BCHNOORS	BROCHONS

BCHNOOSU	BOUCHONS
BCHOOSTU	BOUCHOTS
BCHORSST	BORTSCHS
BCIILMOS	OMBILICS
BCIILORS	COLIBRIS
BCIIMORU	CIBORIUM
BCIINOST	BISCOTIN
BCIISSTU	BISCUITS
BCILMNOO	COLOMBIN
BCILMORS	LOMBRICS
BCILNORS	CRIBLONS
BCILOORS	BROCOLIS
BCILOOTU	CIBOULOT
BCILOSTU	CUBILOTS
BCINNOSU	INCUBONS
BCINORSU	BISCORNU
BCLMNOOO	MONOBLOC
BCLMNOOS	COMBLONS
BCLMOOOS	COLOMBOS
BCLMOOSU	COULOMBS
BCLNOOSU	BOUCLONS
BCNOORSU	COURBONS
BCORSSTU	SCORBUTS
BDDEEEIR	DEBRIDEE
BDDEEENO	DEBONDEE
BDDEEEOR	DEBORDEE
BDDEEIRR	DEBRIDER
BDDEEIRS	DEBRIDES
BDDEEIRZ	DEBRIDEZ
BDDEELOU	DEDOUBLE
BDDEENOR	DEBONDER
BDDEENOS	DEBONDES
BDDEENOZ	DEBONDEZ
BDDEEORR	DEBORDER
BDDEEORS	DEBORDES
BDDEEORZ	DEBORDEZ
BDDINOPU	PUDIBOND
BDEEEFIR	DEFIBREE
BDEEEHRS	DESHERBE
BDEEEHTU	HEBETUDE
BDEEEILL	DELEBILE
BDEEEILR	DELIBERE
BDEEEINS	DEBINEES
BDEEEIOS	DEBOISEE
	DESOBEIE*
BDEEEIOT	DEBOITEE
BDEEEIST	DEBITEES
BDEEELMU	DEMEUBLE
BDEEELNU	DENEBULE
BDEEELOU	DEBOULEE
BDEEEMMR	DEMEMBRE

BDEEENPR	PREBENDE
BDEEEORR	REBORDEE
BDEEEORS	DEROBEES
BDEEEOSS	OBSEDEES
BDEEEOTT	DEBOTTEE
BDEEEOTU	DEBOUTEE
BDEEERRS	BREEDERS
BDEEESTU	DEBUTEES
BDEEFIRR	DEFIBRER
BDEEFIRS	DEFIBRES
BDEEFIRZ	DEFIBREZ
BDEEHIRY	HYBRIDEE
BDEEIILT	DEBILITE
BDEEIINZ	DEBINIEZ
BDEEIITZ	DEBITIEZ
BDEEILNS	BLINDEES
BDEEINNT	DEBINENT
BDEEINOR	REBONDIE
BDEEINOU	BEDOUINE
	BOUDINEE
BDEEINRU	DEBINEUR
BDEEINTT	DEBITENT
BDEEIORR	BORDERIE
	BORDIERE
	BRODERIE
BDEEIORS	DEBOIRES
	DEBOISER
	DESOBEIR
BDEEIORT	DEBOITER
BDEEIORU	BOUDERIE
BDEEIORZ	DEROBIEZ
BDEEIOSS	DEBOISES
	DESOBEIS
BDEEIOST	DEBOITES
	DESOBEIT
BDEEIOSZ	DEBOISEZ
	OBSEDIEZ
BDEEIOTZ	DEBOITEZ
BDEEIRRZ	BRIDEREZ
BDEEIRTU	DEBITEUR
BDEEITUZ	DEBUTIEZ
BDEELMOP	DEPLOMBE
BDEELOQU	DEBLOQUE
BDEELORU	DEBOULER
	REDOUBLE
BDEELOSU	DEBOULES
	DOUBLEES
BDEELOUZ	DEBOULEZ
BDEEMNOR	DENOMBRE
BDEENNOR	BEDONNER
BDEENNOS	BEDONNES

BDEENNOZ	BEDONNEZ
BDEENORS	BONDREES
BDEENORT	DEROBENT
BDEENOST	OBSEDENT
BDEENTTU	DEBUTENT
BDEEOQUU	DEBOUQUE
BDEEORRR	REBORDER
BDEEORRS	REBORDES
BDEEORRU	DEBOURRE
	DEROBEUR
BDEEORRZ	BORDEREZ
	BRODEREZ
	REBORDEZ
BDEEORSU	BRODEUSE
	DEBOURSE
BDEEORTT	DEBOTTER
BDEEORTU	DEBOUTER
BDEEORUZ	BOUDEREZ
BDEEOSTT	DEBOTTES
BDEEOSTU	DEBOUTES
BDEEOSUU	BOUDEUSE
BDEEOTTZ	DEBOTTEZ
BDEEOTUZ	DEBOUTEZ
BDEEQSUU	DEBUSQUE
BDEGIIRZ	BRIDGIEZ
BDEGINOU	BIGOUDEN
BDEGINRT	BRIDGENT
BDEGIORU	BORDIGUE
BDEGIRRU	BRIDGEUR
BDEHIRRY	HYBRIDER
BDEHIRSY	HYBRIDES
BDEHIRYZ	HYBRIDEZ
BDEIILNZ	BLINDIEZ
BDEILNNO	BLONDINE
BDEILNNT	BLINDENT
BDEILORU	DOUBLIER*
BDEILOUZ	DOUBLIEZ
BDEIMNOS	BONDIMES
BDEIMORS	MORBIDES
BDEINNOS	DEBINONS
BDEINORR	REBONDIR
BDEINORS	REBONDIS
BDEINORT	REBONDIT
BDEINORU	BOUDINER
BDEINORZ	BONDIREZ
BDEINOSS	BONDISSE
BDEINOST	BONDITES
	DEBITONS
BDEINOSU	BEDOUINS
	BOUDINES
BDEINOUZ	BOUDINEZ
BDEIORRS	BORDIERS
BDEIOSXY	BIOXYDES
BDEISSSU	SUBSIDES
BDELNORU	BLONDEUR
BDELNOTU	DOUBLENT
BDELORSU	DOUBLERS
BDELORUU	DOUBLURE
BDELOSTU	DOUBLETS
BDENOORS	DEROBONS
BDENOOSS	OBSEDONS
BDENOSTU	DEBUTONS
BDEOORSU	SUBODORE
BDEORRSU	BORDURES
	BRODEURS
BDEORSTU	BUTORDES
BDEORSUU	BOUDEURS
BDFINORU	FURIBOND
BDGIILNU	BUILDING
BDGIIOSU	BIGOUDIS
BDIIMRUU	RUBIDIUM
BDIINORS	BRIDIONS
BDILNNOS	BLINDONS
	BLONDINS
BDIMNOOR	MORIBOND
BDINOORS	BORDIONS
	BRODIONS
BDINOOSU	BOUDIONS
BDIOORSU	BOUDOIRS
BDIORRST	TRIBORDS
BDLNOOSU	DOUBLONS
BDNOORSU	BOURDONS
BEEEEGHR	HEBERGEE
BEEEEGNR	ENGERBEE
BEEEEHNR	ENHERBEE
BEEEEHST	HEBETEES
BEEEELLR	REBELLEE
BEEEELRU	EBERLUEE
BEEEEMRV	EMBREVEE
BEEEEMST	EMBETEES
BEEEERTV	BREVETEE
BEEEFFIR	REBIFFEE
BEEEFIIT	BETIFIEE*
BEEEFIRU	RUBEFIEE
BEEEGGOR	GOBERGEE
BEEEGHRR	HEBERGER
BEEEGHRS	HEBERGES
BEEEGHRZ	HEBERGEZ
BEEEGINS	ESBIGNEE
BEEEGIRR	BERGERIE
	GERBIERE
BEEEGLNO	ENGLOBEE

BEEEGLSU	BEUGLEES
BEEEGLUU	BEGUEULE
BEEEGNOR	EBORGNEE
BEEEGNOS	ENGOBEES
BEEEGNRR	ENGERBER
BEEEGNRS	ENGERBES
BEEEGNRZ	ENGERBEZ
BEEEGRRS	BERGERES
BEEEGRRZ	GERBEREZ
BEEEGRSU	GERBEUSE
BEEEGRTU	BEGUETER
BEEEGSTU	BEGUETES
BEEEGTUZ	BEGUETEZ
BEEEHIPS	EPHEBIES
BEEEHIRR	HERBERIE
BEEEHISX	EXHIBEES
BEEEHITZ	HEBETIEZ
BEEEHNRR	ENHERBER
BEEEHNRS	ENHERBES
BEEEHNRZ	ENHERBEZ
BEEEHNTT	HEBETENT
BEEEHRSU	HERBEUSE
BEEEHRTT	HERBETTE
BEEEILLL	LIBELLEE
BEEEILLM	EMBELLIE
BEEEILLT	BILLETEE
BEEEILNP	PLEBEIEN
BEEEILRS	BELIERES
	LIBEREES
BEEEILRZ	BELERIEZ
BEEEIMOT	EMBOITEE
BEEEIMTZ	EMBETIEZ
BEEEINRS	EBENIERS
BEEEINST	EBENISTE
BEEEIORS	REBOISEE
BEEEIRST	EBRIETES
BEEEIRTU	EBRUITEE
BEEEIRTV	BRIEVETE
BEEEIRUV	BEUVERIE
BEEEISUX	BISEXUEE
BEEELLMO	OMBELLEE
BEEELLOR	ELLEBORE
BEEELLRR	REBELLER
BEEELLRS	REBELLES
BEEELLRT	BRETELLE
BEEELLRZ	REBELLEZ
BEEELMMS	EMBLEMES
BEEELMNS	ENSEMBLE
BEEELMNT	BELEMENT
BEEELMRT	TREMBLEE
BEEELMRU	REMEUBLE
BEEELMSU	MEUBLEES
BEEELNOV	BENEVOLE
BEEELNRT	BELERENT
BEEELOSS	BOSSELEE
BEEELOSU	EBOULEES
BEEELOTT	BOTTELEE
BEEELOTU	BOULETEE
BEEELRRZ	BRELEREZ
BEEELRSU	BURELEES
	EBERLUES
BEEELRSZ	BLESEREZ
BEEELSSS	BLESSEES
BEEELSTT	BELETTES
BEEELSTU	BLEUTEES
BEEEMMRR	REMEMBRE
BEEEMMRS	MEMBREES
BEEEMMRU	EMBRUMEE
BEEEMNTT	BETEMENT
	EMBETENT
BEEEMORT	RETOMBEE
BEEEMOSS	EMBOSSEE
BEEEMRRV	EMBREVER
BEEEMRSS	BESSEMER
BEEEMRSV	EMBREVES
BEEEMRUZ	EMBUEREZ
BEEEMRVZ	EMBREVEZ
BEEENNOT	BETONNEE
BEEENNRU	EBURNEEN
BEEENNSZ	BENZENES
BEEENORS	ENROBEES
BEEENRRZ	BERNEREZ
BEEENRST	TENEBRES
BEEENRSU	BERNEUSE
	EBURNEES
BEEEORRS	RESORBEE
BEEEORRU	EBOURREE
BEEEORRZ	OBEREREZ
BEEEORSU	EBROUEES
BEEEORSV	OBSERVEE
BEEEOSTU	EBOUTEES
BEEEPRRV	PREVERBE
BEEERRSU	BEURREES
BEEERRTV	BREVETER
	VERTEBRE
BEEERRZZ	ZEBREREZ
BEEERSST	BRETESSE
BEEERSTU	REBUTEES
BEEERSTV	BREVETES
BEEERSUV	VERBEUSE
BEEERTTV	BREVETTE
BEEERTVZ	BREVETEZ

BEEFFIRR	REBIFFER
BEEFFIRS	REBIFFES
BEEFFIRZ	BIFFEREZ
	REBIFFEZ
BEEFFLSU	BLUFFEES
BEEFFOSU	BOUFFEES
BEEFIINO	BONIFIEE
BEEFIIRT	BETIFIER
BEEFIIST	BETIFIES
BEEFIITZ	BETIFIEZ
BEEFILLX	FLEXIBLE
BEEFILRS	FEBRILES
	FELIBRES
BEEFIRRU	RUBEFIER
BEEFIRSU	FIBREUSE
	RUBEFIES
BEEFIRUZ	RUBEFIEZ
BEEFNRSU	FUNEBRES
BEEFORSU	ESBROUFE
BEEFOTUU	BOUTEFEU
BEEGGORR	GOBERGER
BEEGGORS	GOBERGES
BEEGGORZ	GOBERGEZ
BEEGIILL	ELIGIBLE
BEEGIILN	GIBELINE
BEEGIILX	EXIGIBLE
BEEGIISS	SIGISBEE
BEEGILLR	GERBILLE
BEEGILOS	OBLIGEES
BEEGILOU	GIBOULEE
BEEGILRZ	BIGLEREZ
BEEGILST	GIBELETS
BEEGILSU	BIGLEUSE
BEEGILUZ	BEUGLIEZ
BEEGIMRR	REGIMBER
BEEGIMRS	REGIMBES
BEEGIMRZ	REGIMBEZ
BEEGINNS	BENIGNES
BEEGINOR	BIGORNEE
BEEGINOZ	ENGOBIEZ
BEEGINRS	ESBIGNER
	GIBERNES
BEEGINSS	ESBIGNES
BEEGINST	BEIGNETS
BEEGINSU	BEGUINES
BEEGINSZ	ESBIGNEZ
BEEGIORS	GERBOISE
BEEGIORZ	GOBERIEZ
BEEGIRRS	GERBIERS
BEEGIRSU	BRIGUEES
BEEGISSU	BESIGUES
BEEGLNOR	ENGLOBER
BEEGLNOS	ENGLOBES
BEEGLNOZ	ENGLOBEZ
BEEGLNTU	BEUGLENT
BEEGLOST	GOBELETS
BEEGMRSU	SUBMERGE
BEEGNNOT	ENGOBENT
BEEGNORR	EBORGNER
BEEGNORS	BESOGNER
	EBORGNES
BEEGNORT	GOBERENT
BEEGNORZ	EBORGNEZ
BEEGNOSS	BESOGNES
BEEGNOSZ	BESOGNEZ
BEEGORSU	SUBROGEE
BEEGORUZ	BOUGEREZ
BEEGOSSU	GOBEUSES
BEEHIINS	INHIBEES
BEEHIIXZ	EXHIBIEZ
BEEHILPT	PHLEBITE
BEEHIMNO	BOHEMIEN
BEEHINRR	HIBERNER
BEEHINRS	HIBERNES
BEEHINRZ	HIBERNEZ
BEEHINTX	EXHIBENT
BEEHIOPR	PROHIBEE
BEEHIRRS	HERBIERS
BEEHNOST	HEBETONS
BEEHOPRU	EUPHORBE
BEEHORST	THEORBES
BEEIILNR	LIBERIEN
BEEIILNZ	ZIBELINE
BEEIILRZ	BILERIEZ
	LIBERIEZ
BEEIILSU	BILIEUSE
BEEIINRS	IBERIENS*
	SIBERIEN
BEEIINRT	BENITIER
BEEIINRZ	BENIRIEZ
	BINERIEZ
BEEIIORS	BOISERIE
BEEIIORT	BOITERIE
BEEIIORZ	OBEIRIEZ
BEEIIQRU	IBERIQUE
BEEIIRST	BETISIER
BEEIIRSZ	BISERIEZ
BEEIISST	STIBIEES
BEEIISTZ	BETISIEZ
BEEILLLR	LIBELLER
BEEILLLS	LIBELLES
BEEILLLZ	LIBELLEZ

BEEILLMR	EMBELLIR
BEEILLMS	EMBELLIS
BEEILLMT	EMBELLIT
BEEILLOS	LOBELIES
BEEILLQU	BEQUILLE
BEEILLRS	BRESILLE
BEEILLST	BILLETES
BEEILLTT	BILLETTE
BEEILMMS	BLEMIMES
BEEILMMU	IMMEUBLE
BEEILMOS	EMBOLIES
BEEILMRU	IMBRULEE
BEEILMRZ	BLEMIREZ
BEEILMSS	BLEMISSE
BEEILMST	BLEMITES
BEEILMSU	BLEUIMES
	SUBLIMEE
BEEILMSY	BEYLISME
BEEILMSZ	SEMBLIEZ
BEEILMUZ	MEUBLIEZ
BEEILNNO	ENNOBLIE
BEEILNNS	BLENNIES
BEEILNNY	LIBYENNE
BEEILNPS	PENIBLES
BEEILNRS	BERLINES
BEEILNRT	BILERENT
	LIBERENT
BEEILNSS	LESBIENS
	SENSIBLE
BEEILOPR	PERIBOLE
BEEILOPS	EPILOBES
BEEILOQU	BILOQUEE
BEEILORT	OBLITERE
	TRILOBEE
BEEILORZ	LOBERIEZ
BEEILOSS	BLESOISE
BEEILOST	BESTIOLE
BEEILOSU	EBLOUIES
	OUBLIEES
BEEILOUZ	EBOULIEZ
BEEILPSU	PUBLIEES
BEEILRRT	TERRIBLE
BEEILRRU	BRULERIE
BEEILRST	BELITRES
	LIBERTES
BEEILRTU	BLUTERIE
BEEILRUZ	BLEUIREZ
BEEILSST	BLESITES
BEEILSSU	BLEUISSE
BEEILSSZ	BLESSIEZ
BEEILSTU	BLEUITES
BEEILTUZ	BLEUTIEZ
BEEIMNRU	EMBRUINE
BEEIMNRZ	NIMBEREZ
BEEIMORR	ROMBIERE
BEEIMORT	EMBOITER
	REMBOITE
BEEIMOST	EMBOITES
BEEIMOTU	EMBOUTIE
BEEIMOTZ	EMBOITEZ
BEEIMPRU	IMPUBERE
BEEIMRRS	RISBERME
BEEIMRRZ	BRIMEREZ
BEEIMRST	TIMBREES
BEEIMSTU	BITUMEES
BEEINNOT	OBTIENNE
BEEINNOV	OBVIENNE
BEEINNPS	BIPENNES
BEEINNPU	PUBIENNE
BEEINNRT	BENIRENT
	BINERENT
BEEINNSZ	BENZINES
BEEINNUV	BIENVENU
BEEINORS	BEERIONS
	BERNOISE
BEEINORT	OBEIRENT
BEEINORZ	BONZERIE
	ENROBIEZ
BEEINOST	BENOITES
	BEOTIENS
	BETOINES
	EBONITES
	OBSTINEE
BEEINOTZ	OBTENIEZ
BEEINOVZ	OBVENIEZ
BEEINPRS	PEBRINES
BEEINQRU	BERNIQUE
BEEINRST	BISERENT
BEEINRSU	BURINEES
	SUBERINE
BEEINRTU	TURBINEE
BEEINSSS	BENISSES
BEEINSSU	BINEUSES
BEEINSSZ	BENISSEZ
BEEINSTT	BETISENT
	BINETTES
BEEINSTU	BUTINEES
BEEIOQRU	BORIQUEE
BEEIORRS	REBOISER
BEEIORRZ	BROIEREZ
	ROBERIEZ
BEEIORSS	REBOISES

BEEIORST	BETOIRES
	SOBRIETE
BEEIORSZ	BOISEREZ
	REBOISEZ
BEEIORTX	EXORBITE
BEEIORTZ	BOITEREZ
BEEIORUV	BOUVERIE
	BOUVIERE
BEEIORUZ	EBROUIEZ
BEEIORVZ	OBVIEREZ
BEEIORXZ	BOXERIEZ
BEEIOSSS	OBEISSES
BEEIOSST	OBESITES
BEEIOSSZ	OBEISSEZ
BEEIOSTU	BOITEUSE
BEEIOTUZ	EBOUTIEZ
BEEIQRSU	BRIQUEES
BEEIQRTU	BRIQUETE
BEEIQTTU	BIQUETTE
BEEIRRRU	BEURRIER
BEEIRRSZ	BRISEREZ
BEEIRRTU	EBRUITER
	RETRIBUE
BEEIRRUZ	BEURRIEZ
BEEIRRVZ	VIBREREZ
BEEIRSST	BISTREES
BEEIRSSU	BRISEUSE
BEEIRSSZ	BISSEREZ
BEEIRSTU	EBRUITES
	TUBERISE
BEEIRSTV	BREVITES
BEEIRTTU	RUBIETTE
BEEIRTUV	BUVETIER
BEEIRTUZ	BUTERIEZ
	EBRUITEZ
	REBUTIEZ
	TUBERIEZ
BEEISSTX	BISSEXTE
BEEISSUX	BISEXUES
	BISSEXUE
BEEISTUZ	BIZUTEES
BEELLMOR	OMBRELLE
BEELLMOS	OMBELLES
BEELLMOT	TOMBELLE
BEELLOPU	POUBELLE
BEELLOSS	BOSSELLE
BEELLOSU	LOBULEES
BEELLOTT	BELLOTTE
	BOTTELLE
BEELLRSU	BURELLES
BEELLSUU	BULLEUSE

BEELMNST	SEMBLENT
BEELMNTU	MEUBLENT
BEELMOPR	PROBLEME
BEELMOPS	PLOMBEES
BEELMRRT	TREMBLER
BEELMRST	TREMBLES
BEELMRTZ	TREMBLEZ
BEELNOOS	BOOLEENS
BEELNORS	BELERONS
BEELNORT	BELERONT
	LOBERENT
BEELNOSS	NOBLESSE
BEELNOTU	EBOULENT
BEELNSST	BLESSENT
BEELNTTU	BLEUTENT
BEELNTUY	BUTYLENE
BEELNUUX	NEBULEUX
BEELOOST	OBSOLETE
BEELOQRU	BRELOQUE
BEELOQSU	BLOQUEES
BEELORRU	BOURRELE
BEELORSS	BOSSELER
BEELORSU	RUBEOLES
BEELORTT	BOTTELER
BEELORTU	TROUBLEE
BEELORUZ	BOULEREZ
BEELOSSS	BOSSELES
BEELOSSU	BLOUSEES
BEELOSSZ	BOSSELEZ
BEELOSTT	BOTTELES
BEELOSTU	BOULETES
BEELOTTU	BOULETTE
BEELOTTZ	BOTTELEZ
BEELRRUZ	BRULEREZ
BEELRSSU	BLESSURE
BEELRSTZ	BRETZELS
BEELRSUU	BRULEUSE
BEELRTUZ	BLUTEREZ
BEELSSUU	SUBULEES
BEELSTTU	BLUETTES
BEELSTUU	TUBULEES
BEEMMRRU	EMBRUMER
	MEMBRURE
BEEMMRSU	EMBRUMES
	MEMBRUES
BEEMMRUZ	EMBRUMEZ
BEEMNOPR	PENOMBRE
BEEMNORV	NOVEMBRE
BEEMNOST	EMBETONS
BEEMOQUU	EMBOUQUE
BEEMORRT	RETOMBER

BEEMORRU	EMBOURRE
BEEMORRZ	OMBREREZ
BEEMORSS	EMBOSSER
BEEMORST	RETOMBES
BEEMORSU	OMBREUSE
BEEMORTT	OMBRETTE
BEEMORTZ	RETOMBEZ
	TOMBEREZ
BEEMOSSS	EMBOSSES
BEEMOSSZ	EMBOSSEZ
BEEMQSUU	EMBUSQUE
BEEMRSUU	BRUMEUSE
BEENNORT	BETONNER
	BRETONNE
	ENROBENT
BEENNOSS	BESSONNE
BEENNOST	BETONNES
BEENNOTT	BONNETTE
BEENNOTZ	BETONNEZ
BEENOORY	BORNOYEE
BEENORRT	ROBERENT
BEENORRZ	BORNEREZ
BEENORSU	SUBORNEE
BEENORSZ	BRONZEES
	SNOBEREZ
BEENORTU	EBROUENT
BEENORTX	BOXERENT
BEENOSSZ	BONZESSE
BEENOSTU	OBTENUES
BEENOTTU	EBOUTENT
BEENRRSU	BERNEURS
BEENRRTU	BEURRENT
BEENRTTU	BRUNETTE
	BUTERENT
	REBUTENT
	TUBERENT
BEENSUVZ	SUBVENEZ
BEEOPRRV	PROVERBE
BEEOQSSU	OBSEQUES
BEEOQTUU	BOUQUETE
BEEORRRS	RESORBER
BEEORRRU	EBOURRER
BEEORRSS	RESORBES
BEEORRSU	BOURREES
	EBOURRES
BEEORRSV	OBSERVER
BEEORRSZ	RESORBEZ
BEEORRUZ	EBOURREZ
BEEORSSS	BROSSEES
BEEORSSU	ROBEUSES*
BEEORSSV	OBSERVES →
	OBVERSES*
BEEORSSZ	BOSSEREZ
BEEORSTU	BROUTEES
	OBSTRUEE
	OBTUREES
BEEORSUU	EBOUEURS
BEEORSUY	BROYEUSE
BEEORSVZ	OBSERVEZ
BEEORTTU	BROUETTE
BEEORTTZ	BOTTEREZ
BEEORTUU	BOUTUREE
BEEORTUZ	BOUTEREZ
BEEOSSSU	BOSSUEES
BEEOSSTT	BOSSETTE
BEEOSSUU	BOUEUSES
BEEOSTTU	BOUETTES
BEEPRRTU	PERTURBE
BEEPRSSU	SUPERBES
BEEPRSTU	BUPRESTE
	PUBERTES
BEEPRSTY	PRESBYTE
BEEQRSUU	BRUSQUEE
BEEQSSUU	BUSQUEES
BEEQSUUU	UBUESQUE
BEERRSUY	BRUYERES
BEERRSUZ	ZEBRURES
BEERRTTU	BRETTEUR
BEERSTTU	BURETTES
BEERSUUX	SUBEREUX
BEERTTUZ	BUTTEREZ
BEERTUUX	TUBEREUX
BEESSUUV	BUVEUSES
BEESTTUV	BUVETTES
BEFFILUZ	BLUFFIEZ
BEFFIORS	BEFFROIS
BEFFIOSU	BOUFFIES
BEFFIOUZ	BOUFFIEZ
BEFFIRSU	BIFFURES
BEFFLNTU	BLUFFENT
BEFFLRUU	BLUFFEUR
BEFFNOTU	BOUFFENT
BEFGIILS	FILIBEGS
BEFGIINR	BRIEFING
BEFGILNO	FONGIBLE
BEFIILLR	FIBRILLE
BEFIILRU	LUBRIFIE
BEFIINOR	BONIFIER
	FIBROINE
BEFIINOS	BONIFIES
BEFIINOZ	BONIFIEZ
BEFIINRS	FIBRINES

BEFILSSU	FUSIBLES
BEFILSTU	FLIBUSTE
BEFIMORS	FIBROMES
BEFIORSU	FOURBIES
BEFIQRUU	BIFURQUE
BEFORRUU	FOURBURE
BEFORSUU	FOURBUES
BEGHIILP	PHILIBEG
BEGIILLR	BIGRILLE
BEGIILNS	GIBELINS
BEGIILNU	BILINGUE
BEGIILOO	BIOLOGIE
BEGIILOZ	OBLIGIEZ
BEGIINSU	BIGUINES
BEGIIRUZ	BRIGUIEZ
BEGILLOS	GOBILLES
BEGILLOU	GUIBOLLE
BEGILNOS	IGNOBLES
BEGILNOT	OBLIGENT
BEGILNOV	VIGNOBLE
BEGINORR	BIGORNER
BEGINORS	BIGORNES
	GERBIONS
BEGINORZ	BIGORNEZ
BEGINRSU	BRINGUES
BEGINRTU	BRIGUENT
BEGINSTT	BETTINGS
BEGIOORU	BOUGEOIR
BEGIOUXY	GIBOYEUX
BEGJSUUU	SUBJUGUE
BEGLLOSU	GLOBULES
BEGLNOOU	OBLONGUE
BEGLNOSU	BEUGLONS
BEGLOSSU	BUGLOSSE
BEGLRSUU	LUGUBRES
BEGNNOOS	ENGOBONS
BEGNNOOU	BOUGONNE
BEGNOORS	GOBERONS
BEGNOORT	GOBERONT
BEGNOORU	BOURGEON
BEGNOOSU	BOUGEONS
BEGORRSU	SUBROGER
BEGORSSU	SUBROGES
BEGORSUZ	SUBROGEZ
BEHIIINZ	INHIBIEZ
BEHIILOT	LITHOBIE
BEHIINNT	INHIBENT
BEHILORR	HORRIBLE
BEHIMNOO	BONHOMIE
BEHINOSX	EXHIBONS
BEHIOPRR	PROHIBER
BEHIOPRS	PROHIBES
BEHIOPRZ	PROHIBEZ
BEHMMNOO	BONHOMME
BEHNORST	BERTHONS
BEHNORSU	BONHEURS
BEIIJLUZ	JUBILIEZ
BEIILLOS	LOISIBLE
BEIILLOT	BOITILLE
BEIILLOU	BOUILLIE
BEIILLRZ	BRILLIEZ
BEIILLSS	LISIBLES
BEIILMMO	IMMOBILE
BEIILMOR	MOBILIER
BEIILMOS	MOBILISE
BEIILMOT	MOBILITE
BEIILMOU	BOULIMIE
BEIILNOV	BOLIVIEN
BEIILNRT	LIBERTIN
BEIILNSU	NUISIBLE
BEIILNTU	NUBILITE
BEIILOUZ	OUBLIIEZ
BEIILPUZ	PUBLIIEZ
BEIILRSS	RISIBLES
BEIILRTT	LIBRETTI
BEIILSSV	VISIBLES
BEIIMQRU	IMBRIQUE
BEIIMRTZ	TIMBRIEZ
BEIIMTUZ	BITUMIEZ
BEIINOQU	BIONIQUE
BEIINORR	ROBINIER
BEIINRUZ	BURINIEZ
BEIINSST	STIBINES
BEIINTUZ	BUTINIEZ
BEIIOPSS	BIOPSIES
BEIIOQTU	BIOTIQUE
BEIIORST	BOITIERS
BEIIOSTT	BIOTITES
BEIIQRUZ	BRIQUIEZ
BEIIQSUZ	BISQUIEZ
BEIIQTUU	UBIQUITE
BEIIRRUZ	BRUIRIEZ
BEIIRSSV	VIBRISSE
BEIIRSUZ	SUBIRIEZ
BEIIRTUZ	BRUITIEZ
BEIITTUZ	TITUBIEZ
BEIITUZZ	BIZUTIEZ
BEIJJRUU	JUJUBIER
BEIJLNOS	JOBELINS
BEIJLNTU	JUBILENT
BEIJNNOS	BENJOINS
BEILLNRS	BRINELLS

BEILLNRT	BRILLENT
BEILLNTU	BULLETIN
BEILLORU	BROUILLE
BEILLOSU	BOUILLES
	BOUSILLE
BEILLOUV	VOLUBILE
BEILLOUZ	BOUILLEZ
BEILLSSY	SIBYLLES
BEILMNOU	NOBELIUM
BEILMOPR	PLOMBIER
BEILMOPZ	PLOMBIEZ
BEILMOSU	BOULISME
BEILMRSU	IMBRULES
	SUBLIMER
BEILMSSU	SUBLIMES
BEILMSUZ	SUBLIMEZ
BEILNNOR	ENNOBLIR
BEILNNOS	ENNOBLIS
BEILNNOT	ENNOBLIT
BEILNOOS	BOOLIENS
BEILNORS	BILERONS
	BRELIONS
	LIBERONS
BEILNORT	BILERONT
BEILNOSS	BLESIONS
BEILNOSU	BOULINES
BEILNOTU	OUBLIENT
BEILNPTU	PUBLIENT
BEILOPSS	POSSIBLE
BEILOQRU	BILOQUER
	OBLIQUER
BEILOQSU	BILOQUES
	OBLIQUES
BEILOQTU	QUOLIBET
BEILOQUZ	BILOQUEZ
	BLOQUIEZ
	OBLIQUEZ
BEILORST	STROBILE
	TRILOBES
BEILORSU	BOULIERS
BEILORTT	LIBRETTO
BEILORTU	LIBOURET
BEILOSTT	BLOTTIES
BEILOSTU	BOULISTE
BEILOSUZ	BLOUSIEZ
BEILOUUX	OUBLIEUX
BEILPQUU	PUBLIQUE
BEILQRUU	LUBRIQUE
BEILSSTU	SUBTILES
BEIMNNOT	BONIMENT
BEIMNORS	OMBRIENS →
	OMBRINES
BEIMNORT	TROMBINE
BEIMNOSS	SNOBISME
BEIMNOST	OBTINMES
BEIMNOSU	EMBUIONS
BEIMNOSV	OBVINMES
BEIMNRRU	REMBRUNI
BEIMNRSU	BRUNIMES
BEIMNRTT	TIMBRENT
BEIMNTTU	BITUMENT
BEIMOORS	RIBOSOME
BEIMOQRU	BROMIQUE
BEIMORSZ	SOMBRIEZ
BEIMORTU	BIMOTEUR
	EMBOUTIR
BEIMOSSY	SYMBIOSE
BEIMOSTU	EMBOUTIS
BEIMOSTY	SYMBIOTE
BEIMOTTU	EMBOUTIT
BEIMRSSY	SISYMBRE
BEIMRSTU	TERBIUMS
BEINNORS	BENIRONS
	BERNIONS
	BINERONS
BEINNORT	BENIRONT
	BINERONT
BEINNORW	BROWNIEN
BEINNOSS	BOSNIENS
BEINNRTU	BURINENT
BEINNTTU	BUTINENT
BEINOORS	BORNOIES
	OBEIRONS
	OBERIONS
BEINOORT	OBEIRONT
BEINOQUU	BOUQUINE
BEINORRZ	BRONZIER
BEINORSS	BISERONS
BEINORST	BISERONT
	OBSTINER
	ROBINETS
BEINORSZ	ZEBRIONS
BEINORZZ	BRONZIEZ
BEINOSST	BETISONS
	OBSTINES
	OBTINSSE
BEINOSSV	OBVINSSE
BEINOSTT	BOTTINES
	OBTINTES
BEINOSTV	OBVINTES
BEINOSTZ	OBSTINEZ
BEINQRTU	BRIQUENT

BEINQSTU	BISQUENT
BEINRRTU	BRUIRENT
	TURBINER
BEINRRUU	BURINEUR
BEINRRUZ	BRUNIREZ
BEINRSSU	BRUNISSE
BEINRSTU	BRUNITES
	SUBIRENT
	TRIBUNES
	TURBINES
BEINRSUV	SUBVENIR
BEINRTTU	BRUITENT
BEINRTUU	BUTINEUR
BEINRTUY	BUTYRINE
BEINRTUZ	TURBINEZ
BEINRUUX	BRUINEUX
BEINSSSU	BUSINESS
BEINSSUV	SUBVIENS
BEINSTUV	SUBVIENT
BEINTTTU	TITUBENT
BEINTTUZ	BIZUTENT
BEIOOPST	BIOTOPES
BEIOORST	ROBOTISE
BEIOPRRS	SPIRORBE
BEIOPRST	PROBITES
BEIOPRTU	BIPOUTRE
	TUBIPORE
BEIOQRSU	BORIQUES
BEIOQTUU	BOUTIQUE
BEIORRSS	BROSSIER
	SORBIERS
BEIORRSU	BOURSIER
BEIORRTU	TOURBIER
BEIORRUZ	BOURRIEZ
BEIORSSU	BOISEURS
	BOUSIERS
	OBUSIERS
BEIORSSZ	BROSSIEZ
BEIORSTT	BISTORTE
	BOTTIERS
BEIORSTU	BIROUTES
	ESTOURBI
BEIORSUV	BOUVIERS
BEIORTUZ	BROUTIEZ
	OBTURIEZ
BEIOSSTU	BOUTISSE
BEIOSSUZ	BOSSUIEZ
BEIQRRUU	RUBRIQUE
BEIQRSSU	BRISQUES
BEIQRSTU	BRIQUETS
BEIQSUUZ	BUSQUIEZ
BEIRRSSU	BRISEURS
	BRISURES
BEIRRSUV	VIBREURS
BEIRRTUU	BRUITEUR
BEIRSSSU	BRUISSES
BEIRSSTU	BUSTIERS
BEIRSSUZ	BRUISSEZ
BEISSSSU	SUBISSES
BEISSSTU	SUBSISTE
BEISSSUZ	SUBISSEZ
BEISSTTU	TUBISTES
BELLOSSU	SOLUBLES
BELLOUUX	LOBULEUX
BELMNOOS	NELOMBOS
BELMNOPT	PLOMBENT
BELMNOSS	SEMBLONS
BELMNOSU	MEUBLONS
	NELUMBOS
BELMOPRU	PLOMBURE
BELMOSSY	SYMBOLES
BELNNOOU	BOULONNE
BELNOORS	LOBERONS
BELNOORT	LOBERONT
BELNOOSU	EBOULONS
BELNOQTU	BLOQUENT
BELNOSSS	BLESSONS
BELNOSTU	BLEUTONS
	BLOUSENT
BELOOSSU	BOUSSOLE
BELOOTTU	BOULOTTE
BELORRTU	TROUBLER
BELORSTU	TROUBLES
BELORTUZ	TROUBLEZ
BELOSSSU	BLOUSSES
BELRRSUU	BRULEURS
	BRULURES
BELRTUUU	TUBULURE
BELTUUUX	TUBULEUX
BEMMNORS	MEMBRONS
BEMNOORT	TROMBONE
BEMNORST	SOMBRENT
BEMNORSY	EMBRYONS
BEMNORUX	NOMBREUX
BEMOORRS	SOMBRERO
BEMORRSU	BROMURES
BEMORSST	STROMBES
BEMORSTU	TOMBEURS
BENNOORS	ENROBONS
BENNOOST	OBTENONS
BENNOOSV	OBVENONS
BENNOOTU	BOUTONNE

BENNORTZ	BRONZENT
BENOORRS	ROBERONS
BENOORRT	ROBERONT
BENOORRY	BORNOYER
BENOORSU	EBROUONS
BENOORSX	BOXERONS
BENOORSY	BORNOYES
BENOORTX	BOXERONT
BENOORYZ	BORNOYEZ
BENOOSTU	EBOUTONS
BENORRSU	BEURRONS
	SUBORNER
BENORRTU	BOURRENT
BENORRUZ	BRONZEUR
BENORSST	BROSSENT
BENORSSU	SUBORNES
BENORSTU	BUTERONS
	REBUTONS
	TUBERONS
BENORSUZ	SUBORNEZ
BENORTTU	BROUTENT
	BUTERONT
	OBTURENT
	TUBERONT
BENOSSTU	BOSSUENT
BENQSTUU	BUSQUENT
BEOOPPRR	OPPROBRE
BEOORSST	BOOSTERS
BEOQSSTU	BOSQUETS
BEOQSTUU	BOUQUETS
BEORRSTU	OBSTRUER
BEORRSUU	BOURRUES
BEORRSUY	BROYEURS
BEORRTUU	BOUTURER
BEORSSSU	BROUSSES
BEORSSTU	OBSTRUES
	ROBUSTES
BEORSTUU	BOUTEURS
	BOUTURES
BEORSTUZ	OBSTRUEZ
BEORTUUX	TOURBEUX
BEORTUUZ	BOUTUREZ
BEQRRSUU	BRUSQUER
BEQRSSUU	BRUSQUES
BEQRSUUZ	BRUSQUEZ
BERSTTUU	BUTTEURS
BERTUUXY	BUTYREUX
BFFIINOS	BIFFIONS
BFFLNOSU	BLUFFONS
BFFNOOSU	BOUFFONS
BGIILNOS	BIGLIONS
BGILLNOU	GLOBULIN
BGILNOSW	BOWLINGS
BGINNORW	BROWNING
BGINOOSU	BOUGIONS
BGINORSU	BRIGUONS
BGNNORSU	BRUGNONS
BHIINNOS	INHIBONS
BHIMSSTU	BISMUTHS
BHLNOOSU	HOUBLONS
BHMORSTU	THROMBUS
BIILLNOS	BILLIONS
BIILLNSY	SIBYLLIN
BIILLORU	BOUILLIR
BIILLOSU	BOUILLIS
BIILLOTU	BOUILLIT
BIILORSU	OLIBRIUS
BIIMNNOS	NIMBIONS
BIIMNORS	BRIMIONS
BIIMNOSU	NIOBIUMS
BIINNOST	BISONTIN
BIINOORS	BOIRIONS
BIINOOSS	BOISIONS
BIINOOST	BOITIONS
BIINOOSV	OBVIIONS
BIINORSS	BRISIONS
BIINORSV	VIBRIONS
BIINOSSS	BISSIONS
BIIORSTU	BISTOURI
BIJLNOSU	JUBILONS
BILLNOOU	BOUILLON
BILLNORS	BRILLONS
BILMNORS	NOMBRILS
BILNOOSU	BOULIONS
	OUBLIONS
BILNOPSU	PUBLIONS
BILNORSU	BRULIONS
BILNORTU	TRUBLION
BILNOSTU	BLUTIONS
BILOORSU	BOULOIRS
BILORRSU	BRULOIRS
BILORSST	BRISTOLS
BILORSTU	BLUTOIRS
BILRSTUY	TILBURYS
BIMNOORS	OMBRIONS
BIMNOOST	TOMBIONS
BIMNORST	TIMBRONS
BIMNOSTU	BITUMONS
BINNOORS	BORNIONS
BINNOOSS	SNOBIONS
BINNORSU	BURINONS
BINNOSTU	BUTINONS

BINOORSS	BONSOIRS
BINOORSY	BROYIONS
BINOOSSS	BOISSONS
	BOSSIONS
BINOOSTT	BOTTIONS
BINOOSTU	BOUTIONS
BINOQRSU	BRIQUONS
BINOQSSU	BISQUONS
BINOQSUU	BOUQUINS
BINORRSU	BOURRINS
	BRUIRONS
BINORRTU	BRUIRONT
BINORSSU	BROUSSIN
	SUBIRONS
BINORSTU	BRUITONS
	BRUTIONS
	SUBIRONT
BINOSSSU	BUISSONS
	BUSSIONS
BINOSTTU	BUTTIONS
	TITUBONS
BINOSTUZ	BIZUTONS
BIOORRRU	BOURROIR
BIOORSSS	BOSSOIRS
BIOORSTU	BOUTOIRS
BIORSSTT	BISTROTS
BIORSTTU	BUTTOIRS
BIORSTTY	BOTRYTIS
BJNOORSU	BONJOURS
BLMNOOPS	PLOMBONS
BLMNOORT	TROMBLON
BLMOOOST	TOMBOLOS
BLMOPRSU	SURPLOMB
BLNOOQSU	BLOQUONS
BLNOOSSU	BLOUSONS
BMNOORSS	SOMBRONS
BNNOORSZ	BRONZONS
BNOORRSU	BOURRONS
BNOORSSS	BROSSONS
BNOORSTU	BROUTONS
	OBTURONS
BNOOSSSU	BOSSUONS
BNOQSSUU	BUSQUONS
CCCDEIIO	COCCIDIE
CCCENOOT	CONCOCTE
CCCINSTU	SUCCINCT
CCCIOOOR	COCORICO
CCDEEEHO	DECOCHEE
CCDEEELR	DECERCLE
CCDEEENO	CONCEDEE
CCDEEENR	CREDENCE
CCDEEENS	DECENCES
CCDEEHOR	DECOCHER
	DECROCHE
CCDEEHOS	DECOCHES
CCDEEHOU	DECOUCHE
CCDEEHOZ	DECOCHEZ
CCDEEIIS	CECIDIES
CCDEEINO	DECOINCE
CCDEENOR	CONCEDER
CCDEENOS	CONCEDES
CCDEENOZ	CONCEDEZ
CCDEEOST	DECOCTES
CCDEERSU	SUCCEDER
CCDEESSU	SUCCEDES
CCDEESUZ	SUCCEDEZ
CCDEIINO	COINCIDE
CCDEIIOR	CORICIDE
	CRICOIDE
CCDEILOY	CYCLOIDE
CCDEINOT	OCCIDENT
CCDENOOR	CONCORDE
CCEEEHHR	CHERCHEE
CCEEEHHV	CHEVECHE
CCEEEHNO	ENCOCHEE
CCEEEHOR	ECORCHEE
CCEEEIRX	EXERCICE
CCEEELLR	CRECELLE
CCEEELMN	CLEMENCE
CCEEELNR	ENCERCLE
CCEEELRR	RECERCLE
CCEEELRS	CERCLEES
CCEEELRY	RECYCLEE
CCEEENRS	RECENCES
CCEEEORS	ECORCEES
CCEEFIOU	COCUFIEE
CCEEHHRR	CHERCHER
CCEEHHRS	CHERCHES
CCEEHHRZ	CHERCHEZ
CCEEHILS	CLICHEES
CCEEHIOR	CHICOREE
CCEEHLNS	CLENCHES
CCEEHNOR	ENCOCHER
CCEEHNOS	ENCOCHES
CCEEHNOZ	ENCOCHEZ
CCEEHORR	ECORCHER
CCEEHORS	COCHERES
	CROCHEES
	ECORCHES
CCEEHORT	CROCHETE
CCEEHORU	RECOUCHE
CCEEHORZ	COCHEREZ →

	ECORCHEZ
CCEEHOSU	COUCHEES
CCEEIILN	LICENCIE
CCEEIILS	CECILIES
CCEEILNS	LICENCES
CCEEILPY	EPICYCLE
CCEEILRT	LECTRICE
CCEEILRU	CERCUEIL
CCEEILRZ	CERCLIEZ
CCEEINOR	CICERONE
CCEEINOS	COINCEES
CCEEINSS	SCIENCES
CCEEIORR	CRIOCERE
CCEEIORZ	ECORCIEZ
CCEEIRRT	RECTRICE
CCEEIRTT	TECTRICE
CCEELLOT	COLLECTE
CCEELNRT	CERCLENT
CCEELORT	COLCRETE
CCEELOTU	OCCULTEE
CCEELRRY	RECYCLER
CCEELRSY	RECYCLES
CCEELRYZ	RECYCLEZ
CCEEMMNO	COMMENCE
CCEEMMOR	COMMERCE
CCEENNOR	CONCERNE
CCEENNOT	CONNECTE
CCEENORT	CONCERTE
	CONCRETE
	ECORCENT
CCEENOVZ	CONCEVEZ
CCEEOPRS	PRECOCES
CCEEOPRU	REOCCUPE
CCEEOPSU	OCCUPEES
CCEEORRT	CORRECTE
CCEEORRU	ECORCEUR
CCEFIIRU	CRUCIFIE
CCEFIORU	COCUFIER
CCEFIOSU	COCUFIES
CCEFIOUZ	COCUFIEZ
CCEHHOTU	CHUCHOTE
CCEHIILZ	CLICHIEZ
CCEHILNT	CLICHENT
CCEHILOZ	CLOCHIEZ
CCEHILRU	CLICHEUR
CCEHINOR	CORNICHE
CCEHIORR	RICOCHER
CCEHIORS	RICOCHES
CCEHIORT	CHICOTER
	RICOCHET
CCEHIORZ	CROCHIEZ →
	RICOCHEZ
CCEHIOST	CHICOTES
CCEHIOSV	COCHEVIS
CCEHIOTZ	CHICOTEZ
CCEHIOUZ	COUCHIEZ
CCEHLMOR	CROMLECH
CCEHLNOT	CLOCHENT
CCEHLORS	CLOCHERS
CCEHNNOO	COCHONNE
CCEHNORT	CROCHENT
CCEHNOTU	COUCHENT
CCEHORST	CROCHETS
CCEHORSU	COUCHERS
	CROCHUES
CCEHORUU	COUCHEUR
CCEIILNO	CONCILIE
CCEIINNO	CONICINE
CCEIINOT	CONICITE
CCEIINOZ	COINCIEZ
CCEIINPU	PUCCINIE
CCEIINTU	CICUTINE
CCEIISST	SICCITES
CCEIKRST	CRICKETS
CCEILMOP	COMPLICE
CCEILMSY	CYCLISME
CCEILNOS	CONCILES
CCEILOUZ	OCCLUIEZ
CCEILQUY	CYCLIQUE
CCEILRRU	CIRCULER
CCEILRSU	CIRCULES
CCEILRTY	TRICYCLE
CCEILRUZ	CIRCULEZ
CCEILSTY	CYCLISTE
CCEILTUU	CUTICULE
CCEINNOO	ECOINCON
CCEINNOT	COINCENT
CCEINOOV	CONCOIVE
CCEINOPU	INOCCUPE
CCEINOSS	CONCISES
CCEINOTT	CONCETTI
CCEINSSU	INSUCCES
CCEIOORT	COCOTIER
CCEIOPUZ	OCCUPIEZ
CCELMOSU	OCCLUMES
CCELNORS	CERCLONS
CCELNORU	CONCLURE
CCELNOSU	CONCLUES
CCELNOSY	CYCLONES
CCELNOTU	OCCLUENT
CCELNOUZ	CONCLUEZ
CCELOPSY	CYCLOPES

CCELORTU	OCCULTER
CCELORUZ	OCCLUREZ
CCELOSSU	OCCLUSES
	OCCLUSSE
CCELOSTU	OCCLUTES
	OCCULTES
CCELOTUZ	OCCULTEZ
CCEMNOSU	CONCUMES
CCENOORS	ECORCONS
CCENOORT	CONCERTO
CCENOORU	CONCOURE
CCENOPRU	PRECONCU
CCENOPST	CONCEPTS
CCENOPTU	OCCUPENT
CCENORST	CONCERTS
	CONCRETS
CCENOSSU	CONCUSSE
CCENOSTU	CONCUTES
CCEOOSTT	COCOTTES
CCEORRST	CORRECTS
CCESSTUU	CUSCUTES
CCFIIRUX	CRUCIFIX
CCFILNOS	CLINFOCS*
CCFILOSU	OCCLUSIF
CCGHINOS	GNOCCHIS
CCHHOOUU	CHOUCHOU
CCHIINOT	CHICOTIN
CCHILNOS	CLICHONS
CCHILOSY	COCHYLIS
CCHINOOS	COCHIONS
CCHLNOOS	CLOCHONS
CCHNOORS	CROCHONS
CCHNOOSU	COUCHONS
CCHNORSU	CRUCHONS
CCIINNRR	CRINCRIN
CCIIRSTU	CIRCUITS
CCIKOPST	COCKPITS
CCILOOPS	PICCOLOS
CCINNOOS	COINCONS
CCINORST	CONSCRIT
CCINOSSU	SUCCIONS
CCINOSTV	CONVICTS
CCIOORSS	SIROCCOS
CCIOPSTU	OCCIPUTS
CCLNOOSU	OCCLUONS
CCNOOPSU	OCCUPONS
CCNOORSU	CONCOURS
	COURCONS
CCNOORTU	CONCOURT
CCNOORUU	CONCOURU
CCOOSSUU	COUSCOUS
CDDEEEES	DECEDEES
CDDEEEIS	DECIDEES
CDDEEEIZ	DECEDIEZ
CDDEEENS	DESCENDE
CDDEEENT	DECEDENT
CDDEEEOR	DECORDEE
CDDEEEOS	DECODEES
CDDEEHIT	CHEDDITE
CDDEEIIS	DEICIDES
CDDEEIIZ	DECIDIEZ
CDDEEINT	DECIDENT
CDDEEIOZ	DECODIEZ
CDDEENOS	DECEDONS
CDDEENOT	DECODENT
CDDEENSS	DESCENDS
CDDEENSU	DESCENDU
CDDEEORR	DECORDER
CDDEEORS	DECORDES
CDDEEORU	DECODEUR
	DECOUDRE
CDDEEORZ	DECORDEZ
CDDEFITU	DEDUCTIF
CDDEIIOS	DISCOIDE
CDDEINOS	DECIDONS
CDDEIORS	DISCORDE
CDDENOOS	DECODONS
CDDIORSS	DISCORDS
CDEEEEHP	DEPECHEE
CDEEEELR	DECELERE
CDEEEELS	DECELEES
CDEEEELT	DELECTEE
CDEEEENR	DECERNEE
CDEEEEPR	PRECEDEE
CDEEEEPS	DEPECEES
CDEEEERS	RECEDEES
CDEEEERT	DECRETEE
CDEEEESX	EXCEDEES
CDEEEETT	DETECTEE
CDEEEFHR	DERECHEF
CDEEEFIL	DEFICELE
CDEEEFNO	DEFONCEE
	FECONDEE
CDEEEHIN	DENICHEE
CDEEEHIP	CEPHEIDE
CDEEEHIR	DECHIREE
CDEEEHJU	DEJUCHEE
CDEEEHOR	DEROCHEE
CDEEEHPR	DEPECHER
CDEEEHPS	DEPECHES
CDEEEHPZ	DEPECHEZ
CDEEEHSS	DESSECHE

CDEEEILN	DECLINEE
CDEEEILU	ELUCIDEE
CDEEEILZ	DECELIEZ
CDEEEIMN	MEDECINE
CDEEEIMS	DECIMEES
CDEEEINN	DECENNIE
CDEEEINV	EVIDENCE
CDEEEIPR	DECREPIE
	DEPRECIE
CDEEEIPZ	DEPECIEZ
CDEEEIRS	DECRIEES
CDEEEIRT	CREDITEE
CDEEEIRZ	CEDERIEZ
	RECEDIEZ
CDEEEIST	EDICTEES
CDEEEIVZ	DECEVIEZ
CDEEEIXZ	EXCEDIEZ
CDEEELLO	DECOLLEE
CDEEELLS	DESCELLE
CDEEELNT	DECELENT
CDEEELOR	CORDELEE
	DECOLERE
CDEEELOU	DECLOUEE
CDEEELPU	DECUPLEE
CDEEELRT	DELECTER
CDEEELST	DELECTES
CDEEELTZ	DELECTEZ
CDEEEMNS	DEMENCES
CDEEENNO	DECONNEE*
	DENONCEE
CDEEENOR	DECORNEE
	ENCORDEE
CDEEENOS	SECONDEE
CDEEENPT	DEPECENT
CDEEENRR	DECERNER
CDEEENRS	CENDREES
	DECERNES
CDEEENRT	CEDERENT
	DECENTRE
	RECEDENT
CDEEENRZ	DECERNEZ
CDEEENST	DECENTES
	DESCENTE
CDEEENTX	EXCEDENT
CDEEEOPU	DECOUPEE
CDEEEORR	RECORDEE
CDEEEORS	DECOREES
CDEEEPRR	PRECEDER
CDEEEPRS	PRECEDES
CDEEEPRU	DEPECEUR
CDEEEPRZ	PRECEDEZ
CDEEERRT	DECRETER
CDEEERST	DECRETES
CDEEERSU	DECREUSE
	DECRUEES
	DECRUSEE
CDEEERTT	DETECTER
CDEEERTZ	DECRETEZ
CDEEERVZ	DECEVREZ
CDEEESSU	DECUSSEE
CDEEESTT	DETECTES
CDEEESUV	DECUVEES
CDEEETTZ	DETECTEZ
CDEEFFIO	DECOIFFE
CDEEFFIT	DEFECTIF
CDEEFFOR	DECOFFRE
CDEEFHIR	DEFRICHE
CDEEFIIO	CODIFIEE
CDEEFIIS	EDIFICES
CDEEFNOR	DEFONCER
	DEFRONCE
	FECONDER
CDEEFNOS	DEFONCES
	FECONDES
CDEEFNOZ	DEFONCEZ
	FECONDEZ
CDEEGIIR	REGICIDE
CDEEGINO	CONGEDIE
	GENOCIDE
CDEEHILO	CHELOIDE
CDEEHINR	DENICHER
CDEEHINS	DENICHES
	ECHIDNES
CDEEHINZ	DENICHEZ
CDEEHIOR	ORCHIDEE
CDEEHIOS	DECHOIES
CDEEHIRR	DECHIRER
CDEEHIRS	DECHIRES
CDEEHIRV	DERVICHE
CDEEHIRZ	DECHIREZ
CDEEHJRU	DEJUCHER
CDEEHJSU	DEJUCHES
CDEEHJUZ	DEJUCHEZ
CDEEHMSU	DECHUMES
CDEEHORR	DEROCHER
CDEEHORS	DEROCHES
CDEEHORZ	DEROCHEZ
CDEEHOSU	DOUCHEES
CDEEHOYZ	DECHOYEZ
CDEEHSSU	DECHUSSE
	DUCHESSE
CDEEHSTU	DECHUTES

CDEEIIMZ	DECIMIEZ
CDEEIINN	INCENDIE
CDEEIINS	INDECISE
CDEEIIRR	CIDRERIE
CDEEIIRT	EDITRICE
CDEEIIRV	RECIDIVE
CDEEIIRZ	DECRIIEZ
CDEEIISU	SUICIDEE
CDEEIISV	DECISIVE
CDEEIITZ	EDICTIEZ
CDEEILLS	CEDILLES
CDEEILNR	DECLINER
CDEEILNS	DECLINES
CDEEILNU	DULCINEE
CDEEILNZ	DECLINEZ
CDEEILPU	CLUPEIDE*
	PEDICULE
CDEEILRU	ELUCIDER
CDEEILSU	EDICULES
	ELUCIDES
CDEEILSV	DECLIVES
CDEEILUZ	ELUCIDEZ
CDEEIMNO	COMEDIEN
CDEEIMNS	CNEMIDES
	MEDECINS
CDEEIMNT	DECIMENT
CDEEIMOR	MEDIOCRE
CDEEIMOS	COMEDIES
CDEEIMRR	MERCREDI
CDEEIMRV	DECEMVIR
CDEEINNT	INDECENT
CDEEINOS	CODEINES
CDEEINRR	CENDRIER
CDEEINRS	DISCERNE
	RESCINDE
CDEEINRT	DECINTRE
	DECRIENT
CDEEINRU	ENDURCIE
CDEEINRZ	CEINDREZ
	CENDRIEZ
CDEEINSS	SCINDEES
CDEEINTT	EDICTENT
CDEEIORR	CORDERIE
CDEEIORS	DECROISE
CDEEIORV	DECEVOIR
	DIVORCEE*
CDEEIORZ	CODERIEZ
	DECORIEZ
CDEEIOSS	DIOCESES
CDEEIOSV	DECOIVES
CDEEIPRR	DECREPIR
CDEEIPRS	DECREPIS
	DECRISPE
CDEEIPRT	DECREPIT
CDEEIPRU	PEDICURE
CDEEIRRT	CREDITER
CDEEIRRZ	DECRIREZ
CDEEIRST	CREDITES
	DECRITES
	DIRECTES
	DISCRETE
CDEEIRSU	DECURIES
CDEEIRSV	CERVIDES
	DECRIVES
CDEEIRTU	TRUCIDEE
CDEEIRTZ	CREDITEZ
	DICTEREZ
CDEEIRUV	DECUIVRE
CDEEIRUZ	DECRUIEZ
CDEEIRVZ	DECRIVEZ
CDEEISTU	DISCUTEE
CDEEIUVZ	DECUVIEZ
CDEELLOR	CORDELLE
	DECOLLER
CDEELLOS	DECOLLES
CDEELLOZ	DECOLLEZ
CDEELNOS	DECELONS
CDEELOOR	DECOLORE
CDEELOPU	DECOUPLE
CDEELORR	CORDELER
CDEELORS	CORDELES
CDEELORU	DECLOUER
	DECOULER
	EDULCORE
CDEELORZ	CORDELEZ
	DECLOREZ*
CDEELOSS	DECLOSES
CDEELOSU	DECLOUES
	DECOULES
CDEELOUZ	DECLOUEZ
	DECOULEZ
CDEELPRU	DECUPLER
CDEELPSU	DECUPLES
CDEELPUZ	DECUPLEZ
CDEELRSU	CREDULES
CDEEMMNO	COMMENDE
CDEEMOPT	DECOMPTE
CDEEMRSU	DECRUMES
CDEENNOR	DECONNER
	DENONCER
CDEENNOS	CONDENSE
	DECONNES →

	DENONCES
CDEENNOZ	DECONNEZ
	DENONCEZ
CDEENNRT	CENDRENT
CDEENOPS	DEPECONS
CDEENORR	DECORNER
	ENCORDER
CDEENORS	CEDERONS
	DECORNES
	ENCORDES
	RECEDONS
	SECONDER
CDEENORT	CEDERONT
	CODERENT
	DECORENT
CDEENORZ	DECORNEZ
	ENCORDEZ
CDEENOSS	SECONDES
CDEENOSV	DECEVONS
CDEENOSX	EXCEDONS
CDEENOSZ	SECONDEZ
CDEENOTU	CODETENU
CDEENPRU	PRUDENCE
CDEENRTU	DECRUENT
	DECURENT
CDEENRUX	CENDREUX
CDEENTUV	DECUVENT
CDEEOOPP	COPEPODE*
CDEEOORR	CORRODEE
CDEEOOUY	COUDOYEE
CDEEOPRR	PROCEDER
CDEEOPRS	PROCEDES
CDEEOPRU	DECOUPER
CDEEOPRZ	PROCEDEZ
CDEEOPSU	DECOUPES
CDEEOPUZ	DECOUPEZ
CDEEORRR	RECORDER
CDEEORRS	RECORDES
CDEEORRU	RECOUDRE
CDEEORRZ	CORDEREZ
	RECORDEZ
CDEEORTT	DECROTTE
CDEEORUV	DECOUVRE
CDEEORUZ	COUDEREZ
CDEEOSST	CESTODES
CDEEOSSU	DECOUSES
CDEEOSUU	DECOUSUE
CDEEOSUZ	DECOUSEZ
CDEEOTTU	DOUCETTE
CDEEPRTY	DECRYPTE
CDEERRSU	DECRUSER
CDEERSSU	DECRUSES
	DECRUSSE
CDEERSTU	DECRUTES
CDEERSUZ	DECRUSEZ
CDEESSSU	DECUSSES
CDEFIILU	DULCIFIE
CDEFIIOR	CODIFIER
CDEFIIOS	CODIFIES
CDEFIIOZ	CODIFIEZ
CDEFIIRT	DIRECTIF
CDEFIISS	DECISIFS
CDEFIIST	DEFICITS
CDEFINNO	INFECOND
CDEFINOS	DECONFIS
CDEFINOT	DECONFIT
CDEFNNOO	CONFONDE
CDEGHIOS	GODICHES
CDEGILSU	GLUCIDES
CDEHIIMO	HOMICIDE
CDEHIOOR	CHOROIDE
CDEHIOUZ	DOUCHIEZ
CDEHNOTU	DOUCHENT
CDEIILMO	DOMICILE
CDEIILNO	INDOCILE
CDEIILNS	DICLINES
CDEIILOT	DOCILITE
CDEIILPS	DISCIPLE
CDEIILRU	RIDICULE
CDEIILTU	LUCIDITE
CDEIIMOT	MODICITE
CDEIINNT	INCIDENT
CDEIINOR	CRINOIDE*
CDEIINOS	CONIDIES
	DECISION
CDEIINPY	CYNIPIDE*
CDEIINRT	INDIRECT
CDEIINSZ	SCINDIEZ
CDEIINTV	VINDICTE
CDEIIOSS	DISSOCIE
CDEIIPTU	CUPIDITE
	PUDICITE
CDEIIRSU	SCIURIDE*
	SUICIDER
CDEIIRSV	DECRIVIS
CDEIIRTV	DECRIVIT
CDEIISSU	SUICIDES
CDEIISUZ	SUICIDEZ
CDEIKRRS	DERRICKS
CDEILLOO	COLLOIDE
CDEILNRY	CYLINDRE
CDEILPSU	DISCULPE

CDEILSTU	DUCTILES
	DULCITES
CDEIMNOS	DECIMONS
CDEIMOSU	DOUCIMES
CDEIMRSU	DURCIMES
CDEIMSSU	MUSCIDES
CDEINNST	SCINDENT
CDEINOOS	CONOIDES
CDEINORS	DECRIONS
CDEINORT	DOCTRINE
CDEINORU	CONDUIRE
	DECURION
CDEINOST	EDICTONS
CDEINOSU	CONDUISE
	DOUCINES
	ECONDUIS
CDEINOTU	CONDUITE
	ECONDUIT
CDEINRRU	ENDURCIR
CDEINRSU	ENDURCIS
CDEINRTU	ENDURCIT
CDEIOOSU	COUDOIES
CDEIORRS	CORDIERS
CDEIORRU	COUDRIER
	DUCROIRE
CDEIORRV	DIVORCER
CDEIORST	CORDITES
	DECROITS
	DICROTES
CDEIORSU	DISCOURE
CDEIORSV	CORVIDES
	DIVORCES
CDEIORUZ	COUDRIEZ
	DOUCIREZ
CDEIORVZ	DIVORCEZ
CDEIOSSU	DECOUSIS
	DOUCISSE
CDEIOSTU	DECOUSIT
	DOUCITES
CDEIOTUV	OVIDUCTE
CDEIPSSU	CUSPIDES
CDEIRRTU	TRUCIDER
CDEIRRUZ	DURCIREZ
CDEIRSST	DISCRETS
CDEIRSSU	DURCISSE
CDEIRSTU	CRUDITES
	DISCUTER
	DURCITES
	TRUCIDES
CDEIRSTV	VERDICTS
CDEIRTUZ	TRUCIDEZ
CDEISSTU	CISTUDES
	DISCUTES
CDEISTUZ	DISCUTEZ
CDELNOSY	CONDYLES
CDELOOPY	LYCOPODE
CDELOOSU	OLEODUCS
CDEMMOOS	COMMODES
CDEMNOOS	COMEDONS
CDEMNOPR	COMPREND
CDEMNOTU	DOCUMENT
CDENNOOR	CORDONNE
CDENNORS	CENDRONS
CDENOORS	CODERONS
	DECORONS
CDENOORT	CODERONT
CDENOOSU	CONSOUDE
CDENORSU	DECRUONS
CDENOSUV	DECUVONS
CDEOOOPT	OCTOPODE
CDEOOPRR	PROCORDE*
CDEOORRR	CORRODER
CDEOORRS	CORRODES
CDEOORRZ	CORRODEZ
CDEOORUY	COUDOYER
CDEOOSUY	COUDOYES
CDEOOUYZ	COUDOYEZ
CDEORSTU	DOCTEURS
CDEORSUU	DOUCEURS
CDEOSSTU	CUSTODES
CDEOSSUU	DECOUSUS
CDFIINTU	INDUCTIF
CDFNNOOS	CONFONDS
CDFNNOOU	CONFONDU
CDGHINOO	GODICHON
CDHIOPRW	WHIPCORD
CDHNOOSU	DOUCHONS
CDIINOST	DICTIONS
CDIINSTT	DISTINCT
CDIIRSTT	DISTRICT
CDIMORSU	MORDICUS
CDINNOOR	CORINDON
CDINNOSS	SCINDONS
CDINOORS	CORDIONS
CDINOOSU	COUDIONS
CDINOSTU	CONDUITS
	DISCOUNT
CDIOORRR	CORRIDOR
CDIORSSU	DISCOURS
CDIORSTU	DISCOURT
CDIORSUU	DISCOURU
CDMNOOPU	COMPOUND

CDNOORSU	COUDRONS
CDNOORTU	COUDRONT
CEEEEHLV	ECHEVELE
CEEEEHMP	EMPECHEE
CEEEEHMS	EMECHEES
CEEEEHPR	REPECHEE
CEEEEJST	EJECTEES
CEEEELLU	ECUELLEE
CEEEELNR	CRENELEE
CEEEELNU	ENUCLEEE
CEEEELPR	CREPELEE
CEEEELRS	RECELEES
CEEEELRV	ECERVELE
CEEEEMNT	CEMENTEE
CEEEEMRS	ECREMEES
CEEEENNS	ENCENSEE
CEEEENRS	RECENSEE
CEEEEORU	ECOEUREE
CEEEEPRS	RECEPEES
CEEEEPTX	EXCEPTEE
CEEEERRS	RECREEES
CEEEERRT	RETERCEE
CEEEERST	ECRETEES
	SECRETEE
CEEEERSX	EXECREES
	EXERCEES
CEEEERTX	EXCRETEE
CEEEETUX	EXECUTEE
CEEEFFOR	EFFORCEE
CEEEFFTU	EFFECTUE
CEEEFHLS	FLECHEES
CEEEFIKO	COKEFIEE
CEEEFILS	FICELEES
CEEEFINT	INFECTEE
CEEEFIRR	CERIFERE
CEEEFLSU	FECULEES
CEEEFNNO	ENFONCEE
CEEEFNOR	CONFEREE
CEEEGINN	ENCEIGNE
CEEEGINO	NEGOCIEE
CEEEGINX	EXIGENCE
CEEEGIRS	GRECISEE
CEEEGLNO	CONGELEE
CEEEGNNO	ENGONCEE
CEEEGNOR	CONGREEE
CEEEGNOT	CETOGENE
CEEEGNRS	REGENCES
CEEEGNRV	VERGENCE
CEEEGNSY	GYNECEES
CEEEGQRU	GRECQUEE
CEEEGRRZ	GERCEREZ
CEEEHILR	ECHELIER
	LECHERIE*
CEEEHIMN	CHEMINEE
CEEEHIMS	CHEMISEE
CEEEHIMZ	EMECHIEZ
CEEEHINR	ENCHERIE*
CEEEHINS	ECHINEES
CEEEHINT	ENTICHEE
CEEEHIPR	PECHERIE
CEEEHIPS	EPEICHES
CEEEHIPT	PETECHIE
CEEEHIRS	SECHERIE
CEEEHLLN	CHELLEEN
CEEEHLLS	ECHELLES
CEEEHLPR	PERLECHE
CEEEHLPU	EPLUCHEE
	PELUCHEE
CEEEHLRZ	LECHEREZ
CEEEHLSU	LECHEUSE
CEEEHLUV	CHEVELUE
CEEEHMNT	EMECHENT
CEEEHMOP	EMPOCHEE
CEEEHMPR	EMPECHER
CEEEHMPS	EMPECHES
CEEEHMPZ	EMPECHEZ
CEEEHMRZ	MECHEREZ
CEEEHMSU	MECHEUSE
CEEEHMTU	HUMECTEE
CEEEHNNV	CHEVENNE
CEEEHNOR	ENROCHEE
CEEEHNPS	PENCHEES
CEEEHNRS	ENCHERES
CEEEHNSV	CHEVESNE
CEEEHOPP	ECHOPPEE
CEEEHOPT	POCHETEE
CEEEHOSU	ECHOUEES
CEEEHPRR	REPECHER
CEEEHPRS	PERCHEES
	PRECHEES
	REPECHES
CEEEHPRU	PEUCHERE
CEEEHPRZ	PECHEREZ
	REPECHEZ
CEEEHPSS	SPEECHES
CEEEHPSU	PECHEUSE
CEEEHPTT	PECHETTE
CEEEHRRV	REVERCHE
CEEEHRSV	REVECHES
CEEEHRSZ	SECHEREZ
CEEEHRTV	CHEVETRE
	CHEVRETE

CEEEHSSU	SECHEUSE
CEEEIIPR	EPICERIE
	EPICIERE
CEEEIJNT	INJECTEE
CEEEIJTZ	EJECTIEZ
CEEEIKLN	NICKELEE
CEEEILMU	LEUCEMIE
CEEEILNP	EPINCELE
CEEEILNT	ETINCELE
CEEEILOR	ECOLIERE
CEEEILPS	ECLIPSEE
CEEEILRT	CELERITE
	ERECTILE
CEEEILRZ	CELERIEZ
	RECELIEZ
CEEEILSS	CISELEES
	ECLISSEE
CEEEILTV	ELECTIVE
CEEEIMNN	EMINENCE
CEEEIMNS	ECMNESIE
	EMINCEES
CEEEIMNT	CENTIEME
	CIMENTEE
CEEEIMRR	CREMERIE
	CREMIERE
	MERCERIE
	MERCIERE
	REMERCIE
CEEEIMRS	ESCRIMEE
CEEEIMRZ	ECIMEREZ
	ECREMIEZ
CEEEINNT	ENCEINTE
CEEEINPS	EPICENES
	EPINCEES
CEEEINPT	EPINCETE
	PECTINEE
CEEEINRS	CENSIERE
	INCREEES
CEEEINRX	INEXERCE
CEEEINSV	EVINCEES
CEEEIOPR	RECOPIEE
CEEEIORX	EXCORIEE
CEEEIPRR	CREPERIE
	CREPIERE
	RECREPIE
CEEEIPRS	PRECISEE
CEEEIPRT	PRECITEE
CEEEIPRZ	EPICEREZ
	RECEPIEZ
CEEEIPTT	PIECETTE
CEEEIRRR	REECRIRE*
CEEEIRRS	RECRIEES
CEEEIRRT	REECRITE*
	RETRECIE
CEEEIRRV	REECRIVE*
CEEEIRRZ	CREERIEZ
	ECRIEREZ
	RECREIEZ
CEEEIRST	RECITEES
	TIERCEES
CEEEIRTZ	ECRETIEZ
CEEEIRVZ	RECEVIEZ
CEEEIRXZ	EXECRIEZ
	EXERCIEZ
CEEEISSU	ECUISSEE
CEEEISSX	EXCISEES
CEEEISTX	EXCITEES
CEEEJNTT	EJECTENT
CEEEJRTU	EJECTEUR
CEEELLNO	ENCOLLEE
CEEELLNR	CRENELLE
CEEELLNS	CENELLES
CEEELLOR	RECOLLEE
CEEELLOS	OCELLEES
CEEELLOT	COLLETEE
CEEELLRT	CRETELLE
CEEELLRV	CERVELLE
CEEELLRX	EXCELLER
CEEELLSS	SCELLEES
CEEELLSU	ECUELLES
CEEELLSX	EXCELLES
CEEELLXZ	EXCELLEZ
CEEELMNT	CLEMENTE
CEEELMOR	MORCELEE
CEEELNNY	LYCEENNE
CEEELNOU	ENCLOUEE
CEEELNOV	CEVENOLE
CEEELNRR	CRENELER
CEEELNRS	CRENELES
CEEELNRT	CELERENT
	RECELENT
CEEELNRU	CERULEEN
	ENUCLEER
CEEELNRZ	CRENELEZ
CEEELNSU	ENUCLEES
	NUCLEEES
CEEELNUZ	ENUCLEEZ
CEEELOPS	ECLOPEES
CEEELORR	CORRELEE
CEEELORS	RECOLEES
CEEELORT	RECOLTEE
CEEELORU	ECROULEE

CEEELOST	COTELEES
CEEELOSU	ECOULEES
CEEELPRS	CREPELES
CEEELPRU	CREPELUE
CEEELRRU	RECELEUR
CEEELRSU	RECULEES
	ULCEREES
CEEELRTU	ELECTEUR
CEEELRTV	CERVELET
CEEELRUZ	ECULEREZ
CEEELSST	CELESTES
CEEELSSU	ECLUSEES
CEEELSUV	CUVELEES
CEEEMNOS	SEMONCEE
CEEEMNOU	ECOUMENE
CEEEMNRT	CEMENTER
	ECREMENT
CEEEMNSS	SEMENCES
CEEEMNST	CEMENTES
CEEEMNTZ	CEMENTEZ
CEEEMRRZ	CREMEREZ
CEEEMRSU	CREMEUSE
CEEEMRUZ	ECUMEREZ
CEEEMSUU	ECUMEUSE
CEEENNOR	COREENNE
	ENCORNEE
	RENONCEE*
CEEENNOS	ENONCEES
CEEENNRS	ENCENSER
CEEENNSS	ENCENSES
CEEENNST	SENTENCE
CEEENNSZ	ENCENSEZ
CEEENOPT	POTENCEE
CEEENORS	ECORNEES
	NECROSEE
CEEENORU	ENCROUEE
CEEENPRS	PRESENCE
CEEENPRT	RECEPENT
CEEENQSU	SEQUENCE
CEEENRRS	RECENSER
CEEENRRT	CREERENT
	RECREENT
CEEENRRZ	CERNEREZ
	CRENEREZ
	ENCREREZ
CEEENRSS	RECENSES
CEEENRST	CENTREES
	RECENTES
CEEENRSU	CENSUREE
CEEENRSZ	RECENSEZ
CEEENRTT	ECRETENT
CEEENRTU	CRUENTEE
CEEENRTX	EXCENTRE
	EXECRENT
	EXERCENT
CEEENSSS	ESSENCES
CEEENSTU	EUNECTES
CEEENSUV	ENCUVEES
CEEEOPRR	PROCREEE
CEEEOPRU	RECOUPEE
CEEEOPRZ	ECOPEREZ
CEEEORRU	ECOEURER
CEEEORST	CORSETEE
	ESCORTEE
CEEEORSU	ECOEURES
	ECROUEES
CEEEORTU	ECOURTEE
	ECROUTEE
CEEEORUZ	ECOEUREZ
CEEEOSSS	ECOSSEES
CEEEOSSU	SECOUEES
CEEEOSTU	ECOUTEES
CEEEPPRT	PRECEPTE
CEEEPRRU	RECUPERE
CEEEPRRZ	CREPEREZ
	PERCEREZ
CEEEPRST	RESPECTE
CEEEPRSU	PERCEUSE
CEEEPRTU	PERCUTEE
CEEEPRTX	EXCEPTER
CEEEPRUZ	EPUCEREZ
CEEEPRVZ	PERCEVEZ
CEEEPSTX	EXCEPTES
CEEEPTXZ	EXCEPTEZ
CEEERRRT	RETERCER
CEEERRST	RETERCES
	SECRETER
CEEERRSU	RECREUSE
	RECUREES
CEEERRTU	RECRUTEE
CEEERRTX	EXCRETER
CEEERRTZ	RETERCEZ
	TERCEREZ
CEEERRUV	RECEVEUR
CEEERRUZ	ECUREREZ
CEEERRVZ	CREVEREZ
	RECEVREZ
CEEERSST	SECRETES
	SESTERCE
CEEERSSU	CREUSEES
	RECUSEES
	RESUCEES

CEEERSSZ	CESSEREZ
CEEERSTT	RECETTES
CEEERSTU	CURETEES
	ERUCTEES
CEEERSTX	EXCRETES
CEEERSTZ	SECRETEZ
CEEERSUU	ECUREUSE
CEEERSUV	REVECUES*
CEEERSUY	ECUYERES
CEEERTTV	CREVETTE
CEEERTUX	EXECUTER
CEEERTXZ	EXCRETEZ
CEEESSUX	EXCUSEES
CEEESTUX	EXECUTES
CEEETUXZ	EXECUTEZ
CEEFFFIT	EFFECTIF
CEEFFHIR	CHIFFREE
	ECHIFFRE
CEEFFIOR	RECOIFFE
CEEFFIOS	COIFFEES
	ESCOFFIE
CEEFFNOR	ENCOFFRE
CEEFFORR	EFFORCER
CEEFFORS	COFFREES
	EFFORCES
CEEFFORZ	EFFORCEZ
CEEFGNRU	FENUGREC
CEEFHILR	REFLECHI
CEEFHILS	FLECHIES
CEEFHILZ	FLECHIEZ
CEEFHIRZ	FICHEREZ
CEEFHIST	FETICHES
CEEFHLNT	FLECHENT
CEEFIILT	FELICITE
CEEFIILZ	FICELIEZ
CEEFIIPS	SPECIFIE
CEEFIIRT	CERTIFIE
	RECTIFIE
CEEFIKOR	COKEFIER
CEEFIKOS	COKEFIES
CEEFIKOZ	COKEFIEZ
CEEFILLS	FICELLES
CEEFILRU	CERFEUIL
CEEFILST	ELECTIFS
	SELECTIF
CEEFILUZ	FECULIEZ
CEEFINNO	CONFINEE
CEEFINOR	CONIFERE*
	FONCIERE
CEEFINOS	CONFIEES
CEEFINRT	INFECTER
CEEFINST	INFECTES
CEEFINTZ	INFECTEZ
CEEFIORR	FORCERIE
CEEFIORT	FEROCITE
	FRICOTEE
CEEFIORV	VOCIFERE
CEEFIPRT	RECEPTIF
CEEFIRSS	RECESSIF
CEEFISSX	EXCESSIF
CEEFITUX	EXECUTIF
CEEFLNOR	FLORENCE
CEEFLNTU	FECULENT
CEEFNNOR	ENFONCER
	RENFONCE
CEEFNNOS	ENFONCES
CEEFNNOZ	ENFONCEZ
CEEFNORR	CONFERER
	CONFRERE
	RENFORCE
CEEFNORS	CONFERES
	FRONCEES
CEEFNORV	CONFERVE
CEEFNORZ	CONFEREZ
	FONCEREZ
CEEFNOSS	CONFESSE
CEEFNOSU	FONCEUSE
CEEFORRZ	FORCEREZ
CEEGHINR	RECHIGNE
CEEGHIRS	GRIECHES
CEEGHLMO	GLECHOME
CEEGHORS	CHOREGES
CEEGIINZ	CEIGNIEZ
CEEGILLO	COLLIGEE
CEEGILMY	GLYCEMIE
CEEGILNS	CINGLEES
	CLIGNEES
CEEGILOO	ECOLOGIE
CEEGILRS	CLERGIES
CEEGILRY	GLYCERIE
CEEGILRZ	GICLEREZ
CEEGINNT	CEIGNENT
CEEGINOR	NEGOCIER
CEEGINOS	NEGOCIES
CEEGINOZ	NEGOCIEZ
CEEGINSV	GENCIVES
CEEGIORR	CORRIGEE
CEEGIRRS	GRECISER
CEEGIRSS	GRECISES
CEEGIRST	GRECITES
CEEGIRSZ	GRECISEZ
CEEGLLOS	COLLEGES

CEEGLLOU	COLLEGUE
CEEGLMOS	GLECOMES
CEEGLNOR	CLERGEON
	CONGELER
CEEGLNOS	CONGELES
CEEGLNOZ	CONGELEZ
CEEGNNOR	ENGONCER
	RENCOGNE
CEEGNNOS	ENGONCES
CEEGNNOZ	ENGONCEZ
CEEGNOOR	COREGONE
CEEGNORR	CONGREER
CEEGNORS	CONGERES
	CONGREES
CEEGNORV	CONVERGE
CEEGNORY	CRYOGENE
CEEGNORZ	COGNEREZ
	CONGREEZ
CEEGNRSU	URGENCES
CEEGORST	CORTEGES
CEEGQRRU	GRECQUER
CEEGQRSU	GRECQUES
CEEGQRUZ	GRECQUEZ
CEEGRRSU	GERCURES
CEEHHIRZ	HERCHIEZ
CEEHHNRT	HERCHENT
CEEHHORZ	HOCHEREZ
CEEHHRRS	HERSCHER
CEEHHRRU	HERCHEUR
CEEHHRSS	HERSCHES
CEEHHRSZ	HERSCHEZ
CEEHHRUZ	HUCHEREZ
CEEHIILT	CHEILITE
CEEHIIMS	ISCHEMIE
CEEHIINR	ENRICHIE
CEEHIINZ	ECHINIEZ
CEEHIIRZ	CHIERIEZ
CEEHILLN	CHENILLE
CEEHILLV	CHEVILLE
CEEHILMO	CHOLEMIE
CEEHILMT	MELCHITE
CEEHILRZ	LICHEREZ
CEEHILSV	LIVECHES
CEEHILUV	VEHICULE
CEEHIMNR	CHEMINER
CEEHIMNS	CHEMINES
CEEHIMNZ	CHEMINEZ
CEEHIMRS	CHEMISER
	CHERIMES
	CHIMERES
CEEHIMSS	CHEMISES
CEEHIMSZ	CHEMISEZ
CEEHINNS	CHIENNES
CEEHINNT	ECHINENT
CEEHINOP	EPINOCHE
CEEHINOT	ECHOIENT*
CEEHINPS	PENICHES
CEEHINPZ	PENCHIEZ
CEEHINRR	ENCHERIR
	RENCHERI
CEEHINRS	ENCHERIS
CEEHINRT	CHIERENT
	CHRETIEN
	ENCHERIT
	ENTICHER
CEEHINRZ	CHINEREZ
	NICHEREZ
CEEHINST	ENTICHES
CEEHINSU	CHINEUSE
CEEHINSV	CHENEVIS
	ÉCHEVINS
CEEHINTZ	ENTICHEZ
CEEHIOPS	PIOCHEES
CEEHIORT	COHERITE
	ECHOTIER
CEEHIORZ	CHOIEREZ
CEEHIOUZ	ECHOUIEZ
CEEHIPRZ	CHIPEREZ
	PERCHIEZ
	PRECHIEZ
CEEHIPSU	CHIPEUSE
CEEHIQRU	CHEQUIER
CEEHIQSU	CHIQUEES
CEEHIQTU	HECTIQUE
CEEHIRRV	CHEVRIER
CEEHIRRZ	CHERIREZ
CEEHIRSS	CHERISSE
	RICHESSE
CEEHIRST	CERITHES
	CHERITES
	TRICHEES*
CEEHISTV	CHETIVES
CEEHJNOR	JONCHERE
CEEHJNOS	JONCHEES
CEEHJRUZ	JUCHEREZ
CEEHKSST	SKETCHES
CEEHLMRU	MERLUCHE
CEEHLMSS	SCHELEMS
CEEHLNOO	HOLOCENE
CEEHLNOS	ECHELONS
CEEHLNSY	LYNCHEES
CEEHLORS	CHLOREES

CEEHLORT	TROCHLEE
CEEHLPRU	EPLUCHER
	PELUCHER
CEEHLPST	CHEPTELS
	CLEPHTES
CEEHLPSU	EPLUCHES
	PELUCHES
CEEHLPUZ	EPLUCHEZ
	PELUCHEZ
CEEHLRSU	HERCULES
	LECHEURS
CEEHLSUV	CHEVELUS
CEEHMNOS	EMECHONS
CEEHMOPR	EMPOCHER
	REMPOCHE
CEEHMOPS	EMPOCHES
CEEHMOPZ	EMPOCHEZ
CEEHMORS	CHROMEES
CEEHMORZ	CHOMEREZ
CEEHMOSU	CHOMEUSE
	MOUCHEES
CEEHMOTU	EMOUCHET
	MOUCHETE
CEEHMRTU	HUMECTER
CEEHMSTU	HUMECTES
CEEHMTUZ	HUMECTEZ
CEEHNNPT	PENCHENT
CEEHNOPS	PHOCEENS
CEEHNORR	ENROCHER
CEEHNORS	ENROCHES
CEEHNORT	COHERENT
CEEHNORZ	ENROCHEZ
CEEHNOTU	ECHOUENT
CEEHNPRT	PERCHENT
	PRECHENT
CEEHNRTU	ECHURENT*
CEEHOPPR	ECHOPPER
CEEHOPPS	ECHOPPES
CEEHOPPZ	ECHOPPEZ
CEEHOPRR	PORCHERE
	REPROCHE
CEEHOPRY	CORYPHEE
CEEHOPRZ	CHOPEREZ
	POCHEREZ
CEEHOPSU	POCHEUSE
CEEHOPTT	POCHETTE
CEEHOQSU	CHOQUEES
CEEHORRT	TORCHERE
CEEHORRU	COHEREUR
CEEHORRZ	ROCHEREZ
CEEHORST	TORCHEES →
	TROCHEES
CEEHORSU	ROCHEUSE
CEEHORTU	CHOREUTE
	RETOUCHE
CEEHORTV	CHEVROTE
CEEHOSSU	ESSOUCHE
CEEHOSTU	TOUCHEES
CEEHOTTU	CHOUETTE
CEEHPRRU	PERCHEUR
	PERRUCHE
	PRECHEUR
CEEHPRSU	PECHEURS
CEEHQSTU	QUETSCHE
	TCHEQUES
CEEHRRTU	RECHUTER
	TRECHEUR
CEEHRRUZ	RUCHEREZ
CEEHRSST	CHESTERS
CEEHRSSU	SECHEURS
CEEHRSTU	RECHUTES
CEEHRTUZ	CHUTEREZ
	RECHUTEZ
CEEIILLU	CUEILLIE
CEEIILNN	INCLINEE
CEEIILST	LICITEES
CEEIILSZ	CISELIEZ
CEEIIMMS	IMMISCEE
CEEIIMNZ	EMINCIEZ
CEEIIMRU	URICEMIE
CEEIINNR	INCINERE
CEEIINPZ	EPINCIEZ
CEEIINRR	CRINIERE
CEEIINRS	RICINEES
CEEIINSS	INCISEES
CEEIINST	INCITEES
CEEIINSU	CUISINEE
CEEIINTT	ECTINITE
CEEIINVZ	EVINCIEZ
CEEIIPRS	EPICIERS
CEEIIPXZ	EXCIPIEZ
CEEIIRRS	CERISIER
	CIRIERES
CEEIIRRZ	CIRERIEZ
	CRIERIEZ
	ECRIRIEZ
	RECRIIEZ
CEEIIRSS	SCIERIES
CEEIIRSV	CIVIERES
CEEIIRSZ	SCIERIEZ
CEEIIRTZ	CITERIEZ
	RECITIEZ →

	TIERCIEZ
CEEIIRVZ	ECRIVIEZ
	VICIEREZ
CEEIISUV	VICIEUSE
CEEIISXZ	EXCISIEZ
CEEIITXZ	EXCITIEZ
CEEIJNOT	EJECTION
CEEIJNRT	INJECTER
CEEIJNST	INJECTES
CEEIJNTZ	INJECTEZ
CEEIJSST	JECISTES
	JECTISSE
CEEIKLLN	NICKELLE
CEEIKLNR	NICKELER
CEEIKLNS	NICKELES
CEEIKLNZ	NICKELEZ
CEEIKORS	COKERIES
CEEILLMS	MICELLES
CEEILLRS	CELLIERS
CEEILLRU	CUILLERE
CEEILLRZ	CILLEREZ
CEEILLSU	CUEILLES
CEEILLSV	CIVELLES
CEEILLSZ	SCELLIEZ
CEEILLUZ	CUEILLEZ
CEEILMNY	MYCELIEN
CEEILMOP	COMPILEE
CEEILNNS	ENCLINES
CEEILNOP	PLIOCENE
CEEILNOT	COLTINEE
	ELECTION
CEEILNOU	INOCULEE
CEEILNOV	VIOLENCE
CEEILNPU	INCULPEE
CEEILNSS	SILENCES
CEEILNST	CELESTIN
	CENTILES
	CISELENT
	CLIENTES
CEEILNSU	ESCULINE
CEEILOOR	COLORIEE
CEEILOPS	POECILES
	POLICEES
CEEILORS	CLOSERIE
	ECOLIERS
CEEILORT	CLOITREE
CEEILORZ	ECLORIEZ*
	RECOLIEZ
CEEILOSS	ISOCELES
CEEILOSZ	ECLOSIEZ*
CEEILOTV	VELOCITE
CEEILOUZ	ECOULIEZ
CEEILPRS	ECLIPSER
CEEILPSS	ECLIPSES
CEEILPSZ	ECLIPSEZ
CEEILQTU	CELTIQUE
	CLIQUETE
CEEILRSS	ECLISSER
CEEILRSU	CISELEUR
	CISELURE
	CULIERES
	ECLUSIER
	RECUEILS
	SECULIER
CEEILRTU	RETICULE
CEEILRUU	ECUREUIL
CEEILRUZ	CULERIEZ
	RECULIEZ
	ULCERIEZ
CEEILRVZ	CLIVEREZ
CEEILSSS	CLISSEES
	ECLISSES
CEEILSST	CISELETS
CEEILSSZ	ECLISSEZ
CEEILSTU	LEUCITES
CEEILSUV	VESICULE
CEEILSUZ	ECLUSIEZ
CEEILTUV	CULTIVEE
CEEILUVZ	CUVELIEZ
CEEILUXZ	EXCLUIEZ
CEEIMNNT	EMINCENT
CEEIMNNY	MYCENIEN
CEEIMNOO	ECONOMIE
	MONOECIE
CEEIMNOS	MIOCENES
CEEIMNPS	SPECIMEN
CEEIMNRT	CIMENTER
CEEIMNST	CENTIMES
	CIMENTES
CEEIMNSU	MUSCINEE*
CEEIMNTZ	CIMENTEZ
CEEIMORU	ECUMOIRE
CEEIMPRS	CREPIMES
	PREMICES
CEEIMRRS	CREMIERS
	ESCRIMER
	MERCIERS
CEEIMRSS	ESCRIMES
CEEIMRSZ	ESCRIMEZ
CEEINNOR	CONNERIE
CEEINNOZ	ENONCIEZ
CEEINNPT	EPINCENT

CEEINNRS ENCRINES
CEEINNST ENCEINTS
CEEINNSU UNCINEES
CEEINNTV EVINCENT
CEEINORR CORNIERE
RONCIERE
CEEINORT ERECTION
CEEINORZ ECORNIEZ
CEEINOST CETOINES
CEEINOSV CONVIEES
CEEINOTV EVECTION
CEEINPRS CREPINES
CEEINPRZ PINCEREZ
CEEINPST INSPECTE
PECTINES
CEEINPSU PINCEUSE
CEEINPTT PINCETTE
CEEINPTX EXCIPENT
CEEINQSU SCENIQUE
CEEINRRS ENCRIERS
CEEINRRT CIRERENT
CRIERENT
RECRIENT
CEEINRRZ RINCEREZ
CEEINRSS CENSIERS
SINCERES
CEEINRST CINTREES
CITERNES
CRETINES
SCIERENT
CEEINRSU RINCEUSE
SINECURE
CEEINRTT CITERENT
RECITENT
RETICENT
RINCETTE
TIERCENT
CEEINRTU CEINTURE
CENTURIE
CEEINRTV ECRIVENT
CEEINRTZ CENTRIEZ
CEEINRUV INCURVEE
CEEINSST INCESTES
INSECTES
CEEINSSV CENSIVES
CEEINSTX EXCISENT
CEEINTTX EXCITENT
CEEINUVZ ENCUVIEZ
CEEIOPPS EPISCOPE
CEEIOPRR RECOPIER
CEEIOPRS PICOREES →
RECOPIES
CEEIOPRV PERCOIVE
CEEIOPRZ COPIEREZ
RECOPIEZ
CEEIOPST PICOTEES
CEEIOPSU COPIEUSE
CEEIOQRU COQUERIE
CEEIORRS SORCIERE
CEEIORRV RECEVOIR
CEEIORRX EXCORIER
CEEIORRZ OCRERIEZ
CEEIORSS CROISEES
CEEIORST COSTIERE
COTERIES
COTIERES
CRETOISE
CEEIORSU ECROUIES
CEEIORSV CERVOISE
RECOIVES
CEEIORSX EXCORIES
EXORCISE
CEEIORTT TRICOTEE
CEEIORTZ COTERIEZ
CEEIORUZ ECROUIEZ
CEEIORXZ EXCORIEZ
CEEIOSST COTISEES
SOCIETES
CEEIOSSU SOUCIEES
CEEIOSSZ ECOSSIEZ
CEEIOSTU EUTOCIES
CEEIOSTX COEXISTE
CEEIOSUZ SECOUIEZ
CEEIOTUZ ECOUTIEZ
CEEIPQTU PECTIQUE
CEEIPRRR RECREPIR
CEEIPRRS CREPIERS
PRECISER
RECREPIS
CEEIPRRT CREPITER
RECREPIT
CEEIPRRY CYPRIERE
CEEIPRRZ CREPIREZ
CEEIPRSS CREPISSE
CRISPEES
PRECISES
CEEIPRST CREPITES
PRECITES
CEEIPRSZ PRECISEZ
CEEIPRTU PRECUITE
CEEIPRTZ CREPITEZ
CEEIPRUX PRECIEUX

CEEIPSUX	SPECIEUX
CEEIRRRT	RETRECIR
CEEIRRRZ	RECRIREZ
CEEIRRST	CRITERES
	RECRITES
	REECRITS*
	RETRECIS
CEEIRRSU	SUCRERIE
	SUCRIERE
CEEIRRSV	CERVIERS
	RECRIVES
CEEIRRTT	RETRECIT
CEEIRRTU	ECRITURE
CEEIRRUZ	CURERIEZ
	RECUIREZ
	RECURIEZ
CEEIRRVZ	RECRIVEZ
CEEIRSSU	CIREUSES
	CRIEUSES
	ECUISSER
	RECUISES
	SECURISE
CEEIRSSV	SERVICES
	VISCERES
CEEIRSTT	RECTITES
CEEIRSTU	CERUSITE
	RECUITES
	SECURITE
CEEIRSUU	CURIEUSE
CEEIRSUV	CUIVREES
CEEIRSUZ	CREUSIEZ
	RECUISEZ
	RECUSIEZ
	SUCERIEZ
CEEIRTUZ	CUITEREZ
	CURETIEZ
	ERUCTIEZ
CEEIRUVZ	CUVERIEZ
CEEISSSU	ECUISSES
CEEISSTU	SUSCITEE
CEEISSUZ	ECUISSEZ
CEEISTTV	CIVETTES
CEEISUXZ	EXCUSIEZ
CEEJNORU	CONJUREE
CEEJNOST	EJECTONS
CEEJNOUV	JOUVENCE
CEEKOSST	STOCKEES
CEELLLSU	CELLULES
CEELLMOR	MORCELLE
CEELLMOU	MOLECULE
CEELLNOR	ENCOLLER
CEELLNOS	ENCOLLES
CEELLNOU	NUCLEOLE
CEELLNOZ	ENCOLLEZ
CEELLNST	SCELLENT
CEELLNSU	NUCELLES
CEELLOPU	COUPELLE
CEELLORR	CORRELLE
	RECOLLER
CEELLORS	RECOLLES
CEELLORT	COLLETER
	RECOLLET
CEELLORZ	COLLEREZ
	RECOLLEZ
CEELLOST	COLLETES
CEELLOSU	COLLEUSE
	LOCULEES
CEELLOTT	COLLETTE
CEELLOTZ	COLLETEZ
CEELLPSU	PUCELLES
CEELLRSU	CRUELLES
CEELLSUV	CUVELLES
CEELMNST	CLEMENTS
CEELMNSU	ENCLUMES
CEELMOPT	COMPLETE
CEELMOPX	COMPLEXE
CEELMORR	MORCELER
CEELMORS	MORCELES
CEELMORZ	MORCELEZ
CEELMRTU	ELECTRUM
CEELMSSU	MUSCLEES
CEELMSUU	CUMULEES
CEELMSUX	EXCLUMES
CEELNOOS	CONSOLEE
CEELNOPT	PETONCLE
CEELNOPU	OPULENCE
CEELNORS	CELERONS
	RECELONS
CEELNORT	CELERONT
	ELECTRON
	RECOLENT
CEELNORU	ENCLOUER
	ENCOLURE
CEELNORZ	ENCLOREZ
CEELNOSS	ENCLOSES
CEELNOST	ECLOSENT
CEELNOSU	ENCLOUES
CEELNOSV	CEVENOLS
CEELNOSZ	ENCLOSEZ*
CEELNOTU	ECOULENT
CEELNOUZ	ENCLOUEZ
CEELNPTU	CENTUPLE

CEELNRTU CULERENT
RECULENT
ULCERENT
CEELNSSU CENSUELS
CEELNSTU ECLUSENT
CEELNTUX EXCLUENT
CEELOORS COLOREES
CEELOPRT PORCELET
CEELOPRU OPERCULE
CEELOPSU COUPLEES
CEELOQSU CLOQUEES
CEELORRR CORRELER
CEELORRS CORRELES
CEELORRT RECOLTER
CEELORRU ECROULER
CEELORRZ CORRELEZ
CEELORSS SCLEROSE
CEELORST CORSELET
RECOLTES
CEELORSU CROULEES*
ECROULES
CEELORSY CLOYERES
CEELORTU CLOTUREE
CEELORTZ RECOLTEZ
CEELORUX COLEREUX
CEELORUZ CLOUEREZ
COULEREZ
ECROULEZ
CEELOSSU LEUCOSES
CEELOSTU CLOUTEES
CEELOTTU CULOTTEE
CEELPRST PLECTRES
CEELPRSU CREPELUS
PERCLUSE
SEPULCRE
SPECULER
CEELPSSU SPECULES
CEELPSTU SCULPTEE
CEELPSUZ SPECULEZ
CEELRSSU RECLUSES
CEELRSTU LECTEURS
LECTURES
CEELRSTY CLYSTERE
CEELRSUX SCLEREUX
CEELRUUX ULCEREUX
CEELRUXZ EXCLUREZ
CEELSSUX EXCLUSSE
CEELSTUX EXCLUTES
CEEMMNOT COMMENTE
CEEMMOPT MECOMPTE
CEEMMORR COMMERER
CEEMMORS COMMERES
CEEMMORZ COMMEREZ
CEEMMOSU COMMUEES
CEEMMOTT COMMETTE
CEEMMOTU COMMUTEE
CEEMMOTY MYCETOME
CEEMNNOU MECONNUE
CEEMNOOP COMPONEE
CEEMNOOS ECONOMES
CEEMNOPS COMPENSE
CEEMNORS CREMONES
ECREMONS
SEMONCER
CEEMNOSS SEMONCES
CEEMNOSU CONSUMEE
CEEMNOSZ SEMONCEZ
CEEMNRSU CERUMENS
CEEMNSTU SUCEMENT
CEEMOOPS COMPOSEE
CEEMOPRS COMPERES
CEEMOPRT RECOMPTE
CEEMOPST COMPTEES
ESCOMPTE
CEEMOSST COMTESSE
CEEMOSTU COSTUMEE
CEEMPRSU PERCUMES
CEEMRRSU MERCURES
CEEMRSUU ECUMEURS
CEENNNOT ENONCENT
CEENNOOT CONNOTEE
COTONNEE
CEENNORR ENCORNER
RENONCER
CEENNORS CORNEENS
ENCORNES
RENONCES
CEENNORT CRETONNE
ECORNENT
ENCONTRE*
ENCORNET
CEENNORU RECONNUE
CEENNORZ ENCORNEZ
RENONCEZ
CEENNOSS SENECONS
CEENNOST CONSENTE
CEENNOSU COUENNES
CEENNOSX CONNEXES
CEENNOTT CONTENTE
CEENNOTU CONTENUE
CEENNOTZ CONTENEZ
CEENNOUV CONVENUE

CEENNOVZ	CONVENEZ
CEENNRTT	CENTRENT
CEENNTUV	ENCUVENT
CEENOOPS	CONOPEES
CEENOOVY	CONVOYEE
CEENOPRS	RECEPONS
	SCORPENE
CEENOPRZ	PONCEREZ
CEENOPST	POTENCES
CEENOPSU	CONSPUEE
	PONCEUSE
CEENOPSY	SYNCOPEE
CEENOPTU	PONCTUEE
CEENOQTU	CONQUETE
CEENORRS	CREERONS
	NECROSER
	RECREONS
CEENORRT	CREERONT
	OCRERENT
CEENORRU	ECORNURE
CEENORRZ	CORNEREZ
CEENORSS	NECROSES
CEENORST	CONTREES
	ECRETONS
CEENORSU	COEÑURES
	ENCOURES
	ENCROUES
	RONCEUSE
CEENORSV	CONSERVE
	CONVERSE
	RECEVONS
CEENORSX	EXECRONS
	EXERCONS
CEENORSZ	NECROSEZ
CEENORTT	CORNETTE
	COTERENT
CEENORTU	ECROUENT
	ENCROUTE
CEENORTZ	CONTEREZ
CEENORUU	ENCOURUE
CEENORUZ	ENCOUREZ
CEENOSST	ECOSSENT
CEENOSSU	NOCEUSES
CEENOSTT	CONTESTE
CEENOSTU	CONTEUSE
	SECOUENT
CEENOSVX	CONVEXES
CEENOTTU	ECOUTENT
CEENOTTX	CONTEXTE
CEENPRSS	SPENCERS
CEENRRSU	CENSURER →
	CERNURES*
	ENCREURS
CEENRRTU	CURERENT
	RECURENT
CEENRSSU	CENSEURS
	CENSURES
CEENRSTU	CREUSENT
	CRUENTES
	RECUSENT
	SUCERENT
CEENRSUZ	CENSUREZ
CEENRTTU	ERUCTENT
CEENRTUV	CUVERENT
	VECURENT
CEENSTUX	EXCUSENT
CEEOOPRR	COOPERER
CEEOOPRS	COOPERES
CEEOOPRZ	COOPEREZ
CEEOOPST	COOPTEES
CEEOORRY	CORROYEE
CEEOORST	CREOSOTE
CEEOORSU	ROCOUEES
CEEOORTY	OCTROYEE
CEEOOSTY	COTOYEES
CEEOPRRR	PROCREER
CEEOPRRS	PROCREES
CEEOPRRU	PROCUREE
	RECOUPER
CEEOPRRZ	PROCREEZ
CEEOPRSU	RECOUPES
CEEOPRTU	COUPERET
CEEOPRUZ	COUPEREZ
	RECOUPEZ
CEEOPSTY	ECOTYPES
CEEOPSUU	COUPEUSE
CEEOQRSU	CROQUEES
	ESCROQUE
CEEOQRTU	COQUETER
CEEOQTTU	COQUETTE
CEEOQTUZ	COQUETEZ
CEEORRST	CORSETER
	ESCORTER
CEEORRSU	RECOURES
CEEORRSZ	CORSEREZ
CEEORRTU	ECOURTER
	ECROUTER
CEEORRUV	RECOUVRE
CEEORRUZ	RECOUREZ
CEEORSSS	CROSSEES
CEEORSST	CORSETES
	ESCORTES

CEEORSSU	OCREUSES
	RECOUSES
	SECOURES
CEEORSSZ	COSSEREZ
CEEORSTT	CROTTEES
CEEORSTU	ECOURTES
	ECROUTES
CEEORSTZ	ÇORSETEZ
	ESCORTEZ
CEEORSUU	COUREUSE
	RECOUSUE
	SECOUEUR
	SECOURUE
CEEORSUZ	RECOUSEZ
	SECOUREZ
CEEORTTU	COURETTE
CEEORTTV	CORVETTE
CEEORTUU	COUTUREE
	ECOUTEUR
CEEORTUV	COUVERTE
CEEORTUZ	COUTEREZ
	ECOURTEZ
	ECROUTEZ
CEEORUVZ	COUVEREZ
CEEOSSSU	SECOUSSE
CEEOSSTT	COSSETTE
CEEOSSTU	SUCOTEES
CEEOSSUU	COUSEUSE
CEEOSTTU	COUETTES
	COUSETTE
CEEOSTUU	COUTEUSE
CEEOSUUV	COUVEUSE
CEEPPRSU	PREPUCES
CEEPRRSU	CREPURES
	PERCEURS
CEEPRRTU	PERCUTER
CEEPRSST	RESPECTS
	SCEPTRES
	SPECTRES
CEEPRSSU	PERCUSSE
CEEPRSTU	PERCUTES
CEEPRTUZ	PERCUTEZ
CEEPSSTU	SUSPECTE
CEERRRTU	RECRUTER
CEERRSTU	RECRUTES
	RECTEURS
CEERRSUU	ECUREURS
CEERRSUZ	SUCREREZ
CEERRTUZ	RECRUTEZ
CEERSSSU	RECUSSES
CEERSSTU	CREUSETS →
	SCRUTEES
	SECTEURS
CEERSTTU	CURETTES
CEERSTUV	VECTEURS
CEESSSUU	SUCEUSES
CEESSSUV	VECUSSES
CEESSTTU	SUCETTES
CEESTTUV	CUVETTES
CEFFHIRR	CHIFFRER
CEFFHIRS	CHIFFRES
CEFFHIRZ	CHIFFREZ
CEFFIILO	OFFICIEL
CEFFIINO	OFFICINE
CEFFIIOR	OFFICIER
CEFFIIOS	OFFICIES
CEFFIIOZ	COIFFIEZ
	OFFICIEZ
CEFFINOT	COIFFENT
CEFFIORU	COIFFEUR
	COIFFURE
CEFFIORZ	COFFRIEZ
CEFFNORT	COFFRENT
CEFFORST	COFFRETS
CEFHIILN	INFLECHI
CEFHIIOS	CHOSIFIE
CEFHIIRS	FICHIERS
CEFHIIST	FICHISTE
CEFHINSU	FUCHSIEN
	FUCHSINE
CEFHLNOS	FLECHONS
CEFHORRU	FOURCHER
CEFHORSU	FOURCHES
CEFHORTU	FOURCHET
CEFHORUU	FOURCHUE
CEFHORUZ	FOURCHEZ
CEFIIJNT	INJECTIF
CEFIINOZ	CONFIIEZ
CEFIIORS	ORIFICES
CEFIISTV	FICTIVES
CEFILNOS	FICELONS
CEFILNUU	FUNICULE
CEFILSUX	EXCLUSIF
CEFIMNOR	CONFIRME
CEFIMNOS	CONFIMES
CEFIMORS	FORCIMES
CEFINNOR	CONFINER
CEFINNOS	CONFINES
CEFINNOT	CONFIENT
CEFINNOZ	CONFINEZ
CEFINORS	FONCIERS
CEFINORZ	CONFIREZ →

	FRONCIEZ
CEFINOSS	CONFISES
	CONFISSE
CEFINOST	CONFITES
CEFINOSZ	CONFISEZ
CEFINOTT	CONFETTI
CEFIOQUU	COUFIQUE
CEFIORRT	FRICOTER
CEFIORRZ	FORCIREZ
CEFIORSS	FORCISSE
CEFIORST	FORCITES
	FRICOTES
CEFIORTZ	FRICOTEZ
CEFIRRSU	RECURSIF
CEFLLORU	FLOCULER
CEFLLOSU	FLOCULES
CEFLLOUZ	FLOCULEZ
CEFLNNOO	FLOCONNE
CEFLNORU	CONFLUER
	FURONCLE
CEFLNOSU	CONFLUES
	FECULONS
CEFLNOUZ	CONFLUEZ
CEFLOORR	FORCLORE
CEFLOORS	FORCLOSE
CEFLORSU	SCROFULE
CEFMNOOR	CONFORME
CEFNNORT	FRONCENT
CEFNOORT	CONFORTE
CEFNORSU	FONCEURS
CEFNORTU	FONCTEUR
CEFNOSSU	CONFUSES
CEFORSTU	FRUCTOSE
CEGGINOS	CIGOGNES
CEGHILNO	CHIGNOLE
CEGHINOP	PIGNOCHE
CEGHISTU	GUICHETS
CEGHNORS	GROSCHEN
CEGIILLO	LOGICIEL
CEGIILNO	LOGICIEN
CEGIILNZ	CINGLIEZ
	CLIGNIEZ
CEGIINRZ	GRINCIEZ
CEGIIOTZ	COGITIEZ
CEGILLOR	COLLIGER
CEGILLOS	COLLIGES
CEGILLOZ	COLLIGEZ
CEGILNNT	CINGLENT
	CLIGNENT
CEGILNOT	CLIGNOTE
CEGILNSU	GLUCINES
CEGILNSY	GLYCINES
CEGILRSU	GICLEURS
CEGINNOS	CEIGNONS
	CONSIGNE
CEGINNRT	GRINCENT
CEGINORS	GERCIONS
CEGINOTT	COGITENT
CEGINOTU	CONTIGUE
CEGIORRR	CORRIGER
CEGIORRS	CORRIGES
CEGIORRZ	CORRIGEZ
CEGJNOUU	CONJUGUE
CEGLLORY	GLYCEROL
CEGLOSSU	GLUCOSES
CEGNOOOT	OCTOGONE
CEGNORSU	CONGRUES
CEHHNORS	HERCHONS
CEHHNOST	HONCHETS
CEHHOOPT	HOCHEPOT
CEHIILNS	CHILIENS
CEHIILNT	CHIENLIT
CEHIIMMS	CHIMISME
CEHIIMQU	CHIMIQUE
CEHIIMSS	CHIISMES
CEHIIMST	CHIMISTE
CEHIINOS	CHINOISE
CEHIINRR	ENRICHIR
CEHIINRS	ENRICHIS
	HIRCINES
CEHIINRT	ENRICHIT
	TRICHINE
CEHIINST	CHITINES
CEHIIOPZ	PIOCHIEZ
CEHIIORZ	CHOIRIEZ*
CEHIIOSS	CHOISIES
CEHIIQUZ	CHIQUIEZ
CEHIIRTT	TRICHITE
CEHIIRTZ	TRICHIEZ
CEHIJNOZ	JONCHIEZ
CEHILNOS	CHOLINES
	HELICONS
	LECHIONS
CEHILNYZ	LYNCHIEZ
CEHILOPU	POULICHE
CEHILORU	CHOLURIE
CEHILOUZ	LOUCHIEZ
CEHILSTT	SCHLITTE
CEHIMNOR	NICHROME
CEHIMNOS	MECHIONS
CEHIMNOT	CHEMINOT
CEHIMORS	CHROMISE

CEHIMORT	TRICHOME
CEHIMORU	CHIOURME
CEHIMORZ	CHROMIEZ
CEHIMOSU	MECHOUIS
CEHIMOUZ	MOUCHIEZ
CEHIMRSS	CHRISMES
CEHIMSSS	SCHISMES
CEHINNOS	ECHINONS
CEHINOOS	COHESION
CEHINOPS	CHOPINES
	PECHIONS
CEHINOPT	PIOCHENT
CEHINORS	CHIERONS
CEHINORT	CHIERONT
CEHINORU	CHOURINE
CEHINOSS	SECHIONS
CEHINOTU	NITOUCHE
CEHINQTU	CHIQUENT
CEHINRSU	CHINEURS
CEHINRTT	TRICHENT
CEHINRTU	CHUINTER
CEHINSTU	CHUINTES
CEHINTUZ	CHUINTEZ
CEHIOORS	ISOCHORE
CEHIOPPZ	CHOPPIEZ
CEHIOPRR	PERCHOIR
CEHIOPRT	CHIPOTER
CEHIOPRU	PIOCHEUR
CEHIOPSS	HOSPICES
CEHIOPST	CHIPOTES
	POSTICHE
	POTICHES
CEHIOPTZ	CHIPOTEZ
CEHIOQUZ	CHOQUIEZ
CEHIORRS	CIRRHOSE
	ROCHIERS
CEHIORSS	SECHOIRS
CEHIORST	CHORISTE
	ORCHITES
CEHIORTZ	TORCHIEZ
CEHIOTUZ	TOUCHIEZ
CEHIPRSU	CHIPEURS
CEHIQRUU	CHIQUEUR
CEHIRRTU	TRICHEUR
CEHISSST	SCHISTES
CEHJNNOT	JONCHENT
CEHJNOST	JONCHETS
CEHKPSTU	KETCHUPS
CEHLNNTY	LYNCHENT
CEHLNOTU	LOUCHENT
CEHLOORS	CHLOROSE
CEHLORRU	CHLORURE
CEHLORUU	LOUCHEUR
CEHLOSTU	LOUCHETS
CEHMNORT	CHROMENT
CEHMNOTU	MOUCHENT
CEHMORSU	CHOMEURS
CEHMORUU	MOUCHURE
CEHNNOPS	PENCHONS
CEHNOORS	SCHOONER
CEHNOOSU	ECHOUONS
CEHNOPPT	CHOPPENT
CEHNOPRS	PERCHONS
	PRECHONS
CEHNOQTU	CHOQUENT
CEHNORST	TRONCHES
CEHNORSV	CHEVRONS
CEHNORTT	TORCHENT
	TRONCHET
CEHNORTU	COTHURNE
CEHNOTTU	TOUCHENT
CEHNPRUU	PUNCHEUR
CEHNPSST	PSCHENTS
CEHOORST	COHORTES
CEHOPRRS	PORCHERS
CEHOPSSY	CYPHOSES
	PSYCHOSE
CEHORRSS	SCHORRES
CEHORRTU	TROCHURE
CEHORSSZ	SCHERZOS
CEHORSTU	TOUCHERS
CEHORTUU	TOUCHEUR
CEHOSSTU	SOUCHETS
CEIIILLT	ILLICITE
CEIIILMN	MILICIEN
CEIIILNS	SICILIEN
CEIIILNV	INCIVILE
CEIIILSV	CIVILISE
CEIIILTV	CIVILITE
CEIIILTZ	LICITIEZ
CEIIINSV	INCISIVE
CEIIINSZ	INCISIEZ
CEIIINTZ	INCITIEZ
CEIILLMO	LIMICOLE
CEIILLRU	CUEILLIR
CEIILLSU	CUEILLIS
	LUCILIES
	SILICULE
CEIILLTU	CUEILLIT
CEIILMNR	CRIMINEL
CEIILNNR	INCLINER
CEIILNNS	INCLINES

CEIILNNZ	INCLINEZ
CEIILNOS	ISOCLINE
	SILICONE
CEIILNOV	VINICOLE
CEIILNQU	CLINIQUE
CEIILNTT	LICITENT
CEIILNUZ	INCLUIEZ
CEIILOPR	POLICIER
CEIILOPZ	PICOLIEZ
CEIILOSS	SILICOSE
CEIILOTV	VITICOLE
CEIILSSZ	CLISSIEZ
CEIILSUX	SILICEUX
CEIIMMRS	IMMISCER
CEIIMMSS	IMMISCES
CEIIMMSZ	IMMISCEZ
CEIIMNOS	ECIMIONS
CEIIMNPU	MUNICIPE
CEIIMNSU	MUSICIEN
CEIIMPRS	IMPRECIS
CEIIMSSU	CUISIMES
CEIIMSSV	CIVISMES
CEIIMSTV	VICTIMES
CEIINNOT	NICOTINE
CEIINNST	INCISENT
CEIINNTT	INCITENT
CEIINOPS	EPICIONS
CEIINOPT	OPTICIEN
CEIINOPZ	COPINIEZ
	PIONCIEZ
CEIINORS	ECRIIONS
	NOIRCIES
CEIINOST	STOICIEN
CEIINOSX	EXCISION
CEIINOTT	TONICITE
CEIINOTV	EVICTION
	NOCIVITE
CEIINOUZ	COUINIEZ
CEIINOVZ	CONVIIEZ
CEIINPPR	PRINCIPE
CEIINPRR	PRINCIER
CEIINPSS	PISCINES
CEIINRRS	INSCRIRE
CEIINRST	CINETIRS
	CITRINES
	INSCRITE
CEIINRSU	CUISINER
	INCURIES
CEIINRSV	INSCRIVE
CEIINRTU	TUNICIER*
CEIINRTZ	CINTRIEZ
CEIINSSU	CUISINES
CEIINSTU	UNICITES
CEIINSUZ	CUISINEZ
CEIIOPRZ	PICORIEZ
CEIIOPTZ	PICOTIEZ
CEIIORRZ	CROIRIEZ
CEIIORSS	CISOIRES
CEIIORSZ	CROISIEZ
CEIIORTV	VICTOIRE
CEIIORTZ	COTIRIEZ
CEIIOSTZ	COTISIEZ
CEIIOSUZ	SOUCIIEZ
CEIIOTTX	TOXICITE
CEIIPQRU	PICRIQUE
CEIIPRSZ	CRISPIEZ
CEIIQRTU	CITRIQUE
	CRITIQUE
CEIIQSUV	CIVIQUES
CEIIRRSV	RECRIVIS
CEIIRRTV	RECRIVIT
CEIIRSSU	RECUISIS
CEIIRSSZ	CRISSIEZ
CEIIRSTU	RECUISIT
CEIIRUVZ	CUIVRIEZ
CEIISSSU	CUISISSE
CEIISSTU	CUISITES
CEIJORSS	JOCRISSE
CEIJOSST	JOCISTES
CEIJSSTU	JUSTICES
CEIKLNRS	CLINKERS
CEIKOSTZ	STOCKIEZ
CEILLNOS	COLLINES
CEILLNOT	COLLETIN
CEILLNSU	LINCEULS
CEILLOQU	COQUILLE
CEILLORS	COLLIERS
	OSCILLER
CEILLOSS	OSCILLES
CEILLOSU	LUCIOLES
CEILLOSZ	OSCILLEZ
CEILLRSU	CUILLERS
CEILMMUY	MYCELIUM
CEILMNRU	CULMINER
CEILMNSU	CULMINES
	INCLUMES
CEILMNUZ	CULMINEZ
CEILMOPR	COMPILER
CEILMOPS	COMPILES
	COMPLIES
CEILMOPZ	COMPILEZ
CEILMSTU	CELTIUMS →

	CULTISME
CEILMSUZ	MUSCLIEZ
CEILMTUU	LUTECIUM
CEILMUUZ	CUMULIEZ
CEILNNOS	INCONELS
CEILNNTU	INCLUENT
CEILNOOR	INCOLORE
CEILNOOS	COLONIES
	COLONISE
	ECLOSION
CEILNOPR	CLOPINER
CEILNOPS	CLOPINES
CEILNOPT	PICOLENT
CEILNOPZ	CLOPINEZ
CEILNOQU	CLONIQUE
CEILNORS	LICORNES
CEILNORT	COLTINER
CEILNORU	INOCULER
CEILNOSS	CISELONS
	CONSEILS
CEILNOST	COLTINES
CEILNOSU	ECULIONS
	INOCULES
CEILNOTZ	COLTINEZ
CEILNOUZ	INOCULEZ
CEILNPRU	INCULPER
CEILNPSU	INCULPES
	INSCULPE
CEILNPUZ	INCULPEZ
CEILNQUU	INCULQUE
CEILNRUZ	INCLUREZ
CEILNSST	CLISSENT
	STENCILS
CEILNSSU	INCLUSES
	INCLUSSE
CEILNSTU	INCLUTES
	INCULTES
CEILOOPT	COPILOTE
CEILOORR	COLORIER
CEILOORS	COLORIES
CEILOORZ	COLORIEZ
CEILOOSS	SCOLIOSE
CEILOPRU	RUPICOLE
CEILOPUZ	COUPLIEZ
CEILOQSU	COLIQUES
CEILOQUZ	CLOQUIEZ
CEILORRT	CLOITRER
CEILORST	CLOITRES
CEILORTU	CLOUTIER
CEILORTZ	CLOITREZ
CEILORUZ	CROULIEZ
CEILOSST	SOLSTICE
CEILOSSU	COULISSE
CEILOSSV	CLOVISSE
CEILOSTU	OCULISTE
CEILOTUZ	CLOUTIEZ
CEILPPRS	CLIPPERS
CEILPPSU	SUPPLICE
CEILPSSU	SPICULES
CEILQSTU	CLIQUETS
CEILRSTU	LICTEURS
CEILRTUU	UTRICULE
CEILRTUV	CULTIVER
CEILSTUV	CULTIVES
CEILTUVZ	CULTIVEZ
CEIMMMOS	COMMIMES
CEIMMNOU	COMMUNIE
	MECONIUM
CEIMMOPR	COMPRIME
CEIMMOSS	COMMISES
	COMMISSE
CEIMMOST	COMMITES
CEIMMOUZ	COMMUIEZ
CEIMNNOS	EMINCONS
CEIMNOPT	COMPTINE
CEIMNORS	CREMIONS
CEIMNOSU	ECUMIONS
CEIMNRSU	MINCEURS
CEIMNSSY	CYNISMES
CEIMOOST	COMTOISE
CEIMOPRS	COMPRISE
CEIMOPTZ	COMPTIEZ
CEIMOQSU	COMIQUES
	COSMIQUE
CEIMORRS	CORMIERS
CEIMORST	MOTRICES
CEIMOSST	SCOTISME
CEIMOSSU	COUSIMES
CEIMOSTU	MUCOSITE
CEIMOSTV	VICOMTES
CEINNNOT	INNOCENT
CEINNNOU	INCONNUE
CEINNOPS	EPINCONS
CEINNOPT	COPINENT
	PIONCENT
CEINNORS	CERNIONS
	CRENIONS
	ENCRIONS
CEINNORT	CITRONNE
	CONTENIR
CEINNORV	CONVENIR
CEINNOST	CONSENTI →

	CONTIENS
CEINNOSV	CONVIENS
	EVINCONS
CEINNOTT	CONTIENT
CEINNOTU	CONTINUE
	COUINENT
CEINNOTV	CONVIENT
CEINNRTT	CINTRENT
CEINOOPS	ECOPIONS
CEINOOSV	CONVOIES
CEINOOTT	COTOIENT
CEINOOTV	CONVOITE
CEINOPRS	CONSPIRE
	CREPIONS
	PERCIONS
	PORCINES
CEINOPRT	PICORENT
CEINOPRV	PROVINCE
CEINOPST	CONSTIPE
CEINOPSU	EPUCIONS
CEINOPSX	EXCIPONS
CEINOPTT	PICOTENT
CEINOQRU	CORNIQUE
CEINOQSU	CONIQUES
	CONQUISE
	COQUINES
CEINORRS	CIRERONS
	CORNIERS
	CRIERONS
	ECRIRONS
	RECRIONS
	RONCIERS
CEINORRT	CIRERONT
	CRIERONT
	ECRIRONT
	TRICORNE
CEINORRU	ENCOURIR
	NOIRCEUR
	NOURRICE
CEINORSS	SCIERONS
CEINORST	CITERONS
	CORNISTE
	CROISENT
	RECITONS
	SCIERONT
	TERCIONS
	TIERCONS
CEINORSU	COUSINER
	ECURIONS
CEINORSV	CREVIONS
	ECRIVONS

CEINORSZ	ZIRCONES
CEINORTT	CITERONT
	CONTRITE
	COTIRENT
CEINORTU	COURTINE
CEINORTV	CONVERTI
CEINORTZ	CONTRIEZ
CEINOSSS	CESSIONS
CEINOSST	CONSISTE
	SECTIONS
CEINOSSU	COUSINES
CEINOSSX	EXCISONS
CEINOSTT	COTISENT
CEINOSTU	SOUCIENT
CEINOSTX	EXCITONS
CEINOSTY	CITOYENS
CEINOSUZ	COUSINEZ
CEINOSVV	CONVIVES
CEINPPRS	PRINCEPS
CEINPRST	CRISPENT
CEINPRSU	PINCEURS
	PINCURES
CEINQSSU	SCINQUES
CEINQSUY	CYNIQUES
CEINRRSU	RINCURES
CEINRRUV	INCURVER
CEINRSST	CRISSENT
CEINRSTU	INCRUSTE
CEINRSUV	INCURVES
CEINRTUV	CUIVRENT
CEINRUVZ	INCURVEZ
CEIOOPTZ	COOPTIEZ
CEIOORRS	CORROIES
CEIOORRU	COURROIE
CEIOORST	OCTROIES
CEIOORUZ	ROCOUIEZ
CEIOOSTX	TOXICOSE
CEIOOTYZ	COTOYIEZ
CEIOPPRS	PROPICES
CEIOPRRS	PERCOIRS
CEIOPRRU	CROUPIER
CEIOPRSU	COPIEURS
	CROUPIES
	POUCIERS
CEIOPRTY	CYPRIOTE
CEIOPSST	COPISTES
CEIOQRUZ	CROQUIEZ
CEIORRRU	COURRIER
	RECOURIR
CEIORRSS	SORCIERS
CEIORRSU	COURSIER →

	CROISEUR
	SECOURIR
	SOURCIER
CEIORRTT	TRICOTER
CEIORRTU	COURTIER
CEIORRTZ	CROITREZ
CEIORRUZ	COURRIEZ
	CRUZEIRO
CEIORSSS	CROISSES
CEIORSSU	RECOUSIS
CEIORSSZ	CROISSEZ
	CROSSIEZ
CEIORSTT	TRICOTES
CEIORSTU	COURTISE
	RECOUSIT
CEIORSUV	COURSIVE
CEIORTTZ	CROTTIEZ
	TRICOTEZ
CEIORUVZ	COUVRIEZ
CEIOSSST	COTISSES
CEIOSSSU	COUSISSE
CEIOSSSV	VISCOSES
CEIOSSTT	SCIOTTES
CEIOSSTU	COUSITES
CEIOSSTZ	COTISSEZ
CEIOSTUZ	SUCOTIEZ
CEIOSUUX	SOUCIEUX
CEIPPRTU	PRECIPUT
CEIPQRUU	CUPRIQUE
CEIPRRSS	PRESCRIS
CEIPRRST	PRESCRIT
CEIPRSST	SCRIPTES
CEIPRSTU	PRECUITS
CEIPRSTV	PICVERTS*
CEIQRSTU	CRIQUETS
CEIQRTUU	TURCIQUE
CEIQSTUY	CYSTIQUE
CEIRRSST	RESCRITS
CEIRRSSU	CRUISERS
	SUCRIERS
CEIRSSSU	SCISSURE
CEIRSSTT	STRICTES
CEIRSSTU	CUISTRES
	CURISTES
	SUSCITER
CEIRSSUU	CUISEURS
CEIRSSUV	CURSIVES
CEIRSSUZ	CRUSSIEZ
CEIRSTTU	TUTRICES
CEIRSTUZ	SCRUTIEZ
CEIRUUVX	CUIVREUX
CEISSSTU	SUSCITES
CEISSTTY	CYSTITES
CEISSTUZ	SUSCITEZ
CEJNORRU	CONJURER
CEJNORSU	CONJURES
CEJNORUZ	CONJUREZ
CEKMORST	ROMSTECK
CEKMRSTU	RUMSTECK
CEKNOSTT	STOCKENT
CELLNOOS	COLONELS
CELLNOSS	SCELLONS
CELLOOQU	COLLOQUE
CELLOORS	COROLLES
CELLORSU	COLLEURS
CELLORSY	COLLYRES
CELLOUUX	LOCULEUX
CELLRTUU	CULTUREL
CELLSTUU	CULTUELS
CELMNOOS	MONOCLES
CELMNSTU	MUSCLENT
CELMNTUU	CUMULENT
CELMOOPT	COMPLOTE
CELMOPST	COMPLETS
CELMOPSU	COMPULSE
CELMPSUU	SPECULUM
CELNNOOS	COLONNES
CELNNOSU	NUCLEONS
CELNOORS	CONSOLER
	ECLORONS*
	RECOLONS
CELNOORT	COLORENT
	CONTROLE
	ECLORONT
CELNOORV	CONVOLER
CELNOOSS	CONSOLES
	ECLOSONS*
CELNOOSU	ECOULONS
CELNOOSV	CONVOLES
CELNOOSZ	CONSOLEZ
CELNOOVZ	CONVOLEZ
CELNOPTU	COUPLENT
	PONCTUEL
CELNOQTU	CLOQUENT
CELNORSU	CULERONS
	RECULONS
	ULCERONS
CELNORTU	CROULENT
	CULERONT
CELNOSSU	ECLUSONS
CELNOSTU	CONSULTE
	NOCTULES

CELNOSUV	CONVULSE
	CUVELONS
CELNOSUX	EXCLUONS
CELNOTTU	CLOUTENT
CELOOPRR	CORPOREL
CELOOPRT	CLOPORTE
	COLPORTE
CELOOPSU	COUPOLES
CELOOPXY	XYLOCOPE
CELOORSS	CREOSOLS
CELOORUU	ROUCOULE
CELOOSSS	COLOSSES
CELOPRUU	COUPLEUR
CELOPSTU	COUPLETS
CELOPSUU	OPUSCULE
CELORRTU	CLOTURER
CELORSTU	CLOTURES
CELORSTV	COLVERTS
CELORSUU	COULEURS
	COULURES
CELORTTU	CULOTTER
CELORTUU	LOCUTEUR
CELORTUZ	CLOTUREZ
CELOSSTU	LOCUSTES
CELOSSTY	SCOLYTES
CELOSTTU	CULOTTES
CELOTTUZ	CULOTTEZ
CELPRSTU	SCULPTER
CELPRSUU	SCRUPULE
CELPSSTU	SCULPTES
CELPSTUZ	SCULPTEZ
CELRSTUU	CULTURES
CEMMNOOS	CONSOMME
CEMMNOSU	COMMUNES
CEMMNOTU	COMMUENT
CEMMORTU	COMMUTER
CEMMOSTU	COMMUTES
CEMMOTUZ	COMMUTEZ
CEMNNOSU	CONNUMES
	MECONNUS
CEMNNOTU	MECONNUT
CEMNOOPS	COMPONES
CEMNOORR	CROMORNE
CEMNOOTY	MONOCYTE
CEMNOPTT	COMPTENT
CEMNORSU	CONSUMER
CEMNOSSU	CONSUMES
CEMNOSUZ	CONSUMEZ
CEMOOPRR	CORROMPE
CEMOOPRS	COMPOSER
CEMOOPRT	COMPORTE

CEMOOPSS	COMPOSES
CEMOOPST	COMPOSTE
	COMPOTES
CEMOOPSZ	COMPOSEZ
CEMOORSY	SYCOMORE
CEMOOSST	SCOTOMES
CEMOPRTU	COMPTEUR
CEMORSTU	COSTUMER
CEMORSUU	COURUMES
CEMOSSTU	COSTUMES
CEMOSTUU	COUTUMES
CEMOSTUZ	COSTUMEZ
CENNNOOS	CONSONNE
	ENONCONS
CENNOOPR	PRONONCE
CENNOORS	ECORNONS
CENNOORT	CONNOTER
	COTONNER
CENNOORU	COURONNE
CENNOOST	CONNOTES
	COTONNES
CENNOOTZ	CONNOTEZ
	COTONNEZ
CENNORST	CENTRONS
CENNORSU	RECONNUS
CENNORTT	CONTRENT
CENNORTU	NOCTURNE
	RECONNUT
CENNOSSU	CONNUSSE
CENNOSTT	CONTENTS
CENNOSTU	CONNUTES
	CONTENUS
CENNOSTV	CONVENTS
CENNOSUV	CONVENUS
	ENCUVONS
CENOOPTT	COOPTENT
CENOOQUV	CONVOQUE
CENOORRS	CORONERS
	CROONERS
	OCRERONS
CENOORRT	OCRERONT
CENOORST	COTERONS
CENOORSU	CONSOEUR
	ECROUONS
CENOORTT	COTERONT
CENOORTU	ROCOUENT
CENOORVY	CONVOYER
CENOOSSS	ECOSSONS
CENOOSSU	SECOUONS
CENOOSTU	ECOUTONS
CENOOSVY	CONVOYES

CENOOVYZ	CONVOYEZ
CENOPRSU	CONSPUER
	PUCERONS
CENOPRSY	SYNCOPER
CENOPRTU	PONCTUER
CENOPSSU	CONSPUES
CENOPSSY	SYNCOPES
CENOPSTU	PONCTUES
CENOPSUZ	CONSPUEZ
CENOPSYZ	SYNCOPEZ
CENOPTUZ	PONCTUEZ
CENOQRTU	CROQUENT
CENOQSTU	CONQUETS
CENORRSU	CURERONS
	RECURONS
CENORRTU	CURERONT
CENORSSS	CRESSONS
CENORSST	CROSSENT
CENORSSU	CREUSONS
	RECUSONS
	SUCERONS
CENORSTU	CONTEURS
	CURETONS
	ERUCTONS
	SUCERONT
CENORSUU	ENCOURUS
CENORSUV	CUVERONS
CENORTTT	CROTTENT
CENORTUU	ENCOURUT
CENORTUV	COUVRENT
	CUVERONT
CENOSSSU	ECUSSONS
CENOSSTU	CONTUSES
CENOSSUX	EXCUSONS
CENOSTTU	SUCOTENT
CENOSTUV	COUVENTS
CENOTUUX	ONCTUEUX
CENRSSTU	CRUSSENT
CENRSTTU	SCRUTENT
CEOOOPST	OTOSCOPE
CEOOPSUU	SOUCOUPE
CEOORRRY	CORROYER
CEOORRSY	CORROYES
CEOORRTY	OCTROYER
CEOORRUY	ROCOUYER
CEOORRYZ	CORROYEZ
CEOORSST	SCOOTERS
CEOORSTY	OCTROYES
CEOORTYZ	OCTROYEZ
CEOPRRRU	PROCURER
CEOPRRSU	PROCURES
CEOPRRUZ	PROCUREZ
CEOPRSTU	POSTCURE
CEOPRSUU	COUPEURS
	COUPURES
	SURCOUPE
CEOQRRUU	CROQUEUR
CEOQRSTU	CROQUETS
CEORRSUU	COUREURS
	RECOURUS
CEORRTUU	RECOURUT
CEORRUUV	COUVREUR
CEORSSUU	COURUSSE
	RECOUSUS
	SECOURUS
CEORSTUU	COURUTES
	COUTURES
	SECOURUT
CEORSTUV	COUVERTS
CEORTUUX	CROUTEUX
CEPPRTUU	UPPERCUT
CEPSSSTU	SUSPECTS
CERRSSUU	CURSEURS
CERSSUUV	SURVECUS
CERSTUUV	SURVECUT
CFFHINOS	CHIFFONS
CFFINOOS	COIFFONS
CFFINOSU	COUFFINS
CFFNOORS	COFFRONS
CFGIINOT	COGNITIF
CFGINORS	FORCINGS
CFHIINOS	FICHIONS
CFHIIORS	FICHOIRS
CFHIIRST	FRICHTIS
CFHILNOO	FOLICHON
CFHORSUU	FOURCHUS
CFIIINSS	INCISIFS
CFIILNSU	INCLUSIF
CFIINORT	FRICTION
CFIINOST	FICTIONS
CFILNOST	CONFLITS
CFINNOOS	CONFIONS
	FONCIONS
CFINNOOT	FONCTION
CFINOORS	FORCIONS
CFIOORRS	CORROSIF
CFNNOORS	FRONCONS
CFNOORST	CONFORTS
CGHINNOS	CHIGNONS
CGHNOOSU	SOUCHONG
CGIILNOS	GICLIONS
CGILNNOS	CINGLONS →

	CLIGNONS
CGILNRSU	CURLINGS
CGINNOOS	COGNIONS
CGINNORS	GRINCONS
CGINNORU	INCONGRU
CGINOOST	COGITONS
CGINOSTU	CONTIGUS
CGJNNOOU	CONJUNGO
CHHINOOS	HOCHIONS
CHHINOSU	HUCHIONS
CHIILNOS	LICHIONS
CHIINNOS	CHINIONS
	NICHIONS
CHIINOPS	CHIPIONS
CHIINORS	NICHOIRS
CHIINOSS	ISCHIONS
CHIINPPT	PITCHPIN
CHIJNOSU	JUCHIONS
CHIJORSU	JUCHOIRS
CHIKNOOS	CHINOOKS
CHIKORSY	HICKORYS
CHILOSTY	ICHTYOLS
CHIMMRTU	CRITHMUM
CHIMNOOS	CHOMIONS
CHIMOORU	MOUCHOIR
CHINOOPS	CHOPIONS
	PIOCHONS
	POCHIONS
CHINOORS	CHOIRONS*
	CHORIONS
	ROCHIONS
CHINOORT	CHOIRONT*
CHINOOSY	CHOYIONS
CHINOQSU	CHIQUONS
CHINORST	TRICHONS
CHINORSU	RUCHIONS
CHINOSTU	CHUTIONS
CHIOOPRS	POCHOIRS
CHIOORSZ	CHORIZOS
CHIORSUX	SURCHOIX
CHJNNOOS	JONCHONS
CHLNNOSY	LYNCHONS
CHLNOOOP	POLOCHON
CHLNOOSU	LOUCHONS
CHMNOORS	CHROMONS
CHMNOOSU	MOUCHONS
CHNOOPPS	CHOPPONS
CHNOOQSU	CHOQUONS
CHNOORST	TORCHONS
CHNOOSTU	TOUCHONS
CIIILMSU	SILICIUM
CIIILNSV	INCIVILS
CIIINNOS	INCISION
CIIINOSV	VICIIONS
CIILLNOS	CILLIONS
CIILNOPS	CIPOLINS
CIILNORS	LINCOIRS
CIILNOST	LICITONS
CIILNOSV	CLIVIONS
CIILORST	CLITORIS
CIIMNOST	MICTIONS
CIINNOPS	PINCIONS
CIINNORS	RINCIONS
CIINNOSS	INCISONS
CIINNOST	INCITONS
CIINNSTT	INSTINCT
CIINOOPS	COPIIONS
CIINOPST	PICOTINS
CIINORSU	CUIRIONS
CIINORTU	TRICOUNI
CIINOSSS	SCISSION
CIINOSSU	CUISIONS
CIINOSTU	CUITIONS
CIINPRSS	CRISPINS
CIINPSTU	SINCIPUT
CIINRSST	INSCRITS
CIJNNOOT	CONJOINT
	JONCTION
CIKLLORS	CROSKILL
CILLNOOS	COLLIONS
CILLNOOT	COTILLON
CILLNOOU	COUILLON
CILNNOSU	INCLUONS
CILNOOPS	PICOLONS
CILNOORS	CLORIONS
CILNOOSS	CLOISONS
	CLOSIONS
CILNOOSU	CLOUIONS
	COULIONS
CILNOOTU	LOCUTION
CILNOSSS	CLISSONS
CILOORSU	COULOIRS
CILOPRTY	POLYTRIC
CILORSSU	SOURCILS
CILOSSTU	LOUSTICS
CINNNOSU	INCONNUS
CINNOOPS	COPINONS
	PIONCONS
	POINCONS
	PONCIONS
CINNOOPT	PONCTION
CINNOORS	CORNIONS

CINNOOST CONTIONS
ONCTIONS
CINNOOSU COUINONS
CINNOOSV CONVIONS
CINNORST CINTRONS
CINNOSTU CONTINUS
CINOOPRS PICORONS
SCORPION
CINOOPRU CROUPION
CINOOPST PICOTONS
CINOOPSU COUPIONS
CINOORRS CROIRONS
CINOORRT CROIRONT
CINOORSS CORSIONS
CROISONS
CINOORST CORNIOTS
COTIRONS
CINOORSU COURIONS
CINOORSY CROYIONS
CINOORTT COTIRONT
CINOOSSS COSSIONS
CINOOSST COTISONS
CINOOSSU COUSIONS
SOUCIONS
CINOOSTU COUTIONS
CINOOSUV COUVIONS
CINOPRSS CRISPONS
CINORSSS CRISSONS
CINORSSU SUCRIONS
CINORSTT CONTRITS
CROTTINS
CINORSUV CUIVRONS
CINOSSSU COUSSINS
CUISSONS
CINRSSTU SCRUTINS
CIOOPRSU COUPOIRS
CIOORSTU COURTOIS
CIOORSUV COUVOIRS
CIOPRRSS PROSCRIS
CIOPRRST PROSCRIT
CIORRSTU SURCROIT
CIORSSSU SOUSCRIS
CIORSSTU SOUSCRIT
CIOSSSTU CUISSOTS
CIOSSTTU CUISTOTS
CKNOOSST STOCKONS
CLMNOSSU MUSCLONS
CLMNOSUU CUMULONS
CLMOOPST COMPLOTS
CLNOOORS COLORONS
CLNOOPSU COUPLONS
CLNOOQSU CLOQUONS
CLNOORSU CROULONS
CLNOOSTU CLOUTONS
CLOOPSSY POLYSOCS
CMMNOOSU COMMUONS
CMNOOPST COMPTONS
CMNPSTUU PUNCTUMS
CMOOPRRS CORROMPS
CMOOPRRT CORROMPT
CMOOPRRU CORROMPU
CMOOPSST COMPOSTS
CMORSSTU SCROTUMS
CNNOORST CONTRONS
TRONCONS
CNOOOPST COOPTONS
CNOOORSU ROCOUONS
CNOOOSTY COTOYONS
OTOCYONS
CNOOPRSU CROUPONS
CNOOPSSU SOUPCONS
CNOOQRSU CROQUONS
CNOORRSU COURRONS
CNOORRTU COURRONT
CNOORRTY CRYOTRON
CNOORSSS CROSSONS
CNOORSST CONSORTS
CNOORSSU COURSONS
CNOORSTT CROTTONS
CNOORSTU CONTOURS
CROUTONS
CNOORSUV COUVRONS
CNOOSSTU SUCOTONS
CNORSSTU SCRUTONS
COORRUUX COURROUX
DDEEEEMR DEMERDEE
DDEEEFNR DEFENDRE
DDEEEFNS DEFENDES
DDEEEFNU DEFENDUE
DDEEEFNZ DEFENDEZ
DDEEEIRS DERIDEES
DDEEEIRZ DEDIEREZ
DDEEEISV DEVIDEES
DDEEEMOS DEMODEES
DDEEEMRR DEMERDER
DDEEEMRS DEMERDES
DDEEEMRZ DEMERDEZ
DDEEENPR DEPENDRE
DDEEENPS DEPENDES
DDEEENPU DEPENDUE
DDEEENPZ DEPENDEZ
DDEEENRT DETENDRE

DDEEENST	DETENDES
DDEEENSU	DENUDEES
DDEEENTU	DETENDUE
DDEEENTZ	DETENDEZ
DDEEEORS	DEDOREES
	DERODEES
DDEEFINS	DEFENDIS
DDEEFINT	DEFENDIT
DDEEFNSU	DEFENDUS
DDEEIIRZ	DEDIRIEZ
	DERIDIEZ
DDEEIISZ	DEDISIEZ
DDEEIIVZ	DEVIDIEZ
DDEEILNO	DODELINE
DDEEILOT	DELTOIDE
DDEEIMOZ	DEMODIEZ
DDEEINPS	DEPENDIS
DDEEINPT	DEPENDIT
DDEEINRT	DEDIRENT
	DENDRITE
	DERIDENT
DDEEINRV	VENDREDI
DDEEINST	DEDISENT
	DETENDIS
	DISTENDE
DDEEINTT	DETENDIT
DDEEINTV	DEVIDENT
DDEEINUZ	DENUDIEZ
DDEEIORZ	DEDORIEZ
	DERODIEZ
DDEEIRUV	DEVIDEUR
DDEEIRUZ	DEDUIREZ
DDEEISSS	DEDISSES
DDEEISSU	DEDUISES
DDEEISTU	DEDUITES
DDEEISUZ	DEDUISEZ
DDEELPSU	PUDDLEES
DDEEMNOT	DEMODENT
DDEEMORR	DEMORDRE
DDEEMORS	DEMORDES
DDEEMORZ	DEMORDEZ
DDEENNTU	DENUDENT
DDEENORS	EDREDONS
DDEENORT	DEDORENT
	DERODENT
DDEENPRS	DEPRENDS
DDEENPSU	DEPENDUS
DDEENSTU	DETENDUS
DDEEORRS	DESORDRE
DDEEORRT	DETORDRE
DDEEORRU	DEDORURE
DDEEORST	DETORDES
DDEEORTU	DETORDUE
DDEEORTZ	DETORDEZ
DDEEOSSU	DESSOUDE
DDEEOSXY	DESOXYDE
DDEGIORU	DEGOURDI
DDEIILOP	DIPLOIDE
DDEIINOS	DEDIIONS
DDEIIORV	DEVIDOIR
DDEIIQTU	QUIDDITE
DDEIISSU	DEDUISIS
DDEIISTU	DEDUISIT
DDEILPUZ	PUDDLIEZ
DDEILSTY	LYDDITES
DDEIMORS	DEMORDIS
DDEIMORT	DEMORDIT
DDEINNNO	DINDONNE
DDEINORS	DEDIRONS
	DERIDONS
DDEINORT	DEDIRONT
DDEINOSS	DEDISONS
DDEINOSV	DEVIDONS
DDEINSST	DISTENDS
DDEINSTU	DISTENDU
DDEIORSS	SORDIDES
DDEIORST	DETORDIS
	DISTORDE
DDEIORTT	DETORDIT
DDEIOSXY	DIOXYDES
DDEIRSTU	TURDIDES
DDELNPTU	PUDDLENT
DDELPRUU	PUDDLEUR*
DDEMNOOS	DEMODONS
DDEMNOUU	DUODENUM
DDENNOSU	DENUDONS
DDENOORS	DEDORONS
	DERODONS
DDEORSTU	DETORDUS
DDGINPSU	PUDDINGS
DDHIISSY	YIDDISHS
DDHIOORS	RHODOIDS
DDIIINUV	INDIVIDU
DDIORSST	DISTORDS
DDIORSTU	DISTORDU
DDLMORSU	DOLDRUMS
DDLNOPSU	PUDDLONS
DEEEEFLR	DEFERLEE
DEEEEFQU	DEFEQUEE
DEEEEFRR	DEFERREE
DEEEEFRS	DEFEREES
	FEDEREES

DEEEEGLN	LEGENDEE
DEEEEGLR	DEREGLEE
DEEEEGLS	DEGELEES
DEEEEGLU	DELEGUEE
DEEEEGMR	DEGERMEE
DEEEEGNR	DEGENERE
DEEEEGRT	DETERGEE
DEEEEGRV	DEGREVEE
DEEEEHRX	EXHEREDE
DEEEEILN	DELINEEE
DEEEEIPX	EXPEDIEE
DEEEEIRT	REEDITEE
DEEEEJST	DEJETEES
DEEEELMS	DEMELEES
DEEEELNT	DENTELEE
DEEEELRT	DELETERE
DEEEELST	DELESTEE
	DETELEES
DEEEEMMR	EMMERDEE
DEEEEMNS	DEMENEES
DEEEEMRU	DEMEUREE
DEEEENNT	ENDENTEE
DEEEENPS	DEPENSEE
DEEEENST	EDENTEES
DEEEENTT	ENDETTEE
DEEEEPRT	DEPETREE
DEEEERRT	DETERREE
DEEEERST	DESERTEE
DEEEERSV	DEVERSEE
DEEEESTT	DETESTEE
DEEEFFIR	DIFFEREE
DEEEFIIR	REEDIFIE
DEEEFIIS	DEIFIEES
	EDIFIEES
DEEEFILS	DEFILEES
DEEEFINO	INFEODEE
DEEEFIPR	DEFRIPEE
DEEEFIRS	DEFRISEE
DEEEFIRZ	DEFERIEZ
	DEFIEREZ
	FEDERIEZ
DEEEFLNS	DESENFLE
DEEEFLOR	DEFLOREE
DEEEFLOU	DEFOULEE
DEEEFLRR	DEFERLER
DEEEFLRS	DEFERLES
DEEEFLRZ	DEFERLEZ
DEEEFMOR	DEFORMEE
DEEEFNRR	REFENDRE
DEEEFNRS	REFENDES
DEEEFNRT	DEFERENT →
	FEDERENT
DEEEFNRU	REFENDUE
DEEEFNRZ	REFENDEZ
DEEEFNSS	DEFENSES
DEEEFQRU	DEFEQUER
DEEEFQSU	DEFEQUES
DEEEFQUZ	DEFEQUEZ
DEEEFRRR	DEFERRER
DEEEFRRS	DEFERRES
DEEEFRRZ	DEFERREZ
DEEEGGOR	DEGORGEE
DEEEGILZ	DEGELIEZ
DEEEGINP	DEPEIGNE
DEEEGINR	DENIGREE
DEEEGINS	DESIGNEE
DEEEGINT	DETEIGNE
DEEEGINU	ENDIGUEE
DEEEGIOS	DEGOISEE
	GEODESIE
DEEEGIPR	PEDIGREE
DEEEGIRS	DEGRISEE
	DIGEREES
	REDIGEES
DEEEGIRV	DEGIVREE
DEEEGISU	DEGUISEE
DEEEGJSU	DEJUGEES
DEEEGLNR	LEGENDER
DEEEGLNS	LEGENDES
DEEEGLNT	DEGELENT
DEEEGLNZ	LEGENDEZ
DEEEGLOS	DELOGEES
DEEEGLRR	DEREGLER
DEEEGLRS	DEREGLES
DEEEGLRU	DELEGUER
DEEEGLRZ	DEREGLEZ
DEEEGLSU	DEGLUEES
	DELEGUES
DEEEGLUU	DEGUEULE
DEEEGLUZ	DELEGUEZ
DEEEGMMO	DEGOMMEE
DEEEGMRR	DEGERMER
DEEEGMRS	DEGERMES
DEEEGMRZ	DEGERMEZ
DEEEGNNO	ENDOGENE
DEEEGNNR	ENGENDRE
DEEEGOST	DEGOTEES
DEEEGOTT	DEGOTTEE
DEEEGOTU	DEGOUTEE
DEEEGRRT	DETERGER
DEEEGRRV	DEGREVER
DEEEGRST	DETERGES

DEEEGRSV	DEGREVES
DEEEGRTZ	DETERGEZ
DEEEGRUV	DEVERGUE
DEEEGRVZ	DEGREVEZ
DEEEGSTU	DEGUSTEE
DEEEHILP	EPHELIDE
DEEEHIMR	HEMIEDRE
DEEEHIRT	HEREDITE
DEEEHLOS	HELODEES
DEEEIIMP	EPIDEMIE
DEEEIJTZ	DEJETIEZ
DEEEILLM	DEMIELLE
DEEEILMZ	DEMELIEZ
DEEEILNN	DELIENNE
DEEEILNR	DELINEER
DEEEILNS	DELINEES
DEEEILNV	DENIVELE
DEEEILNZ	DELINEEZ
DEEEILOV	DEVOILEE
DEEEILPS	DEPILEES
	DEPLIEES
DEEEILRV	DELIVREE
DEEEILRZ	DELIEREZ
	ELIDEREZ
DEEEILST	DELITEES
DEEEILTZ	DETELIEZ
DEEEIMNS	DEMINEES
	ENDEMIES
	MENDIEES
DEEEIMNT	DEMENTIE
DEEEIMNZ	DEMENIEZ
DEEEIMPR	DEPRIMEE
	EPIDERME
DEEEIMRR	REMEDIER
DEEEIMRS	REMEDIES
DEEEIMRT	DEMERITE
DEEEIMRZ	REMEDIEZ
DEEEIMST	MEDITEES
DEEEIMUX	DEUXIEME
DEEEINNT	DETIENNE
DEEEINNV	DEVIENNE
DEEEINPR	PENDERIE
DEEEINPT	DEPEINTE
DEEEINQU	EDENIQUE
DEEEINRR	DERNIERE
DEEEINRS	NEREIDES
DEEEINRT	ETEINDRE
DEEEINRV	DEVERNIE
	RENVIDEE
DEEEINRZ	DENIEREZ
DEEEINSS	DESSINEE
DEEEINST	DESTINEE
DEEEINSV	DEVEINES
	DEVINEES
DEEEINSX	INDEXEES
DEEEINTT	DETEINTE
DEEEINTV	EVIDENTE
DEEEINTZ	DETENIEZ
	EDENTIEZ
	ETENDIEZ
DEEEINVZ	DEVENIEZ
DEEEIPQU	DEPIQUEE
DEEEIPRS	PERSEIDE
	PRESIDEE
DEEEIPRU	REPUDIEE
DEEEIPRX	EXPEDIER
DEEEIPST	DEPISTEE
	DEPITEES
DEEEIPSU	PEDIEUSE
DEEEIPSX	EXPEDIES
DEEEIPXZ	EXPEDIEZ
DEEEIRRR	DERRIERE
DEEEIRRT	REEDITER
DEEEIRRV	REVERDIE
DEEEIRSS	DESIREES
	DIERESES
	SIDEREES
DEEEIRST	DETIREES
	REEDITES
DEEEIRSV	DERIVEES
	DEVIREES
DEEEIRSZ	DIESEREZ
DEEEIRTZ	EDITEREZ
	REEDITEZ
DEEEIRVZ	DEVIEREZ
	EVIDEREZ
DEEEISST	DESISTEE
DEEEISSV	DEVISSEE
DEEEISTU	ETUDIEES
DEEEITVZ	DEVETIEZ
DEEEJNRU	DEJEUNER
DEEEJNSU	DEJEUNES
DEEEJNUZ	DEJEUNEZ
DEEEJOSU	DEJOUEES
DEEEJSTT	DEJETTES
DEEELLNT	DENTELLE
	TENDELLE
DEEELLPR	PREDELLE
DEEELLSS	DESSELLE
DEEELLST	DETELLES
DEEELMNT	DEMELENT
DEEELMOR	REMODELE

DEEELMOS	MODELEES
DEEELMOU	DEMOULEE
DEEELMPU	DEPLUMEE
DEEELMSU	DEMUSELE
DEEELNRT	DENTELER
DEEELNST	DENTELES
DEEELNTZ	DENTELEZ
DEEELOPR	DEPLOREE
DEEELOPY	DEPLOYEE
DEEELORU	DEROULEE
DEEELOSS	DESOLEES
	DESSOLEE
DEEELOTT	ODELETTE
DEEELOTV	DEVOLTEE
DEEELPPU	DEPEUPLE
	DEPULPEE
DEEELRST	DELESTER
DEEELRSU	DELUREES
DEEELRTV	VERDELET
DEEELRUZ	ELUDEREZ
DEEELSST	DELESTES
DEEELSTU	DELUTEES
DEEELSTZ	DELESTEZ
DEEEMMNO	DENOMMEE
DEEEMMRR	EMMERDER
DEEEMMRS	EMMERDES
DEEEMMRZ	EMMERDEZ
DEEEMNNT	DEMENENT
DEEEMNOS	EMONDEES
DEEEMNOT	DEMONTEE
DEEEMNPY	EPENDYME
DEEEMNRV	MEVENDRE*
DEEEMNST	DEMENTES
DEEEMNSV	MEVENDES*
DEEEMNTZ	DEMENTEZ
DEEEMNUV	MEVENDUE*
DEEEMNVZ	MEVENDEZ*
DEEEMORS	MODEREES
DEEEMPRT	DETREMPE
DEEEMRRU	DEMEURER
DEEEMRST	DERMESTE
DEEEMRSU	DEMESURE
	DEMEURES
	MERDEUSE
DEEEMRTT	DEMETTRE
DEEEMRUZ	DEMEUREZ
DEEEMSSU	MEDUSEES
DEEEMSTT	DEMETTES
DEEEMTTZ	DEMETTEZ
DEEENNOR	REDONNEE
DEEENNPR	DEPRENNE

DEEENNRT	ENDENTER
	ENTENDRE
DEEENNST	ENDENTES
	ENTENDES
DEEENNSV	VENDEENS
DEEENNTT	EDENTENT
	ETENDENT
DEEENNTU	ENTENDUE
DEEENNTZ	ENDENTEZ
	ENTENDEZ
DEEENOPR	PONDEREE
DEEENORT	DETRONEE
DEEENOSS	ENDOSSEE
DEEENOST	DENOTEES
DEEENOSU	DENOUEES
DEEENOSY	DENOYEES
DEEENPRR	EPRENDRE
	REPENDRE*
DEEENPRS	DEPENSER
	REPENDES*
DEEENPRT	PRETENDE
DEEENPRU	REPENDUE*
DEEENPRZ	DEPRENEZ
	REPENDEZ*
DEEENPSS	DEPENSES
DEEENPSZ	DEPENSEZ
DEEENRRT	RETENDRE
DEEENRRV	REVENDRE
	REVEREND
DEEENRST	RETENDES
DEEENRSU	ENDUREES
DEEENRSV	REVENDES
DEEENRTT	ENDETTER
	TENDRETE
DEEENRTU	RETENDUE
	RUDENTEE
DEEENRTZ	ETENDREZ
	RETENDEZ
DEEENRUV	REDEVENU
	REVENDUE
DEEENRVZ	REVENDEZ
DEEENSTT	DETENTES
	ENDETTES
DEEENSTU	DETENUES
	ETENDUES
DEEENSUV	DEVENUES
	VENDEUSE
DEEENTTV	DEVETENT
DEEENTTZ	ENDETTEZ
DEEEOPRT	DEPORTEE
DEEEOPSS	DEPOSEES →

	POSSEDEE
DEEEOPST	DEPOTEES
DEEEORRS	REDOREES
DEEEORRZ	ERODEREZ
DEEEORSV	DEVOREES
DEEEORTU	DEROUTEE
	DETOUREE
	REDOUTEE
DEEEOSSS	DESOSSEE
DEEEOSUV	DEVOUEES
DEEEOSVY	DEVOYEES
DEEEPRRR	REPERDRE
DEEEPRRS	REPERDES
DEEEPRRT	DEPETRER
DEEEPRRU	REPERDUE
DEEEPRRZ	REPERDEZ
DEEEPRST	DEPETRES
	PEDESTRE
DEEEPRSU	DEPUREES
	EPERDUES
DEEEPRTZ	DEPETREZ
DEEEPSTU	DEPUTEES
DEEEQRUU	REEDUQUE
DEEEQSUU	EDUQUEES
DEEERRRT	DETERRER
DEEERRSS	DESSERRE
	REDRESSE
DEEERRST	DESERTER
	DETERRES
DEEERRSV	DEVERSER
DEEERRTZ	DETERREZ
DEEERSSS	DRESSEES
DEEERSST	DESERTES
	DESSERTE
	DETRESSE
DEEERSSV	DESSERVE
	DEVERSES
DEEERSTT	DETESTER
DEEERSTZ	DESERTEZ
DEEERSVZ	DEVERSEZ
DEEESSTT	DETESTES
DEEESSTU	DESUETES
DEEESTTV	VEDETTES
DEEESTTZ	DETESTEZ
DEEESTUV	DEVETUES
DEEFFINS	DEFENSIF
DEEFFIRR	DIFFERER
DEEFFIRS	DIFFERES
DEEFFIRZ	DIFFEREZ
DEEFFISU	DIFFUSEE
DEEFFNOR	EFFONDRE
DEEFGIRU	DEFIGURE
DEEFGLNO	DEGONFLE
DEEFIIIZ	DEIFIIEZ
	EDIFIIEZ
DEEFIILN	INFIDELE
DEEFIILT	FIDELITE
DEEFIILZ	DEFILIEZ
DEEFIIMO	MODIFIEE
DEEFIIMS	FIDEISME
DEEFIINS	DEFINIES
DEEFIINT	DEIFIENT
	EDIFIENT
DEEFIIPR	PERFIDIE
DEEFIIST	FIDEISTE
DEEFIITT	FETIDITE
DEEFILLN	FENDILLE
DEEFILNT	DEFILENT
DEEFILOR	FLORIDEE*
DEEFILRU	DEFLEURI
DEEFIMNS	FENDIMES
DEEFINOR	FONDERIE
	INFEODER
DEEFINOS	INFEODES
DEEFINOZ	INFEODEZ
DEEFINRS	REFENDIS
DEEFINRT	DEFIRENT
	REFENDIT
DEEFINRU	FREUDIEN
DEEFINRZ	FEINDREZ
	FENDRIEZ
DEEFINSS	FENDISSE
DEEFINST	FENDITES
DEEFIPRR	DEFRIPER
DEEFIPRS	DEFRIPES
	PERFIDES
DEEFIPRZ	DEFRIPEZ
DEEFIRRS	DEFRISER
DEEFIRSS	DEFRISES
DEEFIRST	DETERSIF
DEEFIRSZ	DEFRISEZ
DEEFIRTU	DEFRUITE
DEEFISSS	DEFISSES
DEEFISTU	FEUDISTE
DEEFLNTU	DEFLUENT
DEEFLORR	DEFLORER
DEEFLORS	DEFLORES
DEEFLORU	DEFOULER
DEEFLORZ	DEFLOREZ
DEEFLOSU	DEFOULES
DEEFLOUZ	DEFOULEZ
DEEFMORR	DEFORMER

DEEFMORS	DEFORMES
DEEFMORZ	DEFORMEZ
DEEFNNOR	FREDONNE
DEEFNORR	REFONDRE
DEEFNORS	DEFERONS
	FEDERONS
	FRONDEES
	REFONDES
DEEFNORT	DEFERONT
DEEFNORU	DEFOURNE
	REFONDUE
DEEFNORZ	FONDEREZ
	REFONDEZ
DEEFNOSU	FONDEUSE
DEEFNRSU	FENDEURS
	REFENDUS
DEEFNSTU	DEFUNTES
DEEFOQRU	DEFROQUE
DEEGGORR	DEGORGER
DEEGGORS	DEGORGES
DEEGGORZ	DEGORGEZ
DEEGIINN	INDIGENE
	INDIGNEE
DEEGIIRS	DIRIGEES
DEEGIIRZ	DIGERIEZ
	REDIGIEZ
DEEGIIST	DIGITEES
DEEGIJUZ	DEJUGIEZ
DEEGILNO	GLENOIDE
DEEGILOZ	DELOGIEZ
DEEGILTU	DEGLUTIE
DEEGILUZ	DEGLUIEZ
DEEGIMRU	DEMIURGE
DEEGINOR	NEGROIDE
DEEGINRR	DENIGRER
DEEGINRS	DENIGRES
	DESIGNER
	GEINDRES
	GREDINES
DEEGINRT	DIGERENT
	REDIGENT
DEEGINRU	ENDIGUER
DEEGINRZ	DENIGREZ
	GEINDREZ
DEEGINSS	DESIGNES
DEEGINSU	ENDIGUES
	GUINDEES
DEEGINSZ	DESIGNEZ
DEEGINUZ	ENDIGUEZ
DEEGIORS	DEGOISER
DEEGIORZ	DEROGIEZ →
	GODERIEZ
DEEGIOSS	DEGOISES
DEEGIOST	DOIGTEES
DEEGIOSZ	DEGOISEZ
DEEGIOTZ	DEGOTIEZ
DEEGIPRU	DEGUERPI
DEEGIRRS	DEGRISER
DEEGIRRV	DEGIVRER
	DIVERGER
DEEGIRSS	DEGRISES
DEEGIRSU	DEGUISER
DEEGIRSV	DEGIVRES
	DIVERGES
DEEGIRSZ	DEGRISEZ
DEEGIRUZ	GUIDEREZ
DEEGIRVZ	DEGIVREZ
	DIVERGEZ
DEEGISST	DIGESTES
DEEGISSU	DEGUISES
DEEGISUZ	DEGUISEZ
DEEGJNTU	DEJUGENT
DEEGLNOO	GONDOLEE
DEEGLNOS	DEGELONS
DEEGLNOT	DELOGENT
DEEGLNTU	DEGLUENT
DEEGLRSW	WERGELDS
DEEGMMOR	DEGOMMER
DEEGMMOS	DEGOMMES
DEEGMMOZ	DEGOMMEZ
DEEGNORS	GRONDEES
DEEGNORT	DEROGENT
	GODERENT
DEEGNOTT	DEGOTENT
DEEGORSS	DEGROSSE
DEEGORSU	DROGUEES
	ESGOURDE
DEEGORTT	DEGOTTER
DEEGORTU	DEGOUTER
DEEGOSTT	DEGOTTES
DEEGOSTU	DEGOUTES
DEEGOTTU	DEGOUTTE
DEEGOTTZ	DEGOTTEZ
DEEGOTUZ	DEGOUTEZ
DEEGRSTU	DEGUSTER
DEEGSSTU	DEGUSTES
DEEGSTUZ	DEGUSTEZ
DEEHIKSV	KHEDIVES
DEEHILSU	DESHUILE
DEEHIMOT	ETHMOIDE
DEEHIMRY	HYDREMIE
DEEHINST	DISTHENE

DEEHIORS	HEROIDES
DEEHIQUU	HEIDUQUE*
DEEHISSU	HIDEUSES
DEEHMOST	METHODES
DEEHNOPT	PENTHODE
DEEHORSU	HOURDEES
DEEIILMT	DELIMITE
DEEIILPZ	DEPILIEZ
	DEPLIIEZ
DEEIILQU	LIQUIDEE
DEEIILRZ	DELIRIEZ
DEEIILST	EDILITES
DEEIILTZ	DELITIEZ
DEEIIMNR	MERIDIEN
DEEIIMNU	DIMINUEE
DEEIIMNZ	DEMINIEZ
	MENDIIEZ
DEEIIMRZ	MEDIRIEZ
DEEIIMST	TIEDIMES
DEEIIMSX	DIXIEMES
DEEIIMSZ	MEDISIEZ
DEEIIMTZ	MEDITIEZ
DEEIINNN	INDIENNE
DEEIINQU	INDIQUEE
DEEIINRZ	DINERIEZ
DEEIINST	INEDITES
DEEIINTT	IDENTITE
DEEIINVZ	DEVINIEZ
DEEIINXZ	INDEXIEZ
DEEIIPRS	PIERIDES
DEEIIPRV	VIPERIDE*
DEEIIPSS	DISSIPEE
DEEIIPTZ	DEPITIEZ
DEEIIRRZ	REDIRIEZ
	RIDERIEZ
DEEIIRST	SIDERITE
DEEIIRSZ	DESIRIEZ
	REDISIEZ
	RESIDIEZ
	SIDERIEZ
DEEIIRTV	DIVERTIE
DEEIIRTZ	DETIRIEZ
	TIEDIREZ
DEEIIRVZ	DERIVIEZ
	DEVIRIEZ
	VIDERIEZ
DEEIISST	TIEDISSE
DEEIISSV	DIVISEES
DEEIISTT	TIEDITES
DEEIISVZ	DEVISIEZ
DEEIITUZ	ETUDIIEZ
DEEIJOUZ	DEJOUIEZ
DEEILLNP	PENDILLE
DEEILLRS	RIDELLES
DEEILLSS	DESSILLE
DEEILMMS	DILEMMES
DEEILMOP	DIPLOMEE
DEEILMOR	DEMELOIR
DEEILMOS	DEMOLIES
	MELODIES
DEEILMOZ	MODELIEZ
DEEILMPS	DESEMPLI
DEEILNNY	LYDIENNE
DEEILNPT	DEPILENT
	DEPLIENT
DEEILNRT	DELIRENT
DEEILNTT	DELITENT
DEEILOPR	LEPORIDE
DEEILOPS	DEPLOIES
	DEPOLIES
	SOLIPEDE
DEEILORR	DROLERIE
DEEILORV	DEVOILER
DEEILORZ	IODLEREZ
DEEILOSV	DEVOILES
DEEILOSZ	DESOLIEZ
DEEILOVZ	DEVOILEZ
DEEILPSS	DEPLISSE
DEEILPSU	EPULIDES
DEEILRRV	DELIVRER
DEEILRSU	RESIDUEL
DEEILRSV	DELIVRES
DEEILRUZ	DILUEREZ
DEEILRVZ	DELIVREZ
DEEILSXY	DYSLEXIE
DEEILTUZ	DELUTIEZ
DEEIMMOR	IMMODERE
DEEIMNNS	INDEMNES
DEEIMNNT	DEMINENT
	MENDIENT
DEEIMNOR	ENDORMIE
DEEIMNOS	DOMINEES
DEEIMNOZ	EMONDIEZ
DEEIMNPS	PENDIMES
DEEIMNPT	PEDIMENT
DEEIMNRS	RENDIMES
DEEIMNRT	DEMENTIR
	DEMIRENT
	MEDIRENT
DEEIMNRU	DEMINEUR
DEEIMNST	DEMENTIS
	DETINMES →

	MEDISENT
	SEDIMENT
	TENDIMES
DEEIMNSU	DEMUNIES
DEEIMNSV	DEVINMES
	MEVENDIS*
	VENDIMES
DEEIMNTT	DEMENTIT
	MEDITENT
DEEIMNTV	MEVENDIT*
DEEIMORZ	MODERIEZ
DEEIMOST	MODESTIE
DEEIMOUZ	DOUZIEME
DEEIMPRR	DEPRIMER
DEEIMPRS	DEPRIMES
	PERDIMES
	PREDIMES
DEEIMPRZ	DEPRIMEZ
DEEIMQRU	DERMIQUE
DEEIMQSU	MEDIQUES
DEEIMRRS	MERDIERS
DEEIMRST	DERMITES
DEEIMRSV	VERDIMES
DEEIMSSS	DEMISSES
	MEDISSES
DEEIMSSV	VEDISMES
DEEIMSUZ	MEDUSIEZ
DEEINNOR	DORIENNE
DEEINNOS	INONDEES
DEEINNOT	DENOIENT
DEEINNOV	DEVONIEN
DEEINNRT	DINERENT
DEEINNRZ	RENDZINE
DEEINNST	DENTINES
	ENTENDIS
DEEINNTT	ENTENDIT
DEEINNTU	INETENDU
DEEINNTV	DEVINENT
DEEINNTX	INDEXENT
DEEINNUV	INVENDUE
DEEINOPP	PEPONIDE
DEEINOPT	DEPOINTE
DEEINORT	ETENDOIR
DEEINOTV	DEVOIENT
DEEINOTZ	DENOTIEZ
	DETONIEZ
DEEINOUZ	DENOUIEZ
DEEINOYZ	DENOYIEZ
DEEINPRS	REPENDIS*
DEEINPRT	REPENDIT*
DEEINPRZ	PEINDREZ →
	PENDRIEZ
DEEINPSS	DISPENSE
	PENDISSE
DEEINPST	DEPEINTS
	PENDITES
DEEINPTT	DEPITENT
DEEINRRS	DERNIERS
DEEINRRT	REDIRENT
	RIDERENT
DEEINRRV	DEVERNIR
	RENVIDER
DEEINRRZ	RENDRIEZ
DEEINRSS	DESSINER
	RENDISSE
DEEINRST	DENTIERS
	DESIRENT
	DESTINER
	REDISENT
	RENDITES
	RESIDENT
	RETENDIS
	SIDERENT
DEEINRSU	INDUREES
DEEINRSV	DEVENIRS
	DEVERNIS
	REDEVINS
	RENVIDES
	REVENDIS
DEEINRTT	DETIRENT
	RETENDIT
	TRIDENTE
DEEINRTV	DERIVENT
	DEVERNIT
	DEVIRENT
	REDEVINT
	REVENDIT
	VIDERENT
DEEINRTX	DEXTRINE
DEEINRTZ	TEINDREZ
	TENDRIEZ
	TIENDREZ
DEEINRUV	DEVINEUR
DEEINRUZ	ENDUIREZ
	ENDURIEZ
DEEINRVZ	RENVIDEZ
	VENDRIEZ
	VIENDREZ
DEEINSSS	DESSEINS
	DESSINES
DEEINSST	DENSITES
	DESTINES →

	DETINSSE
	TENDISSE
DEEINSSU	DESUNIES
	DINEUSES
	ENDUISES
	SUEDINES
DEEINSSV	DEVINSSE
	VENDISSE
DEEINSSZ	DESSINEZ
DEEINSTT	DENTISTE
	DETEINTS
	DETINTES
	DINETTES
	TENDITES
DEEINSTU	ENDUITES
DEEINSTV	DEVINTES
	DEVISENT
	EVIDENTS
	VENDITES
DEEINSTZ	DESTINEZ
DEEINSUZ	ENDUISEZ
DEEINTTU	ETUDIENT
DEEIOOVV	VOIEVODE
DEEIOPRS	PERIODES
DEEIOPRT	PROTEIDE
DEEIOPRZ	DOPERIEZ
DEEIOPSS	DISPOSEE
	EPISODES
DEEIOPSZ	DEPOSIEZ
DEEIOPTZ	DEPOTIEZ
DEEIORRZ	DORERIEZ
	REDORIEZ
	RODERIEZ
DEEIORSS	DOSSIERE
	SIDEROSE
DEEIORST	STEROIDE
DEEIORSU	IODUREES
	SOUDIERE
DEEIORSV	VERDOIES
DEEIORSZ	DOSERIEZ
DEEIORTU	ETOURDIE
DEEIORTZ	DOTERIEZ
DEEIORUZ	DOUERIEZ
DEEIORVZ	DEVORIEZ
DEEIOSSU	ODIEUSES
	SUEDOISE
DEEIOUVZ	DEVOUIEZ
DEEIOVYZ	DEVOYIEZ
DEEIPQRU	DEPIQUER
DEEIPQSU	DEPIQUES
DEEIPQUZ	DEPIQUEZ
DEEIPRRS	PRESIDER
	REPERDIS
DEEIPRRT	REPERDIT
	TREPIDER
DEEIPRRU	PRUDERIE
	REPUDIER
DEEIPRRZ	PERDRIEZ
	PREDIREZ
DEEIPRSS	DEPRISES
	DEPRISSE
	DISPERSE
	PERDISSE
	PREDISES
	PREDISSE
	PRESIDES
DEEIPRST	DEPISTER
	DEPRITES
	DIPTERES
	PERDITES
	PREDITES
	TREPIDES
	TREPIEDS
DEEIPRSU	DUPERIES
	REPUDIES
DEEIPRSZ	PREDISEZ
	PRESIDEZ
DEEIPRTZ	TREPIDEZ
DEEIPRUZ	DEPURIEZ
	DUPERIEZ
	REPUDIEZ
DEEIPSST	DEPISTES
DEEIPSSV	VESPIDES
DEEIPSTU	DISPUTEE
DEEIPSTZ	DEPISTEZ
DEEIPTUZ	DEPUTIEZ
DEEIQSSU	DISSEQUE
DEEIQSUV	VEDIQUES
DEEIQTUU	QUIETUDE
DEEIQUUZ	EDUQUIEZ
DEEIRRRV	REVERDIR
DEEIRRST	DESTRIER
	TRIEDRES
DEEIRRSU	REDISEUR
DEEIRRSV	REVERDIS
	VERDIERS
DEEIRRTU	DETRUIRE
DEEIRRTV	REVERDIT
DEEIRRUV	DERIVEUR
DEEIRRUZ	DURERIEZ
	REDUIREZ
DEEIRRVZ	DRIVEREZ →

	VERDIREZ
DEEIRSSS	REDISSES
DEEIRSST	DESISTER
	DESSERTI
	DISERTES
	DISSERTE
	STERIDES
DEEIRSSU	DIURESES
	REDUISES
DEEIRSSV	DESSERVI
	DEVISSER
	DIVERSES
	VERDISSE
DEEIRSSZ	DRESSIEZ
DEEIRSTU	DETRUISE
	EDITEURS
	ERUDITES
	REDUITES
	TIEDEURS
DEEIRSTV	VERDITES
DEEIRSUX	DESIREUX
DEEIRSUZ	REDUISEZ
	SEDUIREZ
DEEIRTTU	DETRUITE
DEEISSST	DESISTES
DEEISSSU	DISEUSES
	SEDUISES
DEEISSSV	DEVISSES
DEEISSTT	DISETTES
DEEISSTU	EUDISTES
	SEDUITES
DEEISSTZ	DESISTEZ
DEEISSUV	VIDEUSES
DEEISSUZ	SEDUISEZ
DEEISSVZ	DEVISSEZ
DEEISTTU	DESTITUE
DEEISTTV	DIVETTES
DEEISUXZ	EXSUDIEZ
DEEJLORZ	JODLEREZ
DEEJNOST	DEJETONS
DEEJNOTU	DEJOUENT
DEELLNOR	RONDELLE
DEELLNOZ	DONZELLE
DEELLOPU	DEPOLLUE
DEELLOSU	DOUELLES
DEELLOUV	DOUVELLE
DEELMNOS	DEMELONS
	MENDOLES
DEELMNOT	MODELENT
DEELMORU	DEMOULER
	MODELEUR
DEELMOSU	DEMOULES
	MODULEES
DEELMOUZ	DEMOULEZ
DEELMPRU	DEPLUMER
DEELMPSU	DEPLUMES
DEELMPUZ	DEPLUMEZ
DEELNORT	RONDELET
DEELNOST	DESOLENT
	DETELONS
	DOLENTES
DEELNOSU	ONDULEES
DEELNPSU	PENDULES
DEELNTTU	DELUTENT
DEELOORT	DORLOTEE
DEELOPRR	DEPLORER
DEELOPRS	DEPLORES
DEELOPRY	DEPLOYER
	POLYEDRE
DEELOPRZ	DEPLOREZ
DEELOPSY	DEPLOYES
DEELOPYZ	DEPLOYEZ
DEELORRU	DEROULER
DEELORSS	DESSOLER
	DROLESSE
DEELORSU	DEROULES
	URODELES
DEELORSZ	SOLDEREZ
DEELORTV	DEVOLTER
DEELORUZ	DEROULEZ
DEELOSSS	DESSOLES
DEELOSSU	DESSOULE
	SOLDEUSE
DEELOSSZ	DESSOLEZ
DEELOSTV	DEVOLTES
DEELOSUV	DEVOLUES
DEELOTVZ	DEVOLTEZ
DEELPPRU	DEPULPER
DEELPPSU	DEPULPES
DEELPPUZ	DEPULPEZ
DEELPRRU	PRELUDER
DEELPRSU	PRELUDES
DEELPRUZ	PRELUDEZ
DEELPSSU	DEPLUSSE
DEELPSTU	DEPLUTES
DEELQSSU	DESQUELS
DEELRSTU	DELUSTRE
DEEMMNOR	DENOMMER
DEEMMNOS	DENOMMES
DEEMMNOZ	DENOMMEZ
DEEMNNOS	DEMENONS
DEEMNNOT	EMONDENT

DEEMNORR	RENDORME
DEEMNORS	MODERNES
DEEMNORT	DEMONTER
	DEMONTRE
	MODERENT
DEEMNORU	EMONDEUR
DEEMNORZ	MONDEREZ
DEEMNOST	DEMONTES
DEEMNOSY	NEODYMES
DEEMNOTZ	DEMONTEZ
DEEMNPRS	MEPRENDS
DEEMNRSY	SYNDERME
DEEMNRTU	DUREMENT
	RUDEMENT
DEEMNSTU	MEDUSENT
DEEMNSUV	MEVENDUS*
DEEMOORR	MORDOREE
DEEMOORT	ODOMETRE
DEEMOPRT	DETROMPE
DEEMOPST	DOMPTEES
DEEMORRR	REMORDRE
DEEMORRS	REMORDES
DEEMORRU	REMORDUE
	REMOUDRE
DEEMORRZ	REMORDEZ
DEEMORSU	DORMEUSE
DEEMORUZ	EMOUDREZ
DEEMOSST	MODESTES
DEENNOOR	ORDONNEE
DEENNOPT	DEPONENT
DEENNORR	REDONNER
DEENNORS	REDONNES
DEENNORT	DETONNER
DEENNORZ	DONNEREZ
	REDONNEZ
DEENNOST	DETENONS
	DETONNES
	EDENTONS
	ETENDONS
DEENNOSU	DONNEUSE
DEENNOSV	DEVENONS
DEENNOSY	DOYENNES
DEENNOTT	DENOTENT
	DETONENT
DEENNOTU	DENOUENT
DEENNOTZ	DETONNEZ
DEENNRTU	ENDURENT
DEENNSTU	ENTENDUS
DEENOOSY	ONDOYEES
DEENOPRR	PONDERER
	REPONDRE
DEENOPRS	PONDERES
	REPONDES
DEENOPRT	DOPERENT
DEENOPRU	REPONDUE
DEENOPRV	PROVENDE
DEENOPRZ	PONDEREZ
	REPONDEZ
DEENOPSS	SPONDEES
DEENOPST	DEPOSENT
	PENTODES
DEENOPSU	PONDEUSE
DEENOPTT	DEPOTENT
DEENORRT	DETRONER
	DORERENT
	REDORENT
	RETONDRE
	RODERENT
DEENORSS	ENDOSSER
	RENDOSSE
DEENORST	DETRONES
	DOSERENT
	RETONDES
DEENORSZ	SONDEREZ
DEENORTT	DOTERENT
DEENORTU	DETOURNE
	DEUTERON
	DOUERENT
	RETONDUE
DEENORTV	DEVORENT
DEENORTZ	DETRONEZ
	RETONDEZ
DEENOSSS	ENDOSSES
DEENOSSU	SONDEUSE
DEENOSSZ	ENDOSSEZ
DEENOSTU	TONDEUSE
DEENOSTV	DEVETONS
DEENOTUV	DEVOUENT
DEENPRRS	REPRENDS
DEENPRRZ	PRENDREZ
DEENPRST	PRETENDS
DEENPRSU	REPENDUS*
DEENPRTU	DEPURENT
	DUPERENT
	PRETENDU
	PRUDENTE
DEENPSSU	SUSPENDE
DEENPSSY	DYSPNEES
DEENPTTU	DEPUTENT
DEENQTUU	EDUQUENT
DEENRRTU	DURERENT
	RUDENTER

DEENRSST	DRESSENT
DEENRSTU	DENTURES
	RETENDUS
	RUDENTES
	TENDEURS
DEENRSUV	REVENDUS
	VENDEURS
DEENRTUZ	RUDENTEZ
DEENSTTU	DUNETTES
DEENSTUX	EXSUDENT
DEEOOSUY	SOUDOYEE
DEEOPRRS	PROEDRES
DEEOPRRT	DEPORTER
DEEOPRSS	POSSEDER
DEEOPRST	DEPORTES
DEEOPRSU	POUDREES
DEEOPRTZ	DEPORTEZ
DEEOPSSS	POSSEDES
DEEOPSST	DESPOTES
DEEOPSSZ	POSSEDEZ
DEEORRRT	RETORDRE
DEEORRST	RETORDES
DEEORRSU	RESOUDRE
DEEORRTU	DEROUTER
	DETOURER
	REDOUTER
	RETORDUE
DEEORRTZ	RETORDEZ
DEEORRUV	DEVOREUR
DEEORRVY	VERDOYER
DEEORSSS	DESOSSER
	DROSSEES
DEEORSST	DETORSES
	DOSSERET
	OERSTEDS
DEEORSSU	DOREUSES
	RESSOUDE
	RODEUSES
DEEORSTU	DEROUTES
	DETOURES
	REDOUTES
	TORDEUSE
DEEORSTX	DEXTROSE
DEEORSUU	SURDOUEE
DEEORSUY	RUDOYEES
DEEORSUZ	SOUDEREZ
DEEORTUZ	DEROUTEZ
	DETOUREZ
	DOUTEREZ
	REDOUTEZ
DEEORVYZ	VERDOYEZ

DEEORXYZ	OXYDEREZ
DEEOSSSS	DESOSSES
DEEOSSSY	ODYSSEES
DEEOSSSZ	DESOSSEZ
DEEOSSUU	SOUDEUSE
DEEOSTUU	DOUTEUSE
DEEPRRSU	REPERDUS
DEEPSSUU	DUPEUSES
DEEQSTUU	TUDESQUE
DEERRSSU	DRESSEUR
DEERRSUV	VERDEURS
	VERDURES
DEERSSST	DESSERTS
DEERSSSU	RUDESSES
DEESTTTU	STUDETTE
DEETUUVX	DUVETEUX
DEFFIMOR	DIFFORME
DEFFIRSU	DIFFUSER
DEFFISSU	DIFFUSES
DEFFISUZ	DIFFUSEZ
DEFGIIRS	FRIGIDES
DEFGIIST	DIGESTIF
DEFGINOR	GERONDIF
DEFIIINN	INDEFINI
DEFIIINR	NIDIFIER
DEFIIINS	NIDIFIES
DEFIIINZ	NIDIFIEZ
DEFIILTU	FLUIDITE
DEFIIMOR	MODIFIER
DEFIIMOS	MODIFIES
DEFIIMOZ	MODIFIEZ
DEFIINOS	DEFIIONS
	DEIFIONS
	EDIFIONS
DEFIIORR	REFROIDI
DEFIIRST	TRIFIDES
DEFILNOS	DEFILONS
DEFIMNOS	FONDIMES
DEFINNOS	FENDIONS
DEFINORS	FENDOIRS
	REFONDIS
DEFINORT	REFONDIT
DEFINORZ	FONDRIEZ
	FRONDIEZ
DEFINOSS	FONDISSE
DEFINOST	FONDITES
DEFIOORU	FOUDROIE
DEFIORRU	FROIDEUR
	FROIDURE
DEFMNOOR	MORFONDE
DEFNNORS	FENDRONS

DEFNNORT	FENDRONT
	FRONDENT
DEFNOOPR	PROFONDE
DEFNOPRU	POURFEND
DEFNORRU	FRONDEUR
DEFNORST	TREFONDS
DEFNORSU	FONDEURS
	REFONDUS
DEFOORUY	FOUDROYE
DEGHLORY	HYDROGEL
DEGIIIRT	RIGIDITE
	TIGRIDIE
DEGIIIRZ	DIRIGIEZ
DEGIILNT	DILIGENT
DEGIIMOS	SIGMOIDE
DEGIINNR	INDIGNER
DEGIINNS	INDIGNES
DEGIINNT	INDIGENT
DEGIINNZ	INDIGNEZ
DEGIINRT	DIRIGENT
DEGIINST	DIGNITES
DEGIINUZ	GUINDIEZ
DEGIIORT	DOIGTIER
DEGIIOTZ	DOIGTIEZ
DEGIIRST	STRIGIDE*
DEGILLOR	GODILLER
DEGILLOS	GODILLES
DEGILLOZ	GODILLEZ
DEGILRTU	DEGLUTIR
DEGILSTU	DEGLUTIS
DEGILTTU	DEGLUTIT
DEGILUUV	DIVULGUE
DEGIMNOT	MENDIGOT
DEGINNTU	GUINDENT
DEGINORS	DIGERONS
	GIRONDES
	GORDIENS
DEGINORU	ENGOURDI
	GUERIDON
DEGINORY	GIRODYNE
DEGINORZ	GRONDIEZ
DEGINOSU	DOGUINES
DEGINOTT	DOIGTENT
DEGIOPRR	PORRIDGE
DEGIOPRS	PRODIGES
DEGIOPRU	PRODIGUE
DEGIORSS	DEGROSSI
DEGIORUZ	DROGUIEZ
DEGLNOOR	GONDOLER
DEGLNOOS	GONDOLES
DEGLNOOZ	GONDOLEZ
DEGLNOSU	DEGLUONS
DEGNNOOR	GODRONNE
DEGNNOOS	NEGONDOS
DEGNNORT	GRONDENT
DEGNNOSU	NEGUNDOS
DEGNOORS	GODERONS
DEGNOORT	GODERONT
DEGNOOST	DEGOTONS
DEGNORRU	GRONDEUR
DEGNORTU	DROGUENT
	TRUDGEON
DEGORSTU	DROGUETS
DEHIIMTU	HUMIDITE
DEHIINOP	OPHIDIEN*
DEHIINOY	HYOIDIEN
DEHIIOPS	SIPHOIDE
DEHIIOPX	XIPHOIDE
DEHIIPSS	HISPIDES
DEHILPSY	SYLPHIDE
DEHIMOPR	DIMORPHE
DEHINOPY	HYPNOIDE
DEHINOSU	HINDOUES
DEHIOPSY	HYPOIDES
DEHIOPTY	TYPHOIDE
DEHIORST	RHODITES
DEHIORTY	THYROIDE
DEHIORUZ	HOURDIEZ
DEHIQRUY	HYDRIQUE
DEHLMORY	HYDROMEL
DEHLRRSU	HURDLERS
DEHNORTU	HOURDENT
DEHRRSUY	HYDRURES
DEIIILTV	LIVIDITE
DEIIIMNT	INTIMIDE
DEIIIMTT	TIMIDITE
DEIIINPS	INSIPIDE
DEIIINSV	DIVINISE
	INDIVISE
DEIIINTV	DIVINITE
DEIIIOST	IDIOTIES
DEIIISVZ	DIVISIEZ
DEIIITVV	VIVIDITE
DEIILLST	DISTILLE
DEIILMPS	LIMPIDES
DEIILNNU	INDULINE
DEIILNOS	DELIIONS
	ELIDIONS
DEIILNUV	DILUVIEN
DEIILNXY	XYLIDINE
DEIILOPP	DIPLOPIE
DEIILOPS	LIPOIDES

DEIILOST	SOLIDITE
DEIILQRU	LIQUIDER
DEIILQSU	LIQUIDES
DEIILQUZ	LIQUIDEZ
DEIIMNOZ	DOMINIEZ
DEIIMNRU	DIMINUER
DEIIMNSU	DIMINUES
DEIIMNUZ	DIMINUEZ
DEIIMORS	ROIDIMES
DEIIMOSS	IODISMES
DEIINNOS	DENIIONS
DEIINNOZ	INONDIEZ
DEIINORS	DERISION
DEIINORZ	OINDRIEZ*
DEIINOSS	DIESIONS
DEIINOST	EDITIONS
	SEDITION
DEIINOSV	DEVIIONS
	EVIDIONS
DEIINQRU	INDIQUER
DEIINQSU	INDIQUES
DEIINQUZ	INDIQUEZ
DEIINRST	INTERDIS
DEIINRTT	INTERDIT
DEIINRUZ	INDUIREZ
	INDURIEZ
DEIINSSU	ENDUISIS
	INDUISES
DEIINSTU	ENDUISIT
	INDUITES
DEIINSTV	DIVISENT
DEIINSUV	INDUVIES
DEIINSUZ	INDUISEZ
DEIIOOVV	VOIVODIE
DEIIOPRT	DIOPTRIE
	PIEDROIT
DEIIOQSU	DIOIQUES
	IODIQUES
DEIIORRT	DROITIER
DEIIORRZ	ROIDIREZ
DEIIORSS	ROIDISSE
DEIIORST	DIORITES
	ROIDITES
DEIIPRSS	DISSIPER
DEIIPSSS	DISSIPES
DEIIPSST	SEPTIDIS
DEIIPSSZ	DISSIPEZ
DEIIQSTU	DISTIQUE
DEIIRRTV	DIVERTIR
DEIIRSSU	REDUISIS
DEIIRSTU	REDUISIT
DEIIRSTV	DIVERTIS
DEIIRSUV	DIVISEUR
DEIIRTTV	DIVERTIT
DEIISSSU	SEDUISIS
DEIISSTU	SEDUISIT
DEIISSTX	SEXTIDIS
DEIISTUV	VIDUITES
DEIJNORZ	JOINDREZ
DEILLMOR	MORDILLE
DEILLOSU	DOUILLES
DEILLOTU	DOUILLET
DEILMOOS	DOLOMIES
DEILMOOT	DOLOMITE
DEILMOPS	DIPLOMES
DEILMOUZ	MODULIEZ
DEILNNOT	INDOLENT
DEILNOOR	ENDOLORI
	INDOLORE
DEILNOPS	DEPILONS
	DEPLIONS
DEILNORS	DELIRONS
DEILNOST	DELITONS
DEILNOSU	ELUDIONS
DEILNOUZ	ONDULIEZ
DEILOORS	DOLOIRES
DEILOOSV	DOLOSIVE
DEILOQSU	DISLOQUE
	DOLIQUES
DEILOSSU	DISSOLUE
DEILOSSV	DISSOLVE
DEILOSTU	SOLITUDE
DEILQSUU	LUDIQUES
DEILRSTU	STRIDULE
DEILSSTY	DISTYLES
DEIMMNOS	IMMONDES
DEIMMORS	DORMIMES
	MORDIMES
DEIMNNOS	DEMINONS
	MENDIONS
DEIMNNOT	DOMINENT
DEIMNNOY	ENDYMION
DEIMNNTU	INDUMENT
DEIMNOOR	EMONDOIR
DEIMNOOS	MONODIES
DEIMNOPS	PONDIMES
DEIMNOPT	INDOMPTE
	PIEDMONT
DEIMNORR	ENDORMIR
	RENDORMI
DEIMNORS	ENDORMIS
	MEDIRONS →

	MOINDRES
	NORDIMES
DEIMNORT	ENDORMIT
	MEDIRONT
DEIMNOSS	MEDISONS
DEIMNOST	MEDITONS
	TONDIMES
DEIMNPTU	IMPUDENT
DEIMNRTU	RUDIMENT
DEIMNSSU	NUDISMES
DEIMOOSS	SODOMIES
DEIMOPTZ	DOMPTIEZ
DEIMOQSU	MODIQUES
DEIMORRS	REMORDIS
DEIMORRT	REMORDIT
DEIMORRZ	DORMIREZ
	MORDRIEZ
DEIMORSS	DORMISSE
	MESSIDOR
	MORDISSE
DEIMORST	DORMITES
	MORDITES
	TORDIMES
DEIMORSU	OURDIMES
DEIMORUZ	MOUDRIEZ
DEIMOSST	MODISTES
DEIMPRUU	IMPUDEUR
DEINNNOT	INONDENT
DEINNOOT	ONDOIENT
DEINNOPS	PENDIONS
DEINNORS	DINERONS
	RENDIONS
DEINNORT	DINERONT
DEINNOST	TENDIONS
DEINNOSU	DESUNION
DEINNOSV	DEVINONS
	VENDIONS
DEINNOSX	INDEXONS
DEINNRTU	INDURENT
DEINNSUV	INVENDUS
DEINOORS	ERODIONS
	INODORES
DEINOOST	NODOSITE
DEINOOTV	DEVOTION
DEINOOYZ	ONDOYIEZ
DEINOPRS	PENDOIRS
	PERDIONS
	REPONDIS
DEINOPRT	REPONDIT
DEINOPRZ	PONDRIEZ
DEINOPSS	PONDISSE
DEINOPST	DEPITONS
	PONDITES
DEINOQRU	NORDIQUE
DEINORRS	REDIRONS
	RIDERONS
DEINORRT	REDIRONT
	RIDERONT
DEINORRZ	NORDIREZ
DEINORSS	DESIRONS
	DISSONER
	NORDISSE
	REDISONS
	RESIDONS
	SIDERONS
DEINORST	DETIRONS
	ENDROITS
	NORDISTE
	NORDITES
	RETONDIS
	TENDOIRS
DEINORSU	DOURINES
	SOURDINE
DEINORSV	DERIVONS
	DEVIRONS
	DEVRIONS
	VIDERONS
DEINORTT	RETONDIT
DEINORTU	RUDOIENT
DEINORTV	VIDERONT
DEINORTZ	TONDRIEZ
DEINOSSS	DISSONES
DEINOSST	TONDISSE
DEINOSSV	DEVISONS
DEINOSSZ	DISSONEZ
DEINOSTT	TONDITES
DEINOSTU	ETUDIONS
DEINQSUY	SYNDIQUE
DEINRSTT	STRIDENT
	TRIDENTS
DEINSSTU	NUDISTES
DEIOOPRS	PROSODIE
DEIOOPRT	DEPOTOIR
DEIOOPRU	POUDROIE
DEIOOPSS	ISOPODES
DEIOOSSU	SOUDOIES
DEIOOSVV	VOIVODES
DEIOPRRU	POUDRIER
	PRODUIRE
DEIOPRSS	DISPOSER
DEIOPRST	DIOPTRES
	PERIDOTS →

	PROTIDES
	TORPIDES
	TRIPODES
DEIOPRSU	PRODUISE
DEIOPRTU	PRODUITE
DEIOPRUZ	POUDRIEZ
DEIOPSSS	DISPOSES
DEIOPSSZ	DISPOSEZ
DEIOQRSU	DORIQUES
DEIOQSSU	SODIQUES
DEIORRSS	DRESSOIR
DEIORRST	RETORDIS
	TORRIDES
DEIORRSU	ROIDEURS
DEIORRTT	RETORDIT
DEIORRTU	DROITURE
	ETOURDIR
DEIORRTZ	TORDRIEZ
DEIORRUZ	OURDIREZ
DEIORSSS	DOSSIERS
DEIORSST	DISTORSE
	TORDISSE
DEIORSSU	OURDISSE
	SOUDIERS
DEIORSSZ	DROSSIEZ
DEIORSTT	DETROITS
	TORDITES
DEIORSTU	ETOURDIS
	OURDITES
	OUTSIDER
DEIORTTU	ETOURDIT
DEIORUVZ	VOUDRIEZ
DEIORUYZ	RUDOYIEZ
DEIOSSTU	DISSOUTE
DEIPQSUU	PUDIQUES
DEIPQTUY	DIPTYQUE
DEIPRSTU	DISPUTER
	PUTRIDES
DEIPSSTU	DISPUTES
	STUPIDES
DEIPSTUZ	DISPUTEZ
DEIQSTUY	DYTIQUES
DEIRSSTU	RUDISTES
	SURDITES
DEIRSSUY	DYSURIES
DEIRSTTU	DETRITUS
	DETRUITS
DEISSSTU	SUDISTES
	SUSDITES
DEISTUUX	STUDIEUX
DEJNOOSU	DEJOUONS

DELMNOOS	MODELONS
DELMNOTU	MODULENT
DELNNOTU	ONDULENT
DELNOOSS	DESOLONS
DELNOPSY	SPONDYLE
DELNOSTU	DELUTONS
DELNOUUX	NODULEUX
	ONDULEUX
DELOOPPY	POLYPODE
DELOOPSU	DUOPOLES
DELOORRT	DORLOTER
DELOORSS	LORDOSES
DELOORST	DORLOTES
DELOORTZ	DORLOTEZ
DELORRUU	LOURDEUR
DELORSSU	SOLDEURS
DELORSUU	DOULEURS
DEMNNOOS	EMONDONS
DEMNOORS	MODERONS
DEMNOOSS	OSMONDES
DEMNOPTT	DOMPTENT
DEMNORSY	SYNDROME
DEMNOSSU	MEDUSONS
DEMOOPRR	PRODROME
DEMOORRR	MORDORER
DEMOORRS	MORDORES
DEMOORRZ	MORDOREZ
DEMOPRTU	DOMPTEUR
DEMORRSU	DORMEURS
	REMORDUS
DENNOORR	ORDONNER
DENNOORS	ORDONNES
DENNOORZ	ORDONNEZ
DENNOOST	DENOTONS
	DETONONS
DENNOOSU	DENOUONS
DENNOOSY	DENOYONS
DENNOPRS	PENDRONS
DENNOPRT	PENDRONT
DENNORRS	RENDRONS
DENNORRT	RENDRONT
DENNORST	TENDRONS
DENNORSU	DONNEURS
	ENDURONS
DENNORSV	VENDRONS
DENNORTT	TENDRONT
DENNORTV	VENDRONT
DENOOPRS	DOPERONS
DENOOPRT	DOPERONT
DENOOPSS	DEPOSONS
DENOOPST	DEPOTONS

DENOORRS	DORERONS
	REDORONS
	RODERONS
DENOORRT	DORERONT
	RODERONT
DENOORSS	DOSERONS
DENOORST	DOSERONT
	DOTERONS
	ROTONDES
DENOORSU	DOUERONS
DENOORSV	DEVORONS
DENOORTT	DOTERONT
	TETRODON
DENOORTU	DOUERONT
DENOOSUV	DEVOUONS
DENOOSVY	DEVOYONS
DENOPRRS	PERDRONS
DENOPRRT	PERDRONT
DENOPRSU	DEPURONS
	DUPERONS
	PONDEURS
	REPONDUS
DENOPRTU	DUPERONT
	POUDRENT
DENOPSTU	DEPUTONS
DENOQSUU	EDUQUONS
DENORRSU	DURERONS
	RONDEURS
DENORRTU	DURERONT
DENORSSS	DRESSONS
DENORSST	DROSSENT
DENORSSU	SONDEURS
DENORSTU	RETONDUS
	SOURDENT
	TONDEURS
DENOSSUX	EXSUDONS
DENPRRSU	SURPREND
DENPRSTU	PRUDENTS
DENPSSSU	SUSPENDS
DENPSSUU	SUSPENDU
DEOOPRST	TORPEDOS
DEOOPRSU	UROPODES
DEOOPRUY	POUDROYE
DEOORSUY	SOUDOYER
DEOOSSUY	SOUDOYES
DEOOSUYZ	SOUDOYEZ
DEOPRUUV	DEPOURVU
DEOPRUUX	POUDREUX
DEORRSTU	RETORDUS
DEORSSUU	SOUDEURS
	SOUDURES →
	SURDOUES
DEORSTUU	DOUTEURS
DEORSUXY	SUROXYDE
DFILOOSS	DOLOSIFS
DFINNOOS	FONDIONS
DFINOORS	FONDOIRS
DFINRSUW	WINDSURF
DFMNOORS	MORFONDS
DFMNOORU	MORFONDU
DFNNOORS	FONDRONS
	FRONDONS
DFNNOORT	FONDRONT
DFNOOPRS	PROFONDS
DGHILNOS	HOLDINGS
DGIINNOR	GIRONDIN
DGIINOSU	GUIDIONS
DGILLOOT	GODILLOT
DGIMNPSU	DUMPINGS
DGINNORS	GRONDINS
DGINNOSU	GUINDONS
DGINOORS	RIGODONS
DGINOOST	DOIGTONS
DGINOPSU	POUDINGS
DGINORSU	GOURDINS
DGNNOORS	GRONDONS
DGNOORSU	DROGUONS
	GOUDRONS
DHIIMPSS	MIDSHIPS
DHIMORSU	RHODIUMS
DHJOPRSU	JODHPURS
DHLOORSY	HYDROSOL
DHNOORSU	HOURDONS
DIIIMPRS	PRIMIDIS
DIIIMRSU	IRIDIUMS
DIIINOSV	DIVISION
DIIINQTU	QUINTIDI
DIIINSSU	INDUISIS
DIIINSTU	INDUISIT
DIIJNOSS	DISJOINS
DIIJNOST	DISJOINT
DIILMOSU	MILDIOUS
DIILNOOS	IODLIONS
DIILNOSU	DILUIONS
DIILNOTU	DILUTION
DIIMNNOO	DOMINION
DIINNORS	DINORNIS
DIINORSV	DRIVIONS
DIINOSSS	DISSIONS
DIINOSSV	DIVISONS
DIJLNOOS	JODLIONS
DILLMNOO	MODILLON

DILLNORU	DURILLON
DILMNRSU	DRUMLINS
DILNOOSS	SOLDIONS
DILOSSSU	DISSOLUS
DIMMNORY	MYRMIDON
DIMNNOOS	DOMINONS
	MONDIONS
DIMNOORS	DORMIONS
	MORDIONS
DIMOPPSU	OPPIDUMS
DIMRSUUV	DUUMVIRS
DINNNOOS	DONNIONS
	INONDONS
DINNOOPS	PONDIONS
DINNOORS	OINDRONS*
DINNOORT	OINDRONT*
DINNOOSS	SONDIONS
DINNOOST	TONDIONS
DINNORSU	INDURONS
DINOOPRS	PONDOIRS
DINOORST	TORDIONS
DINOOSSU	SOUDIONS
DINOOSTU	DOUTIONS
DINOOSXY	OXYDIONS
DINOSSSU	DUSSIONS
DIOORRST	DORTOIRS
	TORDOIRS
DIOPRSTU	PRODUITS
DLMNOOSU	MODULONS
DLMOORSU	MODULORS
DLNNOOSU	ONDULONS
DMNOOORT	RODOMONT
DMNOOPST	DOMPTONS
DMNOORRS	MORDRONS
DMNOORRT	MORDRONT
DMNOORSU	MOUDRONS
DMNOORTU	MOUDRONT
DNNOOOSY	ONDOYONS
DNNOOPRS	PONDRONS
DNNOOPRT	PONDRONT
DNNOORST	TONDRONS
DNNOORTT	TONDRONT
DNOOPRSU	POUDRONS
DNOORRST	TORDRONS
DNOORRTT	TORDRONT
DNOORSSS	DROSSONS
DNOORSUV	VOUDRONS
DNOORSUY	RUDOYONS
DNOORTUV	VOUDRONT
EEEEFFNR	EFFRENEE
EEEEFLRT	REFLETEE
EEEEFMNR	ENFERMEE
EEEEFMRR	REFERMEE
EEEEFNRR	ENFERREE
	REFRENEE
EEEEFNRT	FENETREE
EEEEFPRR	PREFEREE
EEEEFRRS	REFEREES
EEEEGINN	ENNEIGEE
EEEEGLNR	ENGRELEE
	GRENELEE
EEEEGLRS	REGELEES
EEEEGLRT	LEGERETE
EEEEGLRU	RELEGUEE
EEEEGLUU	EGUEULEE
EEEEGNNR	ENGRENEE
EEEEGNNS	EGEENNES
EEEEGNRR	REGENERE
EEEEGNRS	EGRENEES
EEEEGNRT	REGENTEE
EEEEGRRS	REGREEES
EEEEGRTV	VERGETEE
EEEEGSSX	EXEGESES
EEEEGSTX	EXEGETES
EEEEHMPR	EPHEMERE
EEEEHRST	ETHEREES
EEEEILLV	EVEILLEE
EEEEIMPT	EMPIETEE*
EEEEIMRS	EMERISEE
EEEEIMTT	EMIETTEE
EEEEINPP	EPEPINEE
EEEEINRT	EREINTEE
EEEEIPRR	EPIERREE
EEEEIRRT	REITEREE
EEEEJRST	REJETEES
EEEELLNS	ENSELLEE
EEEELLPT	PELLETEE
EEEELMMS	EMMELEES
EEEELMPR	EMPERLEE
EEEELNNP	PELEENNE
EEEELNSV	ENLEVEES
EEEELPRV	PRELEVEE
EEEELRSV	RELEVEES
	REVELEES
EEEELRVZ	ELEVEREZ
EEEELSSU	ESSEULEE
EEEELSUV	ELEVEUSE
EEEEMMNR	REMMENEE
EEEEMMNS	EMMENEES
EEEEMNNP	EMPENNEE
EEEEMNRU	ENUMEREE
EEEEMPRT	EMPETREE →

	TEMPEREE
EEEEMPSS	EMPESEES
EEEEMPST	EMPESTEE
EEEEMPTX	EXEMPTEE
EEEEMRSS	RESSEMEE
EEEENNRS	ENRENEES
EEEENNRT	ETRENNEE
EEEENORX	EXONEREE
EEEENPRS	REPENSEE
EEEENPRT	PENETREE
EEEENRRS	ENSERREE
EEEENRRT	ENTERREE
EEEENRSV	ENERVEES
	VENEREES
EEEENRTT	RENETTEE
EEEENRTV	EVENTREE
EEEENSTT	ENTETEES
EEEENSTV	EVENTEES
EEEENTUX	EXTENUEE
EEEEPRRS	REPEREES
EEEEPRSS	ESPEREES
EEEEPRST	REPETEES
EEEEPRSU	EPEUREES
EEEEQRSU	RESEQUEE
EEEEQTUU	EQUEUTEE
EEEERRSV	RESERVEE
	REVEREES
	REVERSEE
EEEERSSX	EXERESES
EEEERTTZ	ETETEREZ
EEEERTUV	EVERTUEE
EEEFFFIS	FIEFFEES
EEEFFGRR	REGREFFE
EEEFFGRS	GREFFEES
EEEFFILS	EFFILEES
EEEFFIMN	EFFEMINE
EEEFFIRT	EFFRITEE
EEEFFLRU	EFFLEURE
EEEFFNOS	OFFENSEE
EEEFFNRS	EFFRENES
EEEFFNRT	EFFERENT
EEEFFOST	ETOFFEES
EEEFFOTU	ETOUFFEE
EEEFGIIL	GELIFIEE
EEEFGILR	LEGIFERE
EEEFGIRU	REFUGIEE
EEEFIILN	LENIFIEE
EEEFIIRV	VERIFIEE
EEEFILLU	FEUILLEE
EEEFILNR	RENFILEE
	RENIFLEE
EEEFILNS	ENFILEES
EEEFILOR	OLEIFERE
EEEFILOX	EXFOLIEE
EEEFILRS	FRISELEE
	REFILEES
EEEFILRT	TREFILEE
EEEFILRZ	FELERIEZ
EEEFILST	FILETEES
EEEFIMRR	FERMIERE
EEEFIMRZ	MEFIEREZ
EEEFIMTU	TUMEFIEE
EEEFINRS	FREINEES
	FRENESIE
	INFEREES
EEEFINRV	ENFIEVRE
EEEFINST	FEINTEES
	INFESTEE
EEEFIPRX	PREFIXEE
EEEFIQRU	FEERIQUE
EEEFIRRR	FERRIERE
EEEFIRRZ	REFERIEZ
EEEFIRSS	FESSIERE
EEEFIRTZ	FETERIEZ
EEEFJORT	FORJETEE
EEEFLLMS	FEMELLES
EEEFLNRS	RENFLEES
EEEFLNRT	FELERENT
EEEFLNRU	ENFLEURE
EEEFLNRZ	ENFLEREZ
EEEFLORU	REFOULEE
EEEFLORV	FEVEROLE
EEEFLRRT	REFLETER
EEEFLRRZ	FERLEREZ
EEEFLRST	REFLETES
EEEFLRSX	REFLEXES
EEEFLRTZ	REFLETEZ
EEEFLRUZ	FEULEREZ
EEEFLSSU	FUSELEES
EEEFMNOT	FOMENTEE
EEEFMNRR	ENFERMER
	RENFERME
EEEFMNRS	ENFERMES
EEEFMNRT	FERMENTE
EEEFMNRZ	ENFERMEZ
EEEFMNSU	ENFUMEES
EEEFMORR	REFORMEE
EEEFMRRR	REFERMER
EEEFMRRS	REFERMES
EEEFMRRZ	FERMEREZ
	REFERMEZ
EEEFMRST	FERMETES

EEEFMRTT	FERMETTE
EEEFNRRR	ENFERRER
	REFRENER
EEEFNRRS	ENFERRES
	REFRENES
EEEFNRRT	ENTREFER
	FENETRER
	REFERENT
EEEFNRRZ	ENFERREZ
	REFRENEZ
EEEFNRST	FENESTRE
	FENETRES
EEEFNRTT	FETERENT
EEEFNRTV	FERVENTE
EEEFNRTZ	FENETREZ
EEEFOPRR	PERFOREE
	PROFEREE
EEEFOSTY	FESTOYEE*
EEEFOTTU	FOUETTEE
EEEFPRRR	PREFERER
EEEFPRRS	PREFERES
EEEFPRRZ	PREFEREZ
EEEFPRST	PREFETES
EEEFRRRZ	FERREREZ
EEEFRRSZ	FREEZERS
EEEFRRTZ	FRETEREZ
EEEFRSSU	REFUSEES
EEEFRSSZ	FESSEREZ
EEEFRSTT	FRETTEES
EEEFRSTU	FEUTREES
	FURETEES*
	REFUTEES
EEEGGILN	NEGLIGEE
EEEGGNOR	ENGORGEE
EEEGGORS	EGORGEES
EEEGGRSU	EGRUGEES
	SUGGEREE
EEEGHILN	HEGELIEN
EEEGHNNS	GEHENNES
EEEGIINN	INGENIEE
EEEGILNN	ENLIGNEE
EEEGILNO	ELOIGNEE
EEEGILNP	EPINGLEE
EEEGILNU	ELINGUEE
EEEGILOR	GEOLIERE
EEEGILPS	ESPIEGLE
EEEGILRV	GRIVELEE
EEEGILRZ	GELERIEZ
	REGELIEZ
EEEGILSU	LIEGEUSE
EEEGILSV	LEVIGEES
EEEGIMMR	IMMERGEE
EEEGIMNN	MENINGEE
EEEGIMNP	EMPEIGNE
EEEGIMNS	GEMINEES
EEEGIMRS	EMIGREES
EEEGIMRZ	EMERGIEZ
EEEGIMSS	MEGISSEE
EEEGINNR	ENNEIGER
EEEGINNS	ENNEIGES
	ENSEIGNE
EEEGINNZ	ENNEIGEZ
EEEGINPR	REPEIGNE
EEEGINPS	PEIGNEES
EEEGINRS	ENERGIES
	INGEREES
	RESIGNEE
EEEGINRT	ETREIGNE
	INTEGREE
	RETEIGNE
EEEGINRV	GENIEVRE
EEEGINRZ	EGRENIEZ
	GENERIEZ
EEEGINST	ETEIGNES
EEEGINSU	NEIGEUSE
EEEGINTZ	ETEIGNEZ
EEEGIPRS	PERIGEES
EEEGIPRZ	PIEGEREZ
EEEGIRRS	GRESIERE
EEEGIRRZ	ERIGEREZ
	GERERIEZ
	GREERIEZ
	REGREIEZ
EEEGIRSS	EGRISEES
EEEGIRSZ	SIEGEREZ
EEEGIRXZ	EXIGEREZ
EEEGITVZ	VEGETIEZ
EEEGJMSU	MEJUGEES
EEEGJNUU	ENJUGUEE
EEEGJPRU	PREJUGEE
EEEGKNOR	KEROGENE
EEEGLLMS	GEMELLES
EEEGLLNR	GRENELLE
EEEGLMRU	GRUMELEE
EEEGLNRR	GRENELER
EEEGLNRS	ENGRELES
	GRENELES
EEEGLNRT	GELERENT
	REGELENT
EEEGLNRU	ENGELURE
EEEGLNRZ	GRENELEZ
EEEGLNSU	ENGLUEES →

	EUGLENES
EEEGLNUU	ENGUEULE
EEEGLORS	RELOGEES
EEEGLOTT	GOELETTE
EEEGLRRU	RELEGUER
EEEGLRRZ	GRELEREZ
	REGLEREZ
EEEGLRSU	GRELEUSE
	REGLEUSE
	RELEGUES
	SURGELEE
EEEGLRTT	REGLETTE
EEEGLRUU	EGUEULER
EEEGLRUZ	LEGUEREZ
	RELEGUEZ
EEEGLSUU	EGUEULES
	GUEULEES
EEEGLUUZ	EGUEULEZ
EEEGMMNO	ENGOMMEE
EEEGMMRZ	GEMMEREZ
EEEGMNRT	EMERGENT
	GREEMENT
EEEGMNST	SEGMENTE
EEEGMORT	GEOMETRE
EEEGMRRZ	GERMEREZ
EEEGNNOS	NEOGENES
EEEGNNRR	ENGRENER
	RENGRENE
EEEGNNRS	ENGRENES
EEEGNNRT	EGRENENT
	GENERENT
EEEGNNRZ	ENGRENEZ
EEEGNOPS	EPONGEES
EEEGNORS	EROGENES
EEEGNOSU	ENGOUEES
EEEGNOSX	EXOGENES
EEEGNOXY	OXYGENEE
EEEGNRRT	GERERENT
	GREERENT
	REGENTER
	REGREENT
EEEGNRRZ	GRENEREZ
	REGNEREZ
EEEGNRSS	NEGRESSE
EEEGNRST	REGENTES
EEEGNRTZ	REGENTEZ
EEEGNRUV	ENVERGUE
EEEGNRUX	GENEREUX
EEEGNRVZ	VENGEREZ
EEEGNSSU	GENEUSES
EEEGNSTT	GENETTES
EEEGNTTV	VEGETENT
EEEGOPRT	PROTEGEE
EEEGORST	ERGOTEES
EEEGOTTU	EGOUTTEE
EEEGPRUX	EXPURGEE
EEEGRRSS	REGRESSE
EEEGRRTT	REGRETTE
EEEGRRUV	VERGEURE
EEEGRRVZ	GREVEREZ
EEEGRSSU	GRESEUSE
EEEGRSTT	SERGETTE
EEEGRSTU	GUETREES
EEEGRSTV	VERGETES
EEEGRSUX	EXERGUES
EEEGRTTV	VERGETTE
EEEGSTTU	GUETTEES
EEEHILRZ	HELERIEZ
EEEHIMNS	HEMINEES
EEEHIMPT	EPITHEME
EEEHINRS	HERNIEES
EEEHIPTT	EPITHETE
EEEHIRSS	HERESIES
	HERISSEE
EEEHIRST	ETHERISE
	HERITEES
	THEIERES
EEEHLLLV	HELVELLE
EEEHLLNS	HELLENES
EEEHLNRT	HELERENT
EEEHLNTY	ETHYLENE
EEEHMNRU	ENRHUMEE
EEEHMNSY	HYMENEES
EEEHMNTV	VEHEMENT
EEEHMORT	THEOREME
EEEHMRTY	ERYTHEME
EEEHMSUX	EXHUMEES
EEEHNOST	EHONTEES
EEEHORTX	EXHORTEE
EEEHRRSZ	HERSEREZ
EEEHRSTU	HEURTEES
EEEHRSUU	HEUREUSE
EEEHSSTT	ESTHETES
EEEIILMN	ELIMINEE
EEEIILRS	RESILIEE
EEEIIMRZ	EMIERIEZ
EEEIIMSZ	SEIZIEME
EEEIINPR	EPINIERE
EEEIINPT	PIETINEE
EEEIINPX	INEXPIEE
EEEIIPRZ	EPIERIEZ
EEEIJNOT	EJOINTEE

EEEIJRTZ	REJETIEZ
EEEIKNPS	PEKINEES
EEEILLMM	EMMIELLE
EEEILLMS	MIELLEES
EEEILLNS	NIELLEES
EEEILLNV	VENIELLE
EEEILLOR	OEILLERE
EEEILLRR	IRREELLE
EEEILLRS	SELLERIE
	SERIELLE
EEEILLRT	ETRILLEE
	TELLIERE
EEEILLRV	EVEILLER
	REVEILLE
EEEILLST	TEILLEES
EEEILLSV	EVEILLES
	VEILLEES
EEEILLTV	VELLEITE
EEEILLVZ	EVEILLEZ
EEEILMMZ	EMMELIEZ
EEEILMPR	REMPILEE
EEEILMPS	EMPILEES
EEEILMRU	MEULIERE
EEEILMRZ	ELIMEREZ
	MELERIEZ
EEEILNNO	EOLIENNE
EEEILNOT	ENTOILEE
EEEILNOV	ENVOILEE
EEEILNPR	PELERINE
	PLENIERE
EEEILNRZ	ENLIEREZ
EEEILNSS	ENLISEES
	ENSILEES
EEEILNSV	ENSEVELI
	NIVELEES
EEEILNTV	VENTILEE
EEEILNVZ	ENLEVIEZ
EEEILOPT	PETIOLEE
EEEILOSS	OISELEES*
EEEILOST	ETIOLEES
	ETOILEES
EEEILOTV	VIOLETEE
EEEILPRR	PERLIERE
EEEILPRS	REPLIEES
EEEILPRZ	EPILEREZ
	PELERIEZ
EEEILRRZ	REELIREZ
	RELIEREZ
EEEILRSS	LISEREES
	REELISES
EEEILRSU	RELIEUSE
EEEILRSZ	LESERIEZ
	REELISEZ
EEEILRUV	VEULERIE
EEEILRVZ	LEVERIEZ
	RELEVIEZ
	REVELIEZ
	VELERIEZ
EEEILRXZ	EXILEREZ
EEEILSSV	LESSIVEE
EEEILSTV	TELEVISE
EEEIMMNZ	EMMENIEZ
EEEIMNNO	NEOMENIE
EEEIMNNS	ENNEMIES
EEEIMNNT	EMINENTE
EEEIMNNV	ENVENIME
EEEIMNPT	PIMENTEE
EEEIMNRT	EMIERENT
	MENTERIE
	TERMINEE
EEEIMNRU	MEUNERIE
	MEUNIERE
EEEIMNRZ	MENERIEZ
EEEIMNUV	NEUVIEME
EEEIMPRR	EMPIERRE
	PREMIERE
	REPRIMEE
EEEIMPRS	EMPIREES
	MEPRISEE
	PERIMEES
EEEIMPRT	EMPIETER
	IMPETREE
	REMPIETE
EEEIMPRX	EXPRIMEE
EEEIMPST	EMPIETES
	SEPTIEME
EEEIMPSZ	EMPESIEZ
EEEIMPTZ	EMPIETEZ
EEEIMQTU	EMETIQUE
EEEIMRRS	EMERISER
	MISERERE
EEEIMRRT	TREMIERE
EEEIMRSS	EMERISES
	REMISEES
EEEIMRST	EMERITES
	MERITEES
EEEIMRSZ	EMERISEZ
	SEMERIEZ
EEEIMRTT	EMIETTER
	TEMERITE
EEEIMRTU	EMEUTIER
EEEIMSST	ESTIMEES →

	METISSEE
EEEIMSTT	EMIETTES
EEEIMTTZ	EMETTIEZ
	EMIETTEZ
EEEINNOT	NEOTENIE
EEEINNPR	NEPERIEN
EEEINNRT	ENTERINE
	INTERNEE
	RETIENNE
EEEINNRV	INNERVEE
	REVIENNE
	VENERIEN
EEEINNRZ	ENRENIEZ
EEEINNSS	ESSENIEN
	INSENSEE
EEEINNTT	INTENTEE
EEEINNTV	INVENTEE
EEEINOPT	EPOINTEE
EEEINORT	ORIENTEE
EEEINPPR	EPEPINER
EEEINPPS	EPEPINES
EEEINPPZ	EPEPINEZ
EEEINPRS	EREPSINE
	INESPERE
	PERINEES
EEEINPRT	EPIERENT
	EPREINTE
	REPEINTE
	REPENTIE
EEEINPRZ	EPINEREZ
	EPRENIEZ
	PEINEREZ
EEEINPSU	EPINEUSE
EEEINPTT	EPINETTE
EEEINQRU	ENQUIERE
EEEINRRS	REINSERE
EEEINRRT	EREINTER
	RENTIERE
	TERRINEE
EEEINRRZ	RENIEREZ
EEEINRSS	ESERINES
	INSEREES
	RESINEES
	SEREINES
	SERINEES
EEEINRST	ENTIERES
	EREINTES
	ETERNISE
	SERENITE
EEEINRSU	ENURESIE
EEEINRSV	ENIVREES →

	INVERSEE
	VENERIES
EEEINRTT	ENTERITE
	ETERNITE
	ETREINTE
	REINETTE
	RETEINTE
EEEINRTV	INVETERE
EEEINRTZ	ENTERIEZ
	EREINTEZ
	RETENIEZ
EEEINRVV	VERVEINE
EEEINRVZ	ENERVIEZ
	ENVIEREZ
	REVENIEZ
	VEINEREZ
	VENERIEZ
EEEINSST	ETESIENS
EEEINSTT	ETEINTES
	TEINTEES
EEEINSUV	ENVIEUSE
	VEINEUSE
EEEINTTV	VEINETTE
EEEINTTZ	ENTETIEZ
EEEINTVZ	EVENTIEZ
EEEIOPST	POETISEE
EEEIPPRZ	PEPIEREZ
EEEIPQRU	REPIQUEE
EEEIPQSU	EQUIPEES
EEEIPQTU	PIQUETEE
EEEIPRRR	EPIERRER
EEEIPRRS	EPIERRES
	PIERREES
	PRESERIE
	REPRISEE
	RESPIREE
EEEIPRRV	EPERVIER
EEEIPRRZ	EPIERREZ
	REPERIEZ
EEEIPRST	ETRIPEES
EEEIPRSX	EXPIREES
EEEIPRSZ	ESPERIEZ
	PESERIEZ
EEEIPRTX	EXTIRPEE
EEEIPRTZ	PETERIEZ
	PIETEREZ
	REPETIEZ
EEEIPRXZ	EXPIEREZ
EEEIPSSS	EPISSEES
EEEIPSST	EPEISTES
EEEIPSSU	EPIEUSES →

	EPUISEES
EEEIQRRU	REQUIERE
EEEIQRTU	ETRIQUEE
EEEIQSUV	ESQUIVEE
EEEIQTTU	ETIQUETE
	TIQUETEE
EEEIRRRT	REITERER
EEEIRRRV	VERRERIE
	VERRIERE
EEEIRRRZ	ERRERIEZ
EEEIRRST	REITERES
	RETIREES
EEEIRRSV	REVERIES
EEEIRRSZ	SERIEREZ
EEEIRRTV	TREVIREE
EEEIRRTW	REWRITEE
EEEIRRTZ	ETIREREZ
	REITEREZ
EEEIRRVZ	REVERIEZ
EEEIRSST	RETISSEE
EEEIRSSU	SERIEUSE
EEEIRSSV	REVISEES
EEEIRSTT	TETIERES
EEEIRSTU	ETIREUSE
EEEIRSTV	RIVETEES
	SEVERITE
EEEIRSTZ	ESTERIEZ*
EEEIRTTZ	TETERIEZ
EEEIRTVZ	EVITEREZ
	REVETIEZ
EEEIRVXZ	VEXERIEZ
EEEISTUX	EUTEXIES*
EEEISTUZ	ZIEUTEES
EEEJLMSU	JUMELEES
EEEJLNOS	ENJOLEES
EEEJNOSU	ENJOUEES
EEEJNRTT	JETERENT
EEEJNRUZ	JEUNEREZ
EEEJNSSU	JEUNESSE
EEEJNSUU	JEUNEUSE
EEEJNTTU	JEUNETTE
EEEJOPRT	PROJETEE
EEEJORSU	REJOUEES
EEEJRSTT	REJETTES
EEEJRSTU	SURJETEE
EEEJRTTZ	JETTEREZ
EEEJRTUV	VERJUTEE
EEEJSSTU	JETEUSES
EEEKMRSS	KERMESSE
EEEKNORS	KEROSENE
EEEKNSTY	ENKYSTEE
EEELLMRT	TREMELLE
EEELLMSS	SEMELLES
EEELLNPT	EPELLENT
EEELLNQU	QUENELLE
EEELLNSS	ENSELLES
EEELLNSV	VENELLES
EEELLNTU	UNETELLE*
EEELLPRT	PELLETER
EEELLPST	PELLETES
EEELLPTT	PELLETTE
EEELLPTZ	PELLETEZ
EEELLQRU	QUERELLE
EEELLQSU	SEQUELLE
EEELLRSZ	SELLEREZ
EEELLRTU	TRUELLEE
EEELLSTT	SELLETTE
EEELLSUX	SEXUELLE
EEELMMNT	EMMELENT
EEELMMOP	POMMELEE
EEELMMPU	EMPLUMEE
EEELMNRT	MELERENT
EEELMNST	ELEMENTS
EEELMNTV	VELEMENT
EEELMOPS	MELOPEES
EEELMOPY	EMPLOYEE
EEELMOST	MOLESTEE
	MOLETEES
EEELMOTT	OMELETTE
EEELMPRR	EMPERLER
EEELMPRS	EMPERLES
EEELMPRZ	EMPERLEZ
EEELMPSX	EXEMPLES
EEELMPTT	EMPLETTE
EEELMRSU	REELUMES
EEELMRTT	MERLETTE
EEELMRUZ	MEULEREZ*
EEELMSSU	MUSELEES
EEELNNTV	ENLEVENT
EEELNORS	ENROLEES
EEELNORU	ENROULEE
EEELNOST	ENTOLEES
EEELNOSV	ENVOLEES
EEELNPRT	PELERENT
EEELNRST	ETERNELS
	LESERENT
EEELNRTV	LEVERENT
	RELEVENT
	REVELENT
	VELERENT
EEELNRTY	TERYLENE
EEELNRUV	ENLEVURE

EEELNSSY	ELYSEENS
EEELNSWY	WESLEYEN
EEELNTUV	EVENTUEL
EEELOPRS	EPLOREES
EEELOPRX	EXPLOREE
EEELOPRY	REPLOYEE
EEELOPST	PELOTEES
	POTELEES
EEELORST	TOLEREES
EEELORSU	RELOUEES
EEELORTV	REVOLTEE
EEELOSUV	EVOLUEES
	SOULEVEE
EEELOTUV	VELOUTEE
EEELPPRU	REPEUPLE
EEELPPRX	PERPLEXE
EEELPPSU	PEUPLEES
	SUPPLEEE
EEELPRRV	PRELEVER
EEELPRRZ	PERLEREZ
EEELPRST	REPLETES
EEELPRSU	LEPREUSE
	PLEUREES
EEELPRSV	PRELEVES
EEELPRVZ	PRELEVEZ
EEELPSST	STEEPLES*
EEELPSUX	EXPULSEE
EEELPTTY	TELETYPE
EEELQRUU	RELUQUEE
EEELRRSU	LEURREES
EEELRRUV	RELEVEUR
EEELRSSU	REELUSSE
EEELRSTT	LETTREES
EEELRSTU	REELUTES
	RESULTEE*
EEELRSTZ	LESTEREZ
EEELRSUV	ELEVEURS
	REVULSEE
	SURELEVE
EEELRTTV	LEVRETTE
EEELSSSU	ESSEULES
EEEMMMNT	MEMEMENT
EEEMMNNT	EMMENENT
EEEMMNOR	RENOMMEE
EEEMMNRR	REMMENER
EEEMMNRS	REMMENES
EEEMMNRZ	REMMENEZ
EEEMMOPT	POMMETEE
EEEMMORR	REMEMORE
EEEMMORS	MESOMERE
EEEMMPSY	EMPYEMES
EEEMMRSU	EMMUREES
EEEMNNPR	MEPRENNE
EEEMNNPS	EMPENNES
EEEMNNRT	MENERENT
EEEMNOPR	PROMENEE
EEEMNORT	REMONTEE
EEEMNPRZ	MEPRENEZ
EEEMNPST	EMPESENT
EEEMNRRU	ENUMERER
	REMUNERE
EEEMNRST	SEMERENT
EEEMNRSU	ENUMERES
	SURMENEE
EEEMNRTT	ENTREMET
EEEMNRUZ	ENUMEREZ
EEEMNSST	TENESMES
EEEMNSSU	MENEUSES
EEEMNSTU	MENTEUSE
EEEMNTTT	EMETTENT
EEEMNTTV	VETEMENT
EEEMNTUV	EMEUVENT
EEEMOPRT	EMPORTEE
	REMPOTEE
EEEMOPST	EMPOTEES
	ESTOMPEE
EEEMORST	METEORES
EEEMOSSU	EMOUSSEE
EEEMOSTT	EMOTTEES
EEEMPRRT	EMPETRER
	RETREMPE
	TEMPERER
EEEMPRRU	EMPEREUR
EEEMPRSS	EMPRESSE
EEEMPRST	EMPESTER
	EMPETRES
	TEMPERES
	TREMPEES
EEEMPRSU	PRESUMEE
EEEMPRSY	EMPYREES
EEEMPRTT	PERMETTE
	TEMPETER
EEEMPRTU	PERMUTEE
EEEMPRTX	EXEMPTER
EEEMPRTZ	EMPETREZ
	TEMPEREZ
EEEMPSST	EMPESTES
EEEMPSTT	TEMPETES
EEEMPSTX	EXEMPTES
EEEMPSTZ	EMPESTEZ
EEEMPTTZ	TEMPETEZ
EEEMPTXZ	EXEMPTEZ

EEEMQSTU	METEQUES
EEEMRRSS	RESSEMER
EEEMRRTT	REMETTRE
EEEMRRTZ	METREREZ
EEEMRRUZ	REMUEREZ
EEEMRSSS	RESSEMES
EEEMRSST	SEMESTRE
EEEMRSSU	MESUREES
	RESUMEES
	SURSEMEE
EEEMRSSZ	RESSEMEZ
EEEMRSTT	REMETTES
EEEMRSTX	EXTREMES
EEEMRTTU	EMETTEUR
EEEMRTTZ	EMETTREZ
	REMETTEZ
EEEMSSSU	SEMEUSES
EEENNNOT	ENTONNEE
EEENNNRT	ENRENENT
EEENNOPR	EPERONNE
	NEOPRENE
EEENNOST	ETONNEES
EEENNPRR	REPRENNE
EEENNPRS	EPRENNES
	PERENNES
EEENNPRY	PYRENEEN
EEENNRRT	ETRENNER
EEENNRST	ETRENNES
EEENNRTT	ENTERENT
EEENNRTV	ENERVENT
	VENERENT
EEENNRTZ	ETRENNEZ
EEENNSTT	ENTENTES
EEENNSUY	ENNUYEES
EEENNTTT	ENTETENT
EEENNTTV	EVENTENT
EEENNUVX	VENENEUX
EEENOPRS	PERSONEE
EEENOPRU	EUROPEEN
EEENORRS	ERRONEES
EEENORRX	EXONERER
EEENORSU	ENROUEES
	ONEREUSE
	RENOUEES
EEENORSV	NEVROSEE
	RENOVEES
EEENORSX	EXONERES
EEENORTU	ENTOUREE
EEENORUZ	ENOUEREZ
EEENORVY	RENVOYEE
EEENORXZ	EXONEREZ
EEENOSVY	ENVOYEES
EEENOTTY	NETTOYEE
EEENOTUV	ENVOUTEE
EEENPRRS	REPENSER
EEENPRRT	PENETRER
	REPERENT
EEENPRRZ	REPRENEZ
EEENPRSS	REPENSES
EEENPRST	ESPERENT
	PENETRES
	PESERENT
	PRESENTE
	REPENTES
	SERPENTE
	TERPENES
EEENPRSU	PRENEUSE
EEENPRSZ	PENSEREZ
	REPENSEZ
EEENPRTT	PETERENT
	REPETENT
EEENPRTZ	PENETREZ
	REPENTEZ
EEENPRUV	PREVENUE
EEENPRVZ	PREVENEZ
EEENQRRU	ENQUERRE
EEENQRTU	ENQUETER
EEENQRUZ	ENQUEREZ
EEENQSTU	ENQUETES
EEENQTUZ	ENQUETEZ
EEENRRRS	ENSERRER
EEENRRRT	ENTERRER
	ERRERENT
EEENRRSS	ENSERRES
EEENRRST	ENTERRES
	RENTREES
EEENRRSV	RENVERSE
EEENRRSZ	ENSERREZ
EEENRRTT	RENETTER
EEENRRTU	ETERNUER
EEENRRTV	EVENTRER
	REVERENT
EEENRRTZ	ENTERREZ
	ENTREREZ
	RENTEREZ
EEENRRUV	NERVUREE
EEENRRVZ	ENVERREZ
EEENRSST	RESSENTE
	SENESTRE
EEENRSSY	SYNERESE
EEENRSTT	ESTERENT*
	RENETTES

EEENRSTU	ETERNUES
	RETENUES
EEENRSTV	EVENTRES
	REVENTES
	VENTRÈES
EEENRSTX	EXTERNES
EEENRSUV	NERVEUSE
	REVENUES
EEENRTTT	TETERENT
EEENRTTV	REVETENT
EEENRTTZ	RENETTEZ
	TENTEREZ
EEENRTUV	ENTREVUE
EEENRTUX	EXTENUER
EEENRTUZ	ETERNUEZ
EEENRTVX	VEXERENT
EEENRTVZ	EVENTREZ
EEENSSTU	TENEUSES
EEENSTTT	NETTETES
EEENSTTV	VENETTES
EEENSTUV	VENTEUSE
EEENSTUX	EXTENUES
EEENTUXZ	EXTENUEZ
EEEOPPRS	PREPOSEE
EEEOPRRT	REPORTEE
EEEOPRRZ	OPEREREZ
EEEOPRSS	REPOSEES
EEEOPRTT	OPERETTE
EEEOPRTU	RETOUPEE
EEEOPRTX	EXPORTEE
EEEOPRUV	EPROUVEE
EEEOPSST	POETESSE
EEEOPSSU	EPOUSEES
	SOUPESEE
EEEOPSSX	EXPOSEES
EEEOPSTU	ETOUPEES
EEEOQRUV	REVOQUEE
EEEOQSUV	EVOQUEES
EEEORRTZ	TOREEREZ
EEEORSSS	ESSOREES
EEEPPRRT	PERPETRE
EEEPPRTT	PERPETTE
EEEPPRTU	PERPETUE
EEEPPSTT	PEPETTES
EEEPRRSU	PRESUREE
EEEPRRSV	PERVERSE
	PRESERVE
EEEPRRTU	REPETEUR
EEEPRRTZ	PRETEREZ
EEEPRRUZ	EPUREREZ
EEEPRSSS	PRESSEES
EEEPRSSX	EXPRESSE
EEEPRSTT	SERPETTE
EEEPRSTU	PETREUSE
	PRETEUSE
	REPUTEES
EEEPRSTX	EXPERTES
EEEPRSTZ	PESTEREZ
EEEPRSUU	PEUREUSE
EEEPRSUV	EPREUVES
EEEPRTTX	PRETEXTE
EEEPSSSU	PESEUSES
EEEPSSTT	PESETTES
EEEPSSTU	PESTEUSE
	PETEUSES
EEEQRRSU	EQUERRES
	RESEQUER
EEEQRRUZ	REQUEREZ
EEEQRSSU	RESEQUES
EEEQRSTU	EQUESTRE
	REQUETES
EEEQRSUZ	RESEQUEZ
EEEQRTUU	EQUEUTER
EEEQRTUZ	QUETEREZ
EEEQSTUU	EQUEUTES
	QUETEUSE
EEEQTUUZ	EQUEUTEZ
EEERRRSS	RESSERRE
EEERRRSV	RESERVER
	REVERSER
EEERRRSZ	SERREREZ
EEERRRTZ	TERREREZ
EEERRRVZ	REVERREZ
EEERRSSV	RESERVES
	RESSERVE
	REVERSES
EEERRSTU	TERREUSE
	URETERES
EEERRSTZ	RESTEREZ
	STEREREZ
	TERSEREZ
EEERRSVZ	RESERVEZ
	REVERSEZ
	SEVREREZ
	VERSEREZ
EEERRTUV	EVERTUER
EEERSSST	TESSERES
	TRESSEES
EEERSSSU	SEREUSES
EEERSSUV	REVEUSES
	SERVEUSE
	VEREUSES →

	VERSEUSE
EEERSSUY	RESSUYEE
EEERSSVZ	VESSEREZ
EEERSTTZ	TESTEREZ
EEERSTUV	EVERTUES
	REVETUES
EEERSTZZ	ZESTEREZ
EEERSUZZ	ZEUZERES
EEERTTUU	TUTEUREE
EEERTUVZ	ETUVEREZ
	EVERTUEZ
EEESSSUY	ESSUYEES
EEESTUUV	ETUVEUSE
EEFFFIIZ	FIEFFIEZ
EEFFFINT	FIEFFENT
EEFFGIIS	EFFIGIES
EEFFGIRR	GREFFIER
EEFFGIRS	GRIFFEES
EEFFGIRZ	GREFFIEZ
EEFFGNRT	GREFFENT
EEFFGRRU	GREFFEUR
EEFFIILZ	EFFILIEZ
EEFFILNT	EFFILENT
EEFFILRU	EFFILEUR
	EFFILURE
	EFFLEURI
EEFFILRX	REFLEXIF
EEFFILSS	SIFFLEES
EEFFIMPR	EMPIFFRE
EEFFIOTZ	ETOFFIEZ
EEFFIRRT	EFFRITER
EEFFIRST	EFFRITES
EEFFIRTZ	EFFRITEZ
EEFFISSU	SUIFFEES
EEFFISUX	SUFFIXEE
EEFFLNTU	EFFLUENT
EEFFLOSU	SOUFFLEE
EEFFLSUV	EFFLUVES
EEFFNORS	OFFENSER
EEFFNORT	EFFRONTE
EEFFNOSS	OFFENSES
EEFFNOSZ	OFFENSEZ
EEFFNOTT	ETOFFENT
EEFFORST	OFFERTES
EEFFORTU	ETOUFFER
EEFFOSTU	ETOUFFES
EEFFOTUZ	ETOUFFEZ
EEFFRSTU	TRUFFEES
EEFFSSTU	SUFFETES
EEFGIILN	INFLIGEE
EEFGIILR	GELIFIER
EEFGIILS	GELIFIES
EEFGIILZ	GELIFIEZ
EEFGIINZ	FEIGNIEZ
EEFGIIRZ	FIGERIEZ
EEFGILNO	FIGNOLEE
EEFGILNS	EGLEFINS
EEFGILNU	FLINGUEE
EEFGILOR	GIROFLEE
EEFGILRZ	GIFLEREZ
EEFGIMNT	FIGEMENT
EEFGIMNU	FUMIGENE
EEFGINNP	PFENNIGE
EEFGINNT	FEIGNENT
EEFGINRT	FIGERENT
EEFGINRU	FRINGUEE
EEFGINSU	FUEGIENS
EEFGINTU	TENIFUGE
EEFGIRRU	REFUGIER
EEFGIRSU	FIGUREES
	REFUGIES
EEFGIRUZ	REFUGIEZ
EEFGISTU	FUSTIGEE
EEFGLNOR	REGONFLE
EEFGLNOS	GONFLEES
EEFGLOSS	SOLFEGES
EEFGORRZ	FORGEREZ
EEFGORSU	FOUGERES
EEFGORUU	FOURGUEE
EEFGORUZ	FOUGEREZ
EEFGSUUU	FUGUEUSE
EEFIIIVV	VIVIFIEE
EEFIILNR	LENIFIER
EEFIILNS	LENIFIES
EEFIILNZ	ENFILIEZ
	LENIFIEZ
EEFIILPR	PILIFERE
EEFIILQU	LIQUEFIE
EEFIILRS	FILIERES
EEFIILRZ	FILERIEZ
	REFILIEZ
EEFIILTZ	FILETIEZ
EEFIIMMO	MOMIFIEE
EEFIIMNN	FEMININE
EEFIIMNR	INFIRMEE
EEFIIMNS	FEMINISE
EEFIIMNT	FEMINITE
EEFIINOT	NOTIFIEE
	TONIFIEE
EEFIINRU	REUNIFIE
EEFIINRV	VINIFERE
EEFIINRZ	FREINIEZ →

	INFERIEZ
EEFIINSU	UNIFIEES
EEFIINTZ	FEINTIEZ
	FIENTIEZ
EEFIIOSS	OSSIFIEE
EEFIIPRR	FRIPERIE
	FRIPIERE
EEFIIPRT	PETRIFIE
EEFIIPRU	PURIFIEE
EEFIIRRT	FRITERIE
	TERRIFIE
EEFIIRRV	VERIFIER
EEFIIRSV	VERIFIES
	VERSIFIE
EEFIIRVZ	VERIFIEZ
EEFIIRXZ	FIXERIEZ
EEFILLLU	FILLEULE
EEFILLOU	FOUILLEE
EEFILLRT	FRETILLE
EEFILLRU	FEUILLER
EEFILLSU	FEUILLES
	FUSILLEE
EEFILLTT	FILLETTE
EEFILLTU	FEUILLET
EEFILLUU	FEUILLUE
EEFILLUX	FIELLEUX
EEFILLUZ	FEUILLEZ
EEFILMNU	FULMINEE
EEFILMOR	EMORFILE
EEFILMRU	MUFLERIE
EEFILMRZ	FILMEREZ
EEFILNNT	ENFILENT
EEFILNOS	FELONIES
	OLEFINES
EEFILNRR	RENFILER
	RENIFLER
EEFILNRS	NEFLIERS
	RENFILES
	RENIFLES
EEFILNRT	FILERENT
	REFILENT
EEFILNRU	ENFILEUR
EEFILNRZ	RENFILEZ
	RENFLIEZ
	RENIFLEZ
EEFILNTT	FILETENT
EEFILOOT	FOLIOTEE
EEFILOPR	PERFOLIE
	PROFILEE
EEFILORS	FRISOLEE
EEFILORX	EXFOLIER
EEFILORZ	LOFERIEZ
EEFILOSS	SOLFIEES
EEFILOSX	EXFOLIES
EEFILOTU	FILOUTEE
EEFILOXZ	EXFOLIEZ
EEFILPRS	PERSIFLE
EEFILPRT	REPLETIF
EEFILPTX	EXPLETIF
EEFILRRT	TREFILER
EEFILRRU	REFLEURI
EEFILRST	FERTILES
	FILTREES
	FLETRIES
	TREFILES
EEFILRSU	FLEURIES
	FRILEUSE
	SURFILEE
EEFILRTZ	TREFILEZ
EEFILRUZ	FLEURIEZ
	REFLUIEZ
EEFILSSU	FILEUSES
EEFILSUZ	FUSELIEZ
EEFIMMRS	FREMIMES
EEFIMNNT	FINEMENT
EEFIMNOR	INFORMEE
EEFIMNSU	ENFUIMES
EEFIMNTX	FIXEMENT
EEFIMNUZ	ENFUMIEZ
EEFIMRRS	FERMIERS
EEFIMRRZ	FREMIREZ
EEFIMRSS	FREMISSE
EEFIMRST	FREMITES
EEFIMRSU	FUMERIES
EEFIMRTU	TUMEFIER
EEFIMRUZ	FUMERIEZ
EEFIMSTU	TUMEFIES
EEFIMTUZ	TUMEFIEZ
EEFINNRS	ENFREINS
EEFINNRT	ENFREINT
	FREINENT
	INFERENT
EEFINNTT	FEINTENT
	FIENTENT
EEFINNTU	ENFUIENT
EEFINOSU	ENFOUIES
EEFINRRT	REFIRENT
EEFINRST	FREINTES
	INFESTER
EEFINRTU	FEUTRINE
EEFINRTX	FIXERENT
EEFINRUZ	ENFUIREZ

EEFINSSS	FINESSES
EEFINSST	INFESTES
EEFINSSU	ENFUISSE
	INFUSEES
EEFINSTU	ENFUITES
EEFINSTX	EXTENSIF
EEFINSTZ	INFESTEZ
EEFINUYZ	ENFUYIEZ
EEFIORRT	ROTIFERE*
	TORREFIE
EEFIORRZ	FOIREREZ
	FORERIEZ
EEFIORSS	FROISSEE
EEFIORST	FIEROTES
EEFIORSU	FOIREUSE
	SERFOUIE
EEFIOSST	FESTOIES
EEFIPRRX	PREFIXER
EEFIPRRZ	FRIPEREZ
EEFIPRSX	PREFIXES
EEFIPRTU	PUTREFIE
EEFIPRXZ	PREFIXEZ
EEFIPSTU	STUPEFIE
EEFIQRRU	FERRIQUE
EEFIRRSV	FEVRIERS*
EEFIRRSZ	FRISEREZ
EEFIRRTU	IRREFUTE
EEFIRSSS	FESSIERS
	REFISSES
EEFIRSSU	FISSUREE
EEFIRSTT	FRISETTE
EEFIRSTU	FRITEUSE
	FRUITEES
	TUFIERES
EEFIRSUU	FURIEUSE
EEFIRSUZ	FUSERIEZ
	REFUSIEZ
EEFIRTTZ	FRETTIEZ
EEFIRTUZ	FEUTRIEZ
	FURETIEZ
	REFUTIEZ
EEFIRUVX	FIEVREUX
EEFJORRT	FORJETER
EEFJORST	FORJETES
EEFJORTT	FORJETTE
EEFJORTZ	FORJETEZ
EEFLLMOR	FORMELLE
EEFLLOTT	FOLLETTE
EEFLLSSU	FUSELLES
EEFLMOOR	FORMOLEE
EEFLMORU	FORMULEE
EEFLNNOS	FELONNES
EEFLNNRT	RENFLENT
EEFLNORS	FELERONS
EEFLNORT	FELERONT
	LOFERENT
EEFLNORU	RENFLOUE
EEFLNOSU	SULFONEE
EEFLNRSU	ENFLURES
EEFLNRTU	FLEURENT
	REFLUENT
EEFLOQUU	FELOUQUE
EEFLORRU	REFOULER
EEFLORRZ	FROLEREZ
EEFLORSU	FROLEUSE
	REFOULES
EEFLORUZ	FLOUEREZ
	FOULEREZ
	REFOULEZ
EEFLRSTU	FLEURETS
EEFLRSUU	SULFUREE
EEFLRSUX	FLEXURES
EEFLRTUZ	FLUTEREZ
EEFLSTTU	FLUETTES
EEFLUUXX	FLEXUEUX
EEFMMORS	MEFORMES
EEFMNNTU	ENFUMENT
EEFMNORS	FORMENES
EEFMNORT	FOMENTER
EEFMNOST	FOMENTES
EEFMNOTZ	FOMENTEZ
EEFMNRST	FERMENTS
EEFMNRTU	FUMERENT
EEFMOPRR	PREFORME
EEFMORRR	REFORMER
EEFMORRS	REFORMES
EEFMORRT	FORMERET
EEFMORRZ	FORMEREZ
	REFORMEZ
EEFMOSTT	MOFETTES
EEFMOTTU	MOUFETTE
EEFMSSUU	FUMEUSES
EEFNNORU	ENFOURNE
EEFNNOST	FESTONNE
EEFNORRS	REFERONS
EEFNORRT	FORERENT
	REFERONT
EEFNORST	FETERONS
	REFONTES
EEFNORSU	ENSOUFRE
	FOURNEES
EEFNORTT	FETERONT

EEFNORTU	FORTUNEE
EEFNQRTU	FREQUENT
EEFNRSTU	FUSERENT
	REFUSENT
EEFNRSTV	FERVENTS
EEFNRTTT	FRETTENT
EEFNRTTU	FEUTRENT
	FURETENT
	REFUTENT
EEFNSSTU	FUNESTES
EEFOPRRR	PERFORER
	PROFERER
EEFOPRRS	PERFORES
	PROFERES
EEFOPRRZ	PERFOREZ
	PROFEREZ
EEFOPRSS	PROFESSE
EEFORRSU	FOURREES
EEFORRSV	ORFEVRES
EEFORRTU	FERROUTE
EEFORSSU	FOREUSES
	SOUFREES
EEFORSTT	FROTTEES
EEFORSTY	FESTOYER
EEFORTTU	FOUETTER
EEFOSSTT	FOSSETTE
EEFOSSTY	FESTOYES*
EEFOSTTU	FOUETTES
EEFOSTYZ	FESTOYEZ
EEFOTTUZ	FOUETTEZ
EEFQRSSU	FRESQUES
EEFQSTUU	FETUQUES
EEFRRRSU	FERREURS
	FERRURES
EEFRRSSU	FRESSURE
EEFRRSTU	FRETEURS
	FRUSTREE
EEFRRSUV	FERVEURS
EEFRRSUZ	SURFEREZ
EEFRRTUU	FURETEUR
EEFSSTTU	FUSETTES
EEGGIINZ	GEIGNIEZ
EEGGILNR	NEGLIGER
EEGGILNS	NEGLIGES
EEGGILNZ	NEGLIGEZ
EEGGILOO	GEOLOGIE
EEGGINNT	GEIGNENT
EEGGINOR	GEORGIEN
EEGGINSU	GUIGNEES
EEGGIORS	GREGEOIS
EEGGIORZ	EGORGIEZ
EEGGIOST	GIGOTEES
EEGGIRUZ	EGRUGIEZ
EEGGLOOU	GEOLOGUE
EEGGLOSU	EGLOGUES
EEGGNORR	ENGORGER
	RENGORGE
EEGGNORS	ENGORGES
EEGGNORT	EGORGENT
EEGGNORV	VERGOGNE
EEGGNORZ	ENGORGEZ
EEGGNRTU	EGRUGENT
EEGGORRR	REGORGER
EEGGORRS	REGORGES
EEGGORRU	EGORGEUR
EEGGORRZ	GORGEREZ
	REGORGEZ
EEGGORSU	GOUGERES
EEGGOTTU	GOGUETTE
EEGGRRSU	SUGGERER
EEGGRRUZ	GRUGEREZ
EEGGRSSU	SUGGERES
EEGGRSUZ	SUGGEREZ
EEGHILOP	GEOPHILE
EEGHINOS	EGOHINES
EEGHINSY	HYGIENES
EEGHIRTU	THEURGIE
EEGHNOPS	PHOSGENE
EEGHNORS	HONGREES
EEGHOPSY	HYPOGEES
EEGHPRSY	GRYPHEES
EEGIILLS	SIGILLEE
EEGIILMT	LEGITIME
EEGIILNR	LINGERIE
EEGIILOS	LIEGEOIS
EEGIILRT	GILETIER
EEGIILVZ	LEVIGIEZ
EEGIIMMR	IMMIGREE
EEGIIMNZ	GEMINIEZ
EEGIIMRZ	EMIGRIEZ
	GEMIRIEZ
	MEGIRIEZ
EEGIIMST	MITIGEES
EEGIINNR	INGENIER
	NIGERIEN
EEGIINNS	INGENIES
EEGIINNZ	INGENIEZ
EEGIINPR	PEIGNIER
EEGIINPZ	PEIGNIEZ
EEGIINRS	SINGERIE
EEGIINRZ	INGERIEZ
EEGIINST	ETEIGNIS

EEGIINTT	ETEIGNIT
EEGIINTZ	TEIGNIEZ
EEGIIPRZ	PIGERIEZ
EEGIIRRS	GRISERIE
EEGIIRRU	IRRIGUEE
EEGIIRRZ	REGIRIEZ
EEGIIRSZ	EGRISIEZ
EEGIIRTZ	GITERIEZ
EEGIIRUV	VIGUERIE
EEGIITUX	EXIGUITE
EEGIJMUZ	MEJUGIEZ
EEGIJNNO	ENJOIGNE
EEGIJNOR	REJOIGNE
EEGIJRUZ	JUGERIEZ
EEGILLMR	GREMILLE
EEGILLNR	NEGRILLE
EEGILLNS	NIGELLES
EEGILLNT	GENTILLE
EEGILLNU	GUENILLE
EEGILLOS	EGOSILLE
EEGILLRS	GIRELLES
	GRESILLE
	GRILLEES
EEGILLRV	GRIVELLE
EEGILLSS	GISELLES
EEGILLST	TIGELLES
EEGILLSU	LIGULEES
EEGILMNU	LEGUMINE
EEGILMOS	LIMOGEES
EEGILMRU	LEGUMIER
EEGILMUZ	MEUGLIEZ
EEGILNNR	ENLIGNER
EEGILNNS	ENLIGNES
EEGILNNZ	ENLIGNEZ
EEGILNOR	ELOIGNER
EEGILNOS	ELOIGNES
EEGILNOZ	ELOIGNEZ
EEGILNPR	EPINGLER
EEGILNPS	EPINGLES
	PEELINGS
EEGILNPZ	EPINGLEZ
EEGILNRS	LINGERES
	RESINGLE
EEGILNRU	ELINGUER
EEGILNSU	ELINGUES
	LIGNEUSE
EEGILNTV	LEVIGENT
EEGILNUZ	ELINGUEZ
	ENGLUIEZ
EEGILOPU	EPILOGUE
EEGILORS	GEOLIERS
EEGILORT	REGOLITE
EEGILORZ	LOGERIEZ
	RELOGIEZ
EEGILOST	LIGOTEES
EEGILOSV	VOLIGEES
EEGILOUX	ELOGIEUX
EEGILPSS	SPIEGELS
EEGILRRU	REGULIER
EEGILRRV	GRIVELER
EEGILRSS	REGLISSE
EEGILRSV	GRIVELES
EEGILRUV	GELIVURE
	VIRGULEE
EEGILRUZ	LIGUEREZ
	LUGERIEZ
EEGILRVZ	GRIVELEZ
EEGILSSS	GLISSEES
EEGILSST	LEGISTES
EEGILSUU	LIGUEUSE
EEGILUUZ	GUEULIEZ
EEGIMMRR	IMMERGER
EEGIMMRS	IMMERGES
EEGIMMRZ	IMMERGEZ
EEGIMNNS	MENINGES
EEGIMNNT	GEMINENT
EEGIMNOP	EMPOIGNE
EEGIMNOR	MORIGENE
EEGIMNOS	GEMONIES
EEGIMNOT	MIGNOTEE
	TEMOIGNE
EEGIMNPR	IMPREGNE
EEGIMNPT	PIGMENTE
EEGIMNRT	EMIGRENT
	GEMIRENT
	MEGIRENT
	REGIMENT
EEGIMNRU	MERINGUE
EEGIMNST	GISEMENT
	MEETINGS
EEGIMOSS	EGOISMES
EEGIMOST	EGOTISME
EEGIMPRR	REGRIMPE
EEGIMPRS	GRIMPEES
EEGIMRRZ	GRIMEREZ
EEGIMRSS	MEGISSER
EEGIMRSU	GUERIMES
EEGIMSSS	GEMISSES
	MEGISSES
EEGIMSSZ	GEMISSEZ
	MEGISSEZ
EEGINNOP	PIGEONNE

EEGINNPT	PEIGNENT
EEGINNRT	INGERENT
EEGINNSU	GUINEENS
	INGENUES
EEGINNTT	TEIGNENT
EEGINOOR	OROGENIE
EEGINOPS	EPIGONES
	PIEGEONS
	POIGNEES
EEGINOPZ	EPONGIEZ
EEGINORR	ERIGERON
EEGINORS	ERIGEONS
	IGNOREES
	SONGERIE
EEGINORT	ERGOTINE
EEGINOSS	GENOISES
	SIEGEONS
	SOIGNEES
EEGINOSV	GENEVOIS
EEGINOSX	EXIGEONS
EEGINOUZ	ENGOUIEZ
EEGINPRT	PIGERENT
	TREPIGNE
EEGINPRU	PEIGNEUR
	PERUGINE
EEGINPSY	EPIGYNES
EEGINPTY	EGYPTIEN
EEGINRRS	GRENIERS
	NEGRIERS
	RESIGNER
EEGINRRT	INTEGRER
	REGIRENT
EEGINRSS	RESIGNES
EEGINRST	EGRISENT
	GRENETIS
	INTEGRES
EEGINRSU	INSURGEE
	RUGINEES
	SEIGNEUR
	SERINGUE
EEGINRSY	SYNERGIE
EEGINRSZ	RESIGNEZ
	SIGNEREZ
	SINGEREZ
EEGINRTT	GITERENT
EEGINRTU	GENITEUR
EEGINRTZ	INTEGREZ
EEGINSSS	GENISSES
EEGINSUZ	ZINGUEES
EEGINTTV	VIGNETTE
EEGINTUX	TEIGNEUX
EEGIOORU	ROUGEOIE
EEGIOPST	EPITOGES
EEGIORRU	GUERROIE
EEGIORRV	REVIGORE
EEGIORTU	EGOUTIER
EEGIORTZ	ERGOTIEZ
EEGIOSST	EGOISTES
EEGIOSTT	EGOTISTE
EEGIPPRS	GRIPPEES
EEGIPRST	PRESTIGE
EEGIPRSU	GUEPIERS
	PIEGEURS
EEGIPRUZ	GUIPEREZ
EEGIRRRU	GUERRIER
EEGIRRST	REGISTRE
EEGIRRSU	GRUERIES
	RESURGIE*
EEGIRRSZ	GRISEREZ
EEGIRRUZ	GUERIREZ
	URGERIEZ*
EEGIRRVZ	GIVREREZ
EEGIRSSS	REGISSES
EEGIRSST	TIGRESSE
EEGIRSSU	GUERISSE
EEGIRSSZ	REGISSEZ
EEGIRSTT	GRISETTE
EEGIRSTU	GUERITES
EEGIRSTV	GREVISTE
	VERTIGES
EEGIRSUV	GIVREUSE
EEGIRTUZ	GUETRIEZ
EEGISSTV	VESTIGES
EEGISTTT	TIGETTES
EEGITTUZ	GUETTIEZ
EEGJLSUU	JUGULEES
EEGJMNTU	JUGEMENT
	MEJUGENT
EEGJNRTU	JUGERENT
EEGJNRUU	ENJUGUER
EEGJNSUU	ENJUGUES
EEGJNUUZ	ENJUGUEZ
EEGJOSTU	JUGEOTES
EEGJPRRU	PREJUGER
EEGJPRSU	PREJUGES
EEGJPRUZ	PREJUGEZ
EEGJSSUU	JUGEUSES
EEGLLLMU	GLUMELLE
EEGLLMRU	GRUMELLE
EEGLLNNO	GONNELLE
EEGLLNOS	GONELLES
EEGLMMOR	GROMMELE

EEGLMMSU	GEMMULES
EEGLMNOO	MENOLOGE
EEGLMNOT	LOGEMENT
EEGLMNTU	MEUGLENT
EEGLMRRU	GRUMELER
EEGLMRSU	GRUMELES
	MERGULES
	REMUGLES
EEGLMRUZ	GRUMELEZ
EEGLNNTU	ENGLUENT
EEGLNOPR	REPLONGE
EEGLNOPS	PLONGEES
EEGLNORS	GELERONS
	LORGNEES
	REGELONS
EEGLNORT	GELERONT
	LOGERENT
	RELOGENT
	ROTENGLE
EEGLNORZ	LONGEREZ
EEGLNOSU	ONGULEES
EEGLNOTT	ONGLETTE
EEGLNRTU	LUGERENT
EEGLNTUU	GUEULENT
EEGLOORU	ROUGEOLE
EEGLOOSZ	ZOOGLEES
EEGLORST	ORGELETS
EEGLORSZ	GLOSEREZ
EEGLORTT	GRELOTTE
EEGLORVY	LEVOGYRE
EEGLOSSU	LOGEUSES
EEGLOSTT	LOGETTES
EEGLOTTU	GOULETTE
EEGLPRSU	SPERGULE
EEGLRRSU	REGLEURS
	REGLURES
	SURGELER
EEGLRSSU	SURGELES
EEGLRSUZ	SURGELEZ
EEGLSSTU	GESTUELS
EEGLSSUU	LUGEUSES
EEGMMNOR	ENGOMMER
EEGMMNOS	ENGOMMES
EEGMMNOZ	ENGOMMEZ
EEGMMOSU	GOMMEUSE
EEGMMRSU	GEMMEURS
EEGMNNOS	MENSONGE
EEGMNPSY	PYGMEENS
EEGMNSST	SEGMENTS
EEGMNTTU	TEGUMENT
EEGMORSU	GOURMEES
EEGNNOPT	EPONGENT
EEGNNORS	EGRENONS
	GENERONS
EEGNNORT	GENERONT
EEGNNOSV	VENGEONS
EEGNNOTU	ENGOUENT
EEGNOPSY	PYOGENES
EEGNOPTY	GENOTYPE
EEGNORRS	GERERONS
	GREERONS
	REGREONS
EEGNORRT	GERERONT
	GREERONT
EEGNORRZ	ROGNEREZ
	RONGEREZ
EEGNORSS	ENGROSSE
EEGNORST	GERONTES
EEGNORSU	ROGNEUSE
	RONGEUSE
EEGNORSZ	SONGEREZ
EEGNORTT	ERGOTENT
EEGNORUV	GOUVERNE
EEGNORXY	OXYGENER
EEGNOSSU	SONGEUSE
EEGNOSSZ	GONZESSE
EEGNOSTV	VEGETONS
EEGNOSXY	OXYGENES
EEGNOXYZ	OXYGENEZ
EEGNPRRU	REPUGNER
EEGNPRSU	REPUGNES
EEGNPRUZ	REPUGNEZ
EEGNRRSU	GRENURES
EEGNRRTU	URGERENT
EEGNRSST	SERGENTS
EEGNRSTU	URGENTES
EEGNRSUV	VENGEURS
EEGNRTTU	GUETRENT
EEGNTTTU	GUETTENT
EEGOOPRR	PROROGEE
EEGOORUY	ROUGEOYE
EEGOPRRT	PROTEGER
EEGOPRRU	REGROUPE
EEGOPRST	PROTEGES
EEGOPRSU	GROUPEES
EEGOPRTU	GEOTRUPE
EEGOPRTZ	PROTEGEZ
EEGORRTU	ERGOTEUR
EEGORRUY	GUERROYE
EEGORRUZ	GOUREREZ
EEGORSSS	OGRESSES
EEGORTTU	EGOUTTER

EEGORTUZ	GOUTEREZ
EEGORUVZ	VOGUEREZ
EEGOSTTU	EGOUTTES
EEGOTTUZ	EGOUTTEZ
EEGPRRUX	EXPURGER
EEGPRRUZ	PURGEREZ
EEGPRSUX	EXPURGES
EEGPRUXZ	EXPURGEZ
EEGPSSUY	GYPSEUSE
EEGRRSUY	GRUYERES
EEGRSUUU	RUGUEUSE
EEGRTTUU	GUETTEUR
EEHIILMU	HUMILIEE
EEHIILNT	LITHINEE
EEHIILRU	HUILERIE
EEHIIMTU	HUITIEME
EEHIIRRT	HERITIER
EEHIIRTZ	HERITIEZ
EEHIISTZ	HESITIEZ
EEHILMOS	HOMELIES
EEHILORT	HOTELIER
EEHILOST	EOLITHES
EEHILRTU	LUTHERIE
EEHILRUZ	HUILEREZ
EEHILSUU	HUILEUSE
EEHIMNNS	HENNIMES
EEHIMNOS	HEMIONES
EEHIMNRS	HERMINES
EEHIMNST	HIEMENTS
EEHIMNSU	INHUMEES
EEHIMORS	HEROISME
EEHIMQUV	VEHMIQUE
EEHIMRRU	RHUMERIE
EEHIMRST	THERMIES
EEHIMRTT	THERMITE
EEHIMRUZ	HUMERIEZ
EEHIMSST	THEISMES
EEHIMUXZ	EXHUMIEZ
EEHINNRT	INHERENT
EEHINNRZ	HENNIREZ
EEHINNSS	HENNISSE
EEHINNST	HENNITES
EEHINOPU	EUPHONIE
EEHINORS	HEROINES
EEHINPQU	PHENIQUE
EEHINPRT	NEPHRITE
EEHINQTU	ETHNIQUE
EEHINRRV	HIVERNER
EEHINRSV	HIVERNES
EEHINRTT	HERITENT
EEHINRTZ	HERTZIEN
EEHINRUX	HERNIEUX
EEHINRVZ	HIVERNEZ
EEHINSTT	HESITENT
EEHIOPRS	EPHORIES
EEHIOPRU	EUPHORIE
EEHIOQRU	HEROIQUE
EEHIORST	THEORIES
	THEORISE
EEHIORUZ	HOUERIEZ
EEHIOSTY	ISOHYETE
EEHIPPSY	EPIPHYSE
EEHIPPTY	EPIPHYTE
EEHIQRTU	RHETIQUE
EEHIQSTU	ETHIQUES
EEHIRRSS	HERISSER
EEHIRSSS	HERISSES
EEHIRSSZ	HERISSEZ
	HISSEREZ
EEHIRSTY	HYSTERIE
EEHIRTUZ	HEURTIEZ
EEHISSTT	THEISTES
EEHKLPST	KLEPHTES
EEHLLOPS	PHLEOLES
EEHLMNOT	MENTHOLE
EEHLMOSY	HEMOLYSE
EEHLMSTY	METHYLES
EEHLNORS	HELERONS
EEHLNORT	HELERONT
EEHLNPSY	PHENYLES
EEHLOPRT	PLETHORE
EEHLOSUU	HOULEUSE
EEHLOTTU	HOULETTE
EEHLRRUZ	HURLEREZ
EEHLRSUU	HURLEUSE
EEHMMOPR	MORPHEME
EEHMMORT	OHMMETRE
EEHMNOPS	PHONEMES
EEHMNPSY	NYMPHEES
EEHMNRRU	ENRHUMER
EEHMNRSU	ENRHUMES
EEHMNRTU	HUMERENT
EEHMNRUZ	ENRHUMEZ
EEHMNTUX	EXHUMENT
EEHMRSTY	RYTHMEES
EEHNNOST	HONNETES
EEHNNRUY	HENNUYER
EEHNOORS	HONOREES
EEHNOPRS	NEPHROSE
EEHNOPTY	NEOPHYTE
EEHNORTU	HOUERENT
EEHNOSTU	HONTEUSE

EEHNPRSY	SPHYRENE
EEHNRSTU	RUTHENES
EEHNRTTU	HEURTENT
EEHNSSTU	SHUNTEES
EEHNSSTY	SYNTHESE
EEHOOPRS	OOSPHERE
EEHOOQTU	OOTHEQUE
EEHOORRT	OTORRHEE
EEHOOSST	SHOOTEES
EEHOPPRT	PROPHETE
EEHOPRRY	PYORRHEE
EEHOPRST	PROTHESE
	TROPHEES
EEHOQRTU	HOQUETER
EEHOQTTU	HOQUETTE
EEHOQTUZ	HOQUETEZ
EEHORRTX	EXHORTER
EEHORSTX	EXHORTES
EEHORTXZ	EXHORTEZ
EEHOSSST	HOTESSES
EEHPRRTY	PYRETHRE
EEHRRSTU	RHETEURS
EEIIILLV	VIEILLIE
EEIIINST	INITIEES
EEIIJNRU	INJURIEE
EEIIKRSZ	SKIERIEZ
EEIILLMM	MILLIEME
EEIILLNZ	NIELLIEZ
EEIILLOP	EOLIPILE
EEIILLSV	VIEILLES
EEIILLTT	TITILLEE
EEIILLTZ	TEILLIEZ
EEIILLVZ	VEILLIEZ
	VIELLIEZ
EEIILMNR	ELIMINER
EEIILMNS	ELIMINES
	EMILIENS
EEIILMNT	ILMENITE
	MELINITE
EEIILMNZ	ELIMINEZ
EEIILMPS	LIPEMIES
EEIILMPZ	EMPILIEZ
EEIILMRZ	LIMERIEZ
EEIILMST	ELITISME
	LIMITEES
EEIILNNS	ILIENNES
EEIILNOV	INVIOLEE
EEIILNRS	LINIERES
EEIILNST	SENILITE
EEIILNSV	VILENIES
EEIILNSZ	ENLISIEZ →
	ENSILIEZ
	LESINIEZ
EEIILNTV	LENITIVE
EEIILNVZ	NIVELIEZ
EEIILORS	OISELIER
EEIILORT	TOILERIE
EEIILORV	VOILERIE
EEIILOSZ	OISELIEZ
EEIILOTZ	ETIOLIEZ
	ETOILIEZ
EEIILPRZ	PILERIEZ
	PLIERIEZ
	REPLIIEZ
EEIILRRS	RESILIER
EEIILRRT	TIRELIRE
EEIILRRZ	RELIRIEZ
EEIILRSS	LISIERES
	RESILIES
EEIILRST	LITERIES
	LITIERES
EEIILRSZ	LISERIEZ
	RELISIEZ
	RESILIEZ
EEIILRTU	TUILERIE
EEIILRTZ	LITERIEZ
EEIILSTT	ELITISTE
EEIILSTU	UTILISEE
EEIIMMPR	IMPRIMEE
EEIIMMRT	IMMERITE
EEIIMMRZ	MIMERIEZ
EEIIMNNS	INNEISME
	INSEMINE
	SIMIENNE
EEIIMNOR	MOINERIE
EEIIMNRS	MINIERES
EEIIMNRZ	MINERIEZ
EEIIMNST	INTIMEES
EEIIMORS	ISOMERIE
EEIIMORT	MIROITEE
EEIIMPRZ	EMPIRIEZ
	PERIMIEZ
EEIIMPST	IMPIETES
	PIETISME
EEIIMRRS	MERISIER
	REMISIER
EEIIMRRZ	MIRERIEZ
	RIMERIEZ
EEIIMRSZ	MISERIEZ
	REMISIEZ
EEIIMRTZ	IMITEREZ
	MERITIEZ →

	MITERIEZ
EEIIMRXZ	MIXERIEZ
EEIIMSSV	EMISSIVE
EEIIMSSX	SIXIEMES
EEIIMSSZ	EMISSIEZ
EEIIMSTZ	ESTIMIEZ
EEIINNNO	IONIENNE
EEIINNOP	INOPINEE
EEIINNRS	SIRENIEN*
EEIINNRT	RETINIEN
EEIINNST	INNEISTE
	INNEITES
EEIINNSU	INSINUEE
EEIINNTV	VENITIEN
EEIINORZ	NOIERIEZ
EEIINOSS	IONISEES
EEIINPPR	PIPERINE
EEIINPRS	EPINIERS
	INSPIREE
	PINIERES
EEIINPRT	PIETINER
EEIINPRV	VIPERINE
EEIINPST	INEPTIES
	PIETINES
EEIINPSU	INEPUISE
EEIINPSX	INEXPIES
EEIINPTZ	PIETINEZ
EEIINQTU	INQUIETE
EEIINRRS	RESINIER
EEIINRRT	NITRIERE
EEIINRST	INERTIES
EEIINRSU	USINIERE
EEIINRSZ	INSERIEZ
	RESINIEZ
	SERINIEZ
EEIINRTT	RETINITE
EEIINRTV	INVERTIE
EEIINRVZ	ENIVRIEZ
	VINERIEZ
EEIINSTU	INUSITEE
EEIINSTV	INVESTIE
	INVITEES
EEIINSUV	ENSUIVIE
EEIINTTZ	TEINTIEZ
EEIIORSS	SOIERIES
EEIIOSTV	OISIVETE
EEIIPPRS	PIPIERES
EEIIPPRZ	PIPERIEZ
EEIIPQRU	EQUIPIER
EEIIPQUZ	EQUIPIEZ
EEIIPRRR	PIERRIER
EEIIPRRT	PITRERIE
	TRIPERIE
	TRIPIERE
EEIIPRRZ	PERIRIEZ
	PRIERIEZ
	RIPERIEZ
EEIIPRTZ	ETRIPIEZ
EEIIPRXZ	EXPIRIEZ
EEIIPSST	IPSEITES
EEIIPSSZ	EPISSIEZ
EEIIPSTT	PIETISTE
EEIIPSUZ	EPUISIEZ
EEIIRRST	IRRITEES
EEIIRRSV	RIVIERES
EEIIRRSZ	IRISEREZ
	RIZERIES
	RIZIERES
EEIIRRTV	VITRERIE
EEIIRRTZ	RETIRIEZ
	TIRERIEZ
	TRIERIEZ
EEIIRRVV	VIVRIERE
EEIIRRVZ	RIVERIEZ
	VIRERIEZ
EEIIRSSV	VISIERES
	VISSERIE
EEIIRSVZ	REVISIEZ
	SEVIRIEZ
	VISERIEZ
EEIIRTTV	RETIVITE
EEIIRTVZ	RIVETIEZ
	VETIRIEZ
EEIIRVVZ	REVIVIEZ
EEIISSTV	VISITEES
EEIISTXZ	EXISTIEZ
EEIITUZZ	ZIEUTIEZ
EEIJLMUZ	JUMELIEZ
EEIJLNNU	JULIENNE
EEIJLNOV	ENJOLIVE
EEIJLNOZ	ENJOLIEZ
EEIJLNUV	JUVENILE
EEIJLOSS	JOLIESSE
EEIJLOTT	JOLIETTE
EEIJMOST	MIJOTEES
EEIJNNOT	ENJOINTE
EEIJNNOV	JOVIENNE
EEIJNORT	EJOINTER
	REJOINTE
EEIJNOST	EJOINTES
	JOINTEES
EEIJNOTZ	EJOINTEZ

EEIJORSU REJOUIES
EEIJORUZ JOUERIEZ
REJOUIEZ
EEIJRRUZ JURERIEZ
EEIJRTUZ JUTERIEZ
EEIJSSST JETISSES
EEIJSSTU JESUITES
EEIKLLRY KYRIELLE
EEIKLMST MELKITES
EEIKLRST TRISKELE*
EEIKLSST TELESKIS
EEIKNRST SKIERENT
EEIKOORR ROOKERIE
EEIKSSSU SKIEUSES
EEILLLNT LENTILLE
EEILLMOU MOUILLEE
EEILLMRU MEILLEUR
EEILLMRV VERMILLE
EEILLMST MELLITES
MISTELLE
EEILLMUX MIELLEUX
EEILLNNT NIELLENT
EEILLNPS SPINELLE
EEILLNRU NIELLEUR
NIELLURE
EEILLNSV NIVELLES
EEILLNTT TEILLENT
EEILLNTV VEILLENT
VIELLENT
EEILLOPU EPOUILLE
EEILLOPY EOLIPYLE
EEILLORR OREILLER
EEILLORS OREILLES
ORSEILLE
EEILLORU OULLIERE
ROUILLEE
EEILLOSS OISELLES
OSEILLES
EEILLOST OEILLETS
EEILLOSU OUILLEES
SOUILLEE
EEILLOTU OUTILLEE
TOUILLEE
EEILLOVV VELIVOLE
EEILLPRS PERSILLE
EEILLPRT PETILLER
EEILLPRZ PILLEREZ
EEILLPSS ELLIPSES
EEILLPST EPILLETS
PETILLES
EEILLPSU PILLEUSE

EEILLPTZ PETILLEZ
EEILLQSU EQUILLES
ESQUILLE
EEILLRRT ETRILLER
EEILLRSS RESILLES
SELLIERS
EEILLRST ETRILLES
TREILLES
TRILLEES*
EEILLRSV VRILLEES
EEILLRTT ILLETTRE
EEILLRTU RITUELLE
TEILLEUR
TULLERIE
TULLIERE
EEILLRTV VETILLER
EEILLRTZ ETRILLEZ
TILLEREZ
EEILLRUV VEILLEUR
VIELLEUR
EEILLSTT SITTELLE
EEILLSTV VETILLES
EEILLSUV VEUILLES
VILLEUSE
VISUELLE
EEILLSVX VEXILLES
EEILLTVZ VETILLEZ
EEILLUVX VIELLEUX*
EEILLUVZ VEUILLEZ
EEILMMOS IMMOLEES
EEILMMPS EMPLIMES
EEILMNNU ENLUMINE
EEILMNOU MOULINEE
EEILMNPT EMPILENT
PLIEMENT
EEILMNRT LIMERENT
EEILMNRU LEMURIEN*
EEILMNST LIEMENTS
EEILMNSU EMULSINE
MELUSINE
SELENIUM
EEILMNSY MYELINES
EEILMNTV VILEMENT
EEILMOPR IMPLOREE
REEMPLOI
REMPLOIE
EEILMOPS EMPLOIES
EEILMORU MOULIERE
EEILMOSS EMISSOLE
EEILMOTZ MOLETIEZ
EEILMOUZ EMOULIEZ

EEILMPRR	REMPILER
EEILMPRS	REMPILES
	REMPLIES
EEILMPRT	TEMPLIER
EEILMPRU	EMPILEUR
EEILMPRZ	EMPLIREZ
	REMPILEZ
EEILMPSS	EMPLISSE
	LEPISMES
EEILMPST	EMPLITES
EEILMPSU	IMPULSEE
EEILMPSX	IMPLEXES
EEILMQSU	MELIQUES
EEILMQTU	MIQUELET
EEILMRSU	LUMIERES
	MEULIERS
	RELUIMES*
EEILMRSV	VERMEILS
EEILMRTU	MULETIER
EEILMSSS	MELISSES
EEILMSSU	LIMEUSES
	SIMULEES
EEILMSTT	LIMETTES
	MELITTES
EEILMSTU	MUTILEES
	STIMULEE
EEILMSTY	MYELITES
EEILMSUV	EMULSIVE
EEILMSUZ	MUSELIEZ
EEILNNNS	LINNEENS
EEILNNOO	OENOLINE*
EEILNNOP	PILONNEE
EEILNNOS	LEONINES
EEILNNOT	LEONTINE
EEILNNST	ENLISENT
	ENSILENT
	LESINENT
EEILNOPP	POPELINE
EEILNOPS	EPELIONS
EEILNORT	ENTOILER
	RENTOILE
EEILNORV	ENVOILER
EEILNORZ	ENROLIEZ
EEILNOSS	INSOLEES
	NOLISEES
EEILNOST	ENTOILES
	ETOLIENS
EEILNOSV	ELEVIONS
	ENVOILES
	NIVEOLES
EEILNOTT	ETIOLENT →
	ETOILENT
EEILNOTV	VIOLENTE
EEILNOTZ	ENTOILEZ
	ENTOLIEZ
EEILNOVZ	ENVOILEZ
	ENVOLIEZ
EEILNPPZ	ZEPPELIN
EEILNPRS	PELERINS
	PLENIERS
EEILNPRT	PILERENT
	PLIERENT
	REPLIENT
EEILNPST	SPLENITE
EEILNPSV	PELVIENS
EEILNPUV	PLEUVINE
EEILNRST	ESTERLIN
	LISERENT
	RELISENT
EEILNRSU	LESINEUR
EEILNRTT	LETTRINE
	LITERENT
EEILNRTU	LUNETIER
EEILNRTV	VENTILER
EEILNRUV	NIVELEUR
EEILNSTU	INSULTEE
	LUTEINES
	LUTINEES
EEILNSTV	VENTILES
EEILNSUV	VEINULES
EEILNTVZ	VENTILEZ
EEILOPPT	POPLITEE
EEILOPQU	EQUIPOLE
EEILOPRS	POELIERS
	REPLOIES
	REPOLIES
EEILOPRZ	PLOIEREZ
EEILOPSS	SPOLIEES
EEILOPST	LEPIOTES
	PETIOLES
	PILOTEES
EEILOPTX	EXPLOITE
EEILOPTZ	PELOTIEZ
EEILOQSU	OLEIQUES
EEILORRS	ROSELIER
EEILORSS	RISSOLEE
EEILORST	LOTERIES
	TOLERIES
	TOLIERES
EEILORSU	OISELEUR
	SOULERIE
EEILORSV	VIROLEES →

	VOLERIES
	VOLIERES
EEILORSZ	ISOLEREZ
EEILORTT	ROITELET
EEILORTV	VIOLETER
EEILORTZ	TOLERIEZ
EEILORUZ	IOULEREZ*
	LOUERIEZ
	RELOUIEZ
EEILORVZ	LOVERIEZ
	REVOLIEZ
	VIOLEREZ
	VOILEREZ
	VOLERIEZ
EEILOSST	OISELETS
EEILOSTV	VIOLETES
EEILOSTZ	ZEOLITES
EEILOTTT	TOILETTE
EEILOTTV	OLIVETTE
	VIOLETTE
	VOILETTE
EEILOTVZ	VIOLETEZ
	VOLETIEZ
EEILOUVZ	EVOLUIEZ
EEILPPRS	PERIPLES
EEILPPRU	PEUPLIER
EEILPPST	PIPELETS
EEILPPSU	SUPPLIEE
EEILPPUZ	PEUPLIEZ
EEILPQRU	REPLIQUE
EEILPQUX	EXPLIQUE
EEILPRRS	PERLIERS
EEILPRSS	REPLISSE
EEILPRST	REPTILES
	TRIPLEES
EEILPRSU	PUERILES
EEILPRTU	PLEURITE
EEILPRUZ	PLEURIEZ
EEILPSSS	PELISSES
	PLISSEES
EEILPSSU	PILEUSES
	PLIEUSES
EEILPSTU	STIPULEE
EEILPSTY	EPISTYLE
	PYELITES
EEILQRSU	RELIQUES
EEILQSUV	VELIQUES
EEILQSUX	LEXIQUES
EEILQTTU	LIQUETTE
EEILRRSU	RELIEURS
	RELIURES
EEILRRSV	LEVRIERS
EEILRRUZ	LEURRIEZ
	RELUIREZ
	RUILEREZ
EEILRRVZ	LIVREREZ
EEILRSST	STERILES
EEILRSSU	RELUISES
	RUISSELE
EEILRSSV	LESSIVER
	SERVILES
EEILRSSZ	LISSEREZ
EEILRSTT	STERILET
EEILRSTU	RELUITES*
EEILRSUV	LIVREUSE
EEILRSUZ	RELUISEZ
EEILRSVZ	ELZEVIRS
EEILRTUZ	LUTERIEZ
EEILRUXZ	LUXERIEZ
EEILSSSS	SESSILES
EEILSSSU	LISEUSES
	LISSEUSE
EEILSSSV	LESSIVES
EEILSSTT	LISETTES
EEILSSTY	STYLISEE
EEILSSUZ	ELUSSIEZ
EEILSSVZ	LESSIVEZ
EEILSTTX	TEXTILES
EEILTUXZ	EXULTIEZ
EEIMMNNO	INNOMMEE*
EEIMMNRT	MIMERENT
EEIMMNSS	IMMENSES
EEIMMNST	MENTIMES
	MENTISME
EEIMMORS	MEMOIRES
	MEMORISE
	MOMERIES
EEIMMPRS	MEPRIMES
	PERMIMES
EEIMMRUZ	EMMURIEZ
EEIMNNNO	MINOENNE
EEIMNNOS	INNOMEES
EEIMNNOT	METONIEN
	MITONNEE
EEIMNNRT	MINERENT
EEIMNNST	EMINENTS
EEIMNOPP	POMPEIEN
EEIMNORS	EMERSION
	EMIERONS
	MINOREES
EEIMNORT	EMIERONT
	ENORMITE

EEIMNORV VOMERIEN
EEIMNOST MONETISE
EEIMNOSZ ONZIEMES
EEIMNPRS EMPREINS
PERMIENS
EEIMNPRT EMPIRENT
EMPREINT
PERIMENT
PIMENTER
RIPEMENT
EEIMNPRU PREMUNIE
EEIMNPSS IMPENSES
EEIMNPST PIMENTES
EEIMNPTZ PIMENTEZ
EEIMNQSU ENQUIMES
MENISQUE
MESQUINE
EEIMNRRT MIRERENT
REMIRENT
RIMERENT
TERMINER
EEIMNRST ENTREMIS
ENTRISME
MISERENT
REMISENT
RETINMES
TERMINES
TERNIMES
EEIMNRSU MENUISER
MEUNIERS
MINEURES
REUNIMES
RUMINEES
EEIMNRSV MINERVES
REVINMES
VERMINES
VERNIMES
EEIMNRTT ENTREMIT
MERITENT
MITERENT
EEIMNRTV VIREMENT
EEIMNRTX MIXERENT
EEIMNRTZ MENTIREZ
TERMINEZ
EEIMNSSS MESSINES
EEIMNSST EMISSENT
MENTISSE
SENTIMES
EEIMNSSU MENUISES
EEIMNSTT ESTIMENT
MENTITES →
MINETTES
EEIMNSTU MINUTEES
MUTINEES
EEIMNSUZ MENUISEZ
EEIMNTVV VIVEMENT
EEIMNUVX VENIMEUX
EEIMOPPR OPPRIMEE
EEIMOPRS REIMPOSE
EEIMOPRT IMPORTEE
EEIMOPSS EMPOISSE
IMPOSEES
EEIMOPST EPITOMES
EPSOMITE
EEIMOPSU EMPOSIEU
EEIMOPTZ EMPOTIEZ
EEIMOQRU MOQUERIE
EEIMORRZ MOIREREZ
EEIMORSS ISOMERES
MESSEOIR
REMOISES
EEIMORST EROTISME
TIMOREES
EEIMORSZ MOISEREZ
EEIMORTZ TOMERIEZ
EEIMOSTV EMOTIVES
MOTIVEES
EEIMOSTX EXOTISME
TOXEMIES
EEIMOTTZ EMOTTIEZ
OMETTIEZ
EEIMOUVZ EMOUVIEZ
EEIMPRRR REPRIMER
EEIMPRRS MEPRISER
PREMIERS
REPRIMES
EEIMPRRT IMPETRER
EEIMPRRX EXPRIMER
EEIMPRRZ PRIMEREZ
REPRIMEZ
EEIMPRSS EMPRISES
MEPRISES
MEPRISSE
PERMISES
PERMISSE
PREMISSE
EEIMPRST IMPETRES
MEPRITES
PERMITES
PETRIMES
EEIMPRSV PREVIMES
EEIMPRSX EXPRIMES

EEIMPRSZ	MEPRISEZ
EEIMPRTU	IMPURETE
EEIMPRTZ	IMPETREZ
	TREMPIEZ
EEIMPRUV	IMPREVUE
EEIMPRXZ	EXPRIMEZ
EEIMPSST	SEPTIMES
EEIMPSTU	IMPUTEES
EEIMQRSU	REQUIMES
EEIMQRTU	METRIQUE
EEIMQRUU	UREMIQUE
EEIMQSUU	MUSIQUEE*
EEIMRRST	TRIMERES
	TRIREMES
EEIMRRTT	TRIMETRE
EEIMRRTU	MEURTRIE
EEIMRRTZ	TRIMEREZ
EEIMRRUZ	MURERIEZ
EEIMRSSS	MESSIRES
	REMISSES
EEIMRSST	MEISTRES
	METISSER
	SERTIMES
EEIMRSSU	MIREUSES
	RIMEUSES
EEIMRSSV	SERVIMES
	VERISMES
EEIMRSTT	METRITES
	TERMITES
EEIMRSTY	SYMETRIE
EEIMRSUX	MISEREUX
EEIMRSUZ	MESURIEZ
	MUSERIEZ
	RESUMIEZ
EEIMRTTZ	METTRIEZ
EEIMRTUZ	MUTERIEZ
EEIMSSST	METISSES
EEIMSSSX	SEXISMES
EEIMSSTU	MITEUSES
EEIMSSTZ	METISSEZ
EEIMSSUZ	EMUSSIEZ
	MESUSIEZ
EEINNNTT	TIENNENT
EEINNNTU	ENNUIENT
EEINNNTV	VIENNENT
EEINNOPS	ESPIONNE
EEINNOPT	PIETONNE
EEINNORS	SONNERIE
EEINNOST	ESTONIEN
	TISONNEE
EEINNOSV	INNOVEES
EEINNOTV	ENVOIENT
EEINNOTZ	ETONNIEZ
EEINNPTT	PENITENT
EEINNRRT	INTERNER
EEINNRRV	INNERVER
EEINNRST	INSERENT
	INTERNES
	RESINENT
	SERINENT
EEINNRSV	INNERVES
EEINNRSY	SYRIENNE
EEINNRTT	INTENTER
	RENITENT
EEINNRTV	ENIVRENT
	INVENTER
	VINERENT
EEINNRTY	TYRIENNE
EEINNRTZ	INTERNEZ
EEINNRVZ	INNERVEZ
EEINNSSS	INSENSES
EEINNSST	INTENSES
	SENTINES
EEINNSTT	INTENTES
EEINNSTV	INVENTES
EEINNTTT	TEINTENT
EEINNTTZ	INTENTEZ
EEINNTVZ	INVENTEZ
EEINNUYZ	ENNUYIEZ
EEINOOSZ	OZONISEE
EEINOOTZ	ENZOOTIE
EEINOPRR	PERONIER
EEINOPRS	EPIERONS
EEINOPRT	ENTROPIE
	EPIERONT
	EPOINTER
	PROTEINE
EEINOPRZ	OPINEREZ
EEINOPST	EPOINTES
	POINTEES
EEINOPTZ	EPOINTEZ
EEINOQUV	INVOQUEE
EEINOQUX	EQUINOXE
EEINORRS	ORNIERES
	REERIONS
EEINORRT	ORIENTER
EEINORRZ	ORNERIEZ
EEINORST	ORIENTES
	TENORISE
EEINORSV	RENVOIES
EEINORTV	REVOIENT
EEINORTZ	NOTERIEZ →

	ORIENTEZ
EEINORUZ	ENROUIEZ
	NOUERIEZ
	RENOUIEZ
EEINORVZ	NOVERIEZ
	RENOVIEZ
EEINOSSS	OSSEINES
EEINOSTT	ETETIONS
	NEOTTIES
	NETTOIES
	NOISETTE
EEINOVYZ	ENVOYIEZ
EEINPPRT	PIPERENT
EEINPPRZ	NIPPEREZ
EEINPPSS	PEPSINES
EEINPQTU	EQUIPENT
EEINPRRT	EPRIRENT
	PERIRENT
	PRIERENT
	REPENTIR
	RIPERENT
EEINPRRV	PREVENIR
EEINPRST	PEINTRES
	REPEINTS
	REPENTIS
	TERPINES
EEINPRSU	PENURIES
EEINPRSV	EPERVINS
	PREVIENS
EEINPRTT	ETRIPENT
	REPENTIT
EEINPRTU	PEINTURE
EEINPRTV	PREVIENT
EEINPRTX	EXPIRENT
	INEXPERT
EEINPRTZ	PINTEREZ
EEINPRUV	PERUVIEN
EEINPSST	EPISSENT
EEINPSSV	PENSIVES
EEINPSTU	EPUISENT
EEINQRRU	ENQUERIR
EEINQRSU	ENQUIERS
EEINQRTU	ENQUIERT
EEINQSSU	ENQUISES
	ENQUISSE
EEINQSTU	ENQUITES
	ESQUINTE
EEINQTUU	TUNIQUEE
EEINRRST	RENTIERS
	RETREINS
	TERRIENS →
	TERRINES
EEINRRSV	INVERSER
	VERNIERS
EEINRRTT	RETENTIR
	RETIRENT
	RETREINT
	TIRERENT
	TRIERENT
EEINRRTU	NITRUREE
EEINRRTV	REVIRENT
	RIVERENT
	TRINERVE
	VIRERENT
EEINRRTZ	RENTRIEZ
	TERNIREZ
EEINRRUZ	REUNIREZ
	RUINEREZ
	URINEREZ
EEINRRVZ	VERNIREZ
EEINRSST	RESSENTI
	RETINSSE
	SENTIERS
	TERNISSE
EEINRSSU	REUNISSE
	SURINEES
EEINRSSV	INVERSES
	REVINSSE
	VERNISSE
EEINRSTT	ETREINTS
	INTERETS
	RETEINTS
	RETENTIS
	RETINTES
	TERNITES
EEINRSTU	NITREUSE
	REUNITES
	UTERINES
EEINRSTV	ENTREVIS
	NEVRITES
	REVINTES
	REVISENT
	SEVIRENT
	VERNITES
	VISERENT
EEINRSTZ	SENTIREZ
EEINRSUU	RUINEUSE
	URINEUSE*
EEINRSUV	ENSUIVRE
	VEINURES
EEINRSUX	RESINEUX
EEINRSUZ	USINEREZ

EEINRSVZ	INVERSEZ
EEINRTTT	RETENTIT
EEINRTTU	TEINTURE
EEINRTTV	ENTREVIT
	VETIRENT
EEINRTTZ	TINTEREZ
EEINRTVV	REVIVENT
EEINSSST	SENTISSE
EEINSSTT	SENTITES
EEINSSTU	ESSUIENT
EEINSSTX	SEXTINES
EEINSSTY	SYENITES
EEINSSUU	SINUEUSE
EEINSSUV	VINEUSES
EEINSSUX	UNISEXES
EEINSTTT	TINETTES
EEINSTTU	TENUITES
EEINSTTX	EXISTENT
EEINSUUX	UNISEXUE
EEINTTUZ	ZIEUTENT
EEIOPQTU	POETIQUE
EEIOPRRT	PORTERIE
	PORTIERE
	PRETOIRE
EEIOPRRZ	PERORIEZ
EEIOPRST	EPIROTES
	ESTROPIE
	PERIOSTE
	PETOIRES
	POETISER
	POSTIERE
	POTERIES
EEIOPRSU	SOUPIERE
	SOUPIREE*
EEIOPRSV	POIVREES
	PREVOIES
EEIOPRSZ	POSERIEZ
	REPOSIEZ
EEIOPRTT	TRIPOTEE
EEIOPRTZ	OPTERIEZ
	TOPERIEZ
EEIOPSSS	POISSEES
EEIOPSST	POETISES
EEIOPSTT	PETIOTES
EEIOPSTZ	POETISEZ
EEIOPSUZ	EPOUSIEZ
EEIOPSXZ	EXPOSIEZ
EEIOPTUZ	ETOUPIEZ
EEIOQRTU	EROTIQUE
EEIOQTUX	EXOTIQUE
EEIOQUVZ	EVOQUIEZ
EEIORRSS	ROSIERES
	ROSSERIE
EEIORRSU	ROUERIES
EEIORRTU	ROUTIERE
	TOURIERE
EEIORRTZ	ROTERIEZ
EEIORRUV	OUVRIERE
EEIORRUZ	ROUERIEZ
EEIORSST	SEROSITE
	SIROTEES
EEIORSSV	EROSIVES
EEIORSSZ	ESSORIEZ
EEIORSTT	ETROITES
	OERSTITE
EEIORSTU	SOUTIREE
EEIORSTZ	TOISEREZ
EEIORTUV	VOITUREE
EEIORTUX	EXUTOIRE
EEIORTUZ	TOUERIEZ
EEIORTVZ	VOTERIEZ
EEIORUVZ	OEUVRIEZ
	VOUERIEZ
EEIORVYZ	REVOYIEZ
EEIOSSSU	OISEUSES
EEIOSSTT	OSTEITES
EEIPPSTT	PIPETTES
EEIPQRRU	REPIQUER
EEIPQRSU	PERSIQUE
	REPIQUES
EEIPQRTU	PIQUETER
EEIPQRUZ	PIQUEREZ
	REPIQUEZ
EEIPQSTU	PIQUETES
	SEPTIQUE
EEIPQSUU	PIQUEUSE
EEIPQTTU	PIQUETTE
EEIPQTUZ	PIQUETEZ
EEIPRRRS	REPRISER
	RESPIRER
EEIPRRSS	PRESSIER
	REPRISES
	REPRISSE
	RESPIRES
EEIPRRST	PRETRISE
	REPRITES
EEIPRRSU	PRIEURES
EEIPRRSZ	PRISEREZ
	REPRISEZ
	RESPIREZ
EEIPRRTT	PRETERIT
EEIPRRTV	PERVERTI

EEIPRRTX EXTIRPER
EEIPRRTZ PETRIREZ
EEIPRRUX PIERREUX
EEIPRRVZ PRIVEREZ
EEIPRSSS EPRISSES
PERISSES
EEIPRSST PERSISTE
PETRISSE
EEIPRSSU EPISSURE
PRISEUSE
EEIPRSSV PREVISSE
EEIPRSSZ PERISSEZ
PISSEREZ
PRESSIEZ
EEIPRSTT PETRITES
EEIPRSTV PREVITES
EEIPRSTX EXTIRPES
EEIPRSTY YPERITES
EEIPRSTZ PISTEREZ
EEIPRSUV PIEUVRES
EEIPRSUZ PUISEREZ
EEIPRSXY PYREXIES
EEIPRTTT TRIPETTE
EEIPRTUV ERUPTIVE
VITUPERE
EEIPRTXZ EXTIRPEZ
EEIPSSSU PISSEUSE
EEIPSSTT PISSETTE
EEIPSSTU PITEUSES
EEIPSTTU PUISETTE
EEIQRRRU REQUERIR
EEIQRRSU REQUIERS
EEIQRRTU ETRIQUER
REQUIERT
EEIQRSSU ESQUIRES
REQUISES
REQUISSE
RISQUEES
SERIQUES
EEIQRSTU ETRIQUES
REQUITES
RETIQUES
TRIQUEES
EEIQRSUV ESQUIVER
EEIQRTUZ ETRIQUEZ
TIQUEREZ
EEIQSSSU ESQUISSE
EEIQSSUV ESQUIVES
EEIQSSUX EXQUISES
EEIQSTTU QUITTEES
TIQUETES

EEIQSTUU TIQUEUSE
EEIQSUVZ ESQUIVEZ
EEIQTUUZ QUEUTIEZ
EEIRRRST TERRIERS
EEIRRRSV VERRIERS
EEIRRRTV TREVIRER
EEIRRRTW REWRITER
EEIRRSST RESISTER
RETISSER
SERRISTE
EEIRRSSV RESSERVI
REVERSIS
EEIRRSTV TREVIRES
EEIRRSTW REWRITES
EEIRRSTZ SERTIREZ
STRIEREZ
EEIRRSUU USURIERE
EEIRRSUV REVISEUR
EEIRRSUZ RUSERIEZ
EEIRRSVZ SERVIREZ
EEIRRTTU TRITUREE
EEIRRTTZ TITREREZ
EEIRRTVZ TREVIREZ
VITREREZ
EEIRRTWZ REWRITEZ
EEIRRVVZ REVIVREZ
EEIRSSST RESISTES
RETISSES
SERTISSE
TRISSEES
EEIRSSSU RESSUIES
REUSSIES
EEIRSSSV IVRESSES
REVISSES
SERVISSE
EEIRSSTT RISETTES
SERTITES
EEIRSSTU REUSSITE
TIREUSES
TRIEUSES
EEIRSSTV SERVITES
VERISTES
EEIRSSTZ RESISTEZ
RETISSEZ
TISSEREZ
TRESSIEZ
EEIRSSUV RIVEUSES*
VIREUSES
EEIRSSUZ RESSUIEZ
EEIRSSVZ VISSEREZ
EEIRSTTT TIRETTES

EEIRSTTU	RESTITUE
	TRUITEES
EEIRSTTV	RIVETTES
EEIRSTUV	REVUISTE
	VITREUSE
EEIRSTUZ	SITUEREZ
EEIRSTVV	VETIVERS
EEISSSSV	SEVISSES
EEISSSTV	VETISSES
	VITESSES
EEISSSUV	SUSVISEE
EEISSSVZ	SEVISSEZ
EEISSUVV	VIVEUSES
EEISSUYZ	ESSUYIEZ
EEJLLMSU	JUMELLES
EEJLNNOT	ENJOLENT
EEJLNORU	ENJOLEUR
EEJMNRTU	JUREMENT
EEJMNSTU	JUMENTES
EEJNORST	REJETONS
EEJNORSU	JOURNEES
	SEJOURNE
EEJNORTU	JOUERENT
	REJOUENT
EEJNOTTU	JEUNOTTE
EEJNRRTU	JURERENT
EEJNRSUU	JEUNEURS
EEJNRTTU	JUTERENT
EEJOPRRT	PROJETER
EEJOPRST	PROJETES
EEJOPRTT	PROJETTE
EEJOPRTZ	PROJETEZ
EEJORTUZ	JOUTEREZ
EEJOSSUU	JOUEUSES
EEJOSSUY	JOYEUSES
EEJOSTUX	JOUXTEES
EEJRRSTU	SURJETER
EEJRSSTU	SURJETES
EEJRSTTU	SURJETTE
EEJRSTUV	VERJUTES
EEJRSTUZ	SURJETEZ
EEJSSSTU	JUSTESSE
EEJSSTTU	SUJETTES
EEJSSTUU	JUTEUSES
EEKLNOST	SKELETON
EEKMNRTU	TURKMENE
EEKNRSTY	ENKYSTER
EEKNSSTY	ENKYSTES
EEKNSTYZ	ENKYSTEZ
EEKRRSUZ	KREUZERS
EELLMMOP	POMMELLE
EELLMORS	MORELLES
EELLMORT	MORTELLE
EELLMOSS	MOLLESSE
EELLMOTT	MOLLETTE
EELLMOUX	MOELLEUX
EELLMSSU	MUSELLES
EELLMTUU	MUTUELLE
EELLNNOS	SOLENNEL
EELLNNOT	TONNELLE
EELLNOUV	NOUVELLE
EELLNPRU	PRUNELLE
EELLOPSU	POLLUEES
EELLORSU	ROUELLES
EELLORTU	TOURELLE
EELLOSTU	TOUSELLE
EELLOSUV	LEVULOSE
EELLOSVY	VOYELLES
EELLPSSY	SYLLEPSE
EELLQSSU	LESQUELS
EELLRSTU	TELLURES
	TRUELLES
EELLRUUZ	ULULEREZ
EELLSSUU	USUELLES
EELLSTTU	TUTELLES
EELMMNOS	EMMELONS
EELMMOPR	POMMELER
EELMMOPS	PLOMMEES
	POMMELES
EELMMOPZ	POMMELEZ
EELMMPRU	EMPLUMER
	REMPLUME
EELMMPSU	EMPLUMES
EELMMPUZ	EMPLUMEZ
EELMNOOT	ENTOLOME
EELMNORS	MELERONS
EELMNORT	MELERONT
EELMNOTU	EMOULENT
EELMNSSU	MENSUELS
EELMOPRT	TEMPOREL
EELMOPRY	EMPLOYER
	POLYMERE
	REMPLOYE
EELMOPSY	EMPLOYES
EELMOPYZ	EMPLOYEZ
EELMORST	MOLESTER
EELMORSU	REMOULES
EELMORUU	EMOULEUR
	MOULUREE
	REMOULUE
EELMORUV	VERMOULE
EELMORUZ	MOULEREZ →

	REMOULEZ
EELMOSST	MOLESTES
EELMOSSU	SEMOULES
EELMOSTT	MOLETTES
EELMOSTZ	MOLESTEZ
EELMOSUU	EMOULUES
EELMPRUZ	PLUMEREZ
EELMPSUU	PLUMEUSE
EELMRSUU	EMULSEUR
EELMRTUX	LUXMETRE
EELMSSTU	MUSELETS
EELMSTTU	MULETTES
EELNNORT	ENROLENT
EELNNORV	LEVRONNE
EELNNOSV	ENLEVONS
EELNNOTT	ENTOLENT
	LETTONNE
	TONNELET
EELNNOTV	ENVOLENT
EELNOPRS	PELERONS
EELNOPRT	PELERONT
EELNOPSU	ENSOUPLE
EELNOPTT	PELOTENT
EELNOPTU	OPULENTE
EELNOQTU	ELOQUENT
EELNORRU	ENROULER
EELNORSS	LESERONS
EELNORST	ENTRESOL
	LESERONT
EELNORSU	ENROULES
	LEONURES
EELNORSV	LEVERONS
	RELEVONS
	REVELONS
	VELERONS
EELNORTT	TOLERENT
EELNORTU	LOUERENT
	RELOUENT
EELNORTV	LEVERONT
	LOVERENT
	REVOLENT
	VELERONT
	VOLERENT
EELNORUZ	ENROULEZ
EELNOSSV	SLOVENES
EELNOSTU	TOLUENES
EELNOTUV	EVOLUENT
EELNPPTU	PEUPLENT
EELNPRTU	PLEURENT
EELNPTUV	PLEUVENT
EELNRRTU	LEURRENT →
	RELURENT
EELNRSTU	LENTEURS
EELNRSUZ	LUZERNES
EELNRTTU	LUTERENT
EELNRTUX	LUXERENT
EELNSSSU	SENSUELS
EELNSSTU	ELUSSENT
EELNSTTU	LUNETTES
EELNTTUX	EXULTENT
EELOORSS	ROSEOLES
EELOPPRS	PROLEPSE
EELOPPRY	PROPYLEE
EELOPRRX	EXPLORER
EELOPRRY	REPLOYER
EELOPRST	PETROLES
	PROTELES
	SERPOLET
EELOPRSX	EXPLORES
	EXPLOSER
EELOPRSY	REPLOYES
EELOPRTU	PELOTEUR
	PLEUROTE
EELOPRUZ	LOUPEREZ
EELOPRXZ	EXPLOREZ
EELOPRYZ	REPLOYEZ
EELOPSSU	PELOUSES
EELOPSSX	EXPLOSES
EELOPSTU	POSTULEE
EELOPSXZ	EXPLOSEZ
EELOPTTU	POULETTE
EELORRTV	REVOLTER
EELORRUZ	LOUREREZ
	OURLEREZ
	ROULEREZ
EELORRVV	REVOLVER
EELORSST	SOLERETS
EELORSSU	RESOLUES
EELORSSV	RESOLVES
EELORSTT	LORETTES
EELORSTV	REVOLTES
EELORSUU	ROULEUSE
EELORSUV	REVOLUES
	SOULEVER
	SURVOLEE
EELORSUZ	SOULEREZ
EELORSVZ	RESOLVEZ
EELORTTU	ROULETTE
EELORTUV	LOUVETER
	VELOUTER
EELORTVZ	REVOLTEZ
	VOLTEREZ

EELORUVZ	LOUVEREZ
EELOSSST	OSSELETS
EELOSSUU	LOUEUSES
EELOSSUV	SOULEVES
	VOLEUSES
EELOSTTV	VOLETTES
EELOSTTX	SEXTOLET
EELOSTUV	VELOUTES
EELOSUVZ	SOULEVEZ
EELOTTUV	LOUVETTE
EELOTUVZ	LOUVETEZ
	VELOUTEZ
EELPPRSU	SUPPLEER
EELPPRUU	EPULPEUR
EELPPSSU	SUPPLEES
EELPPSTU	SEPTUPLE
EELPPSUU	PULPEUSE
EELPPSUZ	SUPPLEEZ
EELPRRUU	PLEUREUR
EELPRSSU	SERPULES
EELPRSTU	LEPTURES
	PLEUTRES
EELPRSUX	EXPULSER
EELPSSUX	EXPULSES
EELPSTUX	SEXTUPLE
EELPSUXZ	EXPULSEZ
EELQQSUU	QUELQUES
EELQRRUU	RELUQUER
EELQRSUU	RELUQUES
EELQRUUZ	RELUQUEZ
EELRRSSU	SURREELS
EELRRSTU	RESULTER
EELRRSUV	REVULSER
EELRRTUU	TURELURE
EELRSSSU	RELUSSES
EELRSSTT	STERLETS
EELRSSTU	LUSTREES
	RESULTES*
EELRSSUV	REVULSES
EELRSTUZ	RESULTEZ*
EELRSTYZ	STYLEREZ
EELRSUVZ	REVULSEZ
EELRTTUZ	LUTTEREZ
EELSTTUU	LUTTEUSE
EELSTTUX	TEXTUELS
EELSUUUX	LUXUEUSE
EEMMNNOS	EMMENONS
EEMMNOOR	MONOMERE
EEMMNOPR	PRENOMME
EEMMNORR	RENOMMER
EEMMNORS	RENOMMES
EEMMNORZ	NOMMEREZ
	RENOMMEZ
EEMMNOST	MEMENTOS
EEMMNRTU	EMMURENT
	MUREMENT
EEMMOPRZ	POMMEREZ
EEMMOPST	POMMETES
EEMMOPTT	POMMETTE
EEMMORSZ	SOMMEREZ
EEMMOTTT	TOMMETTE
EEMMRRUU	MURMUREE
EEMNNORS	MENERONS
	SERMONNE
EEMNNORT	MENERONT
	ORNEMENT
EEMNNOSU	NOUMENES
EEMNNOSY	MOYENNES
EEMNOOPU	EPOUMONE
EEMNOOSS	NOSEMOSE
EEMNOPRR	PROMENER
EEMNOPRS	PROMENES
EEMNOPRZ	PROMENEZ
EEMNOPSS	EMPESONS
EEMNOPST	POSEMENT
EEMNOPSY	EPONYMES
EEMNOPTT	EMPOTENT
EEMNORRT	REMONTER
	REMONTRE
EEMNORSS	SEMERONS
EEMNORST	MONTREES
	REMONTES
	SEMERONT
EEMNORTT	TOMERENT
EEMNORTU	NUMEROTE
EEMNORTZ	MONTEREZ
	REMONTEZ
EEMNOSTT	EMETTONS
	MENOTTES
EEMNOSTU	MONTEUSE
EEMNOTTT	EMOTTENT
	OMETTENT
EEMNPRSU	SUPERMEN
EEMNPRTT	TREMPENT
EEMNPRTU	EMPRUNTE
	PUREMENT
EEMNRRSU	SURMENER
EEMNRRTU	MURERENT
EEMNRSST	SERMENTS
EEMNRSSU	SURMENES
EEMNRSTU	MENTEURS
	MESURENT →

	MUSERENT
	RESUMENT
	SUREMENT
EEMNRSUZ	SURMENEZ
EEMNRTTU	MUTERENT
EEMNSSTU	EMUSSENT
	MESUSENT
EEMOOPSY	POMOYEES*
EEMOOSSX	EXOSMOSE
EEMOPPRZ	POMPEREZ
EEMOPPSU	POMPEUSE
EEMOPPTT	POMPETTE
EEMOPRRT	EMPORTER
	REMPORTE
	REMPOTER
EEMOPRSS	PROMESSE
EEMOPRST	EMPORTES
	ESTOMPER
	REMPOTES
	TROMPEES
EEMOPRTT	PROMETTE
	TROMPETE
EEMOPRTZ	EMPORTEZ
	REMPOTEZ
EEMOPSST	ESTOMPES
EEMOPSTZ	ESTOMPEZ
EEMOQRRU	REMORQUE
EEMOQRSU	MORESQUE
EEMOQRUZ	MOQUEREZ
EEMOQSSU	MOSQUEES
EEMOQSUU	MOQUEUSE
EEMOQTTU	MOQUETTE
EEMORRTU	OUTREMER
EEMORSSU	EMOUSSER
EEMORSUV	MORVEUSE
EEMORTTZ	MOTTEREZ
	OMETTREZ
EEMORUVZ	EMOUVREZ
EEMOSSSU	EMOUSSES
EEMOSSUZ	EMOUSSEZ
EEMOSTTT	TOMETTES*
EEMOSTTU	MOUETTES
	SOUMETTE
EEMOSTTY	MOYETTES
EEMOSTTZ	MOZETTES
EEMPRRSU	PRESUMER
EEMPRRTU	PERMUTER
	TREMPEUR
EEMPRSSU	PRESUMES
	SUPREMES
EEMPRSTU	PERMUTES
EEMPRSUZ	PRESUMEZ
EEMPRTUZ	PERMUTEZ
EEMPSSUU	SPUMEUSE
EEMQSSUU	MUSQUEES
EEMQSUUU	MUQUEUSE
EEMRRSSU	SURSEMER
EEMRRSTU	METREURS
	MEURTRES
EEMRRSUU	MESUREUR
EEMRSSSU	SURSEMES
EEMRSSTY	MYSTERES
EEMRSSUZ	SURSEMEZ
EEMRSTTU	METTEURS
	MURETTES
EEMSSSTY	SYSTEMES
EEMSSTTU	MUSETTES
EENNNORS	ENRENONS
EENNNORT	ENTONNER
EENNNOST	ENTONNES
EENNNOTT	ETONNENT
	NONNETTE
EENNNOTZ	ENTONNEZ
EENNNPRT	PRENNENT
EENNOORT	ROTENONE
EENNOPRS	EPRENONS
	PERSONNE
EENNORRS	RESONNER
EENNORRT	ORNERENT
	TONNERRE
EENNORSS	RESONNES
EENNORST	ENTERONS
	RETENONS
EENNORSU	NEURONES
EENNORSV	ENERVONS
	REVENONS
	VENERONS
EENNORSZ	RESONNEZ
	SONNEREZ
EENNORTT	ENTERONT
	NOTERENT
EENNORTU	ENROUENT
	NOUERENT
	RENOUENT
EENNORTV	NOVERENT
	RENOVENT
EENNORTY	NOYERENT
	TROYENNE
EENNORTZ	TONNEREZ
EENNOSTT	ENTETONS
	SONNETTE
EENNOSTV	EVENTONS

EENNOTTU TEUTONNE
EENNRRTT RENTRENT
EENNUUXY ENNUYEUX
EENOOSST ENOSTOSE
EENOPPST PEPTONES
EENOPQTU PEQUENOT
EENOPRRS REPERONS
EENOPRRT PERORENT
EENOPRRZ PRONEREZ
EENOPRSS ESPERONS
PERSONES
PESERONS
REPONSES
EENOPRST PESERONT
PETERONS
POSERENT
POTERNES
REPETONS
REPOSENT
EENOPRTT ENTREPOT
OPTERENT
PETERONT
TOPERENT
EENOPRTZ PONTEREZ
EENOPRUV PROVENUE
EENOPRVZ PROVENEZ
EENOPRXY PYROXENE
EENOPSST STENOPES
EENOPSTT PONETTES
EENOPSTU EPOUSENT
SOUPENTE
EENOPSTX EXPOSENT
EENOPTTU ETOUPENT
EENOQRTU TRONQUEE
EENOQTTU QUENOTTE
EENOQTUV EVOQUENT
EENORRRS ERRERONS
EENORRRT ERRERONT
EENORRSV REVERONS
EENORRTT ROTERENT
EENORRTU ENTOURER
RETOURNE
ROUERENT
EENORRTV REVERONT
EENORRTZ TRONEREZ
EENORRVY RENVOYER
EENORSST ENTORSES
ESSORENT
ESTERONS*
EENORSSV NEVROSES
EENORSTT ESTERONT* →
SORNETTE
TETERONS
EENORSTU ENTOURES
TONSUREE
TOURNEES
EENORSTV REVETONS
EENORSVX VEXERONS
EENORSVY RENVOYES
EENORTTT TETERONT
EENORTTU TOUERENT
EENORTTV VOTERENT
EENORTTY NETTOYER
EENORTUV ENVOUTER
OEUVRENT
VOUERENT
EENORTUZ ENTOUREZ
EENORTVX VEXERONT
EENORUVY ENVOYEUR
EENORVYZ RENVOYEZ
EENOSSST STENOSES
EENOSSTV VENTOSES*
EENOSSUU NOUEUSES
EENOSTTY NETTOYES
EENOSTUU SOUTENUE
EENOSTUV ENVOUTES
VENTOUSE
EENOSTUZ SOUTENEZ
EENOSUUV SOUVENUE
EENOSUVZ SOUVENEZ
EENOTTYZ NETTOYEZ
EENOTUVZ ENVOUTEZ
EENPRRSU PRENEURS
EENPRRTU REPURENT
EENPRSSS PRESSENS
EENPRSST PRESENTS
PRESSENT
SERPENTS
EENPRSSU PENSEURS
EENPRSTU PENTURES
EENPRSUV PREVENUS
EENPSSSU SUSPENSE
EENPSSTU PETUNSES
SUSPENTE
EENQSUUU EUNUQUES
EENQTTUU QUEUTENT
EENRRRUV NERVURER
EENRRSTU RUSERENT
EENRRSUV NERVURES
EENRRUVZ NERVUREZ
EENRSSTT TRESSENT
EENRSSTU RESSUENT →

	SENTEURS
	TENSEURS
EENRSSTW	WESTERNS
EENRSSTY	STYRENES
EENRSTTU	TENTURES
EENRSTUV	ENTREVUS
	SURVENTE
	VENTRUES
EENRSUUV	SURVENUE
EENRSUVZ	SURVENEZ
EENSSTTU	SUSTENTE
EENSSTUV	VENUSTES
EEOOPPRS	PROPOSEE
EEOOPPSS	OPPOSEES
EEOOSSTX	EXOSTOSE
EEOOUVVY	VOUVOYEE
EEOPPRRS	PREPOSER
	PROSPERE
EEOPPRRT	PROPRETE
EEOPPRRU	POURPREE
EEOPPRSS	OPPRESSE
	PREPOSES
EEOPPRSZ	PREPOSEZ
EEOPPSST	STOPPEES
EEOPPSSU	SUPPOSEE
EEOPQRUZ	POQUEREZ
EEOPRRRT	REPORTER
EEOPRRST	PROSTREE
	REPORTES
EEOPRRTU	RETOUPER
EEOPRRTX	EXPORTER
EEOPRRTZ	PORTEREZ
	REPORTEZ
EEOPRRUV	EPROUVER
	REPROUVE
EEOPRSST	ESTROPES
EEOPRSSU	POREUSES
	PROUESSE
	REPOUSSE
	SOUPESER
EEOPRSTT	PROTESTE
EEOPRSTU	PORTEUSE
	RETOUPES
	ROUSPETE
EEOPRSTV	PREVOTES
EEOPRSTX	EXPORTES
EEOPRSTZ	POSTEREZ
EEOPRSUU	EPOUSEUR
EEOPRSUV	EPROUVES
	PROUVEES
EEOPRSUZ	SOUPEREZ
EEOPRTUZ	RETOUPEZ
EEOPRTXZ	EXPORTEZ
EEOPRUVZ	EPROUVEZ
EEOPRVYZ	PREVOYEZ
EEOPSSSU	POSEUSES
	POUSSEES
	SOUPESES
EEOPSSUU	SOUPEUSE
EEOPSSUZ	SOUPESEZ
EEOPSTTT	TOPETTES
EEOQRRTU	RETORQUE
EEOQRRUV	REVOQUER
EEOQRRUZ	ROQUEREZ
EEOQRSTU	TROQUEES
EEOQRSUV	REVOQUES
EEOQRTTU	ROQUETTE
EEOQRTUX	EXTORQUE
EEOQRTUZ	TOQUEREZ
EEOQRUVZ	REVOQUEZ
EEOQSSUU	SOUQUEES
EEORRSST	RESSORTE
	RETORSES
EEORRSSZ	ROSSEREZ
EEORRSTX	EXTRORSE
EEORRTTU	TORTUREE
EEORRTUV	RETROUVE
	ROUVERTE
	TROUVERE
EEORRTUZ	OUTREREZ
	ROUTEREZ
	TROUEREZ
EEORRUVZ	OUVREREZ
EEORSSTT	ROSETTES
EEORSSTU	RESOUTES*
	TROUSSEE
EEORSSTZ	ZOSTERES
EEORSTTT	TROTTEES
EEORSTUV	OUVERTES
	TROUVEES
EEORSUUV	OUVREUSE
EEORTTTZ	TERZETTO
EEORTUVZ	VOUTEREZ
EEOSSSSU	OSSEUSES
EEOSSSUY	SOYEUSES
EEOSSTUU	TOUEUSES
EEOSTTUY	TUTOYEES
EEPPSTUU	SUPPUTEE
EEPQRRUU	PERRUQUE
EEPRRRSU	PRESURER
EEPRRSSU	PRESSURE
	PRESURES

EEPRRSTU	PRETEURS
	PRETURES
	RUPESTRE
EEPRRSUZ	PRESUREZ
EEPRSSSU	REPUSSES
EEPRSSUU	USURPEES
EEPSSSTY	TYPESSES
EEQRSTUU	ETRUSQUE
	QUESTEUR
	QUESTURE
	QUETEURS
	TRUQUEES
EEQSSTUU	STUQUEES
EERRRSSU	SERRURES
EERRRSTU	TERREURS
EERRSSTU	TRESSEUR
EERRSSUU	SUSURREE
EERRSSUV	SERVEURS
	VERSEURS
EERRSSUY	RESSUYER
EERRTTUU	TUTEURER
EERSSSUY	RESSUYES
EERSSTTT	STRETTES
EERSSTTU	SURETTES
	TRUSTEES
EERSSTUU	SUTUREES
EERSSUYZ	RESSUYEZ
EERSTTUU	TUTEURES
EERSTTUX	TEXTURES
EERSTUUV	ETUVEURS
EERTTUUZ	TUTEUREZ
EERTUUVX	VERTUEUX
EESSTTUV	VETUSTES
EFFFINOS	FIEFFONS
	OFFENSIF
EFFGIIRZ	GRIFFIEZ
EFFGINRT	GRIFFENT
EFFGIORR	GREFFOIR
EFFGIRRU	GRIFFEUR
	GRIFFURE
EFFGIRSU	GRIFFUES
EFFGNORS	GREFFONS
EFFGORSU	GOUFFRES
EFFHOORS	OFFSHORE
EFFIILNR	FIFRELIN
EFFIILSZ	SIFFLIEZ
EFFIIORT	FORTIFIE
EFFIISUZ	SUIFFIEZ
EFFILNOS	EFFILONS
EFFILNST	SIFFLENT
EFFILNSU	INSUFFLE
EFFILOST	SIFFLOTE
EFFILRSU	SIFFLEUR
EFFILSST	SIFFLETS
EFFIMORS	OFFRIMES
EFFIMSSU	SUFFIMES
EFFINOSU	EFFUSION
EFFINSTU	SUIFFENT
EFFIOPUZ	POUFFIEZ
EFFIORRZ	OFFRIREZ
EFFIORSS	OFFRISSE
EFFIORST	OFFRITES
EFFIOSST	SOFFITES
EFFIRRTU	TRUFFIER
EFFIRSUZ	SUFFIREZ
EFFIRTUZ	TRUFFIEZ
EFFISSSU	SUFFISES
	SUFFISSE
EFFISSTU	SUFFITES
EFFISSUX	SUFFIXES
EFFISSUZ	SUFFISEZ
EFFISUUX	SUIFFEUX
EFFJLOUU	JOUFFLUE
EFFLORSU	SOUFFLER
EFFLOSSU	SOUFFLES
EFFLOSTU	SOUFFLET
EFFLOSUZ	SOUFFLEZ
EFFNOOST	ETOFFONS
EFFNOPTU	POUFFENT
EFFNRTTU	TRUFFENT
EFFOQSUU	OFFUSQUE
	SUFFOQUE
EFFORRSU	SUROFFRE
EFFORSSU	SOUFFRES
EFFORSTU	SOUFFERT
EFFORSUZ	SOUFFREZ
EFFORTUU	TOUFFEUR
EFFOSTUU	TOUFFUES
EFGGIINU	IGNIFUGE
EFGIIILN	LIGNIFIE
EFGIIINS	SIGNIFIE
EFGIILNR	INFLIGER
EFGIILNS	INFLIGES
EFGIILNU	FIGULINE
EFGIILNZ	INFLIGEZ
EFGIILOR	GLORIFIE
EFGIINRU	FIGURINE
EFGIINST	GENITIFS
EFGIIORR	FRIGORIE
EFGIIRSU	FIGUIERS
EFGIIRUZ	FIGURIEZ
EFGIITUV	FUGITIVE

EFGILLUU	FULIGULE
EFGILNOR	FIGNOLER
EFGILNOS	FIGNOLES
EFGILNOZ	FIGNOLEZ
	GONFLIEZ
EFGILNRU	FLINGUER
EFGILNSU	FLINGUES
EFGILNUZ	FLINGUEZ
EFGILORS	GIROFLES
EFGINNOS	FEIGNONS
EFGINNPS	PFENNIGS*
EFGINOQU	FONGIQUE
EFGINORR	GOINFRER
EFGINORS	FIGERONS
	GOINFRES
EFGINORT	FIGERONT
EFGINORZ	GOINFREZ
EFGINRRU	FRINGUER
EFGINRSU	FRINGUES
EFGINRTU	FIGURENT
EFGINRUZ	FRINGUEZ
EFGIRSTU	FUSTIGER
EFGISSTU	FUSTIGES
EFGISTUZ	FUSTIGEZ
EFGLMNOS	FLEGMONS
EFGLNNOT	GONFLENT
EFGLNORU	GONFLEUR
EFGLRRUU	FULGURER
EFGLRSUU	FULGURES
EFGLRUUZ	FULGUREZ
EFGNOORR	FORGERON
EFGNOORS	FORGEONS
EFGNOOSU	FOUGEONS
EFGNOUUX	FONGUEUX
EFGORRSU	FORGEURS
EFGORRUU	FOURGUER
EFGORSUU	FOURGUES
EFGORUUZ	FOURGUEZ
EFGOUUUX	FOUGUEUX
EFGRSUUU	FUGUEURS
EFHIIORR	HORRIFIE
EFIIINNS	INFINIES
EFIIINNT	INFINITE
EFIIINRT	NITRIFIE
EFIIINRZ	FINIRIEZ
EFIIINUZ	UNIFIIEZ
EFIIIRTV	VITRIFIE
EFIIIRVV	VIVIFIER
EFIIISVV	VIVIFIES
EFIIIVVZ	VIVIFIEZ
EFIIJSTU	JUSTIFIE
EFIILNRT	INFILTRE
EFIILNST	LENITIFS
EFIILNUZ	INFLUIEZ
EFIILORT	TRIFOLIE
EFIILOSZ	SOLFIIEZ
EFIILPPZ	FLIPPIEZ
EFIILRSS	FRISELIS
EFIILRST	LIFTIERS
EFIILRSU	FUSILIER
EFIILRTZ	FILTRIEZ
	FLIRTIEZ
EFIILSSS	FISSILES
EFIILSST	SIFILETS
EFIILTTU	FUTILITE
EFIIMMOR	MOMIFIER
EFIIMMOS	MOMIFIES
EFIIMMOZ	MOMIFIEZ
EFIIMNNS	FEMININS
EFIIMNOS	MEFIIONS
EFIIMNRR	INFIRMER
EFIIMNRS	INFIRMES
EFIIMNRZ	INFIRMEZ
EFIIMORT	MORTIFIE
EFIIMSSS	EMISSIFS
EFIIMSSX	FIXISMES
EFIIMSTY	MYSTIFIE
EFIINNOS	FINNOISE
EFIINNRT	FINIRENT
EFIINNST	INTENSIF
EFIINNTU	UNIFIENT
EFIINNTV	INVENTIF
EFIINOPT	PONTIFIE
EFIINORS	FIERIONS
EFIINORT	NOTIFIER
	TONIFIER
EFIINOST	NOTIFIES
	TONIFIES
EFIINOTZ	NOTIFIEZ
	TONIFIEZ
EFIINOUZ	FOUINIEZ
EFIINSSS	FINISSES
EFIINSST	SENSITIF
EFIINSSZ	FINISSEZ
EFIINSUZ	INFUSIEZ
EFIIORSS	OSSIFIER
EFIIORUZ	FOUIRIEZ
EFIIOSSS	OSSIFIES
EFIIOSSZ	OSSIFIEZ
EFIIPRRS	FRIPIERS
	SPIRIFER
EFIIPRRU	PURIFIER

EFIIPRSU	PURIFIES
EFIIPRUZ	PURIFIEZ
EFIIRRTU	FRUITIER
EFIIRSSU	RUSSIFIE
EFIISSTX	FIXISTES
EFIISSUZ	FUISSIEZ
EFIKQSUU	KUFIQUES
EFILLLSU	FILLEULS
EFILLOOR	FOIROLLE
EFILLOOS	FOLIOLES
EFILLORU	FOUILLER
EFILLOSU	FOUILLES
EFILLOUZ	FOUILLEZ
EFILLRSU	FUSILLER
EFILLSSU	FUSILLES
EFILLSUU	FEUILLUS
EFILLSUZ	FUSILLEZ
EFILMNOR	INFORMEL
	MORNIFLE
EFILMNRU	FULMINER
EFILMNSU	FULMINES
EFILMNUZ	FULMINEZ
EFILMRSU	MUFLIERS
EFILMSSU	EMULSIFS
EFILNNOS	ENFILONS
	ENFLIONS
EFILNNTU	INFLUENT
EFILNORS	FERLIONS
	FILERONS
	REFILONS
EFILNORT	FILERONT
EFILNORU	FLUORINE
EFILNORZ	RONFLIEZ
EFILNOST	FILETONS
	SOLFIENT
EFILNOSU	FENOUILS
	FEULIONS
EFILNOSX	FLEXIONS
EFILNPPT	FLIPPENT
EFILNRTT	FILTRENT
	FLIRTENT
EFILOORT	FOLIOTER
EFILOOST	FOLIOTES
EFILOOTZ	FOLIOTEZ
EFILOPRR	PROFILER
EFILOPRS	PROFILES
EFILOPRZ	PROFILEZ
EFILOPSX	EXPLOSIF
EFILOQSU	FOLIQUES
EFILORSV	FRIVOLES
EFILORTU	FILOUTER

EFILOSSS	FOSSILES
EFILOSTU	FILOUTES
EFILOTTZ	FLOTTIEZ
EFILOTUV	EVOLUTIF
EFILOTUZ	FILOUTEZ
EFILPPRS	FLIPPERS
EFILPRSU	REPULSIF
EFILRRSU	SURFILER
EFILRRTU	FLIRTEUR
EFILRSSU	SURFILES
EFILRSUV	REVULSIF
EFILRSUZ	SURFILEZ
EFILSSTU	FISTULES
	SULFITES
EFILSTTU	FLUTISTE
EFIMMRSU	FERMIUMS
EFIMNORR	INFORMER
	RENFORMI
EFIMNORS	FERMIONS
	INFORMES
EFIMNORU	UNIFORME
EFIMNORZ	INFORMEZ
EFIMORRS	FERMOIRS
EFIMORUV	FUMIVORE
EFIMOSSU	SOUFISME
EFIMRSSU	SURFIMES
EFIMSSTU	FUMISTES
EFINNOOS	FOISONNE
EFINNOPR	FRIPONNE
EFINNORS	FREINONS
	FRISONNE
	INFERONS
EFINNOST	FEINTONS
	FIENTONS
EFINNOSU	FUSIONNE
EFINNOTU	FOUINENT
EFINNSTU	INFUSENT
EFINOPST	PONTIFES
EFINOQRU	FORNIQUE
EFINORRS	FERRIONS
EFINORST	FRETIONS
EFINORSU	FOURNIES
EFINORSX	FIXERONS
EFINORTU	FOUIRENT
EFINORTX	FIXERONT
EFINORUU	FOUINEUR
EFINOSSS	FESSIONS
EFINRSSU	SURFINES
EFINSSTU	FUISSENT
EFIOORUV	FOURVOIE
EFIOPRRT	PROFITER

EFIOPRST	PIEFORTS
	PROFITES
EFIOPRTZ	PROFITEZ
EFIORRRU	FOURRIER
EFIORRSS	FROISSER
EFIORRSU	SERFOUIR
EFIORRUZ	FOURRIEZ
EFIORSSS	FROISSES
EFIORSSU	SERFOUIS
EFIORSSZ	FROISSEZ
EFIORSTT	FRISOTTE
EFIORSTU	SERFOUIT
EFIORSUZ	SOUFRIEZ
EFIORTTU	FORTUITE
EFIORTTZ	FROTTIEZ
EFIORTUZ	FOUTRIEZ
EFIOSSSU	FOUISSES
EFIOSSUZ	FOUISSEZ
EFIPRSTU	ERUPTIFS
EFIQRSTU	FRIQUETS
	FRISQUET
EFIRRSSU	FISSURER
	FRISURES
EFIRRSTU	FRITURES
EFIRSSSU	FISSURES
	SURFISSE
EFIRSSTU	SURFITES
EFIRSSUZ	FISSUREZ
EFIRSTTU	TURFISTE
EFIRSTUV	FURTIVES
EFKLLOOR	FOLKLORE
EFLMOORR	FORMOLER
EFLMOORS	FORMOLES
EFLMOORZ	FORMOLEZ
EFLMORRU	FORMULER
EFLMORSU	FORMULES
EFLMORUZ	FORMULEZ
EFLNNORS	RENFLONS
EFLNNORT	RONFLENT
EFLNOORS	LOFERONS
EFLNOORT	LOFERONT
EFLNORRU	RONFLEUR
EFLNORSU	FLEURONS
	REFLUONS
EFLNOSSU	FUSELONS
	SULFONES
EFLNOTTT	FLOTTENT
EFLOOQUU	LOUFOQUE
EFLOQSUU	FOULQUES
EFLORRSU	FROLEURS
EFLORRUU	FLUORURE
EFLORSUU	FOULURES
EFLORTTU	FLOTTEUR
EFLPRSUU	SUPERFLU
EFLRRSUU	SULFURER
EFLRSSUU	SULFURES
EFLRSTTU	FLUTTERS
EFLRSUUZ	SULFUREZ
EFMNNOSU	ENFUMONS
EFMNORST	FROMENTS
EFMNORSU	FUMERONS
EFMNORTU	FUMERONT
EFNNOSUY	ENFUYONS
EFNOORRS	FORERONS
EFNOORRT	FORERONT
EFNORRST	RENFORTS
EFNORRTU	FOURRENT
EFNORSSU	FUSERONS
	REFUSONS
EFNORSTT	FRETTONS
EFNORSTU	FEUTRONS
	FORTUNES
	FURETONS
	FUSERONT
	REFUTONS
	SOUFRENT
EFNORTTT	FROTTENT
EFOORUVY	FOURVOYE
EFORRRUU	FOURREUR
	FOURRURE
EFORRSUU	SOUFREUR
EFORRTTU	FROTTEUR
EFORSSSU	FROUSSES
EFQRSSUU	FRUSQUES
EFRRRSTU	FRUSTRER
EFRRSSTU	FRUSTRES
EFRRSTUZ	FRUSTREZ
EGGGILNS	LEGGINGS
EGGGINOS	GIGOGNES
EGGIINRU	GUIGNIER
EGGIINRZ	GRIGNIEZ
EGGIINUZ	GUIGNIEZ
EGGIIOTZ	GIGOTIEZ
EGGINNOS	GEIGNONS
EGGINNRT	GRIGNENT
EGGINNTU	GUIGNENT
EGGINORR	GORGERIN
EGGINORT	GRIGNOTE
EGGINORZ	GROGNIEZ
EGGINOSV	VIGOGNES
EGGINOTT	GIGOTENT
EGGINSTU	GINGUETS

EGGIORRU	GRUGEOIR
EGGNNOOT	GNOGNOTE
EGGNNORT	GROGNENT
EGGNOORS	GORGEONS
	GORGONES
EGGNOOTU	GOGUENOT
EGGNORSU	GRUGEONS
EGHINOOR	HONGROÎE
EGHINORZ	HONGRIEZ
EGHINPRY	PHRYGIEN
EGHINPSS	SPHINGES
EGHIOQTU	GOTHIQUE
EGHLMNOP	PHLEGMON
EGHLNORS	LEGHORNS
EGHLOORR	HORLOGER
EGHLOORS	HORLOGES
EGHNNORT	HONGRENT
EGHNOORY	HONGROYE
EGHNOPYY	HYPOGYNE
EGHNORRU	HONGREUR
EGHNOTUU	HUGUENOT
EGIIIMTZ	MITIGIEZ
EGIIJNOZ	JOIGNIEZ
EGIILLRZ	GRILLIEZ
EGIILLSS	SIGILLES
EGIILMOZ	LIMOGIEZ
EGIILNNS	LIGNINES
EGIILNOR	ORIGINEL
	RELIGION
EGIILNRS	RIESLING
EGIILNRU	LIGURIEN
EGIILNST	LIGNITES
EGIILORT	TRILOGIE
EGIILORU	OLIGURIE
EGIILORZ	RIGOLIEZ
EGIILOST	OLIGISTE
EGIILOTZ	LIGOTIEZ
EGIILOVZ	VOLIGIEZ
EGIILRST	STRIGILE
EGIILRTU	LITURGIE
EGIILSSZ	GLISSIEZ
EGIIMMRR	IMMIGRER
EGIIMMRS	IMMIGRES
EGIIMMRZ	IMMIGREZ
EGIIMNOS	OIGNIMES*
EGIIMNTT	MITIGENT
EGIIMOPT	IMPETIGO
EGIIMORR	GRIMOIRE
EGIIMPRZ	GRIMPIEZ
EGIIMRUZ	MUGIRIEZ
EGIINNSS	INSIGNES

EGIINOPR	PEIGNOIR
EGIINOPS	PIEGIONS
EGIINORS	ERIGIONS
	ORIGINES
EGIINORZ	IGNORIEZ
EGIINOSS	OIGNISSE*
	SIEGIONS
EGIINOST	OIGNITES*
EGIINOSX	EXIGIONS
EGIINOSZ	SOIGNIEZ
EGIINRTU	INTRIGUE
EGIINRUZ	RUGINIEZ
EGIINUZZ	ZINGUIEZ
EGIIORSV	GRIVOISE
EGIIPPRZ	GRIPPIEZ
EGIIPSST	PIGISTES
EGIIRRRU	IRRIGUER
EGIIRRSU	IRRIGUES
EGIIRRUZ	IRRIGUEZ
	RUGIRIEZ
EGIIRSUV	VIGUIERS
EGIJLNOZ	JONGLIEZ
EGIJLUUZ	JUGULIEZ
EGIJNNOT	JOIGNENT
EGILLNRT	GRILLENT
EGILLNSU	LIGNEULS
EGILLOOR	GLORIOLE
EGILLOPU	GOUPILLE
EGILLORS	GIROLLES
	GORILLES
	GRISOLLE
EGILLORU	GROUILLE
EGILMMNS	LEMMINGS
EGILMNOT	LIMOGENT
EGILMOOY	MYOLOGIE
EGILNNOR	LONGRINE
EGILNOPZ	PLONGIEZ
EGILNORS	GRELIONS
	ONGLIERS
	REGLIONS
EGILNORT	RIGOLENT
EGILNORZ	LORGNIEZ
EGILNOSS	GLOSSINE
EGILNOST	LENTIGOS
EGILNOSU	LEGUIONS
	SOULIGNE
EGILNOTT	LIGOTENT
EGILNOTU	ENGLOUTI
EGILNOTV	VOLIGENT
EGILNRST	STERLING
	TRINGLES

EGILNSST	GLISSENT
EGILOOOT	OTOLOGIE
EGILOOOZ	ZOOLOGIE
EGILOORT	RIGOLOTE
EGILOORU	UROLOGIE
EGILOOSU	ISOLOGUE
EGILOQSU	LOGIQUES
EGILORSU	ORGUEILS
EGILORTV	VOLTIGER
EGILORUX	GLORIEUX
EGILOSST	GLOSSITE
	LOGISTES
EGILOSTV	VOLTIGES
EGILOTVZ	VOLTIGEZ
EGILRRUV	VIRGULER
EGILRSSU	GLISSEUR
EGILRSUU	LIGUEURS
EGILRSUV	VIRGULES
EGILRUVZ	VIRGULEZ
EGIMMNOS	GEMMIONS
EGIMMORS	GOMMIERS
EGIMNNNO	MIGNONNE
EGIMNNOS	GEMINONS
EGIMNOQU	GNOMIQUE
EGIMNORS	EMIGRONS
	GEMIRONS
	GERMIONS
	MEGIRONS
EGIMNORT	GEMIRONT
	MEGIRONT
	MIGNOTER
EGIMNOST	MIGNOTES
EGIMNOSY	MISOGYNE
EGIMNOTZ	MIGNOTEZ
EGIMNPRT	GRIMPENT
EGIMNPST	PIGMENTS
EGIMNQUY	GYMNIQUE
EGIMNRTU	MUGIRENT
EGIMNRUY	GYNERIUM
EGIMORRS	GERMOIRS
EGIMORSU	GOUMIERS
	ROUGIMES
EGIMPRRS	GRIMPERS
EGIMPRRU	GRIMPEUR
EGIMRSSU	SURGIMES
EGIMSSSU	MUGISSES
EGIMSSUZ	MUGISSEZ
EGINNOPS	PEIGNONS
EGINNORS	GIRONNES
	GRENIONS
	GRISONNE →
	INGERONS
	REGNIONS
EGINNORT	IGNORENT
EGINNORU	URGONIEN
EGINNORV	VIGNERON
EGINNOSS	SINGEONS
EGINNOST	SOIGNENT
	TEIGNONS
EGINNOSV	VENGIONS
EGINNRTU	RUGINENT
EGINNTUZ	ZINGUENT
EGINOOSS	ISOGONES
EGINOPRS	PIGERONS
EGINOPRT	PIGERONT
EGINOPRV	PROVIGNE
EGINOPST	POIGNETS
	PONGISTE
EGINORRS	REGIRONS
EGINORRT	REGIRONT
EGINORSS	EGRISONS
EGINORST	GITERONS
	TRIGONES
EGINORSU	GUERISON
	OUGRIENS
	SOIGNEUR
EGINORSV	GREVIONS
	IVROGNES
EGINORTT	GITERONT
EGINORTV	GRIVETON
EGINOSST	GESTIONS
EGINOSSV	VESSIGON
	VOSGIENS
EGINOSUX	SOIGNEUX
EGINOTUU	GUITOUNE
EGINPPRT	GRIPPENT
EGINPRSS	PRESSING
EGINPRSU	PERUGINS
EGINRRSU	INSURGER
EGINRRTU	RUGIRENT
EGINRSSS	GRESSINS
EGINRSSU	INSURGES
EGINRSUZ	INSURGEZ
EGINRUUZ	ZINGUEUR
EGIOPRSU	PIROGUES
EGIOPRUZ	GROUPIEZ
EGIOQSTU	GOTIQUES
EGIORRSS	GROSSIER
EGIORRUZ	ROUGIREZ
EGIORSSS	GROSSIES
EGIORSSU	ROUGISSE
EGIORSTT	GRIOTTES →

	GRISOTTE
EGIORSTU	ROUGITES
	RUGOSITE
EGIORSTV	VERTIGOS
EGIORTUX	GOITREUX
EGIOTTUZ	GOUTTIEZ
EGIPRSUU	GUIPURES
EGIRRRSU	RESURGIR
EGIRRSSU	RESURGIS
EGIRRSTU	GRUTIERS
	RESURGIT
EGIRRSUU	RIGUEURS
EGIRRSUZ	SURGIREZ
EGIRSSSU	RUGISSES
	SURGISSE
EGIRSSTU	SURGITES
EGIRSSUZ	RUGISSEZ
EGIRSUUV	VIGUEURS
EGISSYYZ	SYZYGIES
EGJLNNOT	JONGLENT
EGJLNORU	JONGLEUR
EGJLNTUU	JUGULENT
EGJNNOOU	GOUJONNE
EGJNORSU	JUGERONS
EGJNORTU	JUGERONT
EGLMNOOS	GOMENOLS
	MONGOLES
EGLMNOSU	MEUGLONS
EGLMOOST	GOLMOTES
EGLNNOOP	PLONGEON
EGLNNOOR	LONGERON
EGLNNOOS	LONGEONS
EGLNNOPT	PLONGENT
EGLNNORT	LORGNENT
EGLNNOSU	ENGLUONS
EGLNOOPR	PROLONGE
EGLNOOPY	POLYGONE
EGLNOORS	LOGERONS
EGLNOORT	LOGERONT
	TORGNOLE
EGLNOOTT	LONGOTTE
EGLNOPRU	PLONGEUR
EGLNORRU	LORGNEUR
EGLNORST	STRONGLE
EGLNORSU	LUGERONS
	SURLONGE
EGLNORTU	LUGERONT
EGLNORUU	LONGUEUR
EGLNOSTU	LONGUETS
EGLNOSUU	GUEULONS
EGLOOOUZ	ZOOLOGUE

EGLOOPRU	PROLOGUE
EGLOOPTY	LOGOTYPE
EGLOORUU	UROLOGUE
EGLOOTTU	GOULOTTE
EGLORSSU	GLOUSSER
EGLOSSSU	GLOUSSES
EGLOSSUZ	GLOUSSEZ
EGMMOORS	ROGOMMES
EGMNOSTY	GYMNOTES
EGMOOPRS	POGROMES
EGMORSTU	GOURMETS
EGNNOORS	RONGEONS
EGNNOOSS	SONGEONS
EGNNOOSU	ENGOUONS
EGNNORST	RONTGENS
EGNNOSTU	ONGUENTS
EGNOORST	ERGOTONS
EGNOPRSU	PURGEONS
EGNOPRTU	GROUPENT
EGNORRSU	ROGNEURS
	ROGNURES
	RONGEURS
	URGERONS*
EGNORRTU	URGERONT
EGNORSSU	SONGEURS
	SURGEONS
EGNORSTU	GUETRONS
EGNOSTTU	GUETTONS
EGNOTTTU	GOUTTENT
EGOOPRRR	PROROGER
EGOOPRRS	PROROGES
EGOOPRRZ	PROROGEZ
EGORRSSU	GROSSEUR
EGORRSUU	ROUGEURS
EGOSSSTU	GOUSSETS
EGOTTUUX	GOUTTEUX
EGPRRSUU	PURGEURS
EHIIKSSW	WHISKIES*
EHIILMRU	HUMILIER
EHIILMSU	HUMILIES
EHIILMTU	HUMILITE
EHIILMUZ	HUMILIEZ
EHIILNST	LITHINES
EHIILORS	HILOIRES
EHIILRSU	HUILIERS
EHIIMNNO	HOMINIEN*
EHIIMNUZ	INHUMIEZ
EHIIMPPS	HIPPISME
EHIINNOT	THIONINE
EHIINRST	RHINITES
EHIIORST	HISTOIRE →

	HISTORIE
EHIIPPQU	HIPPIQUE
EHIIPSST	PHTISIES
EHIIRRTU	HUITRIER
EHIIRSSU	HUISSIER
EHIISTTT	HITTITES
EHILLORU	HOUILLER
EHILLOSU	HOUILLES
EHILLPSY	PHYLLIES
EHILLUUZ	HULULIEZ
EHILNOPR	ORPHELIN
EHILNPST	PLINTHES
EHILOOPT	PHOLIOTE
EHILOOST	OOLITHES
EHILOOTT	OTOLITHE
EHILOPRT	HELIPORT
EHILOPST	HOPLITES
EHILORTY	RHYOLITE
EHILOSST	HOSTILES
EHILOTXY	OXYLITHE
EHILPRST	PHILTRES
EHILPTTY	TYPHLITE
EHILRSTU	LUTHIERS
EHILSTTU	LUTHISTE
EHIMMNUY	HYMENIUM
EHIMMOST	THOMISME
EHIMNNOS	HONNIMES
EHIMNNTU	INHUMENT
EHIMNOPR	MORPHINE
EHIMNRRU	MURRHINE
EHIMNRSU	RHENIUMS
EHIMOPRS	ORPHISME
EHIMOPRT	TRIOMPHE
EHIMOPSS	SOPHISME
EHIMOQSU	OHMIQUES
EHIMORSZ	RHIZOMES
EHIMOSST	THOMISES
EHIMOSTT	THOMISTE
EHIMQTUY	MYTHIQUE
	THYMIQUE
EHIMRTYZ	RYTHMIEZ
EHINNOPS	SIPHONNE
EHINNORU	HURONIEN
EHINNORZ	HONNIREZ
EHINNOSS	HONNISSE
EHINNOST	HONNITES
	THONINES
EHINOORZ	HONORIEZ
EHINOPQU	PHONIQUE
EHINORSS	HERISSON
	HERSIONS
EHINORST	HERITONS
	THONIERS
	THORINES
EHINORSU	HUERIONS
EHINOSST	HESITONS
EHINOSSU	HOUSSINE
EHINPSTY	PYTHIENS
EHINSTUZ	SHUNTIEZ
EHIOOSTZ	SHOOTIEZ
EHIOPPRU	HOUPPIER
EHIOPQRU	ORPHIQUE
EHIOPRSU	OPHIURES
EHIOPSST	SOPHISTE
EHIOPSSY	ISOHYPSE
EHIORRTU	HEURTOIR
EHIORSTT	THORITES
EHIPQSUY	PHYSIQUE
EHIPQTUY	TYPHIQUE
EHIPSYZZ	ZIZYPHES
EHIQRRSU	SQUIRRHE
EHIRSSTU	HIRSUTES
EHISSSTU	HUSSITES
EHKKLOOS	KOLKHOSE
EHKOOSVZ	SOVKHOZE
EHLLNTUU	HULULENT
EHLMNOST	MENTHOLS
EHLOQSUU	HOULQUES
EHLOSTTU	HULOTTES
EHLRRSUU	HURLEURS
EHMMNOOY	HOMONYME
EHMMORSU	SURHOMME
EHMNOORS	HORMONES
EHMNOPSU	HOMESPUN
EHMNOPSY	NYMPHOSE
EHMNORSU	HUMERONS
EHMNORTU	HUMERONT
EHMNOSUX	EXHUMONS
EHMNRTTY	RYTHMENT
EHMOPSTU	POSTHUME
EHMORTUV	VERMOUTH
EHMPSSYY	SYMPHYSE
EHNNOORT	HONORENT
EHNNORSU	HONNEURS
	HURONNES
EHNNSTTU	SHUNTENT
EHNOOPRS	ORPHEONS
EHNOOQTU	HOQUETON
EHNOORSU	HOUERONS
EHNOORTU	HOUERONT
EHNOOSTT	SHOOTENT
EHNOPRSY	HYPERONS

EHNOPSSY	HYPNOSES
EHNORSTU	HEURTONS
EHOOOPRZ	ZOOPHORE
EHOOPTYZ	ZOOPHYTE
EHOORSST	ORTHOSES
EHOPPRRY	PORPHYRE
EHOPPTTY	PHYTOPTE
EHOPRSST	STROPHES
EHOPSSTY	TYPHOSES
EHOQRSUU	HOURQUES
EHORRRSU	HORREURS
EIIIIMNT	INIMITIE
EIIIINTZ	INITIIEZ
EIIILLMT	ILLIMITE
EIIILLRV	VIEILLIR
EIIILLSV	VIEILLIS
EIIILLTV	VIEILLIT
EIIILMSS	SIMILISE*
EIIILMTZ	LIMITIEZ
	MILITIEZ
EIIILRSV	VIRILISE
EIIILRTV	VIRILITE
EIIIMMNS	MINIMISE
EIIIMNTT	INTIMITE
EIIIMNTZ	INTIMIEZ
EIIINNTT	INITIENT
EIIINORV	IVOIRIEN
	IVOIRINE
EIIINOSZ	IONISIEZ
EIIINQTU	INIQUITE
EIIINTVZ	INVITIEZ
EIIIRRTZ	IRRITIEZ
EIIISTVZ	VISITIEZ
EIIJMNPU	MINIJUPE
EIIJMOTZ	MIJOTIEZ
EIIJNOOT	JOINTOIE
EIIJNOTV	JOINTIVE
EIIJNRRU	INJURIER
EIIJNRSU	INJURIES
EIIJNRUZ	INJURIEZ
EIIJORUZ	JOUIRIEZ
EIIKNOPS	PEKINOIS
EIILLMNU	ILLUMINE
EIILLMRS	MILLIERS
EIILLNOP	POLLINIE
EIILLNRY	ILLYRIEN
EIILLNST	INSTILLE
EIILLNTV	VITELLIN
EIILLOTV	VIEILLOT
EIILLOUZ	OUILLIEZ
EIILLPRS	SPIRILLE
EIILLRST	TREILLIS
EIILLRTT	TITILLER
EIILLRTZ	TRILLIEZ
EIILLRVZ	VRILLIEZ
EIILLSTT	TITILLES
EIILLTTZ	TITILLEZ
EIILMMOZ	IMMOLIEZ
EIILMNNT	LINIMENT
EIILMNOR	LIMONIER
EIILMNOS	ELIMIONS
EIILMNOT	LIMONITE
EIILMNTT	LIMITENT
	MILITENT
EIILMOPS	IMPOLIES
EIILMOST	ILOTISME
EIILMOTT	MOTILITE
EIILMPQU	IMPLIQUE
EIILMRTU	LIMITEUR
EIILMSSS	MISSILES
EIILMSSU	LUISIMES*
	SIMULIES
EIILMSUZ	SIMULIEZ
EIILMTUZ	MUTILIEZ
EIILNNOS	ENLIIONS
EIILNNSU	INSULINE
	INULINES
EIILNOPR	RIPOLINE
EIILNOPS	EPILIONS
EIILNORS	ELIRIONS
	LIERIONS
	RELIIONS
EIILNOSS	ELISIONS
EIILNOST	INSOLITE
EIILNOSV	INVIOLES
	OLIVINES
	VIOLINES
EIILNOSX	EXILIONS
EIILNOSZ	INSOLIEZ
	NOLISIEZ
EIILNRST	NITRILES
EIILNRSU	SILURIEN
EIILNSTU	INUTILES
EIILNTTU	INTITULE
EIILNTUZ	LUTINIEZ
EIILOPRZ	POLIRIEZ
EIILOPST	PILOSITE
	PISOLITE
	POLITISE
EIILOPSZ	SPOLIIEZ
EIILOPTZ	PILOTIEZ
EIILORSV	OLIVIERS →

	VIOLIERS
	VOILIERS
EIILORTV	VITRIOLE
EIILORTZ	LOTIRIEZ
EIILORVZ	VIROLIEZ
EIILOSTV	VIOLISTE
EIILOTVV	VOLITIVE
EIILPRTU	TULIPIER
EIILPRTZ	TRIPLIEZ
EIILPSSZ	PLISSIEZ
EIILQSSU	SILIQUES
EIILRSSS	LISSIERS
EIILRSSU	RELUISIS*
EIILRSTU	RELUISIT*
	TUILIERS
	UTILISER
EIILRTUZ	RUTILIEZ
EIILSSSU	LUISISSE
EIILSSTU	LUISITES*
	UTILISES
EIILSTTU	UTILITES
EIILSTUZ	UTILISEZ
EIIMMNNT	IMMINENT
EIIMMNSU	IMMUNISE
EIIMMNTU	IMMUNITE
EIIMMOSS	MOISIMES
EIIMMOST	MOITIMES
EIIMMOTV	IMMOTIVE
EIIMMPRR	IMPRIMER
EIIMMPRS	IMPRIMES
EIIMMPRZ	IMPRIMEZ
EIIMMQSU	MIMIQUES
EIIMNNNO	INNOMINE
EIIMNNOS	INSOMNIE
EIIMNNTT	INTIMENT
EIIMNOOS	ISONOMIE
EIIMNORS	ONIRISME
EIIMNORT	MINORITE
	MINOTIER
	TIMONIER
EIIMNORZ	MINORIEZ
EIIMNOSS	EMISSION
	MOISSINE
	SIMONIES
	SIONISME
EIIMNPSU	IMPUNIES
EIIMNPTU	IMPUNITE
EIIMNRST	INTERIMS
	MINISTRE
EIIMNRTU	MINUTIER
EIIMNRUZ	MUNIRIEZ →
	RUMINIEZ
EIIMNSSU	NUISIMES
EIIMNSTU	MINUTIES
EIIMNTUZ	MINUTIEZ
	MUTINIEZ
EIIMOPRX	MIREPOIX
EIIMOPST	OPTIMISE
EIIMOPSZ	IMPOSIEZ
EIIMORRT	MIROITER
EIIMORST	MIROITES
EIIMORSZ	MOISIREZ
EIIMORTZ	MIROITEZ
	MOITIREZ
EIIMORVZ	VOMIRIEZ
EIIMOSSS	MOISISSE
EIIMOSST	MOISITES
	MOITISSE
EIIMOSSZ	OMISSIEZ
EIIMOSTT	MOITITES
EIIMOTVV	VOMITIVE
EIIMOTVZ	MOTIVIEZ
EIIMPTUZ	IMPUTIEZ
EIIMQSSU	SISMIQUE
EIIMRRUZ	MURIRIEZ
EIIMSSSV	MISSIVES
EIIMSSTT	TITISMES
EIIMSSUV	SUIVIMES
	SUIVISME
EIINNOPR	PIONNIER
EIINNOPS	EPINIONS
	INOPINES
	PEINIONS
EIINNOPZ	PIONNIEZ
EIINNORS	NIERIONS
	RENIIONS
EIINNOST	IONISENT
EIINNOSV	ENVIIONS
	VEINIONS
	VISIONNE
EIINNOVZ	INNOVIEZ
EIINNQSU	QUININES
EIINNRSU	INSINUER
EIINNSSU	INSINUES
EIINNSTT	INTESTIN
EIINNSTU	TUNISIEN
EIINNSUZ	INSINUEZ
EIINNTTV	INVITENT
EIINOOST	ISOTONIE
EIINOPPS	PEPIIONS
EIINOPRT	POITRINE
	POTINIER

Lettres	Mots
EIINOPST	PIETIONS
EIINOPSV	PIVOINES
EIINOPSX	EXPIIONS
EIINOPTT	PETITION
EIINOPTV	POITEVIN
EIINOPTZ	POINTIEZ
	POTINIEZ
EIINOQRU	IRONIQUE
	ONIRIQUE
EIINOQSU	IONIQUES
EIINORRS	IRONISER
EIINORRT	INTERROI
EIINORSS	IRONISES
	SERIIONS
EIINORST	ETIRIONS
	IRONISTE
EIINORSV	REVISION
	VOISINER
EIINORSZ	IRONISEZ
EIINOSST	SIONISTE
EIINOSSV	VOISINES
EIINOSTV	EVITIONS
	VINOSITE
EIINOSVZ	VOISINEZ
EIINPRRS	INSPIRER
EIINPRSS	INSPIRES
EIINPRSV	VIPERINS
EIINPRSZ	INSPIREZ
EIINPRUZ	PUNIRIEZ
EIINPTUV	PUNITIVE
EIINQRTU	NITRIQUE
EIINQSTU	INQUIETS
EIINQSUV	VINIQUES
EIINRRTT	IRRITENT
EIINRRTV	INVERTIR
EIINRSST	INSISTER
	SINISTRE
	TISSERIN
EIINRSSU	USINIERS
EIINRSTT	NITRITES
	TRINITES
EIINRSTU	RUINISTE
EIINRSTV	INVERTIS
	INVESTIR
	VITRINES
EIINRSUZ	SURINIEZ
EIINRTTV	INVERTIT
EIINRTUV	INVITEUR
EIINSSST	INSISTES
EIINSSSU	NUISISSE
EIINSSTU	INUSITES →
	NUISITES
	SINUSITE
EIINSSTV	INVESTIS
EIINSSTZ	INSISTEZ
	TINSSIEZ
EIINSSUV	ENSUIVIS
EIINSSUZ	UNISSIEZ
EIINSSVZ	VINSSIEZ
EIINSTTU	INSTITUE
EIINSTTV	INVESTIT
	VISITENT
EIINSTUV	ENSUIVIT
	UNITIVES
EIINSTUZ	SUINTIEZ
EIIOPRRS	POIRIERS
EIIOPRRT	PRIORITE
EIIOPRRV	POIVRIER
EIIOPRSS	EPISSOIR
EIIOPRVZ	POIVRIEZ
EIIOPSSZ	POISSIEZ
EIIOPSTV	POSITIVE
EIIOPTVZ	PIVOTIEZ
EIIORRSZ	ROSIRIEZ
EIIORRTZ	ROTIRIEZ
EIIORRUZ	ROUIRIEZ
EIIORSTZ	SIROTIEZ
EIIORSUZ	SOURIIEZ
EIIOTVVZ	VIVOTIEZ
EIIPQRSU	PIQUIERS
EIIPRRST	TRIPIERS
EIIPRSST	SPIRITES
EIIPRSSZ	PRISSIEZ
EIIPRTTU	PITUITER
EIIPSSUZ	PUISSIEZ
EIIPSTTU	PITUITES
EIIPTTUZ	PITUITEZ
EIIQRSTU	QUIRITES
EIIQRSUZ	RISQUIEZ
EIIQRTUZ	TRIQUIEZ
EIIQTTUZ	QUITTIEZ
EIIRRSTV	VITRIERS
EIIRRSUZ	SURIRIEZ
EIIRRSVV	VIVRIERS
EIIRSSTZ	TRISSIEZ
EIIRSTUV	VISITEUR
EIIRSUVZ	SUIVRIEZ
EIISSSUV	SUIVISSE
EIISSTTT	TITISTES
EIISSTUV	SUIVITES
EIJLLSTU	JUILLETS*
EIJLMNOT	JOLIMENT

EIJMNOTT	MIJOTENT
EIJNNNOU	JUNONIEN
EIJNNOST	ENJOINTS
EIJNNOSU	JEUNIONS
EIJNOOTY	JOINTOYE
EIJNORST	REJOINTS
EIJNORTU	JOINTURE
	JOUIRENT
EIJNOSTU	SUJETION
EIJNSSTU	INJUSTES
EIJOSSSU	JOUISSES
EIJOSSUZ	JOUISSEZ
EIJOTUXZ	JOUXTIEZ
EIJRSSTU	JURISTES
EIKMQRUY	KYMRIQUE
EIKNORSS	SKIERONS
EIKNORST	SKIERONT
EIKOQSSU	KIOSQUES
EIKPPRSS	SKIPPERS
EIKQSTUY	KYSTIQUE
EILLLSTU	TILLEULS
EILLMMOS	MOLLIMES
EILLMNOS	SEMILLON
EILLMNOU	LINOLEUM
EILLMORS	MORILLES
	ORMILLES
EILLMORU	MOUILLER
EILLMORZ	MOLLIREZ
EILLMOSS	MOLLISSE
EILLMOST	MELILOTS
	MOLLITES
EILLMOSU	MOUILLES
EILLMOUZ	MOUILLEZ
EILLMPTU	MULTIPLE
EILLMRTY	MYRTILLE
EILLNNOS	NIELLONS
	SILLONNE
EILLNOOR	OREILLON*
EILLNOSS	SEILLONS
	SELLIONS
EILLNOST	TEILLONS
EILLNOSU	NOUILLES
EILLNOSV	VEILLONS
	VIELLONS
EILLNOTU	OUILLENT
EILLNPUU	LUPULINE
EILLNRTT	TRILLENT
EILLNRTV	VRILLENT
EILLNSTU	NULLITES
EILLOPRT	TORPILLE
EILLOPRU	ROUPILLE

EILLOPSU	POUILLES
EILLOPTU	TOUPILLE
EILLOPUZ	POLLUIEZ
EILLORRS	ROLLIERS
EILLORRU	ROUILLER
EILLORSU	ROUILLES
	SOUILLER
EILLORSZ	ZORILLES
EILLORTT	TORTILLE
EILLORTU	OUTILLER
	TOUILLER
	TROUILLE
EILLORUZ	ROUILLEZ
EILLOSSU	SOUILLES
EILLOSTU	OUTILLES
	TOUILLES
EILLOSUZ	SOUILLEZ
EILLOTUZ	OUTILLEZ
	TOUILLEZ
EILLPPSU	PUPILLES
EILLPRSU	PILLEURS
	PLURIELS
EILLRSTU	ILLUSTRE
	TULLIERS
EILLSTTU	TULLISTE
EILLSTUV	VITELLUS
EILMMNOT	IMMOLENT
EILMMORT	IMMORTEL
EILMMOSS	SOMMEILS
EILMNOPS	EMPILONS
EILMNOPT	POLIMENT
EILMNOPY	OLYMPIEN
EILMNORS	LIMERONS
EILMNORT	LIMERONT
EILMNORU	MOULINER
EILMNOSU	EMULSION
	MEULIONS
	MOULINES
EILMNOTU	MOULINET
EILMNOUX	LIMONEUX
EILMNOUZ	MOULINEZ
EILMNPRT	TREMPLIN
EILMNSTU	SIMULENT
EILMNTTU	MUTILENT
EILMNUUX	LUMINEUX
EILMOPPS	POMPILES
EILMOPRR	IMPLORER
EILMOPRS	IMPLORES
	REMPLOIS
EILMOPRZ	IMPLOREZ
EILMPRSU	IMPULSER →

	PLUMIERS
EILMPSST	SIMPLETS
EILMPSSU	IMPULSES
EILMPSTU	PLUMETIS
EILMPSUZ	IMPULSEZ
EILMPTUY	LUMITYPE
EILMRSSY	LYRISMES
EILMRSTU	STIMULER
EILMSSTU	STIMULES
EILMSSTY	STYLISME
EILMSTUZ	STIMULEZ
EILNNOOT	LOTIONNE
EILNNOPR	PILONNER
EILNNOPS	PILONNES
EILNNOPZ	PILONNEZ
EILNNOSS	ENLISONS
	ENSILONS
	LESINONS
EILNNOST	INSOLENT
	NOLISENT
EILNNOSV	NIVELONS
EILNNPSU	PINNULES
EILNNTTU	LUTINENT
EILNOOPP	EPIPLOON
EILNOOSS	OISELONS
EILNOOST	ETIOLONS
	ETOILONS
EILNOPRS	PERLIONS
	PILERONS
	PLIERONS
	REPLIONS
EILNOPRT	PILERONT
	PLIERONT
	POLIRENT
EILNOPRU	POULINER
EILNOPSS	SINOPLES
EILNOPST	SPOLIENT
EILNOPSU	POULINES
EILNOPTT	PILOTENT
EILNOPTY	LINOTYPE
EILNOPUZ	POULINEZ
EILNORRS	RELIRONS
EILNORRT	RELIRONT
EILNORSS	LISERONS
	RELISONS
EILNORST	LITERONS
	LITORNES
EILNORSU	OURLIENS
EILNORTT	LITERONT
	LOTIRENT
EILNORTU	ROTULIEN

EILNORTV	VIROLENT
EILNORTY	TYROLIEN
EILNOSST	LESTIONS
EILNOSTT	LINOTTES
EILNOSTU	TONLIEUS*
EILNOSTV	VIOLENTS
EILNOSUV	ELUVIONS
EILNOTUV	INVOLUTE
EILNOTUX	TONLIEUX
EILNOUUV	UNIOVULE
EILNPRTT	TRIPLENT
EILNPRUV	PULVERIN
EILNPSST	PLISSENT
EILNRSTU	INSULTER
	LUSTRINE
EILNRSUU	URSULINE
EILNRTTU	RUTILENT
EILNRTUV	VIRULENT
EILNSSTU	INSULTES
EILNSTUZ	INSULTEZ
EILOOSST	OSTIOLES
EILOOSUV	LOUVOIES
EILOPPRY	POLYPIER
EILOPPST	POPLITES
EILOPRSX	PROLIXES
EILOPRUV	PLEUVOIR
EILOPRUY	POLYURIE
EILOPSSS	POLISSES
EILOPSST	PISTOLES
	POLISTES
EILOPSSZ	POLISSEZ
EILOPSTT	PISTOLET
EILOPSTX	EXPLOITS
EILOPSUV	PLUVIOSE
EILOQRTU	LORIQUET
EILORRSS	RISSOLER
EILORRSU	IRRESOLU
	ROULIERS
EILORSSS	RISSOLES
EILORSSU	SOULIERS
EILORSSZ	RISSOLEZ
EILORSTT	TRIOLETS
EILORSUV	VOILURES
EILOSSST	LOTISSES
	SOLISTES
EILOSSTZ	LOTISSEZ
EILPPRSU	SUPPLIER
EILPPSSU	SUPPLIES
EILPPSUZ	SUPPLIEZ
EILPRRTU	TRIPLURE
EILPRSSU	PLISSEUR →

	PLISSURE
EILPRSTT	TRIPLETS
EILPRSTU	STIPULER
EILPRSUV	PLUVIERS
EILPSSTU	STIPULES
EILPSSUZ	PLUSSIEZ
EILPSTUZ	STIPULEZ
EILPUUVX	PLUVIEUX
EILQRSUU	LIQUEURS
EILQRSUY	LYRIQUES
EILRRSUV	LIVREURS
EILRSSTY	STYLISER
EILRSTUV	VIRTUELS
EILRSTUZ	LUSTRIEZ
EILSSSTY	STYLISES
EILSSTTY	STYLISTE
	STYLITES
EILSSTYZ	STYLISEZ
EILSTUVV	VULVITES
EIMMNNOS	INNOMMES*
EIMMNOOR	MONORIME
EIMMNORS	MIMERONS
EIMMNORT	MIMERONT
EIMMNOSS	MONISMES
EIMMOPRS	POMMIERS
	PROMIMES
	ROMPIMES
EIMMOPRU	EMPORIUM
EIMMORSS	SOMMIERS
EIMMOSST	SOMMITES
EIMMOSSU	SOUMIMES
EIMMRRST	TRIMMERS
EIMMSSTU	MUTISMES
EIMNNORS	MINERONS
EIMNNORT	MINERONT
	MINORENT
	MITONNER
EIMNNOST	MENTIONS
	MITONNES
EIMNNOTZ	MITONNEZ
EIMNNRTU	MUNIRENT
	RUMINENT
EIMNNTTU	MINUTENT
	MUTINENT
EIMNOOPT	POMOIENT*
EIMNOOQU	MONOIQUE
EIMNOORV	OMNIVORE
EIMNOOST	EMOTIONS
EIMNOPRS	EMPIRONS
	PERIMONS
EIMNOPRT	ORPIMENT
EIMNOPST	IMPOSENT
	PIEMONTS
EIMNOPTT	IMPOTENT
EIMNORRS	MIRERONS
	RIMERONS
EIMNORRT	MIRERONT
	RIMERONT
EIMNORSS	MISERONS
	REMISONS
EIMNORST	MERITONS
	METRIONS
	MISERONT
	MITERONS
	TRINOMES
EIMNORSU	MONSIEUR
	MUERIONS
	REMUIONS
EIMNORSW	WORMIENS
EIMNORSX	MIXERONS
EIMNORSY	MYROSINE
EIMNORTT	MITERONT
EIMNORTU	MONITEUR
EIMNORTV	VOMIRENT
EIMNORTX	MIXERONT
EIMNORTZ	MONTRIEZ
EIMNOSST	ESTIMONS
	MONISTES
	OMISSENT
EIMNOSTT	METTIONS
EIMNOSTY	MITOYENS
EIMNOTTV	MOTIVENT
EIMNPRRU	PREMUNIR
EIMNPRSU	PREMUNIS
EIMNPRTU	PREMUNIT
EIMNPTTU	IMPUTENT
EIMNQSSU	MESQUINS
EIMNRRTU	MURIRENT
EIMNRSTU	MURETINS*
	TERMINUS
EIMNRSUW	WURMIENS
EIMNSSSU	MUNISSES
EIMNSSUZ	MUNISSEZ
EIMNSUZZ	MUEZZINS
EIMOOPYZ	POMOYIEZ*
EIMOORST	MOROSITE
	MOTORISE
EIMOORUV	EMOUVOIR
EIMOPPRR	IMPROPRE
	OPPRIMER
EIMOPPRS	OPPRIMES
	POMPIERS

EIMOPPRZ	OPPRIMEZ
EIMOPPST	POMPISTE
EIMOPRRT	IMPORTER
EIMOPRRZ	ROMPRIEZ
EIMOPRSS	PROMISES
	PROMISSE
	ROMPISSE
EIMOPRST	IMPORTES
	PROMITES
	ROMPITES
	TROPISME
EIMOPRSU	IMPOSEUR
EIMOPRTZ	IMPORTEZ
	TROMPIEZ
EIMOPRUU	EUROPIUM
EIMOPSST	IMPOSTES
EIMOQRSU	MORISQUE
EIMOQSSU	OSMIQUES
EIMOQSUV	VOMIQUES
EIMORRST	MORTIERS
EIMORRSU	MOIRURES
EIMORRTU	MORUTIER
EIMORRUZ	MOURRIEZ
EIMORSST	SORTIMES
EIMORSSU	SOURIMES
EIMORSTU	MOITEURS
	MOUTIERS
	TOURISME
EIMORSUV	OUVRIMES
EIMORUVZ	MOUVRIEZ
EIMOSSSU	SOUMISES
	SOUMISSE
EIMOSSSV	VOMISSES
EIMOSSTU	SOUMITES
EIMOSSUZ	MOUSSIEZ
EIMOSSVZ	VOMISSEZ
EIMPPRSU	SUPPRIME
EIMPRRSU	PRIMEURS
	SURPRIME
EIMPRSSU	PURISMES
EIMPRSUV	IMPREVUS
EIMQRSUU	MUSIQUER
EIMQSSUU	MUSIQUES
EIMQSTUY	MYSTIQUE
EIMQSUUZ	MUSIQUEZ
EIMRRRTU	MEURTRIR
EIMRRSTU	MEURTRIS
EIMRRTTU	MEURTRIT
EIMRSSST	MISTRESS
EIMRSSSU	MURISSES
	SURSIMES
EIMRSSTU	TRUISMES
EIMRSSUZ	MURISSEZ
EIMRSTUX	MIXTURES
EIMSSSUV	MUSSIVES
EINNNOPT	PIONNENT
EINNNOTV	INNOVENT
EINNOORS	INSONORE
	NOIERONS
EINNOORT	NOIERONT
	TENORINO
EINNOOSU	ENOUIONS
EINNOPPS	NIPPONES
EINNOPRS	PRENIONS
EINNOPSS	PENSIONS
EINNOPST	PISTONNE
EINNOPTT	POINTENT
	POTINENT
EINNOQSU	QUINONES
EINNORSS	INSERONS
	RESINONS
	SERINONS
EINNORST	ENTRIONS
	RENTIONS
	TISONNER
EINNORSU	REUNIONS
EINNORSV	ENIVRONS
	ENVIRONS
	VINERONS
EINNORTU	NEUTRINO
EINNORTV	VINERONT
EINNOSSS	SISSONNE
EINNOSST	SENTIONS
	TENSIONS
	TISONNES
EINNOSSU	ONUSIENS
EINNOSTT	TEINTONS
	TENTIONS
	TONTINES
EINNOSTZ	TISONNEZ
EINNPRTU	PUNIRENT
EINNRSTU	SURINENT
EINNSSTT	TINSSENT
EINNSSTU	SUNNITES
	UNISSENT
EINNSSTV	VINSSENT
EINNSTTU	SUINTENT
EINOOPRS	OPERIONS
EINOORSS	EROSIONS
	OSERIONS
	SONORISE
EINOORST	NOTOIRES →

	OTERIONS
	SONORITE
	TOREIONS
EINOORSZ	OZONISER
EINOORTU	TOURNOIE
EINOOSSZ	OZONISES
EINOOSZZ	OZONISEZ
EINOPPRS	PIPERONS
EINOPPRT	PIPERONT
EINOPPSU	POUPINES
EINOPQSU	EQUIPONS
EINOPRRS	PERIRONS
	PRIERONS
	RIPERONS
EINOPRRT	PERIRONT
	PRIERONT
	RIPERONT
EINOPRRV	PROVENIR
EINOPRSS	PRESSION
EINOPRST	ETRIPONS
	POINTERS
	PONTIERS
	PRETIONS
EINOPRSU	EPURIONS
	PUERIONS
EINOPRSV	PROVIENS
EINOPRSX	EXPIRONS
EINOPRSY	EPYORNIS
EINOPRTU	ERUPTION
	POINTEUR
	POINTURE
EINOPRTV	POIVRENT
	PROVIENT
EINOPSSS	EPISSONS
EINOPSST	PESTIONS
	POISSENT
EINOPSSU	EPUISONS
EINOPSTU	POINTUES
EINOPSUY	YOUPINES
EINOPTTV	PIVOTENT
EINOQRUU	ROUQUINE
EINOQRUV	INVOQUER
EINOQSSU	SONIQUES
EINOQSTU	QUESTION
	QUETIONS
	TONIQUES
EINOQSUV	INVOQUES
EINOQTTU	QUOTIENT
EINOQUUV	UNIVOQUE
EINOQUVZ	INVOQUEZ
EINORRSS	SERRIONS

EINORRST	INTRORSE
	RETIRONS
	ROSIRENT
	TERRIONS
	TIRERONS
	TRIERONS
EINORRSU	NOURRIES
	RUERIONS
EINORRSV	RIVERONS
	VERRIONS
	VIRERONS
EINORRTT	ROTIRENT
	TIRERONT
	TRIERONT
EINORRTU	ROUIRENT
EINORRTV	RIVERONT
	VIRERONT
EINORRUV	ROUVERIN
EINORSST	RESTIONS
	STERIONS
	TERSIONS
EINORSSU	SUERIONS
	USERIONS
EINORSSV	REVISONS
	SERVIONS
	SEVIRONS
	SEVRIONS
	VERSIONS
	VISERONS
EINORSTT	SIROTENT
EINORSTU	ROUTINES
	SOURIENT
	SOUTENIR
	TUERIONS
EINORSTV	RIVETONS
	SEVIRONT
	VETIRONS
	VIRETONS
	VISERONT
EINORSTY	TYROSINE
EINORSUV	SOUVENIR
EINORSVV	REVIVONS
EINORTTT	TROTTINE
EINORTTU	TONITRUE
EINORTTV	VETIRONT
EINORTUZ	TOURNIEZ
EINOSSSS	SESSIONS
	SISSONES
EINOSSSU	EUSSIONS
EINOSSSV	VESSIONS
EINOSSTT	TESTIONS →

	TONTISSE
EINOSSTU	SOUTIENS
EINOSSTX	EXISTONS
EINOSSTZ	ZESTIONS
EINOSSUV	SOUVIENS
EINOSSVY	SYNOVIES
EINOSTTU	SOUTIENT
EINOSTUV	ETUVIONS
	SOUVIENT
EINOSTUZ	ZIEUTONS
EINOSTVY	SYNOVITE
EINOTTTU	TUTOIENT
EINOTTVV	VIVOTENT
EINPQSUU	PUNIQUES
EINPRRST	SPRINTER
EINPRRSU	PRUNIERS
EINPRSST	PRISSENT
	SPRINTES
EINPRSSU	PRUSSIEN
EINPRSTY	TRYPSINE
EINPRSTZ	SPRINTEZ
EINPSSSU	PUNISSES
EINPSSTU	PUISSENT
EINPSSUZ	PUNISSEZ
EINQQTUU	QUINQUET
EINQRRTU	TRINQUER
EINQRSTU	RISQUENT
	TRINQUES
EINQRSUU	RUNIQUES
EINQRTTU	TRINQUET
	TRIQUENT
EINQRTUZ	TRINQUEZ
EINQSTUU	TUNIQUES
EINQTTTU	QUITTENT
EINQTUUX	QUINTEUX
EINRRSTU	NITRURES
	SURIRENT
EINRRSUU	RUINURES
EINRRSUV	SURVENIR
EINRSSTT	TRISSENT
EINRSSTU	INTRUSES
EINRSSUV	SURVIENS
EINRSTUV	SURVIENT
	VENTURIS
EIOOPPST	OPPOSITE
EIOOPPSZ	OPPOSIEZ
EIOOPRRS	REPOSOIR
EIOOPRST	ISOTROPE
	POROSITE
EIOOPRUV	POURVOIE
EIOOPSST	ISOTOPES
EIOOPSSZ	ZOOPSIES
EIOOSUVV	VOUVOIES
EIOOTZZZ	ZOZOTIEZ
EIOPPRRU	POURPIER
EIOPPSTZ	STOPPIEZ
EIOPQRTU	PORTIQUE
	TROPIQUE
EIOPQSTU	OPTIQUES
	TOPIQUES
EIOPQTUU	UTOPIQUE
EIOPRRSS	PRESSOIR
EIOPRRST	PIERROTS
	PORTIERS
	RIPOSTER
EIOPRRSU	POURRIES
	SOUPIRER
EIOPRRTT	TRIPOTER
EIOPRRUZ	POURRIEZ
EIOPRSST	POSTIERS
	RIPOSTES
EIOPRSSU	POUSSIER
	SOUPIRES
EIOPRSTT	PROTISTE*
	TRIPOTES
EIOPRSTV	SPORTIVE
EIOPRSTZ	RIPOSTEZ
EIOPRSUZ	SOUPIREZ
EIOPRTTZ	TRIPOTEZ
EIOPRUVZ	PROUVIEZ
EIOPSSUV	POUSSIVE
EIOPSSUX	POISSEUX
EIOPSSUZ	POUSSIEZ
EIOPSTTU	UTOPISTE
EIOQRSTU	TORIQUES
EIOQRTUZ	TROQUIEZ
EIOQSSTU	STOIQUES
EIOQSTTU	QUOTITES
EIOQSTUX	TOXIQUES
EIOQSUUZ	SOUQUIEZ
EIORRRST	TERROIRS
EIORRRTU	ROTURIER
EIORRSST	RESSORTI
EIORRSSU	SOURIRES
	SURSEOIR
EIORRSSV	VERSOIRS
EIORRSTU	ROUTIERS
	SOUTIRER
	TOURIERS
EIORRSTZ	SORTIREZ
EIORRSUV	OUVRIERS
EIORRSUZ	SOURIREZ

EIORRTUV	VOITURER
EIORRUVZ	OUVRIREZ
	ROUVRIEZ
EIORSSSS	ROSISSES
EIORSSST	ROTISSES
	SORTISSE
EIORSSSU	ROUISSES
	ROUSSIES
	SOURISSE
	SURSOIES
EIORSSSZ	ROSISSEZ
EIORSSTT	SORTITES
EIORSSTU	SOURITES
	SOUTIERS
	SOUTIRES
EIORSSTZ	ROTISSEZ
EIORSSUV	OUVRISSE
EIORSSUZ	ROUISSEZ
EIORSTTU	TOITURES
	TOURISTE
EIORSTUV	OUVRITES
	VIRTUOSE
	VOITURES
EIORSTUZ	SOUTIREZ
EIORTTTZ	TROTTIEZ
EIORTUVZ	TROUVIEZ
	VOITUREZ
EIORUUVX	ROUVIEUX
EIOSSSTT	SOTTISES
EIOSSTUZ	TOUSSIEZ
EIOTTUYZ	TUTOYIEZ
EIPPRSTU	PUPITRES
EIPQRSUU	PIQUEURS
EIPQSTUY	TYPIQUES
EIPRRSSU	PRISEURS
	SURPRISE
EIPRSSTU	PURISTES
EIPRSUUX	SIRUPEUX
EIPRSUUZ	USURPIEZ
EIQRRSSU	SQUIRRES
EIQRSTTU	TRIQUETS
EIQRSTUU	RUSTIQUE
	TIQUEURS
EIQRTUUZ	TRUQUIEZ
EIQSTUUZ	STUQUIEZ
EIQSUUVX	VISQUEUX
EIRRRSUV	SURVIRER
EIRRRTTU	TRITURER
EIRRSSTU	STRIURES
EIRRSSUU	USURIERS
EIRRSSUV	SURVIRES
EIRRSTTU	TRITURES
EIRRSUVV	SURVIVRE
EIRRSUVZ	SURVIREZ
EIRRTTUZ	TRITUREZ
EIRSSSSU	SURISSES
	SURSISES*
	SURSISSE
EIRSSSTU	SURSITES
	TISSEURS
	TISSURES
EIRSSSUZ	SURISSEZ
EIRSSUUV	SUIVEURS
EIRSSUVV	SURVIVES
EIRSTTUZ	TRUSTIEZ
EIRSTUUZ	SUTURIEZ
EIRSUVVZ	SURVIVEZ
EISSSSUV	SUSVISES
EJJMNSUU	JEJUNUMS
EJLMNOSU	JUMELONS
EJLNNOOS	ENJOLONS
EJNOORSU	JOUERONS
	REJOUONS
EJNOORTU	JOUERONT
EJNORRSU	JURERONS
EJNORRTU	JURERONT
EJNORSTU	JUTERONS
EJNORTTU	JUTERONT
EJNOTTUX	JOUXTENT
EJORSTUU	JOUTEURS
EKNNOORT	KENOTRON
EKNNORSZ	KONZERNS
EKOORRSY	ROOKERYS
ELLLPRUU	PULLULER
ELLLPSUU	PULLULES
ELLLPUUZ	PULLULEZ
ELLMNOOS	MOELLONS
ELLMNOOT	MOLLETON
ELLMPSUU	PLUMULES
ELLNOPTU	POLLUENT
ELLOPRUU	POLLUEUR
ELLORSTY	TROLLEYS
ELMMORST	TROMMELS
ELMMOSUU	MOULUMES
ELMNOOOP	MONOPOLE
ELMNOOPY	POLYNOME
ELMNOORS	SOMNOLER
ELMNOOSS	SOMNOLES
ELMNOOST	MOLETONS
ELMNOOSU	EMOULONS
ELMNOOSZ	SOMNOLEZ
ELMNOPSU	PULMONES

ELMNOSSU	MUSELONS
ELMOORST	TREMOLOS
ELMOOSSS	MOLOSSES
ELMOPPUU	POPULEUM*
ELMORRUU	MOULURER
ELMORSUU	MOULEURS
	MOULURES
	REMOULUS
	SURMOULE
ELMORTUU	REMOULUT
ELMORUUV	VERMOULU
ELMORUUZ	MOULUREZ
ELMOSSUU	MOULUSSE
ELMOSTUU	MOULUTES
ELMOSUUV	VOULUMES
ELMPRSUU	PLUMEURS
ELMRSTUU	SURMULET
ELMSTTUU	TUMULTES
ELNNOORS	ENROLONS
ELNNOOST	ENTOLONS
ELNNOOSV	ENVOLONS
ELNNORSU	LURONNES
ELNOOPST	PELOTONS
ELNOORST	TOLERONS
ELNOORSU	LOUERONS
	RELOUONS
ELNOORSV	LOVERONS
	REVOLONS
	VOLERONS
ELNOORTU	LOUERONT
ELNOORTV	LOVERONT
	VOLERONT
ELNOOSTV	VOLETONS
	VOLONTES
ELNOOSUV	EVOLUONS
ELNOPPSU	PEUPLONS
ELNOPRSU	PLEURONS
ELNOPSTU	OPULENTS
ELNORRSU	LEURRONS
ELNORSTU	LUTERONS
ELNORSUX	LUXERONS
ELNORTTU	LUTERONT
ELNORTUX	LUXERONT
ELNOSTUX	EXULTONS
ELNPRTUU	PURULENT
ELNPSSTU	PLUSSENT
ELNRSTTU	LUSTRENT
ELOOPPRY	POLYPORE
ELOOPTTU	POULOTTE
ELOORTTU	ROULOTTE
ELOORUVY	LOUVOYER
ELOOSSTU	SOULOTES
ELOOUVYZ	LOUVOYEZ
ELOPPRSU	PROPULSE
ELOPPUUX	POPULEUX
ELOPPUXY	POLYPEUX
ELOPRRSU	SPORULER
ELOPRRSY	PYRROLES
ELOPRSSU	SPORULES
ELOPRSTU	POSTULER
	SPORTULE
ELOPRSTY	PROSTYLE
ELOPRSUZ	SPORULEZ
ELOPRSYY	PYROLYSE
ELOPRXYY	PYROXYLE
ELOPSSTU	POSTULES
ELOPSTUV	VOLUPTES
ELOPSTUZ	POSTULEZ
ELORRSUU	ROULEURS
	ROULURES
ELORRSUV	SURVOLER
ELORRSUY	SURLOYER
ELORSSUV	SURVOLES
ELORSTUV	SURVOLTE
ELORSUVZ	SURVOLEZ
ELOSSSTY	SYSTOLES
ELOSSUUV	VOULUSSE
ELOSTUUV	VOULUTES
ELPSSTUU	PUSTULES
ELRSSSUU	RUSSULES
ELRSTTUU	LUTTEURS
ELRTTTUU	TURLUTTE
ELSSSTYY	SYSTYLES
ELTUUUVX	VULTUEUX
EMMNNOTU	MONUMENT
EMMNOORS	MORMONES
EMMNORSU	EMMURONS
	SURNOMME
EMMNOSSU	SUSNOMME
EMMOPSTY	SYMPTOME
EMMORSUU	MOURUMES
EMMRRRUU	MURMURER
EMMRRSUU	MURMURES
EMMRRUUZ	MURMUREZ
EMNNOOOT	MONOTONE
EMNNOOPP	POMPONNE
EMNNOOTU	MOUTONNE
EMNNORTT	MONTRENT
EMNNOSYY	SYNONYME
EMNOOPST	EMPOTONS
EMNOOPTY	MONOTYPE
	TOPONYME

EMNOORST	TOMERONS
EMNOORTT	TOMERONT
EMNOOSTT	EMOTTONS
	OMETTONS
EMNOOSUV	EMOUVONS
EMNOPRST	TREMPONS
EMNOPRTT	TROMPENT
EMNORRSU	MURERONS
EMNORRTU	MONTREUR
	MURERONT
EMNORSST	MONSTRES
EMNORSSU	MESURONS
	MUSERONS
	RESUMONS
EMNORSTT	METTRONS
EMNORSTU	MONTEURS
	MONTURES
	MUSERONT
	MUTERONS
	SURMONTE
EMNORTTT	METTRONT
EMNORTTU	MUTERONT
	TOURMENT
EMNOSSSU	MESUSONS
EMNOSSTU	MOUSSENT
EMNOTUUX	MONTUEUX
EMNPRSTU	EMPRUNTS
EMNRSSTU	MUNSTERS
	STERNUMS
EMOOSSTX	STOMOXES
EMOPPRST	PROMPTES
EMOPRRTU	TROMPEUR
EMOQRSUU	MOQUEURS
EMOQSTUU	MOUSQUET
EMORRSSU	MORSURES
EMORSSTY	TORYSMES
EMORSSUU	MOURUSSE
EMORSTUU	MOURUTES
	MOUTURES
EMOSSSUU	MOUSSUES
EMOSSTVZ	ZEMSTVOS
EMOSSUUX	MOUSSEUX
ENNNOORR	RONRONNE
ENNNOOST	ETONNONS
ENNNOSUY	ENNUYONS
ENNOOPPU	POUPONNE
ENNOOPST	ESPONTON
ENNOORRS	ORNERONS
ENNOORRT	ORNERONT
ENNOORST	NOTERONS
ENNOORSU	ENROUONS →
	NOUERONS
	RENOUONS
ENNOORSV	NOVERONS
	RENOVONS
ENNOORTT	NOTERONT
ENNOORTU	NOUERONT
ENNOORTV	NOVERONT
ENNOOSVY	ENVOYONS
ENNORRST	RENTRONS
ENNORSSU	SONNEURS
ENNORSTU	NEUTRONS
ENNORTTU	TOURNENT
ENNPRRSU	NERPRUNS
ENOOPPST	OPPOSENT
ENOOPRRS	PERORONS
ENOOPRSS	POSERONS
	REPOSONS
ENOOPRST	OPTERONS
	POSERONT
	TOPERONS
ENOOPRTT	OPTERONT
	TOPERONT
ENOOPSSU	EPOUSONS
ENOOPSSX	EXPOSONS
ENOOPSTU	ETOUPONS
ENOOQSUV	EVOQUONS
ENOORRST	ROTERONS
ENOORRSU	ROUERONS
ENOORRTT	ROTERONT
ENOORRTU	ROUERONT
ENOORSSS	ESSORONS
ENOORSTU	TOUERONS
ENOORSTV	VOTERONS
ENOORSUV	OEUVRONS
	VOUERONS
ENOORSVY	REVOYONS
ENOORTTU	TOUERONT
ENOORTTV	VOTERONT
ENOORTUV	VOUERONT
ENOORTUY	TOURNOYE
ENOOTTZZ	ZOZOTENT
ENOPPSTT	STOPPENT
ENOPRSSS	PRESSONS
ENOPRSUV	PROVENUS
ENOPRTUV	PROUVENT
ENOPSSTU	POUSSENT
ENOQRRTU	TRONQUER
ENOQRSTU	TRONQUES
ENOQRTTU	TROQUENT
ENOQRTUZ	TRONQUEZ
ENOQSTUU	QUEUTONS →

	SOUQUENT
ENORRSSU	RUSERONS
ENORRSTT	TORRENTS
ENORRSTU	RUSERONT
	TONSURER
ENORRTUU	TOURNEUR
	TOURNURE
ENORRTUV	ROUVRENT
ENORSSST	TRESSONS
ENORSSSU	RESSUONS
ENORSSTT	STENTORS
ENORSSTU	TONSURES
ENORSTTU	TONTURES
ENORSTUZ	TONSUREZ
ENORTTTT	TROTTENT
ENORTTUV	TROUVENT
ENOSSSUY	ESSUYONS
ENOSSTTU	TOUSSENT
ENOSSTUU	SOUTENUS
ENOSSUUV	SOUVENUS
ENPRSTUU	USURPENT
ENQRTTUU	TRUQUENT
ENQSTTUU	STUQUENT
ENRRSSUY	NURSERYS*
ENRSSUUV	SURVENUS
ENRSTTTU	TRUSTENT
ENRSTTUU	SUTURENT
EOOOPRSZ	ZOOSPORE
EOOPPRRS	PROPOSER
EOOPPRSS	PROPOSES
EOOPPRSZ	PROPOSEZ
EOOPPSST	POSTPOSE
EOOPQRUV	PROVOQUE
EOORUVVY	VOUVOYER
EOOSSTTU	TOUSSOTE
EOOSTUVY	VOYOUTES*
EOOSUVVY	VOUVOYES
EOOUVVYZ	VOUVOYEZ
EOPPRRST	PROPRETS
EOPPRRSU	POURPRES
EOPPRSSU	SUPPOSER
EOPPRSTU	STOPPEUR
	SUPPORTE
EOPPSSSU	SUPPOSES
EOPPSSUZ	SUPPOSEZ
EOPRRSST	PROSTRES
EOPRRSTU	PORTEURS
	TORPEURS
EOPRSSTU	POSTURES
	SEPTUORS
EOPRSSUU	POUSSEUR →
	SOUPEURS
EOPRSTUU	POUTURES
EOPRSUUV	POURVUES
EOQRRTUU	TROQUEUR
EOQRSTTU	TROQUETS
EOQSSTUU	QUEUSOTS
EORRRTTU	TORTURER
EORRSSST	RESSORTS
EORRSSTU	TORSEURS
	TROUSSER
EORRSSUU	ROUSSEUR
EORRSTTU	TORTURES
EORRSTUV	ROUVERTS
EORRSUUV	OUVREURS
EORRTTTU	TROTTEUR
EORRTTUZ	TORTUREZ
EORRTUUV	TROUVEUR
EORSSSTU	TROUSSES
EORSSTUU	TOUSSEUR
EORSSTUX	SEXTUORS
EORSSTUZ	TROUSSEZ
EORSSUUV	VOUSSURE
EORSSUYZ	SURSOYEZ
EORTTUUX	TORTUEUX
EPPRRSUU	SUPPURER
EPPRSSUU	SUPPURES
EPPRSTUU	SUPPUTER
EPPRSUUZ	SUPPUREZ
EPPSSTUU	SUPPUTES
EPPSTUUZ	SUPPUTEZ
EPRRSTUU	RUPTEURS
	RUPTURES
EPRSSTUU	STUPEURS
EQRRTUUU	TRUQUEUR
ERRRSSUU	SUSURRER
ERRSSSUU	SUSURRES
ERRSSUUZ	SUSURREZ
ERRSTTUU	TRUSTEUR
FFGIISTU	FUGITIFS
FFGINORS	GRIFFONS
FFILNOSS	SIFFLONS
FFINOORS	OFFRIONS
FFINOSSU	SUIFFONS
FFIORRSU	SOUFFRIR
FFIORSSU	SOUFFRIS
FFIORSTU	SOUFFRIT
FFJLOSUU	JOUFFLUS
FFLLNNOO	FLONFLON
FFLORRUU	FURFUROL
FFNOOPSU	POUFFONS
FFNORSTU	TRUFFONS

FFOORRUU	FROUFROU
FGIILNOS	GIFLIONS
FGIILNST	LIFTINGS
FGILNOST	FLINGOTS
FGINOORS	FORGIONS
FGINOOST	FOOTINGS
FGINOOSU	FOUGIONS
FGINOPSU	PIGNOUFS
FGINORSU	FIGURONS
FGKLNOOS	FOLKSONG
FGKLOOSU	KOUGLOFS
FGLNNOOS	GONFLONS
FGNOORSU	FOURGONS
FIIIMPRT	PRIMITIF
FIIINNOT	FINITION
FIIINTTU	INTUITIF
FIIJNOST	JOINTIFS
FIILLOSU	FOUILLIS
FIILMNOS	FILMIONS
FIILMPSU	IMPULSIF
FIILMPTU	PLUMITIF
FIILORRS	RIFLOIRS
FIILOSTV	VOLITIFS
FIIMOSTV	VOMITIFS
FIINNORS	FINIRONS
FIINNORT	FINIRONT
FIINNOSU	INFUSION
	UNIFIONS
FIINOORS	FOIRIONS
FIINOPRS	FRIPIONS
FIINORRS	FRIRIONS*
FIINORSS	FRISIONS
FIINORSU	FUIRIONS
FIINOSSS	FISSIONS
FIINPSTU	PUNITIFS
FIINRTTU	NUTRITIF
FIIOORRT	FORTIORI
FIIOPSST	POSITIFS
FILNNOSU	INFLUONS
FILNOORS	FROLIONS
FILNOOSS	SOLFIONS
FILNOOSU	FLOUIONS
	FOULIONS
FILNOPPS	FLIPPONS
FILNORST	FILTRONS
	FLIRTONS
FILNORSU	FOURNILS
FILNOSTU	FLUTIONS
FILNOSUX	FLUXIONS
FILOORSU	FOULOIRS
FILOOSTW	WITLOOFS
FIMNOORS	FORMIONS
FINNOOSU	FOUINONS
FINNOSSU	INFUSONS
FINOORSU	FOUIRONS
FINOORTU	FOUIRONT
	TROUFION
FINOOSTU	FOUTIONS
FINORSSS	FRISSONS
FINOSSSU	FUSSIONS
FINQRSUU	FRUSQUIN
FIOORRTT	FROTTOIR
FIOORSSU	FURIOSOS
FIOPRSST	SPORTIFS
FIOPSSSU	POUSSIFS
FIORSTTU	FORTUITS
FIRSTUUU	USUFRUIT
FLMNOOSU	MOUFLONS
FLNNOORS	RONFLONS
FLNOOSTT	FLOTTONS
FNNOORST	FRONTONS
FNOORRSU	FOURRONS
FNOORSSU	SOUFRONS
FNOORSTT	FROTTONS
FNOORSTU	FOUTRONS
FNOORTTU	FOUTRONT
GGIINOSU	GUINGOIS
GGILNOSU	GUIGNOLS
GGINNORS	GRIGNONS
GGINNOSU	GUIGNONS
GGINOORS	GORGIONS
GGINOOST	GIGOTONS
GGINORSU	GRUGIONS
GGLLOOUU	GLOUGLOU
GGNNOORS	GROGNONS
GHIILLNS	SHILLING
GHIINRST	SHIRTING
GHIINSST	INSIGHTS
GHILNSTU	SUNLIGHT
GHILOSSU	SLOUGHIS
GHINOORS	HONGROIS
GHINOPPS	SHOPPING
GHINOPSS	SHOPINGS
GHNNOORS	HONGRONS
GHNOOSSU	SHOGOUNS
GIIILOTV	VITILIGO
GIIIMRST	MISTIGRI
GIIINNOT	IGNITION
GIILLORR	GRILLOIR
GIILNOSU	LIGUIONS
GIILNSST	LISTINGS
GIILRSZZ	GRIZZLIS

GIIMNORS	GRIMIONS
GIINNOOS	OIGNIONS*
GIINNOPU	PINGOUIN
GIINNORT	IGNITRON
GIINNOSS	SIGNIONS
	SINGIONS
GIINOPSU	GUIPIONS
GIINORSS	GRISIONS
GIINORSV	GIVRIONS
GIJMNPSU	JUMPINGS
GIJNNOOS	JOIGNONS
GIKMNOSS	SMOKINGS
GILLNORS	GRILLONS
GILMNNOU	LUMIGNON
GILNNOOS	LONGIONS
GILNOOPS	LOOPINGS
GILNOORS	RIGOLONS
GILNOOSS	GLOSIONS
GILNOOST	LIGOTONS
GILNORTT	TRINGLOT
GILNOSSS	GLISSONS
GIMMNOOS	GOMMIONS
GIMNNOOS	MOIGNONS
GIMNOPRS	GRIMPONS
GIMNORSU	MUGIRONS
GIMNORTU	MUGIRONT
GINNOORS	IGNORONS
	ROGNIONS
	RONGIONS
GINNOOSS	SOIGNONS
	SONGIONS
GINNOQSU	QUIGNONS
GINNORSU	RUGINONS
GINNOSUZ	ZINGUONS
GINOORSU	GOURIONS
GINOOSTU	GOUTIONS
GINOOSUV	VOGUIONS
GINOPPRS	GRIPPONS
GINOPRSU	PURGIONS
GINORRSU	RUGIRONS
GINORRTU	RUGIRONT
GINORTTT	TROTTING
GIOPRRSU	PRURIGOS
GJLNNOOS	JONGLONS
GJLNOSUU	JUGULONS
GLNNOORS	LORGNONS
GLNOOOST	SOLOGNOT
GLNOOSTU	GLOUTONS
GNNOORST	TROGNONS
GNOOPRSU	GROUPONS
GNOOSTTU	GOUTTONS

GOOORSTT	OSTROGOT
GOORSTUY	YOGOURTS
HIILMSTU	LITHIUMS
HIILNOSU	HUILIONS
HIILPSSY	SYPHILIS
HIIMOPSS	PHIMOSIS
HIINORST	HISTRION
HIINOSSS	HISSIONS
HIIPRSTU	PHTIRIUS*
HILMMOSU	HOLMIUMS
HILMSTUU	THULIUMS
HILNORSU	HURLIONS
HIMMOPRU	PHORMIUM
HIMNNOSU	INHUMONS
HIMNRRSU	MURRHINS
HIMORSTU	THORIUMS
HINOORSZ	HORIZONS
HLLNOSUU	HULULONS
HMNORSTY	RYTHMONS
HNNOOORS	HONORONS
HNNOSSTU	SHUNTONS
HNOOOSST	SHOOTONS
IIIMNOST	IMITIONS
IIINNOST	INITIONS
IIINORSS	IRISIONS
IIINORSV	IVOIRINS
IIIOSTTU	OUISTITI
IIIQQRUU	RIQUIQUI
IIKKLNOS	KOLINSKI
IILLMNOS	MILLIONS
IILLMUUV	ILLUVIUM
IILLNOOS	OISILLON
IILLNOPS	PILLIONS
IILLNORT	TRILLION
IILLNOST	TILLIONS
IILLNOSU	ILLUSION
IILMNORT	MIRLITON
IILMNOST	LIMITONS
	MILITONS
IILMNOSU	LIMOUSIN
	MILOUINS
IILNOOPS	OPILIONS
IILNOOSS	ISOLIONS
IILNOOSU	IOULIONS*
IILNOOSV	VIOLIONS
	VOILIONS
IILNOOTV	VOLITION
IILNOPRS	RIPOLINS
IILNOPST	PILOTINS
	POINTILS
IILNORSU	LUIRIONS →

	RUILIONS
IILNORSV	LIVRIONS
IILNOSSS	LISSIONS
IILNOSSU	LUISIONS
IILOORSS	ISOLOIRS
IILOPRST	TRIPOLIS
IILORSSS	LISSOIRS
IILORSTV	VITRIOLS
IIMMMNSU	MINIMUMS
IIMNNOOT	MONITION
IIMNNOST	INTIMONS
IIMNNOTU	MUNITION
IIMNOORS	MOIRIONS
IIMNOOSS	MOISIONS
	OMISSION
IIMNOPRS	PRIMIONS
IIMNORST	TRIMIONS
IIMNOSSS	MISSIONS
IIMNOSSU	INSOUMIS
IIMNOSTX	MIXTIONS
IIMRRTUV	TRIUMVIR
IIMRSTTU	TRITIUMS
IINNOOPS	OPINIONS
IINNOOSS	IONISONS
IINNOPPS	NIPPIONS
IINNOPST	PINTIONS
IINNOPTU	PUNITION
IINNORSU	NUIRIONS
	RUINIONS
	UNIRIONS
	URINIONS
IINNOSSU	NUISIONS
	USINIONS
IINNOSTT	TINTIONS
IINNOSTV	INVITONS
IINNOTTU	TINTOUIN
IINOOPST	POSITION
IINOOSST	TOISIONS
IINOPQSU	PIQUIONS
IINOPRSS	PRISIONS
IINOPRSV	PRIVIONS
IINOPSSS	PISSIONS
IINOPSST	PISTIONS
IINOPSSU	PUISIONS
IINOQSTU	TIQUIONS
IINORRST	IRRITONS
IINORRSU	URINOIRS
IINORSSS	RISSIONS
IINORSST	STRIIONS
IINORSTT	INTROITS
	TITRIONS
IINORSTV	VITRIONS
IINORSVV	VIVRIONS
IINOSSST	TISSIONS
IINOSSSV	VISSIONS
IINOSSTU	SITUIONS
	TUNISOIS
IINOSSTV	VISITONS
IINOSSUV	SUIVIONS
IINRSSTU	INSTRUIS
IINRSTTU	INSTRUIT
IINSTTTU	INSTITUT
IIOOPPUU	PIOUPIOU
IIOOQRSU	IROQUOIS
IIOPRSSS	PISSOIRS
IIORRSSU	RISORIUS
IJMNOOST	MIJOTONS
IJNOORSU	JOUIRONS
IJNOORTU	JOUIRONT
IJNOOSTU	JOUTIONS
IJNOSSSU	JUSSIONS
IKMORRSU	KROUMIRS
IKNOPSTU	SPOUTNIK
ILLMNOOR	MORILLON
ILLMPSUY	PSYLLIUM
ILLNOORS	ORILLONS
ILLNOOSU	OUILLONS
	SOUILLON
ILLNOQSU	QUILLONS
ILLNORST	TRILLONS
ILLNORSV	VRILLONS
ILLNOSUU	ULULIONS
ILLNPSUU	LUPULINS
ILLOOPTU	POUILLOT
ILMMNOOS	IMMOLONS
ILMNOOPU	POLONIUM
ILMNOOSU	MOULIONS
ILMNOPSU	PLUMIONS
ILMNOSSU	MULSIONS
	SIMULONS
ILMNOSTU	MUTILONS
ILMSSTUU	STIMULUS
ILNNOOSS	INSOLONS
	NOLISONS
ILNNOSTU	LUTINONS
ILNOOPRS	POLIRONS
ILNOOPRT	POLIRONT
ILNOOPSS	POLISSON
	SPOLIONS
ILNOOPST	PILOTONS
ILNOOPSU	LOUPIONS
ILNOOPSY	PLOYIONS

ILNOORST	LOTIRONS
ILNOORSU	LOURIONS
	OURLIONS
	ROULIONS
ILNOORSV	VIROLONS
ILNOORTT	LOTIRONT
ILNOOSSU	SOULIONS
ILNOOSTU	SOLUTION
ILNOOSTV	VOLTIONS
ILNOOSUV	LOUVIONS
	VOULIONS
ILNOPRST	TRIPLONS
ILNOPSSS	PLISSONS
ILNOPSSU	PULSIONS
ILNORSTU	RUTILONS
ILNOSSSU	LUSSIONS
ILNOSSTY	STYLIONS
ILNOSTTU	LUTTIONS
ILOOPPRS	PROPOLIS
ILOOPSTU	LOUPIOTS
	POULIOTS
ILOORSUV	VOULOIRS
IMMNNOOS	NOMMIONS
IMMNOOPS	POMMIONS
IMMNOOSS	SOMMIONS
IMMOPSTU	OPTIMUMS
IMNNOORS	MINORONS
IMNNOOST	MONTIONS
IMNNORSU	MUNIRONS
	RUMINONS
IMNNORTU	MUNIRONT
IMNNOSTU	MINUTONS
	MUTINONS
IMNOOPPS	POMPIONS
IMNOOPRS	MORPIONS
	ROMPIONS
IMNOOPSS	IMPOSONS
IMNOOQSU	MOQUIONS
IMNOORST	MIROTONS
	MONITORS
	MONTOIRS
IMNOORSU	MOURIONS
IMNOORSV	VOMIRONS
IMNOORTV	VOMIRONT
IMNOOSSS	MOISSONS
IMNOOSTT	MOTTIONS
IMNOOSTV	MOTIVONS
IMNOOSUV	MOUVIONS
IMNOPRTU	IMPORTUN
IMNOPSTU	IMPUTONS
IMNORRSU	MURIRONS
IMNORRTU	MURIRONT
IMNOSSSU	MUSSIONS
IMOORSSU	MOUSSOIR
IMOOSSTY	MYOSOTIS
IMRSTTUY	YTTRIUMS
INNNOOPS	PIONNONS
INNNOOSS	SONNIONS
INNNOOST	TONNIONS
INNNOOSV	INNOVONS
INNOOPRS	PRONIONS
INNOOPST	POINTONS
	PONTIONS
	POTINONS
INNOORST	TRONIONS
INNOPRSU	PUNIRONS
INNOPRTU	PUNIRONT
INNORSSU	SURINONS
INNOSSSU	UNISSONS
INNOSSTU	SUINTONS
INOOPQSU	POQUIONS
INOOPRST	PORTIONS
	POTIRONS
INOOPRSV	POIVRONS
INOOPSSS	POISSONS
INOOPSST	POSITONS
	POSTIONS
INOOPSSU	SOUPIONS
INOOPSTV	PIVOTONS
INOOPSUV	POUVIONS
INOOQRSU	ROQUIONS
INOOQSTU	TOQUIONS
INOORRSS	ROSIRONS
INOORRST	ROSIRONT
	ROTIRONS
INOORRSU	ROUIRONS
INOORRTT	ROTIRONT
INOORRTU	ROUIRONT
INOORSSS	ROSSIONS
INOORSST	SIROTONS
	SORTIONS
	TORSIONS
INOORSSU	SOURIONS
	SOURNOIS
INOORSTU	OUTRIONS
	ROUTIONS
	TOURNOIS
	TROUIONS
INOORSUV	OUVRIONS
INOOSTUV	VOUTIONS
INOOSTVV	VIVOTONS
INOPPRRU	POURPRIN

INOPRSTU	PUROTINS
INOPSSSU	POUSSINS
	PUSSIONS
INOPSSSY	SYNOPSIS
INOQRSSU	RISQUONS
INOQRSTU	TRIQUONS
INOQRSUU	ROUQUINS
INOQSTTU	QUITTONS
INORRSSU	SURIRONS
INORRSTU	SURIRONT
INORSSST	TRISSONS
INORSSSU	ROUSSINS
INORSSUV	SUIVRONS
INORSTTT	TROTTINS
INORSTUV	SUIVRONT
INOSSSSU	SUSSIONS
INOSSSTU	TUSSIONS
INPPRRUU	PURPURIN
INQRSTUU	TRUSQUIN
	TURQUINS
IOOPQRUU	POURQUOI
IOOPRRUV	POURVOIR
IOOPRSSU	POUSSOIR
IOOPRSTV	POIVROTS
IOOPRSUV	POURVOIS
	POUVOIRS
IOOPRTUV	POURVOIT
IOORRSUV	OUVROIRS
IOORRTTT	TROTTOIR
IOORSSTT	RISOTTOS
IOORSSUV	VOUSSOIR
IOPRSSUU	POURSUIS
IOPRSTUU	POURSUIT
JNOOSTUX	JOUXTONS
JOORSTUU	TOUJOURS
KLMOOSUU	LOUKOUMS
KLNORSTY	KLYSTRON
KNOPRSTY	KRYPTONS
LLMOOPRS	ROLLMOPS
LLNOOPSU	POLLUONS
LLOSUUVV	VOLVULUS
LMNOOSSU	MOLUSSON*
LMORSTUU	SURMULOT
LNOOPRST	POLTRONS
LNORSSTU	LUSTRONS
MNNOORST	MONTRONS
MNOOOPSY	POMOYONS*
MNOOPRRS	ROMPRONS
MNOOPRRT	ROMPRONT
MNOOPRST	TROMPONS
MNOORRSU	MOURRONS
MNOORRTU	MOURRONT
MNOORSUV	MOUVRONS
MNOORTUV	MOUVRONT
MNOOSSSU	MOUSSONS
MOOPSSSU	OPOSSUMS
MOOSSSTU	MOUSSOTS
NNOORSTU	TOURNONS
NOOOPPSS	OPPOSONS
NOOOSTZZ	ZOZOTONS
NOOPPRTU	OPPORTUN
NOOPPSST	STOPPONS
NOOPRRSU	POURRONS
NOOPRRTU	POURRONT
NOOPRSUV	PROUVONS
NOOPSSSU	POUSSONS
NOOQRSTU	TROQUONS
NOOQSSUU	SOUQUONS
NOORRSUV	ROUVRONS
NOORSTTT	TROTTONS
NOORSTUV	TROUVONS
NOOSSSTU	TOUSSONS
NOOSTTUY	TUTOYONS
NOPRSSUU	USURPONS
NOQRSTUU	TRUQUONS
NOQSSTUU	STUQUONS
NORSSTTU	TRUSTONS
NORSSTUU	SUTURONS
OOPRRTUU	POURTOUR
OPPRSSTU	SUPPORTS
ORSSTTUU	SURTOUTS

Le vocabulaire s'enrichit chaque année...

Le vocabulaire s'enrichit chaque année...

GLOSSAIRE
et commentaire des mots litigieux

Les abréviations employées dans ce texte pour désigner les ouvrages de référence sont :
P.L.I. pour Petit Larousse illustré
P.L. en couleurs pour Petit Larousse en couleurs
Bescherelle pour le Nouveau Bescherelle
Grévisse pour le Bon Usage.
Voir également en fin de volume la liste complète des ouvrages de référence.

A

A B C n. m. Bien que ce mot soit repris en majuscules et en caractères gras dans le *P. L. I.*, il n'est pas valable au *Scrabble*, car les lettres qui le composent sont séparées par un blanc. Il en est de même des mots dont les lettres sont séparées par un point, tels : D. D. T., L. S. D., L. S. T., O. K. !, S. O. S., W.-C., etc.
Anagrammes valables : BAC et CAB, noms masculins variables.

ACALÈPHE n. m.
(Au plur.) *Classe de cœlentérés comprenant des méduses de grande taille, comme le* rhizostome. Syn. SCYPHOZOAIRE(S).
Accepté uniquement au *Scrabble.*

ACARIEN n. m.
(Au plur.) *Ordre d'arachnides comprenant de petits animaux (quelques millimètres au plus), dont certains sont parasites, comme le* sarcopte de la gale, *le* trombidion (*dont la larve est l'*aoûtat), *la* tique *ou* ixode.
Accepté uniquement au *Scrabble.*
Anagrammes : CANERAI, CARÉNAI (verbes conjugués).

ACÉRACÉE n. f.
(Au plur.) *Famille de plantes dicotylédones ayant pour type l'*érable.
Accepté uniquement au *Scrabble.*

ACRIDIEN n. m.
(Au plur.) *Famille d'insectes orthoptères, appelés ordinairement* criquets, *renfermant 10 000 espèces.*
Accepté uniquement au *Scrabble.*
Anagrammes : CEINDRAI, CNIDAIRE*.

ACTINIDE n. m.
(Au plur.) *Groupe d'éléments chimiques analogues à l'*actinium. Il comprend aussi le thorium, le protactinium, l'uranium et le neptunium.
Accepté uniquement au *Scrabble.*
Anagramme : CITADINE.

ACUL(S) n. m.
Fond des parcs à huîtres.
Ce mot est disparu du *P. L. I.*, depuis l'édition 1975, mais est toujours bon d'après le règlement actuel du *Scrabble.*
Anagrammes : CULA ; CULAS (verbe conjugué).

ACULÉATE n. m.
(Au plur.) *Sous-ordre d'insectes hyménoptères, qui portent un aiguillon venimeux à l'extrémité de l'abdomen* (abeille, fourmi, guêpe).
Accepté uniquement au *Scrabble.*

AGNATHE n. m.
(Au plur.) *Classe des vertébrés aquatiques, sans mâchoires, comme la* lamproie.
Accepté uniquement au *Scrabble.*

AGONIT, AGONIRA, AGONÎMES, AGONIRAI, AGONIRAS, AGONIREZ, AGONISSE, AGONÎTES sont diverses formes de conjugaison de AGONIR, v. tr. (à ne pas confondre avec le verbe AGONISER, v. intr.).
Pour le *P. L. I.*, ce verbe s'emploie seulement à l'infinitif et au participe passé.
Pour le *Bescherelle*, il se conjugue normalement comme *finir.*

Dans le *Grand Larousse encyclopédique*, on note que la conjugaison de *agoniser* a contaminé celle de *agonir ;* ainsi, l'imparfait de agonir est *agonisais* (et non agonissais) : *La mère Tuvache les agonisait d'ignominies* (Maupassant).
Le *Dictionnaire des verbes français Larousse* donne comme formes communes à *agonir* et *agoniser :* l'indicatif présent, aux 1re, 2e, 3e personnes du pluriel *(nous agonisons, vous agonisez, ils agonisent) ;* l'impératif présent aux 1re et 2e personnes du pluriel *(agonisons, agonisez) ;* le subjonctif présent en entier *(que j'agonise, ...) ;* l'imparfait de l'indicatif *(j'agonisais, ...) ;* le participe présent *(agonisant).* Les autres formes se conjuguent sur *salir.*
Grévisse, dans la 10e édition 1975 du *Bon Usage* (§ 662, p. 662), note que le verbe *agonir* [= accabler (de reproches, d'injures, de sottises, etc.)] doit se conjuguer comme *finir : j'agonis, nous agonissons ; j'agonissais ; que j'agonisse ; j'ai agoni,* etc. ; et que c'est abusivement que quelques-uns le conjuguent comme *agoniser* [être à l'agonie].
Quoi qu'il en soit, ces 8 formes de conjugaison du verbe *agonir* sont valables au *Scrabble,* AGONISSE étant considérée comme la 1re ou 3e personne du singulier du subjonctif présent ou comme la 1re personne du singulier du subjonctif imparfait. Certaines ont plusieurs anagrammes : ainsi AGONISSE devient AGNOSIES, AGONISES, ANGOISSE, SONGEAIS.

AGRUME n. m.
(Au plur.) *Nom collectif désignant le citron et les fruits voisins : orange, mandarine, bergamote, pamplemousse* et autres rutacées cultivées. On dit couramment : *le citron est un agrume.* Le *Robert* en 6 volumes indique que *le mot* agrume *a été accueilli récemment par l'Académie française (1940).* AGRUME est défini au singulier comme une prune employée pour faire les pruneaux d'Agen, dans le *Grand Larousse encyclopédique.*
Anagramme : MURAGE.

AIGUAIL(S) n. m. *Mot poitevin,* d'origine controversée, *désignant la rosée sur les feuilles.*
Il est disparu du *P. L. I.,* depuis l'édition 1978, mais est toujours bon au *Scrabble,* d'après le règlement actuel.
Certains auteurs ne donnent pas de pluriel à ce mot. En fait, on peut le considérer comme un nom variable. Voir la règle du pluriel des mots en -AIL à ÉMAILS.

AIGUERIE(S) n. f. Figure en majuscules mais pas en caractères gras dans le *P. L. I.,* à l'entrée AIGUAGE ou AIGAGE. Il n'est donc pas bon au *Scrabble,* où il vaudra mieux jouer son anagramme AIGUIÈRE(S). Il serait accepté pour *Des chiffres et des lettres.*

ALAISÉE(S) adj. Cet adjectif féminin figure en majuscules mais pas en caractères gras dans le *P. L. I.,* à l'entrée ALÉSÉ, E [terme d'héraldique]. Il n'est donc pas bon au *Scrabble.* A noter que le substantif ALAISE est valable (autre graphie ALÈSE n. f.).

ALÉZÉ(S), ALÉZÉE(S) adj. Voir ALAISÉE(S).
Accepté pour *Des chiffres et des lettres.*
Seul ALÉZÉS a une anagramme : ALÉSEZ.

ALUNIE(S). Au *Scrabble,* ce participe passé féminin du verbe intransitif ALUNIR est accepté, car on estime qu'il peut se construire avec l'auxiliaire *être,* à l'instar d'ATTERRIR, lorsqu'on veut marquer le résultat de l'action. Pour *Des chiffres et des lettres,* il vaudrait mieux proposer l'anagramme NIAULE(S) (qui s'écrit aussi GNOLE, GNÔLE, GNIOLE ou GNAULE).

AMENTALE n. f.
(Au plur.) *Groupe botanique formé par les arbres à chatons* (saule, noyer, hêtre, etc.). Syn. AMENTIFÈRE(S) n. m. (pl.).
Accepté uniquement au *Scrabble.*

AMERRIE(S), participe passé féminin du verbe intransitif AMERRIR.
Même remarque que pour ALUNIE(S).
Anagrammes : ARRIMÉE, REMARIÉ ; ARRIMÉES, REMARIÉS, REMISERA.

ANATIDÉ n. m.
(Au plur.) *Famille d'oiseaux palmipèdes, dont le* canard *est le type.*
Accepté uniquement au *Scrabble.*

ANNÉLIDE n. f.
(Au plur.) *Embranchement d'animaux renfermant les vers annelés* (*ex. le* lombric).
Accepté uniquement au *Scrabble.*

ANONACÉE n. f.
(Au plur.) *Famille de dicotylédones, comprenant des arbres et des arbrisseaux des pays chauds, qui ont pour type l'*anona.
Accepté uniquement au *Scrabble.*

ANORDIS. Dans le *P. L. I.* et dans tous les autres dictionnaires, le verbe ANORDIR est, à juste titre, intransitif. Il est utilisé dans la marine, en parlant du « vent qui tourne au nord ». Donc il ne s'agit pas ici du participe passé, qui est invariable, mais du verbe conjugué soit aux 1re et 2e personnes du singulier du présent de l'indicatif, soit aux 1re et 2e personnes du singulier du passé simple.
Par prosopopée (figure de rhétorique par laquelle on fait parler et agir une personne que l'on évoque, un absent, un mort, un animal, une chose personnifiée...), on peut imaginer que ANORDIR et des verbes tels que CRÉMER, GERMER, GODER ou GRIGNER, NORDIR, POMMER, RAGUER, ROCHER, SURIR (SURÎMES est l'anagramme antonyme de MURISSE), etc., ainsi que tous les verbes exprimant des actions d'animaux (comme AMBLER, LAPINER, LOUVETER, etc.) ou des cris d'animaux (COASSER, GLATIR, MARGOTER ou MARGOTTER ou MARGAUDER ou PITUITER, etc.) peuvent se conjuguer à toutes les personnes, à tous les temps et modes. Platon et La Fontaine ont été deux grands maîtres de la prosopopée.
Anagrammes : OINDRAS*, RADIONS (verbes conjugués).

ANOURE n. m.
(Au plur.) *Ordre de batraciens dépourvus de queue à l'état adulte, tels la* grenouille, *le* crapaud, *la* rainette, *etc.*
Accepté uniquement au *Scrabble.*
Anagrammes, toutes verbales : ENROUA, NOUERA, RENOUA.

AOÛTS n. m. Bien que le *P. L. I.* ne précise pas que les noms de mois (du calendrier actuel ou du calendrier républicain) sont invariables, le règlement du *Scrabble* les interdit au pluriel. De fait, on dit plus volontiers *des mois d'août torrides et secs* que *des aoûts torrides et secs.*
Par métonymie, on employait souvent le mot « août » pour la moisson ou récolte qui se faisait ordinairement au cours de ce mois : *faire l'août.* En poésie, on supprimait quelquefois l'A initial et on disait l'« oût » : *Remuez votre champ dès qu'on aura fait l'oût* (La Fontaine, *Le laboureur et ses enfants*).
Mais rien n'empêche pour *Des chiffres et des lettres* d'annoncer « 7 lettres » avec NIVÔSES ou « 8 lettres » avec JANVIERS, puisque ces mots ne sont pas indiqués invariables, d'autant plus que ces deux exemples n'ont pas d'anagrammes !
Anagrammes : AUTOS, TOUAS.

APHIDIEN n. m.
(Au plur.) *Famille d'insectes de l'ordre des homoptères, comprenant les différents genres de pucerons* (*notamment le* phylloxéra), *en général très nuisibles aux plantes.*
(A ne pas confondre avec OPHIDIEN(S), serpents.)
Accepté uniquement au *Scrabble.*

APIDÉ n. m.
(Au plur.) *Famille d'insectes hyménoptères comprenant l'*abeille domestique *et les* abeilles sauvages *(xylocope, bourdon).*
Accepté uniquement au *Scrabble.*

ARACÉE n. f.
(Au plur.) *Famille de plantes monocotylédones renfermant l'*arum *ou* gouet, *l'*acore, *la* calla.
(A noter que cette dernière plante n'apparaît pas à son ordre alphabétique dans le *P. L. I.*)
Syn. AROÏDÉE(S).
Accepté uniquement au *Scrabble.*

ARANÉIDE n. m.
(Au plur.) *Sous-classe d'arachnides renfermant les* araignées.
Accepté uniquement au *Scrabble.*

ARISÉE(S). Le *P. L. I.* indique le verbe ARISER ou ARRISER comme intransitif. Le *Bescherelle* et le *Petit Robert* le donnent transitif : *grand-voile ar(r)isée.* Donc, on accepte ce participe passé féminin au *Scrabble* uniquement.
Anagrammes : AIRÉES ; RESSAIE (verbe conjugué).

AROÏDÉE n. f.
(Au plur.) Syn. ARACÉE(S). Voir ce mot.
Accepté uniquement au *Scrabble.*

ARRISÉE(S). Voir ARISÉE(S).
Anagrammes : RÉERAIS, SÉRIERA ; SÉRIERAS (verbes conjugués).

ASE n. f.
(Au plur.) Synonyme de DIASTASE ou ENZYME, mais accepté à juste titre au *Scrabble* au singulier. On dit couramment : *l'entérokinase* (par exemple) *est une ase ou une diastase.*

ASSEYERA, 3e personne de l'indicatif futur de ASSEOIR, v. tr. ou pr., donnée au tableau de conjugaison 38 du *P. L. I.*
Le *Bescherelle* précise que les formes du futur et du conditionnel *j'asseyerai ... j'asseyerais, ...* sont actuellement sorties de l'usage (p. 69).
Donc, elles ne sont pas acceptées au *Scrabble.* ASSEOIR et RASSEOIR se conjuguent comme suit : *j'assieds* ou *j'assois... ; j'asseyais* ou *j'assoyais ... ; j'assis ... ; j'assiérai* ou *j'assoirai ... ; j'assiérais* ou *j'assoirais ... ; que j'asseye* ou *que j'assoie ... ; que j'assisse ... ; assieds* ou *assois ... ; asseyant* ou *assoyant ; assis, e.*
Anagramme valable : ESSAYERA (et pour RASSEYERA : RESSAYERA).

ASSUJÉTI, autre orthographe de ASSUJETTI, participe passé de ASSUJÉTIR, v. tr., donnée par le *Bescherelle, Littré* et *Quillet-Flammarion.* Le *P. L. I.* ne la mentionnant pas, elle n'est pas bonne au *Scrabble.*
Il en est de même pour EMBATTRE, v. tr., que le *P. L. I.* donne avec deux T ; donc l'orthographe avec un seul T n'est pas valable au *Scrabble.*

ASTÉRIDE n. f.
(Au plur.) *Classe d'échinodermes comprenant les* astéries.
Accepté uniquement au *Scrabble.*
Plusieurs anagrammes : DATERIES, DÉRATISÉ, DÉSERTAI, ÉDITERAS, RÉÉDITAS.

ATTERRIE(S). Le *Bescherelle* indique qu'ATTERRIR, v. intr., peut se conjuguer avec l'auxiliaire *être.* D'ordinaire l'auxiliaire *avoir* exprime une

action qui s'est passée à l'époque dont on parle ; l'auxiliaire *être* indique l'état résultant de l'action antérieurement accomplie. Dans *Grévisse,* on trouve la liste d'un certain nombre de verbes intransitifs qui se conjuguent tantôt avec *avoir,* tantôt avec *être* (§ 658, p. 605).
Donc, le participe passé féminin ATTERRIE est accepté au *Scrabble.*
Anagrammes : ARTÉRITE, RÉITÉRÂT, RETRAITE.

AURÉLIE(S) n. f. Figure en majuscules mais pas en caractères gras dans le *P. L. I.,* à l'entrée ACALÈPHES — malgré un renvoi à sa place alphabétique, il n'y figure pas. Ce mot n'est donc pas bon au *Scrabble* et, malheureusement, il n'a pas d'anagramme !

AVALOIR(S) n. m. Figure en majuscules mais pas en caractères gras dans le *P. L. I.,* à l'entrée AVALOIRE n. f.
Il n'est donc pas bon au *Scrabble ;* il n'a pas d'anagramme au singulier, celle du pluriel étant VALORISA.
Pour *Des chiffres et des lettres,* où l'on accepte les mots composés, il est valable au singulier (À-VALOIR ou AVALOIR) et au pluriel (AVALOIRS seulement, car le mot composé est invariable).

AVAUX. Voilà un exemple de pluriel en -AUX forgé par les scrabbleurs eux-mêmes, faute d'en trouver le moindre exemple. AVAL, n. m., au sens de « garantie donnée sur un effet de commerce par un tiers » (italien *avallo*), fait AVALS au pluriel. Quand il signifie « partie de cours d'eau » (contraire : AMONT), le règlement international l'a affublé du pluriel AVAUX, sous prétexte que ce mot vient de VAL, dont le pluriel ancien est VAUX, mais dont la forme VALS semble prévaloir aujourd'hui. En fait, ce deuxième AVAL ne s'emploie que dans les expressions : *à l'aval de, en aval de, d'aval, ski aval.*
Voir la règle du pluriel des noms en -AL à FOIRALS.

AVES. En principe, AVE ou AVE MARIA n. m. (prière à la Vierge) est invariable : *dire cinq Pater et cinq Ave* (Académie).
Le *P. L. I.* n'indiquant pas cette particularité — alors qu'il le précise pour PATER —, on acceptera donc AVES tant qu'il en sera ainsi.
Anagramme : VASE.

AVRILS n. m. Voir AOÛTS.
Pluriel refusé au *Scrabble.*
Anagramme bonne : LIVRAS.

B

BAIENT, BAIERA, BAIERAI, BAIERAS, BAIEREZ, BAIERAIS, BAIERAIT, BAIERIEZ, BAIERONS, BAIERONT, formes de conjugaison de BAYER (aux corneilles), v. intr. Ce verbe suit la règle de ceux en -AYER, qui peuvent (ou non) transformer l'Y en I devant un E muet : *je baie* (ou *je baye*), *ils baieront* (ou *ils bayeront*) *aux corneilles* (Grévisse, *le Bon Usage,* § 626). Quant à la variante BÉER, rien n'empêche de l'employer dans toute sa conjugaison : *Les narines béaient sous l'arête du nez décharné* (M. Genevoix, *Fatou Cissé,* in *Grévisse,* § 701-8).

BATHS. Cet adjectif populaire est donné invariable dans le *Lexis,* dans le *Petit Robert* et dans *Grévisse* (§ 359), mais pas dans le *P. L. I.* Tant qu'il en sera ainsi, on acceptera donc BATHS au pluriel des deux genres (masculin et féminin ont la même forme).

BÊTIFIÉE(S). Le verbe BÊTIFIER est donné intransitif dans le *P. L. I.* et transitif dans le *Bescherelle.* Si effectivement il est le plus souvent intransitif, il est aussi transitif au sens d'abêtir, rendre bête : *éducation qui bêtifie les enfants* (Robert). Au *Scrabble,* on accepte donc le participe passé au féminin.

BÉZOARD(S) n. m. Figure en majuscules mais pas en caractères gras dans le *P. L. I.,* à l'entrée ÆGAGROPILE. Il n'est donc pas bon au *Scrabble.* Mais quel joli mot pour *Des chiffres et des lettres* si vous vous souvenez de son synonyme !
Anagrammes : ABORDEZ ; ADSORBEZ, SABORDEZ.

BOULÉE(S). Le verbe BOULER est donné uniquement intransitif dans le *P. L. I. ;* il est cité aussi transitif dans le *Bescherelle.* Employé transitivement, il signifie « rouler quelqu'un à terre » ou « garnir de boules de cuir les cornes d'un taureau » ou « frapper avec sa boule les autres boules du jeu » *(Lexis, Littré...).* On peut donc jouer ce participe passé féminin, mais, pour *Des chiffres et des lettres,* il faudra lui préférer BLOUSÉE ou ÉBOULÉ(S).

BOVIDÉ n. m.
(Au plur.) *Famille de mammifères ruminants, comprenant les* bovins, *les* ovins, *les* caprins, *les* antilopes.
Accepté uniquement au *Scrabble.*

BRAYAIT, BRAYANT. Le verbe BRAIRE est intransitif et défectif. D'après le *P. L. I.* (conjugaison 73, note 3), il est usité seulement aux 3es personnes du singulier et du pluriel. Dans le *Bescherelle* — de même que dans le *Dictionnaire des verbes français Larousse* et *le Bon Usage* de Grévisse (§ 701, 10) —, on note qu'il ne s'emploie guère qu'à l'infinitif et aux 3es personnes du présent de l'indicatif, du futur et du conditionnel : *braire, il brait, ils braient ; il braira, ils brairont ; il brairait, ils brairaient.* Les formes suivantes sont peu usitées : *il brayait, ils brayaient ;*

qu'il braie ; brayant ; il a brait, etc. (temps composés). Pourtant, le *Quillet-Flammarion* et le *Petit Robert* donnent l'imparfait *brayait* et le participe présent *brayant*. Quoi qu'il en soit, ces deux formes de conjugaison ne sont pas admises au *Scrabble*, parce que peu usitées. Et, malheureusement pour les scrabbleurs, BRAYER ne figure dans le *P. L. I.* qu'en tant que nom masculin, alors que *Littré* le donne comme verbe transitif (= enduire de brai).

BUXACÉE n. f.
(Au plur.) *Famille de plantes dicotylédones comprenant le* buis.
Accepté uniquement au *Scrabble*.

C

CACHÈRE(S) adj. Figure en majuscules mais pas en caractères gras dans le *P. L. I.*, à l'entrée CAWCHER, ÈRE. Il n'est donc pas valable au *Scrabble,* mais serait accepté pour *Des chiffres et des lettres.*
Anagrammes : CRACHÉE ; CRACHÉES.

CACTACÉE ou CACTÉE n. f.
(Au plur.) *Famille de plantes dicotylédones dialypétales, originaires du Mexique, dont le type est le* cactus *ou* cactier *ou* opuntia *ou* nopal.
Acceptés uniquement au *Scrabble.*
CACTACÉE n'a pas d'anagramme ; celle de CACTÉE est CÉTACÉ, valable aussi pour *Des chiffres et des lettres* parce que mentionnée au singulier en fin d'article du *P. L. en couleurs.* Il en est de même pour quelques autres noms de classes, familles, ordres,... comme CERVIDÉ n. m., GYMNOSPERME n. f., LÉPIDOPTÈRE n. m., PROTOZOAIRE n. m., REPTILE n. m., SAURIEN n. m., VESPIDÉ n. m., etc.
Voir aussi DÉCAPODE.

CADRÉE(S). Le verbe CADRER est donné uniquement comme intransitif dans le *P. L. I. ;* il est indiqué comme transitif dans le *Bescherelle.* On l'emploie transitivement en photographie, cinéma ou télévision : *cadrer une image,* ou en tauromachie : *cadrer un taureau (Petit Robert).* Au *Scrabble,* le participe passé au féminin est bon.
Anagrammes : CARDÉE, CÉDERA, RECÉDA ; CARDÉES, CÉDERAS, ESCADRE, RECÉDAS. Pour *Des chiffres et des lettres,* seules sont bonnes : CARDÉE(S) et ESCADRE.

CAF est une abréviation commerciale *(Coût, Assurance, Fret)* qui n'est pas admise au *Scrabble,* bien qu'elle ne comporte pas de points après chaque lettre. Il y a quelques années (*P. L. I.* 1960, par exemple), on trouvait l'orthographe C. A. F. Sont également exclues les autres abréviations commerciales, CIF et FOB.

CALIORNE(S) n. f. *Gros palan à bord d'un navire.*
Ce mot est disparu du *P. L. I.* depuis l'édition 1977, mais est toujours bon d'après le règlement actuel du *Scrabble.*
Anagrammes : ENCLORAI ; ENCLORAIS ou SALICORNE (9 lettres).

CAMAÏEUS, CAMAÏEUX. Ces deux pluriels de CAMAÏEU n. m., mot ancien, d'origine obscure, sont admis au *Scrabble* (in. *le Bon Usage* de Grévisse, § 279) : *des camaïeus beiges d'une grâce parfaite* (J. Cocteau, *Poésie critique*) ; *le rose des camaïeus* (Fr. Mauriac, *l'Enfant chargé de chaînes*) ; *le lointain des bois paraissait plus bleu, comme peint dans ces camaïeux qui décorent les trumeaux des anciennes demeures* (M. Proust) ; *les affreux camaïeux bleus des fauteuils* (P. Vialar, *Monsieur Dupont est mort*).
En ce qui concerne le pluriel des mots en -EU, rappelons ici la règle : ils forment leur pluriel en -EUX *(un cheveu, des cheveux ; un mot hébreu, des mots hébreux),* sauf les substantifs ÉMEU, PNEU et l'adjectif BLEU, qui prennent un S au pluriel. Acceptent

les deux pluriels les mots : CAMAÏEU, ENFEU (voir ENFEUS), FEU (l'adjectif *feu,* défunt, prend un S au pluriel : *les feus rois de Suède et de Danemark*), LIEU (le poisson prend un S au pluriel).

CAMÉLIDÉ n. m.
(Au plur.) *Famille de ruminants comprenant le* chameau, *le* dromadaire, *le* lama.
Accepté uniquement au *Scrabble.*
Anagrammes : DÉCIMALE, MÉDICALE.

CANIDÉ n. m.
(Au plur.) *Famille de mammifères carnassiers comprenant le* loup, *le* chien, *le* renard, *le* chacal.
Accepté uniquement au *Scrabble.*
Anagramme : CANDIE (CANDI, adjectif masculin ; mais CANDIR, v. tr.).

CANULÉE(S). Le verbe CANULER, qui n'est pas repris dans le *Bescherelle,* est cité comme intransitif dans le *P. L. I.* et dans le *P. L. en couleurs.* Or, l'usage est d'employer CANULER comme verbe transitif : *canuler quelqu'un,* c'est l'importuner, le fatiguer, l'agacer par des taquineries, des demandes répétées. Pratiquement partout ailleurs, il est donné transitif : les *Robert,* le *Lexis,* le *Grand Larousse encyclopédique...* et aussi le *Dictionnaire du français contemporain Larousse.* Souhaitons donc que le *P. L. I.* et le *P. L. en couleurs* s'alignent bientôt sur cet usage, car, dans l'état actuel des choses, on ne peut pas jouer ce participe passé au féminin, ni au *Scrabble,* ni pour *Des chiffres et des lettres,* malheureusement !
Anagrammes : ÉNUCLÉA ; ÉNUCLÉAS, LANCEUSE.

CARENÇA, CARENÇAI, CARENÇAS, CARENÇÂT, CARENCÉE, CARENCER, CARENCEZ, formes de conjugaison de CARENCER v. tr. Ce verbe (apparu en 1922 ; de *carence*) est disparu du *P. L. I.* depuis l'édition 1977, mais est toujours bon d'après le règlement actuel du *Scrabble.* Aucun de ces 8 mots n'a d'anagramme — seul CARENCE(S) en a une : CRÉANCE(S). Au jeu *Des chiffres et des lettres,* vous ne pourrez donc pas proposer CARENCÉE, même en arguant de cette citation d'Alfred Sauvy : *Déjà une partie appréciable de l'humanité est alimentairement carencée.*

CARINATE n. m.
(Au plur.) *Sous-classe d'oiseaux dont le sternum est muni d'un bréchet. (Elle renferme la plupart des oiseaux, sauf les manchots et les ratites.)*
Accepté uniquement au *Scrabble.*
Plusieurs anagrammes : ACIÉRANT, CANERAIT, CARÉNAIT, ENCARTAI, TANCERAI. Seule la première est valable pour *Des chiffres et des lettres.*

CAUSAUX. Le masculin pluriel de l'adjectif CAUSAL, E est inusité ; il n'est pas admis à juste titre au *Scrabble,* bien qu'il soit donné dans le *Quillet-Flammarion.* Les grammairiens ne l'emploient qu'au féminin : *particule(s), conjonction(s), proposition(s) causale(s). Littré* et *Robert* précisent ce fait (voir aussi *Grévisse,* § 358, remarque 3).

CERNURE(S) n. f. Figure en majuscules mais pas en caractères gras dans le *P. L. I.,* à l'entrée CERNE, n. m. Il n'est donc pas admis au *Scrabble,* mais serait valable pour *Des chiffres et des lettres.*
Anagrammes : ENCREUR ; CENSURER, ENCREURS.

CHARALE n. f.
(Au plur.) *Ordre de plantes aquatiques sans fleurs, très communes dans les réservoirs à ciel ouvert.*
Accepté uniquement au *Scrabble.*
Anagrammes : HARCELA, LÂCHERA, RELÂCHA (uniquement des verbes conjugués).

CHICS. Le *P. L. I.* indique que l'adjectif CHIC est invariable en genre et le *Petit Robert* qu'il est invariable (en nombre). *Grévisse* (§ 359) précise que CHIC, adjectif, ne change pas au pluriel, mais qu'en fait l'usage, fort indécis, lui donne parfois un S. On trouve *des gens chics* chez J. Renard, M. Proust, Cl. Farrère, A. Daudet, H. Troyat... Le *P. L. I.* lui-même donne l'exemple : *des robes chics.*

CHUE, CHUS, CHUES, CHOIRA, CHOIRAI, CHOIRAS, CHOIREZ, CHURENT, CHOIRAIS, CHOIRAIT, CHOIRIEZ, CHOIRONS, CHOIRONT, formes de conjugaison de CHOIR, v. intr., irrégulier et défectif. Notons d'abord que si le *P. L. I.* indique que le verbe CHOIR est usité seulement à l'infinitif précédé de *faire* ou *laisser,* ou au participe passé, il en conjugue d'autres formes au tableau de conjugaison 44. Quant à la conjugaison proprement dite, on constate de nombreuses variantes selon que l'on se réfère à tel ou tel dictionnaire ! Le *Bescherelle* (comme le *P. L. I.*) donne toutes les personnes du futur et du conditionnel : *je choirai, ... ; je choirais, ... ;* les formes *je cherrai, ...* et *je cherrais, ...* sont tout à fait désuètes, donc non valables au *Scrabble.* Pour le passé simple, le *Bescherelle* donne seulement *je chus, il chut ; Grévisse* donne *il chut ;* le *P. L. I.* mentionne *je chus* (sous-entendues les autres personnes) ; le *Petit Robert* conjugue *je chus, nous chûmes ;* le *Quillet-Flammarion* donne *il chut, ils churent.*
Au *Scrabble,* c'est le *Bescherelle* qui est la référence pour la façon de conjuguer. Donc, CHÛMES et CHURENT ne seraient pas admis ; CHÛMES n'a malheureusement pas d'anagramme ; pour CHURENT, c'est RUCHENT.
Notons néanmoins cette phrase dans *la Brière* de Châteaubriant : *Elle se leva brusquement, tant que son ouvrage et ses ciseaux en churent à terre !* Les temps composés se forment avec l'auxiliaire *être,* fait qui n'est pas indiqué dans le *P. L. I.* Les seules formes correctes sont : *il est chu ; ils sont chus ; elle est chue ; elles sont chues.* Enfin l'indicatif présent — tous les grammairiens sont d'accord sur ce point — n'a pas de 1re ni de 2e personne du pluriel.
A noter que CHOIENT peut être considéré comme la 3e personne du pluriel (indicatif présent ou subjonctif présent) du verbe CHOYER, et que CHOIE et CHOIES sont obligatoirement les 1re (ou 3e) et 2e personnes du singulier (indicatif présent ou subjonctif présent) de ce même verbe CHOYER, le verbe CHOIR n'ayant pas, d'après le *Bescherelle,* de subjonctif présent.

CIF. Abréviation commerciale anglaise signifiant *Cost, Insurance, Freight.* Voir CAF.
Refusé au *Scrabble.*
Anagramme : FIC n. m.

CLAYMORE(S) n. f. Épée écossaise à lame longue et large, qu'on tenait à deux mains (XIVe-XVIe s.).
Ce mot est disparu du *P. L. I.* depuis l'édition 1977, mais est toujours bon d'après le règlement actuel du *Scrabble.*

CLINFOC(S) n. m. Ce mot, désignant un foc très léger (de l'allemand *Klein Fock*), s'était orthographié sans trait d'union jusqu'à l'édition 1976 du *P. L. I.* En 1977, il est devenu nom composé : CLIN-FOC(S).
Il est donc toujours valable au *Scrabble,* et bien sûr au jeu *Des chiffres et des lettres.*

CLOSANT, participe présent de CLORE, v. tr. et défectif.
Ce participe présent est indiqué comme inusité par le *P. L. I.* En fait, il existe bel et bien : il est donné dans le *Bescherelle* (tableau de conjugai-

son 70), dans le *Dictionnaire des verbes français Larousse* (tableau de conjugaison 94), dans *le Bon Usage* de Grévisse, avec la mention « rare » (§ 701, 14 a)... A noter que ce verbe est défectif : l'imparfait de l'indicatif, le passé simple et l'imparfait du subjonctif n'existent pas ; de même, les 1re et 2e personnes du pluriel de l'indicatif présent manquent. *Littré* demande pourquoi on ne dirait pas au présent de l'indicatif : *nous closons, vous closez ;* à l'imparfait : *je closais ... ;* au passé simple : *je closis ... ;* à l'imparfait du subjonctif : *que je closisse, ... Ces formes,* dit-il, *n'ont rien de rude ni d'étrange, et il serait bon que l'usage ne les abandonnât pas* (in *Grévisse,* § 701, 14 a).

CLUPÉIDÉ n. m.
(Au plur.) *Famille de poissons comprenant l'*alose, *le* hareng, *la* sardine.
Accepté uniquement au *Scrabble.*
Anagramme : PÉDICULE.

CNIDAIRE n. m.
(Au plur.) *Principal sous-embranchement de cœlentérés, comprenant la classe des hydrozoaires* (hydres), *celle des anthozoaires* (actinies, corail, madrépores) *et celle des acalèphes* (grandes méduses).
Comme ACRIDIEN, ce nom masculin est accepté uniquement au *Scrabble,* au singulier.
Anagrammes : ACRIDIEN*, CEINDRAI.

COCOONS. Le mot COCOON (marque déposée) est apparu dans le *P. L. I.* depuis l'édition 1977. Alors que le *Grand Larousse encyclopédique* l'indique comme nom masculin, le *P. L. I.* ne nous renseigne pas, sans doute par omission, sur sa qualité. Le règlement international du *Scrabble,* ayant prévu ce cas, indique que « les mots qui ne sont pas renseignés comme noms communs, adjectifs ou pronoms sont invariables, tels CONFER, DA, EXIT, FELLAG(H)A, IBN, MEIJI, OC... ». COCOON entre dans cette catégorie et doit donc être considéré comme invariable, pour les scrabbleurs uniquement, tant que le *P. L. I.* ne rajoutera pas la mention abrégée *n. m.* après ce mot. Souhaitons qu'il le fasse rapidement ; ce serait un si joli scrabble de sept lettres !

COGITOS. Alors que le *P. L. I.* ne nous renseigne pas sur la qualité du mot COCOON — et, de ce fait, il n'est pas accepté au pluriel au *Scrabble,* bien que son pluriel COCOONS existe et est tout à fait correct —, il indique pour COGITO : nom masculin, mot latin signifiant « je pense ». Comme il n'est pas précisé invariable, les scrabbleurs l'acceptent (mais vraiment sur la pointe des pieds !) au pluriel, avec un S final, même si ce pluriel est quelque peu choquant !
A noter qu'au *Scrabble* on accepte également EGOS, pluriel de EGO n. m.

CONIFÈRE n. m.
(Au plur.) *Important ordre de gymnospermes, dont les fruits, chez les types les plus connus, sont de forme conique. Les conifères sont surtout des arbres à feuillage persistant ; résineux, comme le* cèdre, *le* pin, *le* sapin...
Accepté uniquement au *Scrabble.*
Anagramme : FONCIÈRE.

COPÉPODE n. m.
(Au plur.) *Ordre de crustacés de petite taille, qui abondent dans le plancton d'eau douce ou marin, comme le* cyclope.
Accepté uniquement au *Scrabble.*

CORNACÉE n. f.
(Au plur.) *Famille de plantes dialypétales comprenant le* cornouiller, *l'*aucuba.
Accepté uniquement au *Scrabble.*

CORVIDÉ n. m.
(Au plur.) *Famille d'oiseaux passe-*

reaux dont les principaux types sont le corbeau, *la* corneille *et le* geai.
Accepté uniquement au *Scrabble.*
Anagramme : DIVORCE.

COTISÉE, participe passé féminin de COTISER, v. intr. et pron. dans le *P. L. I.*, intr. dans le *Bescherelle.*
En fait, à la forme pronominale, le participe passé s'accorde avec le sujet : *ils se sont cotisés, elles se sont cotisées pour son gâteau d'anniversaire.* En général, le sujet est un mot au pluriel. Mais on peut très bien imaginer la même construction de phrase, avec un sujet au singulier, désignant une collectivité ou plusieurs individus. Rien n'empêche de dire : *la société (ou la nation) tout entière s'est cotisée…*, où le participe passé s'écrit au féminin singulier.
A noter que le *Robert* en 6 volumes et le *Dictionnaire des verbes français Larousse* donnent COTISER transitif.
Donc COTISÉE (et bien entendu COTISÉES) est accepté au *Scrabble* et au jeu *Des chiffres et des lettres.*
Anagramme : SOCIÉTÉ.

CRACS n. m. pl. Il s'agit là de l'autre orthographe de KRAK, n. m., qui figure en majuscules mais pas en caractères gras dans le *P. L. I.*
Au *Scrabble,* CRAC !, interjection, est valable, mais on ne pourra pas lui ajouter un S final.
Pour *Des chiffres et des lettres* (où les interjections sont interdites), CRAC serait valable seulement en tant que nom masculin ; et, dans ce cas, on pourrait l'écrire au pluriel.
Donc CRACS est accepté uniquement au jeu *Des chiffres et des lettres.*

CRINOÏDE n. m.
(Au plur.) *Classe d'échinodermes dont le corps, formé d'un calice entouré de longs bras, est fixé au fond de la mer.*
Accepté uniquement au *Scrabble.*

CROULÉE(S). Le verbe CROULER est donné uniquement intransitif dans le *P. L. I.*
Dans le *Bescherelle,* il est noté qu'il peut se conjuguer aussi avec l'auxiliaire *être,* lorsqu'on veut marquer le résultat de l'action (voir aussi la liste de ce type de verbes intransitifs dans *le Bon Usage* de Grévisse, où il figure, au § 658).
Le *Dictionnaire des verbes français Larousse* lui donne un sens transitif : *crouler un arbre.* Le *Lexis* également, au sens de secouer, agiter : *Jupin, croulant la terre, | Les abîma* [= engloutit] *sous des rochers* (La Fontaine). Le *Robert* en 6 volumes également.
Quoi qu'il en soit, CROULÉE et CROULÉES sont acceptés au *Scrabble.*
Pour *Des chiffres et des lettres,* il vaudra mieux annoncer les anagrammes ÉCOULER ou ÉCROULÉ et ÉCROULÉS ! Et, si vous tirez E. U. O. S. C. L. R., il vaudra mieux proposer CROULES que CROULÉS (CROULE, n. f. = chasse à la bécasse).

CUBÈBE(S) n. m. Arbuste d'Insulinde voisin du poivrier.
Ce mot est disparu du *P. L. I.* depuis l'édition 1977, mais est toujours accepté au *Scrabble* d'après le règlement actuel.

CYNIPIDÉ n. m.
(Au plur.) *Famille d'insectes hyménoptères mesurant quelques millimètres et provoquant la formation de galles* (bédégar *sur l'églantier ;* noix de galle *sur le chêne*).
Accepté uniquement au *Scrabble.*

D

DÉBÂCLÉE(S). Le verbe DÉBÂCLER est donné intransitif dans le *P. L. I.* et transitif dans le *Bescherelle.* Il s'emploie intransitivement en parlant d'une rivière : *rivière qui débâcle.* Il est transitif au sens de « ôter la bâcle », barre de fermeture *(Petit Robert)* ou « débarrasser un port des bâtiments vides » *(Quillet-Flammarion).*
Au *Scrabble,* on accepte donc le participe passé au féminin.

DÉCAMPÉE(S). Le verbe DÉCAMPER est donné intransitif dans le *P. L. I.* Dans le *Bescherelle* (p. 119) et dans le *Grévisse* (§ 658), il est noté qu'il peut se conjuguer aussi avec l'auxiliaire *être,* lorsqu'on veut marquer le résultat de l'action : *l'ennemi était décampé, avait décampé quand nous arrivâmes* (Académie).
Donc le participe passé féminin DÉCAMPÉE est accepté au *Scrabble.*

DÉCAPODE n. m.
(Au plur.) — *Ordre de crustacés supérieurs, à cinq paires de pattes ambulatoires terminées par une pince ou une griffe, comprenant les* crabes, *les* crevettes, *le* homard, *la* langouste, *la* langoustine, *l'*écrevisse, *les* pagures.
— *Sous-ordre de mollusques céphalopodes possédant dix bras* (seiche, calmar).
Ce mot au singulier est accepté uniquement au *Scrabble.* A noter qu'on le trouve *au singulier* au moins deux fois dans le *P. L. I.* et dans le *P. L. en couleurs,* à l'entrée HOMARD (crustacé décapode marin...) et à l'entrée LANGOUSTINE (crustacé décapode...). Il s'agit là d'une ellipse, où le mot *décapode* est considéré comme une apposition du mot *crustacé.* Pourquoi cet emploi elliptique n'est-il pas généralisé à tous les noms de groupes, classes, familles, ordres, ... des règnes animal, minéral et végétal ? La plupart de ces noms sont présentés au pluriel (comme RALLIDÉS...) ; quelques-uns ont le singulier indiqué en fin d'article (comme SAURIEN, VESPIDÉ, ...) ; d'autres enfin, présentés exclusivement au pluriel à leur entrée, sont retrouvés employés au singulier dans la définition elle-même (comme DÉCAPODE, mais aussi MYRTACÉE, NÉMATODE, PRIMATE...) — et ceux-ci ne seraient pas acceptés tels quels au jeu *Des chiffres et des lettres !* — N'y a-t-il pas là un paradoxe ?

DÉCHOIRA. DÉCHOIR est un verbe intransitif et défectif : il ne s'emploie pas à l'impératif, ni à l'imparfait de l'indicatif, ni au participe présent (voir *Grévisse,* § 701, 13 b). Le *P. L. I.* indique que le futur de l'indicatif est inusité. En fait, ce futur existe : il est donné dans le *Bescherelle* et le *Grévisse.* Le passé simple et l'imparfait du subjonctif se conjuguent à toutes les personnes, comme le futur de l'indicatif. Notons que la 1re personne du pluriel du subjonctif présent est *que nous déchoyions* (faute dans le *Bescherelle* édition 1977). Enfin, aux temps composés, DÉCHOIR utilise *avoir* ou *être* selon que l'on veut

insister sur l'action ou sur son résultat.
Donc, au *Scrabble,* ce futur est accepté.
Anagramme : DÉROCHAI.

DÉCLÔT, DÉCLORA, DÉCLORAI, DÉCLORAS, DÉCLOREZ.
Le *P. L. I.* indique que DÉCLORE est transitif, sans donner son mode de conjugaison.
Le *Bescherelle* précise qu'il est aussi défectif et n'est guère usité qu'à l'infinitif et au participe passé (p. 119, note 1) ; mais, au tableau de conjugaison 70, il indique qu'il se conjugue comme CLORE.
Selon *Littré,* il ne se conjugue qu'aux temps et aux personnes qui suivent : *je déclos, tu déclos, il déclôt,* sans pluriel ; *je déclorai ; je déclorais ; que je déclose, que tu décloses, qu'il déclose, que nous déclosions, que vous déclosiez, qu'ils déclosent ; déclore ; déclos, déclose.* Selon l'*Académie,* ce verbe ne s'emploie qu'à l'infinitif.
Le *Robert* en 6 volumes indique qu'il est défectif et a les mêmes formes que CLORE.
La note « guère usité qu'à... » dans le *Bescherelle* devrait normalement interdire aux scrabbleurs son emploi autrement qu'à l'infinitif et au participe passé. En fait, le règlement du *Scrabble* considère qu'il s'agit là d'un cas particulier et autorise sa conjugaison aux mêmes temps et modes que ceux de CLORE indiqués au tableau de conjugaison 70, p. 89, dans le *Bescherelle* (de même pour ÉCLORE et ENCLORE ; mais FORCLORE ne s'emploie qu'à l'infinitif et au participe passé). Donc ces quatre formes verbales du futur sont valables au *Scrabble.* Il en serait de même pour DÉCLÔT (3e personne singulier de l'indicatif présent). Remarquons que le *Bescherelle* (p. 119, note 1) ne met pas (à tort) d'accent circonflexe sur l'*o* de *il déclot.*
Anagrammes : CORDELA ; CORDELAI, CORDIALE (ou LOI-CADRE pour *Des chiffres et des lettres*) ; CORDELAS ; CORDELEZ. DÉCLÔT n'a pas d'anagramme.

DÉCONNÉE(S). Le *P. L. I.* donne curieusement le verbe DÉCONNER (apparu à la fin du XIXe s.) comme transitif. En fait, ce verbe est sans nul doute intransitif. Dans l'état actuel des choses, on est bien obligé, d'accepter ce participe passé au féminin !
Anagramme : DÉNONCÉE(S).

DÉSOBÉIE(S). Le verbe DÉSOBÉIR, transitif indirect, est susceptible de la tournure passive (comme OBÉIR). C'est une exception à la règle des verbes transitifs indirects qui ne peuvent pas s'employer à la forme passive *Je savais* [...] *que ses larmes n'auraient pas été désobéies* (B. Constant, *Adolphe*).
Ce participe passé féminin est justement accepté au *Scrabble.* Pour *Des chiffres et des lettres,* proposez plutôt l'anagramme DÉBOISÉE.

DECI. Ce mot ne figure pas en entrée dans le *P. L. I.* (c'est le préfixe DÉCI qui y figure) ; et pourtant on le trouve à l'entrée DELÀ, où il est indiqué comme s'employant dans la locution *deci, delà.* En fait, de-ci, de-là s'écrivent avec des traits d'union (comme par-ci, par-là) : *aller de-ci, de-là.* (On écrit souvent de-ci de-là et par-ci par-là, sans virgule, et aussi deçà et delà). A noter le trait d'union dans ces locutions adverbiales, ajouté par l'Académie dans la 8e édition de son dictionnaire. Ces précisions sont données par Adolphe V. Thomas dans son *Dictionnaire des difficultés de la langue française, Larousse.*
Remarquons que l'adverbe DEÇÀ (à côté du préfixe DÉCA) figure en entrée dans le *P. L. I. : deçà delà* (de côté et d'autre). Quoi qu'il en soit, l'adverbe DECI n'est pas valable au *Scrabble.*

DIATOMÉE n. f.
(Au plur.) *Groupe d'algues unicellulaires, à pigment brun, et dont chaque cellule est entourée d'une coque siliceuse bivalve.*
Accepté uniquement au *Scrabble.*

DINGUER. Le *P. L. I.* ne donnant pour ce verbe intransitif que l'acception *envoyer dinguer,* il n'est donc admis qu'à l'infinitif.
Son anagramme GUINDER, v. tr., peut, elle, se conjuguer à tous les modes et à tous les temps.

DIPSACÉE n. f.
(Au plur.) *Famille de plantes voisines des composées, comme la* cardère *et la* scabieuse. Syn. DIPSACACÉE(S).
Accepté uniquement au *Scrabble.*
Anagramme : DÉPEÇAIS (verbe conjugué).

DIVORCÉE(S). Le verbe DIVORCER est intransitif dans le *P. L. I.* Le *Bescherelle* indique à juste titre qu'il peut se conjuguer avec l'auxiliaire *être,* lorsqu'on veut marquer le résultat de l'action (p. 125 et 104). *Encore qu'elle soit divorcée d'un lieutenant de vaisseau* (H. Bazin, *la Mort du petit cheval*). D'autres auteurs en font un adjectif : *une science divorcée de la morale* (A. Maurois, *Journal*), voire un nom : *il a épousé une divorcée.*
Au jeu *Des chiffres et des lettres,* le dictionnaire de référence (le *P. L. en couleurs*) ne distinguant pas ces nuances d'emploi, il est préférable d'annoncer « 8 lettres » avec l'anagramme DÉCEVOIR : sans problème !

DOUBLIER(S) n. m. Terme ancien désignant une grande nappe pliée en deux.
Ce mot est disparu du *P. L. I.* depuis l'édition 1977, mais est toujours bon d'après le règlement actuel du *Scrabble.*

DREIGE(S) n. f. Figure en majuscules mais pas en caractères gras dans le *P. L. I.*, à l'entrée DRÈGE. Cette orthographe n'est donc pas admise au *Scrabble.*
Anagrammes : DIGÉRÉ, RÉDIGÉ ; DÉGRISÉ, DIGÉRÉS, RÉDIGÉS.

DUALS, DUAUX. Le *P. L. I.* ne donne pas le masculin pluriel de l'adjectif DUAL, E, mot récent, apparu vers le milieu du XXe s. Il existe pourtant. Pour les mathématiciens c'est DUAUX : *Repères duaux : les repères* $\mathcal{R}$ *et* $\mathcal{R}^*$ *des espaces projectifs duaux* $\mathcal{P}$ *et* $\mathcal{P}^*$ (*de dimension finie* n) *sont dits duaux si on peut les déduire de bases duales* $\mathcal{E}$ *et* $\mathcal{E}^*$ *des espaces vectoriels* $\vec{E}$ *et* $\vec{E}^*$ *dont* $\mathcal{P}$ *et* $\mathcal{P}^*$ *sont issus* (G. Gagnac, E. Ramis, J. Commeau, *Nouveau Cours de mathématiques spéciales - 3 - géométrie,* Masson et Cie éditeurs 1967, dans le chapitre *Dualité dans les espaces projectifs* [*de dimension finie*], p. 167). Michel Queysanne donne ce même pluriel dans son livre *Algèbre M. P. et spéciales A-A',* Coll. « U », Armand Colin, 1969 : *E et E* sont duaux l'un de l'autre...* (dans le chapitre *Formes linéaires-dualité,* p. 286). Enfin dans l'*Encyclopædia universalis* volume XVI, au chapitre *Espaces vectoriels topologiques - 6 - Dualité* (p. 185 c), par C. Houzel, on trouve également ce pluriel DUAUX. Les scrabbleurs ont donc opté pour DUAUX. DUALS est donné ici uniquement parce qu'il est cité dans le *Petit Robert,* édition 1977.

E

ÉBÉNACÉE n. f.
(Au plur.) *Famille de plantes dicotylédones gamopétales, comprenant des arbres et des arbustes des régions tropicales, comme l'*ébénier, *le* plaqueminier.
Accepté uniquement au *Scrabble.*

ÉCHOIE, ÉCHERRA, ÉCHOIENT, ÉCHURENT, formes de conjugaison de ÉCHOIR. Le *P. L. I.* indique que ce verbe est intransitif ou transitif indirect, et, au tableau de conjugaison 45, impersonnel. Au *Scrabble,* on accepte les formes données par le *Bescherelle* (hormis les formes archaïques telles que : *il échet, ils échéent ; il écherra, ils écherront ; il écherrait, ils écherraient*) ; *il échoit, ils échoient ; il échut, ils échurent ; il échoira, ils échoiront ; il échoirait, ils échoiraient ; qu'il échoie ; qu'il échût ; échoir ; échéant ; échu, échue.* Les temps composés se forment avec l'auxiliaire *être.*
Grévisse ne donne pas le subjonctif présent, le subjonctif imparfait ni les 3es personnes du pluriel (sauf *ils échoiraient*) : voir *le Bon Usage* (§ 701, c).
Donc, de ces quatre formes verbales, seule ÉCHERRA (futur de l'indicatif tout à fait désuet) n'est pas acceptée au *Scrabble,* bien qu'elle soit donnée dans le *P. L. I.* Son anagramme est CHARRÉE, n. f.

ÉCLATÉE(S). Le verbe ÉCLATER est donné uniquement intransitif dans le *P. L. I. ;* de même dans le *Bescherelle.* En fait, on admet qu'il peut se conjuguer avec l'auxiliaire *être,* lorsqu'on veut marquer le résultat de l'action (voir Grévisse, *le Bon Usage,* § 658, p. 606). Notons que le *Petit Robert* et le *Dictionnaire des verbes français Larousse* lui donnent un sens transitif : en horticulture, c'est diviser (une plante) en séparant les drageons : *éclater des pieds de tomates.* Donc, ce participe passé au féminin est accepté uniquement au *Scrabble.*

ÉCLORAI, ÉCLORAS, ÉCLOREZ, ÉCLOSEZ, ÉCLORAIS, ÉCLORIEZ, ÉCLORONS, ÉCLOSAIS, ÉCLOSAIT, ÉCLOSANT, ÉCLOSIEZ, ÉCLOSONS. Dans le *P. L. I.,* ÉCLORE, v. intr., est conjugué au tableau 77.
Le *Bescherelle* précise qu'il est aussi défectif et ne s'emploie guère qu'à la 3e personne (p. 126, note 2) ; mais, au tableau de conjugaison 70, il indique qu'il se conjugue comme CLORE et ajoute qu'on trouve les formes : *nous éclosons, vous éclosez ;* et même : *j'éclosais…*
Grévisse (§ 701, 14 c) dit qu'il n'est usité qu'à l'infinitif et dans les formes suivantes : *il éclot, ils éclosent* (rarement : *j'éclos, tu éclos, nous éclosons, vous éclosez*) ; *il éclora, ils écloront ; il éclorait, ils écloraient ; qu'il éclose, qu'ils éclosent ; éclosant* (rare) ; *éclos, éclose.*
Littré indique les formes suivantes : *j'éclos, tu éclos, il éclôt, nous éclosons, vous éclosez, ils éclosent ; j'éclosais ; j'éclôrai ; j'éclôrais ; que j'éclose ; éclos, éclose.*
Le *Dictionnaire des verbes français*

Larousse indique qu'ÉCLORE se conjugue comme CLORE, mais n'existe qu'aux 3es personnes (tableau de conjugaison 96). Les temps composés se forment avec l'auxiliaire *être* et quelquefois avec *avoir.*
Quoi qu'il en soit, les dix formes verbales données ici avec astérisque sont acceptées au *Scrabble,* même si certaines d'entre elles ne sont guère employées.
Anagrammes : CALORIE, RÉCOLAI ; ORACLES, RACOLÉS, RÉCOLAS, SCAROLE ; RÉCOLEZ ; CALORIES, COALISER, RÉCOLAIS, SCOLAIRE ; RÉCOLIEZ ; CONSOLER, RÉCOLONS ; COALISÉS, SOCIALES ; TEOCALIS ; ÉCLATONS ; CONSOLES.
ÉCLOSEZ et ÉCLOSIEZ n'ont pas d'anagramme.

EGOS. EGO, nom masculin, mot latin signifiant « moi », est accepté au pluriel par les scrabbleurs, pour la seule raison qu'il n'est pas indiqué comme invariable. Voir COGITOS.

ÉMAILS. ÉMAIL a pour pluriel ÉMAUX quand il désigne soit la matière fondante, vitrifiée, qu'on applique par la fusion sur les poteries, les faïences, les métaux, soit un ouvrage émaillé : *un dais composé d'émaux translucides* (A. France, *Balthazar*). De même, lorsque, en termes de blason, il est dit des couleurs et des métaux dont l'écu est chargé.
Mais ÉMAIL a un pluriel moderne ÉMAILS, qui convient quand on désigne certains produits de beauté (par exemple pour les ongles) ou certains produits employés dans les travaux de peinture ou dans certaines industries (carrosserie, bicyclettes, etc.). [Grévisse, *le Bon Usage,* § 280, remarque 3.]
Au *Scrabble,* les deux pluriels sont valables.
Anagrammes : ÉLIMAS, LAMIES, LIÂMES, MÊLAIS, MELIAS.
En ce qui concerne le pluriel des noms en -AIL, rappelons ici la règle : ils forment leur pluriel en -AILS *(un détail, des détails).* Cependant BAIL, CORAIL, FERMAIL, GEMMAIL (voir GEMMAUX), SOUPIRAIL, VANTAIL, VENTAIL (voir VENTAUX), VITRAIL changent -AIL en -AUX. Acceptent les deux pluriels : ÉMAIL et TRAVAIL (suivant le sens).
N'ont pas de pluriel : BERCAIL et BÉTAIL (BESTIAUX ne peut pas être regardé comme le pluriel de BÉTAIL : voir *Grévisse,* § 280, remarque 1).

EMPIÉTÉE(S). Le *P. L. I.* donne le verbe EMPIÉTER comme intransitif. Le *Bescherelle* le donne aussi transitif.
Ce verbe s'emploie transitivement dans la langue classique, au sens de gagner pied à pied, usurper petit à petit : *Ce laboureur empiète tous les ans quelques sillons sur la terre de son voisin* (Académie) ; *Le peuple leur laissa empiéter le pouvoir suprême* (Bossuet). Notons que REMPIÉTER est transitif dans le *P. L. I. : rempiéter des bas.*
Ce participe passé féminin est accepté uniquement au *Scrabble.*

EMPORIA. C'est le pluriel de EMPORIUM, n. m., donné dans le *Lexis* et dans le *Grand Larousse encyclopédique.* N'étant pas indiqué dans le *P. L. I.,* il ne peut malheureusement pas être accepté au *Scrabble.*

ENCHÉRIE(S). Le *P. L. I.* donne le verbe ENCHÉRIR comme intransitif. Le *Bescherelle* le donne aussi transitif ; de même, le *Robert* en 6 volumes et le *Quillet-Flammarion.* Il signifie dans ce cas : « rendre une marchandise plus chère » : *enchérir le blé, les produits agricoles.* Notons que RENCHÉRIR est transitif et intransitif dans le *P. L. I.* et que SURENCHÉRIR est transitif dans le *Bescherelle* et intransitif dans le *P. L. I.*
Ce participe passé féminin est accepté uniquement au *Scrabble.*

ENCLOSEZ. Dans le *P. L. I.*, ENCLORE, v. tr., est conjugué au tableau 78. Pour l'indicatif présent, le *P. L. I.* ne donne que les trois premières personnes du singulier (pas de pluriel). En fait, le *Bescherelle* note que ce verbe possède les formes *nous enclosons, vous enclosez, ils enclosent,* et même celles de l'imparfait de l'indicatif : *j'enclosais...* (p. 128, note 3 ; et tableau de conjugaison 70, p. 89).
Pour *Grévisse,* ENCLORE se conjugue comme CLORE, sauf qu'il a toutes les personnes du présent de l'indicatif (*le Bon Usage,* § 701, 14 d). *Littré* indique les formes suivantes : *j'enclos, tu enclos, il enclôt* (l'*Académie* ne met pas l'accent circonflexe sur l'*o* dans *il enclot,* de même dans *il éclot,* alors qu'elle écrit *il clôt*), *nous enclosons, vous enclosez, ils enclosent ; j'enclorai ; j'enclorais ; enclos, enclose.* Il estime qu'on peut faire revivre l'imparfait : *j'enclosais ;* le subjonctif présent : *que j'enclose ;* l'impératif : *enclos ;* le participe présent : *enclosant.*
La forme ENCLOSEZ est donc tout à fait acceptable au *Scrabble ;* de même seraient valables toutes les autres formes de conjugaison, sauf le passé simple et le subjonctif imparfait.

ENCONTRE. Ce mot fait partie de la locution prépositive *à l'encontre de,* présentée ainsi dans le *P. L. I. :* ENCONTRE DE (À L'). Il n'est donc pas donné isolément à son entrée et, de ce fait, n'est admis ni au *Scrabble* ni au jeu *Des chiffres et des lettres.*
Anagrammes : CRETONNE, ÉCORNENT, ENCORNET.

ENCOR. Écriture poétique de l'adverbe ENCORE. Ne figurant pas en majuscules et en caractères gras dans le *P. L. I.,* elle n'est pas valable au *Scrabble,* pas même pour les scrabbleurs poètes !
Anagrammes : CORNE, RONCE.

ENDÊVER. Bien qu'indiqué dans le *Bescherelle* comme verbe intransitif non défectif, ce verbe n'est admis qu'à l'infinitif au *Scrabble,* parce que le *P. L. I.* ne donne que l'acception *faire endêver,* qui signifie « tourmenter ».
Anagramme : REVENDE (verbe conjugué).

ENFEUS. ENFEU n. m. (apparu en 1482, de *enfouir*) désigne une niche funéraire.
Le *Grand dictionnaire universel du XIXe siècle Larousse* lui attribue un pluriel en -EUS : *De grandes niches appelées enfeus se voient dans un grand nombre de chapelles.*
Le *Grand Larousse encyclopédique* donne, lui, une photographie des *enfeux* du cloître de l'église collégiale à Saint-Émilion.
Les deux pluriels ENFEUS et ENFEUX sont donc valables au *Scrabble.*
Voir la règle du pluriel des mots en -EU à CAMAÏEUS, CAMAÏEUX.

ÉQUIDÉ n. m.
(Au plur.) *Famille de mammifères ongulés, comprenant le* cheval, *le* zèbre, *l'*âne.
Accepté uniquement au *Scrabble.*

ÉRICACÉE n. f.
(Au plur.) *Famille de plantes dicotylédones gamopétales, comprenant les* bruyères, *la* myrtille, *l'*airelle, *les* rhododendrons *et les* azalées.
Accepté uniquement au *Scrabble.*

ESTA, ESTAI, ESTAS, ESTÂT, ESTEZ, ESTAIS, ESTAIT, ESTANT, ESTENT, ESTERA, ESTIEZ, ESTONS, ESTÂMES, ESTASSE, ESTÂTES, ESTERAI, ESTERAS, ESTEREZ, ESTIONS, ESTAIENT, ESTASSES, ESTERAIS, ESTERAIT, ESTÈRENT, ESTERIEZ, ESTERONS, ESTERONT, formes de conjugaison de ESTER, v. intr. Si le *P. L. I.* n'indique

pas que ce verbe est défectif, le *Bescherelle* précise qu'il est usité seulement à l'infinitif dans la langue de la pratique, au sens de se présenter : *ester en justice, ester en jugement.*
Donc ces 27 formes conjuguées ne sont pas valables au *Scrabble.* Elles ont toutes une ou plusieurs anagrammes, sauf les six formes suivantes : ESTA, ESTIEZ, ESTEREZ, ESTIONS, ESTASSES, ESTERIEZ. Parmi les 21 formes restantes, deux anagrammes seulement ne pourraient pas être proposées au jeu *Des chiffres et des lettres :* TAISES (anagramme de ESTAIS) et SEMÂTES (anagramme de ESTÂMES). Sinon, les 19 formes restantes ont toutes au moins une anagramme valable pour ce jeu télévisé.
A noter que ESTE(S) est nom et adjectif, synonyme de ESTONIEN, et que ESTER, en tant que nom masculin, peut prendre la marque du pluriel, un S final.

EUSCARA(S) n. m. *Nom que donnent les Basques à leur langue.* Cette graphie est disparue du *P. L. I.* depuis l'édition 1977, où elle a été remplacée par EUSKARA. Ce mot s'écrit aussi EUSKERA ou ESKUARA. Ces quatre orthographes sont bonnes au *Scrabble.* Mais EUSCARA ne peut pas être proposé au jeu *Des chiffres et des lettres,* puisqu'on ne le retrouve plus dans la dernière édition du *P. L. en couleurs,* dictionnaire de référence en usage pour ce jeu télévisé.
Anagrammes : CAUSERA, RECAUSA, SAUCERA (toutes des verbes conjugués) ; en 8 lettres, les mêmes avec le S final de la 2e personne du singulier.

EUTEXIES. Ce nom féminin ne peut être admis au pluriel au *Scrabble,* car le *P. L. I.* — bien qu'il ne le donne pas explicitement comme invariable — l'emploie seulement dans l'expression *point d'eutexie* (où *eutexie* est le complément de nom du mot *point*), sans donner la définition proprement dite du mot *eutexie.* Si l'on jouait avec le *Lexis* ou le *Petit Robert,* qui, eux, définissent précisément l'*eutexie* (propriété des mélanges eutectiques), on pourrait tout à fait donner à ce mot la marque du pluriel. Disons qu'au *Scrabble,* c'est le dictionnaire de référence choisi qui limite, dans le cas présent, l'emploi du pluriel (qui existe pourtant), par insuffisance de renseignements fournis.
A ce sujet, il paraît bon de rappeler ici le chapitre du règlement concernant les *mots invariables* au *Scrabble.*
Sont invariables :

1. Les mots réputés tels par le dictionnaire de référence ou l'usage grammatical (comme les adverbes, les interjections, etc.) ;
2. Les adjectifs numéraux cardinaux, même employés substantivement, à l'exception de UN, VINGT et CENT ; mais les homographes MILLE (mesure marine) et NEUF (nouveau) varient ;
3. Les noms des points cardinaux ;
4. Les lettres d'un alphabet quelconque (le phonème YOD n'étant pas à considérer comme une lettre), les notes de musique et les noms de mois d'un calendrier quelconque, étant entendu que, si ces mots sont repris au dictionnaire de référence dans une acception différente, ils peuvent varier (comme BÊTA, DELTA, MU, NU, PI ; DO, MI, SOL, LA, SI ; MAI, GERMINAL) ;
5. Les mots suivis d'un ou plusieurs mots entre parenthèses avec lesquels ils font corps (comme JAVEL, PRIORI, VRAC ...) ;
6. Les mots sans définition, en dehors d'une expression toute faite, tels : ALPHA, commencement, *l'alpha et l'oméga ;* ANTAN, ... *d'antan ;* ARCHAL, *fil d'archal ;* BAMBOULA, *faire la bamboula ;* BANCO, *faire banco ;* BANDIÈRE, *front de bandière ;* BROUT,

mal de brout ; CAJOU, *noix de cajou ;* CHABROT, *faire chabrot ;* CHARLEMAGNE, *faire Charlemagne ;* COCAGNE, *mât de cocagne, pays de cocagne ;* COULPE, *battre sa coulpe ;* DAM, *au grand dam, au dam de ;* DÉBOULER, n. m., *au débouler ;* DULIE, *culte de dulie ;* EMPORT, *capacité d'emport ;* ESCAMPETTE, *prendre la poudre d'escampette ;* ESCIENT, *à bon escient, à son escient ;* EUTEXIE, *point d'eutexie ;* FLORENCE, *crin de florence ;* FUR, *au fur et à mesure ;* GALLO, *pays gallo ;* GÉSINE, *être en gésine ;* GOGUETTE, *être en goguette ;* GROIE, *terre de groie ;* HARO, *crier haro sur ;* INSU, *à l'insu de ;* JAVEL, *eau de Javel ;* LANLAIRE, *envoyer faire lanlaire ;* LEU, *à la queue leu leu ;* LURETTE, *il y a belle lurette ;* MARTEL, *se mettre martel en tête ;* MIRBANE, *essence de mirbane ;* NITOUCHE, *sainte nitouche ;* OFFRANT, *au plus offrant ;* OMÉGA, fin, *l'alpha et l'oméga ;* PERLIMPINPIN, *poudre de perlimpinpin ;* PUNCTUM, *punctum proximum, punctum remotum ;* REVIENT, *prix de revient ;* TAPIN, *faire le tapin ;* TILT, *faire tilt ;* TOURNEMAIN, *en un tournemain ;* VINDICTE, *vindicte publique ;* ZEST et ZIST, *entre le zist et le zest ;* etc. ;

7. Les mots qui ne sont pas indiqués comme noms communs, adjectifs ou pronoms, tels : CONFER, DA, EXIT, FELLAG(H)A, IBN, MEIJI, OC, etc. ;
8. Les adjectifs FOL, MOL, NOUVEL, VIEIL ; les adjectifs féminins VALGA de *valgus* et VARA de *varus ;* les adverbes TANTÔT, TARD, TROP, même en tant que noms masculins ;
9. Les mots se terminant par S, X, ou Z.

EXOGAMIE(S) n. f. Figure en majuscules mais pas en caractères gras dans le *P. L. I.,* à l'entrée ENDOGAMIE, dont il est l'antonyme.
Il n'est donc pas bon au *Scrabble,* mais constitue un joli « 8 lettres » pour *Des chiffres et des lettres.*

F

FABULÉE(S). Le *P. L. I.* comme le *P. L. en couleurs* donnent curieusement le verbe FABULER (apparu en 1892 « raconter des choses fabuleuses » et répandu vers 1950 ; de *fabulation*) comme transitif. En fait, ce verbe est sans nul doute intransitif — il est cité comme tel partout —, même si certains auteurs se sont hasardés à faire du participe passé un adjectif : *Véridique ou fabulée, la légende de Saïf Isaac El Héït hante de nos jours encore le romantisme nègre, et la politique des notables en maintes républiques* (Y. Ouologuem, *le Devoir de violence*, dans le supplément du *Robert* en 6 volumes). Dans l'état actuel des choses, on est bien obligé d'accepter ce participe passé au féminin ! Mais il serait préférable de ne pas l'employer.
Quant au participe présent, il doit être considéré comme invariable, même si on le trouve ailleurs que dans le *P. L. I.*, comme adjectif ou comme substantif : *Tous ces débauchés, ces exilés, ces ratés, ces fabulants nous reposaient des monotonies de la province* (Simone de Beauvoir, *la Force de l'âge*).

FAGACÉE n. f.
(Au plur.) *Famille d'arbres au fruit enchâssé dans une cupule, comme le* chêne, *le* hêtre *et le* châtaignier. Syn. CUPULIFÈRE(S), n. f. (pl.).
Accepté uniquement au *Scrabble*.

FAGALE n. f.
(Au plur.) *Ordre de plantes à fleurs comprenant le* hêtre *et les espèces voisines, du groupe des* cupulifères, *ou* fagacées.
Accepté uniquement au *Scrabble*.

FAYOTTA, FAYOTTE, FAYOTTAI, FAYOTTAS, FAYOTTÂT, FAYOTTER, FAYOTTES, FAYOTTEZ. Le verbe intransitif FAYOTTER a figuré une seule fois avec deux T, dans l'édition 1973 du *P. L. I.* ; à partir de 1974, il n'est plus écrit qu'avec un seul T (FAYOTER). Il n'empêche que la première graphie (FAYOTTER) et, par conséquent, toutes ses formes de conjugaison possibles sont toujours valables au *Scrabble*, d'après le règlement actuel. A noter que le nouveau *Petit Robert* donne FAYOTER ou FAYOTTER.
Seules les trois formes suivantes ont une anagramme : *fayotta :* FAYOTÂT ; *fayottai :* FAYOTAIT ; *fayottes :* FESTOYÂT.

FÉLIDÉ n. m.
(Au plur.) *Famille de mammifères carnivores* (*ordre des* carnassiers), *comprenant des digitigrades à griffes rétractiles et à molaires coupantes et peu nombreuses* (chat, lynx, puma ...).
Accepté uniquement au *Scrabble*.
Anagrammes : DÉFILÉ, FIDÈLE.

FELLAHS, FELLĀHĪN. Le pluriel de FELLAH, n. m. (paysan égyptien), donné dans le *Grand Larousse encyclopédique* est FELLĀHĪN : *Les fellāhīn forment 55 p. 100 de la population active de l'Égypte*. Le *P. L. I.* ne donnant pas ce pluriel irrégulier, les scrabbleurs utilisent seulement (et à

tort) la marque classique du pluriel, le S final.
Donc, au *Scrabble,* seul FELLAHS est accepté.

FERRO(S). FERRO est un préfixe, mais aussi un nom masculin (en photogravure, abréviation désignant les épreuves sur papier sensibilisé au ferroprussiate ; en métallurgie, tout alliage de fer et d'un autre métal). Rien n'interdirait de faire varier le nom masculin (*ces ferros sont employés, pour la plupart, en métallurgie comme éléments d'affinage,* Grand Larousse encyclopédique). Malheureusement, si le *P. L. I.* donne bien les deux acceptions de ce mot à la même entrée, il ne précise pas, pour la deuxième, nom masculin (avant la définition proprement dite). Il serait souhaitable qu'il distingue donc deux entrées : FERRO- préfixe et FERRO n. m., comme cela est fait dans le *Lexis,* ce qui permettrait aux scrabbleurs d'employer ce mot au singulier et au pluriel, sans litige possible !
Anagramme : FORER ; FERROS n'a pas d'anagramme.

FERTÉS. FERTÉ n. f., s'est dit pour *fermeté.* Ce vieux mot a été conservé à la tête de plusieurs noms propres de ville, qui jadis étaient des places de guerre, longtemps appelées *firmitates,* « fermetés », d'où *fertés.* Ainsi La Ferté-Milon, c'est la place forte, la forteresse de Milon, etc. (cf. *Dictionnaire national* de Bescherelle Aîné, 1887 ; ou *Grand Larousse encyclopédique*). Il est donc tout à fait valable au pluriel.
Anagramme : FRÉTÉS.

FESTOYÉE(S). Le *P. L. I.* donne le verbe FESTOYER comme intransitif. Le *Bescherelle* le donne aussi transitif ; de même le *Lexis,* le *Petit Robert* et le *Quillet-Flammarion.* Il signifie dans ce cas « faire fête à quelqu'un, le bien accueillir, le bien traiter » : *Il semblait que la terre et le ciel voulaient festoyer la plus belle princesse du monde* (Voiture). Ce sens transitif est quelque peu vieilli.
Donc, ce participe passé féminin est accepté uniquement au *Scrabble.* Il ne le serait pas au jeu *Des chiffres et des lettres.*

FÉVRIERS n. m. Voir AOÛTS.
Pluriel refusé au *Scrabble.*

FILICALE n. f.
(Au plur.) *Ordre de cryptogames vasculaires dont les représentants sont les* fougères.
Accepté uniquement au *Scrabble.*

FLORÉALS n. m. Mois du calendrier républicain. Voir AOÛTS.
Pluriel refusé au *Scrabble.*

FLORIDÉE n. f.
(Au plur.) *Classe d'algues marines dites* algues rouges.
Syn. RHODOPHYCÉE(S).
Accepté uniquement au *Scrabble.*

FOB Abréviation commerciale signifiant *Free On Board.* Voir CAF.
Refusé au *Scrabble.*
Anagramme : BOF ! (interjection).

FOIRALS, FOIRAUX, FOIRAILS. FOIRAL ou FOIRAIL, n. m., est un mot dialectal du centre et du sud de la France, répandu en 1874, qui désigne un champ de foire. Le règlement international du *Scrabble* a attribué aux deux formes un pluriel en S : FOIRALS et FOIRAILS. En fait, le *Tout en un* (Hachette, 1958) indique le pluriel en X. On ne voit pas pourquoi la F. F. Sc. ne reconnaît pas le pluriel FOIRAUX, sous prétexte qu'il est « choquant à l'oreille ».
Seul FOIRALS a une anagramme : FRÔLAIS.
A propos du pluriel des substantifs en -AL, on sait qu'ils forment en règle générale leur pluriel en -AUX, sauf

quelques-uns qui le font en -ALS. Si, pour certains d'entre eux, le *P. L. I.* indique bien leur pluriel en -ALS (BALS, CALS, CARACALS, CARNAVALS, CÉRÉMONIALS, CHACALS...), il reste en revanche discret pour les autres, qui pourtant existent souvent. Aussi les scrabbleurs ont-ils établi une liste complémentaire de substantifs en -AL qui forment leur pluriel en -ALS. Ce sont : ACÉTAL, AMMONAL, BANCAL (n. m., comme l'adjectif), BARBITAL, CANTAL, CAPTAL (in *Harrap's New Standard,* 1972 ; dans le *Nouveau Dictionnaire de la langue française* de Bescherelle Aîné et J. A. Pons, 1868 : *ces seigneurs ayant pris des titres plus connus en France, il ne resta plus que les captals de Buch et de Traîne*), CHLORAL, COPAL, DISPERSAL, EMMENT(H)AL, FINAL (n. m., comme l'adjectif), FOIRAL (*cf.* ci-dessus), GAL, GALGAL, MISTRAL, NARVAL, PENTHIOBARBITAL, SERIAL (apparu dans le *P. L. I.* depuis l'édition 1978), SIAL (voir ce mot), SISAL, TAGAL, TERGAL, TINCAL, VIRGINAL (n. m. ; l'adjectif fait VIRGINAUX).
Acceptent les deux pluriels (-ALS et -AUX) les noms masculins AVAL (voir AVAUX), ÉTAL, IDÉAL, SANTAL (voir SANTALS, SANTAUX) et VAL.
Voir aussi le pluriel des adjectifs en -AL à MARIALS, MARIAUX.

FOLS. L'adjectif FOL s'emploie devant un nom masculin *singulier,* commençant par une voyelle ou un H muet, à la place de FOU. Pourtant Bossuet a écrit « les fols amateurs » : *O le soin inutile, diront les fols amateurs du siècle* (in *Littré* à FOU, remarque 3). Quoi qu'il en soit, ce pluriel n'est pas admis au *Scrabble.*
Il en est de même du pluriel en S des adjectifs MOL, NOUVEL, VIEIL, que l'on pourrait copier sur « les fols » de Bossuet. En réalité, les pluriels corrects aujourd'hui sont FOUS, MOUS, NOUVEAUX, VIEUX, au masculin.
Quant à BEL, l'adjectif devient BEAUX au masculin pluriel, mais le nom masculin (unité servant à évaluer l'intensité d'un son) prend un S final au pluriel : *100 décibels égalent 10 bels.*
Voir le chapitre des mots invariables au *Scrabble,* paragraphe 8, à EUTEXIES.
Anagramme admise : LOFS.

FORFAIS, 1re ou 2e personne du singulier de l'indicatif présent de FORFAIRE, v. tr. ind. Le *P. L. I.* indique que ce verbe n'est usité qu'à l'infinitif présent, au singulier du présent de l'indicatif et aux temps composés. Dans le *Bescherelle* et le *Grévisse,* il ne s'emploie plus guère qu'à l'infinitif et aux temps composés. Autrement dit, ces auteurs ne reconnaissent pas les formes *je forfais, tu forfais, il forfait.* Donc, bien que le *P. L. I.* autorise les formes du singulier de l'indicatif présent, FORFAIS ne serait pas admis au *Scrabble,* si l'on respecte le règlement officiel.
Quant à FORFAIT, cette forme est évidemment valable puisque le nom masculin existe.
Anagramme : OFFRAIS.

FOUTRE. Le verbe FOUTRE, transitif, est apparu dans le *P. L. I.* depuis l'édition 1978 ; il n'y a pas encore le nom masculin ! Ce mot, jugé trop vulgaire, ne figure ni dans l'*Académie,* ni dans *Littré.* Le *Larousse du XIXe siècle* le donne. *Grévisse* (§ 701, 23) donne les formes de conjugaison suivantes : *je fous, tu fous, il fout, nous foutons, vous foutez, ils foutent ; je foutais... ; je foutrai... ; je foutrais... ; que je foute... ; fous, foutons, foutez ; foutant ; foutu, foutue.* *Robert* précise qu'il est inusité aux passés simple et antérieur de l'indicatif et aux passé et plus-que-parfait du subjonctif. Notons cet emploi exceptionnel de l'imparfait du subjonctif : *elle dit qu'il faudrait qu'ils foutissent le camp* (Francis Jammes, « De l'angélus de l'aube à l'angélus du soir», *Un jour*).

FRASA, FRASE, FRASAI, FRASAS, FRASÂT, FRASÉE, FRASER, FRASES, FRASEZ, FRASAIS, FRASAIT, FRASANT, FRASÉES, FRASENT, FRASERA, FRASIEZ, FRASONS, FRASÂMES, FRASASSE, FRASÂTES, FRASERAI, FRASERAS, FRASEREZ, FRASIONS. Le verbe FRASER est synonyme de FRAISER, au sens de «rouler de la pâte sous la paume de la main pour la rendre lisse». Il figure en majuscules mais pas en caractères gras dans le *P. L. I.*, à l'entrée FRAISER, v. tr. Donc ces 24 formes de conjugaison ne sont pas admises au *Scrabble.*
Douze n'ont pas d'anagramme : FRASA, FRASAS, FRASÉE, FRASEZ, FRASANT, FRASENT, FRASERA, FRASONS, FRASÂMES, FRASASSE, FRASERAS, FRASEREZ.
L'autre moitié en a : FÉRAS (n. f. au pluriel ; ou FERAS, futur de *faire,* 2e personne), SAFRE ; FRAISA, SAFARI ; FARTAS, FATRAS ; FERRAS ; SAFRES ; FRAISAS, SAFARIS ; FARTAIS, FRAISÂT, TARIFAS ; FESSERA, REFASSE ; FRAISEZ ; FARTASSE ; FRAIERAS, FRAISERA, RARÉFIAS ; FRAISONS.

FRIRA, FRIRAI, FRIRAS, FRIREZ, FRIRAIS, FRIRAIT, FRIRIEZ, FRIRONS, FRIRONT, FRIRIONS, futur de l'indicatif et conditionnel présent de FRIRE, v. tr. défectif. Bien que ces formes soient indiquées dans le *P. L. I.* au tableau de conjugaison 79, elles ne sont pas admises au *Scrabble,* parce que données comme rares dans le *Bescherelle* (note 1, p. 134) et dans *Grévisse* (§ 701, 24). Le verbe FRIRE n'est usité qu'à l'infinitif ; au singulier de l'indicatif présent : *je fris, tu fris, il frit ;* au participe passé : *frit, frite,* et aux temps composés formés avec l'auxiliaire *avoir : j'ai frit... ; j'avais frit...* Aux temps et aux personnes où FRIRE est défectif, on lui substitue le verbe *faire frire,* du moins quand *frire* devrait être employé au sens transitif : *elles font frire du poisson.* Le verbe FRIRE peut en effet être employé au sens intransitif : *le beurre frit dans la poêle.*
Malheureusement, aucune de ces dix formes verbales n'a d'anagramme.

FUCALE n. f.
(Au plur.) *Ordre d'algues brunes qui a le* fucus *pour type.* Syn. PHÉOPHYCÉE(S).
Accepté uniquement au *Scrabble.*
Anagrammes : FACULE, FÉCULA.

FÜHRERS. On accepte au pluriel, au *Scrabble,* les noms de titre d'une personne, même si ce titre n'a été (ou n'est) porté que par un seul individu ; ainsi, FÜHRER, n. m. ; mais aussi BEY, n. m. ; DOM, n. m. ; DUCE, n. m. ; HĀDJDJ ou HĀDJDJĪ, n. m. ; MESSIRE, n. m. ; SIRDĀR, n. m. ; etc.

FURETÉE(S). Le verbe FURETER est intransitif dans le *P. L. I.* Dans le *Bescherelle,* il est aussi transitif. Effectivement, ce verbe peut s'employer transitivement : *fureter un terrier, une garenne...* c'est chasser au furet dans... ; et, en sylviculture, *fureter un bois,* c'est en couper les perches çà et là, en choisissant les plus grosses.
A noter que FURETER fait partie des exceptions des verbes en -ETER qui ne doublent pas le T devant un E muet : *il furète.*
Donc, ce participe passé féminin est valable au *Scrabble.* Au jeu *Des chiffres et des lettres,* il faudrait plutôt proposer les anagrammes FEUTRÉE(S) ou RÉFUTÉE(S).

G

GADE ou GADIDÉ n. m.
(Au plur.) *Famille de poissons comprenant des formes marines* (morue, églefin, merlan, colin) *et la* lot(t)e *de rivière.*
Acceptés uniquement au *Scrabble.*

GANOÏDE n. m.
(Au plur.) *Groupe de poissons à squelette cartilagineux et à queue hétérocerque, d'eau douce* (esturgeon, lépidostée).
Accepté uniquement au *Scrabble.*

GEMMAUX. C'est le seul pluriel correct de GEMMAIL, n. m., donné dans le *Grand Larousse encyclopédique* par cet exemple : *les gemmaux ont été imaginés en 1939 par le peintre français Jean Crotti (1878-1958) ;* on le trouve aussi dans le *Quid : on peut voir des gemmaux à la station de métro Franklin-Roosevelt, à Paris, et au musée du Gemmail, à Tours.*
Voir la règle du pluriel des mots en -AIL à ÉMAILS.

GHILDE. Ce nom féminin est présenté au pluriel dans le *P. L. I.*, avec un renvoi à GILDES, n. f. pl. A cette entrée, on définit dans le texte, GILDE, en tant que nom féminin singulier *association privée, d'intérêt culturel et commercial.*
Ce mot au singulier est donc valable au *Scrabble.* Il le serait également au jeu *Des chiffres et des lettres.* De même pour la troisième orthographe GUILDE.

GÎTÉE(S). Le verbe GÎTER est intransitif dans le *P. L. I.* Dans le *Bescherelle,* il est aussi transitif. Employé transitivement (vieux), il signifie « pourvoir d'un gîte, mettre dans un gîte, loger » *(Quillet-Flammarion ; Petit Robert).* Son emploi pronominal est également vieilli : *j'ignore où il a été se gîter* (Académie).
Ce participe passé est donc autorisé au féminin au *Scrabble,* mais pas au jeu *Des chiffres et des lettres.*

GLOSÉE(S). Le verbe GLOSER est intransitif dans le *P. L. I.* Dans le *Bescherelle,* il est aussi transitif. Dans le *Petit Robert,* il est donné transitif en première acception, au sens de « expliquer par une glose, un commentaire ».
De le gloser et commenter
De le définir et décrire
Diminuer ou augmenter
(François Villon, *Testament*).
Donc, ce participe passé féminin est accepté au *Scrabble.*
Pour *Des chiffres et des lettres,* proposez plutôt une des anagrammes suivantes : ÉLOGES, GÉLOSE, GEÔLES, LOGÉES ; GÉLOSES.

GRADÉE(S). GRADÉ est présenté dans le *P. L. I.* comme adjectif et nom, sans précision de genre. Il existe pourtant dans l'armée française des « femmes gradées » ! Et le féminin est justement donné dans le *Petit Robert.* A cause du silence du *P. L. I.*, on ne peut proposer le mot GRADÉE au

féminin, ni au *Scrabble,* ni au jeu *Des chiffres et des lettres.*
Anagrammes : DÉRAGÉ, DRAGÉE, GARDÉE ; DÉRAGES (tu), DRAGÉES, GARDÉES.

GRAINÉE(S). A l'entrée GRAINER du *P. L. I.,* ce verbe est cité intransitif, avec un renvoi à GRENER. En cherchant à *grener,* il est écrit : GRENER ou GRAINER : 1° v. intr. : produire de la graine ; 2° v. tr. : réduire en grains. Effectivement, on peut *grener (ou grainer) de la terre, du sucre, etc.* Donc, l'entrée GRAINER, v. intr. est insuffisante, il faudrait ajouter v. intr. et tr., avant de renvoyer à *grener.* Il est donc bien évident que le participe passé féminin de *grainer* doit être considéré comme bon et au *Scrabble* et au jeu *Des chiffres et des lettres.*
Anagrammes : ANERGIE, ÉGRENAI, GÊNERAI, NEIGERA ; ANERGIES, ÉGRENAIS, GÊNERAIS. Au jeu *Des chiffres et des lettres,* vous pouvez donc proposer sans crainte ANERGIE(S).

GRIMACÉE(S). Le verbe GRIMACER est intransitif dans le *P. L. I.* Dans le *Bescherelle,* il est donné uniquement transitif. En fait, s'il est le plus souvent intransitif, il peut être aussi transitif, au sens de « dire ou faire quelque chose en grimaçant, de mauvaise grâce » : *grimacer un sourire,* ou bien « contrefaire, feindre (en grimaçant) ».
On accepte donc ce participe passé au féminin au *Scrabble.* Il n'a malheureusement pas d'anagramme pour le jeu *Des chiffres et des lettres.*

GUÈRES, autre écriture de l'adverbe GUÈRE donnée dans le *P. L. I. ;* elle figure en majuscules mais pas en caractères gras. Elle n'est donc pas valable au *Scrabble,* mais serait acceptée au jeu *Des chiffres et des lettres.*

GUILDE n. f. Présenté au pluriel dans le *P. L. I.*
Voir GHILDE.

H

HACHISCH. L'orthographe de ce nom masculin est disparue du *P. L. I.* depuis l'édition 1975, où elle a été remplacée par HACHICH. Elle est cependant toujours valable au *Scrabble,* d'après le règlement actuel. Notons qu'on écrit aussi HASCHISCH ; et, par abréviation, HASCH (apparu dans le *P. L. I.* depuis l'édition 1977). Ces quatre mots peuvent prendre la marque du pluriel (S final).

HĀDJDJS. Ce surprenant pluriel de HĀDJDJ, n. m. (qui constitue un scrabble en « 7 lettres » nécessitant la présence d'un joker pour un J), est accepté par les scrabbleurs. De même, pour l'autre graphie HĀDJDJĪ, le pluriel HĀDJDJĪS est valable, même si ce qualificatif s'énonce en principe devant un nom propre *(Al-Hādjdj 'Umar* ou *Hādjdjī 'Umar).*
Le *Petit Robert* ne répète pas l'association des deux consonnes DJ (HADJ ou HADJI) et donne en tout cas le pluriel HADJIS. *Il portait une pelisse vert émir, comme en portent les descendants du Prophète ou les hadjis qui ont fait le pèlerinage de La Mecque* (Gautier).

HAINUYER(S), ÈRE(S) ou HANNUYER(S), ÈRE(S) adj. et n. Du Hainaut.
Ces deux graphies figurent dans le *P. L. I.* édition 1974. Elles ont disparu dans l'édition suivante, où elles ont été remplacées par HENNUYER(S), ÈRE(S). Donc, depuis 1975, on ne trouve plus dans le *P. L. I.* que cette dernière orthographe. Il n'empêche que les deux premières sont toujours valables au *Scrabble,* d'après le règlement actuel.

HEIDUQUE(S). Ce nom masculin est disparu du *P. L. I.* édition 1976. Il désigne un fantassin hongrois (vieux) ou un domestique français d'autrefois, vêtu à la hongroise.
Il est toujours valable au *Scrabble,* d'après le règlement actuel.

HIERS. HIER est adverbe, mais aussi nom masculin. Pour cette raison, les scrabbleurs l'acceptent au pluriel, « sur la pointe des pieds » ! En effet, son emploi au pluriel est extrêmement rare : *nos hiers n'ont travaillé qu'à nous abréger le chemin de la mort* (traduction de Shakespeare, in *Dictionnaire national* de Bescherelle, 14e édition, 1870).
De même, DEMAINS, familièrement, s'est dit au pluriel : *vous le trouverez un jour de ces demains* (Guillaume Cretin) ; *le peuple qui pourrait d'emblée s'émouvoir un de ces demains (la Passion à personnages)* [*Dictionnaire national* de Bescherelle, 14e édition, 1870].
Quant à MIDI et MINUIT, on se demande pourquoi la F. F. Sc. les autorise avec un S final, alors que le même *Dictionnaire national* de Bescherelle indique que ces deux mots ne s'emploient pas au pluriel.
Enfin, TARD, TANTÔT et TROP sont invariables, même lorsqu'ils sont noms masculins, car ils ne s'emploient que dans les expressions *sur le tard, le tantôt* (l'après-midi), *le trop*

(l'excès). Voir le chapitre des mots invariables, § 8, à EUTEXIES.

HOBBYS. Le vrai pluriel de HOBBY, n. m., mot anglais, est HOBBIES : il est donné tel quel dans le *Lexis*, le *Grand Larousse encyclopédique* et le *Robert* en 6 volumes (supplément). Le *P. L. I.*, lui, n'indique pas ce pluriel en -IES (alors qu'il le note pour LADY : LADIES). Donc, au *Scrabble*, seule la forme HOBBYS est admise, bien que le pluriel à la manière anglaise ne soit pas faux.
Au sujet du pluriel des mots anglais, Grévisse (*le Bon Usage*, § 295, 3) précise que ceux qui connaissent l'anglais (ou affectent de le savoir), marquent le pluriel à la manière anglaise, en changeant -Y en -IES (BABY : BABIES) ou -MAN en -MEN (ALDERMAN : ALDERMEN), mais remarque que ces noms peuvent aussi former leur pluriel à la française (DANDY : DANDYS ; BARMAN : BARMANS).

HOMINIEN n. m.
(Au plur.) *Sous-ordre des* primates, *comprenant l'homme et ses ancêtres quaternaires.*
Accepté uniquement au *Scrabble.*

HYDRAIRE n. m.
(Au plur.) *Ordre de cœlentérés, surtout marins, sauf* l'hydre d'eau douce. *Les* polypes, *souvent coloniaux, vivent fixés sur les rochers littoraux et les algues.*
Accepté uniquement au *Scrabble.*

HYPO, forme francisée de la préposition grecque HUPO *(au-dessous)*, entrant dans la formation de divers mots français, et qui, en chimie, indique un composé d'un degré inférieur aux composés désignés par le reste du mot.
Même si le *P. L. I.* ne qualifie pas nommément ce mot de « préfixe », il doit être considéré comme tel et n'est donc pas admis au *Scrabble* (pas plus que DÉCI, EX, IN, PRO...).

I

IBÉRIEN(S), IBÉRIENNE(S) figurent en majuscules mais pas en caractères gras dans le *P. L. I.*, à l'entrée IBÈRE et IBÉRIQUE adj. et n. Donc, ils ne sont pas valables au *Scrabble*, mais seraient acceptés au jeu *Des chiffres et des lettres*.
Seule la forme au pluriel a une anagramme : SIBÉRIEN.

INNOMMÉ(S), INNOMMÉE(S), autre écriture de INNOMÉ, E, adj., figurant bien en majuscules mais pas en caractères gras dans le *P. L. I.*
Valables au jeu *Des chiffres et des lettres*, mais refusés au *Scrabble*.

INSTAR fait partie de la locution prépositive *à l'instar de*, présentée ainsi dans le *P. L. I.* : INSTAR DE (À L').
INSTAR n'est donc pas un mot isolé, et ne saurait être accepté au *Scrabble* (c'est le même cas que ENCONTRE).
Il a quatre anagrammes : RIANTS, TARINS, TRAINS, TRANSI.

IOULA, IOULE, IOULAI, IOULAS, IOULÂT, IOULER, IOULES, IOULEZ, IOULAIS, IOULAIT, IOULANT, IOULENT, IOULERA, IOULIEZ, IOULONS, IOULÂMES, IOULASSE, IOULÂTES, IOULERAI, IOULERAS, IOULEREZ, IOULIONS. Le verbe IOULER est synonyme de JODLER ou IODLER, v. intr. *(chanter à la manière des Tyroliens)*. Il figure en majuscules mais pas en caractères gras dans le *P. L. I.*, à l'entrée JODLER. Donc, ces 22 formes de conjugaison ne sont pas admises au *Scrabble*.
Les anagrammes sont toutes des formes verbales, sauf TONLIEU, n. m. : *ioulent* ; LOUAI : *ioula* ; LOUAIS, SOÛLAI : *ioulas* ; LOUAIT : *ioulât* ; LOUIEZ : *ioulez* ; LOUERAI, RELOUAI : *ioulera* ; LOUIONS : *ioulons* ; ÉMOULAIS, 1re ou 2e personne de l'imparfait de l'indicatif de ÉMOUDRE, v. tr. : *ioulâmes* ; LOUERAIS, RELOUAIS, SOÛLERAI : *iouleras* ; LOUERIEZ ; *ioulerez*.

IRIDACÉE n. f.
(Au plur.) *Famille de plantes monocotylédones aux fleurs souvent décoratives, comme l'*iris, *le* glaïeul, *le* crocus, *le* safran.
Accepté uniquement au *Scrabble*.

ISOPODE n. m.
(Au plur.) *Ordre de crustacés à sept paires de pattes semblables, comme le* cloporte, *le* bopyre (ce dernier mot n'apparaît pas à son ordre alphabétique dans le *P. L. I.*).
Accepté uniquement au *Scrabble*.

J

JABOTÉE(S). Le verbe JABOTER est donné intransitif dans la plupart des dictionnaires *(Grand Larousse encyclopédique, Robert* en 6 volumes et *Petit Robert, Dictionnaire de la langue française Littré, Quillet-Flammarion ...).* Dans le *P. L. I.,* le *P. L. en couleurs* et le *Lexis,* il est donné intransitif et transitif. En fait, ce verbe, qui signifie « piailler », « chanter » en parlant des oiseaux et familièrement « bavarder ensemble », doit être considéré comme strictement intransitif : *Quand Gervaise rentra rue de la Goutte-d'Or, elle trouva chez les Boche un tas de commères qui jabotaient d'une voix allumée* (Émile Zola) ; son emploi transitif (au sens de « dire ») est exceptionnel : *J'ai ouï jaboter quelque chose d'un certain savant qui doit venir voir aujourd'hui Monsieur votre père* (Ghérardi) [cf. *Nouveau Dictionnaire national* de Bescherelle Aîné, 1887].
Au *Scrabble,* ce participe passé au féminin est refusé. Au jeu *Des chiffres et des lettres,* et dans l'état actuel des choses, tant que le *P. L. I.* ne se sera pas aligné sur le *Grand Larousse encyclopédique,* où JABOTER est seulement intransitif, il serait accepté.

JAILLIE(S). JAILLIR est apparu au milieu du XVIe s. ; *jalir,* tr., au sens de « lancer vivement », XIIe s. ; origine très incertaine ; probablement d'un radical gaulois *gali-,* « bouillir » ; du latin *galire (cf.* les *Robert).* Ce verbe est intransitif et se conjugue, normalement, avec l'auxiliaire *avoir.* En fait, plusieurs auteurs ont fait du participe passé un adjectif, qui peut donc varier en genre et en nombre : *L'air de la nuit circulait librement par les hautes et larges fenêtres et répandait une délicieuse fraîcheur en agitant une gerbe d'eau, jaillie d'un bassin de marbre au centre de la pièce* (Maurice Barrès, *Un jardin sur l'Oronte*) ; *Une pensée jaillie avec l'éclat de la lumière me dit intérieurement : « Voilà ta vigne ! »* (H. de Balzac, *le Curé de village*).
C'est pour cette raison qu'on accepte, au *Scrabble,* le participe passé au féminin. Il en est de même pour REJAILLIE(S). Au jeu *Des chiffres et des lettres,* JAILLIE(S) serait refusé.

JANVIERS n. m. Voir AOÛTS.
Pluriel refusé au *Scrabble.*

JERRYCAN(S). Dans le *P. L. I.,* édition 1973, ce nom masculin est orthographié : JERRICAN ou JERRYCAN. A partir de l'édition 1974, il est écrit JERRICAN ou JERRICANE (forme préconisée par l'Administration). Néanmoins, la graphie avec y est toujours valable, d'après le règlement actuel du *Scrabble.*

JONCACÉE n. f.
(Au plur.) *Famille de plantes monocotylédones, comprenant les* joncs, *la* luzule.
Accepté uniquement au *Scrabble.*

JOSEPHS. L'adjectif JOSEPH (qualificatif d'un papier mince et transparent, utilisé pour filtrer les liquides, en chimie ; du prénom de l'inventeur

Joseph Montgolfier) est donné invariable dans le *Petit Robert,* mais pas dans le *P. L. I.* ni d'ailleurs dans le *Quillet-Flammarion.* Il peut donc prendre la marque du pluriel chez les scrabbleurs.

JOUAUX. JOUAL, n. m., est apparu dans le *P. L. I.* 1976. C'est *un parler populaire à base de français, fortement contaminé par l'anglais et utilisé au Québec.* Faute d'en trouver le moindre exemple au pluriel, les scrabbleurs ont prétexté qu'il venait du mot *cheval* pour créer le pluriel JOUAUX. (D'après les Canadiens, JOUAL ne s'emploie pas au pluriel.) Le *Petit Robert* nouvelle édition le cite aussi comme adjectif, parfois invariable en genre : *la langue jouale* (J.-P. Desbiens) ; *la grammaire joual* (R. Ducharme), mais ne se prononce pas quant au pluriel.
On peut donc l'accepter au *Scrabble.*

JUILLETS n. m. Voir AOÛTS.
Pluriel refusé au *Scrabble.*

JUINS n. m. Voir AOÛTS.
Pluriel refusé au *Scrabble.*

JUMENTÉ n. m.
(Au plur.) *Ancien nom des mammifères de la famille des* équidés.
Accepté uniquement au *Scrabble.*

JUSQUES. La préposition JUSQUE s'écrit quelquefois avec un S final, surtout en poésie : *jusques à quand ?* Cette graphie, ne figurant pas en majuscules et en caractères gras dans le *P. L. I.*, n'est pas valable au *Scrabble.*

K

KASCHER(S) adj. Figure en majuscules mais pas en caractères gras dans le *P. L. I.* (comme CACHÈRE[S]), à l'entrée CAWCHER, ÈRE. Cette graphie n'est donc pas acceptée au *Scrabble.* Mais CASHER, repris dans le *P. L. I.* comme entrée, est valable. Au jeu *Des chiffres et des lettres,* les quatre écritures seraient admises.
Notons que le *Petit Robert* donne CASCHER, CAWCHER, KASCHER invariables en nombre et ne donne pas de féminin.

KVAS ou KWAS n. m. (mot russe), boisson faite avec de l'orge fermentée, en usage dans les pays slaves. Ce mot est disparu du *P. L. I.* depuis l'édition 1977, mais est toujours admis — à la grande joie des scrabbleurs qui cherchent à placer le W ! — d'après le règlement actuel.

L

LABIACÉE n. f.
(Au plur.) *Famille de plantes dicotylédones gamopétales à fleurs zygomorphes, comme le* lamier, *la* sauge, *la* menthe, *la* lavande, *le* thym, *le* romarin.
Accepté uniquement au *Scrabble.*

LAURACÉE n. f.
(Au plur.) *Famille de plantes dicotylédones dialypétales, comprenant des arbres et des arbustes des régions chaudes, comme le* laurier, *le* camphrier, *le* cannelier.
Accepté uniquement au *Scrabble.*

LÉCHERIE(S) n. f. Ce synonyme de « gourmandise » est disparu du *P. L. I.* depuis l'édition 1977, mais est toujours admis au *Scrabble,* d'après le règlement actuel.
Anagramme : ÉCHELIER(S).

LEMNACÉE n. f.
(Au plur.) *Famille de plantes monocotylédones ayant pour type la* lentille d'eau.
Accepté uniquement au *Scrabble.*

LÉMURIEN n. m.
(Au plur.) *Sous-ordre des mammifères primates, comprenant des formes arboricoles et frugivores de Madagascar, d'Afrique et de Malaisie, comme le* maki, *l'*aye-aye, *l'*indri.
Accepté uniquement au *Scrabble.*

LINACÉE n. f.
(Au plur.) *Famille de plantes dicotylédones qui a pour type le* lin.
Accepté uniquement au *Scrabble.*
Une seule anagramme, valable au jeu *Des chiffres et des lettres :* CÂLINÉE.

LOLLARD, nom masculin présenté uniquement au pluriel dans le *P. L. I.* Le règlement du *Scrabble* autorise l'emploi *au singulier* des noms collectifs désignant des membres d'une association humaine. LOLLARDS *(membres d'une association vouée aux soins des malades en Allemagne et aux Pays-Bas dès le XIVe s. ; en Angleterre, disciples de Wyclif)* fait partie de ceux-ci, de même que MARRANES, SERVITES (disparu du *P. L. I.* depuis l'édition 1977), YANKEES ... Cette règle ne s'applique qu'au *Scrabble ;* par conséquent, au jeu *Des chiffres et des lettres,* ces mots ne seraient pas admis au singulier (encore que YANKEE soit un cas particulier et pourrait être accepté ; voir ce mot).

LORRYS, LORRIES. Le vrai pluriel de LORRY, n. m., mot anglais, est LORRIES ; il est donné tel quel dans le *Lexis* et le *Grand Larousse encyclopédique.* Le *P. L. I.* n'indiquant pas ce pluriel à la manière anglaise, on n'accepte au *Scrabble* que le pluriel LORRYS. Et pourtant LORRIES n'est pas faux !
Voir aussi HOBBYS.

LOTTA(S) n. f. Volontaire féminine de l'armée finlandaise. Ce mot est disparu du *P. L. I.* depuis l'édition 1976, mais est toujours accepté d'après le règlement actuel du *Scrabble.*

Seul le singulier a une anagramme : TOTAL.

LOUBARD(S) n. m. Ce mot est synonyme de LOULOU, *jeune oisif des faubourgs, mauvais garçon, voyou* (homographe du LOULOU chien). Il est apparu dans le *P. L. I.* édition 1976, mais n'y figure pas en tant qu'entrée. Il n'est donc pas valable au *Scrabble ;* il serait admis au jeu *Des chiffres et des lettres.*
Anagramme : BALOURD ; BALOURDS.

LUÎMES, LUISIS, LUISIT, LUÎTES, LUIRENT, LUISÎMES, LUISÎTES, formes du passé simple de LUIRE, v. intr. Le *P. L. I.* conjugue LUIRE et RELUIRE (tableau 63) comme NUIRE : *je (re)luisis, tu (re)luisis, il (re)luisit, nous (re)luisîmes, vous (re)luisîtes, ils (re)luisirent.* Le *Bescherelle* indique (p. 139, note 1) que le passé simple *je luisis...* est supplanté par : *je luis, tu luis, il luit, nous luîmes, vous luîtes, ils luirent ;* de même pour RELUIRE.
Grévisse précise que certains grammairiens ne donnent pas le passé simple *je (re)luisis* ni l'imparfait du subjonctif *que je (re)luisisse,* mais, comme le dit *Littré,* rien n'empêche d'employer ces formes : *Jamais le jour ne luisit dans cet antre ; Je voudrais que de nouvelles clartés luisissent à nos yeux ; N'a-t-il pas dit* [*Jésus*] *qu'il la mettait* [*son Église*] *sur une montagne, afin qu'elle fût vue de tout le monde ? n'a-t-il pas dit qu'il la posait sur le chandelier, afin qu'elle luisît à tout l'univers* (exemples de Bossuet, in *Littré*). *Grévisse* ajoute qu'elles sont peu usitées et que, aujourd'hui, on tend à reprendre, pour le passé simple, les formes anciennes : *je (re)luis..., ils (re)luirent ;* dans *Courrier Sud* de Saint-Exupéry : *les lampes à arc, toutes à la fois, luirent ;* dans *Contes cruels,* 1883, de Villiers de L'Isle-Adam : *des fusils reluirent.* Le *Dictionnaire des verbes français Larousse* (tableau 83) donne également, pour le passé simple, les formes : *je luis,* etc. Quoi qu'il en soit, le règlement du *Scrabble* autorise l'emploi des deux formes du passé simple, pour LUIRE et RELUIRE.
Anagrammes : *luîmes :* SIMULÉ ; *luîtes :* TUILES, UTILES ; *luirent :* LUTINER, RUILENT ; *luisîmes :* SIMULIES ; *luisîtes :* UTILISÉS.
LUISIS et LUISIT n'ont pas d'anagramme.

M

MACROURE n. m.
(Au plur.) *Division des crustacés décapodes comprenant des espèces dont l'abdomen est bien développé* (écrevisse, homard, langouste).
Accepté uniquement au *Scrabble.*

MAÏSERIE(S) n. f. Usine où l'on traite le maïs. Ce mot est disparu du *P. L. I.* depuis l'édition 1977, mais est toujours admis d'après le règlement actuel du *Scrabble.*
Anagrammes : ÉMERISAI, ÉMIERAIS (verbes conjugués).

MALABRE(S). Se dit de certains chrétiens de la côte de Malabār. Cet adjectif est disparu du *P. L. I.* depuis l'édition 1975, mais est toujours admis au *Scrabble,* d'après le règlement actuel.
Anagrammes : AMBLERA, BLÂMERA ; AMBLERAS, BLÂMERAS (verbes conjugués).

MARIALS, MARIAUX. Le *P. L. I.* ne donne pas le pluriel de cet adjectif. Le *Petit Robert* ne donne que le pluriel MARIALS. Le *Lexis* ne donne que le pluriel MARIAUX. *Grévisse* précise que MARIAL, venu en usage vers la fin du XIXe s., fait parfois au pluriel masculin MARIAUX ; ce pluriel est donné par le *Larousse universel* et par *Robert.* Mais le pluriel MARIALS semble prévaloir nettement en France, dans les milieux ecclésiastiques : *formulaires, textes, vocables, poètes, sanctuaires... marials* (Grévisse, *le Bon Usage ;* § 358, remarque 2).
Au *Scrabble,* les deux formes du pluriel sont autorisées. Au jeu *Des chiffres et des lettres,* devant l'incertitude laissée également par le *P. L. en couleurs,* vous pourrez proposer sans problème les anagrammes : AMARILS (pour *marials*) et AMIRAUX (pour *mariaux*).
Remarquons que le *P. L. I.* reste étrangement discret sur le masculin pluriel d'adjectifs pourtant usités : ANNAUX (donné dans le *Petit Robert* comme terme de droit), DENTAUX (donné dans le *Petit Robert ; nerfs dentaux*), DUAUX (voir ce mot à DUALS, DUAUX), GRIPPAUX (donné dans le *Petit Robert ; états grippaux, virus grippaux*), TRIBALS ou TRIBAUX (*jeux tribals [aux];* voir ces mots), VIRAUX (donné dans le *Petit Robert ; des processus viraux*), etc. Quant à VIRGINAL, si le *P. L. I.* précise bien que l'adjectif fait VIRGINAUX au masculin pluriel, il ne dit rien pour le nom masculin *(instrument de musique ancien),* bien qu'on trouve ailleurs, pour celui-ci, le pluriel VIRGINALS (donc, les deux pluriels *virginaux* et *virginals* sont admis au *Scrabble*).
Rappelons que l'adjectif CAUSAL n'a pas de masculin pluriel (voir ce mot).
Voir aussi le pluriel des substantifs en -AL à FOIRALS, FOIRAUX, FOIRAILS.

MARRANE, nom masculin présenté uniquement au pluriel dans le *P. L. I.* *Juifs d'Espagne convertis par contrainte au catholicisme et demeurés fidèles en secret à leur religion.*
Le *singulier* est accepté au *Scrabble.*
Voir LOLLARD.

Anagramme : MARNERA (verbe conjugué).

MAXIMA. Dans le *P. L. I.*, à l'entrée MAXIMUM, n. m., le pluriel indiqué est MAXIMUMS. Au tableau du pluriel des noms (p. 696), on trouve les deux pluriels : *maximums* ou *maxima* (comme pour certains noms communs étrangers qui ont conservé le pluriel d'origine étrangère à côté du pluriel français ; toutefois, ce dernier tend à devenir le plus fréquent). Il est regrettable qu'au *Scrabble* on n'accepte pas le pluriel latin MAXIMA, employé surtout dans le langage scientifique il est vrai, mais qui figure bel et bien dans le dictionnaire de référence ! Grévisse précise dans *le Bon Usage* (§ 295, remarque 2 et note 5) qu'au pluriel, selon l'Académie, les mathématiciens disent des *maximums* ou des *maxima ;* des *minimums* ou des *minima.* L'Académie des sciences, après examen de la proposition du Comité consultatif du langage scientifique, recommande (comptes rendus du 25 février 1959) d'écrire au pluriel : des *maximums,* des *minimums,* des *optimums*...
Le mot MINIMA, en revanche, est valable au *Scrabble* puisqu'il fait partie de la locution adverbiale « a minima », présentée ainsi dans le *P. L. I. :* MINIMA (A).

MERDOIE. Cet adjectif invariable, qui désigne une couleur entre le vert et le jaune (caca d'oie), est disparu du *P. L. I.* depuis l'édition 1976. Il est cependant toujours accepté au *Scrabble,* d'après le règlement actuel.

MÉREAU(X) n. m. Jeton de présence qu'on distribuait aux membres d'un chapitre ; signe de reconnaissance des protestants assemblés au temps des persécutions. Ce substantif est disparu du *P. L. I.* depuis l'édition 1977, mais il est toujours accepté, d'après le règlement actuel du *Scrabble.*
Seul, le singulier a une anagramme : AMURÉE.

MÉTÉO(S) n. f. Abréviation de MÉTÉOROLOGIE, figurant en majuscules mais pas en caractères gras dans le *P. L. I.* Elle n'est donc pas valable au *Scrabble,* mais serait acceptée au jeu *Des chiffres et des lettres.*
Anagramme : TOMÉE ; TOMÉES.

MÉVEND, MÉVENDE, MÉVENDS, MÉVENDU, MÉVENDES, MÉVENDEZ, MÉVENDIS, MÉVENDIT, MÉVENDRA, MÉVENDRE, MÉVENDUE, MÉVENDUS.
MÉVENDRE, v. tr., signifie « vendre à perte » (vieux). Ce verbe est disparu du *P. L. I.* depuis l'édition 1977. Néanmoins ces 12 formes de conjugaison sont toujours valables, d'après le règlement actuel du *Scrabble.*
Seul, MÉVENDIS a deux anagrammes : DEVÎNMES, VENDÎMES.

MOCO(S) n. m. Dans l'argot de la marine, « originaire de Toulon et de la Provence ».
Ce mot est disparu du *P.L.I.* depuis l'édition 1977, mais il est toujours accepté au *Scrabble,* d'après le règlement actuel.

MOLS. L'adjectif MOL s'emploie devant un nom masculin *singulier* commençant par une voyelle ou un H muet, à la place de MOU (dans le style soutenu et surtout en poésie). En s'inspirant de l'exemple de Bossuet, qui a utilisé FOLS (voir ce mot), on pourrait imaginer le même pluriel MOLS. D'ailleurs, quelques auteurs l'ont utilisé même devant un mot commençant par une consonne : *de mols bouquets de graminées* (Maurice Bedel, *Tropiques noirs*). En fait le pluriel correct aujourd'hui est MOUS. Donc le pluriel MOLS n'est pas admis au *Scrabble.*
Pas d'anagramme.

MOLUSSON(S) n. m. Dérive de Montluçon et désigne une petite péniche des étroits canaux du Centre. Ce mot est disparu du *P. L. I.* depuis l'édition 1977, mais il est toujours admis au *Scrabble,* d'après le règlement actuel.

MORACÉE n. f.
(Au plur.) *Famille de plantes apétales des régions chaudes, qui comprend notamment le* figuier, *le* mûrier.
Accepté uniquement au *Scrabble.*
Anagramme : AMORCÉE.

MUDÉJARE(S). MUDÉJAR est donné comme adjectif et nom dans le *P. L. I.,* mais l'orthographe MUDÉJARE (avec un E final) n'y est pas indiquée. Le *Quillet-Flammarion* donne seulement MUDÉJARE et le *Petit Robert* les deux formes. Quoi qu'il en soit, l'écriture avec un E final, n'est pas admise au *Scrabble* ni, vraisemblablement, au jeu *Des chiffres et des lettres* (ce serait pourtant un fort joli mot de « 8 lettres » !).

MURETIN(S) n. m. Synonyme de MURET *(petit mur).* Ce mot est disparu du *P. L. I.* depuis l'édition 1977, mais il est toujours admis au *Scrabble,* d'après le règlement actuel.
Anagrammes : MINUTER, MUTINER ; TERMINUS.

MUSACÉE n. f.
(Au plur.) *Famille de plantes monocotylédones, à laquelle appartient le* bananier.
Accepté uniquement au *Scrabble.*

MUSCIDÉ n. m.
(Au plur.) *Famille d'insectes diptères, comprenant les* mouches *proprement dites.*
Accepté uniquement au *Scrabble.*

MUSCINÉE n. f.
(Au plur.) *Classe de végétaux appelés usuellement* mousses ; *embranchement des bryophytes.*
Accepté uniquement au *Scrabble.*

MUSIQUÉE(S). Le verbe MUSIQUER est intransitif dans le *P. L. I.* Dans le *Bescherelle,* il est donné transitif et intransitif. De fait, le *Grand Larousse encyclopédique* précise que ce verbe est intransitif au sens de « jouer de la musique » : *nous musiquons sans remords* (Colette) ; transitif au sens de « mettre en musique » : *il n'y a pas six vers de suite dans tous leurs charmants poèmes qu'on puisse musiquer* (Diderot, *le Neveu de Rameau*).
Donc, ce participe passé au féminin est valable au *Scrabble.* Il ne le serait pas au jeu *Des chiffres et des lettres.*

MYRTACÉE n. f.
(Au plur.) *Famille de plantes dicotylédones dialypétales des régions chaudes, comprenant le* myrte, *l'*eucalyptus.
Ce mot au singulier est accepté uniquement au *Scrabble.*
A noter que l'on trouve ce substantif employé au singulier dans le *P. L. I.* ou dans le *P. L. en couleurs,* quelques lignes plus bas, à l'entrée MYRTE, n. m. *(myrtacée à feuillage toujours vert...).* On retrouve là le même cas que DÉCAPODE (voir ce mot). Malheureusement, ce joli mot de « 8 lettres », sans anagramme, ne pourrait pas être annoncé au jeu *Des chiffres et des lettres !*

N

NAGUÈRES. Autre écriture de NAGUÈRE, adverbe, figurant en majuscules mais pas en caractères gras dans le *P. L. I.* Elle est donc refusée au *Scrabble,* mais acceptée au jeu *Des chiffres et des lettres.*
Anagramme : NARGUÉES.

NAZIE(S). NAZI est donné comme adjectif et nom dans le *P. L. I.,* mais le féminin n'y est pas indiqué. Selon *Grévisse,* certains auteurs ont répugné à dire NAZIE : *les troupes nazis franchirent le pont* (J. et J. Tharaud, *Quand Israël n'est plus roi*) ; *la propagande nazi* (A. Arnoux, *Poésie du hasard*). Pourtant le féminin NAZIE est courant : *la police nazie* (É. Henriot, *la Rose de Bratislava*) ; *les autorités nazies* (Fr. Ambrière, *les Grandes Vacances*). [Voir *le Bon Usage,* § 352, N. B. 6, p. 299.]
Quoi qu'il en soit, le féminin NAZIE n'est pas admis au *Scrabble,* parce que non écrit dans le dictionnaire de référence. Le serait-il au jeu *Des chiffres et des lettres ?*
Les deux formes (au singulier et au pluriel) n'ont pas d'anagramme.

NÉMATODE n. m.
(Au plur.) *Principale classe de l'embranchement des némathelminthes, comprenant des vers munis d'un tube digestif, dont beaucoup sont parasites :* ascaris, filaire, oxyure, trichine.
Ce mot au singulier est accepté uniquement au *Scrabble.*
A noter que l'on trouve ce substantif employé au singulier dans le *P. L. I.* ou dans le *P. L. en couleurs,* à l'entrée OXYURE, n. m. *(ver nématode parasite de l'intestin...).* Comme pour DÉCAPODE ou MYRTACÉE (voir ces mots), NÉMATODE est employé elliptiquement dans cette définition.

NIVÔSES n. m. Mois du calendrier républicain. Voir AOÛTS.
Pluriel refusé au *Scrabble.*

NOUVELS. L'adjectif NOUVEL s'emploie devant un nom masculin *singulier* commençant par une voyelle ou un H muet, à la place de NOUVEAU. En s'inspirant de l'exemple de Bossuet, qui a utilisé FOLS (voir ce mot), on pourrait imaginer le même pluriel NOUVELS. En fait, le pluriel correct aujourd'hui est NOUVEAUX. Donc, le pluriel NOUVELS n'est pas admis au *Scrabble.*
Pas d'anagramme.

NURSERYS. Le vrai pluriel de NURSERY, n. f., mot anglais, est NURSERIES : il est donné tel dans le *Lexis* et le *Petit Robert.* Le *P. L. I.* n'indiquant pas ce pluriel à la manière anglaise, on n'accepte au *Scrabble* que le pluriel à la française NURSERYS. Et pourtant, NURSERIES n'est pas faux !
Voir aussi HOBBYS.

O

OBÉIE(S). Le verbe OBÉIR, transitif indirect, est susceptible de la tournure passive. C'est une exception à la règle qui veut que les verbes transitifs indirects ne puissent s'employer à la forme passive. *Quand vous commanderez, vous serez obéi* (Racine, *Iphigénie*) ; *Votre Altesse sera obéie* Stendhal, *la Chartreuse de Parme,* tome II) ; *Des lois qui ne seront pas obéies (Larousse du XXe s.). Grévisse* (§ 611, 2, note 1) fait remarquer que ce verbe a pu autrefois être transitif direct ; *Haase* (p. 135) cite : *L'Infante lui dit que la plus grande beauté d'une femme étoit d'obéir son mari* (Malherbe, tome III, p. 125). De même DÉSOBÉIE(S) [voir ce mot]. Ce participe passé féminin est donc accepté à juste titre au *Scrabble.* Au vu de ces arguments, il ne pourrait pas ne pas l'être au jeu *Des chiffres et des lettres !*
Seule la forme pluriel a une anagramme : BOISÉE.

OBVERSE(S) n. f. Ce mot figure en majuscules mais pas en caractères gras dans le *P. L. I.* à l'entrée OBVERS, n. m., syn. de AVERS. Il n'est donc pas admis au *Scrabble,* mais il serait accepté au jeu *Des chiffres et des lettres.*
Anagrammes : OBSERVÉ ; OBSERVÉS.

OCTAVIÉE(S). Le verbe OCTAVIER est intransitif dans le *P. L. I.*
Dans le *Bescherelle,* il est aussi transitif.
Employé transitivement, il signifie jouer à l'octave supérieure : *octavier un passage (Petit Robert, Littré).* En fait, il s'utilise le plus souvent intransitivement : *le hautbois est sujet à octavier.*
Néanmoins, ce participe passé au féminin est valable au *Scrabble.* Il ne le serait pas au jeu *Des chiffres et des lettres.*

OCTOBRES n. m. Voir AOÛTS.
Pluriel refusé au *Scrabble.*

ODONATE n. m.
(Au plur.) *Ordre d'insectes comprenant les* libellules *(æschne), les* demoiselles *(agrion).*
Accepté uniquement au *Scrabble.*

ŒNOLINE(S) n. f. Figure en majuscules mais pas en caractères gras dans le *P. L. I.,* à l'entrée ŒNOLIQUE, adj. On dit aussi ŒNOCYANINE, n. f., mot qui ne figure pas non plus comme entrée (ce sont des acides œnoliques). Ce mot n'est donc pas admis au *Scrabble ;* il serait accepté au jeu *Des chiffres et des lettres.*

OFFRANTS. Parce que le *P. L. I.* ne définit pas le mot OFFRANT (n. et adj. m.) proprement dit, mais l'expression toute faite « au plus offrant », les scrabbleurs ont décidé de ne pas lui attribuer de pluriel. D'ailleurs le *Robert* en 6 volumes mentionne que OFFRANT n'est usité que dans l'expression « au plus offrant ».
Voir le chapitre des mots invariables, § 6, à EUTEXIES.
Anagramme : AFFRONTS.

OINS, OIGNE, OIGNES, OIGNEZ, OIGNIS, OIGNIT, OINDRA, OIGNAIS, OIGNAIT, OIGNANT, OIGNENT, OIGNIEZ, OINDRAI, OINDRAS, OINDREZ, OIGNÎMES, OIGNIONS, OIGNISSE, OIGNÎTES, OINDRAIS, OINDRAIT, OINDRIEZ, OINDRONS, OINDRONT, formes de conjugaison de OINDRE, v. tr. Dans le *P. L. I.*, ce verbe est conjugué à tous les modes, à tous les temps et à toutes les personnes (tableau de conjugaison 81). Dans la définition elle-même, un exemple est cité à l'imparfait de l'indicatif. Mais le *Bescherelle* indique qu'il est défectif et qu'il est sorti de l'usage, sauf à l'infinitif et au participe passé (note 4, p. 142). De même *Grévisse* (§ 701, 32). *Littré,* quant à lui, donne encore sa conjugaison complète.
Donc, ces 24 formes de conjugaison ne sont pas autorisées au *Scrabble.*
Seules sont admises les formes : *oindre :* DORIEN ; *oint* qui n'a pas d'anagramme ; *oints :* TISON ; *ointe :* TONIE ; *ointes :* ÉTIONS, SOIENT, TONIES.
Quant à OIGNONS, il s'agit évidemment du n. m. au pluriel et non pas de la 1re personne du pluriel du présent de l'indicatif ou de l'impératif.
Seulement 7 de ces 24 formes verbales ont une ou plusieurs anagrammes : *oins :* IONS, SOIN ; *oignes :* GÉNOIS, GNOSIE, SOIGNÉ ; *oindra :* ANORDI ; *oignais :* SOIGNAI ; *oindras :* ANORDIS*, RADIONS ; *oignisse :* SIÉGIONS ; *oindrais :* RADIIONS (1re personne du pluriel de l'imparfait de l'indicatif ou du présent du subjonctif).

OISELÉE, OISELÉS, OISELÉES.
Le verbe OISELER est intransitif dans le *P. L. I.* Le *Bescherelle* le cite comme transitif et intransitif. Effectivement, il est transitif dans le *Lexis,* le *Petit Robert* et le *Quillet-Flammarion,* au sens de « dresser un oiseau pour le vol, la chasse » : *oiseler un épervier.*
Donc, ce participe passé au féminin singulier, au masculin pluriel et au féminin pluriel est accepté au *Scrabble.*
Seule la forme au masculin pluriel a une anagramme, valable pour *Des chiffres et des lettres :* ISOLÉES.

OLÉFINE n. f.
(Au plur.) *Hydrocarbures éthyléniques de formule générale* C_nH_{2n}. Ce mot, bien qu'il ne soit présenté qu'au pluriel dans le *P. L. I.*, est accepté au singulier au *Scrabble,* car il désigne un nom collectif de corps chimique. Pourquoi ne pourrait-on pas dire : *le butène (ou butylène) de formule* C_4H_8 *est une oléfine ?*
Au jeu *Des chiffres et des lettres,* il faudrait proposer l'anagramme : FÉLONIE.

OPHIDIEN n. m.
(Au plur.) *Ordre des* serpents, *dont on connaît plus de 2000 espèces, venimeuses ou non.* (A ne pas confondre avec APHIDIEN(S), insectes du genre puceron.)
Accepté uniquement au *Scrabble.*

OPILION n. m.
(Au plur.) *Ordre d'arachnides appelés usuellement* faucheux *ou* faucheurs.
Accepté uniquement au *Scrabble.*

OPTIMA. Dans le *P. L. I.*, à l'entrée OPTIMUM, n. m., le pluriel indiqué est OPTIMUMS. Le *Lexis* et le *Petit Robert* donnent les deux pluriels *optimums* et *optima.* L'adjectif féminin est OPTIMUM OU OPTIMA OU OPTIMALE, précise le *Robert* en 6 volumes : *... la nation semble faire effort pour atteindre ou reprendre sa composition optima, celle qui est la plus favorable à ses échanges intérieurs et à sa vie pleine et complète* (Paul Valéry, *Regards sur le monde actuel*). Il est regrettable qu'au *Scrabble* on n'accepte pas la forme

OPTIMA, d'autant plus qu'elle n'a pas d'anagramme !
Voir aussi MAXIMA.

OREILLON. Ce nom masculin au singulier figure en majuscules mais pas en caractères gras dans le *P. L. I.*, à l'entrée ORILLON, n. m. Souvenez-vous-en au jeu *Des chiffres et des lettres,* et retenez qu'au *Scrabble* seul OREILLONS au pluriel (maladie ou pattes d'un casque, d'une casquette) est valable !

OUARINE(S) n. m. (d'après le *Grand Larousse encyclopédique*). Figure en majuscules mais pas en caractères gras dans le *P. L. I.*, à l'entrée HURLEUR, n. m. (singe d'Amérique du Sud, Brésil, également appelé ALOUATE OURSON par Buffon). Il n'est donc pas valable au *Scrabble,* mais serait accepté au jeu *Des chiffres et des lettres,* si du moins vous vous souvenez qu'il faut se reporter à HURLEUR !
Anagrammes : ENROUAI, NOUERAI, RENOUAI ; ENROUAIS, NOUERAIS, RENOUAIS (verbes conjugués).

OVNIS. OVNI est entré dans le *P. L. I.* en 1976. Ce nom masculin, apparu en 1972, vient du sigle signifiant *Objet Volant Non Identifié,* calque de l'américain UFO signifiant *Unknown Flying Object.* Certains auteurs scientifiques l'écrivent avec des points entre chaque lettre et en font un nom masculin invariable ; d'autres l'écrivent sans points et lui ajoutent un S au pluriel. Le *Petit Robert* nouvelle édition lui-même écrit : *l'ovniologie est l'étude des ovnis.* Donc, ce mot au pluriel est accepté au *Scrabble.* Ceux qui ne seraient pas très convaincus peuvent toujours proposer les anagrammes OVINS ou VISON !

P

PARFIS, PARFIT, PARFERA, PARFASSE, PARFERAI, PARFERAS, PARFEREZ, PARFÎMES, PARFISSE, PARFÎTES, formes de conjugaison de PARFAIRE, v. tr. Dans le *P. L. I.,* ce verbe se conjugue comme *faire* (tableau de conjugaison 72). Le *Bescherelle* indique qu'il n'est plus guère usité qu'au présent de l'indicatif, à l'infinitif et au participe passé : *l'homme perfectionne mais ne parfait jamais* (note 2, p. 143). Selon *Grévisse* (§ 701, 22 a), PARFAIRE se conjugue comme *faire* et à tous les temps et toutes les personnes, mais est peu employé en dehors de l'infinitif et des temps composés.
Ces 10 formes verbales ne sont donc pas acceptées au *Scrabble ;* seules sont admises les formes suivantes : *je parfais, tu parfais, il parfait, nous parfaisons, vous parfaites, ils parfont ; parfaire ; parfait(s), parfaite(s).*
Seuls PARFASSE, PARFERAS et PARFEREZ n'ont pas d'anagramme.
Les 7 autres formes en ont chacune une : *parfis :* FRIPAS ; *parfit :* FRIPÂT ; *parfera :* PARAFER ; *parferai :* PARFAIRE ; *parfîmes :* FRIPÂMES ; *parfisse :* FRIPASSE ; *parfîtes :* FRIPÂTES.

PARIDÉ n. m.
(Au plur.) *Famille d'oiseaux passereaux comprenant les* mésanges.
Accepté uniquement au *Scrabble.*
Pour le jeu *Des chiffres et des lettres,* vous avez le choix entre DIAPRÉ ou RAPIDE.

PARQUIER(S) n. m. Il figure en majuscules mais pas en caractères gras dans le *P. L. I.,* à l'entrée PARQUEUR, EUSE, n., et n'est donc pas admis au *Scrabble,* mais il serait accepté au jeu *Des chiffres et des lettres.*

PATELINA, 3e personne du singulier du passé simple de PATELINER, v. intr. et tr. (intransitif, « agir en patelin » ; transitif, « traiter d'une manière pateline »). Mais ce verbe est disparu du *P. L. I.* depuis l'édition 1977. Il est toujours valable au *Scrabble,* d'après le règlement actuel. À noter que l'adjectif PATELIN, PATELINE figure dans le *P. L. I.* et dans le *P. L. en couleurs.*
Anagrammes : LAPAIENT, PALATINE.

PÂTURÉE(S). Le verbe PÂTURER est intransitif dans le *P. L. I.* Dans le *Bescherelle,* il est aussi transitif. Si, effectivement, ce verbe s'emploie le plus souvent intransitivement, il est transitif dans le *Lexis,* dans le *Quillet-Flammarion* et dans le *Petit Robert,* au sens de « manger l'herbe de » : *moutons qui pâturent un pré ; pâturer la feuille naissante* (Bernardin de Saint-Pierre, *Harmonies de la nature*).
Ce participe passé au féminin est donc accepté à juste titre au *Scrabble,* mais il ne le serait pas au jeu *Des chiffres et des lettres.*
Anagrammes : ÉPATEUR ; ÉPATEURS, ÉPURÂTES.

PÉAGER(S), PÉAGÈRE(S). Ce nom est disparu du *P. L. I.* depuis l'édition 1975, où il a été remplacé par PÉAGISTE, n., *employé qui perçoit le péage*

sur une autoroute. Il est toujours accepté d'après le règlement actuel du *Scrabble.*
Anagrammes : ARPÈGE ; ARPÈGES, ASPERGE, PRÉSAGE ; ARPÉGÉE ; ARPÉGÉES, ASPERGÉE, PRÉSAGÉE (toutes acceptables au jeu *Des chiffres et des lettres*).

PÉCAÏRE ! Cette vieille interjection est disparue du *P. L. I.* depuis l'édition 1977. Elle est toujours valable au *Scrabble,* d'après le règlement actuel. Rappelons que, au jeu *Des chiffres et des lettres,* les interjections ne sont pas autorisées ; c'est dommage !
Anagrammes : ÉPICERA, RAPIÉCÉ, RECEPAI (ou RECÉPAI).

PÉTRÉES. Le *P. L. I.* donne l'entrée PÉTRÉ, E, adj. et définit uniquement l'*Arabie Pétrée.* En principe, d'après le règlement du *Scrabble,* cet adjectif, employé seulement dans l'expression toute faite « Arabie Pétrée » par le dictionnaire de référence, ne devrait pas pouvoir prendre la marque du pluriel. Mais il est fait exception à cette règle pour ce mot, car PÉTRÉ, E signifie — rarement, il est vrai — « couvert de pierre » ou qui « ressemble à la pierre » ; cette acception est donnée par le *Quillet-Flammarion* et les *Robert : des régions pétrées ; des montagnes nues, rocheuses et graves, des promontoires pétrés, des défilés taillés au ciseau et au maillet dans de sourcilleuses falaises calcaires* (Georges Duhamel, *Inventaire de l'abîme*). L'*apophyse pétrée* désigne parfois, en anatomie, le *rocher,* partie de l'os temporal qui contient l'oreille interne.
Donc PÉTRÉES est valable au *Scrabble,* de même que serait valable le masculin pluriel PÉTRÉS.
Anagrammes : PRÊTÉES, RÉPÉTÉS (PÉTRÉS, au masculin pluriel, a plusieurs anagrammes : PERTES, PESTER, PRESTE, PRÊTES ou PRÊTÉS).

PFENNIGS. Le *P. L. I.* n'indique que le pluriel allemand PFENNIGE de PFENNIG, n. m. (unité monétaire divisionnaire allemande). Le *Petit Robert,* lui, ne donne que le pluriel français : PFENNIGS.
Hélas, celui-ci ne peut pas être accepté au *Scrabble !*

PHTIRIUS n. m. Figure en majuscules mais pas en caractères gras dans le *P. L. I.,* à l'entrée MORPION, dont il est synonyme.
Il n'est donc pas accepté au *Scrabble,* mais le serait au jeu *Des chiffres et des lettres.*

PIAFFÉE(S). Le *P. L. I.* (comme le *Grand Larousse encyclopédique*) donne curieusement le verbe PIAFFER comme transitif. A peu près partout ailleurs, il est donné intransitif. Les scrabbleurs, en tout cas, le considèrent comme tel et n'acceptent pas le participe passé au féminin. Au jeu *Des chiffres et des lettres,* on ne pourrait pas le refuser, le *P. L. en couleurs* donnant également PIAFFER, v. tr.

PIBALE(S) n. f. Nom que l'on donne aux jeunes anguilles sur les côtes de l'Atlantique, spécialement en Charente-Maritime. Ce mot dialectal figure en majuscules mais pas en caractères gras dans le *P. L. I.,* à l'entrée CIVELLE, n. f., dont il est synonyme.
Il n'est donc pas accepté au *Scrabble ;* mais, au jeu *Des chiffres et des lettres,* il serait valable, si l'on précise qu'on le trouve à CIVELLE.
Anagrammes : BIPALE ; BIPALES.

PICARO(S) n. m. Intrigant, vaurien. Ce mot espagnol (apparu au XVIIIe s.) est disparu du *P. L. I.* depuis l'édition 1976. Il est toujours valable, d'après le règlement actuel du *Scrabble.*
Anagrammes : PICORA ; PICORAS (verbe conjugué).

PICVERT(S) n. m. Figure en majuscules mais pas en caractères gras dans le *P. L. I.*, à l'entrée PIVERT, dont il est une autre orthographe.
Il n'est donc pas valable au *Scrabble*, mais il serait accepté au jeu *Des chiffres et des lettres.*

PILAUS. PILAU, n. m., s'écrit aussi PILAF ou PILAW. Les scrabbleurs ont décidé d'attribuer aux trois formes le pluriel français, avec un S final.
PILAU, apparu en 1654, est un mot turc qui se rattache au persan *pilaou, pûlâd, pôlâd,* riz bouilli.
En ce qui concerne le pluriel des mots en -AU, rappelons ici la règle : ils forment leur pluriel en -AUX, sauf les substantifs LANDAU, PILAU, UNAU (pluriel en -AUS). Quant à SARRAU, il accepte les deux pluriels.

PINÈNE(S) n. m. Figure en majuscules mais pas en caractères gras dans le *P. L. I.*, à l'entrée TÉRÉBENTHÈNE, n. m. (carbure terpénique bicyclique de formule $C_{10}H_{16}$).
Il n'est donc pas valable au *Scrabble*, mais il serait accepté au jeu *Des chiffres et des lettres.*
Seul le pluriel a une anagramme : PENNIES.

POLACRE(S) n. f. Bateau de la Méditerranée, à voiles carrées. Ce mot est disparu du *P. L. I.* depuis l'édition 1976, mais il est toujours valable au *Scrabble*, d'après le règlement actuel.
Pas d'anagramme pour le jeu *Des chiffres et des lettres.*

POLAQUE(S) n. m. Cavalier polonais au service de la France, au XVIIIe s. Ce mot est disparu du *P. L. I.* depuis l'édition 1976, mais est toujours valable au *Scrabble*, d'après le règlement actuel.
Pas d'anagramme pour le jeu *Des chiffres et des lettres.*

POMOIE, POMOYA, POMOYÉ, POMOIES, POMOYAI, POMOYAS, POMOYÂT, POMOYÉE, POMOYER, POMOYÉS, POMOYEZ, POMOIENT, POMOIERA, POMOYAIS, POMOYAIT, POMOYANT, POMOYÉES, POMOYIEZ, POMOYONS, formes de conjugaison de POMOYER, v. tr. Ce verbe figure en majuscules mais pas en caractères gras dans le *P. L. I.*, à l'entrée PAUMOYER, v. tr. Il n'est donc pas valable au *Scrabble* et par conséquent ces 19 formes de conjugaison ne sauraient être acceptées. Au jeu *Des chiffres et des lettres*, seraient admises les formes POMOYÉ, POMOYÉE, POMOYER, POMOYÉS, POMOYANT, POMOYÉES.
Aucune anagramme.

PONANTS. PONANT, n. m., du latin vulgaire *sol ponens*, « soleil couchant », est, dans le *P. L. I.*, synonyme de OCCIDENT ou COUCHANT, n. m. Le *Robert* en 6 volumes cite aussi le *vent du ponant* ou elliptiquement le *ponant* (vieux), et remarque qu'il s'emploie encore parfois dans certains parlers régionaux ou dans la langue littéraire avec une valeur d'archaïsme. Pourquoi, ne serait-ce que dans l'acception « vent », ce mot ne pourrait-il pas prendre la marque du pluriel : des PONANTS ? On sait qu'au *Scrabble* on accepte les vents au pluriel : des AUTANS (en poésie, on trouve *les autans* [*Quillet-Flammarion*]), BORAS, BORÉES, FŒHNS (ou FÖHNS), MISTRALS, NOROÎTS (ou NOROIS), SIMOUNS, SIROCCOS, etc.
Quant aux synonymes de PONANT (OCCIDENT et COUCHANT), eux aussi peuvent se mettre au pluriel. Toutefois OUEST, point cardinal, doit être considéré comme invariable.

POPULÉUM(S) n. m. Onguent calmant, dans lequel il entre des bourgeons de peuplier. Ce mot est disparu du *P. L. I.* depuis l'édition 1977, mais est toujours valable au *Scrabble,* d'après le règlement actuel.

PRIMATE n. m.
(Au plur.) *Ordre de mammifères onguiculés à encéphale compliqué, comprenant les* lémuriens, *les* simiens *et les* hominiens.
Ce mot au singulier est accepté uniquement au *Scrabble.*
A noter qu'on le trouve au moins deux fois au singulier dans le *P. L. I.* ou dans le *P. L. en couleurs,* à l'entrée MAKI, n. m., *mammifère primate du sous-ordre des lémuriens...* et à l'entrée PITHÉCANTHROPE, n. m., *nom d'un primate fossile...* Comme pour DÉCAPODE, MYRTACÉE ou NÉMATODE (voir ces mots), PRIMATE est employé elliptiquement dans ces deux définitions.
Anagrammes : EMPIRÂT, IMPÉTRA, PÉRIMÂT, TREMPAI (toutes des verbes conjugués, donc non valables pour le jeu *Des chiffres et des lettres,* malheureusement !).

PROCORDÉ n. m.
(Au plur.) *Embranchement du règne animal, voisin des vertébrés inférieurs, comprenant l'*amphioxus, *les* ascidies.
On dit aussi PROTOCORDÉ(S).
Accepté uniquement au *Scrabble.*

PROMÛT. Dans le *P. L. I.,* PROMOUVOIR, v. tr., ne s'emploie qu'à l'infinitif, aux temps composés et au passif. Le *Bescherelle* note que ce verbe se conjugue comme MOUVOIR, mais que son participe passé PROMU ne prend pas l'accent circonflexe, et qu'il ne s'emploie guère qu'à l'infinitif, au participe passé PROMU, PROMUE, et aux temps composés ; on dit cependant : *cet évêque méritait que le pape le promût cardinal* (note 5, p. 146).
Selon *Grévisse* (§ 674-11 et § 701-38), PROMOUVOIR ne s'emploie guère qu'à l'infinitif, au participe passé présent PROMOUVANT, au participe passé et aux temps composés.
Donc la forme PROMÛT (3e personne du singulier de l'imparfait du subjonctif) doit être acceptée, puisque donnée dans le *Bescherelle.*

PROTIDE n. m. Ce mot est donné au pluriel dans le *P. L. I.* Pourtant son emploi au singulier en biologie ou en médecine est plus que fréquent !
D'ailleurs le *Lexis,* le *Petit Robert* et le *Quillet-Flammarion* le donnent comme entrée au singulier, fort justement.
Donc ce mot au singulier, *nom générique des substances organiques azotées* est accepté au *Scrabble.* Heureusement, il a plusieurs jolies anagrammes valables pour le jeu *Des chiffres et des lettres :* DIOPTRE, PÉRIDOT, TORPIDE, TRIPODE.
A noter qu'on trouve ce mot au singulier dans le *P. L. I.* ou dans le *P. L. en couleurs,* à l'entrée PROTÉIDE, n. m., *protide complexe...* Comme pour DÉCAPODE, MYRTACÉE, NÉMATODE ou PRIMATE (voir ces mots), PROTIDE est employé elliptiquement dans cette définition.

PROTISTE n. m.
(Au plur.) *L'un des règnes du monde vivant, d'après certaines classifications, renfermant tous les êtres unicellulaires, à affinités animales* (protozoaires) *ou végétales* (protophytes).
Accepté uniquement au *Scrabble.*
Anagramme : TRIPOTÉS.

PUA, PUAI, PUAS, PUÂT, PUÉE, PUÉES, PUÂMES, PUASSE, PUÂTES, PUASSES, PUÈRENT, PUASSENT, PUASSIEZ. Ces formes du passé simple et du subjonctif imparfait et les formes des temps composés *j'ai pué,* etc., sont données comme peu employées par le *Bescherelle* (note 1, p. 147). Selon l'*Académie,* PUER n'est usité qu'au présent, à l'imparfait, au futur de l'indicatif, au conditionnel présent, au subjonctif présent, à l'infinitif et au participe présent. Selon *Littré,* on ne voit pas

pourquoi on ne se servirait pas du prétérit défini *je puai,* de l'imparfait du subjonctif *que je puasse,* et des temps composés. (Voir Grévisse, *le Bon Usage,* § 701-39.)
Notons enfin que PUER est intransitif et transitif, *puer la vinasse.* Il serait souhaitable que la F. F. Sc. définisse précisément pour ce verbe quelles sont les formes de conjugaison acceptées et quelles sont celles refusées au *Scrabble.*
D'après le règlement actuel, ces 13 formes verbales ne sont pas valables, de même que le participe passé au féminin singulier et pluriel. Seules les formes suivantes ont des anagrammes : *puas :* UPAS ; *puâmes :* PAUMES, PSAUME ; *puasse :* PAUSES ; *puâtes :* TAUPES ; *puèrent :* ÉPURENT, PENTURE.

PUDDLEUR(S) n. et adj. m. Ouvrier employé au puddlage. Ce mot est disparu du *P. L. I.* depuis l'édition 1975, mais est toujours valable au *Scrabble,* d'après le règlement actuel.

PULMONÉ n. m.
(Au plur.) *Sous-classe de mollusques gastéropodes respirant par un poumon, comme l'*escargot, *la* limace, *la* limnée.
Accepté uniquement au *Scrabble.*

PUNCHES. PUNCH, n. m., a deux sens : 1° boisson à base de rhum, de sirop de canne et de citron vert, 1673 ; *bolle-ponche,* 1653 ; mot anglais emprunté à l'hindī *panch* « cinq », à cause des cinq ingrédients de la boisson ; 2° qualité du boxeur dont les coups sont décisifs, ou réserve de vigueur d'un coureur, 1925 ; mot anglais « coup ». A l'instar des mots anglais terminés par -CH (tels LUNCH, MATCH, SANDWICH ...), pour lesquels le *P. L. I.* donne les deux pluriels (LUNCHES ou LUNCHS, MATCHES ou MATCHS, SANDWICHES ou SANDWICHS), on pourrait envisager pour PUNCH, les deux pluriels PUNCHES (à l'anglaise) ou PUNCHS (à la française). Le *P. L. I.* ne les mentionnant pas, seul le pluriel à la manière française est valable pour les scrabbleurs ; c'est d'autant plus dommage que PUNCHES n'a pas d'anagramme !

PUTSCHS. PUTSCH, n. m., mot allemand, n'est pas donné invariable dans le *P. L. I.,* alors que le *Robert* en 6 volumes donne au pluriel (rare) des PUTSCH. Dans le *Lexis* on note l'exemple suivant : *la république à ses débuts fut secouée par une série de putschs.*
PUTSCHS est donc admis au *Scrabble.*

Q

QUANT. Ce mot fait partie de la locution prépositive QUANT À présentée en deux mots séparés dans le *P. L. I.* N'étant pas présenté comme un mot isolé, il ne saurait être accepté au *Scrabble* ainsi qu'au jeu *Des chiffres et des lettres* (c'est le même cas que ENCONTRE ou INSTAR).
A noter que QUANTA est valable (pluriel de QUANTUM, n. m.).

R

RAGUÉE(S). Le verbe RAGUER est intransitif dans le *P. L. I.* Il est aussi transitif dans le *Bescherelle,* dans le *Petit Robert* et dans le *Quillet-Flammarion,* et donné aussi pronominal : *en marine, un câble, un cordage, une voile se rague.*
Ce participe passé au féminin est donc accepté au *Scrabble.* Pour le jeu *Des chiffres et des lettres,* proposez les anagrammes : ARGUÉE ; ARGUÉES, GERSEAU, RAGEUSE.

RALLIDÉ n. m.
(Au plur.) *Famille d'échassiers ayant pour types les* râles *et les* poules d'eau.
Accepté uniquement au *Scrabble.*
Anagramme : DRAILLE, valable pour le jeu *Des chiffres et des lettres.*

RANIDÉ n. m.
(Au plur.) *Famille de batraciens anoures, comprenant les* grenouilles.
Accepté uniquement au *Scrabble.*
Anagrammes : DÎNERA, DRAINÉ.

RASSIRA, RASSIRAI, RASSIRAS, RASSIREZ, formes du futur de l'indicatif de RASSIR, v. intr. Le *Bescherelle* indique (note 2, p. 148) que RASSIR, qui a supplanté RASSEOIR dans cette acception, ne s'emploie qu'à l'infinitif : *laisser du pain rassir,* et au participe passé : *du pain rassis, une miche rassise.* Le *P. L. I.* et le *Petit Robert* ne mentionnent pas que ce verbe est défectif. Néanmoins, ces 4 formes verbales ne sont pas acceptées au *Scrabble.*
Deux anagrammes valables : *rassira :* ARRISAS ; *rassirai :* ARRISAIS.
RASSIRAS et RASSIREZ n'ont pas d'anagramme.
Pour la conjugaison de RASSEOIR, v. tr. et pron., voir ASSEYERA.

RATITE n. m.
(Au plur.) *Sous-ordre d'oiseaux coureurs à ailes réduites et à sternum sans bréchet* (autruche, nandou, émeu, aptéryx).
Bon uniquement au *Scrabble.* Anagrammes : ATTIRÉ, ÉTIRÂT, TRAITE (ou TRAITÉ).

RAY(S) n. m. Culture sur brûlis en Indochine. Ce mot annamite est disparu du *P. L. I.* depuis l'édition 1974, mais est toujours valable au *Scrabble,* d'après le règlement actuel.

RÉÉCRIS, RÉÉCRIT, RÉÉCRIRA, RÉÉCRIRE, RÉÉCRITE, RÉÉCRITS, RÉÉCRIVE, formes de conjugaison de RÉÉCRIRE, v. tr. Ce verbe figure en majuscules mais pas en caractères gras dans le *P. L. I.,* à l'entrée RÉCRIRE, v. tr. et v. intr. ou tr. ind. [à], dont il est une autre graphie moins employée.
Ces 7 formes verbales ne sont donc pas valables au *Scrabble.* Seuls l'infinitif et la forme du subjonctif présent RÉÉCRIVE n'ont pas d'anagramme.
Réécris : RÉCRIÉS ; *réécrit :* CRITÈRE, RÉCITER, RÉCRITE, RÉTRÉCI, TIERCER ; *réécrira :* CARRIÈRE, RÉCRIERA (futur de [SE] RÉCRIER) ; *réécrite :* RÉTRÉCIE ; *réécrits :* CRITÈRES, RÉCRITES, RÉTRÉCIS.

RELUÎMES, RELUISIS, RELUISIT, RELUÎTES, formes du passé simple de RELUIRE, v. intr. Ce verbe se conjugue sur NUIRE, mais le *Bescherelle* fait remarquer que le passé simple *je reluisis*... est supplanté par *je reluis*..., *ils reluirent* (note 1, p. 150). Comparons ces deux citations : *des fusils reluirent* (Villiers de L'Isle-Adam, *Contes cruels*) [in *le Bon Usage* de Grévisse, § 678-2] et *la robe d'or, perdue un instant dans les ténèbres de ce trou noir... reluisit au loin* (Barbey d'Aurevilly, *les Diaboliques* [in *Robert* en 6 volumes].
Quoi qu'il en soit, et comme pour LUIRE, les deux formes du passé simple sont acceptées au *Scrabble*, donc ces quatre formes verbales sont bonnes.
Voir LUIRE au passé simple.
Anagrammes : *reluîmes :* LUMIÈRES, MEULIERS ; *reluisit :* TUILIERS, UTILISER.
RELUISIS et RELUÎTES n'ont pas d'anagramme.

RENONCÉE(S). Le *P. L. I.* donne seulement le verbe RENONCER transitif indirect ou intransitif. Le *Bescherelle* le donne aussi transitif, de même que le *Littré*, le *Quillet-Flammarion* et le *Petit Robert*. Effectivement, ce verbe est transitif direct sous plusieurs sens : 1° (vieilli) cesser, refuser de reconnaître, renier : *Je l'abandonne... Je la déteste... Et la renonce pour ma fille* (Molière, *l'Amour médecin*) ; 2° (littéraire) abandonner (matériellement [vieux] ou moralement) : *... ces lépreux qui, renoncés de leurs proches, languissaient aux carrefours des cités, en horreur à tous les hommes* (Chateaubriand, *Génie du christianisme*). *Tout ce que j'ai renoncé pour mon compte, je le réclame à présent pour ces petits hommes* (Georges Duhamel, *les Plaisirs et les jeux*) ; 3° (en Belgique) résilier (un bail) ; donner congé (à un locataire).
Donc ce participe passé au féminin est accepté au *Scrabble ;* pour le jeu *Des chiffres et des lettres*, il faudrait proposer les anagrammes : CORÉENNE ou ENCORNÉE.

REPARUE(S). Dans le *P. L. I.*, REPARAÎTRE, v. intr., signifie « paraître de nouveau ». Or, à PARAÎTRE, il distingue *ce livre a paru l'an dernier* de *ce livre est paru depuis longtemps*. Le *Bescherelle* (note 1, p. 143) précise que PARAÎTRE prend généralement l'auxiliaire *avoir : un cavalier a paru au loin dans la plaine ; le film m'a paru intéressant*. Cependant, s'agissant de livres ou de publications, si, pour marquer l'action, PARAÎTRE utilise normalement *avoir : la troisième édition a paru l'an dernier*, on peut légitimement dire, pour insister sur le résultat de cette action : *la troisième édition est déjà parue depuis un an ;* en ce cas le participe passé s'accorde avec le sujet.
Le *Dictionnaire du français contemporain Larousse* indique que PARAÎTRE, au sens de « être publié », prend l'auxiliaire *avoir* ou plus souvent l'auxiliaire *être*. Et il prend l'auxiliaire *être* pour marquer l'état. Pour *Grévisse* (§ 658, note 3), c'est l'usage qui, sans distinguer l'état d'avec l'action, semble faire prévaloir l'auxiliaire *être : c'est encore le thème d'un romancier dont le premier livre est paru l'an dernier* (Maurice Druon, les *Annales*, nov. 1951) ; *quand sera paru le second tome* (Robert Kemp, *les Nouvelles littéraires*, 18 déc. 1958).
Pourquoi, pour REPARAÎTRE (qui signifie « paraître de nouveau »), ne pourrait-on pas imaginer les mêmes constructions, donc dire : *ces revues (ou ces publications) sont reparues depuis un an*, à côté de : *ces revues ont reparu l'an dernier ?* En fait, rien ne s'y oppose.
C'est pour cette raison qu'au *Scrabble* on accepte le participe passé de REPARAÎTRE au féminin. Pour le jeu

Des chiffres et des lettres et en donnant ces arguments, osons espérer qu'il serait également accepté ! d'autant plus que l'anagramme ÉPURERAS de la forme du féminin pluriel REPARUE n'est pas valable pour ce jeu. Quant au féminin singulier REPARUE, il a deux anagrammes : APEURER, ÉPURERA.

REPEND, REPENDE, REPENDS, REPENDU, REPENDES, REPENDEZ, REPENDIS, REPENDIT, REPENDRA, REPENDRE, REPENDUE, REPENDUS, formes de conjugaison de REPENDRE, v. tr., qui signifie « pendre de nouveau » (à ne pas confondre avec RÉPANDRE, v. tr.). Ce verbe est disparu du *P. L. I.* depuis l'édition 1974, mais est toujours valable, d'après le règlement actuel du *Scrabble.*
Parmi ces 12 formes verbales, la moitié n'a pas d'anagramme. Pour l'autre, ce sont : *repend :* ÉPREND, PENDRE ; *repends :* ÉPRENDS ; *rependes :* DÉPENSER ; *rependez :* DÉPRENEZ (de [SE] DÉPRENDRE ; *rependra :* ÉPRENDRA, RÉPANDRE ; *rependre :* ÉPRENDRE.

RÉSOUTE(S). Pour RÉSOUDRE, v. tr. et pron., le *Bescherelle* (note 4, p. 152) indique qu'à la différence d'ABSOUDRE ce verbe possède un passé simple : *je résolus ...,* et un subjonctif imparfait : *que je résolusse*... Le participe passé est RÉSOLU : *j'ai résolu ce problème.* Mais il existe un participe passé RÉSOUS (féminin : RÉSOUTE, très rare) qui n'est usité qu'en parlant des choses qui changent d'état : *brouillard résous en pluie.* Le *P. L. I.* lui-même donne le sens de « se changer en », dans l'exemple : *les nuages se résolvent en pluie.* On pourrait imaginer la même tournure aux temps composés avec un sujet féminin : *vapeur d'eau résoute en pluie* ou *nuées résoutes en pluie.*
On doit donc accepter, au *Scrabble,* le participe passé, RÉSOUS, RÉSOUTE, même si le féminin est « très rare », selon le *Bescherelle,* même si la langue moderne tend à remplacer ce participe passé par la forme RÉSOLU, RÉSOLUE, selon *Robert,* puisque le sens de « se transformer en », « se changer en » est donné dans le *P. L. I.* et que dans ce cas le participe passé est RÉSOUS, RÉSOUTE.
Anagrammes valables sans conteste : OUTRÉES, ROUTÉES, TROUÉES ; TROUSSÉE.

RÉSULTAI, RÉSULTAS, RÉSULTÉE, RÉSULTÉS, RÉSULTEZ.
Dans le *P. L. I.,* le verbe RÉSULTER est transitif indirect. Dans le *Bescherelle,* il est intransitif et impersonnel.
D'après *Grévisse* (§ 701-46), il ne se dit qu'à l'infinitif et à la 3e personne (singulier et pluriel) des autres temps. Donc les formes RÉSULTAI, RÉSULTAS, RÉSULTEZ ne sont pas admises au *Scrabble* — le règlement le précise.
Quant au participe passé, *Grévisse* (§ 658) et le *Bescherelle* (p. 153) indiquent qu'il peut s'employer avec l'auxiliaire *être : les réflexions qui en étaient résultées* [d'un entretien] (André Gide, *les Faux-Monnayeurs*). Donc, RÉSULTÉE(S) et RÉSULTÉS sont valables au *Scrabble.*
Anagrammes : *résultai :* LUTERAIS, RUILÂTES, TAULIERS ; *résultée :* RÉÉLÛTES (2e personne du pluriel du passé simple de RÉÉLIRE) ; *résultés :* LUSTRÉES.
RÉSULTAS et RÉSULTEZ n'ont pas d'anagramme.

RESURGIE(S). Bien que le *P. L. I.* et le *Bescherelle* (et les autres dictionnaires courants) donnent RESURGIR comme verbe intransitif, on accepte au *Scrabble* son participe passé au féminin, parce que ce verbe signifie « surgir de nouveau » et que, pour SURGIR, on estime que le participe

passé est variable. Voir SURGIE(S).
A ne pas proposer au jeu *Des chiffres et des lettres !* Annoncez plutôt l'anagramme : GRUERIES. Au féminin pluriel (9 lettres) : RÉGISSEUR.

REVÉCUE(S). Le verbe REVIVRE est seulement intransitif dans le *P. L. I.*, dans le *Bescherelle* et dans le *Quillet-Flammarion.* Il est cité transitif dans le *Dictionnaire du français contemporain Larousse,* dans le *Lexis,* dans le *Littré,* etc.
Robert indique que le sens transitif est apparu au début du XIXe s. :
1° *Revivre sa vie,* « recommencer de nouveau sa vie » (Littré), vivre (quelque chose) de nouveau : *je ne veux pas revivre ce que j'ai vécu ; l'homme est donc une sorte d'éphémère qui ne revit jamais ce jour unique, qui est toute sa vie* (Paul Valéry, *Mon Faust*). — *Revivre une émotion, une impression,* la ressentir de nouveau : *il est doux de revivre avec une femme les affres du premier homme, et de craindre sa résorption subite, sa cassure en deux, une félure soudaine de son front à son orteil* (Jean Giraudoux, *Bella*).
2° *Revivre son passé,* vivre par l'esprit (ce qu'on a déjà vécu) : *ce film nous fait revivre les événements de la guerre ; je sais l'art d'évoquer les minutes heureuses, | Et revis mon passé blotti dans tes genoux* (Baudelaire, *les Fleurs du mal,* Spleen et Idéal).
Au vu de ces nombreuses citations, il est légitime d'accepter, au *Scrabble,* le participe passé de REVIVRE au féminin.
Pour le jeu *Des chiffres et des lettres,* vous ne pourriez annoncer ni « 7 lettres » ni « 8 lettres », car REVÉCUE et REVÉCUES n'ont pas d'anagramme, malheureusement !

RIVEUSE(S) n. f. Ce synonyme de RIVETEUSE figure en majuscules mais pas en caractères gras dans le *P. L. I.* Il n'est donc pas valable au *Scrabble,* mais serait accepté au jeu *Des chiffres et des lettres.*
Anagramme : VIREUSE ; VIREUSES.

ROBEUSE(S) n. f. Ouvrière qui applique aux cigares la dernière enveloppe, ou *robe.* Ce mot est disparu du *P. L. I.* depuis l'édition 1976, mais est toujours valable au *Scrabble,* d'après le règlement actuel.
Anagramme : ÉBROUÉS. La forme au pluriel n'a pas d'anagramme.

ROCOCOS. Le *P. L. I.* indique que l'adjectif ROCOCO est invariable, mais ne qualifie pas le nom masculin comme tel. En dehors du *style rocaille alourdi,* ce mot désigne aussi tout *genre ou objet vieux et passé de mode.* Dans ce cas, le pluriel n'a rien qui doive choquer !
Ce joli scrabble de « 7 lettres » est donc tout à fait acceptable au pluriel.

ROTIFÈRE n. m.
(Au plur.) *Classe de* vermidiens *microscopiques des eaux douces, portant deux couronnes de cils vibratiles autour de la bouche.*
Accepté uniquement au *Scrabble.*
Anagramme : TORRÉFIÉ.

RUBIACÉE n. f.
(Au plur.) *Famille de plantes dicotylédones gamopétales, comprenant le* gaillet, *le* caféier, *le* quinquina, *la* garance, *le* gardénia.
Accepté uniquement au *Scrabble.*

RUTACÉE n. f.
(Au plur.) *Famille de plantes dicotylédones dialypétales, dont le type est la* rue, *et qui renferme le* citronnier, *l'*oranger, *le* pamplemoussier.
Accepté uniquement au *Scrabble.*
Anagramme : CAUTÈRE, seule acceptable au jeu *Des chiffres et des lettres.*

S

SACRET(S) n. m. Sacre *(faucon)* mâle ; tiercelet. Ce mot est disparu du *P. L. I.* depuis l'édition 1977, mais est toujours valable, d'après le règlement actuel du *Scrabble.*
Nombreuses anagrammes : CARETS, CARTES, CASTRÉ, CÉRATS, ÉCARTS, TERÇAS (verbe conjugué), TRACES (ou TRACÉS) ; CASTRÉS.

SAINBOIS n. m. Figure en majuscules mais pas en caractères gras dans le *P. L. I.,* à l'entrée GAROU, n. m. (espèce de *daphné*). Il n'est donc pas valable au *Scrabble,* mais serait accepté au jeu *Des chiffres et des lettres,* si vous vous souvenez de son entrée.
Anagrammes : BAISIONS, BIAISONS (verbes conjugués).

SALADERO(S) n. m. Cuir salé de bœuf, venant de l'Amérique du Sud. Ce mot espagnol est disparu du *P. L. I.* depuis l'édition 1976, mais est toujours valable au *Scrabble,* d'après le règlement actuel.

SALICOR(S) n. m. SALICOR se dit dans le midi de la France pour SALICORNE, n. f. Il figure en majuscules mais pas en caractères gras dans le *P. L. I.* Il n'est donc pas accepté au *Scrabble,* mais le serait au jeu *Des chiffres et des lettres.*
Seule la forme au singulier a une anagramme : CLORAIS (1re ou 2e personne du singulier du conditionnel présent de CLORE).

SAMPIS. SAMPI, n. m. (figurant à la fois un *san* [nom dorien du σ] et un *pi* [π]), est défini dans le *P. L. I.* comme *caractère grec conservé seulement comme lettre numérale valant 900.*
On se demande pourquoi les responsables du règlement du *Scrabble* autorisent ce mot au pluriel alors qu'ils refusent, à juste titre, les lettres d'un alphabet quelconque au pluriel (voir chapitre des mots invariables au *Scrabble,* § 4, à EUTEXIES).
Anagramme : PASSIM (mot latin signifiant *çà et là,* adverbe).

SANTALS, SANTAUX. SANTAL, n. m., vient de l'arabe *sandal.*
Le *P. L. I.* n'indique pas le pluriel de ce mot.
En fait les scrabbleurs admettent les deux formes du pluriel.
Grévisse indique (§ 278) que SANTAL fait SANTALS mais que les pharmaciens disent SANTAUX (§ 278, remarque 1) : *poudre des trois santaux* (blanc, citrin et rouge).
Anagrammes : LASSANT, SALANTS.
Le pluriel SANTAUX n'a pas d'anagramme.
Voir le pluriel des noms en -AL à FOIRALS, FOIRAUX.

SCIURIDÉ n. m.
(Au plur.) *Famille de mammifères rongeurs, comprenant les* écureuils.
Accepté uniquement au *Scrabble.*
Anagramme, valable au jeu *Des chiffres et des lettres :* SUICIDER.
(Rappelons que dans ces deux jeux, les verbes exclusivement pronominaux sont admis, sans leur pronom SE ou S'.)

SCONS ou SKONS ou SKUNS n. m. Ces trois mots figurent en majuscules mais pas en caractères gras dans le *P. L. I.*, à l'entrée SCONSE, n. m. [mot anglais emprunté à l'*algonquin,* nom d'une tribu indienne (de l'Amérique du Nord)]. Une cinquième graphie SKUNKS figure aussi comme entrée dans le *P. L. I.*
Donc, au *Scrabble,* ces trois mots de « 5 lettres » ne sont pas valables. Seuls sont acceptés les deux mots de « 6 lettres » SCONSE ou SKUNKS. Au jeu *Des chiffres et des lettres,* les cinq écritures seraient acceptables.
Aucune anagramme.

SCRABBLE(S). Le mot roi de ce glossaire ! Il vient de l'anglais TO SCRABBLE, qui signifie « griffonner, gribouiller » : *to scrabble about,* gratter çà et là, jouer des pieds et des mains ; *to scrabble for something,* jouer des pieds et des mains pour attraper quelque chose ; chercher à quatre pattes pour retrouver quelque chose (*Harrap's New Standard,* 1972).
Pour les scrabbleurs, on doit le considérer comme un nom masculin variable. Bien que ne figurant pas encore au *P. L. I.* — souhaitons qu'il y fasse son entrée très rapidement ! —, SCRABBLE (mot déposé) est admis à ce jeu, en hommage à l'inventeur. Il mériterait pour lui-même, selon moi, une « super-bonification » de 100 points à tout joueur qui le poserait sur sa grille ! (C'est le vœu le plus cher de tout scrabbleur de « scrabbler », au moins une fois dans sa vie, avec SCRABBLE !) Quelle serait la réaction de l'arbitre du jeu *Des chiffres et des lettres* si un concurrent annonçait « 8 lettres » avec SCRABBLE.

SÉLACIEN n. m.
(Au plur.) *Sous-classe de poissons marins à squelette cartilagineux, comprenant les* requins, *les* raies, *les* roussettes.
Accepté uniquement au *Scrabble.*
Anagrammes : CÂLINÉES, LINACÉES.

SÉMIE(S) n. f. Signe culturel étudié par la séméiologie. Ce mot est disparu du *P. L. I.* depuis l'édition 1975, mais est toujours valable, d'après le règlement actuel du *Scrabble.*
Anagrammes variées : ÉMIÉS, ÉMISE, MISÉE, SEIME ; ÉMISES, ÉMISSE (1re personne du singulier du subjonctif imparfait de ÉMETTRE), MESSIE, MISÉES, SEIMES, SÉISME.

SERTÃOS, SERTÕES. Le vrai pluriel de SERTÃO, n. m. (mot portugais du Brésil ; 1875), est SERTÕES d'après le *Grand Larousse encyclopédique.* Ni le *P. L. I.*, ni le *P. L. en couleurs* ne donnent ce pluriel. Donc ni au *Scrabble,* ni au jeu *Des chiffres et des lettres,* on ne peut l'employer, bien qu'il ne soit pas faux ! Seul SERTÃOS est accepté.
Anagrammes de *sertaos :* ESSORÂT, ROTASSE (verbes conjugués) ; de *sertões :* ŒSTRES, STÉRÉOS (si l'adjectif STÉRÉO est donné invariable dans le *P. L. I.*, le nom féminin ne l'est pas).

SERVITE. Membre d'un ordre religieux *(serviteurs de Marie)* établi en Italie en 1233. Ce nom masculin, présenté au pluriel dans le *P. L. I.* édition 1976, est disparu des éditions suivantes. Il est donc toujours valable au *Scrabble,* même *au singulier,* puisqu'il désigne des membres d'une association humaine (au même titre que LOLLARD, MARRANE, YANKEE, etc. [voir ces mots]) et que le règlement international autorise l'emploi au singulier de ces noms collectifs.
Nombreuses anagrammes, dont la plupart acceptables au jeu *Des chiffres et des lettres :* ÉTRIVES, RÉTIVES, REVÊTIS (verbe conjugué), REVÎTES (2e personne du pluriel du passé simple de REVOIR, v. tr.), RIVETÉS, VÉRISTE, VÉRITÉS, VITRÉES.

SIALS. Le SIAL, n. m. (premières syllabes de SI*licium* et AL*uminium*), est la partie superficielle de l'écorce terrestre, au-dessus du SIMA (SI*licium* et MA*gnésium*) et du NIFE (noyaux : NI*ckel* et FE*r*). Il est difficile d'imaginer ce mot employé au pluriel ! Les scrabbleurs ont toutefois décidé de lui attribuer le pluriel en S plutôt qu'en -AUX, puisque le *P. L. I.* n'indique pas n. m. invariable. De même, SIMAS et NIFES seraient acceptés au *Scrabble.*
Anagrammes : LISSA, SALIS, SISAL.
Voir le pluriel des noms en -AL à FOIRALS, FOIRAUX.

SIMILISÉ(S), E(S) adj. Soumis au similisage. Cet adjectif est disparu du *P. L. I.* depuis l'édition 1975, mais est toujours valable au *Scrabble,* d'après le règlement actuel.

SIRÉNIEN n. m.
(Au plur.) *Ordre de mammifères, voisins des cétacés, comprenant les* dugongs, *les* lamantins.
Accepté uniquement au *Scrabble.*

SKONS, SKUNS n. m. Voir SCONS.
Non valables au *Scrabble.*

SOUPIRÉE(S). Le verbe SOUPIRER est intransitif et transitif indirect dans le *P. L. I.* Dans le *Bescherelle,* il est aussi transitif. Effectivement, selon *Littré,* il peut s'employer transitivement, dans le style poétique et élevé, aux sens de : chanter sur le mode élégiaque, exprimer en soupirant, dire avec tendresse et mélancolie : *Qui de nous, Lamartine, et de notre jeunesse, / Ne sait par cœur ce chant, des amants adoré, / Qu'un soir, au bord du lac, tu nous a soupiré* (Musset, *Lettre à Lamartine*) ; *Les vers que je te soupire* (Verlaine, *Dans les limbes*) ; *Soupirer les malheurs de Sion* (Racine, *Esther*) ; *Il semblait soupirer ce qu'il avait perdu* (Corneille, *Rodogune*).
Donc ce participe passé est accepté au féminin au *Scrabble.* Au jeu *Des chiffres et des lettres,* il faudrait proposer l'anagramme SOUPIÈRE, qui rime, en « 9 lettres », avec POUSSIÈRE.

STEEPLE(S) n. m. Ce mot anglais figure en majuscules mais pas en caractères gras dans le *P. L. I.,* à l'entrée STEEPLE-CHASE, n. m., où il est écrit « on dit plus souvent STEEPLE ». Il n'est donc pas valable au *Scrabble,* mais serait accepté au jeu *Des chiffres et des lettres.*
Anagramme : PELTÉES.
STEEPLES n'a pas d'anagramme.

STOUPAS. STOUPA, autre graphie de STŪPA, est un *monument funéraire des cendres ou des reliques des bouddhas, aux Indes.* Le *P. L. I.* indique que STŪPA est un nom masculin invariable et que STOUPA est un nom masculin (variable). Dans le *Robert* en 6 volumes, les deux mots (écrits avec un accent circonflexe) sont invariables ; dans le *Petit Robert,* les deux mots sont variables : *sur les hauteurs, les stûpas et monastères bouddhistes* (Lévi-Strauss). Dans le *Littré* en 4 volumes ou dans le *Littré* abrégé, par A. Beaujean, les deux mots sont également variables en nombre.
Quoi qu'il en soit, au *Scrabble* comme au jeu *Des chiffres et des lettres,* seul STOUPA pourra prendre la marque du pluriel.
Anagramme : POUSSÂT.

STRIGIDÉ n. m.
(Au plur.) *Famille d'oiseaux rapaces nocturnes comprenant les* hiboux, *les* chouettes.
Accepté uniquement au *Scrabble.*

SUIDÉ n. m.
(Au plur.) *Famille de mammifères ongulés comprenant le* porc, *le* sanglier, *le* pécari.
Accepté uniquement au *Scrabble.*

SURGIE(S). Dans le *P. L. I.,* le verbe

SURGIR est intransitif, de même que dans le *Bescherelle.* Selon *Littré,* il se conjugue avec *avoir,* quand on veut marquer l'action : *la fontaine qui a surgi tout à coup ;* avec *être,* quand on veut marquer l'état : *cette fontaine est surgie depuis hier.* Le *Petit Robert* indique ce même fait, précise que la tournure avec l'auxiliaire *être* est littéraire et cite Théophile Gautier : *il est surgi... une théorie de petits champignons ;* et Georges Duhamel : *cinquante girls, surgies dans une lumière de féerie* (dans ce dernier exemple, le participe passé a, en fait, la valeur d'un simple adjectif qualificatif attribut).
Il est donc tout à fait légitime d'accepter ce participe passé au féminin, au *Scrabble.*
De même pour RESURGIR (qui signifie *surgir de nouveau*).
Anagrammes : GUÉRIS ; RUGISSE.

SURSISE(S). Dans le *P. L. I.,* le verbe SURSEOIR est transitif indirect : *surseoir à des poursuites.* Le *Bescherelle* le donne transitif et indique, au tableau de conjugaison 51, le participe passé SURSISE. En fait, si SURSEOIR s'emploie le plus souvent, surtout aujourd'hui, comme verbe transitif indirect, il est employé aussi (vieux dans le *Petit Robert* et dans le *Quillet-Flammarion*) transitivement, au sens de remettre pour un temps, différer, suspendre : *surseoir le payement d'une dette.*
On ne voit pas pourquoi le règlement international du *Scrabble* interdit le participe passé au féminin. Le *Bescherelle,* p. 70, indique avec raison le participe passé féminin SURSISE, puisque SURSEOIR est donné transitif p. 157. Le mieux serait que, dans cet ouvrage, le verbe SURSEOIR soit indiqué comme verbe transitif *et* transitif indirect, ce qui autoriserait son usage au *Scrabble,* à la forme du participe passé au féminin.
Anagrammes : RESSUIS, RÉUSSIS, SURISSE ; SURISSES, SURSISSE.

T

TABOUE(S). TABOU est n. m. mais aussi adjectif, parfois invariable en genre, indique le *P. L. I.* (ce qui laisse supposer que d'autres fois il est variable en genre). De fait, le *Robert* cite *des armes taboues* et fait remarquer que l'adjectif s'accorde généralement en genre et en nombre, mais que certains auteurs le donnent invariable : *... les choses de la chair restaient taboues pour moi* (Simone de Beauvoir, *Mémoires d'une jeune fille rangée*) ; *une maison d'édition dont tous les auteurs sont tabou* (Jean Giraudoux, *De pleins pouvoirs à sans pouvoirs*).
Malgré cela, TABOUE n'est pas admis au *Scrabble* parce que la marque du féminin -E ne figure pas dans le *P. L. I.* (comme pour NAZI). Il ne serait pas valable non plus au jeu *Des chiffres et des lettres* puisque le *P. L. en couleurs* le donne adjectif invariable (en genre).
Anagrammes : ABOUTÉ, ÉBOUTA ; ABOUTÉS, ABSOUTE, ÉBOUTAS.

TAF(S) n. m. Figure héraldique en forme de T, appelée aussi « croix de Saint-Antoine ». Ce mot figure en majuscules mais pas en caractères gras dans le *P. L. I.*, à l'entrée TAU, n. m. Il n'est donc pas accepté au *Scrabble*.
Anagramme : FAT ; FATS (à noter que FAT est n. et adj. masculin exclusivement).

TALAPOIN(S) n. m. Prêtre bouddhiste siamois. Ce mot est disparu du *P. L. I.* depuis l'édition 1975, mais est toujours valable au *Scrabble*, d'après le règlement actuel.

TAXACÉE n. f.
(Au plur.) *Famille de plantes gymnospermes comprenant les* ifs.
Accepté uniquement au *Scrabble*.

TENANTES. Bien que le *P. L. I.*, à l'entrée TENANT, E, adj., ne donne que l'expression *séance tenante*, on accepte au *Scrabble* cet adjectif au féminin pluriel. Au jeu *Des chiffres et des lettres*, ce mot, qui n'a pas d'anagramme, serait également valable.
Notons que les adjectifs suivants peuvent varier en genre et en nombre, bien qu'ils fassent partie, comme *tenante*, d'une expression toute faite dans le *P. L. I.* : COUCHANT, E ; COÛTANT, E ; TRAITANT, E ; etc.

TILIACÉE n. f.
(Au plur.) *Famille de dicotylédones ayant pour type le genre* tilleul.
Accepté uniquement au *Scrabble*.

TOMETTE(S) n. f. Cette autre graphie de TOMMETTE, n. f., figure en majuscules mais pas en caractères gras dans le *P. L. I.* Elle n'est donc pas acceptée au *Scrabble*, mais le serait au jeu *Des chiffres et des lettres*.

TONLIEUS. TONLIEU, n. m., est apparu au XIVe s. ; altération de *tolneu*, XIIe s. ; latin *teloneum*, grec *telônion*, « bureau du percepteur ». *Littré* donne une citation du XIIIe s., où TONLIEU prend un S au pluriel :

tailles et tonlieus [elle] assist au païs par maistrie, Berte. Le *Dictionnaire d'ancien français Larousse,* lui, donne une citation où TONLIEU prend un X au pluriel : *il faisoit lever les rentes, les tonlieux, les vinages* (Froissart, XIVe s.).
En fait, TONLIEUS n'est pas admis au *Scrabble,* ce qui est d'autant plus regrettable qu'il n'a pas d'anagramme ! TONLIEUX est bien entendu accepté.

TORERO(S). Ce nom masculin (terme espagnol pour *toréador*) figure en majuscules mais pas en caractères gras dans le *P. L. I.,* à l'entrée TORÉADOR. Il n'est donc pas valable au *Scrabble,* mais serait accepté au jeu *Des chiffres et des lettres.*
Anagrammes : ROOTER ; ROOTERS.

TRÉMATÉE(S). Dans le *P. L. I.,* le verbe TRÉMATER est intransitif. Malheureusement, il ne figure pas dans le *Bescherelle,* et, pour cette raison, le participe passé au féminin ne peut pas être accepté au *Scrabble.* Pourtant plusieurs dictionnaires le donnent transitif : dans le *Grand Larousse encyclopédique,* dans le *Littré,* dans le *Nouveau Dictionnaire national* de Bescherelle Aîné, etc., il est tr. et intr. ; dans le *Robert* en 6 volumes, il est exclusivement tr. et signifie « dépasser un bateau sur une voie fluviale ».

TRIBAL, TRIBAUX. Le *P. L. I.* ne donne pas le masculin pluriel de l'adjectif TRIBAL. Pourtant ce pluriel existe : le *Littré* et le *Nouveau Dictionnaire national* de Bescherelle Aîné donnent TRIBALS ; le *Lexis* et le *Petit Robert* donnent TRIBAUX. Quant au *Grévisse* (§ 358, remarque 3), il note qu'un usage à peu près établi donne un pluriel masculin en -ALS à l'adjectif TRIBAL, ainsi qu'à BANCAL, FATAL, FINAL, NAVAL et TONAL.
Quoi qu'il en soit, les deux formes du pluriel de TRIBAL sont autorisées pour les scrabbleurs. Voir la règle des adjectifs en -AL à MARIALS-MARIAUX.

TRICHÉE(S). Dans le *P. L. I.,* le verbe TRICHER est intransitif. Dans le *Bescherelle,* il est aussi transitif. En fait, ce verbe s'emploie surtout intransitivement. Son emploi transitif est vieux, dit le *Robert : tricher quelqu'un,* c'est le tromper, en jouant : *j'eus toutes les peines du monde à lui faire apercevoir que je le trichais* (Rousseau) ; [*Elles*]... *lui apprennent le « pigeon-vole » japonais — et le trichent — et se disputent — et se pâment de rire* (P. Loti, *Madame Chrysanthème*).
Donc, ce participe passé au féminin est accepté au *Scrabble.* Au jeu *Des chiffres et des lettres,* il faudrait proposer les anagrammes CÉRITHE ou CÉRITHES. Autre anagramme en 8 lettres : CHÉRÎTES (verbe conjugué).

TRISKÈLE(S) n. f. Figure en majuscules mais pas en caractères gras dans le *P. L. I.,* à l'entrée TRIQUÈTRE, n. f. Ce joli mot de « 8 lettres » est valable au jeu *Des chiffres et des lettres,* mais n'est pas accepté au *Scrabble.*

TUNICIER n. m.
(Au plur.) *Classe des protocordés, comprenant des animaux marins dont le corps est entouré d'une tunique en forme de sac, telles les* ascidies.
Accepté uniquement au *Scrabble.*

TURDIDÉ n. m.
(Au plur.) *Famille d'oiseaux passereaux comprenant les* merles, grives, rossignols, rouges-gorges, *etc.*
Accepté uniquement au *Scrabble.*

TUSSAH(S) ou TUSSAU(X) n. m.
Figurent en majuscules mais pas en caractères gras dans le *P. L. I.,* à l'entrée TUSSOR, n. m. (mot anglais emprunté à l'*hindī*), dont ils sont synonymes.

Ils ne sont donc pas valables au *Scrabble,* mais seraient acceptés au jeu *Des chiffres et des lettres.*

TYPHACÉE n. f.
(Au plur.) *Famille de plantes monocotylédones du bord des eaux, comprenant la* massette.
Accepté uniquement au *Scrabble.*

U

ULMACÉE n. f.
(Au plur.) *Famille de plantes dicotylédones apétales, comprenant le* micocoulier, *l'*orme.
Accepté uniquement au *Scrabble.*
Anagramme : MACULÉE, seule valable au jeu *Des chiffres et des lettres.*

ULSTER(S) n. m. Long pardessus d'hiver (du nom d'une province d'Irlande). Ce mot est disparu du *P. L. I.* depuis l'édition 1975, mais est toujours valable, d'après le règlement actuel du *Scrabble.*
Anagrammes : LUSTRE (ou LUSTRÉ) ; LUSTRES (ou LUSTRÉS).

UNETELLE(S). UNTEL, n. m. *Mot forgé pour désigner anonymement un individu ;* il s'écrit souvent avec une majuscule. Le *P. L. I.* fait remarquer que le féminin UNTELLE est parfois employé alors que le *P. L. en couleurs* note le féminin UNETELLE. C'est le *P. L en couleurs* qui a raison : le seul féminin correct et accepté au *Scrabble* et au jeu *Des chiffres et des lettres* est UNETELLE.
A noter que, ce mot n'étant pas invariable, on peut lui donner la marque du pluriel : *des familles Unetelles.*

URGES, URGEZ, URGEAI, URGEAS, URGIEZ, URGEAIS, URGERAI, URGERAS, URGEREZ, URGIONS, URGEÂMES, URGEASSE, URGEÂTES, URGERAIS, URGERIEZ, URGERONS, formes de conjugaison de URGER, v. intr. Ce verbe est entré dans le *P. L. I.* depuis l'édition 1977. Les scrabbleurs ont décidé de n'admettre pour URGER (à l'instar de RÉSULTER) que les formes aux 3es personnes du singulier et du pluriel : *il urge, ils urgent ; il urgeait, ils urgeaient ; il urgea, ils urgèrent ; il urgera, ils urgeront ; il urgerait, ils urgeraient ; qu'il urge, qu'ils urgent ; qu'il urgeât, qu'ils urgeassent ;* ainsi que *urger ; urgeant ; urgé.* Notons ces deux exemples : *c'est pas le moment de parler comme ça, ça urge l'histoire de la gosse* (Queneau) ; *Rien n'urgeait. Nous avions le temps* (É. Henriot). Donc ces 16 formes de conjugaison ne sont pas admises au *Scrabble.*
Anagrammes : *urges :* GRUES ; *urgeai :* AURIGE ; *urgeas :* ARGUÉS, RAGUES (tu), USAGER ; *urgeais :* AURIGES, SARIGUE ; *urgerai :* AGUERRI, AIGREUR, GUÉRIRA ; *urgeras :* RAGEURS ; *urgeâmes :* MARGEUSE, MAUGRÉES (tu), MESURAGE, REMUAGES ; *urgeasse :* RAGEUSES, RESSUAGE ; *urgeâtes :* TARGUÉES ; *urgerais :* AGUERRIS, AIGREURS, GUÉRIRAS ; *urgeriez :* GUÉRIREZ ; *urgerons :* ROGNEURS, ROGNURES, RONGEURS. Les 4 formes URGEZ, URGIEZ, URGEREZ, URGIONS n'ont pas d'anagramme.

URINÉE(S). Dans le *P. L. I.*, le verbe URINER est intransitif (alors que PISSER, synonyme populaire, est tr. et intr.). Dans le *Bescherelle,* il est aussi transitif. Dans quasiment tous les dictionnaires courants en un volume, il est donné intransitif ; de même dans le *Littré* en 4 volumes et le *Robert* en 6 volumes. Dans le *Grand Larousse encyclopédique,* il est exclusivement transitif. Pourquoi ne

pourrait-on pas dire, dans la langue médicale : *ce malade a uriné une pisse sanglante ?*
Donc, ce participe passé au féminin est accepté au *Scrabble ;* il ne le serait pas au jeu *Des chiffres et des lettres.*
Anagrammes : RÉUNIE, RUINÉE ; RÉUNIES, RUINÉES, SURINÉE.

URINEUX, URINEUSE adj. De la nature de l'urine. Cet adjectif est disparu du *P. L. I.* depuis l'édition 1977, mais est toujours valable au *Scrabble,* d'après le règlement actuel.
Anagrammes : RUINEUX ; RUINEUSE.

URODÈLE n. m.
(Au plur.) *Sous-classe de batraciens conservant leur queue à la métamorphose, comme les* tritons, *les* salamandres.
Accepté uniquement au *Scrabble.*
Anagramme : DÉROULÉ.

URSIDÉ n. m.
(Au plur.) *Famille de mammifères carnassiers comprenant les* ours, *le* panda.
Accepté uniquement au *Scrabble.*
Anagrammes : DISEUR, RÉDUIS (je ou tu), RÉSIDU.

V

VASARDE(S). Le mot VASARD, E, adjectif (qui signifie « vaseux » : *côte vasarde*), est disparu du *P. L. I.* depuis l'édition 1977, où il ne reste plus que l'entrée VASARD, n. m., *fond de vase molle*. Il n'empêche qu'il est toujours valable au *Scrabble*, d'après le règlement actuel.

VENTAUX est le seul pluriel valable de VENTAIL, n. m., synonyme de VENTAILLE, n. f. (la forme féminine était fréquente en ancien français). Il est donné dans le *Littré*, dans le *Robert* et dans le *Lexis*. Pour *ventaille*, le pluriel est VENTAILLES. Et pour *vantail*, n. m., le pluriel indiqué dans le *P. L. I.* est VANTAUX. Voir le pluriel des mots en -AIL à ÉMAILS.

VENTÔSES n. m. (Mois du calendrier républicain.) Voir AOÛTS. Pluriel refusé au *Scrabble*.

VIELLEUX n. Figure en majuscules mais pas en caractères gras dans le *P. L. I.*, à l'entrée VIELLEUR, EUSE, n., dont il est synonyme.
Ce mot n'est donc pas valable au *Scrabble*, mais serait accepté au jeu *Des chiffres et des lettres*.

VIPÉRIDÉ n. m.
(Au plur.) *Famille de serpents venimeux comprenant les différentes espèces de vipères* (aspic, péliade, céraste), *le* crotale, etc.
Accepté uniquement au *Scrabble*.

VOYOUTE(S). Dans le *P. L. I.* édition 1975, à l'entrée VOYOU, n. m., il est indiqué que ce mot fait parfois au féminin VOYOUTE, féminin qui a disparu dans les éditions suivantes. Néanmoins, il est toujours acceptable au *Scrabble*, d'après le règlement actuel. Dans le *P. L. en couleurs* édition 1977, ce féminin est encore indiqué ; s'il figurait dans la dernière édition en cours, il serait bien entendu valable au jeu *Des chiffres et des lettres*.
Rappelons qu'au *Scrabble*, tous les féminins mentionnés par le dictionnaire de référence sont valables, même ceux indiqués dans les commentaires d'un mot, comme CHOUTE, COPINE, PONETTE, TYPOTE, UNETELLE, YACHTWOMAN, etc.

VULGATES. Dans le *P. L. I.*, VULGATE, n. f., est renvoyé à la *Partie historique*. Dans le *Lexis*, ce mot est défini ainsi : *version latine des Livres saints, faite en grande partie par saint Jérôme, et qui fut déclarée authentique par le concile de Trente*. A partir du moment où VULGATE (figurant dans la partie langue du *P. L. I.*) n'est pas indiqué comme n. f. invariable, on ne voit pas pourquoi on ne pourrait pas lui rajouter un S au pluriel, même si l'initiale prend un V majuscule.
Donc ce pluriel est valable au *Scrabble*. Il le serait également au jeu *Des chiffres et des lettres*.

WYZ

WHISKIES. Le *P. L. I.* n'indique pas le pluriel de WHISKY, n. m., mot anglais, alors qu'il le donne pour LADY (LADIES) et pour MILADY (MILADYS). Le *Lexis* et le *Petit Robert* donnent le pluriel WHISKIES : *le lendemain matin fut pénible, sans doute à cause des whiskies de la veille* (F. Sagan, *Bonjour tristesse*). A côté de ce pluriel à la manière anglaise, on trouve le pluriel à la française, par ajout d'un S final : *des whiskys à l'eau* (J. Romains, *les Hommes de bonne volonté,* tome XX).
Quoi qu'il en soit, seul le pluriel à la française WHISKYS est accepté au *Scrabble.*
Si vous tirez EHIIKSSW, oserez-vous tenter « 8 lettres » au jeu *Des chiffres et des lettres :* WHISKIES ?
Voir aussi HOBBYS, LORRYS-LORRIES, NURSERYS.

YACHTMEN. Le *P. L. I.* donne YACHTMAN ou YACHTSMAN, n. m. ; au féminin : YACHTWOMAN ou YACHTSWOMAN ; au pluriel anglais : des YACHTSMEN et des YACHTSWOMEN. Le *Littré-Beaujean,* lui, donne YACHTMEN et YACHTWOMEN au pluriel. Ce pluriel logique de l'écriture YACHTMAN et YACHTWOMAN (sans le S intercalaire) doit être accepté au *Scrabble* et au jeu *Des chiffres et des lettres* — quel joli mot de « 8 lettres » ! —, d'autant plus qu'il n'y a pas d'anagramme.

YANKEE. Dans le *P. L. I.,* YANKEES est indiqué n. pl. et adj. Il est défini ainsi : *nom donné par les Anglais aux colons révoltés de la Nouvelle-Angleterre, puis par les sudistes aux nordistes et, depuis, appliqué aux habitants anglo-saxons des États-Unis.* Il représente donc un nom collectif de personnes et, à l'instar de LOLLARD, MARRANE, SERVITE (voir ces mots), on l'accepte *au singulier* au *Scrabble.* Au jeu *Des chiffres et des lettres,* en arguant du fait que, dans le *P. L. en couleurs* (comme dans le *P. L. I.* d'ailleurs), il n'est pas précisé si l'adjectif peut être singulier et pluriel (dans l'exemple donné, *mœurs yankees, yankees* est au pluriel parce que *mœurs* est un nom féminin pluriel), on doit accepter également YANKEE. A noter que YANKEE est présenté au singulier dans le *Lexis,* le *Littré,* le *Petit Robert* et le *Quillet-Flammarion.*

ZAGAIE(S) n. f. Cette autre graphie de SAGAIE, n. f. (de l'arabe *az-zaghāya*) est disparu du *P. L. I.* depuis l'édition 1975, mais est toujours valable, d'après le règlement actuel du *Scrabble.*
Pas d'anagramme.

BIBLIOGRAPHIE

LE NOUVEAU BESCHERELLE, l'Art de conjuguer ; Dictionnaire des 8000 verbes usuels, *Hatier,* nouvelle édition, 1977.

LE BON USAGE, Grammaire française avec des remarques sur la langue française d'aujourd'hui, par Maurice Grévisse, *éditions J. Duculot, S.A. Belgique,* 9e édition, 1969 ; 10e édition, 1975.

dictionnaires en un volume

PETIT LAROUSSE ILLUSTRÉ, éditions 1973, 1974, 1975, 1976, 1977, 1978.

PETIT LAROUSSE EN COULEURS, éditions 1977, 1978.

LEXIS, Larousse de la langue française, *Larousse,* 1975.

DICTIONNAIRE DU FRANÇAIS CONTEMPORAIN, *Larousse,* 1966.

PETIT ROBERT, Dictionnaire alphabétique et analogique de la langue française, par Paul Robert, *Société du Nouveau Littré,* nouvelle édition, 1977.

QUILLET-FLAMMARION, Dictionnaire usuel en couleurs par le texte et par l'image, éditions 1963 ; 1970.

DICTIONNAIRE DES VERBES FRANÇAIS, par J. et J.-P. Caput, *Larousse,* 1969.

DICTIONNAIRE D'ANCIEN FRANÇAIS, Moyen Âge et Renaissance, par R. Grandsaignes d'Hauterive, *Larousse,* 1947 ; 1964.

DICTIONNAIRE DES DIFFICULTÉS DE LA LANGUE FRANÇAISE, par Adolphe V. Thomas, *Larousse,* 1956 ; 1967.

DICTIONNAIRE DE LA LANGUE FRANÇAISE, par Émile Littré, abrégé par A. Beaujean. Révision et mise à jour de l'édition de 1960. *Éditions universitaires,* 1963.

NOUVEAU DICTIONNAIRE CLASSIQUE DE LA LANGUE FRANÇAISE, par Bescherelle Aîné et J.-A. Pons, Paris, 1868.

QUID 1978, *éditions Robert Laffont.*

TOUT EN UN, encyclopédie illustrée des connaissances humaines, *Hachette,* 1958.

dictionnaires en plusieurs volumes

GRAND LAROUSSE ENCYCLOPÉDIQUE, en 10 volumes + 2 suppléments, 1960.

DICTIONNAIRE ALPHABÉTIQUE ET ANALOGIQUE DE LA LANGUE FRANÇAISE, les mots et les associations d'idées, en 6 volumes + 1 supplément, par Paul Robert, *Société du Nouveau Littré,* 1976.

DICTIONNAIRE DE LA LANGUE FRANÇAISE, par Émile Littré, en 4 volumes, 1964.

NOUVEAU DICTIONNAIRE NATIONAL, ou Dictionnaire universel de la langue française, par Bescherelle Aîné, Paris, en 4 volumes, 1887.
Le même en 2 volumes, 1870 (14e édition).

DICTIONNAIRE GÉNÉRAL DE LA LANGUE FRANÇAISE, du commencement du XVIIe siècle jusqu'à nos jours, par Adolphe Hatzfeld et Arsène Darmesteter, en 2 volumes, *Delagrave,* 1964.

DICTIONNAIRE ANGLAIS-FRANÇAIS Harrap's New Standard, en 2 volumes, 1972.

Photocomposition M.C.P. — Fleury-les-Aubrais.

IMPRIMERIE HÉRISSEY. — 27000 - ÉVREUX.
Mai 1978. — Dépôt légal 1978-2e. — No 22120. — No de série Éditeur 8853.
IMPRIMÉ EN FRANCE *(Printed in France)*. — 029309-8-78.